Dictionnaire
de poche
des médicaments

Dans la même série

L. MANUILA/A. MANIULA
N. NICOULIN
Dictionnaire médical
de poche

Dictionnaire
de poche
des médicaments

par

V. FATTORUSSO

MASSON

Malgré l'attention qui a été portée à la réalisation de cet ouvrage, des erreurs matérielles ont pu se glisser dans le texte. L'auteur et l'éditeur remercient par avance le lecteur, si tel est le cas, de bien vouloir le leur signaler. Selon l'usage, ils rappellent qu'il appartient aux consommateurs et aux prescripteurs de s'assurer, notamment, que les informations contenues dans cet ouvrage sont bien conformes aux dernières spécifications des fabricants.

Il se peut qu'une spécialité vendue sans ordonnance puisse être, après décision ministérielle postérieure à l'impression du dictionnaire, inscrite sur une liste et uniquement délivrée sur ordonnance.

AVANT-PROPOS

Ce dictionnaire de poche est destiné au grand public, aux hommes et aux femmes d'aujourd'hui qui désirent être mieux informés sur les spécialités pharmaceutiques, aussi bien celles délivrées sans ordonnance que celles prescrites par un médecin.

Spécialités délivrées sans ordonnance: on trouvera dans le dictionnaire des renseignements sur leur composition et sur les conditions d'emploi, ainsi que des notes dans lesquelles l'auteur donne des avis sur l'efficacité des *principes actifs* et sur le bon usage des produits destinés à l'automédication.

Toute automédication doit être simple (de préférence en choisissant des spécialités ne contenant qu'un ou deux principes actifs) et de courte durée, au plus 5 jours. Si les troubles persistent ou s'aggravent, il faut arrêter le traitement et consulter un médecin. En outre, l'automédication est interdite chez la femme enceinte ou allaitant, le nouveau-né et le jeune enfant. Un produit qui a bien réussi à un proche ou à un ami peut être inefficace ou même dangereux pour quelqu'un d'autre. Il faut toujours lire attentivement la notice qui accompagne le produit et éventuellement demander conseil à un pharmacien ou à un médecin, sans oublier de leur indiquer tout autre traitement déjà en cours. Les médicaments doivent être conservés hors de portée des enfants, à l'abri de la chaleur, de la lumière directe et de l'humidité (en évitant la cuisine, la salle de bains et les toilettes).

Spécialités délivrées uniquement sur prescription médicale: les informations du dictionnaire tendent à faciliter le dialogue entre le médecin prescripteur et le patient dans un esprit de *partenariat.* L'époque de la prescription magistrale en latin est révolue; de plus en plus les patients désirent connaître les effets positifs et négatifs que l'on peut attendre d'un traitement médical ou chirurgical qui leur est proposé. Ils manifestent ainsi un désir de participer à la décision thérapeutique. Cette participation est très utile non seulement au stade de la décision, mais aussi pour le suivi du traitement où une meilleure information du patient contribue à la bonne observance de la prescription et à rendre plus efficace la surveillance du traitement par le médecin et par les autres membres de l'équipe soignante.

Un index alphabétique des *dénominations communes des principes actifs*[1] permet aussi de rechercher les noms des spécialités qui les contiennent et qui sont mentionnées dans le dictionnaire. Il se trouve aux pages 769 à 789.

Certains groupes de médicaments sont suffisamment homogènes pour que l'on puisse regrouper les renseignements sur un seul tableau au lieu de les répéter pour chaque spécialité. On trouvera l'index de ces tableaux à la fin du volume.

L'auteur tient à remercier M. Gino Levi, journaliste et ancien responsable des Services de l'Information au Siège de l'Organisation mondiale de la Santé à Genève, pour ses précieux conseils.

---

[1] Pour faciliter la communication tout comme l'étiquetage des médicaments dans le commerce international, il est essentiel d'identifier chaque principe actif par un nom générique unique et reconnu dans le monde entier. Depuis 1950, l'Organisation mondiale de la Santé a sélectionné et publié quelque 5000 Dénominations Communes Internationales (DCI). Ces dénominations sont acceptées officiellement par la plupart des pays.

QUELQUES DÉFINITIONS

Absorption gastro-intestinale : passage dans la circulation générale du principe actif d'un médicament administré par voie orale.

Biodisponibilité : concentration du principe actif obtenue dans le sang après administration d'une préparation pharmaceutique par voie orale.

Consommation pharmaceutique : commercialisation, distribution, prescription et utilisation des médicaments au sein d'une société donnée, plus particulièrement du point de vue de leurs conséquences médicales, sociales et économiques.

Effet indésirable : effet pharmacologique parallèle à l'effet thérapeutique désiré ; on dit aussi effet secondaire.

Tout médicament qui a des effets bénéfiques peut aussi provoquer des effets indésirables qui ne se manifestent pas chez tous les patients, mais qu'il faut surveiller et éventuellement signaler au médecin. Certains effets indésirables sont dus à des doses trop élevées ou à des prises trop fréquentes (consultez votre médecin ou votre pharmacien).

Effet toxique : effet indésirable lié à un surdosage absolu ou relatif, par exemple dans l'insuffisance rénale ou hépatique.

Efficacité : aptitude d'un médicament, évaluée au moyen des méthodes scientifiques, à produire l'effet visé.

Équivalence thérapeutique : le fait pour des produits pharmaceutiques différents de produire des effets thérapeutiques et/ou des effets toxiques essentiellement identiques.

Essai clinique contrôlé : essai au cours duquel le résultat thérapeutique d'un traitement est comparé à un autre traitement de référence ou à un *placebo* (substance inactive qui agit par un mécanisme psychologique lorsque le patient pense recevoir une substance active).

Excipient : tout constituant d'une forme pharmaceutique finie autre que le(s) principe(s) actif(s) indiqué(s).

Forme galénique ou pharmaceutique : forme sous laquelle se présente le produit fini, par exemple, comprimés, capsules, élixir, suppositoires.

Formulation d'un médicament : composition d'une forme pharmaceutique, les caractéristiques de ses matières premières et les opérations mises en œuvre pour son élaboration.

Homéopathie : méthode de traitement inventée par Samuel Hahnemann (1755-1843), dans laquelle on administre contre une maladie des remèdes susceptibles de produire des effets semblables à ceux que détermine la maladie elle-même (*similia similibus curantur*) ; un autre principe, c'est que l'activité de la substance présumée active s'accroît en proportion de sa dilution ; enfin, à chaque dilution de la substance, une agitation contrôlée dans son intensité et sa durée est effectuée (*dynamisation*).

QUELQUES DÉFINITIONS

Interactions médicamenteuses : interférences observées lorsque deux ou plusieurs médicaments sont administrés simultanément. Les interactions peuvent être favorables (l'association améliore le résultat thérapeutique global et/ou réduit les effets indésirables) ou défavorables (l'association diminue l'efficacité et/ou augmente les effets indésirables).

En raison des interactions possibles, certains médicaments ne doivent en aucun cas être associés; dans d'autres cas, l'association de deux médicaments peut demander un ajustement des doses ou d'autres précautions; par conséquent, il faut informer votre médecin et votre pharmacien si vous prenez ou avez pris récemment d'autres médicaments.

Médicament : toute substance entrant dans la composition d'un produit pharmaceutique et destinée à modifier ou explorer un système physiologique ou un état pathologique dans l'intérêt de la personne qui la reçoit.

Médicaments essentiels : médicaments dont l'efficacité thérapeutique est prouvée par des essais cliniques contrôlés, qui présentent des garanties suffisantes de sécurité et qui sont susceptibles de satisfaire aux besoins en matière de prévention et de traitement des maladies les plus répandues.

Observance : adhésion totale du malade aux instructions du médecin prescripteur (en anglais : "compliance").

Préparation pharmaceutique : forme pharmaceutique (comprimé, capsule, ampoule, suppositoire, etc.) contenant un ou plusieurs principes actifs ainsi que d'autres substances (excipients) incorporées au cours du processus de fabrication.

Principe actif : substance douée d'un effet pharmacologique défini.

Puissance : concept lié à la capacité d'une certaine quantité (dose) de principe actif à produire un effet pharmacologique donné.

Rapport avantage/risque : rapport des avantages et des risques résultant de l'emploi d'un médicament dans la pratique, compte tenu de la gravité et du pronostic de la maladie, des données concernant l'efficacité et la sécurité du médicament, des possibilités d'abus ou de mauvais usage du médicament.

C'est aussi un moyen d'exprimer une opinion sur le rôle du médicament dans le traitement ou la prévention de la maladie.

Cette notion peut être appliquée à un médicament unique ou bien lorsqu'on se propose de comparer plusieurs médicaments pour traiter la même affection.

Spécialité pharmaceutique : préparation pharmaceutique commercialisée par un fabricant dans un emballage donné et sous un nom de marque (®).

Abréviations :
Introd. en ... = mis sur le marché en ...
Non remb. SS = non remboursable par la Sécurité sociale.
Remb. SS = remboursé par la Sécurité sociale.

A

A 313® capsules
(Pharmadéveloppement)

Introd. en 1949. Liste I. Remb. SS 40%.
PRINCIPE ACTIF : **Rétinol**.
SYNONYME : **Vitamine A**.
ÉQUIVALENCE : 1 UI = 0,55 µg.
Préparations : capsules à 50.000 UI.
Emploi : carence en vitamine A.
Grossesse : ce médicament ne doit pas être utilisé chez la femme enceinte ou susceptible de l'être.
Effets indésirables possibles : l'utilisation prolongée ou répétée peut provoquer une hypervitaminose A.
Pour les détails → Vitamine A.
Note : prescrit sur ordonnance médicale.

A313® pommade
(Pharmadéveloppement)

Introd. en 1948. Remb. SS 40%.
PRINCIPES ACTIFS : pommade contenant du rétinol (vitamine A) et tyrothricine (antibiotique local).
Emploi : proposé dans les petites brûlures superficielles, les engelures, gerçures et crevasses susceptibles de surinfection.
Précautions : ne doit pas être utilisé chez l'enfant en bas âge, chez la femme enceinte ou susceptible de l'être ; ne pas appliquer sur des lésions suintantes ou infectées ; évitez l'utilisation prolongée ou répétée.
Effets indésirables possibles : réaction allergique à la tyrothricine ; l'utilisation prolongée ou répétée peut provoquer des signes d'hypervitaminose A (→ Vitamine A).
Note : vendu sans ordonnance ; à éviter en automédication comme tous les antibiotiques locaux.

ABBOTICINE® (Abbott)

Introd. en 1966. Liste I. Remb. SS 70%.
PRINCIPE ACTIF : **Erythromycine**.
Préparations : granulé pour sirop à 200 mg/5 ml (éthylsuccinate).
Emploi : antibiotique du groupe des macrolides largement utilisé par voie buccale ou en injections pour traiter les infections dues à des bactéries (inefficace dans les infections à virus) ; l'érythromycine peut remplacer la pénicilline ou les tétracyclines chez les sujets allergiques à ces médicaments.
Pour les détails → p. 415.
Note : prescrit sur ordonnance médicale.

ABEREL® (Cilag).

Introd. en 1977. Liste I. Non Remb. SS.
PRINCIPE ACTIF : **Trétinoïne**.
Préparations : gel dermique à 0,025% ; tampon imbibé à 0,05% ; solution pour application locale à 0,10%, 0,20% ou 0,30%.
Emploi : rétinoïde apparenté à la vitamine A (rétinol), la trétinoïne est utilisée en applications locales dans le traitement de certaines formes d'acné et dans d'autres affections de la peau (troubles de la kératinisation) ; elle a été proposée pour améliorer l'aspect de la peau lésée par une exposition chronique au soleil (sécurité à long terme non établie).
Pour les détails → Trétinoïne.
Note : prescrit sur ordonnance médicale.

ABI® (Médix)

Introd. en 1987. Non remb. SS.
PRINCIPES ACTIFS : émulsion pour application locale contenant de la trolamine, stéarate d'éthylèneglycol, palmitate de cétyle, acide stéarique, paraffine, perhydrosqualène, propylène glycol, alginate de trolamine et de sodium, huile d'avocat, sorbate de potassium, parahydroxybenzoate de méthyle et propyle sodé.
Emploi : en application locale dans les soins des brûlures et des plaies superficielles peu étendues.
Précautions : ne pas utiliser en cas de plaies hémorragiques ou de lésions allergiques
Effets indésirables possibles : réactivation des douleurs.
Note : vendu sans ordonnance ; consultez votre médecin si la lésion persiste ou s'aggrave.

ABIOSAN® (L'Arguenon)

Introd. en 1971. Liste I. Remb. SS 70%.
PRINCIPE ACTIF : **Tétracycline**.
Préparations : comprimés à 250 mg.
Emploi : antibiotique du groupe des tétracyclines employé dans le traitement des infections, notamment

infections uro-génitales et sexuellement transmissibles, et dans d'autres
affections déterminées.
Pour les détails → p. 672.
Note : prescrit sur ordonnance médicale.

ABRISCOR® (Sterling Midy)

PRINCIPE ACTIF : comprimés contenant
250 mg d'acide ascorbique.
Emploi : carences en vitamine C.
Pour les détails → Vitamine C.
*Note : vendu sans ordonnance; à éviter
en automédication (une carence en
vitamines ne peut être diagnostiquée
que par votre médecin).*

ABUFÈNE® (Doms-Adrian)

Introd. en 1965. Remb. SS 70%.
PRINCIPE ACTIF : *Alanine.*
SYNONYME : bêta-alanine.
Préparations : comprimés à 400 mg.
Emploi : acide aminé non essentiel pro-
posé dans le traitement des bouffées
de chaleur de la ménopause.
Posologie (adulte) : 1-2 comprimés par
jour pendant 5 à 10 jours.
*Note : vendu sans ordonnance; efficacité
du principe actif à confirmer dans
l'emploi proposé.*

ACADIONE® (Cassenne)

Introd. en 1988. Liste I. Remb. SS 70%.
PRINCIPE ACTIF : *Tiopronine.*
Préparations : comprimés à 250 mg.
Emploi : dérivé sulfhydrilé utilisé dans
le traitement de fond de la polyarthrite rhumatoïde évolutive lorsque la
radiologie met en évidence des
érosions cartilagineuses et osseuses
évolutives; en raison des effets indésirables graves, l'emploi est limité aux
cas résistants aux autres traitements;
comme les effets ne se manifestent
qu'au bout de 2-3 mois, il est important que vous continuez pendant ce
délai le traitement; si aucun résultat
n'est obtenu après ce délai, le traitement doit être interrompu.
Ce médicament est aussi utilisé pour
prévenir les calculs rénaux dans une
maladie rare, la cystinurie héréditaire; en effet, il forme avec la L-cystine
un dérivé soluble qui est éliminé dans
les urines; si vous prenez ce médicament pour prévenir les calculs rénaux
dans la cystinurie héréditaire, des
boissons très abondantes sont essen-

tielles; votre médecin peut demander des contrôles radiologiques périodiques pour surveiller la formation
éventuelle de calculs.
Pour les détails → p. 55.
Note : prescrit sur ordonnance médicale.

ACARDUST® (S.C.A.T.)

Non remb. SS.
PRINCIPES ACTIFS : aérosol contenant de
l'esbiol et butoxyde de pipéronyle.
Emploi : anti-acarien utilisé pour
détruire les acariens dans les literies
qui produisent des substances responsables de réactions allergiques à
la «poussière de maison».
Précautions : suivre le mode d'emploi
et les temps de pulvérisation mentionnés sur la notice contenue dans
l'étui; le sujet allergique ne doit pas
participer à la pulvérisation (risque
de dispersion des acariens) qui doit
être suivie d'un dépoussiérage à
l'aspirateur.
*Note : vendu sans ordonnance; efficacité
généralement reconnue dans l'emploi
proposé.*

ACDRIL® (Eurorga)

Introd. en 1971. Non remb. SS.
PRINCIPE ACTIF : *Arginine.*
Préparations : granulé à 250 mg par
sachet (acétylasparaginate).
Emploi : acide aminé proposé dans la
fatigue (ou asthénie fonctionnelle).
Posologie (adulte) : 2-3 sachets par jour
le matin.
Précautions : consultez votre médecin
si la fatigue persiste (il peut s'agir
d'une dépression ou d'une maladie
nécessitant un traitement spécifique)
ou en cas d'amaigrissement.
*Note : vendu sans ordonnance; efficacité
du principe actif à confirmer dans
l'emploi proposé.*

ACIDRINE® (Latéma)

Introd. en 1969. Liste II. Remb. SS 40%.
PRINCIPES ACTIFS : comprimés contenant
de la myrtécaïne (anesthésique local),
aminoacétate basique d'aluminium,
sulfate de galactane.
Emploi : proposé dans les douleurs au
cours des affections œsophagiennes
et gastriques.
Précautions : ne pas utiliser en cas
d'insuffisance rénale et de dialyse.

Effets indésirables possibles : retard ou diminution de la résorption d'autres médicaments pris par la bouche (respecter un intervalle d'au moins deux heures), constipation.
En cas de diabète : tenir compte de la teneur en sucre du produit.
Note : prescrit sur ordonnance médicale.

ACLACINOMYCINE®
(R. Bellon)

Introd. en 1982. Liste I. Remb. SS 100%.
PRINCIPE ACTIF : *Aclarubicine.*
Préparations : poudre pour solution injectable en flacons à 20 mg.
Emploi : médicament appartenant au groupe des anthracyclines utilisées pour traiter les proliférations cellulaires anormales et d'autres affections; ces médicaments agissent non seulement sur les cellules anormales, mais aussi sur les cellules normales, ce qui entraîne des effets indésirables qui se manifestent parfois longtemps après l'arrêt du traitement.
L'aclarubicine est utilisée en injections pour traiter les leucémies, la maladie de Hodgkin et d'autres tumeurs des ganglions lymphatiques.
Le principal effet indésirable est sa toxicité cardiaque.
Note : le traitement doit être pris en charge par un spécialiste.

ACLOSONE® (Schering-Plough)

Introd. en 1988. Liste I. Non remb. SS.
PRINCIPE ACTIF : *Alclométasone.*
Préparations : crème ou pommade à 0,5 pour mille.
Emploi : corticoïde non fluoré d'activité assez forte (classe III) utilisé en application locale pour soulager la douleur, le prurit et les signes d'inflammation et d'irritation de la peau, notamment dans l'eczéma et la dermatite allergique provoquée par le contact avec des plantes, métaux, produits de nettoyage, cosmétiques, etc. ainsi que dans les processus de lichénification.
Pour les détails → p. 205.
Note : prescrit sur ordonnance médicale.

ACNESTROL® (Devimy)

Introd. en 1968. Liste II. Remb. SS 70%.
PRINCIPES ACTIFS : émulsion pour application locale contenant du bropares-

trol (estrogène), pyridoxine (vitamine B6) et hexachlorophène (antiseptique local).
Emploi : proposé en traitement d'appoint de l'acné.
Note : prescrit sur ordonnance médicale.

ACSET® (Bio-Transfusion)

Introd. en 1992. Remb. SS 100%.
PRINCIPE ACTIF : *Facteur VII*
SYNONYME : proconvertine.
Préparations : poudre pour solution injectable en flacons à 2500 UI ou 5000 UI.
Emploi : fraction plasmatique utilisée pour prévenir et traiter les hémorragies chez les hémophiles A ou B avec anticorps anti-facteur VIII ou anti-facteur IX.
Conservation : entre +2°C et +8°C.
Note : le traitement doit être pris en charge par un spécialiste. Bien que toutes les précautions aient été prises, le risque de transmission de maladies infectieuses par les fractions plasmatiques ne peut pas être entièrement exclu.

ACTAPULGITE® (Beaufour)

Introd. en 1963. Remb. SS 70%.
PRINCIPE ACTIF : poudre orale contenant de l'attapulgite de Mormoiron (silicate d'aluminium et de magnésium naturel extrait d'un gisement situé dans le Vaucluse).
Emploi : proposé comme pansement intestinal dans les troubles coliques avec ballonnement (météorisme), dans les troubles de la digestion (dyspepsies) et les diarrhées aiguës.
Posologie (adulte) : 3 sachets par jour.
Précautions : consultez votre médecin si les troubles persistent et en cas de douleurs ou crampes abdominales, de selles noires, d'amaigrissement, de fièvre; ne pas utiliser en cas d'insuffisance rénale sévère; ne pas associer des tétracyclines.
En cas de diabète : tenir compte de la teneur en sucre du produit.
Effets indésirables possibles : retard ou diminution de la résorption d'autres médicaments pris par la bouche (respecter un intervalle d'au moins deux heures), constipation.
Note : vendu sans ordonnance; ne pas utiliser pendant plus de 5 jours sans avis médical.

ACTÉBRAL®
(Lab. Biol. de l'Ile de France)

Introd. en 1968. Non remb. SS.

PRINCIPE ACTIF : *Cyprodénate*.

Préparations : comprimés à 50 mg ou 100 mg.

Emploi : stimulant non spécifique proposé dans la fatigue (ou asthénie fonctionnelle).

Précautions : ne pas utiliser en cas d'épilepsie; consultez votre médecin si la fatigue persiste (il peut s'agir d'une dépression ou d'une autre maladie nécessitant un traitement spécifique) ou en cas d'amaigrissement.

Note : *vendu sans ordonnance; efficacité du principe actif à confirmer dans l'emploi proposé.*

Act-HIB® → Vaccin antihæmophilus b

ACTI 5® (P. Fabre)

Introd. en 1965. Non remb. SS.

PRINCIPES ACTIFS :

– ampoules buvables : déanol glutamate, ascorbate de sodium (vitamine C), para-aminobenzoate de magnésium, hespéridine, sorbitol;

– sirop : déanol glutamate, lysine, sorbitol, glucoheptonate de calcium, acide phosphorique.

Emploi : proposé dans la fatigue (ou asthénie fonctionnelle).

Posologie (adulte) : 2 ou 3 ampoules buvables par jour.

Précautions : ne pas utiliser en cas de grossesse, d'épilepsie et chez l'enfant de moins de 30 mois; consultez votre médecin si la fatigue persiste (il peut s'agir d'une dépression ou d'une autre maladie nécessitant un traitement spécifique) ou en cas d'amaigrissement.

Effets indésirables possibles : douleurs abdominales, diarrhées, insomnies, maux de tête.

En cas de diabète : tenir compte de la teneur en sucre du produit.

Note : *vendu sans ordonnance; efficacité des principes actifs à confirmer dans l'emploi proposé.*

ACTICARBINE® (Elerté)

Introd. en 1953. Remb. SS 40%.

PRINCIPES ACTIFS: comprimés contenant

– papavérine : alcaloïde de l'opium qui relâche les fibres musculaires lisses des viscères (antispasmodique musculotrope → p. 57);

– charbon activé: adsorbant intestinal.

Emploi : troubles de la digestion, ballonnements et diarrhées.

Posologie (adulte) : 1-2 dragées avant les 3 repas.

Précautions : ne pas utiliser en cas de douleurs ou de crampes abdominales d'origine indéterminée, de selles noires, d'amaigrissement, de jaunisse; consultez votre médecin si la diarrhée persiste après 48 heures, si des glaires et du sang apparaissent dans les selles; dans les diarrhées d'origine infectieuse dues à des bactéries ou à des protozoaires, les traitements spécifiques sont parfois indispensables; en outre, surtout chez l'enfant, la déshydratation qui accompagne toute diarrhée aiguë demande avant tout une réhydratation par voie orale ou par injection dans les cas graves.

Effets indésirables possibles: retard ou diminution de la résorption d'autres médicaments pris par la bouche (respecter un intervalle d'au moins deux heures), constipation.

Note : *vendu sans ordonnance; ne pas utiliser pendant plus de 5 jours sans avis médical.*

ACTIDILON® (Wellcome)

Introd. en 1965. Non remb. SS.

PRINCIPE ACTIF : *Triprolidine*.

Préparations : comprimés à 2,5 mg.

Emploi : antihistaminique utilisé pour prévenir et traiter les affections allergiques, notamment rhinites et conjonctivites allergiques, urticaire, rhume des foins; la triprolidine possède des propriétés légèrement sédatives et atropiniques; ne pas utiliser chez l'enfant âgé de moins de 12 ans.

Durée d'action : 8 à 12 heures.

Posologie (adulte) : 2-6 comprimés par jour en 2-3 prises.

Pour les détails → p. 45.

Note : *vendu sans ordonnance; efficacité généralement reconnue dans l'emploi proposé; tenir compte de l'effet sédatif.*

ACTIDILON® Crème
(Wellcome)

Introd. en 1965. Non remb. SS.

PRINCIPE ACTIF : crème contenant de la triprolidine (antihistaminique).

Emploi : proposé dans le traitement des affections cutanées d'origine allergique.

Note : *vendu sans ordonnance; préférez les comprimés, car la crème peut provoquer une réaction allergique locale.*

ACTIDILON® hydrocortisone
(Wellcome)

Introd. en 1965. Liste I. Non remb. SS.

PRINCIPES ACTIFS : crème contenant de la triprolidine (antihistaminique) et hydrocortisone (dermocorticoïde).

Emploi : proposé dans les affections de la peau inflammatoires, non suintantes, sans surinfection.

Pour les détails → 205.

Note : *prescrit sur ordonnance médicale.*

ACTIFED® (Wellcome)

Introd. en 1977. Non remb. SS.

PRINCIPES ACTIFS : comprimés et soluté buvable contenant
– triprolidine : antihistaminique, sédatif et atropinique (Actidilon®);
– pseudoéphédrine: vasoconstricteur;
– paracétamol : analgésique et antipyrétique à action périphérique.

Emploi : médicament «antirhume» proposé dans l'obstruction et l'hypersécrétion nasales.

Posologie (adulte) : 1 comprimé ou 2 cuillerées à café 3 fois par jour.

Précautions : ne pas utiliser en cas d'insuffisance respiratoire, de glaucome par fermeture de l'angle, d'adénome de la prostate, de fonctionnement excessif de la glande thyroïde (hyperthyroïdie), d'hypertension artérielle, d'angine de poitrine, de myasthénie, de grossesse, d'allaitement et en association avec les antidépresseurs IMAO; déconseillé chez les enfants de moins de 15 ans.

Sportifs : ce médicament peut donner une réaction positive en cas de tests pratiqués lors des contrôles antidopage.

Alcool : évitez les boissons alcoolisées pendant le traitement.

Conduite de véhicules : ce médicament peut diminuer la vigilance; la conduite de véhicules ou l'utilisation de machines peut être dangereuse.

Effets indésirables possibles :
– liés à la triprolidine : somnolence, sécheresse de la bouche, du nez et de la gorge, vision trouble, accélération du pouls, palpitations, bouffées de chaleur, nausées, constipation, difficulté à uriner (chez les prostatiques), confusion mentale ou agitation (sujets âgés);
– liés à la pseudoéphédrine : palpitations, accélération ou irrégularité du pouls, maux de tête, étourdissements, nervosité, insomnie, transpirations, tremblements;
– liés au paracétamol : respiration sifflante, éruption cutanée, urines orangées, jaunisse.

Intoxication : nausées, vomissements, pâleur, douleurs abdominales; hospitalisation dans les formes graves.

Note: *vendu sans ordonnance; déconseillé sans avis médical en raison des effets indésirables possibles.*

ACTILYSE®
(Boehringer Ingelheim)

Introd. en 1987. Liste I.

PRINCIPE ACTIF : **Altéplase.**

SYNONYMES : TPA; t-PA ou rt-PA, Tissue-Type Plasminogen Activator.

Préparations : poudre pour solution injectable en flacons à 20 mg ou 50 mg.

Emploi : utilisé en milieu hospitalier pour dissoudre les caillots de sang qui se sont formés dans certains vaisseaux, notamment du cœur et des poumons, et qui empêchent la circulation du sang.

Pour les détails → p. 681.

Note : *réservé aux hôpitaux.*

ACTIPHOS® (R. Bellon)

Introd. en 1943. Non remb. SS.

PRINCIPES ACTIFS : solution buvable contenant des phosphates acides de lithium, calcium, magnésium, manganèse, sodium et fer.

Emploi : proposé dans la fatigue (ou asthénie fonctionnelle).

Précautions : ne pas utiliser en cas de calculs urinaires, d'ulcère gastrique évolutif, d'insuffisance rénale; ne pas associer de sulfamides; consultez votre médecin si la fatigue persiste (il peut s'agir d'une dépression ou d'une autre maladie nécessitant un traitement spécifique) ou en cas d'amaigrissement.

Note : *vendu sans ordonnance; il s'agit d'un acidifiant urinaire qui doit être utilisé uniquement sous surveillance médicale.*

ACTISOUFRE® (Serozym)

Introd. en 1981. Remb. SS 40%.

PRINCIPES ACTIFS : solution buvable et solution nasale contenant du sulfure de sodium et levure.

Emploi : proposé dans les inflammations des voies respiratoires supérieures.

En cas de régime désodé : tenir compte de la teneur en sodium du produit.

Note : *vendu sans ordonnance; efficacité des principes actifs à confirmer dans l'emploi proposé.*

ACTISPIRINE® (Millot-Solac)

Introd. en 1988. Remb. SS 70%.

PRINCIPE ACTIF : *Aspirine*

Préparations : gélules à libération prolongée à 400 mg.

Emploi : l'aspirine est utilisée pour atténuer la douleur modérée *(analgésique)* et pour faire tomber la fièvre *(antipyrétique)*, par exemple dans les états grippaux; à dose élevée, elle diminue les douleurs rhumatismales ainsi que la raideur et la tuméfaction des articulations *(anti-inflammatoire)*; enfin, à dose faible, elle peut prévenir la formation de caillots sanguins dans les vaisseaux *(antiagrégant plaquettaire)*.

Précautions : ce médicament ne doit pas être utilisé en cas d'allergie à l'aspirine, d'asthme, d'ulcère gastroduodénal évolutif, de maladie grave du foie ou des reins, de maladie hémorragique ou de traitement anticoagulant, de grossesse et chez l'enfant de moins de 10 ans sans avis médical, notamment lorsqu'on soupçonne une grippe ou une varicelle.

Arrêtez le traitement et consultez votre médecin si les douleurs persistent après 5 jours ou si la fièvre ne régresse pas au bout de 3 jours, en cas de bourdonnements d'oreille, de

diminution de l'audition, de douleurs abdominales, de vomissements sanglants, de selles noires, de prurit, de crise d'asthme, d'urticaire ou de jaunisse.

Intoxication : conduire le malade d'urgence à l'hôpital en cas de prise massive accidentelle.

Pour les détails → Aspirine.

Note : *vendu sans ordonnance; l'efficacité de l'aspirine est généralement reconnue dans l'emploi proposé.*

ACTITONIC® (Amido)

Introd. en 1960. Non remb. SS.

PRINCIPES ACTIFS : solution buvable contenant des acides aminés (L-histidine et L-lysine), hydrogénophosphate de calcium, acide phosphorique.

Emploi : proposé dans la fatigue (ou asthénie fonctionnelle).

Posologie (adulte) : 1-3 ampoules buvables par jour.

Précautions : ne pas utiliser en cas de calculs urinaires, d'ulcère gastrique évolutif, d'insuffisance rénale en raison de l'acidification des urines causée par ce produit; consultez votre médecin si la fatigue persiste (il peut s'agir d'une dépression ou d'une maladie nécessitant un traitement spécifique) ou en cas d'amaigrissement.

Note : *vendu sans ordonnance; efficacité des principes actifs à confirmer dans l'emploi proposé.*

ACTIVAROL C® (Lipha Santé)

Introd. en 1960. Non remb. SS.

PRINCIPES ACTIFS : solution buvable contenant de l'hématoporphyrine, glycine, levures et acide ascorbique (vitamine C) 100 mg ou 500 mg.

Emploi : proposé dans la fatigue (ou asthénie fonctionnelle).

En cas de diabète : tenir compte de la teneur en sucre du produit.

Précautions : consultez votre médecin si la fatigue persiste (il peut s'agir d'une dépression ou d'une maladie qui peut demander un traitement spécifique) ou en cas d'amaigrissement.

Note : *vendu sans ordonnance; efficacité des principes actifs à confirmer dans l'emploi proposé.*

ACTOSOLV® (Hoechst)

Introd. en 1986. Liste I.

PRINCIPE ACTIF : **Urokinase**.

Préparations : lyophilisat pour solution injectable en flacons à 100.000 UI et à 600.000 UI.

Emploi : utilisé en milieu hospitalier pour dissoudre les caillots de sang qui se sont formés dans certains vaisseaux, notamment du cœur et des poumons, et qui empêchent la circulation du sang.

Pour les détails → p. 681.

Note : réservé aux hôpitaux.

ACTRAPID® → Insuline.

ACTRON® (Bayer Pharma)

Introd. en 1967. Non remb. SS.

PRINCIPES ACTIFS: comprimés contenant
– acide acétylsalicylique (aspirine) : analgésique et antipyrétique;
– paracétamol : analgésique et antipyrétique;
– caféine : stimulant central;
– carbonate de sodium, acide citrique.

Emploi : proposé pour atténuer la douleur modérée (*analgésique*) et pour faire tomber la fièvre (*antipyrétique*).

Posologie (adulte) : 1-2 comprimés par prise (max. 8 comprimés par jour).

Durée du traitement : consultez votre médecin si les douleurs persistent après 5 jours ou si la fièvre ou le mal de gorge ne régressent pas au bout de 3 jours.

Précautions : ce médicament ne doit pas être utilisé en cas d'allergie à l'aspirine, d'asthme, d'ulcère gastroduodénal évolutif, de maladie grave du foie ou des reins, de maladie hémorragique ou de traitement anticoagulant, de grossesse et chez l'enfant âgé de moins de 10 ans sans avis médical, notamment lorsqu'on soupçonne une grippe ou une varicelle.

Sportifs : ce médicament peut donner une réaction positive lors des tests pour contrôle antidopage.

Effets indésirables possibles : nausées, vomissements, brûlures d'estomac, bourdonnements d'oreille, baisse de l'audition, maux de tête; consultez votre médecin en cas de douleurs abdominales, de vomissements sanglants, de selles noires, d'asthme, de prurit, d'urticaire ou de jaunisse. L'usage prolongé peut entraîner des lésions aux reins.

Intoxication : conduire le malade d'urgence à l'hôpital en cas de prise massive accidentelle.

Note : vendu sans ordonnance; l'association de paracétamol et d'aspirine est inutile et la présence de caféine a peu d'intérêt dans l'emploi proposé.

ACUITEL® (Parke-Davis)

Introd. en 1990. Liste I. Remb. SS 70%.

PRINCIPE ACTIF : **Quinapril**.

Préparations : comprimés à 5 mg ou 20 mg.

Emploi : inhibiteur de l'enzyme de conversion utilisé pour traiter l'hypertension artérielle, éventuellement associé à un diurétique, ainsi que pour traiter l'insuffisance cardiaque congestive, rebelle aux digitaliques et aux diurétiques.

Pour les détails → p. 364.

Note : prescrit sur ordonnance médicale.

ACUPAN® (3M Santé)

Introd. en 1983. Liste I. Remb. SS 70%.

PRINCIPE ACTIF : **Néfopam**.

SYNONYME : fénazoxine.

Préparations : ampoules à 20 mg.

Emploi : analgésique utilisé en injections dans le traitement des douleurs d'intensité modérée.

Note : prescrit sur ordonnance médicale.

ADALATE® (Bayer Pharma)

Introd. en 1979. Liste I. Remb. SS 70%.

PRINCIPE ACTIF : **Nifédipine**.

Préparations : capsules à 10 mg; comprimés à libération prolongée à 20 mg (*Adalate LP®*); solution injectable par voie intracoronaire à 0,2 mg dans 2 ml (réservée aux hôpitaux).

Emploi : inhibiteur calcique utilisé pour prévenir les crises d'angine de poitrine (sensation de constriction douloureuse dans la poitrine pouvant irradier dans le bras gauche) et pour abaisser la tension artérielle en cas d'hypertension (antihypertenseur).

Pour les détails → p. 363.

Note : prescrit sur ordonnance médicale.

ADENA® (Innothéra)

Introd. en 1963. Non remb. SS.

PRINCIPES ACTIFS : comprimés roses contenant de l'acide désoxyribonucléique et citrate de magnésium et comprimés blancs contenant de l'acide ascorbique (vitamine C).

Emploi : proposé dans la fatigue.

Précautions : consultez votre médecin si la fatigue persiste (il peut s'agir d'une dépression ou d'une autre maladie nécessitant un traitement spécifique) ou en cas d'amaigrissement.

Note : vendu sans ordonnance; efficacité des principes actifs à confirmer dans l'emploi proposé.

ADÉNYL® (Wyeth)

Introd. en 1961. Remb. SS 40%.

PRINCIPE ACTIF: Phosphate d'adénosine.

SYNONYMES : monophosadénine, AMP.

Préparations : comprimés à 20 mg.

Emploi : «vasculoprotecteur» proposé dans le traitement des symptômes en rapport avec l'insuffisance veinolymphatique (jambes lourdes, etc.).

Précautions : consultez votre médecin en cas de suspicion de phlébite (jambes rouges et/ou chaudes, douloureuses, surtout si d'un seul côté et avec fièvre).

Note : vendu sans ordonnance; efficacité du principe actif à confirmer dans l'emploi proposé.

ADEPAL® → Contraception hormonale.

ADIAZINE® (Doms-Adrian)

Introd. en 1945. Liste I. Remb. SS 70%.

PRINCIPE ACTIF : Sulfadiazine.

SYNONYMES : sulphadiazine, sulfapyrimidine, sulfazine.

Préparations : comprimés à 0,5 g.

Emploi : sulfamide utilisé pour prévenir et traiter certaines maladies infectieuses, notamment les infections à méningocoques, la toxoplasmose et la nocardiose; le risque d'effets indésirables, notamment réactions cutanées, limite son emploi.

Pour les détails → p. 649.

Note : prescrit sur ordonnance médicale.

ADN HP® (Biostabilex-Urap)

Introd. en 1966. Non remb. SS.

PRINCIPE ACTIF : Acide désoxyribonucléique.

SYNONYMES : ADN, DNA.

Préparations (ADN Hautement Polymérisé) : comprimés à 150 mg; gel injectable ou pour application locale.

Posologie (adulte) : 2-4 comprimés par jour.

Propriétés : libère par hydrolyse adénine, guanine, cytosine, thymidine, acide phosphorique et désoxyribose.

Emploi : stimulant non spécifique proposé par voie buccale dans la fatigue et en injections intramusculaires dans la diminution du nombre des globules blancs dans le sang (leucopénie).

Précautions : consultez votre médecin si la fatigue persiste (il peut s'agir d'une dépression ou d'une maladie nécessitant un traitement spécifique) ou en cas d'amaigrissement.

Note : vendu sans ordonnance; efficacité du principe actif à confirmer dans l'emploi proposé.

ADRÉNALINE (Aguettant)

Introd. en 1967. Liste I. Non remb. SS.

PRINCIPE ACTIF : Epinéphrine.

Préparations :

– ampoules à 0,25 mg, 0,50 mg ou 1 mg dans 1 ml;

– ampoules à 0,25 mg + injecteur automatique.

Propriétés : hormone de la médullosurrénale actuellement produite par synthèse; prototype des sympathomimétiques complets, stimulant les récepteurs alpha- et bêta-adrénergiques.

Emploi : l'adrénaline est utilisée en injection

– sous-cutanée dans les réactions allergiques sévères provoquées par une piqûre d'insecte ou un médicament : choc anaphylactique, œdème de la glotte menaçant, œdème de Quincke grave (visage enflé, bouffissure des lèvres et des paupières, voix rauque, difficulté à respirer);

– intraveineuse en réanimation en cas d'arrêt cardio-respiratoire ou d'état de choc de toute nature.

Une ampoule d'adrénaline avec un injecteur automatique peut être fournie à titre de précaution aux sujets susceptibles de faire un choc anaphylactique aux piqûres d'insectes (frelon, guêpe, abeille) et qui sont éloignés de tout centre médical; ces sujets à risque peuvent ainsi s'injecter eux-mêmes ou se faire injecter l'adrénaline en cas de besoin.

Les signes avant-coureurs d'une réaction allergique grave sont :
– prurit généralisé avec rougeur de la peau (érythème);
– œdème des lèvres, des paupières, de la bouche et du pharynx;
– difficulté à respirer;
– transpirations profuses.

Le médecin qui prescrit l'ampoule d'adrénaline avec l'injecteur automatique doit expliquer exactement le mode d'emploi de l'appareil et les conditions de son utilisation.

Effets indésirables possibles : palpitations, accélération ou irrégularité du pouls, maux de tête, étourdissements, difficulté à respirer, nervosité, insomnie, transpirations, tremblements, hypertension artérielle.
Note : prescrit sur ordonnance médicale.

ADRÉNALONE tétracaïne
Guillon® (Pharmascience)

Introd. en 1955. Non remb. SS.

PRINCIPES ACTIFS : poudre pour application locale contenant de la tétracaïne (anesthésique local) et adrénalone (vasoconstricteur).
Emploi : proposé pour arrêter les hémorragies de surface.
Précautions : ne pas appliquer sur des plaies infectées.
Note : vendu sans ordonnance; à éviter en automédication.

ADRÉNOXYL® (Labaz)

Introd. en 1957. Remb. SS 70%.
PRINCIPE ACTIF : *Carbazochrome.*
Préparations : comprimés à 10 mg; ampoules injectables à 1,5 mg dans 3,6 ml et à 50 mg dans 10 ml.
Propriétés : ce médicament agirait en diminuant la perméabilité des vaisseaux et en augmentant la résistance capillaire; il n'a pas d'action sur la coagulation du sang.

Emploi : proposé pour traiter les hémorragies capillaires et pour diminuer les hémorragies au cours des interventions chirurgicales.
Note : le traitement doit être conduit sous surveillance médicale.

ADRIBLASTINE®
(Farmitalia C. Erba)

Introd. en 1974. Liste I. Remb. SS 100%.
PRINCIPE ACTIF : *Doxorubicine.*
SYNONYMES : adriamycine.
Préparations : poudre pour solution injectable en flacons à 10 mg, 20 mg, 50 mg ou 150 mg; solution injectable en flacons à 10 mg, 20 mg, 50 mg ou 200 mg.
Emploi : médicament appartenant au groupe des anthracyclines, utilisé en perfusion intraveineuse pour traiter les leucémies aiguës, les proliférations cellulaires anormales au niveau des ganglions lymphatiques (maladie de Hodgkin) et les tumeurs, notamment du poumon, du sein, de l'estomac, de la vessie, de la thyroïde et de l'ovaire, et d'autres affections déterminées par votre médecin.
Note : le traitement doit être pris en charge par un spécialiste.

ADVIL® (Whitehall).

Introd. en 1987. Remb. SS 70%.
PRINCIPE ACTIF : *Ibuprofène.*
Préparations : comprimés à 200 mg.
Emploi : proposé pour soulager les douleurs modérées (action analgésique), par exemple maux de tête, douleurs dentaires, douleurs menstruelles (dysménorrhées), et pour faire baisser la fièvre.
Pour les détails → p. 50.
Note : en cas d'automédication, lisez attentivement la notice qui accompagne le produit et consultez votre médecin si les douleurs persistent ou si la fièvre ne régresse pas au bout de 3 jours.

ADRIGYL® (Doms-Adrian)

Introd. en 1993. Remb. SS 70%.
PRINCIPE ACTIF : *Colécalciférol.*
SYNONYME : vitamine D3
Préparations : solution buvable contenant 300 UI par goutte.
Emploi → Vitamine D.
Note : le traitement doit être conduit sous surveillance médicale.

AÉINE® (Gallier)

Introd. en 1943. Non remb. SS.

PRINCIPES ACTIFS : comprimés contenant du phénobarbital (barbiturique) et un extrait d'aubépine.

Emploi : proposé comme somnifère et tranquillisant.

Note : vendu sans ordonnance; à éviter du fait de la présence de phénobarbital qui n'est pas recommandé en dehors du traitement de l'épilepsie.

AÉROCID® (Aérocid)

Introd. en 1934. Remb. SS 40%.

PRINCIPES ACTIFS: comprimés contenant des extraits d'ergot de seigle, de pancréas, de surrénale et de foie de porc.

Emploi : proposé dans les troubles de la digestion (dyspepsie).

Note : vendu sans ordonnance; efficacité des principes actifs à confirmer dans l'emploi proposé.

AÉROPHAGYL® (Monal)

Introd. en 1927. Non remb. SS.

PRINCIPES ACTIFS : comprimés contenant
– méthénamine : acidifiant et antiseptique urinaire;
– bromure de sodium : sédatif actuellement abandonné;
– acide citrique et carbonate de calcium.

Emploi : proposé dans les troubles digestifs, ballonnements (météorisme).

Précautions : ne pas utiliser en cas d'insuffisance rénale, de grossesse, ou d'allaitement; ne pas associer des sulfamides (risque de précipitations urinaires) ou des alcalinisants.

Alcool : évitez les boissons alcoolisées pendant le traitement (majoration de l'effet sédatif).

Conduite de véhicules : ce médicament peut diminuer la vigilance; la conduite de véhicules ou l'utilisation de machines peut être dangereuse.

Effets indésirables possibles : somnolence, troubles psychiques, éruptions cutanées en cas d'usage prolongé.

Note : vendu sans ordonnance; à éviter en raison de la présence de bromure de sodium; la méthénamine et les autres composants ont peu d'intérêt dans l'emploi proposé.

ÆTHONE®
(Lab. Biol. de l'Ile de France)

Introd. en 1913. Remb. SS 40%.

PRINCIPE ACTIF : **Ether de Kay**.

SYNONYME : orthoformiate d'éthyle.

Préparations : solution buvable.

Emploi : proposé dans le traitement des toux non productives.

Conduite de véhicules : ce médicament peut diminuer la vigilance; la conduite de véhicules ou l'utilisation de machines peut être dangereuse.

Note : vendu sans ordonnance; des principes actifs plus efficaces sont actuellement disponibles.

ÆTOXISCLÉROL® (Dexo)

Introd. en 1976. Liste II. Remb. SS 70%.

PRINCIPE ACTIF : **Polidocanol**.

SYNONYME : pistocaïne.

Préparations : solution injectable à 0,5%, 2% et 3%.

Emploi : sclérose des varices.

Effets indésirables possibles : des cas de réactions anaphylactiques ont été signalés.

Note : l'injection doit être pratiquée par un médecin expérimenté.

AFEBRYL® (Galephar)

Introd. en 1991. Remb. SS 70%.

PRINCIPES ACTIFS : comprimés effervescents contenant :
– acide acétylsalicylique (aspirine) : analgésique et antipyrétique;
– paracétamol : analgésique et antipyrétique;
– acide ascorbique (vitamine C).

Emploi : proposé pour atténuer la douleur modérée (*analgésique*) et pour faire tomber la fièvre (*antipyrétique*).

Durée du traitement : consultez votre médecin si les douleurs persistent après 5 jours ou si la fièvre ou le mal de gorge ne régressent pas au bout de 3 jours.

Précautions : ce médicament ne doit pas être utilisé en cas d'allergie à l'aspirine, d'asthme, d'ulcère gastroduodénal évolutif, de maladie grave du foie ou des reins, de maladie hémorragique ou de traitement anticoagulant, de grossesse et chez l'enfant de moins de 10 ans sans avis médical, notamment lorsqu'on soupçonne une grippe ou une varicelle.

Effets indésirables possibles : nausées, vomissements, brûlures d'estomac, bourdonnements d'oreille, baisse de l'audition, maux de tête; consultez votre médecin en cas de douleurs abdominales, de vomissements sanglants, de selles noires, de crise d'asthme, de prurit, d'urticaire ou de jaunisse; l'usage prolongé peut entraîner des lésions aux reins.

Note : vendu sans ordonnance; l'association de paracétamol et d'aspirine est inutile et la présence de vitamine C a peu d'intérêt dans l'emploi proposé.

AFÉRADOL® (Oberlin)

Introd. en 1983. Non remb. SS.

PRINCIPE ACTIF : *Paracétamol.*

Préparations : comprimés à 500 mg; comprimés effervescents à 500 mg.

Emploi : utilisé pour atténuer la douleur modérée *(analgésique)* et pour faire tomber la fièvre *(antipyrétique).*

Posologie (adulte) : 1-2 comprimés 1 à 3 fois par jour dans un grand verre d'eau.

Prise du médicament : ménagez un intervalle minimum de 4 heures entre deux prises.

Durée du traitement : consultez votre médecin si les douleurs persistent après 5 jours ou si la fièvre ou le mal de gorge ne régressent pas au bout de 3 jours.

Précautions : ce médicament ne doit pas être utilisé en cas d'insuffisance rénale, hépatique ou respiratoire, de déficit congénital en glucose-6-phosphate déhydrogénase ou G6PD (enzyme du globule rouge), de grossesse, d'allaitement et chez l'enfant âgé de moins de 7 ans.

Effets indésirables possibles : respiration sifflante, éruption cutanée, jaunisse.

Pour les détails → Paracétamol, p. 509.

Note : vendu sans ordonnance; l'efficacité du paracétamol est généralement reconnue dans l'emploi proposé.

AGATHOL® baume (Iderne)

Introd. en 1923. Non remb. SS.

PRINCIPES ACTIFS : pommade contenant des oxydes de zinc et de titane, baume du Pérou, crésylol.

Emploi : proposé dans les gerçures, engelures, crevasses, plaies et brûlures superficielles.

Effets indésirables possibles : réactions allergiques locales.

Note : vendu sans ordonnance; consultez votre médecin si la lésion persiste ou s'aggrave.

A-GRAM® (Inava)

Introd. en 1987. Liste I. Remb. SS 70%.

PRINCIPE ACTIF : *Amoxicilline.*

Préparations : gélules à 500 mg; poudre pour solution buvable à 125 mg, 250 mg ou 500 mg par cuillerée-mesure; poudre pour préparation injectable en flacons à 1 g.

Emploi : antibiotique du groupe des pénicillines A ayant un large spectre d'action contre les bactéries, mais inefficace contre les staphylocoques producteurs de pénicillinases.

L'amoxicilline est mieux absorbée par voie buccale que l'ampicilline et est éliminée surtout dans les urines (précautions en cas d'insuffisance rénale); signalez à votre médecin l'existence de toute maladie rénale (une réduction des doses peut être nécessaire).

Durée du traitement : elle est déterminée par votre médecin; l'interruption prématurée du traitement peut favoriser une rechute de l'infection.

Pour les détails → p. 520.

Note : prescrit sur ordonnance médicale.

AGRÉAL® (Delagrange)

Introd. en 1980. Liste I. Remb. SS 40%.

PRINCIPE ACTIF : *Véralipride.*

Préparations : gélules à 100 mg.

Emploi : neuroleptique du groupe des benzamides substitués proposé dans le traitement des bouffées vasomotrices et des manifestations psychiques de la ménopause.

Précautions : ne pas utiliser en période de prém[é]nopause, en cas d'hyperprolactinémie et de phéochromocytome (tumeur de la surrénale).

Conduite de véhicules : ce médicament peut diminuer la vigilance; la conduite de véhicules ou l'utilisation de machines peut être dangereuse.

Effets indésirables possibles : écoulement de lait par les mamelons (galactorrhée), prise de poids, sédation, mouvements involontaires (dyskinésies et syndrome parkinsonien).

Note : prescrit sur ordonnance médicale.

AGYRAX® (Vedim)

Introd. en 1992. Remb. SS 70%.

PRINCIPE ACTIF : *Méclozine.*

Emploi : antihistaminique ayant des effets sédatifs et atropiniques proposé pour traiter les vertiges; la durée du traitement doit être limitée à quelques jours.

Précautions : ne pas utiliser en cas de
– hypertrophie de la prostate (aggravation de la difficulté à uriner);
– glaucome à angle fermé;
– insuffisance cardiaque décompensée (risque d'aggravation);
– maladies du foie ou des reins (élimination diminuée en cas d'insuffisance hépatique ou rénale);
– épilepsie (risque d'aggravation des crises).

Conduite de véhicules : ce médicament peut diminuer la vigilance; dans ce cas, la conduite de véhicules ou l'utilisation de machines peut être dangereuse.

Effets indésirables possibles : somnolence, sécheresse de la bouche, du nez et de la gorge, vision trouble, accélération du pouls, palpitations, bouffées de chaleur, nausées, constipation, difficulté à uriner (chez les sujets prostatiques), confusion mentale ou agitation (sujets âgés).

Pour les détails → p. 45.

Note : vendu sans ordonnance; efficacité généralement reconnue dans l'emploi proposé; tenir compte de l'effet sédatif.

AIGLONYL® (Fumouze)

Introd. en 1984. Liste I. Remb. SS 70%.

PRINCIPE ACTIF : *Sulpiride.*

Préparations : gélules à 50 mg; solution buvable à 25 mg par cuillerée à café.

Emploi : neuroleptique du groupe des benzamides substitués utilisé pour traiter :

EN MÉDECINE GÉNÉRALE (DOSES FAIBLES) :
– états névrotiques avec inhibition;
– composante psychosomatique de la maladie ulcéreuse, rectocolite hémorragique, etc.;
– syndromes vertigineux.

EN PSYCHIATRIE (DOSES ÉLEVÉES) :
– dans les maladies mentales (psychoses) aiguës et chroniques.

Pour les détails → p. 468.

Note : prescrit sur ordonnance médicale.

AINSCRID LP® (Pharbiol)

Introd. en 1988. Liste I. Remb. SS 70%.

PRINCIPE ACTIF : *Indométacine.*

Préparations : gélules à libération prolongée à 75 mg.

Emploi : anti-inflammatoire non stéroïdien, du groupe des indoles, efficace mais relativement toxique, dont l'emploi est déconseillé dans les affections rhumatismales ou post-traumatiques spontanément régressives ou peu invalidantes.

Les anti-inflammatoires non stéroïdiens sont utilisés dans les inflammations douloureuses des articulations, des capsules articulaires, des muscles ou des tendons et dans d'autres affections déterminées par votre médecin; dans la polyarthrite rhumatoïde, la spondylarthrite ankylosante (maladie de Bechterew) et l'arthrose, l'indométacine atténue la douleur, la tuméfaction et la raideur des articulations, mais ne guérit pas la maladie; l'indométacine est aussi utilisée dans la crise de goutte aiguë.

Pour les détails → p. 50.

Note : prescrit sur ordonnance médicale.

AKINDEX® (Fournier)

Introd. en 1985. Non remb. SS.

PRINCIPE ACTIF : *Dextrométhorphane.*

Préparations : sirop à 5 mg par cuillerée à café (enfant) et 20 mg par gobelet (adulte).

Emploi : antitussif opiacé dérivé de la morphine, agissant sur le système nerveux central, utilisé pour calmer la toux irritative, sèche. Le dextrométhorphane a une action sédative modérée; l'apparition d'une dépendance est exceptionnelle, mais l'abus est possible chez les toxicomanes.

Précautions : ne pas utiliser en cas de toux grasse, d'insuffisance hépatique ou respiratoire, d'asthme, de grossesse, d'allaitement et chez les enfants âgés de moins de 15 ans (moins de 30 mois pour la forme pour enfant); évitez les boissons alcoolisées pendant le traitement; consultez votre médecin si la toux persiste, en cas de crachats sanglants, de fièvre, d'amaigrissement, d'éruption cutanée.

Conduite de véhicules : ce médicament peut diminuer la vigilance.

Sportifs : ce médicament peut donner une réaction positive en cas de tests pratiqués lors des contrôles antidopage.

Posologie (adulte) : 3-6 gobelets par jour.

Intoxication : hospitalisation d'urgence en cas de prise massive.

Pour les détails → p. 59.

Note : vendu sans ordonnance; efficacité généralement reconnue dans l'emploi proposé; ne pas utiliser chez l'enfant sans avis médical.

AKINÉTON RETARD® (Knoll)

Introd. en 1972. Liste I. Remb. SS 70%.

PRINCIPE ACTIF : *Bipéridène*.

Préparations : comprimés à 4 mg.

Emploi : atropinique de synthèse utilisé pour réduire le tremblement et la rigidité musculaire de la maladie de Parkinson; il est employé seul dans les formes débutantes de la maladie ou en association avec la lévodopa dans les formes plus avancées; il est aussi utilisé pour contrôler le torticolis spasmodique, les mouvements involontaires des yeux et le syndrome parkinsonien d'origine médicamenteuse observé au début du traitement par les neuroleptiques (dyskinésies «précoces»).

Pour les détails → p. 52.

Note : prescrit sur ordonnance médicale.

ALBATRAN® (Beaufour)

Introd. en 1974. Liste I. Remb. SS 40%.

PRINCIPE ACTIF : *Papavérine*.

Préparations : comprimés à 100 mg (codécarboxylate).

Emploi : alcaloïde de l'opium n'ayant pas d'action morphinique, la papavérine relâche les fibres musculaires lisses des vaisseaux (vasodilatateur) et des viscères (spasmolytique); en raison de son action directe sur les muscles lisses, la papavérine est un spasmolytiques dit «musculotrope»; elle est actuellement peu utilisée dans cette indication. La papavérine est proposée, sans preuve conclusive d'efficacité, dans le traitement des troubles de la sénescence cérébrale et de l'ischémie cochléo-vestibulaire, rétinienne et des membres inférieurs.

Dans certains pays, la papavérine est aussi utilisées en injections dans le corps caverneux pour traiter l'impuissance.

Pour les détails → p. 57.

Note : prescrit sur ordonnance médicale.

ALBAY® (Dome/Hollister-Stier)

Introd. en 1987. Remb. SS 70%.

PRINCIPES ACTIFS : poudre de venin de guêpes ou de venin d'abeilles pour solution injectable.

Emploi : préparations injectables utilisées pour le diagnostic et le traitement de l'hypersensibilité aux piqûres de guêpes ou d'abeilles.

Note : le traitement doit être pris en charge par un spécialiste.

ALBUMINE HUMAINE

Remb. SS 100%.

Albumine humaine à 4% et à 20% d'origine plasmatique (Bio-Transfusion).

Emploi : utilisée en perfusion intraveineuse pour rétablir le taux de protéines dans le sang en cas de brûlures ou d'état de choc, en chirurgie et dans d'autres affections déterminées par votre médecin.

Note : réservé aux hôpitaux. Bien que toutes les précautions aient été prises, le risque de transmission de maladies infectieuses par les fractions plasmatiques ne peut pas être entièrement exclu.

ALCAPHOR® (R. Bellon)

Introd. en 1971. Liste I. Non remb. SS.

PRINCIPE ACTIF : *Trométamol*.

SYNONYMES : THAM, trométhamine.

Préparations : solution buvable à 2,3 g ou 10 mmol par cuillerée à soupe [+ citrate de sodium et de potassium].

Emploi : alcalinisant urinaire utilisé pour prévenir et traiter les calculs urinaires formés d'urates et de cystine et dans d'autres affections déterminées par votre médecin.

Précautions : ne pas utiliser en cas d'insuffisance respiratoire, d'hypoglycémie, d'alcalose.

Surveillance : contrôle périodique du pH urinaire.

Note : prescrit sur ordonnance médicale.

ALCOR® (Amido)

Non remb. SS.

PRINCIPES ACTIFS : sirop contenant du benzoate de sodium, camphosulfonate de sodium, acide benzoïque, éphédrine (vasoconstricteur), eucalyptol, bromoforme, sirop d'opium, teinture d'aconit, de belladone, de jusquiame et de lobélie, eau de cerise.

Emploi : proposé dans le traitement des toux non productives.

Conduite de véhicules : ce médicament peut diminuer la vigilance; la conduite de véhicules ou l'utilisation de machines peut être dangereuse.

Note : vendu sans ordonnance; des principes actifs plus efficaces sont actuellement disponibles.

ALDACTAZINE® (Searle)

Introd. en 1964. Liste II. Remb. SS 70%.

PRINCIPES ACTIFS: comprimés contenant
– spironolactone (25 mg) : diurétique épargnant le potassium;
– altizide (15 mg) : diurétique thiazidique.

Emploi : association d'un diurétique dérivé de la thiazide (hydrochlorothiazide) et d'un diurétique distal (spironolactone) épargnant le potassium dans le but de limiter autant que possible les pertes potassiques indésirables. Ce médicament permet d'éliminer l'eau retenue dans l'organisme et de diminuer la pression artérielle lorsque celle-ci est trop élevée; il est utilisé pour traiter l'hypertension artérielle et les œdèmes.

Pour les détails → p. 232 et 233.

Note : prescrit sur ordonnance médicale.

ALDACTONE® (Searle)

Introd. en 1963. Liste II. Remb. SS 70%.

PRINCIPE ACTIF : *Spironolactone*.

SYNONYME : spirolactone.

Préparations : comprimés «microfine» à 50 mg ou 75 mg.

Emploi : médicament appartenant au groupe des diurétiques qui sont utilisés pour favoriser l'élimination de l'excès d'eau accumulée dans l'organisme (œdèmes); la spironolactone est un antagoniste de l'aldostérone; contrairement à d'autres diurétiques, la spironolactone ne provoque pas de pertes indésirables de potassium.

La spironolactone est utilisée :
– pour réduire les œdèmes cardiaques, cirrhotiques ou néphrotiques qui résistent à d'autres diurétiques, surtout si l'on soupçonne un hyper-aldostéronisme secondaire;
– comme adjuvant dans le traitement de l'hypertension artérielle essentielle en cas d'hypokaliémie (diminution du taux du potassium dans le sang) ou d'intolérance aux autres diurétiques;
– dans la myasthénie et la paralysie périodique familiale (en raison de son action hyperkaliémiante);
– dans l'œdème cyclique idiopathique;
– pour traiter l'augmentation excessive d'aldostérone (hyperaldostéronisme primaire ou syndrome de Conn).

En cas d'insuffisance rénale, les diurétiques épargnant le potassium peuvent causer une élévation dangereuse du taux de potassium dans le sang (hyperkaliémie).

L'action se manifeste entre le 3e et le 6e jour de traitement et persiste pendant 72 heures après l'arrêt.

Sportifs : ce médicament (ainsi que les autres diurétiques) se trouve sur la liste des dopants interdits (Ministère de la Jeunesse et des Sports); il donne une réaction positive lors des contrôles antidopage.

Pour les détails → p. 233.

Note : prescrit sur ordonnance médicale.

ALDÉCINE® (Byk)

Introd. en 1981. Liste I.

PRINCIPE ACTIF : *Béclométasone*.

Préparations :

Aérosol buccal et nasal à 50 µg par bouffée, 220 doses. Remb. SS 70%.

Aérosol nasal à 50 µg par bouffée, 120 doses. Remb. SS 40%.

Emploi : médicament apparenté à la cortisone (glucocorticoïde) ayant une action anti-inflammatoire et utilisé :
– en *inhalation buccale* (aérosol) pour prévenir la crise d'asthme; ce médicament n'est pas indiqué pour traiter la crise d'asthme isolée ou l'état de mal asthmatique;
– en *inhalation nasale* dans les rhinites allergiques et spasmodiques.

Pour les détails → p. 179.

Note : prescrit sur ordonnance médicale.

ALDOMET® (M., S. & D.-Chibret)

Introd. en 1974. Liste I. Remb. SS 70%.
PRINCIPE ACTIF : **Méthyldopa**.
SYNONYME : alphaméthyldopa.
Préparations : comprimés à 250 mg ou 500 mg.
Emploi : médicament appartenant au groupe des antihypertenseurs utilisés pour abaisser la tension artérielle en diminuant les impulsions nerveuses qui vont du cerveau au cœur et aux vaisseaux à travers les nerfs sympathiques; ces médicaments dilatent les vaisseaux, diminuent par conséquent la résistance au passage du sang et réduisent le travail cardiaque; le rythme cardiaque est ralenti (bradycardie). La méthyldopa est souvent associée à un diurétique.
Pour les détails → p. 47.
Note : prescrit sur ordonnance médicale.

ALEPSAL® (Génévrier)

Introd. en 1926. Liste II. Remb. SS 70%.
PRINCIPES ACTIFS: comprimés contenant du phénobarbital (15 mg, 50 mg, 100 mg ou 150 mg) et de la caféine (stimulant central).
Emploi : proposé pour traiter l'épilepsie (→ Phénobarbital) et les tremblements fonctionnels de l'adulte; la présence de caféine a peu d'intérêt dans l'emploi proposé.
Note : prescrit sur ordonnance médicale.

ALÉRION® (Gerbiol)

Introd. en 1987. Liste II. Remb. SS 40%.
PRINCIPE ACTIF : **Acide cromoglicique**
Préparations : solution nasale en flacon pulvérisateur (sel sodique).
Propriétés : l'acide cromoglicique agit sur certaines cellules appelées «mastocytes» en empêchant la libération des médiateurs chimiques de l'allergie.
Emploi : antiallergique utilisé en pulvérisations nasales dans le traitement des rhinites allergiques (rhume des foins).
Grossesse : l'innocuité de ce médicament n'ayant pas été établie chez la femme enceinte, son emploi est déconseillé par prudence.
Note : prescrit sur ordonnance médicale.

ALFARÉ® (Diétina)

Introd. en 1985.
Préparations : poudre orale contenant des nutriments rapidement absorbés, sels minéraux et vitamines.
Emploi : nutrition du nourrisson et de l'enfant.
Note : produit réservé aux hôpitaux.

ALFATIL® (Lilly)

Introd. en 1980. Liste I. Remb. SS 70%.
PRINCIPE ACTIF : **Céfaclor**.
Préparations: gélules à 250 mg; sachets à 125 mg ou 250 mg; suspension en flacon à 125 mg/dose et 250 mg/dose.
Emploi : antibiotique du groupe des céphalosporines (→ ce terme) utilisé pour traiter certaines infections.
Précautions : ne pas utiliser en cas d'allergie à la pénicilline, de grossesse ou d'allaitement.
Effets indésirables possibles : nausées, vomissements, diarrhées; prurit, urticaire, éruptions cutanées, boursouflure des paupières et des lèvres, voix rauque, difficulté à respirer ou à avaler (réaction allergique : arrêtez immédiatement le traitement).
Note : prescrit sur ordonnance médicale.

ALGÉSAL® suractivé (Latéma)

Introd. en 1964. Remb. SS 40%.
PRINCIPES ACTIFS : pommade contenant de la myrtécaïne (anesthésique local) et du salicylate de diéthylamine.
Emploi : proposé dans le traitement local des douleurs et contusions.
Précautions : ne doit pas être appliqué sur les plaies, dermatoses suintantes, eczéma, tissus infectés; ne pas utiliser en cas d'allergie à l'aspirine.
Effets indésirables possibles : eczéma de contact allergique.
Note : vendu sans ordonnance; consultez votre médecin si les douleurs persistent.

ALGICIDE® dentaire (Aérocid)

Non remb. SS.
Principes actifs : solution pour application locale contenant du butoforme, chloroforme, phénol, alcool de camphre, menthol, hydrate de chloral.
Emploi : douleurs dentaires.
Note : vendu sans ordonnance; consultez votre dentiste si les douleurs persistent ou une fièvre apparaît.

ALGICON® (Rorer)

Introd. en 1988. Remb. SS 70%.

PRINCIPES ACTIFS : suspension buvable contenant de l'hydroxyde d'aluminium, carbonate et alginate de magnésium, carbonate de calcium et de potassium.

Emploi : proposé pour neutraliser l'excès d'acidité et comme pansement gastrique dans le reflux gastro-œsophagien (liquide acide remontant dans la bouche).
En cas d'ulcère de l'estomac ou du duodénum, ce médicament ne doit être utilisé que sous surveillance médicale.

Posologie (adulte) : 2-4 cuillerées à café 3-4 fois par jour après les repas et éventuellement au coucher.

Précautions : consultez votre médecin si les troubles persistent et en cas de douleurs ou crampes abdominales, de selles noires, d'amaigrissement, de fièvre ; ne pas utiliser en cas d'insuffisance rénale sévère ; ne pas associer certains antibiotiques (tétracyclines).

Effets indésirables possibles : retard ou diminution de la résorption d'autres médicaments pris par la bouche (respecter un intervalle d'au moins deux heures), diarrhée.

En cas de diabète : tenir compte de la teneur en sucre du produit.

Note : vendu sans ordonnance ; ne pas utiliser pendant plus de 5 jours sans avis médical.

ALGIFÈNE® (Soekami-Lefrancq).

Introd. en 1991. Remb. SS 70%.

PRINCIPE ACTIF : *Ibuprofène*

Préparations : comprimés à 200 mg.

Emploi : proposé pour soulager les douleurs modérées (action analgésique), par exemple maux de tête, douleurs dentaires, douleurs menstruelles (dysménorrhées), et pour faire baisser la fièvre.

Pour les détails → p. 50.

Note : en cas d'automédication, lisez attentivement la notice qui accompagne le produit et consultez votre médecin si les douleurs persistent ou si la fièvre ne régresse pas au bout de 3 jours.

ALGIMAX® (Wyeth)

Introd. en 1969. Non remb. SS.

PRINCIPES ACTIFS : comprimés contenant aspirine (0,350 g), pyridoxine (vitamine B6), hydroxocobalamine (vitamine B12), thiamine (vitam. B1).

Emploi : proposé dans le traitement des névralgies et des douleurs rhumatismales ; en dehors des carences en vitamines du groupe B (qui ne peuvent être diagnostiquées que par votre médecin), l'emploi de vitamines n'est pas justifié pour traiter les syndromes douloureux.

Précautions : ce médicament ne doit pas être utilisé en cas d'allergie à l'aspirine, d'asthme, d'ulcère gastroduodénal évolutif, de maladie grave du foie ou des reins, de maladie hémorragique ou de traitement anticoagulant, de grossesse et chez l'enfant âgé de moins de 10 ans sans avis médical, notamment lorsqu'on soupçonne une grippe ou une varicelle.

Effets indésirables possibles : nausées, vomissements, brûlures d'estomac, bourdonnements d'oreille, baisse de l'audition, maux de tête ; consultez votre médecin en cas de douleurs abdominales, de vomissements sanglants, de selles noires, de crise d'asthme, de prurit, d'urticaire ou de coloration jaune de la peau et des yeux (jaunisse ou ictère).

Intoxication : conduire le malade à l'hôpital en cas de prise massive.

Note : vendu sans ordonnance ; l'efficacité de l'aspirine dans les douleurs modérées est généralement reconnue, mais la présence de vitamines a peu d'intérêt dans l'emploi proposé.

ALGINIC® (Monot)

Non remb. SS.

PRINCIPES ACTIFS : capsicine, huile de thym, salicylate de diéthylamine, nicotinate de méthyle.

Emploi : douleurs et contusions.

Précautions : ne doit pas être appliqué sur les plaies, dermatoses suintantes, eczéma, tissus infectés ; ne pas utiliser en cas d'allergie à l'aspirine.

Effets indésirables possibles : eczéma de contact allergique.

Note : vendu sans ordonnance ; consultez votre médecin si les troubles persistent.

ALGIPAN® (Sterling Midy)

Introd. en 1963. Non remb. SS.

PRINCIPES ACTIFS : crème contenant de la méphénésine (relaxant musculaire), nicotinate de méthyle, salicylate de glycol, dichlorhydrate d'histamine, capsicine.

Emploi : proposé dans le traitement local des douleurs d'origine musculaire, tendineuse ou ligamentaire et dans les contractures douloureuses.

Précautions : ne pas utiliser en cas d'allergie à l'aspirine.

Effets indésirables possibles : éruption cutanée allergique.

Note : vendu sans ordonnance; consultez votre médecin si les douleurs persistent.

ALGISEDAL® (Doms-Adrian)

Introd. en 1991. Remb. SS 70%.

PRINCIPES ACTIFS : comprimés contenant
– paracétamol (400 mg) : analgésique périphérique et antipyrétique;
– codéine (25 mg) : analgésique central (morphinique).

Emploi : proposé pour atténuer la douleur modérée (*analgésique*) et pour faire tomber la fièvre (*antipyrétique*).

Posologie (adulte) : 1-2 comprimés 1-3 fois par jour.

Durée du traitement : consultez votre médecin si les douleurs persistent après 5 jours ou si la fièvre ou le mal de gorge ne régressent pas au bout de 3 jours.

Précautions : ce médicament ne doit pas être utilisé en cas d'insuffisance hépatique, d'insuffisance respiratoire, de grossesse, d'allaitement et chez l'enfant âgé de moins de 15 ans; évitez l'association avec l'alcool, les tranquillisants et les somnifères.

Conduite de véhicules : ce médicament peut diminuer la vigilance et rendre dangereuse la conduite de véhicules.

Sportifs : ce médicament peut donner une réaction positive lors des tests pour contrôle antidopage.

Effets indésirables possibles :
– liés au paracétamol : respiration sifflante, éruptions cutanées, urines orangées, jaunisse;
– liés à la codéine : somnolence, vertiges, constipation.

Note : vendu sans ordonnance; efficacité des principes actifs généralement reconnue dans l'emploi proposé.

ALGISPIR® (Soekami-Lefrancq)

Introd. en 1992. Non remb. SS.

PRINCIPES ACTIFS : comprimés contenant

– aspirine ou acide acétylsalicylique (400 mg) : analgésique à action périphérique et antipyrétique;
– codéine (8 mg) : analgésique à action centrale «mineur» ayant aussi une action contre la toux et la diarrhée;
– acide ascorbique (vitamine C).

Emploi : proposé pour atténuer la douleur modérée (*analgésique*) et pour faire tomber la fièvre (*antipyrétique*).

Posologie (adulte) : 2-4 comprimés par jour.

Durée du traitement : consultez votre médecin si les douleurs persistent après 5 jours ou si la fièvre ou le mal de gorge ne régressent pas au bout de 3 jours.

Précautions : ce médicament ne doit pas être utilisé en cas d'ulcère gastroduodénal évolutif, de maladie hémorragique ou de traitement anticoagulant, d'insuffisance respiratoire, de grossesse et chez l'enfant âgé de moins de 10 ans sans avis médical.

Conduite de véhicules : ce médicament peut diminuer la vigilance; la conduite de véhicules ou l'utilisation de machines peut être dangereuse dans ce cas.

Sportifs : ce médicament peut donner une réaction positive en cas de tests pratiqués lors des contrôles antidopage.

Effets indésirables possibles :

– liés à la codéine : somnolence, vertiges, constipation;
– liés à l'aspirine : nausées, vomissements, douleurs gastriques, bourdonnements d'oreille, diminution de l'audition, maux de tête;
– consultez votre médecin en cas de douleurs abdominales, de vomissements sanglants, de selles noires, de crise d'asthme, de prurit, d'urticaire ou de jaunisse.

Note : vendu sans ordonnance; l'efficacité de l'aspirine et celle de la codéine sont généralement reconnues, mais la présence la vitamine C a peu d'intérêt dans l'emploi proposé.

ALGO-BUSCOPAN®
(Delagrange)

Introd. en 1964. Liste I. Remb. SS 40%.
PRINCIPES ACTIFS : comprimés, suppositoires et solution injectable contenant :
– métamizole sodique (noramidopyrine) : analgésique pyrazolé à action
  périphérique et antipyrétique à utiliser avec une extrême prudence en
  raison de sa toxicité potentielle;
– butylhyoscine bromure : alcaloïde
  de la belladone ayant une action
  antispasmodique, atropinique et sédative.
Emploi : proposé pour atténuer la
douleur modérée (analgésique) et
diminuer les spasmes des voies
biliaires et urinaires (spasmolytique).
Mise en garde : *l'apparition de fièvre,
d'angine ou d'ulcérations buccales et
l'augmentation de volume des ganglions
lymphatique du cou* peuvent être dues
à une diminution du nombre des
globules blancs dans le sang (agranulocytose parfois fatale); ces manifestations imposent l'arrêt du traitement
et une numération globulaire d'urgence; consultez immédiatement
votre médecin.
Note : prescrit sur ordonnance médicale.

ALGODOL® → Paracétamol.

ALGO-NÉVRITON®
(Pharmuka)

Introd. en 1962. Non remb. SS.
PRINCIPES ACTIFS: comprimés contenant
– acide acétylsalicylique (aspirine) :
  analgésique et antipyrétique;
– acétiamine (dérivé de la thiamine ou
  vitamine B1) : l'emploi dans certains
  syndromes douloureux (névralgies,
  rhumatismes ou névrites) indépendants de la carence en thïamine n'est
  pas justifié.
Emploi : proposé pour atténuer les
douleurs d'origine rhumatismale,
névritique et post-traumatique.
Posologie (adulte) : 1-2 comprimés 3
fois par jour.
Précautions : ce médicament ne doit
pas être utilisé en cas d'allergie à
l'aspirine, d'asthme, d'ulcère gastro-
duodénal évolutif, de maladie
hémorragique ou de traitement anticoagulant, de grossesse et chez l'en-

fant âgé de moins de 10 ans sans avis
médical.
Effets indésirables possibles : nausées,
vomissements, douleurs gastriques,
bourdonnements d'oreille, baisse de
l'audition, maux de tête; consultez
votre médecin en cas de douleurs
abdominales, de vomissements
sanglants, de selles noires, d'asthme,
de prurit, d'urticaire ou de jaunisse
(ou ictère).
Intoxication : conduire le malade à
l'hôpital en cas de prise massive
accidentelle.
*Note : vendu sans ordonnance; l'effica-
cité de l'aspirine est généralement
reconnue, mais la présence d'un dérivé
de la vitamine B_1 a peu d'intérêt.*

ALGOPHYTUM® (Herbaxt)

Introd. en 1993. Non remb. SS.
PRINCIPE ACTIF : capsules contenant un
extrait de *Harpagophyton*.
Emploi : proposé dans les douleurs
articulaires mineures.
*Note : vendu sans ordonnance; consultez
votre médecin si les douleurs persistent.*

ALGOSTÉRIL® (Brothier)

Introd. en 1991. Non remb. SS.
PRINCIPE ACTIF : compresses pour application locale contenant de l'alginate de calcium (hémostatique local).
Emploi : proposé pour arrêter le saignement d'une plaie superficielle.
Précautions : ne pas utiliser en cas de
traitement anticoagulant (le saignement peut être un signe de surdosage).
*Note : vendu sans ordonnance; consultez
votre médecin si le saignement persiste.*

ALGOTROPYL®
à la prométhazine (Théraplix)

Introd. en 1957. Remb. SS 70%.
PRINCIPES ACTIFS : suppositoires bébé et
enfant contenant :
– paracétamol : analgésique et antipyrétique;
– prométhazine : dérivé de la phénothiazine antihistaminique, sédatif et
  atropinique (Phénergan®).
Emploi : proposé pour traiter les
affections fébriles, douloureuses et
allergiques.
Précautions : ne pas utiliser chez le
nouveau-né, nourrisson et enfant âgé

de moins de 2 ans, en cas d'insuffisance hépatique ou rénale, de glaucome, d'obstruction urinaire ou de déficit héréditaire en G6PD (enzyme du globule rouge).

Effets indésirables possibles : risque d'arrêt respiratoire pendant le sommeil chez l'enfant de moins de 5 ans, éruption cutanée, somnolence, troubles respiratoires, jaunisse, urines orangées, saignement anormal.

Note : vendu sans ordonnance; à éviter sans avis médical à cause des effets indésirables possibles.

ALINAM® (Lucien)

Introd. en 1979. Liste II. Remb. SS 70%.
PRINCIPE ACTIF : **Chlormézanone**.
SYNONYME : chlorméthazanone.
Préparations : comprimés à 200 mg; suppositoires à 200 mg.
Emploi : médicament appartenant au groupe des relaxants musculaires ou myorelaxants; il agit sur le système nerveux central et est utilisé dans le traitement des contractures et spasmes musculaires douloureux (torticolis, lumbago, etc), en association avec le repos et la physiothérapie; il a aussi une action tranquillisante.
Pour les détails → p. 585.
Note : prescrit sur ordonnance médicale.

ALIPASE® (Cilag)

Introd. en 1988. Remb. SS à 70%.
PRINCIPES ACTIFS : gélules gastrorésistantes contenant des enzymes pancréatiques (origine : porc).
Propriétés : les enzymes pancréatiques naturelles servent à dégrader les protéines, les hydrates de carbone et les graisses des aliments et à les transformer en éléments assimilables.
Emploi : utilisé pour faciliter la digestion lorsque la sécrétion de ces enzymes est insuffisante, notamment dans la mucoviscidose; les effets ne se manifestent qu'après 2-3 mois d'utilisation quotidienne.
Précautions : ne pas utiliser en cas de pancréatite (inflammation du pancréas), d'allergie à la viande de porc; l'emploi est déconseillé en cas de grossesse et d'allaitement.
Effets indésirables possibles : nausées, crampes abdominales, vomissements, diarrhées chez les sujets hypersensibles aux extraits pancréatiques de porc; constipation en cas de surdosage.
Note : vendu sans ordonnance; à éviter en automédication (les enzymes pancréatiques ne sont utiles qu'en cas d'insuffisance pancréatique qui ne peut être diagnostiquée que par votre médecin).

ALKA-SELTZER® (Bayer)

Introd. en 1939. Non remb. SS.
PRINCIPES ACTIFS : comprimés effervescents contenant
– acide acétylsalicylique (aspirine) : analgésique et antipyrétique;
– bicarbonate de sodium et acide citrique.
Emploi : proposé pour traiter les maux de tête avec inconfort gastrique passager consécutif à des excès de table; les comprimés doivent être dissous dans l'eau.
Posologie (adulte) : faire dissoudre 1-2 comprimés dans de l'eau par prise (max. 8 comprimés par 24 heures).
Durée du traitement : ce médicament ne doit être pris qu'en cas de troubles occasionnels; si les troubles persistent ou récidivent fréquemment, consultez votre médecin.
Précautions : ne doit pas être utilisé en cas d'allergie à l'aspirine, d'asthme, d'ulcère gastro-duodénal évolutif, de maladie hémorragique ou traitement anticoagulant, de grossesse et chez l'enfant âgé de moins de 10 ans sans avis médical.
Effets indésirables possibles : nausées, vomissements, douleurs gastriques, bourdonnements d'oreille, baisse de l'audition, maux de tête, vertiges; consultez votre médecin en cas de douleurs abdominales, de vomissements sanglants, de selles noires, de crise d'asthme, de prurit, d'urticaire ou de jaunisse.
Intoxication : conduire le malade à l'hôpital en cas de prise massive.
Note : vendu sans ordonnance; l'aspirine est déconseillée pour traiter les troubles gastriques.

ALKÉNIDE® (Théraplix)

Introd. en 1962. Non remb. SS.
PRINCIPE ACTIF : **Poloxamère**.
SYNONYME : poloxamère 188.
Préparations : solution pour application locale et pour bain.

Emploi : antiseptique local proposé sous forme de savon liquide.
Effets indésirables possibles : eczéma de contact allergique.

ALKÉRAN® (Wellcome)

Introd. en 1966. Liste I. Remb. SS 100%.
PRINCIPE ACTIF : *Melphalan.*
SYNONYME : sarcolysine.
Préparations : comprimés à 2 mg.
Emploi : médicament appartenant au groupe des moutardes azotées, le melphalan agit sur les cellules tumorales, entravant leur croissance; il est utilisé pour traiter le myélome multiple (une tumeur de la moelle osseuse), les proliférations cellulaires anormales au niveau de l'ovaire et du sein et dans d'autres affections.
Note : le traitement doit être pris en charge par un spécialiste.

ALLERGA® (Delagrange)

Introd. en 1951. Non remb. SS.
PRINCIPE ACTIF : *Méfénidramium.*
Préparations : comprimés à 60 mg.
Emploi : antihistaminique utilisé pour prévenir et traiter les affections allergiques, notamment rhinites et conjonctivites allergiques, urticaire, rhume des foins; ce médicament a des propriétés sédatives et atropiniques; il est déconseillé chez l'enfant âgé de moins de 5 ans.
Pour les détails → p. 45.
Note : vendu sans ordonnance; efficacité généralement reconnue dans l'emploi proposé; tenir compte de l'effet sédatif.

ALLERGA® Crème (Delagrange)

Introd. en 1951. Non remb. SS.
PRINCIPE ACTIF : crème contenant 3% de méfénidramium (antihistaminique).
Emploi : proposé dans le traitement des affections cutanées allergiques.
Note : vendu sans ordonnance; préférez les comprimés car la crème peut provoquer une réaction allergique.

ALLERGAMMA® (Ass. Nat. p. la Distr. des Fract. Plasm.)

Introd. en 1985. Remb. SS 100%.
PRINCIPES ACTIFS : seringue prête à l'emploi contenant des immunoglobulines humaines antiallergiques d'origine plasmatique.

Emploi : injection intramusculaire proposée dans diverses manifestations allergiques (efficacité à confirmer).
Effets indésirables possibles : risque d'accidents d'intolérance (malaise, évanouissement, éruption cutanée).
Note : prescrit sur ordonnance médicale.

ALLERGEFON® (Lafon)

Introd. en 1962. Remb. SS 70%.
PRINCIPE ACTIF : *Carbinoxamine.*
Préparations : comprimés à 2 mg.
Emploi : antihistaminique utilisé pour prévenir et traiter les affections allergiques, notamment rhinites et conjonctivites allergiques, urticaire, rhume des foins; la carbinoxamine possède des propriétés sédatives et atropiniques. Chez l'enfant âgé de moins de 5 ans, tenir compte du risque d'arrêt respiratoire pendant le sommeil.
Posologie (adulte) : 1-2 comprimés 3 fois par jour.
Pour les détails → p. 45.
Note : vendu sans ordonnance; efficacité généralement reconnue dans l'emploi proposé; tenir compte de l'effet sédatif.

ALLERGÈNES

Allergènes DHS® (Dome/Hollister-Stier).
Allergènes Trolab® (Promedica).
Extraits allergéniques (Stallergènes).
Extraits allergéniques divers utilisés pour le diagnostic et le traitement des allergies par un médecin spécialiste.

ALLOCHRYSINE® Lumière (Sarbach)

Introd. en 1960. Liste I. Remb. SS 70%.
PRINCIPE ACTIF : *Aurotiopol.*
Préparations : ampoules à 25 mg, 50 mg ou 100 mg (30% d'or).
Emploi : l'aurotiopol est un composé contenant de l'or utilisé en injections intramusculaires dans le traitement de fond de la polyarthrite rhumatoïde de l'adulte lorsque la radiologie met en évidence des érosions cartilagineuses et osseuses évolutives; les sels d'or sont susceptibles de ralentir la progression de la maladie; leurs effets ne se manifestent éventuellement qu'au bout de 3 à 6 mois; ces médi-

caments sont relativement toxiques (surveillance régulière des effets indésirables) et leur efficacité reste à confirmer, surtout à long terme. La récidive est fréquente.

Pour les détails → p. 54.

Note : médicament prescrit sur ordonnance médicale.

ALLPYRAL®
(Dome/Hollister-Stier)

Introd. en 1973. Remb. SS 70%.

Extraits allergéniques divers utilisés pour le diagnostic et le traitement des allergies par un médecin spécialiste.

ALMIDE® (Alcon)

Introd. en 1991. Remb. SS 70%.

PRINCIPE ACTIF : *Lodoxamide.*

Préparations : collyre à 0,1%.

Emploi : collyre proposé dans les affections oculaires allergiques.

Précautions : ne pas utiliser chez l'enfant de moins de 4 ans, en cas de grossesse, d'allaitement ou si vous portez des lentilles de contact.

Note : vendu sans ordonnance; à éviter sans avis médical, comme tous les collyres.

ALODONT® (Parke-Davis)

Introd. en 1975. Remb. SS 40%.

PRINCIPES ACTIFS : solution pour bains de bouche et gargarismes contenant du cétylpyridinium, chlorobutanol, vératrol et eugénol.

Emploi : infections de la bouche.

Note : vendu sans ordonnance; ne pas utiliser pendant plus de 5 jours sans avis médical.

ALOPEXY® (P. Fabre)

Introd. en 1989. Liste II. Non remb. SS.

PRINCIPE ACTIF : solution de minoxidil pour application locale à 2%.

Emploi : traitement de la calvitie chez l'homme (alopécie androgénique) d'intensité modérée en application locale deux fois par jour.

Effets indésirables possibles : absorption du principe actif (vertiges, picotements, maux de tête, faiblesse, altération du goût, troubles de la vision).

Note : prescrit sur ordonnance médicale.

ALOPLASTINE®
(Lab. Biol. de l'Ile de France)

Introd. en 1929. Remb. SS 40%.

PRINCIPES ACTIFS : pâte à l'eau contenant de l'oxyde de zinc, glycérol et talc.

Aloplastine® acide : contient du glycérol et talc.

Emploi : proposé comme traitement d'appoint des eczémas, de la miliaire sudorale et de l'érythème fessier (fesses rouges) du nourrisson.

Note : vendu sans ordonnance; consultez votre médecin si les lésions persistent.

ALOPLASTINE® ichthyolée
(Lab. Biol. de l'Ile de France)

Introd. en 1939. Remb. SS 40%.

PRINCIPES ACTIFS : pâte à l'eau contenant ichthyolammonium, oxyde de zinc, glycérol et talc.

Emploi : proposé dans certaines formes d'eczéma.

Note : vendu sans ordonnance; à éviter en automédication.

ALOSTIL® (Clin Midy)

Introd. en 1987. Liste II. Non remb. SS.

PRINCIPE ACTIF : gel et solution de minoxidil pour application locale à 2%.

Emploi : traitement de la calvitie chez l'homme (alopécie androgénique) d'intensité modérée en application locale deux fois par jour.

Effets indésirables possibles : absorption du principe actif (vertiges, picotements, maux de tête, faiblesse, altération du goût, troubles visuels).

Note : prescrit sur ordonnance médicale.

ALPAGELLE® (Pharmascience)

Introd. en 1980. Non remb. SS.

PRINCIPES ACTIFS : crème contenant du chlorure de miristalkonium (spermicide) et de l'acide borique.

Emploi : proposé dans la contraception locale; on introduit la crème au fond du vagin en position allongée à l'aide d'un applicateur avant le rapport; la protection est partielle (diminue le risque de grossesse sans le supprimer) et dure environ 10 heures; pas de lavage 12 heures avant et dans l'heure qui suit les rapports.

Note : vendu sans ordonnance; efficacité généralement reconnue dans l'emploi proposé.

ALPHA 1-ANTITRYPSINE
(Bio-Transfusion)

Remb. SS 100%.
Préparations : poudre pour solution injectable en flacons à 1 g.
Propriétés : enzyme inhibant l'alpha-1-protéinase, d'origine plasmatique.
Emploi : traitement de l'emphysème pulmonaire par déficit congénital de cet enzyme.
Note : le traitement doit être pris en charge par un spécialiste.

ALPHACAÏNE® (Spad)

Introd. en 1981.
PRINCIPES ACTIFS : solution injectable contenant de l'articaïne (anesthésique local) et de l'épinéphrine (adrénaline).
Emploi : anesthésie locale dentaire.
Note : produit réservé aux stomatologistes et chirurgiens dentistes.

ALPHACHYMOTRYPSINE
(Choay)

Introd. en 1961. Remb. SS 40%.
PRINCIPE ACTIF : **Chymotrypsine**.
ORIGINE : substance obtenue à partir du pancréas de veau.
Préparations : comprimés à 21 μkat [1 μkat = 60 Unités]; pommade.
Emploi : enzyme protéolytique proposé dans les œdèmes post-traumatiques ou post-opératoires.
Précautions : la pommade ne doit pas être appliquée sur les plaies, dermatoses suintantes, eczéma, tissus infectés; risque de réaction allergique.
Note : vendu sans ordonnance; efficacité du principe actif à confirmer dans l'emploi proposé.

ALPHACUTANÉE® (Leurquin)

Introd. en 1962. Remb. SS 40%.
PRINCIPE ACTIF : **Chymotrypsine**.
Préparations : flacon-dose de 20 μkat [1 μkat = 60 Unités] pour application locale.
Emploi : enzyme protéolytique proposée dans les œdèmes post-traumatiques ou post-opératoires.
Précautions : ne doit pas être appliqué sur les plaies, dermatoses suintantes, eczéma, tissus infectés.
Note : vendu sans ordonnance; efficacité du principe actif à confirmer dans l'emploi proposé.

ALPHA-KADOL® (Clin Midy)

Introd. en 1969. Liste II. Remb. SS 40%.
PRINCIPES ACTIFS : pommade contenant de la chymotrypsine (enzyme) et de la phénylbutazone (anti-inflammatoire non stéroïdien).
Emploi : proposé comme anti-inflammatoire local dans les tendinites, arthrites des petites articulations, entorses, contusions, phlébites et dans d'autres conditions.
Précautions : ne doit pas être appliqué sur les plaies, dermatoses suintantes, eczéma, tissus infectés.
Note : prescrit sur ordonnance médicale.

ALPHINTERN® (Leurquin)

Introd. en 1964. Remb. SS 40%.
PRINCIPES ACTIFS : comprimés contenant de la chymotrypsine et de la trypsine (enzymes).
Emploi : proposé dans les œdèmes post-traumatiques ou post-opératoires.
Note : vendu sans ordonnance; efficacité des principes actifs à confirmer dans l'emploi proposé.

ALPHOSYL® (Stafford-Miller)

Introd. en 1984. Non remb. SS.
PRINCIPES ACTIFS : crème contenant un extrait de goudron de houille et de l'allantoïne.
Emploi : proposé dans le traitement local d'appoint du psoriasis.
Note : vendu sans ordonnance; à éviter en automédication.

ALPRESS® → Minipress®.

ALTIM® (Roussel)

Introd. en 1973. Liste I. Remb. SS 70%.
PRINCIPE ACTIF : **Cortivazol**.
Préparations : suspension injectable en seringue préremplie à 3,75 mg.
Emploi : dérivé de la cortisone (glucocorticoïde) utilisé en injections locales, notamment :
– *Injections intra-articulaires* : arthrites inflammatoires (sauf septiques), arthrose en poussée.
– *Injections péri-articulaires* : péri-arthrite scapulo-humérale ou de la

hanche, bursites, tendinites, ténosynovites, syndrome du canal carpien,
épicondylites, talalgies.
– *Injections épidurales :* lombalgies,
sciatiques.

Pour les détails → p. 178.

Note : prescrit sur ordonnance médicale.

ALUCALM® (Sterling Midy)

Introd. en 1964. Non remb. SS.

PRINCIPES ACTIFS: comprimés contenant
un produit de condensation du
carbonate de sodium et de polyhydroxyaluminium avec le sorbitol.

Emploi : proposé pour neutraliser
l'excès d'acidité et comme pansement
gastrique en cas de brûlures de
l'estomac ; en cas d'ulcère de l'estomac ou du duodénum, ce médicament ne doit être utilisé que sous
surveillance médicale.

Prise du médicament : après les repas
et éventuellement au coucher.

Précautions :
– consultez votre médecin si les troubles persistent et en cas de douleurs
ou crampes abdominales, de selles
noires, d'amaigrissement, de fièvre ;
– ne pas utiliser en cas d'insuffisance
rénale sévère ;
– ne pas associer certains antibiotiques
(tétracyclines).

Effets indésirables possibles : retard ou
diminution de la résorption d'autres
médicaments pris par la bouche
(respecter un intervalle d'au moins
deux heures), diarrhées.

*Note : vendu sans ordonnance ; ne pas
utiliser pendant plus de 5 jours sans
avis médical.*

ALUCTYL® (Monal)

Introd. en 1952. Non remb. SS.

PRINCIPES ACTIFS : collutoire contenant
du lactate d'aluminium, glycérol et
des esters de l'acide parahydrobenzoïque.

Emploi : proposé dans les affections
inflammatoires de la bouche, de la
gorge et du pharynx.

Note : vendu sans ordonnance ; des principes actifs plus efficaces sont actuellement disponibles.

ALUPENT®
(Boehringer Ingelheim)

Introd. en 1966. Liste I. Remb. SS 70%.

PRINCIPE ACTIF : **Orciprénaline**.

SYNONYME : métaprotérénol.

Préparations : flacon pressurisé à 750
µg par bouffée ; comprimés à 20 mg.

Emploi : médicament appartenant au
groupe des bêtamimétiques qui agissent sur les récepteurs bêta-2 adrénergiques des muscles des bronches
(bronchodilatation) et de l'utérus
(action utérorelaxante). Les bêtamimétiques ou bêtastimulants font partie des sympathomimétiques.
L'orciprénaline est utilisée en inhalation (aérosol) pour traiter les crises
d'asthme et par voie orale dans le
traitement de fond de l'asthme et pour
prévenir l'asthme d'effort. Elle est
aussi utilisée par voie buccale pour
traiter le pouls lent permanent (bloc
auriculo-ventriculaire complet) avant
la pose d'un stimulateur et pour prévenir les syncopes du syndrome de
Stokes-Adams.

Pour les détails → p. 37.

Note : prescrit sur ordonnance médicale.

ALVITYL® (Latéma)

Introd. en 1959. Non remb. SS.

PRINCIPES ACTIFS : comprimés et sirop
contenant des vitamines A, B1, B2,
B5, B6, B12, C, D3, tocophérol,
nicotinamide, biotine, acide folique
(préparation polyvitaminée).

Emploi : proposé dans les «carences
vitaminiques multiples» ; ce médicament est inadéquat pour traiter des
carences spécifiques en vitamines ;
efficacité à confirmer dans les états de
fatigue passagers.

Posologie (adulte) : 1-2 comprimés par
jour chez l'adulte.

Précautions : utilisation prudente chez
l'enfant (en raison de la présence de
vitamines A et D), en cas de grossesse
et allaitement (en raison de la présence
de vitamine A) ; la présence en faible
dose de la vitamine B12 est insuffisante pour traiter une anémie, mais
suffisante pour en masquer les manifestations et retarder le diagnostic ;
consultez votre médecin si la fatigue
persiste (il peut s'agir d'une dépression ou d'une autre maladie nécessitant un traitement spécifique) ou en
cas d'amaigrissement.

Effets indésirables possibles : risque d'excès des vitamines A et D (vomissements, calculs rénaux, etc.) en cas d'utilisation prolongée.
Note : vendu sans ordonnance; à éviter en automédication (une carence en vitamines ne peut être diagnostiquée que par votre médecin).

AMBATROL®
(SmithKline Beecham)

Introd. en 1982. Liste II. Remb. SS 40%.
Commercialisé dans les DOM-TOM.
PRINCIPE ACTIF : *Nifuroxazide.*
Préparations : gélules à 200 mg; suspension buvable à 220 mg par 5 ml.
Emploi : antiseptique intestinal dérivé du nitrofurane proposé, en complément de la réhydratation, dans le traitement des diarrhées aiguës présumées d'origine bactérienne (sans selles sanglantes ou purulentes); en l'absence d'une altération de la muqueuse intestinale, ce médicament n'est pratiquement pas résorbé.
Précautions : ne pas utiliser en cas d'allergie au produit ou à un autre dérivé du nitrofurane, de maladies intestinales chroniques, grossesse et allaitement (innocuité non établie).
Alcool : l'alcool peut provoquer un malaise, des bouffées de chaleur, une rougeur de la face et du cou, une accélération du pouls (effet antabuse).
Durée du traitement : la durée du traitement ne doit pas dépasser 7 jours; si aucune amélioration ne se manifeste, on arrête le traitement après 3 jours.
Effets indésirables possibles : prurit, éruption cutanée (réaction allergique).
Note : prescrit sur ordonnance médicale.

AMÉTYCINE® (Choay)

Introd. en 1970. Liste I. Remb. SS 100%.
PRINCIPE ACTIF : *Mitomycine.*
Préparations : poudre pour solution injectable en flacons à 2 mg, 10 mg ou 20 mg.
Emploi : la mitomycine appartient au groupe des agents alkylants et est utilisée en injections pour traiter des proliférations cellulaires anormales au niveau de l'estomac, du pancréas, du côlon, du rectum, des glandes mammaires et dans d'autres affections déterminées par votre médecin.
Note : le traitement doit être pris en charge par un spécialiste.

AMICIC® (Faure)

Introd. en 1986. Remb. SS 70%.
PRINCIPES ACTIFS : collyre contenant une association d'acides aminés.
Emploi : proposé pour accélérer la cicatrisation des ulcères de la cornée.
Conservation : à utiliser dans les 15 jours après l'ouverture du flacon.
Note : vendu sans ordonnance; à éviter sans avis médical, comme tous les collyres.

AMIDAL® (Amido)

Non remb. SS.

PRINCIPES ACTIFS : suppositoires contenant lactate et citrate de bismuth, camphosulfonate de sodium.
Emploi : proposé comme antiseptique respiratoire.
Note : vendu sans ordonnance; efficacité des principes actifs à confirmer dans l'emploi proposé.

AMIKLIN® (Bristol-Myers Squibb)

Introd. en 1976. Liste I.
PRINCIPE ACTIF : *Amikacine.*
Préparations : poudre pour solution injectable en flacons à 250 mg ou 500 mg; forme pour enfant : solution injectable en flacons à 50 mg dans 1 ml.
Emploi : antibiotique du groupe des aminosides ou aminoglycosides utilisé en injections pour traiter des infections graves, souvent en association avec d'autres agents antibactériens; les effets indésirables les plus importants sont les troubles de l'ouïe et de l'équilibre par atteinte de l'oreille interne en cas de surdosage ou d'insuffisance rénale.
Pour les détails → tableau ci-contre.
Note : réservé aux hôpitaux.

AMINOSTAB® (Kabi Pharmacia)

Introd. en 1991.
PRINCIPES ACTIFS : solution injectable contenant une association d'acides aminés.
Emploi : la solution est employée pour l'alimentation artificielle parentérale.
Note : réservé aux hôpitaux.

Si vous utilisez l'une des spécialités suivantes contenant un antibiotique...

SPÉCIALITÉS CONTENANT UN ANTIBIOTIQUE DU GROUPE DES AMINOSIDES:

Amiklin® (Bristol-Myers Squibb).   *Icacine*® (Bristol-Myers Squibb).
Débékacyl® (R. Bellon).   *Kamycine*® (Bristol-Myers Squibb).
Gentalline® (Schering-Plough).   *Nebcine*® (Lilly).
Gentamicine Dakota®   *Nétromicine*® (Schering-Plough).
Gentamicine Panpharma®   *Sisolline*® (Schering-Plough).

Propriétés et emploi : ces antibiotiques appartiennent au groupe des *aminosides* ou aminoglycosides qui sont utilisés en injections pour traiter des infections graves, souvent en association avec d'autres agents antibactériens; les effets indésirables les plus importants sont les troubles de l'ouïe et de l'équilibre par atteinte de l'oreille interne en cas de surdosage ou d'insuffisance rénale.

Certains aminosides sont utilisés en applications locales sous forme de collyre, pommade ophtalmique et crème dermique; le développement de souches bactériennes résistantes est fréquent.

Allergie : informez votre médecin si vous avez déjà fait une réaction allergique ou inhabituelle à un antibiotique aminoside.

État de santé : vous devez informer votre médecin de toute affection susceptible de modifier les effets du médicament, notamment :
– maladies du rein (le taux de l'antibiotique dans le sang peut être élevé, ce qui entraîne des effets indésirables graves); la réduction des doses est nécessaire;
– troubles de l'ouïe et/ou de l'équilibre (peuvent être aggravés par ce médicament);
– myasthénie (risque d'aggravation de la faiblesse musculaire).

Grossesse : l'utilisation en injection est déconseillée pendant la grossesse à cause du risque potentiel d'atteinte de l'oreille interne du fœtus.

Allaitement : l'utilisation en injection est déconseillée en raison du passage dans le lait maternel.

Sujets âgés : doses réduites (risque accru d'effets indésirables).

Interactions : il faut informer votre médecin si vous prenez ou avez pris récemment d'autres médicaments, notamment :
– autres aminosides en injection ou en application locale (l'association de deux aminosides augmente le risque d'effets indésirables);
– furosémide, acide étacrynique, céfaloridine, ciclosporine, cisplatine, colistine, polymyxine B, vancomycine, myorelaxants (risque accru d'effets indésirables).

Durée du traitement : pour un traitement efficace de l'infection, il faut continuer l'utilisation selon la prescription du médecin, même si votre état s'améliore rapidement; en effet, un arrêt du traitement peut favoriser une rechute.

Une éventuelle impression de fatigue n'est pas due au traitement antibiotique, mais à l'infection elle-même; par conséquent, le fait de réduire les doses ou d'interrompre le traitement ne ferait que retarder la guérison.

Surveillance : pendant le traitement, qui d'habitude ne devrait pas dépasser 10 jours, il peut être nécessaire de contrôler la fonction rénale, l'ouïe, l'équilibre et éventuellement la concentration de l'antibiotique dans le sang.

Effets indésirables possibles :
– atteintes de l'oreille interne (troubles de l'ouïe et de l'équilibre) et du rein (insuffisance rénale) d'autant plus fréquentes et graves que les doses sont élevées et que l'élimination rénale de l'antibiotique est insuffisante;
– troubles de l'équilibre, vertiges;
– diminution de la production d'urine, urines troubles ou rouges, soif intense;
– maux de tête, somnolence;
– nausées, vomissements persistants;
– prurit, éruptions cutanées.

AMLOR® (Pfizer)

Introd. en 1992. Liste I. Remb. SS 70%.
PRINCIPE ACTIF : **Amlodipine**.
Préparations : gélules à 5 mg.
Emploi : médicament appartenant au groupe des inhibiteurs calciques (antagonistes calciques ou anticalciques), de la famille des dihydropyridines. Ces médicaments agissent en bloquant la pénétration du calcium à l'intérieur des cellules du cœur et des petites artères; la dilatation des vaisseaux qui en résulte entraîne une meilleure oxygénation du cœur dont le travail est allégé. L'amlodipine est utilisée pour prévenir les crises d'angine de poitrine (sensation de constriction douloureuse dans la poitrine pouvant irradier dans le bras gauche) et pour abaisser la tension artérielle en cas d'hypertension.
Pour les détails → p. 363.
Note : prescrit sur ordonnance médicale.

AMODEX® (Belmac)

Introd. en 1982. Liste I. Remb. SS 70%.
PRINCIPE ACTIF : **Amoxicilline**.
Préparations : gélules à 500 mg; poudre pour sirop à 250 mg ou 500 mg par cuillerée-mesure; poudre pour solution injectable en flacons à 1 g.
Emploi : antibiotique du groupe des aminopénicillines ayant un large spectre d'action contre les bactéries, mais inefficace contre les staphylocoques producteurs de pénicillinases; l'amoxicilline est mieux absorbée par voie buccale que l'ampicilline et est éliminée surtout dans les urines (précautions en cas d'insuffisance rénale); signalez à votre médecin toute maladie rénale (une réduction des doses est nécessaire).
Durée du traitement : elle est déterminée par votre médecin; l'interruption prématurée du traitement peut favoriser une rechute de l'infection.
Pour les détails → p. 520.
Note : prescrit sur ordonnance médicale.

AMOPHAR® (Pharbiol)

Introd. en 1991. Liste I. Remb. SS 70%.
PRINCIPE ACTIF : **Amoxicilline**.
Préparations : gélules à 500 mg; poudre pour sirop à 250 mg ou 500 mg par cuillerée-mesure.

Emploi : antibiotique du groupe des aminopénicillines ayant un large spectre d'action contre les bactéries, mais inefficace contre les staphylocoques producteurs de pénicillinases; l'amoxicilline est mieux absorbée par voie buccale que l'ampicilline et est éliminée surtout dans les urines; signalez à votre médecin l'existence de toute maladie rénale (une réduction des doses peut être nécessaire).
Durée du traitement : elle est déterminée par votre médecin; l'interruption prématurée du traitement peut favoriser une rechute de l'infection.
Pour les détails → p. 520.
Note : prescrit sur ordonnance médicale.

AMPECYCLAL® (Sarget)

Introd. en 1979. Remb. SS à 40%.
PRINCIPE ACTIF : gélules contenant de l'adénosine phosphate d'heptaminol.
Emploi : proposé dans le traitement des symptômes en rapport avec l'insuffisance veineuse et lymphatique (jambes lourdes, etc.).
Posologie (adulte) : 1-2 gélules 3 fois par jour.
Précautions : consultez votre médecin en cas de suspicion de phlébite (jambes rouges et/ou chaudes, douloureuses, surtout si d'un seul côté et avec fièvre); ne pas utiliser en cas d'épilepsie, d'hypertension artérielle, de fonctionnement excessif de la glande thyroïde (hyperthyroïdie); ne pas associer des antidépresseurs IMAO (poussée hypertensive).
Sportifs : ce médicament peut donner une réaction positive lors des tests pour contrôle antidopage.
Effets indésirables possibles : douleurs d'estomac, nausées.
Note : vendu sans ordonnance; efficacité du principe actif à confirmer dans l'emploi proposé.

AMPHOCYCLINE®
comprimés
(Bristol-Myers Squibb)

Introd. en 1966. Liste I. Remb. SS 70%.
PRINCIPES ACTIFS: comprimés contenant
– amphotéricine B : antifongique (Fungizone®);
– tétracycline : antibiotique.

Emploi : proposé dans le traitement des infections où l'association de ces deux principes actifs est jugée indispensable, notamment les inflammations du vagin dues à la présence de champignons et de bactéries; ces agents envahissent aussi souvent l'intestin, d'où ils peuvent réinfecter le vagin.

Précautions, effets indésirables possibles : liés à chaque composante de l'association (→ Fungizone® p. 299 et Tétracyclines p. 672).

Note : prescrit sur ordonnance médicale.

AMPHOCYCLINE® ovule sec
(Bristol-Myers Squibb)

Introd. en 1968. Liste I. Remb. SS 70%.
PRINCIPES ACTIFS : ovules gynécologiques secs contenant
– amphotéricine B : antifongique (Fungizone®).
– tétracycline : antibiotique.

Emploi : proposé dans le traitement des vaginites à germes sensibles.

Durée du traitement : en général 12 jours (interrompre durant les règles).

Précautions : ne pas utiliser en cas de grossesse ou d'allergie antérieure à l'un des composants.

Note : prescrit sur ordonnance médicale.

AMPHOSCA® (Lehning)

Préparation homéopathique proposée dans la fatigue.

AMPHO-VACCIN® intestinal
(Millot-Solac)

Introd. en 1937. Remb. SS 40%.
PRINCIPES ACTIFS : solution buvable en ampoules contenant des germes tués (*Bifidobacterium, Escherichia coli, Streptococcus faecalis, Proteus vulgaris, Pseudomonas aeruginosa*).

Emploi : proposé dans les diarrhées.

Précautions : ne pas utiliser en cas de douleurs ou de crampes abdominales d'origine indéterminée, de selles noires, d'amaigrissement, de jaunisse; consultez votre médecin si la diarrhée persiste après 48 heures, si des glaires et du sang apparaissent dans les selles.

Note : vendu sans ordonnance; efficacité des principes actifs à confirmer dans l'emploi proposé.

AMPICILLINE (Panpharma)

Introd. en 1987. Liste I. Remb. SS 70%.
PRINCIPE ACTIF : *Ampicilline*.

Préparations : poudre pour solution injectable en flacons à 500 mg, 1 g ou 2 g (sel de sodium).

Propriétés : antibiotique du groupe des aminopénicillines ayant un large spectre d'action contre les bactéries, mais inefficace contre les staphylocoques producteurs de pénicillinases; l'ampicilline est éliminée surtout dans les urines (précautions en cas d'insuffisance rénale); signalez à votre médecin l'existence de toute maladie rénale (une réduction des doses peut être nécessaire).

Durée du traitement : elle est déterminée par votre médecin; l'interruption prématurée du traitement peut favoriser une rechute de l'infection.

Pour les détails → p. 520.

Note : réservé aux hôpitaux.

AMSIDINE® (Parke-Davis)

Introd. en 1982. Liste I.
PRINCIPE ACTIF : *Amsacrine*.

Préparations : ampoules injectables à 75 mg.

Emploi : médicament utilisé pour traiter certaines leucémies aiguës lymphatiques et myéloblastiques résistantes aux traitements conventionnels; comme pour les autres médicaments de ce type, les effets indésirables peuvent être sérieux.

Note : réservé aux hôpitaux.

AMYCOR® (Lipha Santé)

Introd. en 1987. Liste I. Remb. SS 70%.
PRINCIPE ACTIF : *Bifonazole*.

Préparations : crème dermique et solution pour application locale à 1%.

Emploi : dérivé imidazolé utilisé pour traiter les infections de la peau causées par les champignons ou des levures; il est aussi actif contre certaines bactéries, notamment staphylocoques et streptocoques; il est utilisé pour traiter les dermatophytoses de la peau glabre et des orteils (pied d'athlète), les teignes et d'autres affections.

Précautions : ne pas appliquer sur une grande surface, sur une peau lésée et chez le nourrisson (risque d'absorption du produit).

Effets indésirables possibles : irritation, sensation de brûlure ; éruption cutanée (réaction allergique : arrêtez immédiatement le traitement).
Note : *prescrit sur ordonnance médicale.*

ANABOLISANTS STÉROÏDIENS
→ Androgènes.

ANADOR® (Kabi Pharmacia)

Introd. en 1970. Liste II. Non remb. SS.
PRINCIPE ACTIF : *Nandrolone.*
SYNONYMES : norandrosténolone, nor-testostérone.
Préparations : ampoules injectables à 50 mg.
Emploi : médicament appartenant au groupe des anabolisants stéroïdiens (ou stéroïdes anabolisants) qui sont des dérivés de l'hormone sexuelle mâle (testostérone) dont ils conservent une certaine activité ; ces médicaments sont proposés pour favoriser la reconstitution des muscles dans les états de dénutrition, dans les brûlures étendues, les escarres, les suites d'interventions chirurgicales et dans certaines ostéoporoses.
Précautions, effets indésirables possibles → p. 31.
Note : *prescrit sur ordonnance médicale.*

ANAFRANIL® (Ciba-Geigy)

Introd. en 1967. Liste I. Remb. SS 70%.
PRINCIPE ACTIF : *Clomipramine.*
Préparations : comprimés à 10 mg, 25 mg ou 75 mg ; ampoules injectables à 25 mg dans 2 ml.
Emploi : antidépresseur du groupe des tricycliques utilisé pour traiter les états dépressifs de l'adulte et les névroses obsessionnelles. La clomipramine est aussi employée pour prévenir les attaques de panique, les troubles phobiques, l'agoraphobie et dans d'autres affections.
Pour les détails → p. 40.
Note : *prescrit sur ordonnance médicale.*

ANAHELP® (Stallergènes),
ANAKIT® (Dome/Hollister-Stier)

Introd. en 1987. Liste I. Non remb. SS.
PRINCIPE ACTIF : *Épinéphrine* ou *adrénaline.*
Préparations : ampoule à 1 mg + injecteur automatique.

Propriétés : hormone de la médullo-surrénale actuellement produite par synthèse ; prototype des *sympathomimétiques complets*, stimulant les récepteurs alpha- et bêta-adrénergiques.
Emploi : utilisée en injection
– sous-cutanée dans les réactions allergiques sévères provoquées par une piqûre d'insecte ou un médicament : choc anaphylactique, œdème de la glotte menaçant, œdème de Quincke grave (visage enflé, bouffissure des lèvres et des paupières, voix rauque, difficulté à respirer) ;
– intraveineuse en réanimation en cas d'arrêt cardio-respiratoire ou d'état de choc de toute nature.
Une ampoule d'adrénaline avec un injecteur automatique peut être fournie à titre de précaution aux sujets susceptibles de faire un choc anaphylactique aux piqûres d'insectes (frelon, guêpe, abeille) et qui sont éloignés de tout centre médical ; ces sujets à risque peuvent ainsi s'injecter eux-mêmes ou se faire injecter l'adrénaline en cas de besoin.
Les signes avant-coureurs d'une réaction allergique grave sont :
– prurit généralisé avec rougeur de la peau (érythème) ;
– œdème des lèvres, des paupières, de la bouche et du pharynx ;
– difficulté à respirer ;
– transpirations profuses.
Le médecin qui prescrit l'ampoule d'adrénaline avec l'injecteur automatique doit expliquer exactement le mode d'emploi de l'appareil et les conditions de son utilisation.
Effets indésirables possibles : palpitations, accélération ou irrégularité du pouls, maux de tête, étourdissements, difficulté à respirer, nervosité, insomnie, transpirations, tremblements, hypertension artérielle.
Note : *prescrit sur ordonnance médicale.*

ANALGYL® (Specia).

Introd. en 1988. Remb. SS 70%.
PRINCIPE ACTIF : *Ibuprofène*
Préparations : comprimés à 200 mg.
Emploi : proposé pour soulager les douleurs modérées (action analgésique), par exemple maux de tête, douleurs dentaires, douleurs mens-

truelles (dysménorrhées), et pour faire baisser la fièvre.

Pour les détails → p. 50.

Note : en cas d'automédication, lisez attentivement la notice qui accompagne le produit et consultez votre médecin si les douleurs persistent ou si la fièvre ne régresse pas au bout de 3 jours.

ANANDRON® (Cassenne)

Introd. en 1987. Liste I. Remb. SS 100%.

PRINCIPE ACTIF : *Nilutamide.*

Préparations : comprimés à 50 mg.

Propriétés : médicament appartenant au groupe des antiandrogènes qui bloquent l'action de la testostérone.

Emploi : traitement des proliférations cellulaires anormales au niveau de la prostate, en association avec une castration chirurgicale ou «pharmacologique» (par un analogue de la gonadoréline ou LH-RH).

Effets indésirables possibles : nausées, vomissements, augmentation de volume des seins (gynécomastie), difficulté respiratoire (pneumopathie interstitielle) diminution des spermatozoïdes, parfois coloration jaune de la peau et des yeux.

En association avec une castration chirurgicale ou pharmacologique : bouffées de chaleur, impuissance et stérilité.

Note : prescrit sur ordonnance médicale.

ANAUSIN LP® (Sarget)

Introd. en 1988. Liste II. Remb. SS 70%.

PRINCIPE ACTIF : *Métoclopramide.*

Préparations : comprimés à libération prolongée à 15 mg.

Emploi : neuroleptique, appartenant au groupe des benzamides substitués, qui stimule les contractions et les mouvements du tube digestif, de l'estomac à l'intestin. La métoclopramide est utilisée pour traiter les nausées, les vomissements (à l'exclusion des vomissements gravidiques) et les troubles de la motricité digestive, notamment le reflux gastro-œsophagien (liquide acide remontant dans la bouche) et le retard de l'évacuation gastrique ou gastroparésie.

Précautions : vous devez informer votre médecin de toute affection susceptible de modifier ses effets du médicament, p. ex. occlusion intestinale organique, maladies du foie ou des reins, maladie de Parkinson, épilepsie, antécédents d'hémorragies gastriques ou intestinales, phéochromocytome (tumeur du tissu médullaire de la glande surrénale : risque de crises hypertensives graves).

Grossesse et allaitement : l'innocuité n'ayant pas été établie chez la femme enceinte, l'usage est déconseillé par mesure de prudence.

Interactions : il faut informer votre médecin si vous prenez ou avez pris récemment d'autres médicaments, notamment des anticoagulants oraux, cimétidine, ranitidine, neuroleptiques (risque accru d'effets indésirables, notamment dyskinésies, association à éviter), sédatifs et tranquillisants, somnifères (majoration de l'effet sédatif), antispasmodiques atropiniques et dérivés de la phénothiazine (associations à éviter).

Conduite de véhicules : l'aptitude à conduire des véhicules ou à utiliser des machines peut être diminuée par la somnolence diurne et une baisse de la vigilance.

Effets indésirables possibles : somnolence, lassitude, vertiges, maux de tête, diarrhée, gaz intestinaux.

Pour les détails → p. 306.

Note : prescrit sur ordonnance médicale.

ANAXÉRYL® (Bailly-Speab)

Introd. en 1939. Remb. SS 70%.

PRINCIPES ACTIFS : pommade contenant du dithranol, ichthyolammonium, résorcine, baume du Pérou, huile de goudron de bouleau et ac. salicylique.

Emploi : proposée dans le traitement du psoriasis, des eczémas secs et d'autres affections de la peau déterminées par votre médecin.

Application : application locale de durée progressive : 10-15 minutes par jour pendant 3-7 jours, puis jusqu'à 30 minutes par jour.

Précautions : ne pas appliquer sur les muqueuses.

Note : vendu sans ordonnance; à éviter en automédication.

ANCOTIL® (Roche)

Introd. en 1974. Liste I. Remb. SS 100%.

PRINCIPE ACTIF : *Flucytosine.*

SYNONYMES : flucytosine, 5-FC.

Préparations : comprimés à 500 mg; solution pour application locale en ampoules de 50 mg dans 5 ml; solution injectable en flacons de 2,5 g.

Emploi : médicament appartenant au groupe des *antifongiques* qui sont employés pour traiter certaines infections causées par des levures et des champignons (mycoses); le fluconazole est utilisé par voie buccale ou en perfusion intraveineuse pour traiter les candidoses généralisées, la cryptococcose (ou torulose), la chromomycose et certaines formes d'aspergillose; la flucytosine est souvent associée à l'amphotéricine B; les candidoses locales, notamment digestives, ne justifient pas, le plus souvent, l'usage de la flucytosine.

Précautions : ne pas utiliser en cas d'allergie au produit; les affections suivantes peuvent modifier l'action du médicament : maladies des reins, maladies du foie, maladies du sang.

Grossesse : ce médicament ne doit pas être utilisé pendant la grossesse; en effet, il a causé des malformations du fœtus au cours de l'expérimentation animale; si une grossesse survient pendant le traitement, il faut informer immédiatement le médecin traitant.

Allaitement : l'utilisation de ce médicament est déconseillée par prudence.

Interactions : il faut informer votre médecin si vous prenez ou avez pris récemment d'autres médicaments, notamment des immunodépresseurs.

Prescription : ne dépassez pas la dose prescrite par votre médecin; des doses trop élevées ou des prises trop fréquentes augmentent le risque d'effets indésirables.

Oubli : si vous oubliez de prendre le médicament et si vous le remarquez dans les 2 heures qui suivent, prenez immédiatement la dose oubliée; ne doublez pas la dose suivante; si vous oubliez le médicament plusieurs jours, prenez contact avec votre médecin.

Durée du traitement : prenez le médicament pendant toute la durée prescrite par votre médecin (pendant des mois dans certaines mycoses profondes); l'arrêt prématuré du traitement peut favoriser une rechute.

Surveillance : des contrôles réguliers des fonctions hépatique et rénale et des globules du sang (formule sanguine) sont nécessaires en cas de traitement prolongé.

Exposition au soleil : la flucytosine peut rendre votre peau très sensible aux rayons solaires et ultraviolets (photosensibilisation); dans ce cas, vous devez éviter l'exposition directe au soleil et porter des vêtements qui couvrent les bras et les jambes, un chapeau et des lunettes de soleil.

Effets indésirables possibles :
- perte de l'appétit, flatulences, nausées, diarrhées (entérocolite);
- maux de tête, vertiges;
- saignement au moindre traumatisme, présence de sang dans les urines ou les selles, coloration noire des selles, apparition de petites taches rouges sur la peau (diminution du nombre des plaquettes dans le sang);
- fièvre, frissons, maux de gorge, ulcérations buccales (diminution du nombre des globules blancs dans le sang);
- éruption cutanée (réaction allergique : arrêtez le traitement);
- urines foncées, jaunisse;
- perte des cheveux (alopécie);
- confusion, hallucinations.

Note : prescrit sur ordonnance médicale.

ANDRACTIM®
(Besins-Iscovesco)

Introd. en 1982. Liste II. Remb. SS 70%.

PRINCIPE ACTIF : *Androstanolone*

SYNONYME : stanolone.

Préparations : gel à 2,5% pour application percutanée.

Emploi : androgène ou hormone mâle proposé dans le traitement local de l'augmentation de volume des seins chez l'homme (gynécomastie) et dans d'autres affections déterminées par votre médecin.

Note : prescrit sur ordonnance médicale.

ANDROCUR® (Schering)

Introd. en 1981. Liste I. Remb. SS 70%.

PRINCIPE ACTIF : *Cyprotérone.*

Préparations : comprimés à 50 mg.

Propriétés : médicament appartenant au groupe des antiandrogènes qui bloquent l'action de la testostérone (hormone mâle).

Emploi : progestatif de synthèse ayant une action antiandrogénique employé dans les affections suivantes :
- augmentation de la pilosité chez la femme (hirsutisme) d'origine non tumorale, lorsqu'elle dérange le psychisme; → p. 32

Si vous utilisez l'une des spécialités suivantes contenant une hormone mâle ou un anabolisant stéroïdien...

ANDROGÈNES	ANABOLISANTS STÉROÏDIENS
Androtardyl® (Schering).	*Anador*® (Kabi-Pharmacia)
Halotestin® (Upjohn).	*Déca-Durabolin*® (Organon).
Pantestone® (Organon).	*Durabolin*® (Organon).
Proviron® (Schering).	*Dynabolon*® (Théramex).
Testostérone (Théramex).	*Nilevar*® (Laphal).
	Parabolan® (Negma).

Propriétés et emploi : les *androgènes* ou *hormones mâles* sont employés lorsque l'organisme est incapable de sécréter la testostérone en quantité suffisante chez l'homme adulte (hypogonadisme); ils sont rarement utilisés pour traiter certaines tumeurs du sein chez la femme.

Les *anabolisants stéroïdiens* (ou stéroïdes anabolisants) sont des analogues de la testostérone, dont ils conservent une certaine activité androgénique; ils sont proposés dans les états de dénutrition chez le sujet âgé, en association avec un régime riche en protéines, et dans le traitement des ostéoporoses séniles; ils ne doivent pas être utilisés pour favoriser le développement de la masse musculaire chez les sujets sains.

Allergie : informez votre médecin si vous avez déjà eu une réaction allergique à un androgène ou à un anabolisant stéroïdien.

État de santé : vous devez informer votre médecin de toute affection susceptible de modifier les effets du médicament, notamment cancer du sein chez l'homme, cancer ou adénome de la prostate, diabète sucré, maladie cardiaque ou rénale, affection du foie.

Grossesse : ces médicaments ne doivent pas être utilisés chez la femme enceinte ou susceptible de l'être; en effet, ils peuvent provoquer une masculinisation du fœtus femelle et des troubles du développement du fœtus mâle.

Allaitement : utilisation déconseillée.

Enfants, adolescents : ces médicaments ne doivent pas être utilisés avant la puberté car ils peuvent arrêter la croissance, provoquer l'apparition prématurée des caractères sexuels chez le garçon ou de caractères mâles chez la fillette (virilisation).

Sujets âgés : les androgènes peuvent favoriser les tumeurs de la prostate.

Sportifs : les androgènes et les anabolisants stéroïdiens se trouvent sur la liste des dopants interdits (Ministère de la Jeunesse et des Sports); ils donnent une réaction positive en cas de tests pratiqués lors des contrôles antidopage.

En cas de diabète : ces médicaments peuvent modifier le taux du glucose dans le sang; par conséquent, les patients diabétiques doivent contrôler la glycémie et informer leur médecin de toute variation inhabituelle.

Effets indésirables possibles :
– *Dans les deux sexes* : nausées, vomissements, troubles psychiques, prise de poids et œdèmes (rétention d'eau), diminution de la tolérance aux glucides, augmentation des triglycérides dans le sang, ictère.
– *Chez l'homme* : augmentation de volume des seins (gynécomastie), augmentation de la libido puis impuissance, besoin fréquent d'uriner (hypertrophie de la prostate), diminution du volume des testicules avec diminution de la motilité des spermatozoïdes et stérilité en cas d'usage prolongé.
– *Chez la femme (virilisation)* : acné, séborrhée, augmentation de volume du clitoris, modifications du timbre de la voix (l'enrouement peut être le premier signe de virilisation), chute des cheveux, développement anormal de la pilosité (hirsutisme), irrégularités puis arrêt des menstruations, parfois agressivité et comportement antisocial.
– *Chez l'adolescent* : arrêt de la croissance par soudure prématurée des cartilages de conjugaison; développement anormal du pénis et érections fréquentes, acné.

[suite de la p. 30]
– traitement des proliférations cellulaires anormales au niveau de la prostate, en association avec une castration chirurgicale ou «pharmacologique» (par un analogue de la gonadoréline ou LH-RH).

Précautions : ne pas utiliser en cas d'allergie au produit; les affections suivantes peuvent modifier l'action du médicament :
– maladies hépatiques (risque accru d'effets indésirables en cas d'insuffisance hépatique);
– thromboses ou embolies antérieures;
– état dépressif chronique;
– hypertension artérielle, angine de poitrine (risque d'aggravation);
– antécédents d'accidents vasculaires cérébraux (risque de rechute);
– diabète sucré (diminution de l'efficacité de l'insuline);
– anémie à hématies falciformes.

Grossesse : ce médicament ne doit pas être utilisé chez la femme enceinte ou susceptible de l'être à cause du risque d'ambiguïté sexuelle pour le fœtus mâle et de virilisation pour le fœtus femelle; un test immunologique de grossesse doit être pratiqué avant le début du traitement; arrêtez le traitement immédiatement si vous soupçonnez d'être enceinte.

Allaitement : l'utilisation de ce médicament est déconseillée, car il passe dans le lait maternel.

Conduite de véhicules : les conducteurs de véhicules et les utilisateurs de machines doivent être informés que le traitement peut entraîner une fatigue et une baisse de la concentration.

Effets indésirables possibles :
– *Chez l'homme* : stérilité temporaire (inhibition de la spermatogénèse), augmentation de volume des seins (gynécomastie), impuissance.
– *Chez la femme* : prise de poids, chevilles enflées (rétention d'eau et de sel); seins douloureux (mastodynie); menstruations irrégulières, hémorragies au milieu du cycle.
– *Dans les deux sexes* : troubles de la vue, perception double des objets (diplopie), maux de tête sévères; coloration jaune des yeux et de la peau, jaunisse; prurit, éruption cutanée (réaction allergique: arrêtez le traitement).

Note : *prescrit sur ordonnance médicale.*

ANDROTARDYL® (Schering)

Introd. en 1955. Liste II. Remb. SS 70%.
PRINCIPE ACTIF : *Testostérone*.
Préparations : solution huileuse injectable en ampoules à 250 mg/1 ml.
Emploi : hormone mâle naturelle d'origine testiculaire, actuellement préparée par synthèse, employée lorsque l'organisme est incapable de la sécréter en quantité suffisante soit chez l'homme adulte que chez le garçon à l'âge de la puberté; ce médicament est aussi utilisé pour traiter les proliférations cellulaires anormales au niveau du sein chez la femme (indication exceptionnelle) et proposé dans les états de dénutrition chez le sujet âgé, en association avec un régime riche en protéines.

Pour les détails → p. 31.

Note : *prescrit sur ordonnance médicale.*

ANEXATE® (Roche)

Introd. en 1987. Liste I.
PRINCIPE ACTIF : *Flumazénil*.
Préparations : ampoules injectables à 0,5 mg dans 5 ml et à 1 mg dans 10 ml.
Emploi : antagoniste des benzodiazépines utilisé en anesthésiologie et en soins intensifs pour traiter le surdosage par les benzodiazépines ou par certaines substances analogues (p. ex. zopiclone).

Précautions : le sujet qui a reçu du flumazénil, même s'il présente après l'injection un état de conscience normal, ne doit pas conduire ni se livrer à une activité dangereuse pendant 24 heures car l'effet sédatif des benzodiazépines peut réapparaître pendant ce temps.

Note : *réservé à l'usage hospitalier et à la trousse d'urgence des médecins.*

ANGIOPHTAL® (M., S. & D.-Chibret)

Introd. en 1971. Remb. SS 70%.
PRINCIPE ACTIF : *Chromocarbe*.
Préparations : collyre à 10%.
Emploi : «vasculoprotecteur» proposé pour traiter la fragilité capillaire conjonctivale dans le diabète et la vieillesse (efficacité à confirmer) et les hémorragies sous-conjonctivales (rechercher la cause).   → p. 34

Si vous êtes obèse et utilisez l'une des spécialités suivantes contenant un anorexigène ou "coupe-faim"...

Anorex® (Crinex).	Modératan® (Théranol).
Dinintel® (Diamant).	Pondéral ® (Biopharma).
Fenproporex (Deglaude).	Préfamone® (Dexo).
Incital® (P. Fabre).	Ténuate Dospan®
Isoméride® (Ardix).	(Marion Merrell Dow).

Propriétés et emploi : les *anorexigènes* sont des excitants du système nerveux central analogues de l'amphétamine; ils sont utilisés pour diminuer l'appétit dans le traitement à court terme de l'obésité en association avec l'exercice physique et un régime pauvre en hydrate de carbones, graisses et calories; ils peuvent aider certains patients, mais leur action s'estompe au bout de quelques semaines et s'accompagne d'effets indésirables.

Ces médicaments seuls n'ont aucun effet amaigrissant direct; la perte de poids est due à la diminution de la nourriture absorbée.

Précautions : ne pas utiliser en cas d'allergie, d'épilepsie, de maladies cardiaques, de glaucome, d'adénome de la prostate, d'hyperthyroïdie.

Grossesse et allaitement : ces médicaments sont déconseillés.

Enfants : ne doivent pas être utilisés chez les enfants de moins de 12 ans.

Sportifs : ces médicaments donnent une réaction positive lors des contrôles antidopage.

Prise du médicament : pour éviter l'insomnie, prenez le médicament le matin; si vous estimez que le médicament ne produit pas, ou ne produit plus l'effet désiré, n'augmentez pas la dose, mais demandez conseil à votre médecin.

Régime : doit être pauvre en calories.

Alcool : évitez les boissons alcoolisées pendant le traitement.

Conduite de véhicules : chez certains sujets, ces médicaments peuvent modifier le comportement habituel ou diminuer la vigilance.

Risque de dépendance : si vous prenez ces médicaments à doses élevées pendant quelques semaines ou plus longtemps, vous pouvez développer une *dépendance* psychique ou physique qui se traduit par :

– un fort besoin de prendre le médicament;
– une tendance à augmenter les doses;
– des troubles psychiques;
– des symptômes de «sevrage» si vous arrêtez le traitement, notamment dépression, déficits intellectuels et affectifs, nausées, crampes d'estomac, vomissements, tremblements, fatigue et faiblesse inhabituelles.

Autres médicaments : ne pas utiliser des antidépresseurs de la mono-amine oxydase (IMAO) pendant le traitement ou dans les 2 semaines précédentes ou suivantes (risque de crise hypertensive grave).

Chirurgie : informez votre chirurgien ou dentiste que vous être traité par un anorexigène.

Effets indésirables possibles :

– nervosité, somnolence ou insomnie, vertiges, excitation, accélération du pouls, palpitations, sécheresse de la bouche, sensation de froid, maux de tête, constipation, difficulté à uriner (chez les prostatiques);
– modification du comportement, dépression; si vous prenez des doses élevées, vous pouvez développer une dépendance;
– augmentation de la tension artérielle (hypertension);
– éruption cutanée (réaction allergique : arrêtez le traitement);
– forte fièvre avec mal de gorge et augmentation de volume des ganglions du cou (diminution des globules blancs dans le sang);
– essoufflement inhabituel à l'effort, troubles cardiaques.

Intoxication : excitation et confusion mentale, hallucinations, accélération du pouls, instabilité de la tension artérielle, respiration accélérée, pupilles dilatées (mydriase), visage congestionné, état convulsif suivi d'un état dépressif.

Précautions : ne pas utiliser en cas de grossesse ou allaitement.

Conservation : à utiliser dans les 15 jours après l'ouverture du flacon.

Note : vendu sans ordonnance; à éviter sans avis médical, comme tous les collyres.

ANGISPRAY® (Monot)

Introd. en 1971. Non remb. SS.

PRINCIPES ACTIFS : collutoire contenant :
– hexétidine : antiseptique local;
– acide propionique : antiseptique;
– chlorobutanol : anesthésique local.

Emploi : anesthésique et antiseptique buccal proposé dans le «mal de gorge» de l'adulte sans fièvre.

Précautions : ne pas utiliser chez l'enfant de moins de 3 ans.

Note : vendu sans ordonnance; ne pas utiliser pendant plus de 5 jours sans avis médical.

ANOLAN® (Delagrange)

Introd. en 1971. Non remb. SS.

PRINCIPES ACTIFS : pommade et suppositoires contenant de l'énoxolone (anti-inflammatoire) et d'amyléine chlorhydrate (anesthésique local).

Emploi : proposé pour traiter les symptômes des poussées d'hémorroïdes.

Précautions : arrêtez le traitement et consultez votre médecin en cas de persistance ou d'accentuation des douleurs, d'apparition de sang dans les selles ou de fièvre.

Note : vendu sans ordonnance.

ANORÉINE® (J.-P. Martin)

Introd. en 1959. Remb. SS 40%.

PRINCIPES ACTIFS : suppositoires contenant du carraghénate (laxatif mucilagineux), sous-gallate de bismuth et oxyde de zinc.

Emploi : proposé pour traiter les symptômes des poussées d'hémorroïdes.

Précautions : arrêtez le traitement et consultez votre médecin en cas de persistance ou accentuation des douleurs, d'apparition de sang dans les selles ou de fièvre.

Note : vendu sans ordonnance.

ANOREX® (Crinex)

Introd. en 1980. Liste I. Non remb. SS.

PRINCIPE ACTIF : **Amfépramone**.

SYNONYME : diéthylpropion.

Préparations : gélules à 75 mg.

Emploi : excitant du système nerveux central analogue de l'amphétamine utilisé pour diminuer l'appétit dans le traitement à court terme de l'obésité («coupe-faim»); associé à l'exercice physique et à un régime pauvre en hydrates de carbones, graisses et calories, il peut aider certains patients, mais l'action s'estompe au bout de quelques semaines et s'accompagne d'effets indésirables et de l'apparition d'une dépendance. L'emploi devrait se limiter à des situations particulières où une perte pondérale rapide est souhaitée, par exemple avant une opération chirurgicale, et ne devrait pas dépasser 6 semaines.

Pour les détails → p. 33.

Note : prescrit sur ordonnance médicale.

ANTABUSE, EFFET → Espéral®.

ANTAGOSAN® (Hoechst)

Introd. en 1977.

PRINCIPE ACTIF : **Aprotinine**.

Préparations : ampoules à 50 U dans 10 ml ; flacon perfuseur à 250 U dans 50 ml [en Unités Ph. Eur.].

Propriétés : antifibrinolytique extrait du poumon de bœuf inhibant les enzymes protéolytiques.

Emploi : utilisé en injections intraveineuses pour arrêter des hémorragies qui peuvent survenir lors d'intervention chirurgicale ou dentaires ou dans d'autres conditions.

Effets indésirables possibles : nausées, vomissements, diarrhées, éruptions cutanées surtout lors de traitements réitérées.

Note : réservé aux hôpitaux.

ANTALVIC® (Houdé)

Introd. en 1963. Liste I. Remb. SS 70%.

PRINCIPE ACTIF : **Dextropropoxyphène**.

SYNONYME : propoxyphène.

Préparations : comprimés à 65 mg.

Emploi : analgésique morphinique «mineur» dont l'effet analgésique est 5-10 fois plus faible que celui de la morphine utilisé pour soulager les douleurs d'intensité modérée qui résistent aux analgésiques à action périphérique. Le risque de dépendance n'apparaît que pour des doses supérieures à celles recommandées et pour un usage prolongé.

Pour les détails → p. 446.

Note : prescrit sur ordonnance médicale.

ANTALYRE®
(Boehringer Ingelheim)

Introd. en 1988. Non remb. SS.

PRINCIPES ACTIFS : collyre contenant de la chlorhexidine (antiseptique), synéphrine (sympathomimétique) et gluconate de potassium.

Emploi : proposé dans les irritations oculaires («yeux rouges»).

Précautions : ne pas employer en cas de glaucome par fermeture de l'angle, d'hypertension artérielle; consultez votre médecin si les douleurs dans les yeux s'aggravent ou persistent pendant plus de 48 heures.

Conservation : à utiliser dans les 15 jours après l'ouverture du flacon.

Note : vendu sans ordonnance; à éviter sans avis médical, comme tous les collyres.

ANTÉBOR®
(Lab. Biol. de l'Ile de France)

Introd. en 1961. Remb. SS 70%.

PRINCIPE ACTIF : **Sulfacétamide.**

Préparations : lotion à 10%; l'*Antébor B6*® contient aussi de la pyridoxine.

Emploi : sulfamide proposé comme antiseptique dans le traitement d'appoint des affections dermatologiques susceptibles de se surinfecter.

Précautions : ne pas utiliser chez le nouveau-né ou le prématuré, en cas de grossesse ou d'allaitement.

Note : vendu sans ordonnance; à utiliser avec prudence car les sulfamides en application locale sont allergisants; la vitamine B6 a peu d'intérêt dans l'emploi proposé.

ANTELMINA® (Gerda)

Introd. en 1956. Remb. SS 70%.

PRINCIPE ACTIF : **Pipérazine.**

Préparations : sirop à 750 mg par cuillerée à café.

Emploi : médicament appartenant au groupe des anthelminthiques qui sont utilisés pour traiter les infestations

par des vers; employée pour traiter l'ascaridiose et l'oxyurose.

Posologie (adulte) : 50 mg/kg/jour en 2-3 prises pendant 7 jours; dans l'oxyurose, la cure est répétée après 2-3 semaines et doit être accompagnée de mesures d'hygiène et du traitement de tous les membres de la famille pour éviter les réinfestations.

Précautions : ne pas utiliser en cas de maladies du foie ou des reins ou en cas d'épilepsie; l'usage est déconseillé pendant la grossesse (innocuité non établie); ne pas associer le pyrantel ou les dérivés de la phénothiazine.

Effets indésirables possibles : nausées, vomissements, diarrhées; troubles visuels, contractions musculaires, éruption cutanée, convulsions.

Note : vendu sans ordonnance; l'efficacité de la pipérazine est généralement reconnue, mais des médicaments plus modernes ont l'avantage d'êtres efficaces en une prise unique.

ANTHELOX® (Lesourd)

Introd. en 1934. Remb. SS 70%.

PRINCIPES ACTIFS : capsules contenant du géraniol et de l'essence de niaouli.

Emploi : proposé comme antiseptique intestinal et anthelminthique (médicament contre les vers).

Note : vendu sans ordonnance; des principes actifs plus efficaces sont actuellement disponibles.

ANTHRANOL® (Stiefel)

Introd. en 1989. Remb. SS 70%.

PRINCIPE ACTIF : **Dithranol.**

Préparations : pommades à 2%.

Emploi : utilisé en pommade dans le traitement du psoriasis en plaques par applications de courte durée modulées par votre médecin en fonction de la tolérance individuelle et de la réponse au traitement.

Pour les détails → Dithranol.

Note : vendu sans ordonnance; à éviter sans avis médical.

ANTHRAXIVORE® (Picot)

Introd. en 1908. Remb. SS 70%.

PRINCIPE ACTIF : solution buvable contenant du suc d'*Arctium lappa* obtenu à partir des racines de bardane.

Emploi : proposé dans le traitement des furoncles, des anthrax, phlegmons, abcès et panaris.

Note : *vendu sans ordonnance; efficacité des principes actifs à confirmer dans l'emploi proposé.*

ANTIBIO-ABEREL® (Cilag)

Introd. en 1979. Liste I. Non remb. SS.

PRINCIPES ACTIFS : gel pour application locale et tampons imbibés contenant de la trétinoïne (rétinoïde) et de l'érythromycine (antibiotique).

Emploi : proposé dans le traitement des acnés.

Précautions et effets indésirables possibles → Trétinoïne.

Note : *prescrit sur ordonnance médicale.*

ANTIBIOPHILUS® (Lyocentre)

Introd. en 1967. Remb. à 40%.

PRINCIPES ACTIFS : gélules et poudre pour suspension buvable contenant des *Lactobacillus casei* (culture lyophilisée).

Emploi : proposé dans les diarrhées.

Précautions : ne pas utiliser en cas de douleurs ou de crampes abdominales d'origine indéterminée, de selles noires, d'amaigrissement, de jaunisse; consultez votre médecin si la diarrhée persiste après 48 heures, si des glaires et du sang apparaissent dans les selles.

Note : *vendu sans ordonnance; efficacité des principes actifs à confirmer dans l'emploi proposé.*

ANTIBIO-SYNALAR® (Cassenne)

Introd. en 1966. Liste I. Remb. SS 40%.

PRINCIPES ACTIFS : solution auriculaire contenant de la polymyxine B (antibiotique), néomycine (antibiotique), fluocinolone acétonide (corticoïde).

Emploi : proposé dans les otites externes à tympan fermé.

Durée du traitement : ne doit pas dépasser 10 jours.

Effets indésirables possibles : réactions allergiques à la néomycine ou à la polymyxine B.

Note : *prescrit sur ordonnance médicale.*

ANTIBIOTULLE® Lumière
(Sarbach)

Introd. en 1970. Liste I. Remb. SS 70%.

PRINCIPES ACTIFS : compresses imprégnées de néomycine (antibiotique) et polymyxine B (antibiotique).

Emploi : proposé dans le traitement des ulcères de jambes, des plaies et brûlures superficielles surinfectées.

Effets indésirables possibles : réactions allergiques de contact à la néomycine ou à la polymyxine B, sélection de germes résistants.

Pénétration possible de la néomycine et risque d'atteinte rénale.

Note : *prescrit sur ordonnance médicale.*

ANTIGOUTTEUX REZALL®
(Médecine Végétale)

Introd. en 1913. Non remb. SS.

PRINCIPES ACTIFS : sirop contenant de la teinture de colchique, extraits de maïs et d'orange amère, benzoate et salicylate de lithium.

Emploi : proposé dans le traitement des affections douloureuses goutteuses et rhumatismales.

Note : *vendu sans ordonnance; la plupart des composants ont peu d'intérêt dans l'emploi proposé.*

ANTIGRIPPINE® à la
vitamine C (Sterling Midy)

Introd. en 1988. Non remb. SS.

PRINCIPES ACTIFS: comprimés contenant
– acide acétylsalicylique (aspirine) : analgésique et antipyrétique;
– caféine : stimulant central;
– acide ascorbique (vitamine C).

Emploi : proposé pour atténuer la douleur modérée *(analgésique)* et pour faire tomber la fièvre *(antipyrétique)*.

Durée du traitement : consultez votre médecin si les douleurs persistent après 5 jours ou si la fièvre ne régresse pas au bout de 3 jours.

Sportifs : ce médicament peut donner une réaction positive en cas de tests pratiqués lors des contrôles antidopage.

Pour les détails → Aspirine.

Note : *vendu sans ordonnance; l'efficacité de l'aspirine est généralement reconnue, mais la vitamine C et la caféine ont peu d'intérêt dans l'emploi proposé.*

→ p. 62

Si vous êtes asthmatique et utilisez l'une des spécialités suivantes en inhalation...

SPÉCIALITÉS CONTENANT UN ANTIASTHMATIQUE BÉTAMIMÉTIQUE:

Alupent® (Boehringer Ingelheim).   *Maxair*® (3M Santé).
Berotec® (Boehringer Ingelheim).   *Spréor*® (Inava).
Bricanyl® (Astra).   *Ventodisks*® (Glaxo).
Eolène® (Fisons).   *Ventoline*® (Glaxo).

Propriétés et emploi : ces médicaments appartiennent au groupe des anti-asthmatiques *bêtamimétiques* ou bêtastimulants qui agissent sur les récepteurs bêta-2 adrénergiques des muscles des bronches.

Ils font partie des sympathomimétiques ou stimulants du système sympathique et sont utilisés dans les crises d'asthme ainsi que dans le traitement de fond de l'asthme.

Allergie : informez votre médecin si vous avez déjà fait une réaction allergique ou inhabituelle à des antiasthmatiques en aérosol.

Etat de santé : vous devez informer votre médecin de toute affection susceptible de modifier les effets du médicament, notamment
– pour l'administration en inhalations: bronchite (qui doit être traitée), infarctus récent du myocarde (utilisation prudente);
– pour l'administration par voie buccale : diabète sucré, hypertension, angine de poitrine, artériosclérose cérébrale, hyperthyroïdie.

Grossesse : par prudence, ces médicaments sont déconseillés au cours du premier trimestre de la grossesse; en effet, certains bêtamimétiques ont causé des malformations du fœtus au cours de l'expérimentation animale.

Enfants : ne pas utiliser chez les enfants âgés de moins de 5 ans.

Sportifs : l'attention des sportifs est attirée sur la possibilité d'une réaction positive des tests pratiqués lors de contrôles antidopage.

Interactions : il faut informer votre médecin si vous prenez ou avez pris récemment d'autres médicaments, notamment d'autres sympathomimétiques, des bêta-bloquants, des antidépresseurs ou des digitaliques.

Inhalation buccale (aérosol) :
– le médecin devrait vous expliquer le bon usage de l'appareil pour inhalation; en effet, l'utilisation correcte de l'inhalateur est très importante pour le succès du traitement; l'inhalation du médicament doit être faite au cours d'une inspiration profonde et doit être suivie d'un arrêt de la respiration pendant quelques secondes; si nécessaire, demandez des explications complémentaires à votre médecin;
– l'effet survient 15 minutes après l'inhalation et dure 6 heures;
– si l'efficacité du traitement diminue ou si l'asthme s'aggrave, n'augmentez pas la fréquence des inhalations, mais consultez votre médecin;
– des inhalations trop fréquentes vous exposent à des risques d'effets indésirables graves (des cas de mort subite ont été signalés);
– discutez avec votre médecin la possibilité d'utiliser vous-même un petit appareil pour mesurer le débit de pointe *(peak flow)*, apprendre à connaître votre profil fonctionnel pour pouvoir rectifier la thérapie au moment opportun et prévenir une crise sévère;
– rincez la bouche après chaque inhalation pour éviter la sécheresse de la bouche et de la gorge;
– lorsque les inhalations supplémentaires n'améliorent pas suffisamment la fonction respiratoire, n'hésitez pas à consulter immédiatement votre médecin ou à vous rendre à l'hôpital.

Effets indésirables possibles : agitation, tremblements des doigts, sueurs, palpitations, accélération du pouls, transpirations, vertiges, maux de tête, nausées, vomissements.

Intoxication : aggravation de l'asthme, tremblements, accélération du pouls, vertiges, variations de la tension artérielle, sueurs, agitation; hospitalisation d'urgence en cas d'intoxication grave.

Si vous utilisez l'une des spécialités suivantes contenant un anticoagulant oral...

DÉRIVÉS DE LA COUMARINE	DÉRIVÉS DE L'INDANEDIONE
Apegmone® (Lipha Santé).	*Pindione®* (Lipha Santé).
Coumadine® (Marion Merrell Dow).	*Préviscan®* (Procter & Gamble).
Sintrom® (Ciba-Geigy).	
Tromexane® (Ciba-Geigy).	

Propriétés et emploi : les *anticoagulants* diminuent la tendance du sang à se coaguler et, de ce fait, préviennent la formation de caillots dans les vaisseaux sanguins (action anticoagulante); ils sont aussi appelés «antivitamines K» parce que, tout en ayant une structure chimique analogue à celle de la vitamine K, ils antagonisent ses effets sur la coagulation.

Les anticoagulants sont utilisés pour prévenir la formation de caillots dans les vaisseaux sanguins (thromboses ou embolies); l'emploi des anticoagulants exige le contrôle périodique de la coagulabilité du sang; en effet, une dose trop élevée peut provoquer des saignements et une dose trop faible risque de ne pas protéger contre la formation de caillots.

Allergie : informez votre médecin si vous avez déjà fait une réaction allergique ou inhabituelle à un anticoagulant.

Etat de santé : vous devez informer votre médecin de toute affection susceptible de modifier les effets du médicament, notamment prédisposition aux hémorragies, ulcère gastroduodénal en évolution ou récent, colite ou d'autres lésions susceptibles de saigner, intervention neurochirurgicale ou oculaire récente, maladie du foie ou du rein, diarrhée persistante (peut entraîner un déficit en vitamine K et augmenter l'action des anticoagulants), diabète sucré, augmentation du cholestérol sanguin, insuffisance de la thyroïde, pression sanguine trop élevée, accidents vasculaires cérébraux («attaques»), avortement récent, menstruations abondantes.

Grossesse : l'utilisation doit être évitée pendant toute la durée de la grossesse; en effet, des malformation du fœtus humain ont été observées avec certains anticoagulants; en outre, l'utilisation pendant les derniers mois peut entraîner des hémorragies chez le fœtus et chez la mère pendant l'accouchement; consultez votre médecin si vous vous trouvez enceinte pendant le traitement.

Allaitement : l'utilisation est déconseillée en raison du passage dans le lait maternel.

Sujets âgés : ils sont particulièrement exposés au risque accru d'hémorragies à la suite de la prise d'un anticoagulant.

Interactions : il faut informer votre médecin si vous prenez ou avez pris récemment d'autres médicaments, notamment :

MÉDICAMENTS QUI AUGMENTENT LE RISQUE HÉMORRAGIQUE :

– aspirine à doses élevées, salicylés et autres anti-inflammatoires non stéroïdiens, miconazole, acide tiénilique (associations à éviter);

– chloramphénicol, ticlopidine, latamoxef, diflunisal (ces associations sont déconseillées);

– allopurinol, amiodarone, cimétidine, clofibrate, corticoïdes, hormones thyroïdiennes (associations qui demandent une surveillance accrue).

MÉDICAMENTS QUI DIMINUENT L'ACTION ANTICOAGULANTE :

– laxatifs, vitamine K, barbituriques, carbamazépine, griséofulvine, glutéthimide, rifampicine.

Prescription : ne dépassez pas la dose prescrite; des doses trop élevées ou des prises trop fréquentes augmentent le risque d'hémorragies.

Oubli : si vous oubliez de prendre le médicament, prenez le aussi tôt que possible mais ne doublez pas la dose suivante (une dose double peut causer des saignements) et informez votre médecin.

Surveillance : le traitement anticoagulant doit être accompagné des contrôles réguliers de la coagulabilité du sang (par exemple test de Quick) ; ces contrôles sont effectués avant le traitement, puis tous les jours durant les 3-4 premiers jours pour déterminer la dose optimale du médicament ; par la suite, les contrôles sont espacés, mais il faut toujours les effectuer à la même heure.

L'expression des résultats en INR (*International Normalized Ratio*) est souhaitable afin de tenir compte des réactifs utilisés et pouvoir comparer les résultats de laboratoires différents dans divers pays.

Alcool : la consommation excessive d'alcool peut affecter l'action des anticoagulants.

Autres médicaments : ne prenez aucun autre médicament, en particulier l'aspirine, sans consulter votre médecin.

Traumatismes : pendant le traitement anticoagulant, vous devez éviter des exercices violents et des sports qui peuvent vous exposer à des traumatismes ; en cas de chute, informez votre médecin car le risque d'hémorragie interne est accru.

Saignements : vous devez éviter de vous couper en vous rasant et de blesser les gencives en brossant vos dents ; les injections sous-cutanées ou intramusculaires doivent être évitées ; informez votre médecin en cas de saignement anormal.

Régime : si votre régime n'est pas équilibré, il peut se produire après un certain temps un déficit en vitamine K qui peut modifier la coagulation du sang ; votre médecin pourra vous conseiller de modifier votre régime ou vous prescrire des suppléments de cette vitamine (→ Vitamine K).

Chirurgie : en cas d'intervention chirurgicale ou d'extraction dentaire, les doses sont diminuées progressivement avant l'intervention et le chirurgien ou le dentiste doivent être informés sur votre traitement anticoagulant.

Arrêt du traitement : il ne faut jamais arrêter le traitement sans consulter votre médecin ; un arrêt brusque après usage prolongé peut causer une coagulabilité excessive du sang avec risque accru de formation de caillots.

Voyages : consultez votre médecin avant d'entreprendre un voyage d'une certaine importance.

Effets indésirables possibles : au cours du traitement par les anticoagulants, la réaction de l'organisme à ces médicaments peut être modifiée par de nombreux facteurs ; vous devez surveiller constamment tout signe de saignement qui doit être signalé immédiatement à votre médecin car il indique que la dose de l'anticoagulant est excessive :

– *signes d'hémorragies externes* : apparition de sang lors du brossage des dents (peut être le premier signe d'un surdosage) ; saignement du nez, perte de sang excessive en cas de coupure de la peau, taches bleuâtres sur la peau (ecchymoses) apparaissant sans aucune raison apparente ;

– *signes d'hémorragies internes* : douleurs abdominales, présence de sang dans les urines ou urines foncées, troubles ; sang dans les selles ou selles noires ; expectorations tachées de sang ; maux de tête sévères et persistants ; articulations enflées et douloureuses ; rejet de sang par la bouche (aspect «marc de café») ; vertiges, somnolence, perte de conscience.

AUTRES EFFETS INDÉSIRABLES RARES : troubles digestifs ; mal de gorge, fièvre, frissons ; diminution de la production d'urine ; chevilles enflées (œdèmes) ; teint jaune de la peau et des yeux (ictère) ; prurit, urticaire.

Surdosage : en cas de complications hémorragiques, consultez immédiatement votre médecin ; comme antidote, on injecte de la vitamine K1 (phytoménadione) par voie intraveineuse (délai d'action 3-5 heures) ou, en cas d'hémorragie grave, une fraction du sang appelée PPSB (action immédiate).

Si vous utilisez l'une des spécialités suivantes pour traiter la dépression...

TRICYCLIQUES SÉDATIFS
  Elavil® (M., S. & D.-Chibret).
  Insidon® (Ciba-Geigy).
  Laroxyl® (Roche).
  Quitaxon® (P. Fabre).
  Sinéquan® (Pfizer).
  Surmontil® (Specia).

TRICYCLIQUES PSYCHOTONIQUES
  Kinupril® (Pharmuka).
  Pertofran® (Ciba-Geigy).

TRICYCLIQUES INTERMÉDIAIRES
  Anafranil® (Geigy).
  Défanyl® (Novalis).
  Prothiaden® (Boots Pharma).
  Tinoran® (Diamant).
  Tofranil® (Ciba-Geigy).

INHIBITEURS DE LA MONO-AMINE OXYDASE OU IMAO NON SÉLECTIFS
  Marsilid® (Roche).
  Niamide® (Pfizer).

IMAO-A SÉLECTIFS
  Humoryl® (Delalande).

AUTRES ANTIDÉPRESSEURS
  Athymil® (Organon).
  Clédial® (Lipha Santé)
  Conflictan® (Sarbach).
  Floxyfral® (Duphar).
  Ludiomil® (Ciba-Geigy).
  Pragmarel® (Upsa).
  Prozac® (Lilly).
  Stablon® (Ardix).
  Survector® (Euthérapie).
  Vivalan® (Zeneca-Pharma).

Emploi : ces spécialités contiennent des *antidépresseurs* utilisés pour traiter les états dépressifs de l'adulte.

Allergie : informez votre médecin si vous avez déjà fait une réaction allergique ou inhabituelle à un antidépresseur.

État de santé : vous devez informer votre médecin de toute affection susceptible de modifier les effets du médicament, notamment maladies du foie ou des reins (l'élimination du médicament peut être diminuée en cas d'insuffisance hépatique ou rénale), épilepsie, glaucome par fermeture de l'angle, adénome de la prostate, diabète (une adaptation des doses d'insuline ou des antidiabétiques peut être nécessaire), alcoolisme chronique, crise cardiaque récente ou maladie du cœur, hypertension artérielle, fonctionnement excessif de la glande thyroïde (hyperthyroïdie ou maladie de Basedow).

Grossesse et allaitement : l'utilisation des antidépresseurs tricycliques est déconseillée; en effet, ils traversent la barrière placentaire, passent dans le lait maternel et leur innocuité n'a pas été établie.

Enfants : l'utilisation des antidépresseurs n'est pas recommandée avant l'âge de 12 ans.

Sujets âgés : ils sont particulièrement sensibles; on observe souvent des vertiges, sécheresse de la bouche, difficulté à uriner, constipation.

Interactions : il faut informer votre médecin si vous prenez ou avez pris récemment d'autres médicaments, notamment :
– il faut respecter un intervalle de 15 jours entre l'arrêt d'un antidépresseur inhibiteur de la mono-amine oxydase ou IMAO et le début du traitement par un antidépresseur tricyclique; dans le cas inverse, un antidépresseur IMAO peut être substitué à un tricyclique en observant un délai de 3 jours;
– tranquillisants, somnifères, antihistaminiques sédatifs (majoration de l'action sédative);
– relaxants musculaires (majoration de l'action relaxante);
– médicaments contre la douleur ou contre la toux (majoration de l'action sédative);
– guanéthidine et analogues (diminution de l'effet antihypertenseur);
– épinéphrine ou adrénaline (risque d'hypertension grave);
– médicaments atropiniques (majoration des effets indésirables).

Prescription : ne dépassez pas la dose prescrite; des doses trop élevées ou des prises trop fréquentes augmentent le risque d'effets indésirables.

Prise du médicament : on conseille de prendre la dose la plus importante le soir pour faciliter le sommeil.

Oubli : si vous oubliez de prendre le médicament et si vous le remarquez dans les 2 heures qui suivent, prenez immédiatement la dose oubliée; ne doublez pas la dose suivante; si vous oubliez le médicament plusieurs jours, prenez contact avec votre médecin.

Délai d'action : de 1 à 3 semaines; il faut donc attendre ce délai avant de pouvoir évaluer l'efficacité du traitement; chaque épisode dépressif exige un traitement d'au moins 3 mois (6 mois dans les dépressions sévères).

Surveillance : les patients suicidaires demandent une surveillance particulière, surtout au début du traitement.

Alcool : la consommation de boissons alcoolisées est déconseillée.

Tabac : le tabagisme peut diminuer l'efficacité du traitement.

Autres médicaments : pendant le traitement, ne prenez aucun autre médicament sans l'avis de votre médecin, même des produits en vente libre (automédication), par exemple des gouttes nasales pour le rhume ou des produits contre la toux; en outre, l'action des tranquillisants, somnifères et relaxants musculaires peut être augmentée.

Vigilance et conduite : l'aptitude à conduire des véhicules ou à utiliser des machines peut être diminuée par des vertiges, des malaises ou une baisse de la vigilance.

Exposition au soleil : les antidépresseurs tricycliques peuvent rendre votre peau très sensible aux rayons solaires et ultra-violets (photosensibilisation); dans ce cas, vous devez éviter l'exposition directe au soleil et porter des vêtements qui couvrent les bras et les jambes, un chapeau et des lunettes de soleil.

Arrêt du traitement : l'arrêt brusque du traitement peut entraîner certains troubles; consultez votre médecin sur la réduction progressive des doses; après l'arrêt du traitement, vous devez continuer pendant une semaine les précautions indiquées ci-dessus.

Chirurgie : en cas d'intervention chirurgicale ou d'extraction dentaire, informez le médecin ou le dentiste que vous prenez un antidépresseur.

Effets indésirables possibles :

– somnolence, vertiges, sécheresse de la bouche, du nez et de la gorge, troubles visuels, accélération du pouls, palpitations, bouffées de chaleur, nausées, constipation, difficulté à uriner (chez les sujets prostatiques), confusion mentale ou agitation (sujets âgés), parfois insomnie;

– malaise ou étourdissement au moment de vous lever du lit (tension trop basse ou hypotension orthostatique);

– tremblements, troubles de la parole;

– prise de poids;

– éruption cutanée (réaction allergique : arrêtez immédiatement le traitement);

– augmentation de volume des seins chez l'homme (gynécomastie);

– chute des cheveux (alopécie);

– délire, hallucinations.

Régime: si vous utilisez un *antidépresseur IMAO non sélectif*, une augmentation brutale de la tension artérielle peut être observée si vous prenez certains aliments riches en tyramine et tryptophane, notamment fromages fermentés, certains vins, bière, bananes, figues, avocats, viandes et poissons fumés, saucisson, caviar, pâte de crevettes, soja, soupes en sachets, bière, levures, chocolat; par conséquent, ces aliments doivent être évités.

Intoxication : pouls irrégulier (troubles du rythme cardiaque), difficulté à respirer, pupilles dilatées (mydriase), fièvre élevée, transpirations profuses, perte des urines, rigidité des muscles, pâleur, état stuporeux, baisse de la tension artérielle, convulsions; une aide médicale d'urgence peut être nécessaire.

Si vous utilisez l'une des spécialités suivantes pour traiter le diabète...

SULFONYLURÉES.
    Daonil® (Hoechst).
    Diabinèse® (Pfizer).
    Diamicron® (Servier).
    Dolipol® (Hoechst).
    Euglucan® (Boehringer Mannheim).
    Glibénèse® (Pfizer).
    Glucidoral® (Servier).

Glutril® (Roche).
Hémi-Daonil® (Hoechst).
Miglucan® (Boehringer Mannheim).
Minidiab® (Farmitalia C. Erba).
BIGUANIDES.
Glucinan® (Lipha Santé).
Glucophage® (Lipha Santé).
Stagid® (Merck-Clévenot).

Propriétés :
SULFONYLURÉES : sulfamides hypoglycémiants qui stimulent la sécrétion d'insuline par le pancréas et ont ainsi pour effet d'abaisser le taux du sucre dans le sang (effet hypoglycémiant); ces médicaments n'agissent que si le pancréas est encore capable de produire de l'insuline.
BIGUANIDES : leur mode d'action est mal connu; contrairement aux sulfamides hypoglycémiants, ils ne stimulent pas la sécrétion d'insuline.

Emploi : les antidiabétiques oraux sont utilisés dans le diabète qui se développe chez l'adulte, dont le contrôle ne nécessite pas des injections d'insuline (diabète non insulino-dépendant de type II ou DNID) et qu'un régime seul ne peut pas équilibrer suffisamment; l'injection d'insuline dans cette forme de diabète peut cependant être nécessaire en cas de blessure ou de brûlure, d'infection grave, d'apparition d'un coma acido-cétosique, d'intervention chirurgicale ou de grossesse. L'usage de ces médicaments constitue un complément à votre régime et il ne saurait en aucun cas le remplacer.

Allergie : informez votre médecin si vous avez déjà fait une réaction allergique à d'autres sulfamides ou à des diurétiques thiazidiques.

État de santé : vous devez informer votre médecin de toute affection susceptible de modifier les effets du médicament, notamment, maladies des reins, maladies du foie, maladies du cœur, maladies infectieuses, hypothyroïdie.

Grossesse : ces médicaments ne doivent pas être utilisés en cas de grossesse; si nécessaire, l'insuline peut être utilisée pour contrôler le diabète.

Allaitement : l'utilisation est déconseillée car ils passent dans le lait.

Régime : avant de vous prescrire un antidiabétique oral, votre médecin doit savoir si vous suivez déjà un régime soit pour votre diabète soit pour une obésité éventuelle; si vous avez un diabète non insulinodépendant, il faut faire précéder l'utilisation du médicament d'une période de régime pauvre en hydrates de carbone, en graisses et en calories de façon à essayer de contrôler votre diabète par le régime seul.

Pendant le traitement, votre médecin vous indiquera comment continuer ce régime dont le pouvoir calorique est déterminé par divers facteurs; ce régime, accompagné d'exercice physique, est particulièrement nécessaire chez les obèses.

Sujets âgés : les antidiabétiques oraux doivent être utilisés avec la plus grande prudence à cause du danger d'hypoglycémie qui est particulièrement grave.

Interactions : il faut informer votre médecin si vous prenez ou avez pris récemment d'autres médicaments :
– MÉDICAMENTS QUI AUGMENTENT L'ACTION DES ANTIDIABÉTIQUES ORAUX (RISQUE D'HYPOGLYCÉMIE) : miconazole par voie buccale (risque d'hypoglycémie sévère), aspirine et autres salicylés, anti-inflammatoires non stéroïdiens, sulfamides antibactériens, antidépresseurs IMAO, anticoagulants oraux, chloramphénicol, bêta-bloquants (peuvent masquer les symptômes d'hypoglycémie), inhibiteurs de l'enzyme de conversion, clofibrate, probénécide.
– MÉDICAMENTS QUI DIMINUENT L'ACTION DES ANTIDIABÉTIQUES ORAUX (RISQUE D'HYPERGLYCÉMIE) : barbituriques, corticoïdes et tétracosactide, diurétiques, contraceptifs hormo-

naux («pilule»), antihistaminiques, sympathomimétiques, danazol.

Surveillance : il est très important de s'assurer que votre diabète est bien contrôlé par le régime et par une dose adéquate; par conséquent, vous devez mesurer périodiquement votre glycémie (à jeun et après un repas) et vérifier l'absence de sucre dans les urines et informer votre médecin de toute anomalie constatée; si vous oubliez de prendre le médicament et si vous le remarquez dans les 2 heures qui suivent, prenez immédiatement la dose oubliée; ne doublez pas la dose suivante.

Alcool : la consommation d'alcool est formellement déconseillée; en effet, l'alcool peut provoquer un malaise, des bouffées de chaleur, une rougeur de la face et du cou, une accélération du pouls (effet «antabuse»).

Conduite de véhicules : la conduite de véhicules ou l'utilisation de machines est déconseillée tant que le diabète n'est pas bien équilibré, ou lorsqu'on change de médicament, en raison du risque de la diminution de la vigilance.

Exposition au soleil : ces médicaments peuvent rendre votre peau très sensible aux rayons solaires et ultra-violets (photosensibilisation); dans ce cas, vous devez éviter l'exposition directe au soleil et porter des vêtements qui couvrent les bras et les jambes, un chapeau et des lunettes de soleil.

Hypoglycémie : la diminution excessive du sucre dans le sang se traduit par les signes suivants : transpirations, tremblements, palpitations, accélération du pouls, fatigue, «malaise», bâillements, nausées, maux de tête, fringale (boulimie).

Tous ces signes disparaissent rapidement si vous prenez une boisson sucrée, un ou deux morceaux de sucre ou du glucose; même si tous les symptômes disparaissent, vous devez arrêter le traitement, consulter immédiatement votre médecin et contrôler la glycémie; en effet, les effets du médicament sur la glycémie durent pendant 3 à 5 jours au cours des quels une rechute est toujours possible. Les signes mentionnés ci-dessus peuvent manquer, surtout chez le sujet âgé, et l'hypoglycémie

peut évoluer silencieusement pour aboutir à une confusion mentale, parfois à des convulsions, et à une somnolence qui évolue vers le coma hypoglycémique; à ce stade, une intervention médicale d'urgence est impérative (injection intraveineuse d'une solution glucosée, hospitalisation; le glucagon est déconseillé). L'hypoglycémie peut survenir à la suite de la prise de doses excessives du médicament, d'une alimentation insuffisante en hydrates de carbone, lorsqu'un repas est retardé ou supprimé, lors d'un effort physique inhabituel ou de l'association avec certains médicaments.

Hyperglycémie : des doses insuffisantes et des écarts de régime peuvent entraîner une augmentation excessive du glucose dans le sang qui se traduit par une soif intense, une sécheresse de la bouche, une peau sèche et des urines abondantes ayant une odeur fruitée : signalez immédiatement ces troubles à votre médecin.

En cas de stress : l'utilisation temporaire d'insuline peut être nécessaire en cas de blessure ou de brûlure, d'infection, d'apparition d'un coma acido-cétosique ou d'intervention chirurgicale.

Attention : si vous utilisez un *biguanide*, arrêtez le traitement et informez immédiatement votre médecin en cas de survenue de malaises, nausées, vomissements, crampes, respiration accélérée, douleurs abdominales; ce signes peuvent précéder une complication du traitement appelée *acidose lactique* qui est un trouble grave pouvant évoluer vers un coma parfois mortel; l'acidose survient lorsque le médicament s'accumule dans l'organisme; une hospitalisation d'urgence peut être nécessaire.

Autres effets indésirables possibles :
– perte de l'appétit, nausées, vomissements, diarrhée, maux de tête;
– prise de poids, jambes enflées (rétention d'eau);
– prurit, éruptions cutanées (réaction allergique : arrêtez le traitement);
– urines foncées et selles claires, jaunisse;
– fièvre, frissons, mal de gorge, (diminution des globules blancs dans le sang).

Si vous utilisez l'une des spécialités suivantes pour le traitement de fond de la goutte...

INHIBITEURS DE LA SYNTHÈSE DE L'ACIDE URIQUE: *Thiopurinol*® (Bouchara). *Xanturic*® (Pharmafarm). *Zyloric*® (Wellcome).	*URICOSURIQUES:* *Bénémide*® (Doms-Adrian). *Désuric*® (Labaz). *EN ASSOCIATION:* *Désatura*® (Millot-Solac).

Propriétés et emploi : ces médicaments sont utilisés pour diminuer le taux de l'acide urique dans le sang *(hypouricémiants);* on distingue :
– INHIBITEURS DE LA SYNTHÈSE URIQUE : médicaments qui inhibent la formation de l'acide urique et diminuent ainsi son taux dans le sang et dans l'urine; ils sont utilisés pour le traitement de fond de la goutte chronique; ils préviennent les accès de goutte lorsqu'ils sont pris régulièrement pendant quelques mois avec un régime pauvre en purines, mais ils ne constituent pas un traitement de l'accès de goutte (en fait, ils tendent à déclencher les accès au début du traitement). Contrairement aux médicaments qui diminuent le taux sanguin de l'acide urique en favorisant son élimination urinaire (uricosuriques), ils n'augmentent pas le risque de formation de calculs d'acide urique dans les reins et les voies urinaires (l'excrétion de l'acide urique par les reins est diminuée par ces médicaments).
– URICOSURIQUES : ils favorisent l'élimination de l'acide urique dans les urines et sont utilisés dans le traitement de fond de la goutte; ils n'ont pas d'effet sur la crise de goutte en cours.
Ces médicaments sont utilisés dans d'autres affections où le taux d'acide urique dans le sang est trop élevé (hyperuricémie), notamment certaines maladies du sang, ainsi que pour prévenir la formation des calculs d'acide urique dans les reins.

Allergie : informez votre médecin si vous avez déjà fait une réaction allergique ou inhabituelle à un antigoutteux.

Etat de santé : vous devez informer votre médecin de toute affection susceptible de modifier les effets du médicament,

notamment maladie des reins ou du foie (l'insuffisance rénale ou hépatique nécessite une réduction des doses), crise de goutte aiguë au cours des deux semaines précédentes (risque d'une nouvelle crise), diabète sucré, hypertension artérielle, déficit en glucose-6-phosphate déhydrogénase ou G6PD (risque d'anémie hémolytique chez les sujets atteints de cette anomalie congénitale rare).

Grossesse : ces médicaments sont déconseillés chez la femme enceinte ou susceptible de l'être; en effet, certains produits ont causé des malformations du fœtus au cours de l'expérimentation animale. Leur utilisation est aussi déconseillée pendant l'allaitement car leur innocuité n'a pas été établie .

Régime : expliquez vos habitudes alimentaires à votre médecin car l'excès d'acide urique dans le sang peut être la conséquence d'une suralimentation et d'une consommation excessive d'aliments riches en purines (abats, certains poissons, etc.); une alimentation équilibrée est indispensable avant de commencer le traitement.

Boissons : pendant toute la durée du traitement, il est très important de boire une quantité de liquides suffisante, permettant d'éliminer au moins 1,5-2 litres d'urine par jour, pour prévenir la formation de calculs dans le rein.

Interactions : il faut informer votre médecin si vous prenez ou avez pris récemment d'autres médicaments, notamment sels de fer, ampicilline et autres pénicillines du groupe A, vidarabine, anticoagulants oraux, azathioprine, mercaptopurine, chlorpropamide, théophylline, sulfinpyrazone, probénécide, diurétiques thiazidiques.

NOTE - Pour la colchicine, utilisée pour traiter la crise de goutte aiguë, → p. 161

ANTIGOUTTEUX (SUITE)

Au début du traitement : il ne faut jamais commencer le traitement au cours d'une crise de goutte (on conseille d'attendre au moins 15 jours après une crise aiguë); lorsqu'on commence le traitement, les crises de goutte risquent de s'aggraver (pour les éviter, on associe la colchicine pendant un mois).

Surveillance : il faut continuer le traitement pendant plusieurs mois avant de pouvoir observer une amélioration; pour apprécier les effets du traitement, votre médecin peut demander un contrôle du taux de l'acide urique dans le sang et dans les urines ainsi qu'une formule sanguine.

En cas de crise de goutte : si une crise survient au cours du traitement, il faut la traiter par la colchicine, tout en continuant le traitement de fond.

Alcool : l'alcool diminue l'efficacité du médicament.

Conduite de véhicules : chez certains sujets, ces médicaments provoquent des vertiges ou peuvent diminuer la vigilance.

Effets indésirables possibles :
– déclenchement de crises de goutte (si l'on n'associe pas la colchicine pendant le premier mois);
– sensation de plénitude, nausées, vomissements, diarrhées, vertiges, maux de tête, goût métallique;
– prurit, éruption cutanée, formation de vésicules ou desquamation de la peau (réaction allergique : arrêtez immédiatement le traitement);
– fièvre, frissons, maux de gorge, ulcérations buccales (vérifier le nombre des globules blancs dans le sang);
– saignement au moindre traumatisme, saignement du nez, présence de sang dans les urines ou les selles, coloration noire des selles, apparition de petites taches rouges sur la peau (vérifier le nombre des plaquettes dans le sang);
– douleurs musculaires, lumbago, douleurs aux reins, difficulté à uriner; jaunisse.

Si vous utilisez l'une des spécialités suivantes pour traiter une allergie...

ANTIHISTAMINIQUES H1 NON SÉDATIFS
Clarityne® (Schering-Plough).
Hismanal® (Janssen).
Teldane® (Marion Merrell Dow).
Tinset® (Cilag).
Virlix® (Delalande).
Zyrtec® (UCB-Pharma).

ANTIHISTAMINIQUES H1 SÉDATIFS
Actidilon® (Wellcome).
Agyrax® (Vedim).
Allerga® (Delagrange).
Allergefon® (Lafon).
Apaisyl® (Pharminter)
Aphilan R® (Darcy).
Atarax® (UCB Pharma).
Bénylin® (Parke-Davis).
Calmixène® (Sandoz).
Dimégan® (Dexo).

Domistan® (Therval).
Donormyl® (Oberlin).
Dramamine® (Searle).
Hypostamine® (Promedica).
Istamyl® (Monot).
Marzine® (Wellcome).
Mercalm® (Phygiène).
Méréprine® (M. Merrell Dow).
Nausicalm® (Brothier).
Nautamine® (Delagrange).
Nopron® (Delalande).
Périactine® (M., S. & D.-Chibret).
Phénergan® (Specia).
Polaramine® (Schering-Plough).
Primalan® (Inava).
Systral® (Lucien).
Théralène® (Théraplix).
Vogalène® (Kabi Pharmacia).
Zaditen® (Sandoz).

Propriétés et emploi : la réaction allergique provoque une libération locale d'histamine, ce qui se traduit par des éternuements, une rougeur de la peau, un prurit, des yeux rouges et d'autres symptômes; les antihistaminiques réduisent ces effets de l'histamine en bloquant les récepteurs H1 (pour les antihistaminiques qui bloquent les récepteurs H2 → p. 60). Les *antihistaminiques H1* sont utilisés pour atténuer ou prévenir les symptômes de l'allergie par exemple dans le rhume des foins, l'urticaire, la conjonctivite allergique, l'œdème de Quincke et les piqûres d'insectes.

Certains antihistaminiques sont utilisés en cas de vomissements, dans le mal des transports ou comme sédatifs et somnifères.

Précautions : ne pas utiliser en cas d'allergie au produit; les affections suivantes peuvent être aggravées par les antihistaminiques ayant une action atropinique : obstruction des voies urinaires (hypertrophie de la prostate), glaucome à angle étroit, insuffisance cardiaque décompensée, épilepsie.

Grossesse et allaitement : l'innocuité de ces médicaments n'ayant pas été établie chez la femme enceinte, ni lors de l'allaitement, leur usage est déconseillé par mesure de prudence.

Enfants : les dérivés de la phénothiazine sont déconseillés chez l'enfant âgé de moins de 5 ans (risque d'arrêt respiratoire pendant le sommeil).

Sujets âgés : tolérance diminuée et fréquence accrue d'effets indésirables (confusion mentale, cauchemars, excitation, etc.).

Interactions : il faut informer votre médecin si vous prenez ou avez pris récemment d'autres médicaments, notamment des antidépresseurs inhibiteurs de la mono-amine oxydase ou IMAO (association à éviter) ou des antispasmodiques atropiniques (majoration des effets indésirables).

Alcool : évitez l'usage concomitant de l'alcool, de sédatifs, tranquillisants et somnifères.

Conduite de véhicules : assurez vous que le médicament n'entraîne ni somnolence ni diminution des réflexes avant de conduire des véhicules ou d'utiliser des machines.

Oubli : prenez la dose prescrite chaque jour à la même heure; si vous oubliez de prendre une dose, prenez-la dès que possible; si vous oubliez plusieurs doses, contactez votre médecin.

Exposition au soleil : les dérivés de la phénothiazine peuvent rendre votre peau très sensible aux rayons solaires et ultra-violets (photosensibilisation); dans ce cas, vous devez éviter l'exposition directe au soleil et porter des vêtements qui couvrent les bras et les jambes, un chapeau et des lunettes de soleil.

Effets indésirables possibles :
– nausées, douleurs gastriques; augmentation de l'appétit et prise de poids en cas de traitement prolongé:
– prurit, urticaire, éruptions cutanées (réaction allergique : arrêtez immédiatement le traitement).

EFFETS ATROPINIQUES ET SÉDATIFS :
– sécheresse de la bouche, troubles visuels, difficulté à uriner, constipation;
– palpitations, accélération du pouls, vertiges, étourdissements ou évanouissements lorsque vous vous levez du lit (hypotension orthostatique);
– somnolence diurne, fatigue;
– confusion mentale (chez les sujets âgés) ou excitation (surtout chez les enfants), perte de l'appétit, nausées, douleurs gastriques;
– bien que l'action atropinique et sédative de certains antihistaminiques soit réduite ou absente, on peut observer des effets indésirables de ce type lorsque ces médicaments sont utilisés à doses élevées.

EFFETS INDÉSIRABLES TRÈS RARES DES ANTIHISTAMINIQUES DÉRIVÉS DE LA PHÉNOTHIAZINE À HAUTES DOSES :
– tremblements, rigidité de la face et des membres (*syndrome parkinsonien*);
– torticolis spasmodique, rotation et inclinaison de la tête, mouvements rotatoires ou latéraux des yeux, mâchoire serrée (*dyskinésies «précoces»*);
– fièvre élevée, pâleur, confusion mentale, rigidité musculaire, accélération du pouls, variations de la tension artérielle, transpirations (*syndrome malin des neuroleptiques*);
Intoxication (dangereuse chez l'enfant) : somnolence, nausées, vomissements, vertiges, fièvre, délire, convulsions, difficulté à respirer, parfois agitation, hallucinations.

Si vous utilisez l'une des spécialités suivantes pour traiter l'hypertension artérielle...

SPÉCIALITÉS CONTENANT UN ANTIHYPERTENSEUR À ACTION CENTRALE:

Aldomet® (M., S. & D.-Chibret).
Barclyd® (Biogalénique).
Catapressan® (Boehringer Ingelheim).
Equibar® (Biogalénique).

Estulic® (Sandoz).
Euctan® (Delalande).
Hyperium® (Biopharma).

Propriétés et emploi : ces médicaments sont des *antihypertenseurs à action centrale* qui abaissent la tension artérielle en diminuant les impulsions nerveuses provenant du cerveau et allant au cœur et aux vaisseaux à travers les nerfs sympathiques; ils dilatent les vaisseaux, diminuent par conséquent la résistance au passage du sang et réduisent le travail cardiaque; en même temps, ils ralentissent le rythme cardiaque. Ils sont souvent associés à un diurétique.

Allergie : informez votre médecin si vous avez déjà fait une réaction allergique ou inhabituelle à des antihypertenseurs.

Etat de santé : vous devez informer votre médecin de toute affection susceptible de modifier les effets du médicament, notamment maladie du foie évolutive, cirrhose, maladie des reins (l'insuffisance rénale nécessite une diminution des doses), angine de poitrine, maladie de Parkinson, syndrome de Raynaud, thromboangéite oblitérante, état dépressif ou tendance à la dépression, phéochromocytome, anémie hémolytique.

Grossesse : l'utilisation de ces médicaments est déconseillée par mesure de prudence chez les femmes enceintes ou susceptibles de le devenir, car ils traversent le placenta.

Allaitement : utilisation déconseillée.

Sujets âgés : ils sont très sensibles aux antihypertenseurs qui peuvent provoquer des baisses de la tension artérielle excessives avec étourdissements et évanouissements.

Interactions : il faut informer votre médecin si vous prenez ou avez pris récemment d'autres médicaments, notamment des antidépresseurs inhibiteurs de la mono-amine-oxydase ou IMAO (hyperexcitabilité,

hallucinations, crise hypertensive, association déconseillée); antidépresseurs tricycliques (risque accru d'hypotension orthostatique); sels de lithium (majoration des effets indésirables du lithium); lévodopa (majoration réciproque des effets); diurétiques (potentialisation de l'action antihypertensive, les doses doivent être ajustées en cas d'association); bêtabloquants (possibilité d'élévation de la tension artérielle); corticoïdes, anti-inflammatoires non stéroïdiens (diminution de l'effet antihypertenseur).

Prescription : ne dépassez pas la dose prescrite; des doses trop élevées ou des prises trop fréquentes augmentent le risque d'effets indésirables.

Oubli : prenez la dose prescrite chaque jour à la même heure; si vous oubliez de prendre une dose, prenez la dès que possible; si vous oubliez deux ou plusieurs doses, contactez votre médecin.

Au début du traitement : il peut se produire une baisse trop importante de la tension artérielle avec vertiges et évanouissements notamment au moment de vous lever.

Régime : dans le traitement de l'hypertension, le médecin conseille souvent de suivre un régime en évitant des aliments riches en sodium tels que les poissons conservés en boîte, en saumure ou séchés, les fruits de mer, les fruits séchés et oléagineux, le lait et les laitages, les légumes surgelés, les soupes en sachet, etc. Il faut cependant éviter un régime sans sel trop strict car une diminution du sodium dans le sang peut exagérer les effets du médicament.

Surveillance : des contrôles réguliers de la tension artérielle, des examens des urines et du sang et des tests de la fonction hépatique sont nécessaires en cas d'usage prolongé.   →

Autres médicaments : ne prenez aucun autre médicament sans consulter votre médecin, y compris des produits en vente libre.

Alcool : évitez la consommation de boissons alcoolisées et de médicaments sédatifs, tranquillisants et somnifères (majoration de l'effet sédatif).

Conduite de véhicules : ces médicaments peuvent provoquer une somnolence diurne et une diminution de la vigilance ; la conduite de véhicules ou l'utilisation de machines peut être dangereuse dans ce cas.

Arrêt du traitement : n'arrêtez jamais le traitement sans consulter votre médecin qui vous indiquera comment réduire progressivement les doses ; l'interruption brusque du traitement à doses élevées peut entraîner une élévation de la tension artérielle.

Chirurgie : avant toute intervention dentaire ou chirurgicale, informez le dentiste ou le chirurgien que vous prenez un antihypertenseur.

Effets indésirables possibles :
– sédation, somnolence diurne, maux de tête ;
– sécheresse de la bouche, congestion nasale, constipation ;
– nausées, vomissements, diarrhée ;
– palpitations, ralentissement du pouls (bradycardie) ;
– hypertrophie des seins, troubles des règles, impuissance, baisse de la libido ;
– étourdissements, évanouissements quand vous vous levez (tension trop basse ou hypotension orthostatique) ;
– prise de poids, chevilles enflées (œdèmes) ;
– fièvre, frissons, maux de gorge, ulcérations buccales (diminution du nombre des globules blancs dans le sang) ;
– faiblesse, pâleur (anémie hémolytique) ;
– éruption cutanée (réaction allergique : arrêtez immédiatement le traitement) ;
– fièvre isolée, apparaissant au cours des trois premières semaines du traitement, sans autres symptômes ;
– lupus érythémateux disséminé ; jaunisse ; dépression, cauchemars.

Intoxication : baisse importante de la tension artérielle, somnolence profonde, nausées, vomissements, pouls lent (bradycardie), contraction des pupilles.

Si vous utilisez l'une des spécialités suivantes pour traiter l'hypertension artérielle...

VASODILATATEURS DIRECTS:
Lonoten® (Upjohn).
Népressol® (Ciba-Geigy).
ASSOCIÉS À UN BÊTA-BLOQUANT
Trasipressol® (Ciba-Geigy).

ALPHA-BLOQUANTS:
Alpress® LP (Pfizer).
Eupressyl® (Byk).
Médiatensyl® (Inergie).
Minipress® (Pfizer).

Propriétés et emploi : ces médicaments sont des *vasodilatateurs périphériques* qui agissent sur les muscles lisses de la paroi des artérioles et diminuent la résistance au passage du sang ; ils sont utilisés pour abaisser la tension artérielle.

Précautions : ne pas utiliser en cas d'allergie au produit ; les affections suivantes peuvent modifier l'action du médicament : angine de poitrine (risque de déclencher des crises), maladies du foie ou des reins (l'insuffisance hépatique ou rénale peut nécessiter une diminution des doses),

maladie du cœur, notamment sténose mitrale, accident vasculaire cérébral ou «attaque» récente (la baisse de la tension artérielle peut créer des problèmes), activité excessive de la thyroïde, maladie de Basedow ou hyperthyroïdie (risque d'accélération excessive du rythme cardiaque), maladie de Paget.

Grossesse, allaitement : l'innocuité n'ayant pas été établie chez la femme enceinte et au cours de l'allaitement, l'usage est déconseillé par prudence.

Interactions : il faut informer votre médecin si vous prenez ou avez pris récemment d'autres médicaments, notamment des dérivés nitrés (risque de baisse trop importante de la tension artérielle), diurétiques et autres antihypertenseurs (potentialisation de l'action antihypertensive, les doses doivent être ajustées en cas d'association), inhibiteurs calciques (risque d'hypotension orthostatique), antidépresseurs tricycliques ou neuroleptiques (potentialisation de l'action hypotensive, risque d'hypotension orthostatique).

Prescription : ne dépassez pas la dose prescrite ; des doses trop élevées ou des prises trop fréquentes augmentent le risque d'effets indésirables.

Prise du médicament : les comprimés à libération prolongée doivent être avalés entiers.

Oubli : prenez la dose prescrite chaque jour à la même heure (si un autre médicament est associé, prenez chaque médicament à une heure fixe) ; si vous oubliez de prendre le médicament et si vous le remarquez dans les 2 heures qui suivent, prenez immédiatement la dose oubliée ; ne doublez pas la dose suivante ; si vous oubliez deux ou plusieurs doses, contactez votre médecin (risque d'élévation de la tension artérielle).

Au début du traitement : il peut se produire une baisse importante de la tension artérielle qui peut s'accompagner de vertiges et d'évanouissement au moment de vous lever.

Régime : dans le traitement de l'hypertension, le médecin conseille souvent de suivre un régime en évitant les aliments riches en sodium tels que les poissons conservés en boîte, en saumure ou séchés, les fruits de mer, les fruits séchés et oléagineux, le lait et les laitages, légumes surgelés, les soupes en sachet, etc. Il faut cependant éviter un régime sans sel trop strict car une diminution du sodium dans le sang peut exagérer les effets du médicament.

Autres médicaments : pendant le traitement ne prenez aucun autre médicament sans consulter votre médecin, y compris des produits en vente libre proposés par exemple pour soigner un rhume, un mal de gorge ou la toux.

Alcool : évitez la consommation de boissons alcoolisées et de médicaments sédatifs, tranquillisants et somnifères (majoration de l'effet sédatif).

Conduite de véhicules : ces médicaments peuvent provoquer des vertiges et des étourdissements ; la conduite de véhicules ou l'utilisation de machines peut devenir dangereuse.

Autosurveillance : vous pouvez contrôler vous-même si le médicament provoque une accélération excessive du pouls et/ou une prise de poids rapide (plus de 2 kg) ; informez votre médecin de toute anomalie.

Arrêt du traitement : n'arrêtez jamais le traitement sans consulter votre médecin qui vous indiquera comment réduire progressivement les doses ; un arrêt brusque du traitement peut entraîner une soudaine remontée de la pression sanguine.

Chirurgie : avant toute intervention dentaire ou chirurgicale ou d'hospitalisation d'urgence, informez le dentiste ou le chirurgien que vous prenez un antihypertenseur.

Effets indésirables possibles :

– nausées, vomissements ;

– chevilles enflées, prise de poids (rétention d'eau, associer un diurétique) ;

– vertiges, étourdissements, voile noir devant les yeux quand vous vous levez (tension trop basse ou hypotension orthostatique) ;

– accélération du pouls, palpitations (associer un bêta-bloquant) ;

– maux de tête persistants ; dépression ; douleurs articulaires ;

– douleurs précordiales (angine de poitrine, associer un bêta-bloquant) ;

– éruption cutanée (réaction allergique : arrêtez le traitement) ;

– coloration jaune de la peau et des yeux, jaunisse.

Intoxication : baisse importante de la tension artérielle, accélération du pouls, éventuellement état de choc.

Si vous utilisez l'une des spécialités suivantes pour traiter la douleur et l'inflammation des articulations, des tendons et des muscles...

PROPIONATES (Arylpropioniques)
  Advil® (Whitehall).
  Algifène® (Soekami-Lefrancq).
  Analgyl® (Specia).
  Apranax® (Syntex).
  Bi-Profénid® (Specia).
  Brufen® (Boots Pharma).
  Cebutid® (Boots Pharma).
  Fénalgic® (Specia).
  Minalfène® (Bouchara).
  Nalgésic® (Lilly).
  Naprosyne® (Cassenne).
  Nurofen® (Boots Pharma).
  Profénid® (Specia).
  Surgam® (Roussel).
  Tiburon® (Pharminter).
  Topfen® (Biostabilex-Urap).
  Toprec® (Pharmuka).

PYRAZOLÉS
  Butazolidine® (Ciba-Geigy).

ARYLCARBOXYLIQUES
  Cinopal® (Lederle).
  Fentac® (Sarget).
  Lodine® (Wyeth).
  Voldal® (Zyma).
  Voltarène® (Ciba-Geigy).
  Xenid® (Biogalénique).

INDOLES (Indoliques)
  Ainscrid LP® (Pharbiol).
  Arthrocine® (M., S. & D.-Chibret).
  Chrono-Indocid 75®
    (M., S. & D.-Chibret).
  Indocid® (M., S. & D.-Chibret).

FÉNAMATES
  Nifluril® (Upsa).
  Ponstyl® (Parke-Davis).

OXICAMS
  Feldène® (Pfizer).
  Tilcotil® (Roche).

NOTE - Pour les médicaments utilisés dans le traitement de fond des maladies rhumatismales ou antirhumatismaux «rémissifs» → p. 54 et 55

Propriétés et emploi : ces médicaments sont des *anti-inflammatoires non stéroïdiens* qui inhibent la synthèse des prostaglandines et ont
– une action analgésique (ils calment la douleur);
– une action antipyrétique (ils abaissent la température);
– une action anti-inflammatoire.
Ils sont utilisés à faibles doses pour soulager les douleurs modérées, par exemple maux de tête, douleurs dentaires, douleurs menstruelles et pour faire baisser la fièvre.
Des spécialités contenant une faible dose d'ibuprofène (200 mg) sont disponibles pour l'automédication (*Advil®, Algifène®, Analgyl®, Nurofen®, Tiburon®*); lisez attentivement les informations qui accompagnent chaque produit.
A doses plus élevées, ces médicaments sont utilisés sous contrôle médical dans les inflammations douloureuses des articulations, des capsules articulaires, des muscles ou des tendons et dans d'autres affections déterminées par votre médecin; dans la polyarthrite rhumatoïde et dans l'arthrose, ils atténuent la douleur, la tuméfaction et la raideur des articulations, mais ne guérissent pas ces maladies.

Allergie : informez votre médecin si vous avez déjà fait une réaction allergique (asthme, éruption cutanée) à l'aspirine ou à un autre anti-inflammatoire non stéroïdien.

Etat de santé : vous devez informer votre médecin de toute affection susceptible de modifier les effets du médicament, notamment : ulcère gastro-duodénal ancien ou en évolution (ces médicaments ne doivent pas être utilisés), maladie des reins ou du foie (l'insuffisance rénale ou hépatique demande une réduction des doses), asthme, maladie du cœur, hypertension artérielle, hémophilie ou autre maladie du sang avec hémorragies, lupus érythémateux disséminé.

Grossesse : ces médicaments ne doivent pas être utilisés pendant le 1er trimestre, leur innocuité n'ayant pas été établie, et au dernier trimestre en raison du risque d'hémorragies chez la mère et l'enfant et de l'exposition du fœtus à une toxicité pulmonaire et rénale.

Allaitement : utilisation déconseillée.

Enfants : ne pas utiliser avant l'âge de 12 ans.

Sujets âgés : risque accru d'effets indésirables; doses réduites.

Régime : si vous suivez un régime sans sel ou pauvre en sel, consultez votre médecin avant de prendre ces médicaments.

Interactions : il faut informer votre médecin si vous prenez ou avez pris récemment d'autres médicaments, notamment :
- autres anti-inflammatoires non stéroïdiens (risque accru d'ulcérations gastroduodénales et d'hémorragies digestives);
- anticoagulants oraux, héparine, ticlopidine (effet anticoagulant augmenté et risque accru d'hémorragies digestives);
- antidiabétiques oraux (risque accru d'effets indésirables);
- corticoïdes (risque accru d'ulcérations et d'hémorragies digestives);
- aspirine (risque accru d'effets indésirables);
- probénécide, pénicillamine, phénytoïne, ticlopidine et sulfinpyrazone (risque accru d'effets indésirables);
- diurétiques et antihypertenseurs (dont les effets sont diminués);
- méthotrexate (toxicité augmentée);
- digoxine (augmentation du taux plasmatique de la digoxine dont la dose doit être réduite);
- sels de lithium (augmentation du taux plasmatique des sels de lithium dont la dose doit être réduite).

Prescription : ne dépassez pas la dose prescrite; des doses trop élevées ou des prises trop fréquentes augmentent le risque d'effets indésirables.

Prise du médicament : on conseille de prendre le médicament avec un verre d'eau et des aliments; si la raideur articulaire vous gêne le matin au lever, vous pouvez prendre le médicament avec du thé au petit déjeuner.

Oubli : si vous oubliez de prendre le médicament et si vous le remarquez dans les 2 heures qui suivent, prenez immédiatement la dose oubliée; ne doublez pas la dose suivante.

Alcool : à à éviter pendant le traitement.

Autres médicaments : ne pas associer l'aspirine ou un autre anti-inflammatoire.

Surveillance : en cas de traitement prolongé, consultez votre médecin périodiquement pour contrôler la fonction rénale et évaluer les résultats et d'éventuels effets indésirables; en cas de troubles de la vue, un examen ophtalmologique est nécessaire.

Effets indésirables possibles :
- nausées, vomissements, diarrhées ou constipation, douleurs gastriques, maux de tête, vertiges, anxiété, bourdonnements d'oreille;
- crise d'asthme (souvent observée chez des sujets ayant déjà fait un asthme à l'aspirine);
- prurit, éruption cutanée (réaction allergique : arrêtez le traitement);
- crampes abdominales, selles noires, vomissements contenant du sang ou «marc de café» (hémorragie gastro-intestinale);
- production diminuée d'urine, chevilles enflées (rétention d'eau, œdèmes);
- forte fièvre avec mal de gorge et augmentation de volume des ganglions du cou (diminution des globules blancs dans le sang);
- troubles visuels avec sensation de brouillard (dépôts sur la cornée).
- des ulcères gastro-intestinaux peuvent apparaître à la suite d'un traitement prolongé par des anti-inflammatoires non stéroïdiens à doses élevées, surtout chez les sujets âgés; ces ulcères sont souvent silencieux, mais représentent un danger potentiel d'hémorragie.

Formes percutanées (utilisées en application locale)

Carudol® (Boehringer Ingelheim).
Dolgit® (Merck-Clévenot).
Flunir® (Oberlin).
Geldène® (Pfizer).
Niflugel® (Upsa).

Nifluril® (Upsa).
Perclusone® (L'Arguenon).
Profénid® gel (Specia).
Voltarène® Emulgel (Ciba-Geigy).

Si vous utilisez l'une des spécialités suivantes pour traiter la maladie de Parkinson...

SPÉCIALITÉS CONTENANT UN ANTIPARKINSONIEN ATROPINIQUE:

Akinéton Retard® (Knoll). *Génoscopolamine®* (Amido)
Artane® (Théraplix). *Lepticur®* (Diamant).
Disipal® (Brocades Pharma). *Parkinane®* (Lederle).

Propriétés et emploi : ces *antiparkinsoniens atropiniques* ou *anticholinergiques* sont utilisés pour réduire le tremblement et la rigidité musculaire de la maladie de Parkinson (paralysie agitante); ils sont employés seuls dans les formes débutantes de la maladie ou en association avec la *lévodopa* dans les formes plus avancées; ils sont aussi utilisés pour contrôler le torticolis spasmodique, les mouvements involontaires des yeux et le syndrome parkinsonien d'origine médicamenteuse observé au début du traitement par les neuroleptiques (dyskinésies «précoces»).

Précautions : ne pas utiliser en cas d'allergie au produit, d'adénome de la prostate, de glaucome par fermeture de l'angle, d'affections du tube digestif avec rétrécissements ou dilatations de l'intestin, de spasmes de l'œsophage, de myasthénie (risque d'aggravation de la faiblesse musculaire) de séquelles du traitement par les neuroleptiques sous forme de mouvements involontaires de la langue, de la face, de la mâchoire et des mains (dyskinésies «tardives» qui sont aggravées par ces médicaments).

Grossesse et allaitement : l'utilisation est déconseillée.

Enfants : ces médicaments ne sont pas utilisés chez les enfants avant 15 ans.

Sujets âgés : les troubles psychiatriques, allant d'une légère perte de mémoire des faits récents jusqu'aux états confusionnels aigus, peuvent poser des problèmes de prise en charge.

Interactions : il faut informer votre médecin si vous prenez ou avez pris récemment d'autres médicaments, notamment : antidépresseurs tricycliques, morphine et analgésiques morphiniques, neuroleptiques (risque accru de dyskinésies tardives), quinidine, amantadine.

Conduite de véhicules : chez certains sujets, ces médicaments provoquent des vertiges, des troubles visuels ou diminuent la vigilance.

Arrêt du traitement : si vous avez pris un antiparkinsonien à doses élevées pendant plusieurs semaines ou plus longtemps, ne jamais arrêter le traitement sans l'avis du médecin; en effet, l'arrêt brusque peut aggraver les symptômes de la maladie (phénomène de «rebond»).

Alcool : ne pas consommer d'alcool pendant le traitement.

Autres médicaments : ne prenez aucun autre médicament sans l'avis du médecin; en effet, l'association avec un tranquillisant, un somnifère, un relaxant musculaire ou un antispasmodique atropinique peut modifier les réactions de l'organisme; en outre, la prise d'un antiacide gastrique à moins d'une heure d'intervalle, peut diminuer l'efficacité du traitement.

Exposition au soleil : si vous constatez une sensibilité particulière à la lumière du jour, portez des lunettes de soleil.

Climats chauds : dans les climats chauds et en cas d'effort intense, le risque de coup de chaleur est accru par l'action atropinique de ces médicaments qui diminuent la transpiration et augmentent la température du corps.

Effets indésirables possibles :
– sécheresse de la bouche, du nez et de la gorge (soif, difficulté à avaler);
– troubles visuels, douleurs dans les yeux (en cas de glaucome), diminution de la sécrétion lacrymale («œil sec»);
– difficulté à uriner;
– palpitations, accélération du pouls;
– vertiges, étourdissement ou évanouissements quand vous vous levez du lit (tension trop basse ou hypotension orthostatique);
– constipation (risque de dilatation du côlon);
– peau sèche, diminution de la transpiration;
– excitabilité, irritabilité, confusion mentale, agitation (sujets âgés).

Si vous utilisez l'une des spécialités suivantes pour traiter une maladie due à des protozoaires...

SPÉCIALITÉS CONTENANT UN DÉRIVÉ NITRO-IMIDAZOLÉ:

Atrican® (Innotech).

Fasigyne® (Pfizer).

Flagentyl® (Specia).

Flagyl® (Specia).

Métronidazole (Fandre).

Naxogyn® (Farmitalia C. Erba).

Tibéral® (Roche).

Propriétés et emploi : ces médicaments sont actifs contre les protozoaires (organismes vivants unicellulaires) intestinaux et certaines bactéries anaérobies (germes capables de prospérer sans oxygène).

Ils sont utilisés par voie buccale ou en perfusions pour traiter les affections suivantes :

– trichomonase uro-génitale; le «traitement-minute» consiste en une prise unique le soir chez l'homme comme chez la femme; votre partenaire sexuel doit aussi être traité, même s'il n'a aucun symptôme et, si le traitement est refusé ou est impossible, il faut utiliser un préservatif afin d'éviter une réinfection;

– vaginite à *Gardnerella vaginalis*;

– amibiase sous sa forme intestinale (dysenterie amibienne) ou extra-intestinale (abcès amibien du foie, du poumon, du cerveau);

– lambliase ou giardiase et balantidiase (parasitoses intestinales);

– infections à germes anaérobies, en particulier dans la sphère cardiaque (endocardite), abdominale et gynécologique.

Certains dérivés sont utilisés dans la dracunculose, maladie due à un ver sévissant en Afrique, en Amérique du Sud, au Proche Orient, en Asie.

Précautions : ne pas utiliser en cas d'allergie aux dérivés nitro-imidazolés, de maladie du système nerveux central, d'épilepsie, de maladie du sang avec diminution du nombre des globules blancs ou des plaquettes sanguines, de maladies des reins ou du foie.

Grossesse : ces médicaments ne doivent pas être utilisé chez la femme enceinte ou susceptible de l'être; en effet, ils franchissent la barrière placentaire.

Allaitement : utilisation déconseillée.

Interactions : il faut informer votre médecin si vous prenez ou avez pris récemment d'autres médicaments, notamment du disulfirame (association à éviter) ou des anticoagulants oraux (majoration de l'effet anticoagulant).

Alcool : peut provoquer des nausées, des vomissements, des bouffées de chaleur, des vertiges et des troubles du système nerveux central (effet «antabuse»).

Conduite de véhicules : chez certains sujets, possibilité de vertiges : la conduite de véhicules ou l'utilisation de machines peut être dangereuse.

Surveillance : si la durée du traitement dépasse 10 jours, des contrôles cliniques et biologiques périodiques sont conseillés, notamment des contrôles du nombre des globules blancs et des plaquettes dans le sang (formule sanguine).

Effets indésirables possibles :

– diminution de l'appétit, nausées, sécheresse de la bouche, goût métallique dans la bouche, éructations amères, sensations de tension gastrique, constipation;

– maux de tête, vertiges, troubles de l'équilibre (ataxie) et changement d'humeur;

– diarrhée et/ou vomissements répétés, douleurs abdominales;

– urines foncées, difficulté à uriner;

– fourmillements, engourdissement et douleurs au niveau des extrémités;

– éruptions cutanées (réaction allergique : arrêtez le traitement);

– forte fièvre avec mal de gorge et augmentation de volume des ganglions du cou (diminution des globules blancs dans le sang).

Si vous utilisez l'une des spécialités suivantes pour le traitement de fond de la maladie rhumatismale...

SPÉCIALITÉS CONTENANT UN SEL D'OR:

Allochrysine Lumière® (Sarbach).   *Ridauran®* (P. Fabre/Robapharm).

Propriétés et emploi : les sels d'or sont utilisés dans le traitement de fond de la polyarthrite rhumatoïde évolutive lorsque la radiologie met en évidence des érosions cartilagineuses et osseuses évolutives; les sels d'or sont susceptibles de ralentir la progression de la maladie; leurs effets ne se manifestent éventuellement qu'au bout de 3 à 6 mois; ces médicaments sont relativement toxiques (surveillance régulière des effets indésirables) et leur efficacité à long terme reste incertaine. La récidive est fréquente dans les 6 mois qui suivent l'interruption du traitement.

Allergie : informez votre médecin si vous avez déjà eu une réaction allergique ou inhabituelle à un sel d'or.

Etat de santé : vous devez informer votre médecin de toute affection susceptible de modifier les effets du médicament, notamment maladies du rein, présence d'albumine dans les urines (diminution de l'élimination du médicament et risque d'accumulation en cas d'insuffisance rénale), maladies du foie, lupus érythémateux disséminé, eczéma et autres affections évolutives de la peau, entérocolite, maladies du sang, stomatite.

Grossesse : les sels d'or ne doivent pas être utilisés chez la femme enceinte ou susceptible de l'être; en effet, ils ont causé des malformations du fœtus au cours de l'expérimentation animale.

Allaitement : l'utilisation est déconseillée en raison du passage dans le lait maternel.

Interactions : informez votre médecin si vous prenez ou avez pris récemment d'autres médicaments, notamment des anti-inflammatoires non stéroïdiens ou de la pénicillamine.

Délai d'action : de 3 à 6 mois; il faut donc attendre ce délai avant de pouvoir évaluer l'efficacité du traitement; les effets indésirables peuvent se manifester plusieurs mois après l'arrêt du traitement.

Surveillance : consultez votre médecin à intervalles réguliers pour contrôler le sang (formule sanguine) et la fonction rénale (présence d'albumine dans les urines) et pou évaluer les résultats et d'éventuels effets indésirables.

Exposition au soleil : ces médicaments peuvent rendre votre peau très sensible aux rayons solaires et ultraviolets (photosensibilisation); dans ce cas, vous devez éviter l'exposition directe au soleil et porter des vêtements qui couvrent les bras et les jambes, un chapeau et des lunettes de soleil.

Arrêt du traitement : l'arrêt brutal du traitement peut provoquer une aggravation des symptômes.

Effets indésirables possibles :
– nausées, douleurs abdominales, diarrhée, selles molles;
– ulcérations buccales;
– urines troubles (présence d'albumine, lésion du rein);
– prurit, éruption cutanée (réaction allergique : arrêtez le traitement);
– saignement au moindre traumatisme, présence de sang dans les urines ou les selles, coloration noire des selles, apparition de petites taches rouges sur la peau (diminution du nombre des plaquettes dans le sang);
– fièvre, frissons, maux de gorge, ulcérations buccales (diminution du nombre des globules blancs dans le sang);
– toux, douleurs thoraciques, difficulté à respirer; jaunisse.

Si vous utilisez l'une des spécialités suivantes pour le traitement de fond de la maladie rhumatismale...

SPÉCIALITÉS CONTENANT UN DÉRIVÉ SULFHYDRILÉ:

Acadione® (Cassenne).   *Trolovol*® (Bayer).
Encéphabol® (Merck-Clévenot).

Propriétés et emploi : médicaments utilisés pour le *traitement de fond de la polyarthrite rhumatoïde évolutive* lorsque la radiologie met en évidence des érosions cartilagineuses et osseuses évolutives et lorsque les autres traitements sont inefficaces; leurs effets ne se manifestent éventuellement qu'au bout de 3 à 6 mois; ces substances sont relativement toxiques (surveillance régulière des effets secondaires) et leur efficacité à long terme reste incertaine.

Précautions : ne pas utiliser en cas d'allergie au produit; les affections suivantes peuvent modifier l'action du médicament : maladies du sang avec diminution du nombre des globules sanguins, maladies du foie ou des reins, lupus érythémateux disséminé, myasthénie.

Grossesse : ces médicaments ne doivent pas être utilisés chez la femme enceinte ou susceptible de l'être; en effet, certains dérivés ont causé des malformations squelettiques du fœtus au cours de l'expérimentation animale.

Allaitement : utilisation déconseillée par mesure de prudence.

Sujets âgés : risque accru d'effets indésirables, doses réduites.

Interactions : il faut informer votre médecin si vous prenez ou avez pris récemment d'autres médicaments, notamment sels de fer, digoxine, phénylbutazone, chloroquine, pyridoxine, anti-inflammatoires non stéroïdiens (dérivés pyrazolés), sels d'or (lorsque le traitement par les sels d'or a dû être arrêté à cause d'effets indésirables, on conseille d'attendre au moins 6 mois avant d'utiliser les dérivés sulfhydrilés).

Prescription : ne dépassez pas la dose prescrite; des doses trop élevées ou des prises trop fréquentes augmentent le risque d'effets indésirables.

Prise du médicament : on conseille de prendre les comprimés à distance des repas (les aliments diminuent la résorption digestive).

Oubli : si vous oubliez de prendre le médicament et si vous le remarquez dans les 2 heures qui suivent, prenez immédiatement la dose oubliée; ne doublez pas la dose suivante; si vous oubliez le médicament plusieurs jours, prenez contact avec votre médecin car la reprise du traitement aux doses usuelles peut causer des réactions allergiques.

Surveillance : en cas de traitement prolongé, des contrôles réguliers sont indispensables, en particulier du sang (numération globulaire) et des urines (présence de sang ou de protéines).

Effets indésirables possibles :
– nausées, vomissements, diarrhées, perte du goût (aguesie).
– prurit, éruption cutanée, fièvre, ulcérations buccales (réaction allergique : arrêtez immédiatement le traitement);
– augmentation de poids, chevilles enflées;
– saignement au moindre traumatisme, présence de sang dans les urines ou les selles, coloration noire des selles, apparition de petites taches rouges sur la peau (diminution du nombre des plaquettes dans le sang);
– fièvre, frissons, maux de gorge, ulcérations buccales (diminution du nombre des globules blancs dans le sang);
– toux, douleurs thoraciques, difficulté à respirer; jaunisse.

EN CAS DE TRAITEMENT PROLONGÉ :
– faiblesse et douleurs musculaires (myopathie);
– anémie hémolytique;
– lupus érythémateux disséminé;
– insuffisance rénale.

Si vous utilisez l'une des spécialités suivantes pour traiter des spasmes ou des douleurs abdominales...

SPÉCIALITÉS CONTENANT UN ANTISPASMODIQUE ATROPINIQUE:

Atropine Aguettant®.
Atropine Lavoisier®.
Buscopan® (Delagrange).
Ditropan® (Debat).
Génatropine (Amido).
Luostyl® (Upsa).

Manir® (Byk).
Probanthine® (Searle).
Riabal® (Logeais).
Spasmodex® (Crinex).
Viscéralgine® (Riom).

Propriétés et emploi : les antispasmodiques agissent sur le système nerveux végétatif et provoquent un relâchement des fibres musculaires lisses du tube digestif et des voies urinaires et une diminution des sécrétions gastriques, salivaires, lacrymales et de la sudation. Ils sont utilisés dans les douleurs abdominales à condition d'avoir éliminé une urgence chirurgicale.

De nombreux médicaments sont proposés, sans que l'on puisse affirmer qu'une spécialité soit supérieure à une autre ou possède une action sélective sur un organe.

Allergie : informez votre médecin si vous avez déjà fait une réaction allergique ou inhabituelle au produit.

Etat de santé : vous devez informer votre médecin de toute affection susceptible de modifier les effets du médicament, notamment :
– difficulté à uriner, hypertrophie de la prostate (risque d'aggravation);
– glaucome par fermeture de l'angle;
– spasmes de l'œsophage;
– constipation, atonie intestinale (chez le sujet âgé);
– hypertension artérielle;
– myasthénie (risque d'aggravation de la faiblesse musculaire);
– activité excessive de la thyroïde (accélération du rythme cardiaque);
– insuffisance hépatique ou rénale (risque accru d'effets indésirables);
– bronchite chronique (risque d'augmentation de la viscosité des sécrétions bronchiques).

Grossesse et allaitement : il n'existe pas de contre-indication actuellement connue à l'utilisation de ces médicaments; cependant, leur innocuité n'a pas été établie chez la femme enceinte, ni lors de l'allaitement; l'utilisation en fin de grossesse peut provoquer des troubles intestinaux chez le nouveau-né.

Enfants : effets indésirables fréquents.

Sujets âgés : ces médicaments provoquent assez souvent une constipation, une difficulté à uriner, des vertiges, une confusion mentale.

Interactions : il faut informer votre médecin si vous prenez ou avez pris récemment d'autres médicaments, notamment des antidépresseurs inhibiteurs de la mono-amine oxydase ou IMAO (réactions imprévisibles), antidépresseurs tricycliques, antihistaminiques et neuroleptiques (action atropinique potentialisée), anorexigènes (augmentation de l'excitation), morphine et analgésiques morphiniques (prolongation de l'effet analgésique), antiparkinsoniens atropiniques, disopyramide.

Prescription : ne dépassez pas la dose prescrite; des doses trop élevées ou des prises trop fréquentes augmentent le risque d'effets indésirables.

Oubli : si vous oubliez de prendre le médicament, ne doublez pas la dose suivante.

Prise du médicament : prendre le médicament de préférence une heure avant les repas; la prise du médicament en même temps ou à moins d'une heure de la prise d'un antiacide peut diminuer son efficacité.

Climats chauds : en cas de temps très chaud et d'effort intense, ces médicaments peuvent favoriser un coup de chaleur.

Conduite de véhicules : chez certains sujets, possibilité des vertiges, de troubles visuels ou de diminution de la vigilance; la conduite de véhicules ou l'utilisation de machines peut être dangereuse dans ce cas.

Effets indésirables possibles (effets atropiniques) :
– sécheresse de la bouche, du nez et de la gorge (soif, difficulté à avaler);
– troubles visuels, douleurs dans les yeux (en cas de glaucome), diminution des larmes (œil sec);
– difficulté à uriner (surtout chez les prostatiques); constipation;
– palpitations, accélération du pouls;
– vertiges, étourdissements, évanouissements quand vous vous levez (tension trop basse ou hypotension orthostatique);
– peau sèche, diminution de la transpiration;
– excitabilité, irritabilité, confusion mentale, agitation (sujets âgés).

Intoxication : en cas de prise accidentelle d'une dose excessive, une intervention médicale d'urgence peut être nécessaire en cas de troubles de la conscience, agitation, hallucinations, confusion mentale, troubles urinaires.

Si vous utilisez l'une des spécialités suivantes pour traiter des spasmes ou des douleurs abdominales...

SPÉCIALITÉS CONTENANT UN ANTISPASMODIQUE MUSCULOTROPE:

> *Albatran*® (Beaufour).
> *Colopriv*® (Biothérapie).
> *Débridat*® (Jouveinal).
> *Dicetel*® (Latéma).

> *Duspatalin*® (Duphar).
> *Spasfon*® (Lafon).
> *Spasmavérine*® (R. Bellon).
> *Spasmopriv*® (Delalande).

Propriétés et emploi : ces médicaments agissent directement sur les fibres musculaires lisses, sans action atropinique; ils sont utilisés dans le traitement des spasmes douloureux du tube digestif, des voies biliaires et de la sphère génitale et urinaire à condition d'avoir éliminé une urgence chirurgicale.

Allergie : informez votre médecin si vous avez déjà fait une réaction allergique ou inhabituelle au produit.

Etat de santé : vous devez informer votre médecin de toute affection susceptible de modifier les effets du médicament, notamment, maladie du cœur, maladie du foie, migraine, maladie de Parkinson.

Grossesse et allaitement : il n'existe pas de contre-indication actuellement connue à l'utilisation de ces médicaments; cependant, leur innocuité n'a pas été établie chez la femme enceinte, ni lors de l'allaitement.

Interactions : il faut informer votre médecin si vous prenez ou avez pris récemment d'autres médicaments.

Prescription : ne dépassez pas la dose prescrite; des doses trop élevées ou des prises trop fréquentes augmentent le risque d'effets indésirables.

Oubli : si vous oubliez de prendre une dose et si vous le remarquez dans les 2 heures qui suivent, prenez immédiatement la dose oubliée; ne doublez pas la dose suivante; si les douleurs persistent, n'augmentez pas la dose mais consultez votre médecin.

Conduite de véhicules : assurez vous que le médicament n'entraîne pas de somnolence ou de sensation d'ébriété avant de conduire des véhicules ou d'utiliser des machines.

Effets indésirables possibles :
– bouffées de chaleur, perte de l'appétit, nausées, constipation, somnolence, accélération du pouls, transpirations;
– coloration jaune des yeux et de la peau, jaunisse;
– éruption cutanée (réaction allergique : arrêtez le traitement);
– baisse de la tension artérielle (surdosage).

Si vous utilisez l'une des spécialités suivantes pour traiter une maladie de la thyroïde...

SPÉCIALITÉS CONTENANT UN ANTITHYROÏDIEN DE SYNTHÈSE:

Basdène® (Doms-Adrian).   *Néo-Mercazole*® (Nicholas).

Propriétés et emploi : les *antithyroïdiens de synthèse* sont des dérivés de la thiourée utilisés lorsque la glande thyroïde est trop active et produit un excès d'hormone confirmé par le laboratoire *(maladie de Basedow ou hyperthyroïdie)* et dans la préparation à l'ablation de la thyroïde (thyroïdectomie); ils agissent en diminuant l'utilisation de l'iode pour produire l'hormone thyroïdienne; les effets ne se manifestent qu'après 3 à 4 semaines de traitement, lorsque les réserves d'hormone thyroïdienne déjà produite sont épuisées.

Précautions : ne pas utiliser en cas d'allergie au produit; les affections suivantes peuvent modifier l'action du médicament : une maladie infectieuse, certaines formes de goitre ou de cancer de la thyroïde, des maladies du sang.

Grossesse : ces médicaments ne sont pas conseillés pendant la grossesse car ils traversent la barrière fœto-placentaire et peuvent provoquer une hypothyroïdie néo-natale, surtout s'ils sont utilisés à hautes doses au-delà du 3ᵉ mois; votre médecin pourra vous conseiller sur la poursuite éventuelle du traitement si vous devenez enceinte.

Allaitement : l'utilisation est déconseillée en raison du passage dans le lait maternel.

Interactions : il faut informer votre médecin si vous prenez ou avez pris récemment d'autres médicaments, notamment iodure de potassium, sels de lithium, antidiabétiques oraux, phénytoïne (potentialisation de l'action antithyroïdienne) et anticoagulants oraux.

Surveillance : pendant les premiers mois du traitement, des consultations périodiques avec votre médecin sont nécessaires pour déterminer la dose d'entretien, c'est à dire la dose minimale efficace et pour contrôler la formule sanguine. Consultez immédiatement votre médecin en cas de fièvre, d'angine ou d'une infection qui demandent un contrôle du nombre de vos globules sanguins.

Prise du médicament : le traitement est d'autant plus efficace que le taux du médicament est constant dans le sang; par conséquent, il convient d'espacer les prises par des intervalles réguliers et de prendre le médicament toujours avant ou toujours après les repas (consultez votre médecin).

Prescription : ne dépassez pas la dose prescrite; des doses trop élevées ou des prises trop fréquentes augmentent le risque d'effets indésirables.

Oubli : si vous oubliez de prendre le médicament, prenez le aussi tôt que possible ou doublez la dose suivante; si vous oubliez le médicament plusieurs jours, prenez contact avec votre médecin.

Arrêt du traitement : si vous avez pris un antithyroïdien à doses élevées pendant plusieurs semaines ou plus longtemps, ne jamais arrêter le traitement sans l'avis du médecin; en effet, un arrêt trop brusque peut être suivi d'une rechute.

Effets indésirables possibles :
– malaise, nausées, vomissements;
– augmentation du volume du goitre (hypothyroïdie par surdosage);
– fièvre, frissons, mal de gorge (diminution du nombre des globules blancs dans le sang);
– coloration jaune des yeux et de la peau, jaunisse;
– douleurs musculaires ou articulaires, courbatures, éruption cutanée (réaction allergique : arrêtez immédiatement le traitement);
– altération du goût.

NOTE : la prescription d'hormone thyroïdienne peut être nécessaire en cas de surdosage.

Si vous utilisez l'une des spécialités suivantes pour calmer la toux...

SPÉCIALITÉS CONTENANT UNIQUEMENT UN ANTITUSSIF OPIACÉ:

Akindex® (Fournier).
Capsyl® (Sandoz).
Codéthyline (Houdé).
Dexir® (Oberlin).
Dicodin® (Sarget).
Nodex® (Brothier).

Quintopan® (Sterling Midy).
Sirop des Vosges Cazé®
  (SmithKline Beecham).
Trachyl® (Monal).
Tuxium® (Galephar).

NOTE - De nombreuses spécialités contre la toux (comprimés, sirops etc.) contiennent des antitussifs opiacés associés à d'autres composants.

Propriétés et emploi : ces spécialités contiennent un *antitussif opiacé*, qui est apparenté aux analgésiques morphiniques; ces antitussifs offrent un faible danger de dépression respiratoire et de dépendance qui cependant peuvent apparaître à hautes doses. Le traitement de la toux doit être étre causal. Seules les toux irritatives, paroxystiques, fatigant le malade, sans expectorations, doivent être calmées.
Les toux productives avec expectorations abondantes ne doivent pas être calmées, au risque d'encombrer l'arbre bronchique.

Précautions : ne pas utiliser en cas d'allergie au produit, de toux grasse, d'asthme, d'insuffisance respiratoire, de maladie du foie, de grossesse; des doses élevées en fin de grossesse peuvent provoquer une dépression respiratoire chez le nouveau-né.

Sportifs : l'attention des sportifs est attirée sur le fait que les tests antidopage peuvent être positifs.

Enfants: ne pas utiliser chez les enfants âgés de moins de 15 ans (moins de 30 mois pour les formes infantiles).

Sujets âgés : doses réduites de moitié.

Interactions : il faut informer votre médecin si vous prenez ou avez pris récemment d'autres médicaments, notamment :
– antidépresseurs inhibiteurs de la mono-amine oxydase non sélectifs ou IMAO (risque d'excitation, d'hypertension artérielle, de fièvre et de collapsus; ces antidépresseurs doivent être arrêtés au moins 2 semaines avant de prendre un antitussif;
– sédatifs, tranquillisants, somnifères, antihistaminiques H1, dérivés de la phénothiazine et antiulcéreux inhi-

biteurs de récepteurs H2 (potentialisation de l'effet dépresseur sur le système nerveux).

Prescription : ne dépassez pas la dose prescrite; des doses trop élevées ou des prises trop fréquentes augmentent le risque d'effets indésirables; si vous oubliez de prendre une dose, ne doublez pas la dose suivante.

Durée du traitement : si la toux persiste après une semaine ou si des effets indésirables apparaissent, consultez votre médecin.

Conduite de véhicules : les conducteurs de véhicules et les utilisateurs de machines doivent être informés de la possibilité de somnolence et de vertiges.

Alcool : évitez les boissons alcoolisées pendant le traitement.

Effets indésirables possibles :
– somnolence diurne, vertiges;
– constipation, pouvant évoluer vers l'occlusion intestinale paralytique en cas de surdosage chez les sujet âgé;
– étourdissements quand vous vous levez (tension trop basse ou hypotension orthostatique), irritabilité, nervosité, anxiété, troubles du sommeil;
– confusion, nausées, vomissements, crises d'asthme, convulsions (surtout chez l'enfant), éruption cutanée (réaction allergique : arrêtez immédiatement le traitement), difficulté à respirer ou à uriner.

Intoxication : respiration ralentie et superficielle (dépression respiratoire), convulsions, confusion, pupilles contractées (myosis), baisse de la tension artérielle (hypotension), ralentissement du pouls (bradycardie), baisse de la température (hypothermie), somnolence, coma de plus en plus profond.

Si vous utilisez l'une des spécialités suivantes pour traiter un ulcère d'estomac...

SPÉCIALITÉS CONTENANT UN INHIBITEUR DES RÉCEPTEURS H2:

Azantac® (Glaxo).
Nizaxid® (Lilly).
Pepdine® (M. S. & D.-Chibret).

Raniplex® (Fournier).
Tagamet® (SmithKline Beecham).

Propriétés : ces médicaments, appelés aussi *antihistaminiques H2*, inhibent la sécrétion gastrique en bloquant l'effet de l'histamine sur les récepteurs H2; en diminuant la sécrétion d'acide chlorhydrique et de pepsine, ils favorisent la cicatrisation des ulcères gastroduodénaux et préviennent les rechutes.

Emploi :
– traitement de l'ulcère duodénal et de l'ulcère gastrique bénin;
– prévention des rechutes d'ulcère duodénal;
– traitement de l'œsophagite par reflux gastro-œsophagien : le contenu acide de l'estomac remonte dans l'œsophage (aigreurs, brûlures);
– traitement du syndrome de Zollinger-Ellison (hypersécrétion d'acide gastrique d'origine hormonale);
– traitement des hémorragies de la maladie ulcéreuse ou de l'ulcère de stress.

Comme ces médicaments peuvent masquer les symptômes du cancer de l'estomac et en retarder le diagnostic, il ne faut les prescrire que lorsque le cancer a pu être exclu par des examens appropriés.

Allergie : informez votre médecin si vous avez déjà fait une réaction allergique ou inhabituelle au produit ou à un autre inhibiteur des récepteurs H2.

Etat de santé : vous devez informer votre médecin de toute affection susceptible de modifier les effets du médicament, notamment maladies du foie ou des reins.

Grossesse et allaitement : l'innocuité de ces médicaments n'ayant pas été établie chez la femme enceinte, ni lors de l'allaitement, leur usage est déconseillé par mesure de prudence.

Sujets âgés : risque de vertiges et confusion; réduire les doses.

Interactions : il faut informer votre médecin si vous prenez ou avez pris récemment d'autres médicaments, notamment des anticoagulants oraux, benzodiazépines, phénytoïne, bêtabloquants, théophylline, nifédipine, carmustine, ciclosporine.

Prescription : ne dépassez pas la dose prescrite; des doses trop élevées ou des prises trop fréquentes augmentent le risque d'effets indésirables.

Oubli : si vous oubliez de prendre le médicament, ne doublez pas la dose suivante.

Prise du médicament : si vous prenez une seule dose par jour, on conseille de la prendre le soir au coucher; si vous prenez deux doses par jour, on conseille de prendre une dose le matin et une dose le soir au coucher.

Antiacides : si votre médecin vous a conseillé de prendre un antiacide gastrique pour calmer les douleurs, laissez passer une heure après la prise d'un antiulcéreux de ce type.

Autres médicaments : ne prenez aucun autre médicament sans consulter votre médecin, notamment des produits contenant de l'aspirine qui peuvent aggraver les symptômes.

Alcool : évitez les boissons alcoolisées qui aggravent les symptômes et diminuent l'efficacité du traitement.

Tabac : arrêtez de fumer pendant le traitement; en effet, le tabac peut augmenter la sécrétion acide de l'estomac.

Conduite de véhicules : assurez vous que le médicament n'entraîne ni confusion, ni vertige avant de conduire des véhicules ou d'utiliser des machines.

Arrêt du traitement : ne pas arrêter le traitement sans consulter votre médecin; en effet, l'arrêt brusque du traitement avant la cicatrisation de l'ulcère peut causer une rechute aiguë, une perforation ou une hémorragie.

Effets indésirables possibles :

– diarrhée, parfois constipation, vertiges;

– douleurs, crampes musculaires (par myopathie douloureuse);

– prurit, éruption cutanée (réaction allergique : arrêtez le traitement);

– confusion, apathie (surtout chez le sujet âgé);

– impuissance, augmentation de volume des seins chez l'homme (gynécomastie);

– coloration jaune de la peau et des yeux, jaunisse;

– fièvre, frissons, maux de gorge, ulcérations buccales (diminution du nombre des globules blancs dans le sang).

Si vous utilisez l'une des spécialités suivantes pour traiter un ulcère d'estomac...

SPÉCIALITÉS CONTENANT UN INHIBITEUR DE LA POMPE À PROTONS:

Lanzor® (Houdé).   *Ogast*® (Takeda).
Mopral® (Astra).   *Zoltum*® (R. Bellon).

Emploi : ces inhibiteurs de la pompe à protons diminuent la sécrétion d'acide gastrique et sont utilisés pour traiter les affections suivantes :

– ulcère duodénal ou gastrique évolutif;

– œsophagite par reflux gastro-œsophagien : le contenu acide de l'estomac remonte dans l'œsophage avec aigreurs et brûlures de l'estomac;

– syndrome de Zollinger-Ellison : la sécrétion excessive d'acide gastrique est d'origine hormonale (pancréatique).

Précautions : ne pas utiliser en cas d'allergie au produit; signalez à votre médecin si vous avez eu une maladie du foie (ces médicaments peuvent s'accumuler dans le sang en cas d'insuffisance hépatique).

Grossesse et allaitement : l'innocuité de ces médicaments n'ayant pas été établie chez la femme enceinte, ni lors de l'allaitement, leur usage n'est pas conseillé par mesure de prudence.

Interactions : il faut informer votre médecin si vous prenez ou avez pris récemment d'autres médicaments, notamment des anticoagulants oraux (potentialisation de l'action anticoagulante), diazépam, phénytoïne.

Prescription : ne dépassez pas la dose prescrite; des doses trop élevées ou des prises trop fréquentes augmentent le risque d'effets indésirables.

Oubli : si vous oubliez de prendre une dose, ne doublez pas la dose suivante.

Délai d'action : il faut parfois plusieurs jours pour que l'effet du traitement se manifeste; pour calmer les douleurs pendant ce temps votre médecin pourra vous conseiller d'associer un antiacide gastrique.

Durée du traitement : il est important de poursuivre le traitement pendant toute la durée de la prescription, même si vous n'avez plus de douleurs gastriques.

Effets indésirables possibles :

– maux de tête, vertiges, nausées, flatulences, diarrhées ou constipation, douleurs articulaires

– éruption cutanée (réaction allergique : arrêtez le traitement);

– fièvre et angine (diminution des globules blancs dans le sang);

– tendance aux hémorragies, présence de sang dans les urines.

ANTI-H® (Amido)

Introd. en 1950. Remb. SS 70%.

PRINCIPES ACTIFS : poudre orale et tablettes contenant du silicate d'aluminium, carbonate de calcium, kaolin, bicarbonate de sodium.

Emploi : proposé pour neutraliser l'excès d'acidité et comme pansement gastrique et intestinal; en cas d'ulcère de l'estomac ou du duodénum, ce médicament doit être utilisé sous surveillance médicale.

Précautions : consultez votre médecin si les troubles persistent et en cas de douleurs ou crampes abdominales, de selles noires, d'amaigrissement, de fièvre; ne pas utiliser en cas d'insuffisance rénale sévère; ne pas associer des tétracyclines.

Effets indésirables possibles : retard ou diminution de la résorption d'autres médicaments pris par la bouche (respecter un intervalle d'au moins 2 heures), constipation; phénomène de «rebond» sécrétoire et hypercalcémie en cas d'utilisation prolongée.

Note : vendu sans ordonnance; ne pas utiliser pendant plus de 5 jours sans avis médical.

ANTI-HÉMORROÏDAIRES
(Cassenne)

Introd. en 1960. Liste I. Remb. SS 40%.

PRINCIPES ACTIFS : pommade et suppositoires contenant de l'hydrocortisone (corticoïde), de la framycétine (antibiotique), héparine (anticoagulant), esculoside, benzocaïne et butoforme (anesthésiques locaux).

Emploi : proposé pour traiter les symptômes des poussées d'hémorroïdes.

Précautions : arrêtez le traitement et consultez votre médecin en cas d'accentuation des douleurs, d'apparition de sang dans les selles ou de fièvre.

Sportifs : peut donner une réaction positive en cas de tests pratiqués lors des contrôles antidopage.

Note : prescrit sur ordonnance médicale.

ANTIMUCOSE® (Promedica)

Introd. en 1954. Remb. SS 40%.

PRINCIPE ACTIF : suppositoires contenant un extrait de bile de bœuf.

Emploi : proposé dans la constipation résistante au traitement hygiéno-diététique et aux laxatifs non irritants.

Précautions : ne pas utiliser en cas d'hémorroïdes, de fissures anales ou de rectocolite hémorragique; consultez votre médecin si la constipation persiste, si du sang apparaît dans les selles ou en cas d'amaigrissement.

Effets indésirables possibles : irritation du rectum, brûlures anales.

Note : vendu sans ordonnance; ne pas utiliser pendant plus de 3 jours.

ANTINAL® (Roques)

Introd. en 1982. Liste II. Non remb. SS.

PRINCIPE ACTIF : **Nifuroxazide**.

Préparations : gélules à 200 mg.

Emploi : dérivé du nitrofurane proposé, en complément de la réhydratation, dans le traitement des diarrhées aiguës présumées d'origine bactérienne (sans selles sanglantes ou purulentes); en l'absence d'une altération de la muqueuse intestinale, ce médicament n'est pas résorbé.

Précautions : ne pas employer en cas d'allergie au produit ou à un autre dérivé du nitrofurane, de maladies intestinales chroniques, de grossesse et allaitement (innocuité non établie).

Alcool : l'alcool peut provoquer un malaise, des bouffées de chaleur, une rougeur de la face et du cou, une accélération du pouls et d'autres troubles (effet «antabuse»).

Durée du traitement : la durée du traitement ne doit pas dépasser 7 jours; si aucune amélioration ne se manifeste, on arrête le traitement après 3 jours.

Effets indésirables possibles : prurit, éruption cutanée (réaction allergique).

Note : prescrit sur ordonnance médicale.

ANTINERVEUX® (Lesourd)

Introd. en 1934. Remb. SS 70%.

PRINCIPES ACTIFS : solution buvable contenant de l'alcool à 90°, du lotier corniculé et du mélilot.

Emploi : sédatif et somnifère.

Note : vendu sans ordonnance; des principes actifs plus efficaces sont actuellement disponibles.

ANTIPHLOGISTINE®
(Fumouze)

Introd. en 1945. Non remb. SS.

PRINCIPES ACTIFS : pâte pour application locale contenant du kaolin et de l'acide salicylique.

Emploi : proposé dans le traitement local des douleurs d'origine musculaire, tendineuse ou ligamentaire.
Note : *vendu sans ordonnance; des principes actifs plus efficaces sont actuellement disponibles.*

ANTI-RHINYL® (P. Fabre)

Introd. en 1967. Non remb. SS.
PRINCIPE ACTIF : solution nasale contenant du propionate de sodium (antiseptique local).
Emploi : infections du nez.
Durée du traitement : maximum 10 jours sans avis médical.
Note : *vendu sans ordonnance.*

ANTI-RHINYL® à la framycétine (P. Fabre)

Introd. en 1967. Non remb. SS.
PRINCIPES ACTIFS : solution nasale contenant du propionate de sodium (antiseptique local) et framycétine (antibiotique local).
Emploi : infections du nez.
Durée du traitement : ne doit pas dépasser 5 jours sans contrôle médical.
Effets indésirables possibles : réaction allergique, sélection de germes résistants.
Note : *vendu sans ordonnance; à éviter en automédication comme tous les antibiotiques locaux.*

ANTISEPTIQUE-CALMANTE® (Chauvin)

Introd. en 1936. Liste I. Remb. SS 70%.
PRINCIPES ACTIFS : pommade ophtalmique contenant du bleu de méthylène (antiseptique local), violet de méthyle, procaïne (anesthésique local) et acide borique (antiseptique faible).
Emploi : antiseptique et anesthésique.
Durée du traitement : maximum 48 heures.
Note : *prescrit sur ordonnance médicale.*

ANTITHROMBINE III (Bio-Transfusion)

Remb. SS 100%.
SYNONYME : co-facteur de l'héparine.
Préparations : préparation lyophilisée et concentrée d'antithrombine III humaine d'activité supérieure à 5 UI par mg de protéines; flacons à 500 UI ou 1000 UI.

Propriétés : protéine plasmatique synthétisé dans le foie, nécessaire à l'action de l'héparine et dont le déficit s'accompagne d'une prédisposition aux thromboses.
Emploi : utilisé comme inhibiteur de la coagulation dans les
– déficits constitutionnels en antithrombine III (le déficit provoque un état thrombotique sévère) : traitement de substitution et prévention des thromboses et embolies pulmonaires en cas d'opération chirurgicale, de grossesse, d'accouchement;
– déficits acquis : cirrhose hépatique, syndrome néphrotique, grossesse pathologique ou post-partum, contraception orale au long cours, coagulation intravasculaire disséminée aiguë, embolie pulmonaire.
Note : *le traitement doit être pris en charge par un spécialiste. Bien que toutes les précautions aient été prises, le risque de transmission de maladies infectieuses par les fractions plasmatiques ne peut pas être entièrement exclu.*

ANTITOXINE DIPHTÉRIQUE

SYNONYME : sérum antidiphtérique.
Emploi : solution stérile et concentrée d'antitoxine, préparée à partir de sérum de cheval hyperimmunisé contre la toxine diphtérique, utilisée pour le traitement de la diphtérie (immunisation passive).
Note : *prescrit sur ordonnance médicale.*

ANTITOXINE TÉTANIQUE

SYNONYME : sérum antitétanique.
Emploi : solution stérile et concentrée d'antitoxine équine autrefois utilisée pour le traitement du tétanos (immunisation passive) et actuellement remplacée par les immunoglobulines anti-tétaniques.
Note : *prescrit sur ordonnance médicale.*

ANTRIMA® (Doms-Adrian)

Introd. en 1982. Liste I. Remb. SS 70%.
SYNONYME : co-trimazine.
PRINCIPES ACTIFS :
– comprimés : sulfadiazine 400 mg + triméthoprime 80 mg;
– suspension buvable enfant et nourrisson : sulfadiazine 100 mg + triméthoprime 20 mg par cuillère doseuse.

Emploi : association d'un sulfamide à élimination lente (sulfadiazine) avec un autre antibactérien (triméthoprime) utilisée pour traiter les maladies infectieuses dues à des bactéries ou à des protozoaires.

Pour les détails → p. 649.

Note : prescrit sur ordonnance médicale.

ANUSOL® (Parke-Davis)

Introd. en 1934. Non remb. SS.

PRINCIPES ACTIFS : pommade et suppositoires contenant de l'oxyde, sous-gallate et oxyiodure de bismuth, de la résorcine, baume du Pérou, oxyde de zinc, acide borique, kaolin.

Emploi : proposé pour traiter les symptômes des poussées d'hémorroïdes.

Précautions : arrêtez le traitement et consultez votre médecin en cas d'accentuation des douleurs, d'apparition de sang dans les selles ou de fièvre.

Effets indésirables possibles : réactions allergiques notamment au baume du Pérou.

Note : vendu sans ordonnance.

ANXORAL® (Iprad)

Introd. en 1951. Remb. SS 70%.

PRINCIPES ACTIFS: comprimés contenant du phénobarbital (barbiturique à action prolongée), papavérine (antispasmodique), spartéine et extraits de crataegus, passiflore et valériane.

Emploi : proposé comme tranquillisant et hypnotique *(Anxoral® Fort)*.

Précautions : ne pas employer chez l'enfant et en cas de grossesse, d'allaitement, de porphyries et d'insuffisance respiratoire; l'activité des anticoagulants oraux et des contraceptifs hormonaux peut être réduite.

Alcool : évitez les boissons alcoolisées pendant le traitement (majoration de l'effet sédatif).

Conduite de véhicules : ce médicament peut diminuer la vigilance; la conduite de véhicules ou l'utilisation de machines peut être dangereuse dans ce cas.

Durée du traitement : ce médicament ne doit être utilisé que pour une brève période.

Effets indésirables possibles : somnolence résiduelle, éruptions cutanées, troubles psychiques, confusion mentale chez le sujet âgé.

Note : vendu sans ordonnance; à éviter du fait de la présence de phénobarbital qui n'est pas recommandé en dehors du traitement de l'épilepsie.

ANY® (Lab. de l'Homme de Fer)

Introd. en 1987. Non remb. SS.

PRINCIPE ACTIF : **Méquinol**.

Préparations : crème à 5% et 8% *(Any® Forte)*.

Emploi : agent de dépigmentation proposé en applications locales dans les pigmentations circonscrites de la peau, notamment éphélides, chloasma (taches sur le visage après grossesse ou traitement par les estro-progestatifs), taches du vieillissement, pigmentations dues aux cosmétiques, aux parfums ou cicatricielles.

Précautions : appliquer uniquement sur les zones à décolorer; ne pas utiliser chez l'enfant de moins de 12 ans; protéger la peau du soleil (chapeau, vêtements longs, crèmes écran total).

Effets indésirables possibles : irritation locale; dépigmentation inesthétique en cas de débordement sur les zones cutanées saines.

Note : vendu sans ordonnance; à éviter en automédication.

AOSEPT® (Ciba Vision)

Introd. en 1989. Non remb. SS.

SYNONYMES : peroxyde d'hydrogène, eau oxygénée, H_2O_2.

Préparation : solution aqueuse à 10 volumes (3%).

Emploi : décontamination des lentilles souples hydrophiles et rigides perméables à l'oxygène.

AOTAL® (Meram)

Introd. en 1989. Liste II. Remb. SS 70%.

PRINCIPE ACTIF : **Acamprosate**.

Préparations : comprimés à 333 mg.

Emploi : proposé comme adjuvant dans la prise en charge pour le maintien du sevrage alcoolique dans les premiers mois.

Précautions : l'utilisation est déconseillée en cas de grossesse (innocuité non établie) et d'allaitement.

Effets indésirables possibles : crampes abdominales, diarrhée, prurit.

Note : prescrit sur ordonnance médicale.

APACEF® → Céphalosporines.

APAISYL® (Pharminter)

Non remb. SS.
PRINCIPE ACTIF : *Isothipendyl.*
Préparations : comprimés à 12 mg.
Emploi : antihistaminique dérivé de la phénothiazine utilisé dans le traitement des affections allergiques, en particulier rhinites et conjonctivites allergiques, urticaire, rhume des foins; l'utilisation de ce médicament est déconseillée chez l'enfant de moins de 5 ans (risque d'arrêt respiratoire pendant le sommeil).
Pour les détails → p..45.
Note : vendu sans ordonnance; efficacité du principe actif généralement reconnue dans l'emploi proposé; tenir compte de l'effet sédatif.

APAROXAL®
(Veyron et Froment)

Introd. en 1989. Liste II. Remb. SS 70%.
PRINCIPE ACTIF : *Phénobarbital.*
SYNONYMES : phénobarbitone, phényl-éthylmalonylurée.
Préparations : comprimés à 100 mg.
Emploi : barbiturique à action prolongée introduit il y a plus de 70 ans, le phénobarbital est l'un des antiépileptiques les plus efficaces dans le traitement de l'épilepsie (grand mal), seul ou associé à la phénytoïne.
Pour les détails → Phénobarbital.
Note : prescrit sur ordonnance médicale.

APEGMONE® (Lipha Santé)

Introd. en 1978. Liste I. Remb. SS 70%.
PRINCIPE ACTIF : *Tioclomarol.*
Préparations : comprimés à 4 mg.
Emploi : anticoagulant oral utilisé pour prévenir la formation de caillots dans les vaisseaux sanguins (thromboses ou embolies); son emploi exige le contrôle périodique de la coagulabilité du sang; en effet, une dose trop élevée peut provoquer des saignements et une dose trop faible risque de ne pas protéger contre la formation de caillots.
Durée d'action : 24-48 heures; certains effets peuvent persister jusqu'à 6 jours.
Pour les détails → p. 38.
Note : prescrit sur ordonnance médicale.

APHILAN® (Darcy)

Introd. en 1953. Non remb. SS.
PRINCIPE ACTIF : *Buclizine.*
Préparations : comprimés à effet prolongé à 25 mg [dichlorhydrate].
Emploi : antihistaminique utilisé pour prévenir et traiter les affections allergiques, rhinites et conjonctivites, urticaire, rhume des foins; la buclizine possède des propriétés sédatives et atropiniques; chez l'enfant âgé de moins de 5 ans, tenir compte du risque d'arrêt respiratoire pendant le sommeil.
Posologie (adulte) : 1-2 comprimés par jour.
Pour les détails → p. 45.
Note : vendu sans ordonnance; efficacité généralement reconnue dans l'emploi proposé; tenir compte de l'effet sédatif.

APHLOÏNE P® (DB Pharma)

Introd. en 1922. Non remb. SS.
PRINCIPES ACTIFS : solution buvable contenant des extraits végétaux (hamamélis, aphloïa, hydrastis, piscidia, viburnum, esculoside).
Emploi : proposé dans le traitement des symptômes en rapport avec l'insuffisance veinolymphatique (jambes lourdes, etc.).
Précautions : consultez votre médecin en cas de suspicion de phlébite (jambes rouges et/ou chaudes, douloureuses, surtout si d'un seul côté et avec fièvre).
En cas de diabète : tenir compte de la teneur en sucre du produit.
Note : vendu sans ordonnance; efficacité des principes actifs à confirmer dans l'emploi proposé.

APHLOMYCINE® (Fumouze)

Introd. en 1969. Liste I. Remb. SS 70%.
PRINCIPES ACTIFS : gélules contenant de la tétracycline (antibiotique) et chymotrypsine (enzyme).
L'adjonction de chymotrypsine ne modifie pas l'action de l'antibiotique.
Emploi → Tétracyclines, p. 672.
Note : prescrit sur ordonnance médicale.

APHTIRIA® (Debat)

Introd. en 1945. Non remb. SS.

PRINCIPE ACTIF : **Lindane.**

SYNONYMES : hexachlorocyclohexane, hexachlorure de gamma-benzène.

Préparations : poudre pour application locale à 0,4%.

Emploi : antiparasitaire externe, utilisé en applications locales dans le traitement des pédiculoses (poux adultes et lentes de la tête, du corps et du pubis) et dans la désinfection des vêtements et literie en cas de gale et de poux de corps.

Précautions : ne pas utiliser chez les enfants âgés de moins de 2 ans, en cas de grossesse ou d'allaitement ; éviter les applications prolongées (le contact avec la peau doit être limité à 12 heures pour l'adulte et à 6 heures pour l'enfant) ou répétées ; ne pas appliquer sur la peau lésée, les yeux ou les muqueuses.

Effets indésirables possibles : irritation, prurit, rougeur, eczéma (réaction allergique).

Intoxication : en cas d'ingestion accidentelle ou de résorption à travers la peau (peau lésée, jeune enfant), possibilité de toxicité neurologique avec agitation, vomissements, crampes musculaires et convulsions qui demandent une aide médicale d'urgence ; en outre, possibilité d'atteinte hépatique et de la moelle osseuse (diminution du nombre des globules dans le sang).

Conservation : mettre hors de portée des enfants.

Note : *vendu sans ordonnance ; efficacité généralement reconnue dans l'emploi proposé.*

APIOLINE® (Promedica)

PRINCIPE ACTIF : capsules contenant une essence de persil.

Emploi : proposé pour traiter le retard de règles.

Note : *vendu sans ordonnance ; efficacité du principe actif à confirmer dans l'emploi proposé.*

APISÉRUM® (DB Pharma)

Introd. en 1955. Non remb. SS.

PRINCIPES ACTIFS : solution buvable contenant de la gelée royale et hydromel.

Emploi : proposé dans la fatigue (ou asthénie fonctionnelle).

Précautions : consultez votre médecin si la fatigue persiste (il peut s'agir d'une dépression ou d'une maladie nécessitant un traitement spécifique) ou en cas d'amaigrissement.

Note : *vendu sans ordonnance ; efficacité des principes actifs à confirmer dans l'emploi proposé.*

APOKINON® (Aguettant)

Introd. en 1968. Liste I. Remb. SS 70%.

PRINCIPE ACTIF : **Apomorphine.**

Préparations : ampoules à 10 mg dans 1 ml.

Emploi : l'apomorphine est un agoniste dopaminergique ; utilisée depuis longtemps comme vomitif ou émétique, elle a été proposée dans le traitement de la maladie de Parkinson en cas de fluctuations de l'activité de la lévodopa (phénomène «on-off») en association avec le dompéridone pour éviter les nausées, les vomissements.

Précautions : ne pas utiliser en cas d'insuffisance hépatique, respiratoire, cardiaque ou coronarienne, d'intolérance aux opiacés et de détérioration mentale.

Effets indésirables possibles : nausées, vomissements, étourdissements ou évanouissements (par hypotension orthostatique), troubles psychiques, induration au point d'injection.

Intoxication : vomissements persistants, chute de la tension artérielle, excitation puis dépression respiratoire et coma ; traiter par les antagonistes de la morphine (naloxone).

Note : *prescrit sur ordonnance médicale.*

APRANAX® (Syntex)

Introd. en 1982. Liste II. Remb. SS 70%.

PRINCIPE ACTIF : **Naproxène.**

Préparations : (sel sodique) : comprimés à 275 mg ou 550 mg ; granulé pour suspension buvable en sachets à 250 mg ou 500 mg ; suppositoires à 500 mg.

Emploi : anti-inflammatoire non stéroïdien utilisé dans les inflammations douloureuses des articulations, des capsules articulaires, des muscles ou des tendons et dans d'autres affections déterminées par votre médecin ; dans la polyarthrite rhumatoïde et l'ar-

throse, il atténue la douleur, la tuméfaction et la raideur des articulations, mais ne guérit pas la maladie.
Pour les détails → p. 50.
Note : prescrit sur ordonnance médicale.

APURONE® (3M Santé)

Introd. en 1978. Liste I. Remb. SS 70%.
PRINCIPE ACTIF : *Fluméquine.*
Préparations : comprimés à 400 mg.
Emploi : médicament appartenant aux groupe des quinolones utilisés pour traiter les infections des voies urinaires basses non compliquées, notamment l'infection de la vessie (cystite).
Pour les détails → p. 579.
Note : prescrit sur ordonnance médicale.

ARACYTINE® (Upjohn)

Introd. en 1972. Liste I. Remb. SS 100%.
PRINCIPE ACTIF : *Cytarabine.*
SYNONYMES : cytosine-arabinoside.
Préparations : poudre pour solution injectable en flacons à 100 mg, 0,5 g, 1 g et 2 g (les flacons à 0,5 g, 1 g et 2 g sont réservés aux hôpitaux).
Emploi : médicament appartenant au groupe des antimétabolites employé en perfusion intraveineuse dans les leucémies aiguës et les proliférations cellulaires anormales au niveau des ganglions lymphatiques.
Note : le traitement doit être pris en charge par un spécialiste.

ARCALION® (Servier/Therval)

Introd. en 1973. Non remb. SS.
PRINCIPE ACTIF : *Sulbutiamine.*
Préparations : comprimés à 200 mg.
Emploi : analogue de la thiamine (vitamine B1) proposé dans la fatigue (ou asthénie fonctionnelle).
Posologie (adulte) : 2 comprimés par jour le matin.
Précautions : ne pas utiliser en cas de grossesse ou pendant l'allaitement; (innocuité non établie) consultez votre médecin si la fatigue persiste (il peut s'agir d'une dépression ou d'une autre maladie nécessitant un traitement spécifique) ou en cas d'amaigrissement.
Note : vendu sans ordonnance; efficacité du principe actif à confirmer dans l'emploi proposé.

ARCHITEX® (Meram)

Introd. en 1991. Remb. SS 70%.
PRINCIPES ACTIFS: comprimés contenant du monofluorophosphate disodique et du carbonate de calcium; la préparation libère dans l'intestin l'ion fluorure et l'ion calcium.
Emploi : proposé dans le traitement des ostéoporoses vertébrales avec tassement vertébral.
Précautions : ne pas utiliser en cas d'insuffisance rénale même modérée, de grossesse, d'allaitement et chez les sujets en période de croissance osseuse.
Effets indésirables possibles : nausées, vomissements, diarrhées, douleurs osseuses et articulaires.
Intoxication aiguë : troubles digestifs, faiblesses et douleurs musculaires, tétanie (hypocalcémie), dépression respiratoire, convulsions, diminution du volume de l'urine (hospitalisation d'urgence).
Intoxication chronique (fluorose): douleurs articulaires, ostéosclérose et anémie.
Note : vendu sans ordonnance; le traitement de l'ostéoporose doit être conduit sous surveillance médicale stricte.

ARÉDIA® (Ciba-Geigy)

Introd. en 1991. Liste I.
PRINCIPE ACTIF : *Acide pamidronique.*
Préparations : ampoules injectables à 15 mg dans 5 ml.
Emploi : médicament appartenant au groupe des *diphosphonates* inhibant la résorption osseuse et donc la libération de calcium à partir du squelette; il est utilisé pour traiter l'excès de calcium dans le sang (hypercalcémie) observé dans certaines tumeurs malignes et dans d'autres affections.
Note : réservé aux hôpitaux.

ARGICILLINE® (Lipha Santé)

Introd. en 1960. Remb. SS 40%.
PRINCIPES ACTIFS: solut. nasale contenant de la gramicidine (antibiotique local) et cétylpyridinium chlorure (antiseptique local).
Emploi : infections du nez.
Précautions : la durée du traitement ne doit pas dépasser 5 jours sans avis médical.

Effets indésirables possibles : réaction allergique, sélection de germes résistants, perte de l'odorat (anosmie).
Note : vendu sans ordonnance; à éviter en automédication comme tous les antibiotiques locaux.

ARGININE Veyron®
(Veyron et Froment)

Introd. en 1954. Non remb. SS.
PRINCIPE ACTIF : *Arginine*.
Préparations : solution buvable en ampoules à 1 g; sirop à 3 g par cuillerée à soupe; solution injectable en ampoules à 1 g dans 5 ml [chlorhydrate].
Emploi : acide aminé proposé par voie buccale dans la fatigue (ou asthénie fonctionnelle) et, en injections, dans l'encéphalopathie hépatique.
Précautions : consultez votre médecin si la fatigue persiste (il peut s'agir d'une dépression ou d'une maladie nécessitant un traitement spécifique) ou en cas d'amaigrissement.
Note (comprimés) : vendus sans ordonnance; efficacité du principe actif à confirmer dans l'emploi proposé.

ARGININE Glutamique Sobio®
(SmithKline Beecham)

Introd. en 1961. Non remb. SS.
PRINCIPE ACTIF : *Arginine*.
Préparation : solution buvable en ampoules à 2,5 g (glutamate).
Emploi : acide aminé proposé dans la fatigue (ou asthénie fonctionnelle).
Précautions : consultez votre médecin si la fatigue persiste (il peut s'agir d'une dépression ou d'une maladie nécessitant un traitement spécifique) ou en cas d'amaigrissement.
Posologie (adulte) : 2 ampoules/jour.
En cas de régime désodé : tenir compte de la teneur en sodium du produit.
Note : vendu sans ordonnance; efficacité du principe actif à confirmer dans l'emploi proposé.

ARGINOTRI-B® (Bouchara)

Introd. en 1964. Non remb. SS.
PRINCIPES ACTIFS: comprimés contenant de l'arginine (acide aminé) et des vitamines B1, B6 et B12 (hydroxo-cobalamine).
Emploi : proposé dans les troubles hépatiques d'origine toxique, les atteintes neurologiques, les douleurs et les troubles de la nutrition.
Note : vendu sans ordonnance; efficacité des principes actifs à confirmer dans l'emploi proposé.

ARGYROPHÉDRINE®
(Lipha Santé)

Introd. en 1935. Liste II. Remb. SS 40%.
PRINCIPES ACTIFS : solut. nasale contenant 0,5%, 1% ou 3% de vitellinate d'argent (antiseptique), de l'éphédrine (vasoconstricteur), lévulinate de sodium et lévulinate de calcium.
Emploi : traitement de la congestion des muqueuses nasales et du pharynx (rhino-pharyngites).
Durée du traitement : l'utilisation pendant plus de 5-6 jours consécutifs est déconseillée en raison du risque d'aggravation de la congestion nasale («rebond»), obstruction chronique du nez par hypertrophie des cornets (rhinite «iatrogène»).
Précautions : ne pas utiliser en cas de glaucome par fermeture de l'angle, d'association avec des antidépresseurs IMAO et chez l'enfant de moins de 3 ans.
Effets indésirables possibles (provoqués par l'absorption de l'éphédrine dans l'organisme) : palpitations, accélération ou irrégularité du pouls, maux de tête, étourdissements, nervosité, transpirations, tremblements, insomnie.
Note : prescrit sur ordonnance médicale.

ARHÉMAPECTINE® (Aérocid)

Introd. en 1938. Non remb. SS.
PRINCIPE ACTIF : solution buvable et pour application locale contenant de la pectine.
Emploi : proposé comme antihémorragique.
Note : vendu sans ordonnance; efficacité du principe actif à confirmer dans l'emploi proposé.

ARKOGÉLULES® de charbon végétal (Arkopharma)

Introd. en 1992. Non remb. SS.
PRINCIPE ACTIF : gélules contenant du charbon végétal activé.
Emploi : proposé dans les troubles digestifs.

Précautions : ne pas utiliser chez
l'enfant de moins de 6 ans.
*Note : vendu sans ordonnance; ne pas
utiliser pendant plus de 5 jours sans
avis médical.*

ARKOGÉLULES®
de passiflore (Arkopharma)

Introd. en 1989. Non remb. SS.
PRINCIPE ACTIF : gélules contenant de la
poudre de passiflore.
Emploi : proposé dans les états «neurotoniques».
*Note : vendu sans ordonnance; efficacité
du principe actif à confirmer dans
l'emploi proposé.*

ARKOGÉLULES® de prêle
(Arkopharma)

Introd. en 1987. Non remb. SS.
PRINCIPE ACTIF : gélules contenant de la
poudre de prêle.
Emploi : proposé pour faciliter les
fonctions d'élimination rénales et
digestives.
*Note : vendu sans ordonnance; efficacité
du principe actif à confirmer dans
l'emploi proposé.*

ARKOPHYTUM® (Arkomédika)

Introd. en 1989. Non remb. SS.
PRINCIPES ACTIFS : gélules contenant de
la poudre de cassis, harpagophytum
et saule.
Emploi : proposé dans les manifestations articulaires douloureuses.
*Note : vendu sans ordonnance; efficacité
des principes actifs à confirmer dans
l'emploi proposé.*

ARMOPHYLLINE LP® (Rorer)

Introd. en 1981. Remb. SS 70%.
PRINCIPE ACTIF : *Théophylline*
Préparations : gélules à 50 mg, 100 mg,
200 mg ou 300 mg.
Emploi : la théophylline est un dérivé
de la xanthine qui dilate les bronches
et facilite le passage de l'air; elle est
utilisée en cas d'asthme, de bronchite
chronique, d'emphysème pulmonaire
et dans d'autres affections.
Pour les détails → Théophylline.
*Note : vendu sans ordonnance; à éviter
en automédication.*

ARNICAN® (Lab. CPF)

Introd. en 1960. Non remb. SS.
PRINCIPE ACTIF : pommade contenant
l'extrait fluide d'*Arnica*.
Emploi : proposé dans le traitement
local des œdèmes post-traumatiques,
hématomes, entorses, foulures.
Précautions : ne pas appliquer sur des
plaies cutanées ou sur un eczéma;
consultez votre médecin si les douleurs persistent ou en cas d'éruption
cutanée.
*Note : vendu sans ordonnance; efficacité
généralement reconnue dans l'emploi
proposé.*

ARNILOSE® (Lab. AJC)

Introd. en 1968. Remb. SS : 40%.
Préparations : solution buvable contenant de l'arginine, ornithine, sorbitol,
lévulose, acide ascorbique (ou vitamine C) et pantothénate de calcium.
Emploi : troubles digestifs.
*Note : vendu sans ordonnance; ne pas
utiliser pendant plus de 5 jours sans
avis médical.*

AROBON® (Diétina)

Introd. en 1946. Remb. SS 40%.
PRINCIPES ACTIFS : poudre orale contenant de la pulpe de caroube (*Ceratonia
siliqua*), de l'amidon et de la poudre
de cacao et fournissant des ions de
sodium, potassium et chlore et
285 Cal./100 g.
Emploi : proposé dans le traitement des
diarrhées.
Posologie (adulte) : 20-40 grammes par
jour; la poudre est délayée dans de
l'eau tiède.
Précautions : ne pas utiliser en cas de
douleurs ou de crampes abdominales
d'origine indéterminée, de selles
noires, d'amaigrissement, de jaunisse;
consultez votre médecin si la diarrhée
persiste après 48 heures, si des glaires
et du sang apparaissent dans les selles;
dans les diarrhées d'origine infectieuse, des traitements spécifiques
sont parfois indispensables; en outre,
surtout chez l'enfant, la déshydratation qui accompagne la diarrhée
aiguë demande une réhydratation par
voie orale ou par injections.
*Note : vendu sans ordonnance; efficacité
généralement reconnue dans l'emploi
proposé.*

AROMABYL®
(Plantes et Médecines)

Introd. en 1953. Non remb. SS.

PRINCIPES ACTIFS : solution buvable contenant :
– cascara : laxatif irritant contenant des anthraquinones;
– extraits d'artichaut, bardane, noyer;
– salicylate et arséniate de sodium.

Emploi : proposé dans les troubles digestifs et la constipation.

Précautions : consultez votre médecin si la constipation persiste, en cas de sang dans les selles ou de selles noires, de douleurs abdominales avec diarrhée, d'amaigrissement. L'usage prolongé risque de provoquer la «maladie des laxatifs» avec lésions de la muqueuse intestinale.

Note : vendu sans ordonnance; à éviter comme tous les laxatifs irritants.

AROMALGYL®
(Plantes et Médecines)

Introd. en 1954. Non remb. SS.

PRINCIPES ACTIFS: solution buvable contenant :
– méthénamine : acidifiant et antiseptique urinaire;
– extraits de stigmates de maïs
– vergerette, orthosiphon, fraxinus.

Emploi : proposé pour traiter les douleurs rhumatismales.

Précautions : ne pas utiliser en cas d'insuffisance rénale, de grossesse, ou d'allaitement; ne pas associer des sulfamides (risque de précipitations urinaires) ou des alcalinisants.

Note : vendu sans ordonnance; la méthénamine et les autres composants ont peu d'intérêt dans l'emploi proposé.

AROMASOL®
(Plantes et Médecines)

Introd. en 1954. Non remb. SS.

PRINCIPES ACTIFS : solution pour aérosol et inhalation contenant des huiles essentielles de girofle, menthe, pin, lavande, cannelle, romarin, serpolet.

Emploi : proposé dans les états congestifs des bronches.

Précautions : ne pas utiliser chez les enfants âgés de moins de 30 mois.

Note : vendu sans ordonnance; efficacité des principes actifs à confirmer dans l'emploi proposé.

AROVIT® (Roche)

Introd. en 1950. Liste I. Remb. SS 40%.

PRINCIPE ACTIF : *Rétinol.*

SYNONYME : *Vitamine A*

EQUIVALENCE : 1 UI = 0,55 µg.

Préparations : capsules à 50.000 UI; solution buvable à 5.000 UI/goutte.

Emploi : carence en vitamine A.

Grossesse : ce médicament ne doit pas être utilisé chez la femme enceinte ou susceptible de l'être.

Effets indésirables possibles : l'utilisation prolongée ou répétée peut provoquer une hypervitaminose A.

Pour les détails → Vitamine A.

Note : prescrit sur ordonnance médicale.

ARPAMYL LP® (Jouveinal)

Introd. en 1989. Liste I. Remb. SS 70%.

PRINCIPE ACTIF : *Vérapamil.*

Préparations : comprimés à libération prolongée à 240 mg.

Emploi : inhibiteur calcique utilisé pour le traitement de l'hypertension artérielle et d'autres affections.

Pour les détails → p. 363.

Note : prescrit sur ordonnance médicale.

ARPHA® collutoire (Fournier)

Introd. en 1964. Remb. SS 40%.

PRINCIPES ACTIFS : collutoire contenant du benzododécinium bromure (antiseptique), de l'acétarsol (antiseptique) et de l'amyléine (anesthésique local).

Emploi : proposé comme antiseptique bucco-pharyngé.

Note : vendu sans ordonnance; ne pas utiliser pendant plus de 5 jours sans avis médical.

ARPHA® solution nasale
(Fournier)

Introd. en 1964. Liste II. Remb. SS 40%.

PRINCIPES ACTIFS : solution nasale contenant du benzododécinium bromure (antiseptique), éphédrine et phényléphrine (vasoconstricteurs), procaïne (anesthésique local).

Emploi : proposé dans la congestion des muqueuses nasales.

Durée du traitement : l'utilisation pendant plus de 5-6 jours consécutifs est déconseillée en raison du risque d'aggravation de la congestion nasale («rebond»), obstruction chronique du nez par hypertrophie des cornets (rhinite «iatrogène»).

Précautions : ne pas utiliser en cas de glaucome par fermeture de l'angle, d'association avec des antidépresseurs IMAO et chez l'enfant de moins de 3 ans.

Effets indésirables possibles (provoqués par l'absorption de l'éphédrine et de la phényléphrine dans l'organisme) : palpitations, accélération ou irrégularité du pouls, maux de tête, étourdissements, nervosité, insomnie, transpirations, tremblements.

Note : prescrit sur ordonnance médicale.

ARPHOS® vitamine B12
(Fournier)

Introd. en 1960. Non remb. SS.

PRINCIPES ACTIFS : solut. buvable contenant de la cyanocobalamine (vitamine B12), de l'acide phosphorique et du glucoheptonate de calcium.

Emploi : proposé dans la fatigue (ou asthénie fonctionnelle).

Précautions : ne pas utiliser en cas d'insuffisance rénale et de calculs urinaires; consultez votre médecin si la fatigue persiste (il peut s'agir d'une dépression ou d'une autre maladie nécessitant un traitement spécifique) ou en cas d'amaigrissement.

Note : vendu sans ordonnance; efficacité des principes actifs à confirmer dans l'emploi proposé.

ARSACOL® (Zambon)

Introd. en 1980. Liste I. Remb. SS 70%.

PRINCIPE ACTIF : *Acide ursodésoxycholique.*

SYNONYMES : ursodiol.

Préparations : comprimés à 150 mg.

Emploi : l'acide ursodésoxycholique diminue la concentration du cholestérol dans la bile et par conséquent favorise la dissolution des calculs présents dans la vésicule biliaire; il est utilisé en cas de calculs biliaires lorsqu'une intervention chirurgicale n'est pas indiquée ou comporterait un risque élevé; ce médicament n'agit que sur les calculs de cholestérol de petite dimension et si la vésicule biliaire a une fonction satisfaisante; la rechute après l'arrêt du traitement est fréquente.

Pour les détails → p. 231.

Note : prescrit sur ordonnance médicale.

ARSIQUINOFORME®
(Delalande)

Introd. en 1938. Remb. SS 70%.

PRINCIPE ACTIF : comprimés contenant 150 mg d'acétarsolate de quinine et 75 mg de formiate de quinine..

Emploi : paludisme.

Pour les détails → Quinine.

Note : à utiliser sous contrôle médical; une préparation de quinine sans arsenic est préférable.

ARTANE® (Théraplix)

Introd. en 1972. Liste I. Remb. SS 70%.

PRINCIPE ACTIF : *Trihexyphénidyle.*

Préparations : comprimés à 2 mg ou 5 mg; comprimés à libération prolongée à 15 mg; solution buvable à 1 mg par 10 gouttes; ampoules injectables à 10 mg dans 5 ml.

Emploi : atropinique utilisé dans le traitement de la maladie de Parkinson pour réduire le tremblement et la rigidité musculaire; il est employé seul dans les formes débutantes de la maladie ou en association avec la lévodopa dans les formes plus avancées; il est aussi utilisé pour contrôler le torticolis spasmodique, les mouvements involontaires des yeux et les symptômes de maladie de Parkinson observés au début du traitement par les neuroleptiques (dyskinésies «précoces»).

Pour les détails → p. 52.

Note : prescrit sur ordonnance médicale.

ARTÉRASE® (P.P.D.H.)

Introd. en 1962. Non remb. SS.

PRINCIPES ACTIFS : comprimés contenant de la poudre prêle, extraits d'ail, gui, cupressus, marron d'Inde, thiosulfate de magnésium et citrate de sodium.

Emploi : proposé dans l'hypertension, l'artériosclérose, les varices.

Note : vendu sans ordonnance; efficacité des principes actifs à confirmer dans l'emploi proposé.

ARTEX® (Servier)

Introd. en 1987. Liste I. Remb. SS 70%.

PRINCIPE ACTIF : *Tertatolol*.

Préparations : comprimés à 5 mg.

Emploi : médicament appartenant au groupe très nombreux des bêta-bloquants utilisé pour abaisser la tension artérielle en cas d'hypertension. Il s'agit d'un bêta-bloquant dit «non cardiosélectif».

Pour les détails → p. 96.

Note : prescrit sur ordonnance médicale.

ARTHROCINE®
(M., S. & D.-Chibret)

Introd. en 1977. Liste I. Remb. SS 70%.

PRINCIPE ACTIF : *Sulindac*.

Préparations : comprimés à 100 mg ou 200 mg.

Emploi : anti-inflammatoire non stéroïdien, du groupe des indoles, efficace mais relativement toxique; il n'est pas conseillé dans les affections rhumatismales ou post-traumatiques spontanément régressives ou peu invalidantes. Les anti-inflammatoires non stéroïdiens sont utilisés dans les inflammations douloureuses des articulations, des capsules articulaires, des muscles ou des tendons et dans d'autres affections déterminées par votre médecin; dans la polyarthrite rhumatoïde et l'arthrose, ils atténuent la douleur, la tuméfaction et la raideur des articulations, mais ne guérissent pas la maladie.

Pour les détails → p. 50.

Note : prescrit sur ordonnance médicale.

ARTHRO-DRAINOL® (Boiron)

Préparation homéopathique (solution buvable) proposée pour traiter les douleurs.

ARTHRODONT®
(Veyron et Froment)

Introd. en 1966. Non remb. SS.

PRINCIPES ACTIFS : pâte dentaire contenant de l'énoxolone (anti-inflammatoire), formaldéhyde (antiseptique) et rongalite.

Emploi : proposé dans les gingivites.

Note : vendu sans ordonnance; consultez votre médecin si les troubles persistent.

ARTHRYL® (Synlab)

Introd. en 1971. Remb. SS 40%.

PRINCIPES ACTIFS : ampoules injectables contenant de l'acétylglucosamine, diéthanolamine, sulfate de sodium.

Emploi : proposé dans le traitement de fond de l'arthrose.

En cas de régime désodé : tenir compte de la teneur en sodium du produit.

Note : vendu sans ordonnance; efficacité des principes actifs à confirmer dans l'emploi proposé.

ARTICÉRINE® (Sterling Midy)

Non remb. SS.

PRINCIPES ACTIFS : suppositoires contenant du docusate sodique (laxatif irritant), glycérol et extrait d'artichaut.

Emploi : proposé dans les constipations occasionnelles basses.

Précautions : consultez votre médecin en cas de douleurs ou crampes abdominales d'origine indéterminée, de selles noires, d'urines foncées, de douleurs de la région du foie, de jaunisse et d'amaigrissement; évitez l'usage prolongé (risque d'inflammation du rectum).

Note : vendu sans ordonnance; ne pas utiliser pendant plus de 3 jours sans avis médical.

ARTISIAL® (Jouveinal)

Introd. en 1982. Remb. SS 40%.

PRINCIPES ACTIFS : solution pour pulvérisations buccales contenant des chlorures de sodium, de potassium, de magnésium, de calcium et phosphates de sodium et de potassium.

Emploi : proposé comme substitut de la salive lorsque la sécrétion est diminuée, notamment à la suite du traitement par certains médicaments ou par des radiations.

Note : vendu sans ordonnance.

ARTRALGON® (Saunier-Daguin)

Introd. en 1968. Non remb. SS.

PRINCIPES ACTIFS : baume contenant de l'amyléine (anesthésique local), du glycol orthocrésotinate et du gaïacyle nicotinate.

Emploi : baume antirhumatismal proposé pour le traitement local des douleurs et contusions.

Effets indésirables possibles : éruption cutanée (réaction allergique).
Note : *vendu sans ordonnance; consultez votre médecin si les douleurs persistent.*

ASCABIOL® (Specia)

Introd. en 1936. Non remb. SS.
PRINCIPES ACTIFS : lotion contenant 10% de benzoate de benzyle et 2% de sulfiram.
Emploi : utilisé dans les affections suivantes :
– *Gale* : après friction savonneuse dans le bain ou sous la douche, on brosse la peau encore humide à l'aide d'un pinceau plat imbibé du produit, en insistant sur les plis génitaux et articulaires; on laisse sécher et on pratique un brossage identique un quart d'heure après; au bout de 24 heures, on élimine le produit; changer de linge et étuver les vêtements; traiter aussi l'entourage; chez l'enfant de moins de 2 ans, faire une seule application et éliminer le produit après 12 heures; bander les mains de l'enfant pour éviter une ingestion accidentelle.
– *Trombidiose automnale (aoûtats)* : appliquer 1-2 fois au porte-coton sur les lésions.
Effets indésirables possibles :
– Réactions de sensibilisation.
– En cas d'ingestion accidentelle ou de résorption cutanée (risque augmenté en cas de peau lésée et chez l'enfant de moins de 2 ans) : convulsions.
Note : *l'efficacité du benzoate de benzyle est généralement reconnue; ne pas utiliser chez l'enfant de moins de 2 ans sans avis médical.*

ASCENCYL® (Théraplix)

Introd. en 1970. Non remb. SS.
PRINCIPES ACTIFS : solution buvable contenant de l'adénosine phosphate, cyanocobalamine (vitamine B12), aspartate et gluconate de manganèse.
Emploi : proposée dans la fatigue (ou asthénie fonctionnelle).
Précautions : consultez votre médecin si la fatigue persiste (il peut s'agir d'une dépression ou d'une maladie nécessitant un traitement spécifique) ou en cas d'amaigrissement.
Note : *vendu sans ordonnance; efficacité des principes actifs à confirmer dans l'emploi proposé.*

ASCOFER® (Gerda)

Introd. en 1970. Remb. SS à 70%.
PRINCIPE ACTIF : ***Ascorbate ferreux***
Préparations : gélules à 245 mg [contenant 33 mg de fer].
Emploi : traitement de l'anémie ferriprive.
Pour les détails → p. 279.
Note : *vendu sans ordonnance; à éviter en automédication à cause du risque de masquer un saignement digestif.*

ASCORBATE DE CALCIUM (Richard)

Introd. en 1953. Remb. SS 40%.
Préparations : granulé contenant de l'acide ascorbique (vitamine C) et ascorbate de calcium.
Emploi : carences en vitamine C.
Pour les détails → Vitamine C.
Note : *vendu sans ordonnance; à éviter en automédication (une carence en vitamines ne peut être diagnostiquée que par votre médecin).*

ASCORTONYL® (Gerda)

Introd. en 1970. Non remb. SS.
PRINCIPES ACTIFS : solution buvable contenant de l'acide ascorbique (vitamine C) et de l'aspartate de magnésium et de potassium.
Emploi : proposé dans la fatigue (ou asthénie fonctionnelle).
En cas de diabète : vérifier le contenu en sucre du produit.
Précautions : consultez votre médecin si la fatigue persiste (il peut s'agir d'une dépression ou d'une maladie nécessitant un traitement spécifique) ou en cas d'amaigrissement.
Note : *vendu sans ordonnance; efficacité des principes actifs à confirmer dans l'emploi proposé.*

ASKENZYME® (Laleuf)

Introd. en 1954. Non remb. SS.
PRINCIPE ACTIF : comprimés contenant un extrait de culture d'*Aspergillus aureus*.
Emploi : proposé dans le traitement des troubles digestifs (dyspepsies), ballonnements (météorisme).

Précautions : consultez votre médecin en cas de douleurs ou crampes abdominales d'origine indéterminée, de selles noires, d'amaigrissement.

Note : *vendu sans ordonnance; efficacité du principe actif à confirmer dans l'emploi proposé.*

ASPARTAM

SPÉCIALITÉS :.
Aspam® (Bottu).
Canderel® (Searle).
Demi-Canderel® (Searle).
D-Sucril® (P. Fabre).
Pouss-Suc® (Nutripharm).
Sukami® (Soekami-Lefrancq).
Préparations : poudre, comprimés à 10 mg ou 20 mg.
Emploi : substitut du sucre (édulcorant) utilisé dans les régimes amaigrissants et dans le diabète; il a 180 fois le pouvoir sucrant du saccharose.
Précautions : ne pas utiliser en cas de phénylcétonurie.

ASPÉGIC® (Synthélabo)
Introd. en 1972. Remb. SS 70%.
PRINCIPE ACTIF : poudre orale en sachet contenant de l'acétylsalicylate de lysine correspondant à 100 mg, 250 mg, 500 mg ou 1 g d'aspirine; poudre pour solution injectable en flacons correspondant à 500 mg ou 1 g d'aspirine.
Emploi → Aspirine ci-dessous.

ASPIRINE

SYNONYME : *Acide acétylsalicylique.*
SPÉCIALITÉS :
Actispirine® (Millot-Solac).
Aspirine Bayer® (Bayer).
Aspirine pH8® (3M Santé).
Aspirine (Lafran).
Aspirine 500 (Nicholas).
Aspirine 1000 (Upsa).
Aspirine à croquer (Monot).
Aspirine du Rhône® (RP Labo).
Aspirine Entérique Sarein® (Delalande).
Aspro® (Nicholas).
Claragine® (Nicholas).
Juvépirine® (Sarget) [+ glycocolle].
Rhonal® (Specia).
Sargépirine® (Sarget) [+ glycocolle].
SOUS FORME DE SEL DE SODIUM :
Catalgine® (Farmitalia C. Erba).

SOUS FORME DE SEL DE LYSINE :
Aspégic® (Synthélabo).
Aspirine soluble (Corbière).
Derol® (Leurquin).
AVEC VITAMINES :
Aspirine vitaminée B1C Derol® (Leurquin).
Aspirine vitamine C (Oberlin).
Aspirine du Rhône® *Vitamine C* (RP Labo).
Aspirine vitaminée C (Upsa).
Aspro® *Vit. C* (Nicholas).
Préparations : comprimés, comprimés effervescents, comprimés à croquer; poudre orale.
Emploi : médicament remarquable, inhibant les prostaglandines, l'aspirine demeure le traitement de choix :
– pour atténuer la douleur modérée *(analgésique);*
– pour faire tomber la fièvre *(antipyrétique);*
– à dose élevée, pour diminuer les douleurs rhumatismales ainsi que la raideur et la tuméfaction des articulations *(anti-inflammatoire);*
– à dose faible, pour prévenir la formation de caillots sanguins dans les vaisseaux *(antiagrégant plaquettaire).*
Posologie (adulte) : 1-2 comprimés à 0,5 g trois fois par jour.
Allergie : informez votre médecin si vous avez déjà fait des réactions allergiques (notamment des crises d'asthme) à l'aspirine ou à d'autres salicylés.
Etat de santé : vous devez informer votre médecin de toute affection susceptible de modifier les effets du médicament, notamment :
– hémophilie ou autre maladie du sang accompagnée d'hémorragies (l'aspirine ne doit pas être utilisée);
– ulcère gastroduodénal ancien ou en évolution (risque d'hémorragies);
– cirrhose du foie, goutte (risque d'aggravation);
– insuffisance rénale (seul un traitement court peut être envisagé);
– menstruations abondantes, prolongées (risque d'augmentation des pertes de sang);
– asthme bronchique, polypes du nez (risque d'asthme à l'aspirine);
– fièvre, varicelle ou grippe chez l'enfant (risque de complications);
– déficit en glucose-6-phosphate déhydrogénase ou G6PD (chez les sujets atteints de cette anomalie congénitale rare, l'aspirine peut provoquer une anémie hémolytique).

Grossesse : ce médicament ne doit pas être utilisé au dernier trimestre (risque d'hémorragies chez la mère et l'enfant, exposition du fœtus à une toxicité pulmonaire et rénale ; risque de grossesse prolongée).

Allaitement : utilisation déconseillée car l'aspirine passe dans le lait maternel.

Enfants : ne pas utiliser l'aspirine chez l'enfant de moins de 12 ans en cas de fièvre, de varicelle ou grippe sans consulter votre médecin ; en effet, l'aspirine peut déclencher des complications graves, notamment un *syndrome de Reye* avec troubles de la conscience et vomissements.

Interactions : il faut informer votre médecin si vous prenez ou avez pris récemment d'autres médicaments, notamment :
– anticoagulants (risque accru d'hémorragies) ;
– autres anti-inflammatoires non stéroïdiens (risque accru d'effets indésirables) ;
– corticoïdes (risque accru d'hémorragies gastro-intestinales) ;
– antidiabétiques oraux (une diminution des doses peut être nécessaire) ;
– méthotrexate (toxicité augmentée, association à éviter) ;
– probénécide, sulfinpyrazone (diminution de l'action uricosurique) ;
– zidovudine (augmentation de la toxicité de la zidovudine).

Prescription : ne dépassez pas la dose prescrite par votre médecin ; des doses trop élevées ou des prises trop fréquentes augmentent le risque d'effets indésirables.

En cas d'automédication : lisez attentivement les informations annexes au produit et consultez votre médecin si les douleurs persistent après 5 jours ou si la fièvre ou le mal de gorge ne régressent pas au bout de 3 jours.

Prise du médicament : on conseille de prendre l'aspirine pendant ou après les repas avec un verre d'eau ; les dragées glutinisées à dissolution intestinale ne doivent pas être croquées, ni prises avec un antiacide.

Oubli : si vous oubliez de prendre le médicament et si vous le remarquez dans les 2 heures qui suivent, prenez immédiatement la dose oubliée ; ne doublez pas la dose suivante.

Autres médicaments : ne prenez aucun autre médicament sans l'avis de votre médecin.

En cas de diabète : la prise d'aspirine à doses élevées peut fausser les tests pour déceler le sucre dans le urines.

Effets indésirables possibles :
– nausées, vomissements, douleurs gastriques ;
– prurit, urticaire, éruption cutanée, bouffissure des paupières et des lèvres (œdème de Quincke) : ces réactions allergiques sont indépendantes de la dose absorbée et constituent une contre-indication définitive à l'emploi du médicament ;
– l'asthme bronchique induit par l'aspirine, observé chez des adultes ayant un asthme intrinsèque associé à une rhinite apériodique avec polypose nasale, constitue le *syndrome de Fernand Widal* ;
– écoulement du nez (rhinorrhée) et obstruction nasale ;
– saignements : présence de sang dans les selles et saignement du nez ou des gencives.

Intoxication (salicylisme) : bourdonnements d'oreilles, diminution de l'acuité auditive, élévation de la température, respiration profonde, maux de tête, transpirations profuses, confusion mentale, excitation, agitation ou dépression ; l'intoxication grave demande le transfert en milieu hospitalier.

Médicaments analogues (autres dérivés salicylés) → Dolobis®, Salipran®, Trancalgyl®.

Note : *vendu sans ordonnance ; l'efficacité de l'aspirine est généralement reconnue ; elle ne doit pas être administrée sans avis médical en cas de fièvre chez l'enfant de moins de 12 ans.*

ASPRADOL® (Aérocid)

PRINCIPES ACTIFS : comprimés contenant de l'acide acétylsalicylique (aspirine), acide ascorbique (vitamine C) et thiamine (vitamine B1).

Emploi : proposé pour atténuer la douleur modérée (*analgésique*) et pour faire tomber la fièvre (*antipyrétique*).

Durée du traitement : consultez votre médecin si les douleurs persistent après 5 jours ou si la fièvre ou le mal de gorge ne régressent pas au bout de 3 jours.

Précautions : ne doit pas être utilisé en cas d'allergie à l'aspirine, d'asthme, d'ulcère gastro-duodénal évolutif, de maladie hémorragique ou de traitement anticoagulant, de grossesse et chez l'enfant de moins de 12 ans sans avis médical.

Effets indésirables possibles : nausées, vomissements, douleurs gastriques, bourdonnements d'oreille, baisse de l'audition, maux de tête; consultez votre médecin en cas de douleurs abdominales, de vomissements sanglants, de selles noires, d'asthme, de prurit, d'urticaire ou de jaunisse.

Intoxication : hospitalisation en cas de prise massive accidentelle.

Note : vendu sans ordonnance; l'efficacité de l'aspirine est généralement reconnue, mais l'association avec des vitamines a peu d'intérêt dans l'emploi proposé.

ASPRO® → Aspirine.

ASSAGIX® (P. Fabre)

Introd. en 1968. Non remb. SS.

Principes actifs : sirop contenant un extrait de tilleul et du bromolactobionate de calcium.

Emploi : proposé comme sédatif.

Précautions : ne pas employer chez l'enfant de moins de 30 mois, en cas d'acné, d'insuffisance rénale, de calculs rénaux, de grossesse, d'allaitement; utilisation très prudente chez les sujets âgés et en cas de régime désodé (diminution de l'élimination des bromures).

Conduite de véhicules : ce médicament peut diminuer la vigilance; la conduite de véhicules ou l'utilisation de machines peut être dangereuse.

Alcool : à éviter pendant le traitement.

Note : médicament à éviter; les dérivés bromés ne sont pas recommandés comme sédatifs en raison des effets indésirables, notamment acné, somnolence et troubles psychiques en cas de traitement prolongé.

ASSUR® (Delagrange)

Introd. en 1965. Non remb. SS.

Principes actifs: comprimés contenant
– acide acétylsalicylique (aspirine);
– moroxydine : antiviral (Virustat®).

Emploi : proposé contre la grippe.

Précautions : ce médicament ne doit pas être utilisé en cas d'allergie à l'aspirine, d'asthme, d'ulcère gastro-duodénal évolutif, de maladie hémorragique ou traitement anticoagulant, de grossesse et chez l'enfant âgé de moins de 12 ans sans avis médical.

Effets indésirables possibles : nausées, vomissements, douleurs gastriques; consultez votre médecin en cas de douleurs abdominales, de vomissements sanglants, de selles noires, de crise d'asthme, de prurit, d'urticaire, de bourdonnements d'oreille, de diminution de l'audition, de maux de tête ou de jaunisse.

Intoxication : conduire le malade à l'hôpital en cas de prise massive.

Note : vendu sans ordonnance; l'efficacité de l'aspirine dans les douleurs et la fièvre est généralement reconnue, mais celle de la moroxydine dans la grippe reste à confirmer.

ASTHMALGINE® (Marx)

Introd. en 1951. Non remb. SS.

Principes actifs : solution buvable et comprimés contenant :
– éphédrine : sympathomimétique;
– caféine : stimulant central;
– teinture de jusquiame : antispasmodique atropinique;
– benzoate de soude.

Emploi : proposé contre l'asthme.

Précautions : ne pas employer chez l'enfant âgé de moins de 8 ans, en cas d'angine de poitrine, d'hypertension artérielle, de glaucome par fermeture de l'angle, d'adénome de la prostate, de fonctionnement excessif de la glande thyroïde (ou hyperthyroïdie), d'insuffisance hépatique, de grossesse, d'allaitement, d'association avec les antidépresseurs IMAO; utilisation prudente chez les sujets âgés.

Sportifs : ce médicament peut donner une réaction positive lors des tests pour contrôle antidopage.

Effets indésirables possibles :
– éphédrine : palpitations, accélération ou irrégularité du pouls, maux de tête, étourdissements, nervosité, insomnie, transpirations, tremblements;
– teinture de jusquiame : sécheresse de la bouche, du nez et de la gorge,

vision trouble, accélération du pouls, palpitations, bouffées de chaleur, nausées, constipation, difficulté à uriner (chez les sujets prostatiques), confusion mentale ou agitation.

Note : vendu sans ordonnance; des principes actifs plus efficaces dans l'asthme sont actuellement disponibles.

ASTHMASÉDINE®
(Soekami-Lefrancq)

Introd. en 1935. Liste II. Remb. SS 70%.
PRINCIPES ACTIFS : solution buvable contenant :
– théophylline : bronchodilatateur;
– phénobarbital : barbiturique;
– éphédrine : sympathomimétique;
– caféine stimulant central;
– belladone extrait : antispasmodique atropinique;
– benzoate de sodium;
– iodure de potassium;
– lobélie extrait.
Emploi : proposé dans l'asthme; des principes actifs plus efficaces dans le traitement de l'asthme sont actuellement disponibles; utilisation limitée en particulier du fait de la présence de phénobarbital.
Sportifs : ce médicament peut donner une réaction positive lors des tests pour contrôle antidopage.
Effets indésirables possibles
– liés à la théophylline : nausées, vomissements, maux de tête, excitation, convulsions;
– phénobarbital : somnolence, confusion mentale, éruptions cutanées;
– liés à l'éphédrine : palpitations, accélération ou irrégularité du pouls, maux de tête, étourdissements, nervosité, insomnie, transpirations, tremblements;
– liés à la belladone : sécheresse de la bouche, du nez et de la gorge, vision trouble, accélération du pouls, palpitations, bouffées de chaleur, nausées, constipation, difficulté à uriner (chez les sujets prostatiques), confusion mentale ou agitation (sujets âgés).

Note : prescrit sur ordonnance médicale.

ASTYL® (Laphal)

Introd. en 1987. Liste II. Non remb. SS.
PRINCIPE ACTIF : *Déanol.*
Préparations : capsules à 200 mg (bisorcate).

Emploi : stimulant non spécifique proposé dans la fatigue (ou asthénie fonctionnelle); l'efficacité des médicaments «antifatigue» est à confirmer.
Précautions : ne doit pas être utilisé en cas d'épilepsie, chez l'enfant de moins de 30 mois, en cas de grossesse (innocuité non établie) et d'allaitement; consultez votre médecin si la fatigue persiste (il peut s'agir d'une dépression ou d'une autre maladie nécessitant un traitement spécifique) ou en cas d'amaigrissement.

Note : prescrit sur ordonnance médicale.

ATARAX® (UCB Pharma)

Introd. en 1955. Liste I. Remb. SS 70%.
PRINCIPE ACTIF : **Hydroxyzine.**

Préparations : comprimés à 25 mg ou 100 mg; sirop à 2 mg/ml; ampoules injectables à 100 mg dans 2 ml.
Emploi : antihistaminique ayant une action sédative et atropinique l'hydroxyzine est utilisée pour prévenir et traiter les affections allergiques, notamment rhinites et conjonctivites allergiques, urticaire, rhume des foins; elle est aussi employée comme tranquillisant dans l'anxiété mineure; la forme injectable est utilisée comme prémédication avant certaines explorations pénibles et pour préparer à l'anesthésie générale.
Pour les détails → p. 45.
Note : prescrit sur ordonnance médicale.

ATÉNOLOL (Zeneca-Pharma)

Introd. en 1989. Liste I. Remb. SS 70%.
PRINCIPE ACTIF : **Aténolol.**
Préparations : comprimés à 50 mg.
Emploi : médicament appartenant au groupe très nombreux des bêta-bloquants, utilisé par voie buccale
– pour abaisser la tension artérielle chez les hypertendus (antihypertenseur);
– pour prévenir les crises d'angine de poitrine (antiangoreux).
En injection intraveineuse, il est employé dans la phase aiguë de l'infarctus du myocarde. Il s'agit d'un bêta-bloquant dit «cardiosélectif».
Pour les détails → p. 96.
Note : prescrit sur ordonnance médicale.

ATÉPADÈNE®
(Mayoly-Spindler)

Remb. SS 40%.

PRINCIPES ACTIFS : gélules contenant de l'ATP et ADN.

Emploi : proposé dans la fatigue (ou asthénie fonctionnelle).

Précautions : consultez votre médecin si la fatigue persiste (il peut s'agir d'une dépression ou d'une autre maladie nécessitant un traitement spécifique) ou en cas d'amaigrissement.

Note : vendu sans ordonnance; efficacité des principes actifs à confirmer dans l'emploi proposé.

ATHYMIL® (Organon)

Introd. en 1979. Liste I. Remb. SS 70%.

PRINCIPE ACTIF : *Miansérine*.

Préparations : comprimés à 10 mg ou 30 mg.

Emploi : antidépresseur tétracyclique de la classe des pipérazinoazépines, ayant une composante anxiolytique, utilisé dans le traitement des états dépressifs de l'adulte.

Pour les détails → p. 40.

Note : prescrit sur ordonnance médicale.

ATOUCLINE® (Lederle)

Non remb. SS.

PRINCIPES ACTIFS : sirop contenant de la pentoxyvérine (antitussif à action centrale), sulfogaïacol et benzoate de sodium.

Emploi : utilisé pour calmer la toux irritative, sèche.

Précautions : ne pas employer en cas d'allergie au produit, d'épilepsie, pendant la grossesse et l'allaitement (innocuité non établie).

Durée du traitement : si la toux persiste après une semaine ou si des effets indésirables apparaissent, consultez votre médecin.

Effets indésirables possibles : nausées, vomissements, agitation, convulsions (notamment chez l'enfant), éruption cutanée (réaction allergique : arrêtez immédiatement le traitement).

Note : vendu sans ordonnance; l'efficacité de la pentoxyvérine est généralement reconnue dans l'emploi proposé.

ATRICAN® (Innotech)

Introd. en 1962. Remb. SS 70%.

PRINCIPE ACTIF : *Ténonitrozole*.

Préparations : comprimés à 100 mg.

Emploi : antiprotozoaire dérivé nitro-imidazolé utilisé par voie buccale pour traiter les affections uro-génitales à *Trichomonas*, seul ou associé à *Candida albicans;* il faut traiter simultanément le partenaire sexuel.

Posologie (adulte) : 4-6 comprimés par jour en 2-3 prises aux repas pendant 3 à 10 jours.

Précautions : l'usage de boissons alcoolisées est déconseillé pendant les 2-3 jours qui suivent la prise du médicament; il est déconseillé en cas d'insuffisance hépatique ou pendant la grossesse et l'allaitement.

Pour les détails → p. 53.

Note : vendu sans ordonnance; à éviter en automédication.

ATRIUM® 100 et 300 (Riom)

Introd. en 1967. Liste I. Remb. SS 70%.

PRINCIPE ACTIF : comprimés du *tétrabamate* qui est un complexe de phénobarbital, difébarbamate et fébarbamate.

Emploi : proposé dans les tremblements, à l'exception de ceux des parkinsoniens, et comme sédatif; utilisation limitée du fait de la présence de phénobarbital qui n'est pas recommandé en dehors du traitement de l'épilepsie.

Précautions : ne pas employer chez l'enfant et en cas de grossesse, d'allaitement, de porphyries, de myasthénie et d'insuffisance hépatique, rénale ou respiratoire; l'activité des anticoagulants oraux et des contraceptifs hormonaux peut être réduite.

Alcool : évitez les boissons alcoolisées pendant le traitement.

Conduite de véhicules : ce médicament peut diminuer la vigilance; la conduite de véhicules ou l'utilisation de machines peut être dangereuse.

Effets indésirables possibles : somnolence résiduelle, éruptions cutanées, troubles psychiques, en particulier confusion mentale chez le sujet âgé.

Note : prescrit sur ordonnance médicale.

ATROPINE injectable

Liste I. Remb. SS 40%.
SYNONYME : DL-Hyoscyamine.
SPÉCIALITÉS :
  Atropine Aguettant®.
  Atropine Lavoisier®.
Préparations : ampoules à 0,25 mg,
0,50 mg ou 1 mg.
Emploi : alcaloïde de la belladone utilisé
en injections comme spasmolytique,
en prémédication anesthésique et
comme antidote des anticholinesté-
rasiques.
Pour les détails → p. 56.
Note : prescrit sur ordonnance médicale.

ATROPINE collyre (Martinet)

Introd. en 1948. Liste I. Remb. SS 70%.
SYNONYME : DL-Hyoscyamine.
Préparations : collyre contenant 0,3%,
0,5% ou 1%
Emploi : le collyre provoque une
dilatation de la pupille (mydriase
passive) et une paralysie des muscles
de l'accommodation (cycloplégie) qui
permettent la mise au point d'objets
rapprochés; il est utilisé dans la
préparation à l'examen du fond d'œil
et à la chirurgie oculaire, ainsi que
dans le traitement de certaines affections oculaires.
Précautions : l'instillation de ce collyre
provoque des troubles de la vue et
une perception double des objets (diplopie) qui peuvent gêner la conduite
de véhicules surtout lorsque les deux
yeux ont été traités.
Effets indésirables possibles (en cas
d'instillations répétées) : sécheresse
de la bouche, difficulté à uriner (en
particulier chez les prostatiques),
palpitations, accélération du pouls.
Conservation : tout flacon entamé doit
être utilisé dans les 15 jours.
Note : prescrit sur ordonnance médicale.

ATROVENT®
(Boehringer Ingelheim)

Introd. en 1985. Liste I.
PRINCIPE ACTIF : **Ipratropium.**
Préparations :
– Flacon pressurisé délivrant 20 µg par
  bouffée. Remb. SS 70%.
– Solution pour aérosol adultes à
  0,5 mg dans 2 ml.
– Solution pour aérosol enfants à
  0,25 mg dans 2 ml.

– Solution nasale pour aérosol (*Atrovent nasal®*). Remb. SS 40%.
Emploi : médicament appartenant au
groupe des antiasthmatiques atropiniques qui dilatent les bronches
rétrécies par le spasme; il est employé:
– *en inhalation buccale* dans le traitement de la crise d'asthme (le plus
  souvent en association avec un bêtamimétique ou un corticoïde) et dans
  le traitement de fond de l'asthme et
  des bronchites chroniques obstructives;
– *en inhalation nasale* dans les rhinites
  non allergiques et non infectées.
Précautions : ne pas utiliser en cas
d'allergie au produit, d'infection
bronchique, de rhinite infectieuse, de
difficulté à uriner ou hypertrophie de
la prostate, de glaucome par fermeture
de l'angle, de grossesse et allaitement
(innocuité non établie); ne pas utiliser
chez les enfants de moins de 5 ans.
Inhalation buccale (aérosol) : si vous
utilisez ce médicament pour traiter les
crises d'asthme :
– le médecin devrait vous expliquer le
  bon usage de l'appareil pour inhalation; en effet l'utilisation correcte
  de l'inhalateur est très importante
  pour le succès du traitement; l'inhalation du médicament doit être faite
  au cours d'une inspiration profonde
  et doit être suivie d'un arrêt de la
  respiration pendant quelques secondes; si nécessaire, demandez des
  explications supplémentaires;
– consultez votre médecin si les
  symptômes ne sont pas améliorés,
  ou s'aggravent, dans les 30 minutes
  qui suivent l'inhalation;
– si l'efficacité du traitement diminue
  ou si l'asthme s'aggrave, n'augmentez pas la fréquence des inhalations,
  mais consultez votre médecin;
– des inhalations trop fréquentes vous
  exposent à des risques d'effets indésirables graves (des cas de mort subite
  ont été signalés);
– discutez avec votre médecin la
  possibilité d'utiliser vous-même un
  petit appareil pour mesurer le débit
  de pointe (*peak flow*), apprendre à
  connaître votre profil fonctionnel
  pour pouvoir rectifier la thérapie au
  moment opportun et prévenir une
  crise sévère;
– rincez la bouche après chaque
  inhalation pour éviter la sécheresse
  de la bouche et de la gorge;

– lorsque les inhalations supplémentaires n'améliorent pas suffisamment la fonction respiratoire, n'hésitez pas à consulter immédiatement votre médecin ou l'hôpital le plus proche.

Effets indésirables possibles : sécheresse de la bouche, irritation pharyngée; les effets généraux par absorption du médicament sont exceptionnels.

Note : médicament prescrit sur ordonnance médicale.

A.T.S.® (Doms-Adrian)

Introd. en 1955. Remb. SS 40%.

PRINCIPES ACTIFS : solution pour application locale contenant acide trichloracétique et acide salicylique.

Emploi : proposé comme antiseptique local dans le traitement des gingivites et des aphtes (badigeonnages des lésions).

Précautions : ne pas avaler, ne pas appliquer sur la peau

Note : vendu sans ordonnance; consultez votre médecin si les troubles persistent.

ATURGYL® (Synthélabo)

Introd. en 1963. Liste II. Remb. SS 40%.

PRINCIPE ACTIF : **Fénoxazoline**.

Préparations : soluté nasal en flacon nébuliseur.

Emploi : médicament stimulant les fibres sympathiques (alpha-sympathomimétique) provoquant une diminution de la lumière des vaisseaux sanguins (vasoconstriction). La fénoxazoline est employée en solution nasale pour atténuer la congestion nasale causée par le rhume banal, rhume des foins et d'autres affections.

Durée du traitement : l'utilisation pendant plus de 5-6 jours consécutifs est déconseillée à cause du risque d'aggravation de la congestion nasale («rebond») et d'obstruction chronique du nez par hypertrophie des cornets (rhinite «iatrogène»).

Précautions : ne pas utiliser chez les enfants âgés de moins de 7 ans, en cas d'hypertension artérielle, de glaucome par fermeture de l'angle, d'adénome prostatique, de fonctionnement excessif de la glande thyroïde (hyperthyroïdie), d'insuffisance hépatique, de grossesse, d'allaitement; ne pas associer les antidépresseurs de type IMAO.

Effets indésirables possibles (provoqués par l'absorption du principe actif dans l'organisme) : palpitations, accélération ou irrégularité du pouls, maux de tête, étourdissements, nervosité, transpirations, tremblements, insomnie.

Note : prescrit sur ordonnance médicale.

ATUSSIL® (Delagrange)

Introd. en 1957. Non remb. SS.

PRINCIPE ACTIF : **Pentoxyvérine**.

Préparations : sirop à 6,75 mg par cuillerée à café; suppositoires à 50 mg + eucalyptol (*Atussil-Eucalyptol*®).

Emploi : antitussif agissant sur le système nerveux central, utilisé pour calmer la toux irritative, sèche.

Précautions : ne pas utiliser en cas d'allergie au produit, de toux grasse, d'épilepsie, de grossesse et allaitement.

Durée du traitement : si la toux persiste après une semaine ou si des effets indésirables apparaissent, consultez votre médecin.

Effets indésirables possibles : nausées et vomissements, agitation, convulsions surtout chez l'enfant, éruption cutanée (réaction allergique : arrêtez immédiatement le traitement).

Note : vendu sans ordonnance; efficacité du principe actif généralement reconnue dans l'emploi proposé.

AUBÉLINE® (Arkopharma)

Introd. en 1988. Non remb. SS.

PRINCIPE ACTIF : gélules contenant de la poudre d'aubépine.

Emploi : proposé dans l'éréthisme cardiaque et les états «neurotoniques».

Note : vendu sans ordonnance; efficacité du principe actif à confirmer dans l'emploi proposé.

AUGMENTIN®
(SmithKline Beecham)

Introd. en 1984. Liste I. Remb. SS 70%.

PRINCIPES ACTIFS : **Amoxicilline + acide clavulanique**.

SYNONYME : co-amoxiclav.

Préparations : comprimés à 500 mg; poudre orale en sachets à 125 mg, 250 mg ou 500 mg; poudre pour suspension buvable à 100 mg/ml, 125 mg/5 ml et 250 mg/5 ml; flacons de poudre pour solution injectable à 500 mg, 1 g et 2 g.

Emploi : association d'amoxicilline (pénicilline du groupe A) avec l'acide clavulanique (obtenu à partir de cultures de *Streptomyces clavuligerus*) qui est un inhibiteur des bêta-lactamases et par conséquent restaure l'activité de la pénicilline sur les germes qui sécrètent une bêta-lactamase. **Pour les détails** → p. 520.
Note : prescrit sur ordonnance médicale.

AURÉOMYCINE®
(Monot, Sarbach, Specia)

Remb. SS 70%.
Préparations : pommade contenant du chlorhydrate de chlortétracycline (antibiotique local).
Emploi : proposé dans les infections de la peau.
Note : vendu sans ordonnance; à éviter en automédication comme tous les antibiotiques locaux.

AURICALM® (Monot)

Non remb. SS.
PRINCIPES ACTIFS : solution auriculaire contenant du chlorure de benzalkonium (antiseptique) néosynéphrine (vasoconstricteur) et diphénhydramine (antihistaminique).
Emploi : douleurs de l'oreille.
Précautions : vérifier l'état du tympan avant toute application.
Effets indésirables possibles : réactions allergiques locales.
Note : vendu sans ordonnance; toute douleur de l'oreille demande une consultation avec votre médecin.

AURICULARUM® (Serolam)

Introd. en 1988. Liste I. Remb. SS 40%.
PRINCIPES ACTIFS : poudre auriculaire contenant de l'oxytétracycline et polymyxine B (antibiotiques), nystatine (antifongique) et dexaméthasone (corticoïde).
Emploi : proposé dans les otites externes à tympan fermé.
Durée du traitement : ne pas dépasser 10 jours.
Précautions : l'aspiration de l'oreille à la fin du traitement est conseillé pour éliminer une éventuelle accumulation de poudre.
Effets indésirables possibles : réactions allergiques à la polymyxine B.
Note : prescrit sur ordonnance médicale.

AURIGOUTTES® (Pharminter)

Non remb. SS.
PRINCIPES ACTIFS : solution auriculaire contenant de l'hexamidine (antiseptique) et lidocaïne (anesthésique).
Emploi : proposé dans les douleurs de l'oreille.
Précautions : vérifier l'état du tympan avant toute application.
Effets indésirables possibles : réactions allergiques locales.
Note : vendu sans ordonnance; toute douleur de l'oreille demande une consultation avec votre médecin.

AURISTAN® (Chauvin)

Introd. en 1963. Remb. SS 40%.
PRINCIPES ACTIFS : solution auriculaire contenant de la chlorhexidine (antiseptique) et de la phényléphrine (vasoconstricteur).
Emploi : proposé dans les otites externes à tympan fermé.
Durée du traitement : ne pas dépasser 10 jours sans contrôle médical.
Effets indésirables possibles : réactions allergiques locales.
Note : vendu sans ordonnance; à éviter en automédication.

AUXERGYL D3® (Roussel)

Introd. en 1956. Liste I. Non remb. SS.
PRINCIPES ACTIFS : solution buvable contenant :
– colécalciférol ou vitamine D3 (5 mg = 200.000 UI).
– rétinol ou vitamine A (50.000 UI).
Emploi : le colécalciférol est utilisé dans
– la prévention du rachitisme chez le nourrisson jusqu'à 18 mois;
– le traitement curatif du rachitisme chez l'enfant;
– le traitement curatif de l'ostéomalacie de l'adulte (surveiller la calciurie pour éviter un surdosage);
– la prévention de la carence en vitamine D et de l'ostéomalacie chez les adultes à risque (sujets âgés ou confinés, femme enceinte ou allaitant, malabsorption intestinale, certaines affections biliaires, traitement antiépileptique, entéropathie au gluten).
Précautions : ne pas utiliser chez des sujets immobilisés.

Grossesse et allaitement : des quantités suffisantes de vitamine D sont nécessaires pendant la grossesse et l'allaitement, mais évitez des doses excessives qui peuvent provoquer des effets indésirables chez l'enfant.

Surveillance : consultez votre médecin à intervalles réguliers pour évaluer les effets du traitement et contrôler le taux du calcium dans le sang (calcémie) et dans l'urine (calciurie).

Intoxication : → Vitamine D.

Note : prescrit sur ordonnance médicale.

AUXISONE®
(Boehringer Ingelheim)

Introd. en 1973. Liste I. Remb. SS 70%.

PRINCIPE ACTIF : **Dexaméthasone.**

Préparations : flacon pressurisé délivrant 0,125 mg par bouffée.

Emploi : médicament apparenté à la cortisone (glucocorticoïde) ayant une action anti-inflammatoire et utilisé en inhalation buccale (aérosol) pour prévenir la crise d'asthme; ce médicament n'est pas indiqué pour traiter la crise d'asthme isolée ou l'état de mal asthmatique;

Pour les détails → p. 179.

Note : prescrit sur ordonnance médicale.

AUXITRANS® (Gallier)

Introd. en 1959. Remb. SS 40%.

PRINCIPE ACTIF : **Pentaérythritol.**

Préparations : poudre orale en sachets contenant 5 g.

Emploi : accélérateur du transit intestinal par hydratation du bol (laxatif osmotique) proposé dans le traitement de la constipation occasionnelle.

Posologie (adulte) : 1-3 sachets à prendre à jeun dilués dans un grand verre d'eau ou dans une boisson chaude.

Précautions : ne pas utiliser en cas de maladies inflammatoires de l'intestin ou de douleurs abdominales de cause inconnue; éviter une utilisation prolongée; consultez votre médecin si la constipation persiste ou en cas de selles noires ou de présence de sang dans les selles.

Effets indésirables possibles : diarrhées, ballonnement.

Note : vendu sans ordonnance; ne pas utiliser pendant plus de 5 jours sans avis médical.

AVAFORTAN® à la noramidopyrine (Lucien)

Introd. en 1967. Liste I. Remb. SS 40%.

PRINCIPES ACTIFS : comprimés, ampoules injectables et suppositoires contenant :
- métamizole sodique (noramidopyrine) : analgésique pyrazolé à action périphérique et antipyrétique à utiliser avec une extrême prudence en raison de sa toxicité potentielle;
- camylofine : spasmolytique musculotrope.

Emploi : proposé pour atténuer la douleur modérée (analgésique) et diminuer les spasmes des voies biliaires et urinaires (antispasmodique).

Mise en garde : *l'apparition de fièvre, d'angine ou d'ulcérations buccales et l'augmentation de volume des ganglions lymphatique du cou peuvent être dues à une diminution du nombre des globules blancs dans le sang (agranulocytose); ces manifestations imposent l'arrêt du traitement et une numération globulaire d'urgence;* consultez votre médecin.

Note : prescrit sur ordonnance médicale.

AVÈNE® (P. Fabre)

Introd. en 1968. Non remb. SS.

PRINCIPES ACTIFS : crème contenant des extraits de mélilot et de *Ruscus aculeatus* et du sulfate de dextran.

Emploi : rougeurs diffuses.

Note : vendu sans ordonnance; efficacité des principes actifs à confirmer dans l'emploi proposé.

AVENOC® (Boiron)

Introd. en 1944. Non remb. SS.

Préparations homéopathiques (pommade et suppositoires) proposées pour le traitement local des hémorroïdes modérées et non compliquées.

AVIBON® (Théraplix)

Introd. en 1947. Liste I. Non remb. SS.

PRINCIPE ACTIF : **Rétinol.**

SYNONYME : **Vitamine A.**

EQUIVALENCE : 1 UI = 0,55 µg.

Préparations : capsules à 50.000 UI; solution huileuse buvable et injectable en amp. à 50.000 UI et 100.000 UI.

Emploi : carence en vitamine A.

Grossesse : ce médicament ne doit pas être utilisé chez la femme enceinte ou susceptible de l'être.

Effets indésirables possibles : l'utilisation prolongée ou répétée peut provoquer une hypervitaminose A.

Pour les détails → Vitamine A.

Note : prescrit sur ordonnance médicale.

AVIBON® pommade (Théraplix)

Introd. en 1957. Non remb. SS.

PRINCIPE ACTIF : pommade contenant 10.000 UI/g de rétinol (vitamine A).

Emploi : proposé dans les gerçures, engelures, érythèmes solaires, petites plaies et brûlures.

Précautions : évitez le traitement prolongé, surtout chez l'enfant, à cause du risque de résorption et d'hypervitaminose A (→ Vitamine A).

Note : vendu sans ordonnance; efficacité du principe actif à confirmer dans l'emploi proposé.

AVLOCARDYL®
(Zeneca-Pharma)

Introd. en 1967. Liste I. Remb. SS 70%.

PRINCIPE ACTIF : **Propranolol**.

Préparations : comprimés à 40 mg; comprimés à libération prolongée à 160 mg (*Avlocardyl LP®*); solution injectable en ampoules à 5 mg/5 ml.

Emploi : médicament appartenant au groupe très nombreux des bêta-bloquants. Il est utilisé :

– pour abaisser la tension artérielle chez les hypertendus (antihypertenseur);
– pour prévenir les crises d'angine de poitrine (antiangoreux);
– pour régulariser le rythme cardiaque (antiarythmique);
– pour atténuer les palpitations, l'accélération du pouls (tachycardie) et le tremblement en cas d'hyperthyroïdie (maladie de Basedow);
– pour atténuer les signes fonctionnels de certaines maladies du cœur appelées cardiomyopathies obstructives;
– pour prévenir les hémorragies digestives chez les cirrhotiques;
– pour prévenir les crises de migraine (traitement de fond).

Il s'agit d'un bêta-bloquant dit «non cardiosélectif».

Pour les détails → p. 96.

Note : prescrit sur ordonnance médicale.

AXONYL® (Parke-Davis)

Introd. en 1990. Liste II. Remb. SS 40%.

PRINCIPE ACTIF : **Piracétam**.

Préparations : solution buvable à 1 g par dose.

Emploi : stimulant non spécifique proposé par voie orale dans le traitement des troubles du vieillissement cérébral (efficacité à confirmer) et des infarctus cérébraux constitués.

Précautions : espacer les prises ou diminuer les doses en cas d'insuffisance rénale; ne pas utiliser en cas de grossesse (innocuité non établie) ou d'insuffisance rénale sévère.

Effets indésirables possibles : excitation chez certains sujets.

Note : prescrit sur ordonnance médicale.

AXYOL® (Lab. du Praticien)

Introd. en 1927. Remb. SS 40%.

PRINCIPES ACTIFS : poudre pour application locale contenant iodure d'amidon et iodure de fécule (iode 3,5%).

Emploi : proposé comme antiseptique dans les ulcères de jambes, plaies et brûlures infectées.

Précautions : ne pas utiliser en cas d'allergie à l'iode, de fonctionnement excessif de la glande thyroïde (hyperthyroïdie), de grossesse et d'allaitement.

Note : vendu sans ordonnance; à éviter en automédication; des principes actifs plus efficaces sont actuellement disponibles.

AZACTAM®
(Bristol-Myers Squibb)

Introd. en 1988. Liste I.

PRINCIPE ACTIF : **Aztréonam**.

Préparations : poudre pour solution injectable en flacon à 1 g.

Emploi : médicament appartenant au groupe des antibiotiques appelés bêta-lactamines utilisé en milieu hospitalier pour traiter certaines infections bactériennes graves.

Note : réservé aux hôpitaux.

AZANTAC® (Glaxo)

Introd. en 1985. Liste II. Remb. SS 70%.

PRINCIPE ACTIF : **Ranitidine**.

Préparations : comprimés à 150 mg ou 300 mg; ampoules injectables à 50 mg dans 2 ml.

Emploi : médicament qui inhibe la sécrétion gastrique en bloquant l'effet de l'histamine sur les récepteurs H2; en diminuant la sécrétion d'acide chlorhydrique et de pepsine, la ranitidine favorise la cicatrisation des ulcères gastro-duodénaux et prévient les rechutes; elle est utilisée par voie buccale ou en injections lorsque cette voie est impossible.

Pour les détails → p. 60.

Note : prescrit sur ordonnance médicale.

AZEDAVIT® (Lederle)

Introd. en 1987. Non remb. SS.

PRINCIPES ACTIFS: comprimés contenant des vitamines (préparation polyvitaminée), des sels minéraux et des oligoéléments.

Emploi : proposé dans les «carences vitaminiques multiples»; ce médicament est inadéquat pour traiter des carences spécifiques en vitamines; efficacité à confirmer dans les états de fatigue passagers.

Posologie (adulte) : un comprimé par jour.

Précautions : utilisation prudente chez l'enfant (en raison de la présence de vitamines A et D), en cas de grossesse et allaitement (en raison de la présence de vitamine A); la présence en faible dose de la vitamine B12 est insuffisante pour traiter une anémie, mais suffisante pour en masquer les manifestations et retarder le diagnostic.

Effets indésirables possibles : risque d'excès des vitamines A et D (vomissements, calculs rénaux, etc.) en cas d'utilisation prolongée.

Note : vendu sans ordonnance; à éviter en automédication (une carence en vitamines ne peut être diagnostiquée que par votre médecin).

AZONUTRIL 25®
(Kabi Pharmacia)

Introd. en 1976. Remb. SS 70%.

PRINCIPES ACTIFS : solution concentrée de 20 acides aminés, appartenant à la série L, sans polypeptide.

Emploi : alimentation artificielle parentérale.

AZT → Retrovir®.

AZULÈNE® (Allergan)

Introd. en 1955. Remb. SS 70%.

PRINCIPE ACTIF : collyre contenant du guaïazulène (constituant de l'essence de camomille).

Emploi : proposé comme antiseptique local dans les irritations conjonctivales par des agents physiques ou chimiques («yeux rouges»).

Précautions : consultez votre médecin si les troubles persistent plus de 48 heures.

Effets indésirables possibles : risque d'intolérance locale et de réactions allergiques.

Conservation : à utiliser dans les 15 jours après l'ouverture du flacon.

Note : vendu sans ordonnance; à éviter sans avis médical, comme tous les collyres.

AZYM® (Laphal)

Introd. en 1912. Non remb. SS.

PRINCIPES ACTIFS : poudre orale contenant de l'hydroxyde de magnésium, carbonate de calcium et de sodium, hydrocarbonate de magnésium, sulfate et phosphate de sodium.

Emploi : proposé pour neutraliser l'excès d'acidité et comme pansement gastrique en cas de brûlures de l'estomac; en cas d'ulcère de l'estomac ou du duodénum, ce médicament ne doit être utilisé que sous surveillance médicale.

Prise du médicament : après les repas et éventuellement au coucher.

Précautions : consultez votre médecin si les troubles persistent et en cas de douleurs ou crampes abdominales, de selles noires, d'amaigrissement, de fièvre; ne pas employer en cas d'insuffisance rénale sévère; ne pas associer certains antibiotiques (tétracyclines).

Effets indésirables possibles : retard ou diminution de la résorption d'autres médicaments pris par la bouche (respecter un intervalle d'au moins deux heures); hypercalcémie et calculs urinaires en cas d'usage prolongé.

Note : vendu sans ordonnance; ne pas utiliser pendant plus de 5 jours sans avis médical.

B

B CHABRE® (Lab. AJC)

Introd. en 1973. Non remb. SS.

PRINCIPES ACTIFS: comprimés contenant des vitamines du groupe B (thiamine, cyanocobalamine, riboflavine, pyridoxine, nicotinamide), adénine, pantothénate de calcium.

Emploi : préparation polyvitaminée proposée dans les états de carence notamment chez les patients éthyliques; efficacité à confirmer dans les états de fatigue passagers.

Note : médicament à éviter en automédication (une carence en vitamines ne peut être diagnostiquée que par votre médecin).

BACAMPICINE® (Upjohn)

Introd. en 1981. Liste I. Remb. SS 70%.

PRINCIPE ACTIF : *Bacampicilline*.

Préparations : comprimés à 400 mg ou 600 mg.

Propriétés : antibiotique du groupe des aminopénicillines ayant un large spectre d'action contre les bactéries, mais inefficace contre les staphylocoques producteurs de pénicillinases; la bacampicilline libère dans l'organisme de l'ampicilline qui est éliminée surtout dans les urines (précautions en cas d'insuffisance rénale); signalez à votre médecin l'existence de toute maladie rénale (une réduction des doses peut être nécessaire).

Durée du traitement : elle est déterminée par votre médecin; l'interruption prématurée du traitement peut favoriser une rechute de l'infection.

Pour les détails → p. 520.

Note : prescrit sur ordonnance médicale.

BACICOLINE®
(M., S. & D.-Chibret)

Introd. en 1962. Liste I. Remb. SS 70%.

PRINCIPES ACTIFS : collyre contenant de la bacitracine (antibiotique), colistine (antibiotique) et hydrocortisone (corticoïde).

Emploi : conjonctivites, infections des paupières (blépharites), et des voies lacrymales comportant une composante inflammatoire importante.

Précautions : ne pas utiliser en cas d'infections virales, fongiques ou tuberculeuses ou d'antécédents de glaucome.

Surveillance : en cas de traitement prolongé, consultez périodiquement votre médecin.

Sportifs : ce médicament peut donner une réaction positive lors des tests pour contrôle antidopage.

Effets indésirables possibles : risque de sensibilisation à la bacitracine.

Conservation : à utiliser dans les 15 jours après l'ouverture du flacon.

Note : prescrit sur ordonnance médicale.

BACIFURANE® (Meram)

Introd. en 1986. Liste II. Remb. SS 40%.

PRINCIPE ACTIF : *Nifuroxazide*.

Préparations : gélules à 200 mg; suspension buvable à 220 mg par cuillerée mesure.

Emploi : dérivé du nitrofurane proposé, en complément de la réhydratation, dans le traitement des diarrhées aiguës présumées d'origine bactérienne (sans selles sanglantes ou purulentes); en l'absence d'une altération de la muqueuse intestinale, ce médicament n'est pratiquement pas résorbé par le tube digestif.

Précautions : ne pas utiliser en cas d'allergie au produit ou à un autre dérivé du nitrofurane, de maladies intestinales chroniques, grossesse et allaitement (innocuité non établie).

Alcool : l'alcool peut provoquer un malaise, des bouffées de chaleur, une rougeur de la face et du cou, une accélération du pouls et d'autres troubles (effet «antabuse»).

Durée du traitement : la durée du traitement ne doit pas dépasser 7 jours; si aucune amélioration ne se manifeste, on arrête le traitement après 3 jours.

Effets indésirables possibles : prurit, éruption cutanée (réaction allergique : arrêtez le traitement).

Note : prescrit sur ordonnance médicale.

BACITRACINE (Martinet)

Introd. en 1964. Remb. SS 70%.

Préparations : collyre à 5000 UI dans 10 ml.

Emploi : la bacitracine est un antibiotique local proposé dans les infections de l'œil à germes sensibles.

Effets indésirables possibles : réactions allergiques.

Note : *vendu sans ordonnance; à éviter sans avis médical, comme tous les collyres.*

BACITRACINE
NÉOMYCINE (Monot)

Introd. en 1956. Non remb. SS.

Préparations : pommade contenant de la bacitracine et néomycine (antibiotiques locaux).

Emploi : proposé dans les plaies et brûlures infectées, furoncles, panaris.

Précautions : ne pas appliquer sur des surfaces étendues ou suintantes.

Durée du traitement : max. 8 jours.

Effets indésirables possibles : réactions allergiques.

Note : *vendu sans ordonnance; à éviter en automédication comme tous les antibiotiques locaux.*

BACTÉKOD® (Biogalénique)

Introd. en 1982. Liste I. Remb. SS 70%.

PRINCIPES ACTIFS : **Sulfaméthoxazole + Triméthoprime.**

SYNONYMES : cotrimazole, TMP-SMX.

Préparations :
– suspension : sulfaméthoxazole 200 mg + triméthoprime 40 mg/mesure.
– comprimés : sulfaméthoxazole 400 mg + triméthoprime 80 mg;
– comprimés «Forts» : sulfaméthoxazole 800 mg + triméthoprime 160 mg;

Emploi : association d'un sulfamide à élimination lente (sulfaméthoxazole) avec un autre antibactérien (triméthoprime) ayant une action sur de nombreuses bactéries et certains protozoaires.

Pour les détails → p. 649.

Note : *prescrit sur ordonnance médicale.*

BACTISUBTIL®
(Marion Merrell Dow)

Introd. en 1955. Remb. SS 40%.

PRINCIPES ACTIFS : gélules contenant des cultures de *Bacillus cereus.*

Emploi : proposé dans les diarrhées «non organiques».

Précautions : ne pas utiliser en cas de douleurs ou de crampes abdominales d'origine indéterminée, de selles noires, d'amaigrissement, de jaunisse; consultez le médecin si la diarrhée persiste après 48 h, si des glaires et du sang apparaissent dans les selles.

Note : *vendu sans ordonnance; efficacité des principes actifs à confirmer dans l'emploi proposé.*

BACTOX® (Innotech)

Introd. en 1992 dans les DOM-TOM.
Liste I. Remb. SS 70%.

PRINCIPE ACTIF : **Amoxicilline.**

Préparations : gélules à 500 mg; poudre pour solution buvable à 125 mg ou 250 mg par cuillerée-mesure; poudre pour préparation injectable en flacons à 1 g.

Emploi : antibiotique du groupe des pénicillines A ayant un large spectre d'action contre les bactéries, mais inefficace contre les staphylocoques producteurs de pénicillinases.

L'amoxicilline est mieux absorbée par voie buccale que l'ampicilline et est éliminée surtout dans les urines (précautions en cas d'insuffisance rénale); signalez au médecin toute maladie rénale (une réduction des doses peut être nécessaire).

Durée du traitement : elle est déterminée par votre médecin; l'interruption prématurée du traitement peut favoriser une rechute de l'infection.

Pour les détails → p. 520.

Note : *prescrit sur ordonnance médicale.*

BACTRIM® (Roche)

Introd. en 1971. Liste I. Remb. SS 70%.

PRINCIPES ACTIFS : **Sulfaméthoxazole + Triméthoprime.**

SYNONYMES : cotrimazole, TMP-SMX.

Préparations :
– comprimés : sulfaméthoxazole 400 mg + triméthoprime 80 mg;
– comprimés «Forte» : sulfaméthoxazole 800 mg + triméthoprime 160 mg;
– comprimés enfants : sulfaméthoxazole 100 mg + triméthoprime 20 mg;
– suspension : sulfaméthoxazole 200 mg + triméthoprime 40 mg/mesure;
– ampoules : sulfaméthoxazole 400 mg + triméthoprime 80 mg;
– ampoules «Forte» : sulfaméthoxazole 800 mg + triméthoprime 160 mg.

Emploi : association d'un sulfamide à élimination lente (sulfaméthoxazole)

avec un autre antibactérien (triméthoprime) ayant une action sur des
bactéries et certains protozoaires.
Pour les détails → p. 649.
Note : prescrit sur ordonnance médicale.

BACTROBAN®
(SmithKline Beecham)

Introd. en 1992. Liste I.
PRINCIPE ACTIF : **Mupirocine**.
Préparations : pommade nasale à 2%.
Emploi : la mupirocine est un antibiotique local actif sur les streptocoques
et les staphylocoques; la pommade
est proposée pour traiter les porteurs
nasaux de staphylocoques résistants
aux autres antibiotiques.
Précautions : ne pas utiliser pendant la
grossesse.
Note : réservé aux hôpitaux.

BAGUE TUBERCULINIQUE → Tuberculine.

BAIN DE BOUCHE Bancaud®
(Lab. CPF)

Introd. en 1933. Remb. SS 40%.
PRINCIPES ACTIFS : bain de bouche
contenant du phénol, hydrate de
chloral, salicylate de sodium.
Emploi : infections buccales.
Précautions : ne pas avaler; ne pas
employer chez l'enfant de moins de 7
ans et en cas d'allergie aux salicylés.
*Note : vendu sans ordonnance; ne pas
utiliser pendant plus de 5 jours sans
avis médical.*

BAIN SOUFRÉ au Sulfuryl®
(Monal)

Introd. en 1959. Non remb. SS.
PRINCIPES ACTIFS : poudre pour bain
contenant du siloaluminate sodique
sulfuré, soufre, laurylsulfate de sodium, carbonate de sodium.
Emploi : proposé dans les infections de
la peau et dans l'arthrose.
*Note : vendu sans ordonnance; efficacité
des principes actifs à confirmer dans
l'emploi proposé.*

B.A.L.® (L'Arguenon)

Introd. en 1950. Liste II. Non remb. SS.
PRINCIPE ACTIF : **Dimercaprol**.
Préparations : ampoules à 200 mg de
dimercaprol [+ 1 mg de butacaïne].

Propriétés : cette substance a été mise
au point pour combattre les effets
d'un gaz de guerre, la lewisite; pour
cette raison, elle a été appelée «British
Anti-Lewisite» ou B.A.L.
Emploi : employé comme antidote dans
les intoxications par le mercure,
l'arsenic et les sels d'or.
Grossesse : ce médicament a causé des
malformations du fœtus au cours de
l'expérimentation animale.
Note : prescrit sur ordonnance médicale.

BALSAFRIGOR®
(Splénodex)

Remb. SS 40%.
PRINCIPES ACTIFS : suppositoires contenant gaïacol, eucalyptol, camphre,
procaïne (anesthésique local), sulfogaïacol.
Emploi : proposé comme antiseptique
respiratoire.
*Note : vendu sans ordonnance; efficacité
des principes actifs à confirmer dans
l'emploi proposé.*

BALSAMORHINOL®
(Etris)

Introd. en 1934. Non remb. SS.
PRINCIPES ACTIFS : solution huileuse ORL
contenant chlorobutanol, menthol,
essences d'orange, bergamote, néroli.
Emploi : proposé comme antiseptique
nasal.
*Note : vendu sans ordonnance; des
principes actifs plus efficaces sont
actuellement disponibles.*

BALSEPTOL® (Bouteille)

Introd. en 1935. Non remb. SS.
PRINCIPES ACTIFS : pommade contenant
de la poudre d'embryons de veau,
thymol, eucalyptol, essence de cajeput, marjolaine, niaouli.
Emploi : proposé dans les crevasses,
engelures, piqûres d'insectes et dans
les brûlures superficielles.
Précautions : utilisation prudente cher
l'enfant (risque d'absorption et de
convulsions).
*Note : vendu sans ordonnance; efficacité
des principes actifs à confirmer dans
l'emploi proposé.*

BALSOFLÉTOL®
(Pharmascience)

Introd. en 1946. Non remb. SS.

PRINCIPES ACTIFS : solution huileuse nasale contenant du rétinol, camphre, résorcine essences de pin, eucalyptol, thym, romarin, citron, lavande.

Emploi : antiseptique nasal.

Précautions : ne pas employer chez l'enfant de moins de 30 mois.

Note : vendu sans ordonnance; efficacité des principes actifs à confirmer.

BALSOFUMINE® (Millot-Solac)

Introd. en 1944. Non remb. SS.

PRINCIPES ACTIFS : solution contenant du baume du Pérou, teinture de benjoin, teinture d'eucalyptus, essence de lavande et essence de thym.

Emploi : proposé pour inhalations (une cuillerée à café dans un bol d'eau très chaude) dans les états congestifs des voies respiratoires supérieures.

Précautions : ne pas employer chez l'enfant de moins de 30 mois.

Note : vendu sans ordonnance; efficacité des principes actifs à confirmer.

BANIKOL® Vitaminé B1
(Pharmy II)

Introd. en 1951. Non remb. SS.

PRINCIPES ACTIFS : ampoules injectables contenant du tétraméthylammonium iodure et thiamine (vitamine B1).

Emploi : proposé dans les névrites, sciatiques, douleurs rhumatismales et musculaires.

Précautions : ce médicament ne doit pas être employé en cas d'intolérance à l'iode, de grossesse, d'allaitement.

Effets indésirables possibles : vertiges, troubles de la vision, dysfonctions de la thyroïde.

Note : vendu sans ordonnance; efficacité des principes actifs à confirmer dans l'emploi proposé.

BARALGINE®
à la noramidopyrine (Hoechst)

Introd. en 1972. Liste I. Remb. SS 40%.

PRINCIPES ACTIFS: comprimés, suppositoires, solution injectable contenant
– métamizole sodique (noramidopyrine) : analgésique pyrazolé à action périphérique et antipyrétique à utiliser avec une extrême prudence en raison de sa toxicité potentielle;
– fenpivérinium bromure : antispasmodique atropinique (→ p. 52);
– pitofénone chlorhydrate : antispasmodique atropinique.

Emploi : proposé pour atténuer la douleur modérée (analgésique) et diminuer les spasmes des voies biliaires et urinaires (antispasmodique).

Mise en garde : *l'apparition de fièvre, d'angine ou d'ulcérations buccales et l'augmentation de volume des ganglions lymphatique du cou* peuvent être dues à une diminution du nombre des globules blancs dans le sang (agranulocytose); ces manifestations imposent l'arrêt immédiat du traitement et une numération globulaire d'urgence; consultez votre médecin.

Note : prescrit sur ordonnance médicale.

BARCLYD® (Biogalénique)

Introd. en 1989. Liste II. Remb. SS 70%.

PRINCIPE ACTIF : *Clonidine*.

Préparations : comprimés à 0,15 mg; ampoules injectables à 0,15 mg dans 1 ml.

Emploi : médicament appartenant au groupe des antihypertenseurs utilisés pour faire baisser la tension artérielle et qui agissent en diminuant les impulsions nerveuses qui vont du cerveau au cœur et aux vaisseaux à travers les nerfs sympathiques; ces médicaments dilatent les vaisseaux, diminuent par conséquent la résistance au passage du sang et réduisent le travail cardiaque; en même temps, le rythme cardiaque est ralenti (bradycardie). Le principal inconvénient de la clonidine est l'élévation brusque de la tension artérielle lorsqu'on oublie de prendre le médicament ou à l'arrêt brusque du traitement (effet «rebond»). La clonidine est aussi utilisée à l'hôpital pour le traitement du syndrome de sevrage des opiacés.

Durée d'action : jusqu'à 20 heures.

Pour les détails → p. 47.

Note : prescrit sur ordonnance médicale.

BARNÉTIL® (Delagrange)

Introd. en 1976. Liste I.

PRINCIPE ACTIF : *Sultopride*.

Préparations : comprimés à 400 mg; solution buvable à 10 mg par goutte;

ampoules injectables à 200 mg dans 2 ml.

Emploi : neuroleptique et sédatif du groupe des benzamides substitués utilisé en injections dans le traitement urgent des maladies mentales aiguës, notamment en cas d'agressivité, et par voie buccale dans le traitement des maladies mentales chroniques.

Précautions : ne pas utiliser si le nombre de pulsations par minute est inférieure à 65 (bradycardie).

Effets indésirables possibles : troubles du rythme cardiaque, notamment «torsades de pointe».

Pour les détails → p. 468.

Note : réservé aux hôpitaux.

BASDÈNE® (Doms-Adrian)

Introd. en 1950. Remb. SS 70%.

PRINCIPE ACTIF : **Benzylthiouracile**.

Préparations : comprimés à 25 mg.

Emploi : antithyroïdien de synthèse, dérivé de la thiourée, utilisé lorsque la glande thyroïde est trop active et produit un excès d'hormone confirmé par le laboratoire (maladie de Basedow ou hyperthyroïdie) et dans la préparation à l'ablation de la thyroïde (thyroïdectomie); le benzylthiouracile agit en diminuant l'utilisation de l'iode par l'organisme pour produire l'hormone thyroïdienne.
Les effets ne se manifestent qu'après 3-4 semaines de traitement, lorsque les réserves d'hormone thyroïdienne déjà produite sont épuisées.

Pour les détails → p. 58.

Note : le traitement doit être conduit sous surveillance médicale.

BAUME AROMA® (Mayoly-Spindler)

Introd. en 1928. Remb. SS 40%.

PRINCIPES ACTIFS : pommade contenant acide salicylique, salicylate d'amyle, essence de baies de genièvre, girofle, capsicum.

Emploi : proposé dans le traitement local des douleurs et contusions.

Précautions : ne pas utiliser chez l'enfant de moins de 30 mois; ne pas appliquer sur les plaies et sur les muqueuses.

Note : vendu sans ordonnance.

BAUME BENGUÉ® (Urpac)

Introd. en 1952. Non remb. SS.

PRINCIPES ACTIFS : pommade contenant du salicylate de méthyle et menthol.

Emploi : proposé dans le traitement local des douleurs et contusions.

Précautions : ne pas utiliser chez l'enfant de moins de 15 ans; ne pas appliquer sur les plaies et les muqueuses.

Note : vendu sans ordonnance.

BAUME DALET® (Phygiène)

Introd. en 1943. Non remb. SS.

PRINCIPES ACTIFS : pommade contenant de l'huile de jusquiame, salicylate d'amyle, gaïacol, menthol, chloroforme.

Emploi : traitement des oignons des pieds.

Note : vendu sans ordonnance.

BAUME DISALGYL® (Chanteaud)

Introd. en 1939. Remb. SS 40%.

PRINCIPES ACTIFS : crème contenant du salicylate de méthyle, camphre, borate de sodium, capsicum.

Emploi : proposé dans le traitement local des douleurs et contusions.

Précautions : ne pas utiliser chez l'enfant de moins de 30 mois; ne pas appliquer sur les plaies et sur les muqueuses.

Note : vendu sans ordonnance.

BAUME PICOT® (Picot)

Non remb. SS.

PRINCIPES ACTIFS : pommade contenant de l'acide salicylique.

Emploi : utilisé en application locale dans le traitement des cors et des durillons.

Précautions : ne pas utiliser en cas d'allergie à l'aspirine.

Effets indésirables possibles : peut provoquer une irritation locale, une inflammation aiguë et même des ulcérations, surtout chez les diabétiques, lorsque la préparation est trop concentrée; certains patients sont allergiques aux salicylates et l'application locale peut provoquer une urticaire ou même un érythème polymorphe.

Note : vendu sans ordonnance.

BAUME Saint-Bernard®
(Monot)

Introd. en 1978. Remb. SS 40%.

PRINCIPES ACTIFS : crème contenant de l'acide salicylique, menthol, camphre, un extrait de capsicum et salicylate d'amyle.

Emploi : traitement local des douleurs musculaires et articulaires.

Précautions : ne pas employer chez l'enfant âgé de moins de 12 mois; ne pas appliquer sur les plaies et les muqueuses.

Note : vendu sans ordonnance.

BAYOLINE® (Bayer Pharma)

Introd. en 1973. Remb. SS 40%.

PRINCIPES ACTIFS : pommade contenant de l'héparinoïde, nicotinate de benzyle, acide sorbique, monosalicylate d'éthylèneglycol, hydroxybenzoate de méthyle et propyle et tétracémate disodique.

Emploi : proposé dans le traitement local des douleurs et contusions.

Précautions : ne pas employer chez l'enfant âgé de moins de 30 mois; ne pas mettre en contact avec les muqueuses ou avec les yeux.

Note : vendu sans ordonnance.

BAYPEN® (Bayer Pharma)

Introd. en 1982. Liste I.

PRINCIPE ACTIF : *Mezlocilline.*

Préparations : poudre pour solution injectable en flacons à 0,5 g, 1 g, 2 g et 5 g (sel sodique).

Emploi : antibiotique du groupe des pénicillines (uréidopénicilline) utilisé à l'hôpital pour traiter des infections graves à germes sensibles.

Pour les détails → p. 520.

Note : réservé aux hôpitaux.

BAYPRESS® (Bayer Pharma)

Introd. en 1989. Liste I. Remb. SS 70%.

PRINCIPE ACTIF : *Nitrendipine.*

Préparations : comprimés à 10 mg ou 20 mg.

Emploi : inhibiteur calcique utilisé pour abaisser la tension artérielle en cas d'hypertension.

Pour les détails → p. 363.

Note : prescrit sur ordonnance médicale.

BCG → Vaccin antituberculeux.

BÉBÉGEL® (Plantier)

Introd. en 1973. Non remb. SS.

Préparations : gel rectal en tubes-canules contenant du glycérol.

Emploi : laxatif proposé par voie rectale dans la constipation basse occasionnelle.

Précautions : éviter l'usage prolongé (risque d'inflammation du rectum); consultez votre médecin si la constipation persiste.

Note : vendu sans ordonnance.

BÉBIA® (Stiefel)

Introd. en 1933. Non remb. SS.

Préparations : pommade contenant de l'oxyde de zinc, acide benzoïque, silicate de magnésium et d'aluminium.

Emploi : proposé dans les petites plaies, coups de soleil, gerçures.

Précautions : utilisation prudente en cas de lésions suintantes.

Note : vendu sans ordonnance; consultez votre médecin si les lésions persistent.

BÉCILAN® (Specia)

Introd. en 1956. Remb. SS 40%.

PRINCIPE ACTIF : *Pyridoxine.*

SYNONYME : vitamine B6.

Préparations : comprimés à 250 mg; ampoules injectables à 250 mg.

Emploi : carences en vitamine B6.

Pour les détails → Vitamine B6.

Note : vendu sans ordonnance; à éviter en automédication (une carence en vitamine B6 ne peut être diagnostiquée que par votre médecin).

BÉCONASE® aérosol (Glaxo)

Introd. en 1988. Liste I. Remb. SS 40%.

PRINCIPE ACTIF : *Béclométasone.*

Préparations : suspension pour inhalation nasale (à 50 µg par inhalation).

Emploi : médicament apparenté à la cortisone (glucocorticoïde) ayant une action anti-inflammatoire et utilisé en inhalation nasale dans les rhinites allergiques et spasmodiques.

Effets indésirables possibles : irritation locale, avec éternuements, prurit, sécheresse de la muqueuse nasale et saignement du nez.

Note : prescrit sur ordonnance médicale.

BÉCOTIDE® (Glaxo)

Introd. en 1976. Liste I. Remb. SS 70%.

PRINCIPE ACTIF : **Béclométasone**.

Préparations : suspension pour inhalation buccale (à 50 µg ou 250 µg par inhalation).

Emploi : médicament apparenté à la cortisone (glucocorticoïde) ayant une action anti-inflammatoire et utilisé en inhalation buccale (aérosol) pour prévenir la crise d'asthme; ce médicament n'est pas indiqué pour traiter la crise d'asthme isolée ou l'état de mal asthmatique.

Pour les détails → p. 179.

Note : médicament prescrit sur ordonnance médicale.

BÉCOZYME® (Roche)

Introd. en 1944. Non remb. SS.

PRINCIPES ACTIFS : comprimés et ampoules injectables contenant des vitamines B1 (thiamine), B2 (riboflavine), B6 (pyridoxine), PP (nicotinamide) et B5 (comprimés : pantothénate de calcium; ampoules : dexpanthénol).

Emploi : préparation polyvitaminée proposée dans le traitement des carences en vitamines du groupe B (à l'exclusion de la vitamine B12), notamment chez les patients éthyliques.

Coloration des urines : parfois coloration jaune due à l'élimination de la riboflavine.

Note : vendu sans ordonnance; en dehors des carences en vitamines du groupe B, l'emploi de ce médicament n'est pas justifié pour traiter certains syndromes douloureux, en particulier neurologiques.

BEDELIX® (Beaufour)

Introd. en 1980. Remb. SS 70%.

PRINCIPE ACTIF : poudre orale et rectale contenant de la montmorillonite beidellitique (argile naturelle).

Emploi : proposé comme pansement intestinal dans le traitement des diarrhées avec ballonnement et dans d'autres troubles digestifs.

Précautions : consultez votre médecin si les troubles persistent et en cas de douleurs ou crampes abdominales, de selles noires, d'amaigrissement, de fièvre; ne pas utiliser en cas d'insuffisance rénale sévère; ne pas associer certains antibiotiques, en particulier tétracyclines.

Effets indésirables possibles : retard ou diminution de la résorption d'autres médicaments pris par la bouche (respecter un intervalle d'au moins deux heures), constipation.

Note : vendu sans ordonnance; ne pas utiliser pendant plus de 5 jours sans avis médical.

BÉDUCÈNE® (Nicholas)

Non remb. SS.

PRINCIPE ACTIF : crème contenant du dexpanthénol.

Emploi : proposé comme protecteur de la peau dans les coups de soleil.

Note : vendu sans ordonnance; efficacité du principe actif à confirmer dans l'emploi proposé.

BÉFIZAL® (Lipha Santé)

Introd. en 1987. Liste II. Remb. SS 70%.

PRINCIPE ACTIF : **Bézafibrate**.

Préparations : comprimés à 200 mg ou 400 mg.

Emploi : médicament appartenant au groupe des hypolipidémiants qui sont utilisés pour abaisser les taux du cholestérol et des triglycérides dans le sang (graisses ou lipides sanguins). Le bézafibrate appartient à la famille des fibrates et est utilisé lorsque les taux du cholestérol et des triglycérides dans le sang restent trop élevés malgré un régime adapté, poursuivi correctement pendant 3-6 mois; la poursuite du régime est dans tous les cas indispensable.

Pour les détails → p. 353.

Note : prescrit sur ordonnance médicale.

BÉFLAVINE® (Roche)

Introd. en 1943. Non remb. SS.

PRINCIPE ACTIF : **Riboflavine**.

SYNONYMES : vitamine B2, lactoflavine.

Préparations : comprimés à 10 mg; ampoules injectables à 10 mg dans 2 ml.

Emploi : carences en vitamine B2.

Pour les détails → Vitamine B2.

Note : vendu sans ordonnance; à éviter en automédication (une carence en vitamine B2 ne peut être diagnostiquée que par votre médecin).

BÉLUSTINE® (R. Bellon)

Introd. en 1976. Liste I. Remb. SS 100%.

PRINCIPE ACTIF : *Lomustine.*

SYNONYME : CCNU.

Préparations : gélules à 40 mg.

Emploi : médicament appartenant au groupe des nitroso-urées, utilisé par voie buccale dans le traitement de certaines tumeurs du cerveau et des bronches, des ganglions lymphatiques (maladie de Hodgkin) et du myélome multiple; comme les autres médicaments de ce type, il détruit non seulement les cellules anormales, mais aussi d'autres cellules, ce qui peut entraîner des effets indésirables parfois graves.

Note : le traitement doit être pris en charge par un spécialiste.

BÉNÉMIDE® (Doms-Adrian)

Introd. en 1954. Liste II. Remb. SS 70%.

PRINCIPE ACTIF : *Probénécide.*

Préparations : comprimés à 500 mg.

Emploi : médicament qui favorise l'élimination de l'acide urique dans les urines (action uricosurique) utilisé dans le traitement de fond de la goutte; il n'a pas d'effet sur la crise goutte en cours; l'élimination d'acide urique favorisée par le probénécide augmente le risque de formation de calculs d'urates dans les reins. Comme le probénécide retarde l'élimination rénale de la pénicilline et d'autres antibiotiques, il est parfois employé pour maintenir des concentrations sanguines élevées de ces antibiotiques (Prototapen®).

Pou les détails → p. 44.

Note : prescrit sur ordonnance médicale.

BÉNERVA® (Roche)

Introd. en 1938. Non remb. SS.

PRINCIPE ACTIF : *Thiamine.*

SYNONYMES : *Vitamine B1,* aneurine.

Préparations : comprimés à 100 mg ou 250 mg; ampoules pour injections à 100 mg ou 500 mg.

Emploi : carences en vitamine B1.

Pour les détails → Vitamine B1.

Note : vendu sans ordonnance; à éviter en automédication (une carence en vitamine B1 ne peut être diagnostiquée que par votre médecin).

BENTOS® (Faure)

Introd. en 1987. Liste I. Remb. SS 70%.

PRINCIPE ACTIF : collyre contenant du béfunolol (bêta-bloquant) à 0,25% et 0.50%.

Emploi : utilisé pour abaisser la tension intra-oculaire, notamment en cas de glaucome à angle ouvert.

Pour les détails → p. 98.

Conservation : à utiliser dans les 15 jours après l'ouverture du flacon.

Note : prescrit sur ordonnance médicale.

BÉNYLIN® (Parke-Davis)

Introd. en 1964. Remb. SS 40%.

PRINCIPE ACTIF : *Diphénhydramine.*

Préparations : sirop à 14 mg par cuillerée à café.

Emploi : antihistaminique ayant des propriétés atropiniques et sédatives introduit il y a plus de 50 ans comme antiallergique et somnifère; par la suite, il a été commercialisé sous forme de sirop pour calmer la toux.

Précautions : ne pas utiliser en cas de glaucome, de troubles prostatiques, de grossesse ou d'allaitement et chez l'enfant de moins de 5 ans.

Pour les détails → p. 45.

Note : vendu sans ordonnance; l'efficacité de la diphénhydramine comme antiallergique est généralement reconnue; tenir compte de l'effet sédatif.

BENZALKONIUM, Chlorure de

SPÉCIALITÉS :

Chlorure de Benzalkonium (Théramex) [ovules].

Comprimés gynécologiques Pharmatex®.

Crème unidose Pharmatex®.

Mini-Ovule Pharmatex®.

Ovules Pharmatex®.

Sparaplaie Na® (Fournier) [+ butylglycol].

Tampons Pharmatex®.

Propriétés : ammonium quaternaire ayant une action bactéricide sur certaines bactéries, une action fongistatique et une action détergente.

Emploi : entre dans la composition de nombreux antiseptiques externes et est utilisé comme spermicide.

Note : vendu sans ordonnance; efficacité généralement reconnue dans l'emploi proposé.

BENZOCHLORYL® (Delalande)

Introd. en 1946. Non remb. SS.

PRINCIPE ACTIF : **Clofénotane** ou **DDT**.

Préparations : solution pour usage externe à 6%.

Emploi : insecticide organochloré utilisé comme antiparasitaire dans les affections suivantes :

– *Gale* : appliquer le soir après bain et séchage à l'aide d'un pinceau plat en 1 ou 2 couches sur tout le corps en évitant seulement le visage et le cuir chevelu; au bout de 24 heures (adulte ou enfant de plus de 2 ans) ou de 12 heures (enfant de moins de 2 ans), bain savonneux pour éliminer le produit; traiter l'entourage simultanément, déparasiter les vêtements et la lingerie.

– *Aoûtats et poux (phtiriases) du cuir chevelu et du corps* : badigeonnages locaux sur les endroits infestés (durée d'application limitée à 12 h).

– Chez l'enfant âgé de moins de 2 ans la durée d'application doit être strictement limitée à 12 heures.

Précautions : ne pas appliquer sur la peau lésée, les yeux, les muqueuses.

Effets indésirables possibles :

– Sensation de cuisson, eczématisation en cas d'applications répétées; dans la gale, le prurit peut persister 10 à 15 jours et ne doit pas conduire à des applications répétées.

– En cas de résorption transcutanée (surtout chez l'enfant) ou d'ingestion accidentelle : convulsions, toxicité hépatique et sanguine.

Note : *vendu sans ordonnance; efficacité généralement reconnue dans l'emploi proposé.*

BENZODODÉCINIUM
(M., S. & D.-Chibret)

Introd. en 1957. Remb. SS 70%.

Préparations : collyre à 0,25%.

Emploi : proposé comme antiseptique local dans les irritations conjonctivales par des agents physiques ou chimiques («yeux rouges»).

Effets indésirables possibles : risque d'intolérance locale et de réactions allergiques.

Conservation : à utiliser dans les 15 jours après l'ouverture du flacon.

Note : *vendu sans ordonnance; à éviter sans avis médical, comme tous les collyres.*

BENZO-GYNŒSTRYL®
(Roussel)

Introd. en 1940. Liste II. Remb. SS 70%.

PRINCIPE ACTIF : **Estradiol.**

SYNONYME : dihydrofolliculine.

Préparations : solution huileuse injectable à 5 mg/ampoule; solution huileuse «retard» injectable à 5 mg par ampoule.

Emploi : l'estradiol est utilisé pour corriger la carence estrogénique après la ménopause et atténuer les bouffées de chaleur, transpirations, vertiges et les symptômes de la vaginite atrophique; il est aussi utilisé pour prévenir, ralentir ou stabiliser l'ostéoporose postménopausique en association avec un progestatif pour diminuer les risques de cancer de l'endomètre; dans le traitement de l'insuffisance ovarienne survenant avant ou après la puberté (hypogonadisme), il est utilisé en alternance avec un progestatif pour établir ou maintenir un cycle artificiel; interrompre le traitement en cas d'immobilisation prolongée et un mois avant une intervention chirurgicale.

Pour les détails → p. 266.

Note : *prescrit sur ordonnance médicale.*

BÉPANTHÈNE® (Roche)

Introd. en 1951. Non remb. SS.

PRINCIPE ACTIF : **Dexpanthénol.**

SYNONYME : vitamine B5, panthénol.

Préparations : comprimés à 100 mg; ampoules injectables à 500 mg/2 ml.

Propriétés : le dexpanthénol est transformé dans l'organisme en acide pantothénique. Les besoins en acide pantothénique n'ont pas été déterminés; certains auteurs estiment que 4 à 7 mg/jour sont suffisants; les aliments les plus riches sont le foie, les œufs, les viandes, les poisson et les céréales. Les signes de carence ne sont pas caractéristiques.

Emploi : proposé dans le traitement des pertes des cheveux (alopécies), des troubles de la croissance des ongles et des crampes au cours de la grossesse; la chute de cheveux peut être le signe d'une maladie locale ou générale.

Note : *vendu sans ordonnance; efficacité du principe actif à confirmer dans l'emploi proposé.*

Si vous utilisez un tranquillisant ou un somnifère du groupe des benzodiazépines...

TRANQUILLISANTS:
Lexomil® (Roche).
Librium® (Roche).
Nordaz® (Bouchara).
Novazam® (Génévrier).
Praxadium® (Théraplix).
Séresta® (Wyeth).
Sériel® (Biogalénique).
Témesta® (Wyeth).
Tranxène® (Clin Midy).
Urbanyl® (Diamant).
Valium® (Roche).
Vératran® (Latéma).
Victan® (Clin Midy).
Xanax® (Upjohn).

SOMNIFÈRES:
Halcion® (Upjohn).
Havlane® (Diamant).
Mogadon® (Roche).
Noctamide® (Schering).
Noriel® (Biogalénique).
Normison® (Wyeth).
Nuctalon® (Takeda).
Rohypnol® (Roche).

AUTRES BENZODIAZÉPINES:
Hypnovel® (Roche).
Myolastan® (Clin Midy).
Narcozep® (Roche).
Rivotril® (Roche).

Propriétés : les nombreuses *benzodiazépines* ont, à doses équivalentes, toutes les mêmes effets :
– une action tranquillisante ou anxiolytique;
– une action sédative;
– une action hypnotique, qui résulte des actions précédentes;
– une action relaxante musculaire (dans les contractures musculaires);
– une action anticonvulsivante (utilisée dans l'épilepsie);
– une dépendance en cas d'usage prolongé à doses élevées.

Propriétés : selon les spécialités, les benzodiazépines sont proposées :
– comme *tranquillisants* dans l'anxiété, l'angoisse et le sevrage alcoolique; ces médicaments ne doivent pas être utilisés pour diminuer la tension nerveuse causée par le stress de la vie quotidienne;
– comme *hypnotiques* dans les insomnies occasionnelles ou transitoires (tous les troubles du sommeil ne nécessitent pas un traitement médicamenteux); ces médicaments ne doivent pas être utilisés pour traiter l'insomnie chronique;
– comme *antiépileptiques* et, en injections intraveineuses, dans le traitement de l'état de mal épileptique, des crises d'agitation, du tétanos, dans la préparation à l'anesthésie;
– comme *myorelaxants* dans les contractures douloureuses.

Allergie : informez votre médecin si vous avez fait une réaction allergique ou inhabituelle à une benzodiazépine.

État de santé : vous devez informer votre médecin de toute affection susceptible de modifier les effets du médicament, notamment :
– tendance à l'alcoolisme ou à la toxicomanie (peut favoriser la dépendance aux benzodiazépines);
– maladie des poumons (risque d'insuffisance respiratoire);
– maladies du foie ou des reins (l'insuffisance hépatique ou rénale peut diminuer l'élimination du médicament);
– dépression (les benzodiazépines ne doivent pas être utilisées seules car elles ne constituent pas un traitement de la dépression et peuvent même en masquer les signes);
– maladies neurologiques;
– myasthénie; porphyrie.

Grossesse : les benzodiazépines sont déconseillées en cas de grossesse; en effet, certains produits ont causé des malformations du fœtus au cours de l'expérimentation animale; en outre, des doses élevées pendant le dernier trimestre peuvent provoquer une faiblesse musculaire, un ralentissement du cœur et une détresse respiratoire chez le nouveau-né.

Allaitement : déconseillées en raison du passage dans le lait maternel.

Enfants : l'utilisation est déconseillée, sauf dans le traitement des états convulsifs d'origine cérébrale, sous la surveillance du pédiatre.

Sujets âgés : utilisation prudente, à doses faibles; risque accru de confusion mentale ou d'excitation, tendance aux chutes.

Interactions : il faut informer votre médecin si vous prenez ou avez pris récemment d'autres médicaments, notamment d'autres sédatifs, tranquillisants ou somnifères, zidovudine, cisapride ou cimétidine.

Prescription : ne dépassez pas la dose prescrite; des doses trop élevées ou des prises trop fréquentes augmentent le risque d'effets indésirables.

Autres médicaments : ne prenez aucun autre médicament, notamment des produits contre la douleur, sans l'avis de votre médecin.

Alcool : à éviter pendant le traitement (majoration de l'effet sédatif).

Conduite de véhicules : assurez vous que le médicament n'entraîne ni somnolence diurne ni trouble du comportement avant de conduire des véhicules ou d'utiliser des machines; l'association avec l'alcool ou d'autres tranquillisants est dangereuse car vos réactions peuvent devenir lentes et imprécises.

Tolérance : si vous estimez que le médicament ne produit pas, ou ne produit plus l'effet désiré, n'augmentez pas la dose, mais consultez votre médecin (apparition possible d'une «tolérance»); les benzodiazépines ne constituent pas un «traitement à vie» et, après quelques semaines, vous devez essayer de vous en passer avant l'apparition d'une dépendance physique ou psychique.

Risque de dépendance : si vous prenez une benzodiazépine à doses élevées pendant quelques semaines, vous pouvez développer une dépendance psychique ou physique qui se traduit par les signes suivants :
– un fort besoin de prendre le médicament;
– une tendance à augmenter les doses;
– des troubles psychiques;
– des *symptômes de sevrage* si vous arrêtez le traitement, notamment :
 - dans les formes légères, après 2 ou 3 jours sans problème, des troubles du sommeil apparaissent qui ne doivent surtout pas vous conduire à reprendre le médicament, car ces troubles disparaissent souvent d'eux-mêmes;

- dans le formes les plus graves, l'insomnie s'accompagne de maux de tête, de transpirations, tremblements, crampes d'estomac, vomissements, tension musculaire, tremblements, fatigue et faiblesse inhabituelles, convulsions, confusion mentale.

Arrêt du traitement : si vous avez développé une dépendance, consultez votre médecin qui pourra vous conseiller une diminution progressive des doses sur plusieurs semaines avant l'arrêt complet du traitement.

Effets indésirables possibles :
– somnolence, sensations d'ébriété, troubles de l'équilibre, marche hésitante par action relaxante sur les muscles des jambes; parfois réactions paradoxales avec excitation et irritabilité, euphorie, baisse de la tension artérielle;
– troubles de la vue, perception double des objets (diplopie), troubles de la parole, maux de tête, troubles de la vessie, modification des fonctions sexuelles, éruption cutanée (à signaler à votre médecin);
– perte de la mémoire (amnésie rétrograde) observée notamment lors de la prise d'une benzodiazépine au coucher et lorsque le sommeil est interrompu par un événement extérieur;
– *effet désinhibiteur* : les benzodiazépines permettent une facilitation de l'action (comme l'alcool) qui peut être dangereuse chez les sujets impulsifs; cet effet peut être à l'origine de certains troubles du comportement (notamment comportement agressif) ou être la cause de tentatives de suicide; les triazolobenzodiazépines (alprazolam, estazolam, triazolam) semblent causer des effets toxiques et des réactions de sevrage plus sévères que les autres benzodiazépines; ces médicaments peuvent aussi entraîner des troubles de la mémoire, une tendance à la dépression, parfois une hypotension, en particulier chez les sujets âgés, ou des effets paradoxaux (colère, agressivité).

Intoxication : sommeil très profond, respiration superficielle, évolution vers le coma; un traitement d'urgence à l'hôpital peut être nécessaire.

Si vous utilisez l'une des spécialités suivantes contenant un bêta-bloquant...

CARDIOSELECTIFS :
Aténolol (Zeneca-Pharma).
Betatop® (Schwarz).
Brevibloc® (Du Pont).
Célectol® (Pharmuka).
Detensiel® (Merck-Clévenot).
Kerlone® (Synthélabo).
Lopressor® (Ciba-Geigy).
Sectral® (Specia).
Seloken® (Astra).
Soprol® (Novalis).
Ténormine® (Zeneca-Pharma).

NON CARDIOSELECTIFS :
Artex® (Servier).
Avlocardyl® (Zeneca-Pharma).
Bétapressine® (Roussel).
Corgard® (Bristol-Myers Squibb)
Hémipralon® (Urpac).
Mikélan® (Lipha Santé).
Sotalex® (Allard).
Timacor® (M., S. & D.-Chibret).
Trandate® (Glaxo).
Trasicor® (Ciba-Geigy).
Visken® (Sandoz).

BÊTA BLOQUANTS + DIURÉTIQUES :
Logroton® (Ciba-Geigy).
Moducren® (M., S. & D.-Chibret).
Trasitensine® (Ciba-Geigy).
Viskaldix® (Sandoz).

Propriétés et emploi : les *bêta-bloquants* sont un groupe très nombreux de médicaments qui inhibent les récepteurs bêta-adrénergiques au niveau du cœur et d'autres organes; ils abaissent la tension artérielle et réduisent le travail cardiaque. Ils sont largement utilisés par voie buccale :
– comme antihypertenseurs pour abaisser la tension artérielle chez les hypertendus, souvent associés à un diurétique;
– comme antiangoreux pour prévenir les crises d'angine de poitrine;
– comme antiarythmiques pour régulariser le rythme cardiaque;
– dans d'autres affections, notamment dans le traitement de fond de la migraine et dans les tremblements. Sous forme de collyres pour diminuer la pression intraoculaire en cas de glaucome.
Certains bêta-bloquants sont dits «cardiosélectifs» parce que, dans les expériences de laboratoire, ils agissent surtout au niveau du cœur; cependant, en pratique, tous les bêta-bloquants ont les mêmes effets sur l'hypertension artérielle, pour autant que la dose soit ajustée, et doivent être utilisés avec prudence en cas d'asthme ou de bronchite chronique.

Précautions : ne pas utiliser en cas d'allergie au produit; les affections suivantes peuvent modifier l'action du médicament :

– insuffisance cardiaque (faiblesse du cœur), bloc cardiaque avec un pouls très lent, inférieur à 50 battements par minute;
– diabète sucré (contrôle régulier de la glycémie et adaptation des doses de l'insuline ou des antidiabétiques oraux car les bêta-bloquants favorisent l'hypoglycémie et masquent les prodromes de l'accès hypoglycémique);
– asthme, bronchite chronique et emphysème (risque d'aggravation);
– maladie du foie ou des reins (l'insuffisance hépatique ou rénale demandent une réduction des doses);
– troubles de la circulation aux membres, syndrome de Raynaud.

Grossesse : les bêta-bloquants sont déconseillés chez la femme enceinte; en effet, certains produits ont causé des malformations du fœtus au cours de l'expérimentation animale; en outre, chez le nouveau-né de mère traitée dans les dernières semaines, l'action bêta-bloquante sur le nouveau-né peut causer un défaillance cardiaque ou une détresse respiratoire qui demandent des soins intensifs.

Allaitement : utilisation déconseillée à cause du passage du médicament dans le lait maternel.

Enfants : ces médicaments ne sont pas utilisés chez les enfants.

Sujets âgés : exigent une surveillance particulière à cause du risque accru d'effets indésirables, notamment de décompensation cardiaque.

Sportifs : ces médicaments se trouvent sur la liste des dopants interdits (Ministère de la Jeunesse et des Sports); ils donnent une réaction positive en cas de tests pratiqués lors des contrôles antidopage.

Interactions avec d'autres médicaments : certains médicaments ne doivent en aucun cas être associés; dans d'autres cas, l'association de deux médicaments peut demander un ajustement des doses ou d'autres précautions; par conséquent, il faut informer votre médecin si vous prenez ou avez pris récemment d'autres médicaments, notamment :

– amiodarone et quinidine (risque de troubles graves du rythme cardiaque);

– antidépresseurs inhibiteurs de la mono-amine oxydase ou IMAO (risque d'hypertension grave);

– théophylline (diminution des effets);

– insuline et antidiabétiques oraux (une modification des doses de ces médicaments peut être nécessaire);

– inhibiteurs calciques (risque d'hypotension et de troubles du rythme);

– digitaliques, adrénaline et sympathomimétiques (risque d'hypertension artéielle et de troubles du rythme cardiaque);

– neuroleptiques (risque accru d'hypotension orthostatique).

Prescription : ne dépassez pas la dose prescrite; des doses trop élevées ou des prises trop fréquentes augmentent le risque d'effets indésirables; si vous portez un stimulateur cardiaque («pacemaker»), consultez votre médecin sur les précautions à prendre pendant le traitement.

Oubli : si vous oubliez de prendre le médicament et si vous le remarquez dans les 2 heures qui suivent, prenez immédiatement la dose oubliée; ne doublez pas la dose suivante; certaines affections peuvent s'aggraver si vous ne prenez pas le médicament régulièrement; si vous oubliez le médicament plusieurs jours, prenez contact avec votre médecin.

Autres médicaments : ne prenez aucun autre médicament sans l'avis de votre médecin.

Conduite de véhicules : chez certains sujets, les bêta-bloquants provoquent des vertiges ou diminuent la vigilance : la conduite de véhicules ou l'utilisation de machines peut être dangereuse dans ce cas.

En cas d'hypertension artérielle : votre médecin vous a probablement recommandé de suivre un régime pauvre en sel; ces restrictions alimentaires sont essentielles pour abaisser la tension artérielle; le traitement par les bêta-bloquants ne guérit pas l'hypertension artérielle, mais atténue ses conséquences en maintenant une tension artérielle à un niveau acceptable; par conséquent, le contrôle régulier de la tension artérielle, que vous pouvez effectuer vous-même, est indispensable; l'arrêt brusque du traitement peut entraîner une élévation importante de la tension artérielle.

En cas d'angine de poitrine : *n'arrêtez jamais le traitement sans consulter votre médecin* qui vous indiquera comment réduire progressivement les doses; en effet, l'interruption brusque du traitement peut entraîner des troubles graves du rythme cardiaque et un infarctus du myocarde; assurez-vous que vous avez une réserve du médicament suffisante pour les week-ends et pendant vos voyages.

En cas de diabète : si vous êtes diabétique, les doses d'insuline ou des antidiabétiques oraux doivent être adaptées; il faut savoir que les bêta-bloquants diminuent la quantité de sucre dans le sang (hypoglycémie) et masquent ou modifient les signes d'alarme de l'accès hypoglycémique, notamment les palpitations et les transpirations.

Exposition au froid : évitez pendant le traitement de vous exposer au froid sans vêtements adéquats ou de vous baigner dans l'eau froide; en effet, les bêta-bloquants tendent à diminuer la circulation dans les extrémités et diminuent la résistance au froid. →

Chirurgie : avant une intervention chirurgicale ou dentaire, informez le personnel soignant que vous prenez un bêta-bloquant (on conseille l'arrêt du traitement 48 heures avant une anesthésie générale, sauf en cas d'angine de poitrine).

Effets indésirables possibles :
– fatigue, irritabilité, nausées, sécheresse des yeux, de la bouche et de la peau, diarrhée ou constipation, impuissance;
– picotements et fourmillements aux extrémités, mains et pieds froids;
– difficulté à respirer, crise d'asthme (bronchoconstriction);
– pouls irrégulier ou anormalement lent (moins de 50 pulsations/min);
– vertiges, étourdissements ou évanouissements quand vous vous levez (tension trop basse ou hypotension orthostatique);
– prurit, urticaire, éruption cutanée (réaction allergique : arrêtez immédiatement le traitement);
– insomnie, cauchemars, hallucinations;
– états dépressifs et confusion mentale.

Intoxication : pouls très lent et irrégulier, chute de la tension artérielle (hypotension), crise d'asthme par bronchoconstriction, diminution du taux de sucre dans le sang (hypoglycémie), état de choc demandant un traitement d'urgence.

Si vous utilisez un collyre contenant un bêta-bloquant...

SPÉCIALITÉS :
Bentos® (Faure).
Bétanol® (Allergan).
Betoptic® (Alcon).
Cartéol® (Chauvin).
Gaoptol® (Europhta).
Timoptol® (M., S. & D.-Chibret).

Propriétés : les bêta-bloquants en application locale abaissent la pression intraoculaire en diminuant la sécrétion active d'humeur aqueuse; contrairement aux substances analogues de l'atropine, ils ne modifient pas le diamètre pupillaire ou l'accommodation.

Emploi : les collyres sont utilisés pour abaisser la tension intra-oculaire, notamment en cas de glaucome à angle ouvert; la normalisation de la pression intra-oculaire requiert parfois plusieurs semaines; le premier contrôle est habituellement effectué après un mois de traitement et, par la suite, à des intervalles laissés à l'appréciation de votre médecin qui pourra vous prescrire un traitement associé par voie buccale par un inhibiteur de l'anhydrase carbonique.

Précautions : informez votre médecin en cas de grossesse, d'asthme, d'insuffisance cardiaque, de pouls lent (moins de 50 battements par minute) et si vous prenez des médicaments pour traiter l'hypertension artérielle ou la migraine; ces collyres sont déconseillés pendant l'allaitement.

Sportifs : les bêta-bloquants peuvent donner une réaction positive en cas de tests pratiqués lors des contrôles antidopage.

Effets indésirables possibles : irritation et rougeur de l'œil, diminution de la sécrétion des larmes (le port de lentilles de contact est déconseillé), irritation de la conjonctive, sensibilité excessive et douloureuse à la lumière (photophobie); lorsque le médicament pénètre dans la circulation sanguine, on peut observer des maux de tête, des vertiges, une baisse de la tension artérielle, un ralentissement du pouls et parfois d'autres symptômes.

BEROTEC®
(Boehringer Ingelheim)

Introd. en 1988. Liste I. Remb. SS 70%.
PRINCIPE ACTIF : *Fénotérol*.
Préparations : aérosol-doseur (bouffées à 200 µg); solution pour aérosol à 1 mg/ml (réservée aux hôpitaux).
Emploi : bêtamimétique utilisé en inhalation pour traiter les crises d'asthme ainsi que dans le traitement de fond de l'asthme.
Pour les détails → p. 37.
Note : prescrit sur ordonnance médicale.

BÊTA-ADALATE®
(Bayer Pharma)

Introd. en 1988. Liste I. Remb. SS 70%.
PRINCIPES ACTIFS : gélules contenant
– nifédipine (20 mg) : inhibiteur calcique (Adalate®);
– aténolol (50 mg) : bêta-bloquant de type «cardiosélectif» (Betatop®, Ténormine®).
Emploi : association proposée pour traiter l'hypertension artérielle.
Durée d'action : jusqu'à 30 heures.
Pour les détails : → p. 96 et 363.
Note : prescrit sur ordonnance médicale.

BÉTADINE® (Sarget)

Introd. en 1975.
PRINCIPE ACTIF : *Polyvidone iodée*.
SYNONYMES : polyvinylpyrrolidone iodée, Povidone Iodine.
Préparations :
– Pansements de gaze imprégnée à 10% Non remb. SS.
– Solution pour gargarismes à 98,5% Remb. SS 40%.
– Solution dermique à 10%; solution moussante pour application locale (*Bétadine Scrub®*); solution gynécologique à 10%; comprimés gynécologiques à 250 mg; ovules à 250 mg; pommade à 10%. Remb. SS 70%.
Emploi : antiseptique externe à base d'iode, à large spectre, ayant une action, bactéricide et fongicide notamment sur *Candida albicans* et les dermatophytes.
Précautions : ne pas utiliser en cas d'allergie à l'iode, d'affection de la thyroïde, d'insuffisance rénale, de grossesse (risque d'hypothyroïdie chez le nouveau-né); éviter le contact avec les yeux; ne pas employer en même temps que des désinfectants à base de mercure.
Effets indésirables possibles : rougeur de la peau, démangeaisons, éruption cutanée (réaction allergique : arrêtez immédiatement le traitement); surcharge iodée (et hypothyroïdie) en cas d'applications étendues et prolongées.
Note : médicaments vendus sans ordonnance; efficacité généralement reconnue dans l'emploi proposé.

BÉTAÏNE → Citrate de bétaïne.

BÉTAMAZE® (Pfizer)

Introd. en 1991. Liste I.
PRINCIPE ACTIF : *Sulbactam*.
Préparations : poudre pour solution injectable en flacons à 1 g.
Propriétés : inhibiteur des bêta-lactamases qui élargit le spectre des pénicillines et autres bêta-lactamines aux souches bêta-lactamases-résistantes du staphylocoque doré, du gonocoque et d'autres germes.
Emploi : utilisé en association avec l'ampicilline pour traiter les infections bactériennes graves (Unacim®).
Note : réservé aux hôpitaux.

BÉTANOL® (Allergan)

Introd. en 1989. Liste I. Remb. SS 70%.
PRINCIPE ACTIF : collyre contenant du métipranol (bêta-bloquant) à 0,1%, 0,3% et 0.6%.
Emploi : utilisé pour abaisser la tension intra-oculaire, notamment en cas de glaucome à angle ouvert.
Pour les détails → tableau ci-contre.
Conservation : à utiliser dans les 15 jours après l'ouverture du flacon.
Note : prescrit sur ordonnance médicale.

BÉTAPRESSINE® (Roussel)

Introd. en 1984. Liste I. Remb. SS 70%.
PRINCIPE ACTIF : *Penbutolol*.
SYNONYME : lévo-penbutolol.
Préparations : comprimés à 40 mg.
Emploi : médicament appartenant au groupe très nombreux des bêta-bloquants utilisé :
– pour abaisser la tension artérielle chez les sujets hypertendus (antihypertenseur);

– pour prévenir les crises d'angine de poitrine (antiangoreux).

Il s'agit d'un bêta-bloquant de type «non cardiosélectif».

Pour les détails → p. 96.

Note : *prescrit sur ordonnance médicale.*

BETATOP® (Schwarz)

Introd. en 1991. Liste I. Remb. SS 70%.

PRINCIPE ACTIF **: Aténolol.**

Préparations : comprimés à 50 mg ou 100 mg; ampoules à 5 mg dans 10 ml.

Emploi : médicament appartenant au groupe très nombreux des bêta-bloquants utilisé par voie buccale :

– pour abaisser la tension artérielle chez les hypertendus (antihypertenseur);

– pour prévenir les crises d'angine de poitrine (antiangoreux);

En injection intraveineuse, il est utilisé dans la phase aiguë de l'infarctus du myocarde. Il s'agit d'un bêta-bloquant de type «cardiosélectif».

Durée d'action : jusqu'à 30 heures.

Pour les détails → p. 96.

Note : *prescrit sur ordonnance médicale.*

BETNESALIC® (Glaxo)

Introd. en 1988. Liste I. Remb. SS 70%.

PRINCIPES ACTIFS : pommade contenant de la bétaméthasone (dermocorticoïde classe II) et de l'acide salicylique (kératolytique).

Emploi : traitement de l'eczéma de contact, la dermatite allergique, les processus de lichénification et la kératodermie palmoplantaire pour amincir la couche cornée de la peau (action kératolytique).

Application du produit : étaler le produit sur les lésions et le faire pénétrer par un léger massage; éviter tout contact avec les yeux. Ne dépassez pas le nombre d'applications journalières prescrites par votre médecin (en général deux par jour au maximum); des applications trop fréquentes et l'occlusion des lésions augmentent le risque d'effets indésirables généralisés.

Durée du traitement : ne pas dépasser 8 jours.

Effets indésirables possibles : prurit, sensation de brûlure; l'application sur de grandes surfaces ou sous un pansement occlusif peut entraîner un passage du principe actif dans la circulation sanguine, d'où l'apparition d'effets indésirables parfois généralisés; l'utilisation prolongée peut provoquer une atteinte de la peau du visage avec rougeur, amincissement et fragilité des téguments et apparition d'ecchymoses.

Note : *prescrit sur ordonnance médicale.*

BETNESOL® (Glaxo)

Introd. en 1963. Liste I. Remb. SS 70%.

PRINCIPE ACTIF : **Bétaméthasone.**

Préparations : comprimés à 0,5 mg; solution injectable en ampoules à 4 mg.

Emploi : médicament apparenté à la cortisone utilisé par voie orale ou en injections pour atténuer les réactions inflammatoires et allergiques, ainsi que dans le traitement de maladies telles que des allergies cutanées sévères, des crises d'asthme, ou des polyarthrites évolutives; il s'agit d'un médicament puissant qui, s'il n'est pas utilisé selon la prescription médicale, peut provoquer des effets indésirables graves.

Durée d'action : 12-24 heures.

Pour les détails → p. 176.

Note : *prescrit sur ordonnance médicale.*

BETNESOL® solution rectale
(Glaxo)

Introd. en 1963. Liste I. Remb. SS 70%.

PRINCIPE ACTIF : **Bétaméthasone.**

Préparations : solution rectale à 5 mg par sachet.

Emploi : corticoïde utilisé en lavements dans le traitement des rectocolites hémorragiques et de la maladie de Crohn colique.

Précautions : ne pas utiliser en cas d'ulcère gastroduodénal évolutif, de maladies bactériennes, de mycoses ou d'infections virales (herpès, zona, hépatite virale).

Effets indésirables possibles : surinfection locale.

Note : *prescrit sur ordonnance médicale.*

BETNEVAL® (Glaxo)

Introd. en 1964. Liste I. Remb. SS 70%.

PRINCIPE ACTIF : **Bétaméthasone.**

Préparations : crème, pommade, lotion à 0,10%.

Emploi : corticoïde fluoré d'activité forte (classe II) utilisé en application

locale pour soulager la douleur, le prurit et les signes d'inflammation et d'irritation de la peau, notamment dans l'eczéma et la dermatite allergique provoquée par le contact avec des plantes, métaux, produits de nettoyage, cosmétiques, etc. ainsi que dans les processus de lichénification.
Pour les détails → p. 205.
Note : prescrit sur ordonnance médicale.

BETNEVAL® buccal (Glaxo)

Introd. en 1971. Liste I. Remb. SS 40%.
PRINCIPE ACTIF : *Bétaméthasone.*
Préparations : tablettes à 0,1 mg.
Emploi : corticoïde utilisé dans les inflammations de la muqueuse buccale (aphtes, stomatites, etc.).
Note : prescrit sur ordonnance médicale.

BETNEVAL® néomycine
(Glaxo)

Introd. en 1965. Liste I. Remb. SS 70%.
PRINCIPES ACTIFS : crème, pommade et lotion contenant de la bétaméthasone (dermocorticoïde classe II) et néomycine (antibiotique).
Emploi : traitement des eczémas infectés et d'autres affections de la peau.
Application du produit : étaler le produit sur les lésions et le faire pénétrer par un léger massage; éviter tout contact avec les yeux. Ne dépassez pas le nombre d'applications journalières prescrites par votre médecin (en général deux par jour au maximum); des applications trop fréquentes et l'occlusion des lésions augmentent le risque d'effets indésirables généralisés.
Durée du traitement : ne pas dépasser 8 jours.
Effets indésirables possibles : prurit, sensation de brûlure; l'application sur de grandes surfaces ou sous un pansement occlusif peut entraîner un passage du principe actif dans la circulation sanguine, d'où l'apparition d'effets indésirables généralisés; possibilité de réactions allergiques à la néomycine; l'utilisation prolongée peut provoquer une atteinte de la peau du visage avec rougeur, amincissement et fragilité des téguments et apparition d'ecchymoses.
Note : prescrit sur ordonnance médicale.

BETOPTIC® (Alcon)

Introd. en 1987. Liste I. Remb. SS 70%.
PRINCIPE ACTIF : *Bétaxolol.*
Préparations : collyre à 0.50%.
Emploi : utilisé pour abaisser la tension intra-oculaire, notamment en cas de glaucome à angle ouvert.
Pour les détails → p. 98.
Conservation : à utiliser dans les 15 jours après l'ouverture du flacon.
Note : prescrit sur ordonnance médicale.

BÉTRIMAX® (Lipha Santé)

Introd. en 1963. Non remb. SS.
PRINCIPES ACTIFS: comprimés contenant de l'hydroxocobalamine (vitamine B12), thiamine (vitamine B1) et pyridoxine (vitamine B6).
Emploi: proposé dans le traitement des carences en vitamines du groupe B, notamment chez les patients éthyliques; en dehors de ces carences, l'emploi de ce médicament à forte dose n'est pas justifié pour traiter certains syndromes douloureux.
Note : vendu sans ordonnance; à éviter en automédication (une carence en vitamines ne peut être diagnostiquée que par votre médecin).

BÉTRIPHOS C® (Marcofina)

Introd. en 1965. Non remb. SS.
PRINCIPES ACTIFS: gélules contenant des vitamines (B1, B6, B12 et C) et triphosadénine.
Emploi : proposé dans la fatigue (ou asthénie fonctionnelle) musculaire, nerveuse et intellectuelle et dans la convalescence.
Précautions : consultez votre médecin si la fatigue persiste (il peut s'agir d'une dépression ou d'une maladie nécessitant un traitement spécifique) ou en cas d'amaigrissement.
Note : vendu sans ordonnance; efficacité des principes actifs à confirmer dans l'emploi proposé.

BÉVITINE® (Specia)

Introd. en 1947.
PRINCIPE ACTIF : *Thiamine.*
SYNONYME : *Vitamine B1,* aneurine.
Préparations :
Comprimés à 250 mg. Non remb. SS.
Amp. inject. à 100 mg. Remb. SS 40%.

Emploi : carences en vitamine B1.
Pour les détails → Vitamine B1.
Note : *vendu sans ordonnance; à éviter en automédication (une carence en vitamine B1 ne peut être diagnostiquée que par votre médecin).*

BIAFINE® (Médix)

Introd. en 1976. Remb. SS 40%.
PRINCIPES ACTIFS : émulsion (huile dans l'eau purifiée H/E à 75% d'eau) pour application locale contenant de la trolamine, stéarate d'éthylèneglycol, palmitate de cétyle, acide stéarique, paraffine, perhydrosqualène, propylène glycol, alginate de trolamine et de sodium, huile d'avocat, sorbate de potassium, parahydroxybenzoate de méthyle et propyle sodé.
Emploi : proposé pour traiter les érythèmes dus à la radiothérapie, les brûlures superficielles et autres plaies non infectées.
Précautions : ne pas utiliser en cas de plaies hémorragiques ou lésions allergiques
Effets indésirables possibles : réactivation des douleurs et rougeur.
Note : *vendu sans ordonnance; consultez votre médecin si la lésion persiste ou s'aggrave.*

BICARBONATE DE SODIUM

SPÉCIALITÉS (SOLUTIONS INJECTABLES) :
Bicarbonate de sodium à 1,4% et 4,2 % (Aguettant).
Carbonate monosodique à 1,4 % (Chaix & Du Marais).
Emploi : les solutions injectables sont utilisées en perfusion pour traiter les acidoses métaboliques et d'autres affections graves du métabolisme.
Note : *réservé aux hôpitaux.*

BI-CITROL® (Doms-Adrian)

Introd. en 1943. Non remb. SS.
PRINCIPES ACTIFS : solution orale contenant du citrate monosodique et citrate trisodique.
Emploi : proposé dans l'aérophagie et les ballonnements.
Précautions : ne pas utiliser en cas de douleurs ou crampes abdominales, de selles noires, de sang dans les selles, de vomissements sanglants, d'amaigrissement.

En cas de diabète : tenir compte de la teneur en sucre du produit.
En cas de régime désodé : tenir compte de la teneur en sodium du produit.
Note : *vendu sans ordonnance; ne pas utiliser pendant plus de 5 jours sans avis médical.*

BICLINOCILLINE® (Clin Midy)

Introd. en 1961. Liste I. Remb. SS 70%.
PRINCIPES ACTIFS : bénéthamine benzylpénicilline + benzylpénicilline sodique en flacons à 1 million d'UI pour injection intramusculaire profonde.
Emploi : préparation retard de pénicilline G utilisée pour
– traiter les infections des voies respiratoires supérieures à streptocoques;
– prévenir les infections streptococciques chez les sujets qui ont eu des crises de rhumatisme articulaire aigu.
– traiter la syphilis latente, primaire ou secondaire.
Pour les détails → p. 520.
Note : *prescrit sur ordonnance médicale.*

BICNU® (Bristol-Myers Squibb)

Introd. en 1983. Liste I.
PRINCIPE ACTIF : *Carmustine.*
SYNONYME : BCNU.
Préparations : poudre pour solution injectable en flacons à 100 mg.
Emploi : médicament appartenant au groupe des nitroso-urées, utilisé en perfusions dans le traitement de certaines tumeurs du cerveau, des ganglions lymphatiques, des mélanomes et du myélome multiple.
Note : *réservé aux hôpitaux.*

BILICANTE® (Pharminter)

Non remb. SS.
PRINCIPE ACTIF : *Hymécromone.*
Préparations : gélules à 200 mg
Emploi : troubles de la digestion.
Précautions : ne pas utiliser en cas d'obstruction des voies biliaires; consultez votre médecin en cas de douleurs ou crampes abdominales d'origine indéterminée, de selles noires, d'amaigrissement, d'urines foncées, de douleurs de la région du foie, de jaunisse.
Note : *médicament vendu sans ordonnance; ne pas utiliser pendant plus de 5 jours sans avis médical.*

BILIFLUINE® (Promedica)

Introd. 1920. Non remb. SS.

PRINCIPES ACTIFS: comprimés contenant de la bile dépigmentée et décholestérinée et oléate de sodium.

Emploi : laxatif irritant proposé pour stimuler la sécrétion de la bile dans les troubles de la digestion (dyspepsie) et dans la constipation.

Précautions : ne pas utiliser en cas de maladie cœliaque par intolérance au gluten ou d'obstruction des voies biliaires; consultez votre médecin en cas de douleurs ou crampes abdominales d'origine indéterminée, de selles noires, d'amaigrissement, d'urines foncées, de douleurs de la région du foie, de jaunisse.

Note : vendu sans ordonnance; à éviter comme tous les laxatifs irritants.

BI-LIPANOR® → Lipanor®.

BILKABY® (Bailly-Speab)

Introd. en 1948. Remb. SS 70%.

PRINCIPES ACTIFS: comprimés contenant du ménadione (vitamine K3) et des sels biliaires.

Emploi : carences en vitamine K.

Précautions: ne pas utiliser en cas d'intolérance au gluten ou à la tartrazine ou en cas de déficit en G6PD.

Pour les détails → Vitamine K.

Note : vendu sans ordonnance; à éviter en automédication (une carence en vitamine K ne peut être diagnostiquée que par votre médecin).

BILLEROL® (Lehning)

Préparation homéopathique proposée comme «régulateur du foie».

BILTRICIDE® (Bayer Pharma)

Introd. en 1983. Liste II.

PRINCIPE ACTIF : *Praziquantel*.

Préparations : comprimés à 600 mg.

Emploi :

– *Schistosomiase ou bilharziose* : le praziquantel est un traitement efficace de toutes les formes de schistosomiase, maladie qui touche 200 millions d'habitants dans les zones rurales du tiers monde; même si on n'obtient pas une guérison complète, la quantité d'œufs éliminés dans les selles ou les urines diminue pendant un an ou plus.

– *Autres parasitoses à trématodes* : distomatoses intestinales, hépatiques et pulmonaires qui sont des maladies fréquentes en Extrême-Orient.

Précautions : ne pas utiliser en cas d'allergie au produit ou de diarrhée; lorsqu'on utilise le praziquantel dans des régions où la cysticercose est endémique, l'effet du médicament sur les kystes cysticercoïdes peut provoquer une intense réaction locale.

Grossesse : rien ne montre que le praziquantel possède des propriétés tératogènes ou embryotoxiques; il est toutefois préférable, sauf nécessité absolue, d'attendre la fin de la grossesse avant de commencer le traitement.

Allaitement : doit être suspendu pendant 72 heures après l'administration du médicament.

Enfants : ce médicament n'est pas recommandé chez les enfants âgés de moins de 4 ans.

Prise du médicament : on conseille de prendre les comprimés avec un peu de liquide, sans les croquer, à la suite d'un repas; si votre médecin vous prescrits plusieurs comprimés par jour, l'intervalle entre les prises ne doit pas être inférieur à 4 heures ni supérieur à 6 heures.

Alcool : évitez les boissons alcoolisées pendant le traitement.

Vigilance et conduite : l'aptitude à conduire des véhicules ou à utiliser des machines peut être diminuée par la somnolence et une baisse de la vigilance.

Effets indésirables possibles : somnolence, maux de tête, douleurs abdominales, nausées, diarrhée; prurit, urticaire, éruption cutanée, fièvre, transpirations.

Note : réservé aux hôpitaux.

BIOCALYPTOL®
à la pholcodine (Laphal)

Introd. en 1957. Remb. SS 40%.

PRINCIPES ACTIFS: sirop et suppositoires contenant
– pholcodine : antitussif opiacé;
– belladone : atropinique;
– eucalyptol, gaïacol, camphosulfonate de sodium.

Emploi : proposé pour calmer la toux irritative, sèche.

Précautions : ne pas utiliser en cas de
– asthme, insuffisance respiratoire (la diminution de la toux cause l'accumulation de mucosités dans les voies respiratoires);
– maladie du foie;
– hypertrophie de la prostate (aggravation de la difficulté à uriner);
– glaucome à angle fermé;
– grossesse (innocuité non établie), allaitement;
– enfants âgés de moins de 15 ans (moins de 30 mois pour la forme pour enfant).

Durée du traitement : si la toux persiste après une semaine, si des crachats sanglants ou des effets indésirables apparaissent, arrêtez le traitement et consultez votre médecin.

Alcool : évitez la consommation de boissons alcoolisées pendant le traitement (majoration de l'effet sédatif).

Conduite de véhicules : ce médicament peut diminuer la vigilance; la conduite de véhicules ou l'utilisation de machines peut être dangereuse dans ce cas.

Sportifs : ce médicament peut donner une réaction positive en cas de tests pratiqués lors des contrôles antidopage.

Effets indésirables possibles : somnolence, sécheresse de la bouche, confusion, nausées, vomissements, crises d'asthme, constipation, éruption cutanée (réaction allergique : arrêtez immédiatement le traitement), difficulté à respirer ou à uriner (chez le sujet âgé).

Note : vendu sans ordonnance; l'efficacité de la pholcodine est généralement reconnue, mais la présence des autres composants a peu d'intérêt dans l'emploi proposé.

BIOCARDE® (Lehning)

Introd. en 1952. Remb. SS 70%.

PRINCIPES ACTIFS : alcoolatures de pulsatille, aubépine, muguet, strophantus, avena sativa, valériane, cactus, or colloïdal, alcool camphré.

Emploi : proposé dans la dystonie neurovégétative (palpitations, oppression, douleurs précordiales).

Note : vendu sans ordonnance; efficacité des principes actifs à confirmer dans l'emploi proposé.

BIOCÉANE® (J.-P. Martin)

Introd. en 1931. Remb. SS 70%.

PRINCIPE ACTIF : solution buvable et injectable contenant de l'eau de mer.

Emploi : proposé dans les troubles nutritionnels et digestifs et les coryzas.

En cas de régime désodé : tenir compte de la teneur en sodium du produit.

Note : vendu sans ordonnance; efficacité du principe actif à confirmer dans l'emploi proposé.

BIOCIDAN® (Menarini)

Introd. en 1950. Remb. SS 70%.

PRINCIPE ACTIF : chlorure de céthexonium

Préparations : collyre à 0,25%.

Emploi : antiseptique externe proposé dans les irritations oculaires.

Précautions : consultez votre médecin si les douleurs s'aggravent ou persistent plus de 48 heures.

Conservation : à utiliser dans les 15 jours après l'ouverture du flacon.

Note : vendu sans ordonnance; à éviter sans avis médical, comme tous les collyres.

BIOCOL® (Bio-Transfusion)

Remb. SS 100%.

PRINCIPES ACTIFS : préparation pour application chirurgicale locale comportant une seringue préremplie contenant une solution congelée de protéines et une seringue préremplie de thrombine calcique congelée.

Emploi : utilisé en chirurgie comme «colle biologique» pour renforcer les sutures, coller les tissus et prévenir les hémorragies.

BIOGAZE® (Théraplix)

Introd. en 1986. Non remb. SS.

PRINCIPES ACTIFS : pansement semi-gras, non occlusif, imprégné d'huile de foie de morue et de flétan, paraffine, lanoline, camphre, essence de niaouli et thym, extrait de chlorophylle.

Emploi : proposé dans le traitement des plaies et brûlures superficielles.

Précautions : consultez votre médecin si la plaie ne guérit pas en 10 jours; ne pas utiliser chez l'enfant âgé de moins de 30 mois.

Note : produit vendu sans ordonnance.

BIOLENS® nettoyage
(Bausch & Lomb)

Introd. en 1987. Non remb. SS.
PRINCIPES ACTIFS : solution de contactologie stérile contenant de l'acide ascorbique, poloxamine 1107 et hydroxy-propyl-méthyl-cellulose.
Emploi : utilisé pour le nettoyage quotidien des lentilles cornéennes et des prothèses oculaires, qui doivent être ensuite rincées avec une solution de rinçage.

BIOLENS® rinçage
(Bausch & Lomb)

Introd. en 1987. Non remb. SS.
Préparation : solution saline de contactologie.
Emploi : utilisée pour rincer les lentilles cornéennes et les prothèses oculaires après leur nettoyage.

BIOLID® (Belmac)

Introd. en 1992. Liste I. Remb. SS 70%.
PRINCIPE ACTIF : *Erythromycine*.
Préparations : poudre orale en sachets à 500 mg, 125 mg (enfants) ou 62,5 mg (sous forme d'éthylsuccinate).
Emploi : antibiotique du groupe des macrolides largement utilisé pour traiter les infections dues à des bactéries (inefficace dans les infections à virus); l'érythromycine peut remplacer la pénicilline ou les tétracyclines chez les sujets allergiques.
Pour plus de détails → p. 415.
Note : prescrit sur ordonnance médicale.

BIOMAG® (Lehning)

Introd. en 1949. Non remb. SS.
PRINCIPES ACTIFS : préparation homéopathique sous forme de comprimés contenant des sels de magnésium, de plomb, de potassium et de l'ambre.
Emploi : proposé dans les carences magnésiennes, les perte de mémoire, les verrues et la fatigue «cérébrale».
Note : vendu sans ordonnance; efficacité des principes actifs à confirmer dans l'emploi proposé.

BIO-SÉLÉNIUM® (Herbaxt)

Introd. en 1988. Non remb. SS.
PRINCIPES ACTIFS : capsules contenant des levures ayant assimilé du sélénium, alpha-tocophérol et huile de germe de blé.
Emploi : proposé comme oligo-élément modificateur du terrain au cours des affections musculaires et cutanées.
Effets indésirables possibles : vomissements, perte des cheveux, modification des ongles en cas d'usage prolongé.
Note : vendu sans ordonnance; efficacité des principes actifs à confirmer dans l'emploi proposé.

BIOSTIM® (Cassenne)

Introd. en 1982. Remb. SS 40%.
PRINCIPE ACTIF : comprimés et gélules contenant une glycoprotéine extraite de *Klebsiella pneumoniae*.
Emploi : «immunomodulateur» proposé dans la prévention des infections respiratoires.
Précautions : ne pas utiliser chez l'enfant âgé de moins de 1 an, en cas de grossesse ou d'allaitement.
Note : vendu sans ordonnance; efficacité du principe actif à confirmer dans l'emploi proposé.

BIOSTIM® crème (Cassenne)

Introd. en 1979. Remb. SS 40%.
PRINCIPE ACTIF : crème contenant une glycoprotéine extraite de *Klebsiella pneumoniae*.
Emploi : proposé dans le traitement des brûlures et des plaies superficielles.
Effets indésirables possibles : réactions allergiques.
Note : vendu sans ordonnance; efficacité du principe actif à confirmer dans l'emploi proposé.

BIOTINE (Roche)

Introd. en 1959. Non remb. SS.
PRINCIPE ACTIF : *Biotine*.
SYNONYME : vitamine H, vitamine B8.
Préparations : comprimés à 5 mg; ampoules à 5 mg dans 1 ml.
Emploi : proposé par voie buccale dans les alopécies (chute des cheveux) et dans la peau grasse.
Précautions : il faut éviter une alimentation à base de blanc d'œuf qui pourrait «inactiver» la biotine.
Note : vendu sans ordonnance; efficacité du principe actif à confirmer dans l'emploi proposé.

BIOTONE® (Laphal)

Introd. en 1957. Non remb. SS.

PRINCIPES ACTIFS : solution buvable contenant un extrait de graines de kola, acide phosphorique, glycéro-phosphate de manganèse, phosphate de calcium et de magnésium.

Emploi : proposé dans la fatigue (ou asthénie fonctionnelle).

Précautions : consultez votre médecin si la fatigue persiste (il peut s'agir d'une dépression ou d'une autre maladie nécessitant un traitement spécifique) ou en cas d'amaigrissement.

En cas de diabète : tenir compte de la teneur en sucre de comprimés.

Note : vendu sans ordonnance; efficacité des principes actifs à confirmer dans l'emploi proposé.

BIOVALINE® (Pharbiol)

Introd. en 1963. Non remb. SS.

PRINCIPES ACTIFS : solution buvable contenant de la valine, pyridoxine (vitamine B6) et cyanocobalamine (vitamine B12).

Emploi : proposé dans la fatigue (ou asthénie fonctionnelle).

Précautions : consultez votre médecin si la fatigue persiste (il peut s'agir d'une dépression ou d'une autre maladie nécessitant un traitement spécifique) ou en cas d'amaigrissement.

Note : vendu sans ordonnance; efficacité des principes actifs à confirmer dans l'emploi proposé.

BIOVEINAL® (Fuca)

Introd. en 1953. Non remb. SS.

PRINCIPES ACTIFS : solution buvable contenant un extrait de bourdaine (laxatif irritant), hamamélis, viburnum, marron d'Inde.

Emploi : proposé dans les manifestations subjectives de l'insuffisance veineuse (jambes lourdes, etc.).

Précautions : consultez votre médecin en cas de suspicion de phlébite (jambes rouges et/ou chaudes, douloureuses, surtout si d'un seul côté et avec fièvre).

Note : vendu sans ordonnance; à éviter comme tous les laxatifs irritants.

BIOVITAMINE® (Boiron)

Préparation homéopathique proposée en cas de «manque de vitamines».

BIOXYOL® (Lab. du Praticien)

Introd. en 1927. Remb. SS 40%.

PRINCIPES ACTIFS : pâte pour application locale contenant oxyde et peroxyde de zinc, dioxyde de titane, amidon, vaseline et lanoline.

Emploi : antiseptique et cicatrisant.

Note : vendu sans ordonnance; consultez votre médecin si la lésion persiste ou s'aggrave.

BIPÉNICILLINE® (Diamant)

Introd. en 1954. Liste I. Remb. SS 70%.

PRINCIPES ACTIFS : poudre pour solution injectable en flacons contenant 400.000 UI de benzylpénicilline sodique et 600.000 UI de benzylpénicillinate de procaïne.

Propriétés : forme retard de pénicilline G (durée d'action : 24-48 heures).

Pour les détails → p. 520.

Note : prescrit sur ordonnance médicale.

BIPHÉDRINE® (Bouchara)

Introd. en 1934. Liste II. Remb. SS 40%.

PRINCIPES ACTIFS :
– *Biphédrine® aqueuse* : solution nasale contenant de l'éphédrine (vasoconstricteur), amyléine (anesthésique local), chlorobutanol, eau de laurier-cerise;
– *Biphédrine® huileuse* : solution nasale contenant de l'éphédrine (vaso-constricteur), camphre, eucalyptol, essences de menthe, citron et anis.

Emploi : proposé comme antiseptique et anticongestif au cours des rhinites et sinusites.

Durée du traitement : l'utilisation pendant plus de 5-6 jours consécutifs est déconseillée en raison du risque d'aggravation de la congestion nasale («rebond»), obstruction chronique du nez par hypertrophie des cornets (rhinite «iatrogène»).

Précautions : ne pas utiliser chez les enfants âgés de moins de 3 ans, en cas de glaucome par fermeture de l'angle, d'adénome de la prostate, de fonctionnement excessif de la glande thyroïde (hyperthyroïdie), d'insuffisance hépatique, de grossesse ou allaitement; ne pas associer les antidépresseurs IMAO.

Sportifs : ce médicament peut donner une réaction positive lors des tests pour contrôle antidopage.

Effets indésirables possibles (provoqués par l'absorption de l'éphédrine dans l'organisme) : palpitations, accélération ou irrégularité du pouls, maux de tête, étourdissements, nervosité, insomnie, transpirations et tremblements.

Note : prescrit sur ordonnance médicale.

BI-PROFÉNID® → Profénid®.

BI-QUI-NOL® (Monot)

Introd. en 1961. Non remb. SS.

PRINCIPES ACTIFS : suppositoires contenant de l'eucalyptol, camphre, succinate de bismuth et sulfate de quinine.

Emploi : proposé dans les angines, les amygdalites, les laryngites et les pharyngites.

Précautions : ne pas utiliser chez l'enfant de moins de 4 ans.

Durée du traitement : limitée à 10 jours.

Note : vendu sans ordonnance; efficacité des principes actifs à confirmer dans l'emploi proposé.

BISEPTINE® (Nicholas)

Introd. en 1989. Remb. SS 70%.

PRINCIPES ACTIFS : solution pour application locale contenant de la chlorhexidine, chlorure de benzalkonium et alcool benzylique (antiseptiques externes).

Emploi : désinfection de la peau.

Note : vendu sans ordonnance.

BISOLVON®
(Boehringer Ingelheim)

Introd. en 1969. Liste II. Remb. SS 40%.

PRINCIPE ACTIF : *Bromhexine*.

Préparations : comprimés à 4 mg ou 8 mg; solution buvable à 2 mg/ml; ampoules injectables à 4 mg.

Emploi : proposé pour liquéfier les sécrétions bronchiques et en faciliter l'expectoration dans les affections respiratoires accompagnées de sécrétions bronchiques épaisses, notamment en cas de bronchite aiguë, d'emphysème et d'autres affections pulmonaires.

Précautions : ne pas utiliser en cas d'allergie au produit, d'asthme, d'encombrement des bronches, d'ulcère gastroduodénal évolutif, de grossesse ou d'allaitement (innocuité non établie); ne pas employer chez l'enfant de moins de 5 ans.

Consultez votre médecin si votre état ne s'améliore pas rapidement ou s'il s'aggrave, en cas de crachats sanglants, d'amaigrissement, de fièvre.

Effets indésirables possibles : brûlures d'estomac, maux de tête, nausées, diarrhées.

Pour les détails → p. 287.

Note : prescrit sur ordonnance médicale.

BI-TILDIEM® (Synthélabo)

Introd. en 1991. Liste I. Remb. SS 70%.

PRINCIPE ACTIF : *Diltiazem*.

Préparations : comprimés à libération prolongée à 90 mg ou 120 mg.

Emploi : inhibiteur calcique utilisé pour prévenir les crises d'angine de poitrine (sensation de constriction douloureuse dans la poitrine pouvant irradier dans le bras gauche) et pour abaisser la tension artérielle en cas d'hypertension lorsque les diurétiques et/ou les bêta-bloquants sont inefficaces.

Pour les détails → p. 363.

Note : prescrit sur ordonnance médicale.

BLACKOÏDS® du Dr Meur
(Lab. S.E.R.P)

Introd. en 1951. Non remb. SS.

PRINCIPES ACTIFS : pastilles contenant du menthol et suc de réglisse.

Emploi : proposé dans les irritations de la gorge.

Précautions : ne pas utiliser chez l'enfant de moins de 5 ans ou en présence d'hypertension artérielle; consultez votre médecin si l'irritation persiste ou s'aggrave; évitez l'usage prolongé.

Note : vendu sans ordonnance.

BLÉOMYCINE (R. Bellon)

Introd. en 1970. Liste I. Remb. SS 100%.

PRINCIPE ACTIF : *Bléomycine*.

Préparations : flacon à 15 mg.

Emploi : médicament appartenant au groupe des antinéoplasiques, la bléo-

mycine est utilisée en injections dans le traitement de la maladie de Hodgkin et autres tumeurs des ganglions lymphatiques et dans d'autres affections déterminées par votre médecin.
Note : *le traitement doit être pris en charge par un spécialiste.*

BLÉPHASEPTYL® (Chauvin)

Introd. en 1980. Liste I. Remb. SS 70%.
PRINCIPES ACTIFS : gel pour applications sur le bord libre des paupières contenant de la fludrocortisone (corticoïde), hexamidine (antiseptique) et bisulfure de sélénium.
Emploi: proposé dans certaines inflammations des paupières (blépharites ciliaires séborrhéiques).
Précautions : l'usage prolongé exige une surveillance ophtalmologique.
Note : *prescrit sur ordonnance médicale.*

BOLCITOL® (Lesourd)

Introd. en 1934. Non remb. SS.
PRINCIPES ACTIFS : solution buvable contenant méthénamine (acidifiant et antiseptique urinaire), citrate de sodium, des extraits de menthe, boldo, sauge, noyer, anis, fenouil et eau chloroformée saturée.
Emploi : proposé dans les troubles digestifs (dyspepsies), les ballonnements (météorisme) et les brûlures gastriques.
Précautions : ne pas utiliser en cas d'insuffisance rénale, d'obstruction des voies biliaires, de grossesse, ou d'allaitement; ne pas associer des sulfamides (risque de précipitations urinaires) ou des alcalinisants.
Note : *vendu sans ordonnance; la méthénamine et les autres composants ont peu d'intérêt dans l'emploi proposé.*

BOLDOFLORINE® (Exflora)

Introd. en 1977. Non remb. SS.
PRINCIPES ACTIFS: comprimés contenant
– extraits de séné et bourdaine : laxatifs irritants (anthraquinoniques);
– boldine et extrait de romarin.
Emploi : traitement de courte durée de la constipation.
Précautions : consultez votre médecin si la constipation persiste, en cas de sang dans les selles ou de selles noires, de douleurs abdominales avec diarrhée, d'amaigrissement. L'usage prolongé risque de provoquer la «maladie des laxatifs» avec lésions de la muqueuse intestinale.
Note : *vendu sans ordonnance; à éviter comme tous les laxatifs irritants.*

BOLINAN® (Syntex)

Introd. en 1971. Remb. SS 70%.
PRINCIPE ACTIF: **Polyvinylpolypyrrolidone.**
SYNONYME : PVPP.
Préparations : comprimés à 2 g.
Propriétés : action adsorbante de l'eau, des gaz et des toxines bactériennes dans l'intestin.
Emploi : proposé pou traiter les colites fonctionnelles avec ballonnements et diarrhées.
Note : *vendu sans ordonnance; ne pas utiliser pendant plus de 5 jours sans avis médical.*

B.O.P. (Lab. P.P.D.H.)

Introd. en 1972, Remb. SS 70%.
PRINCIPES ACTIFS : nébulisat d'olivier et de bouleau.
Emploi : proposé pour favoriser l'élimination rénale de l'eau.
Note : *vendu sans ordonnance; des principes actifs plus efficaces sont actuellement disponibles.*

BOROCLARINE® (Martinet)

Introd. en 1964. Remb. SS 70%.
PRINCIPES ACTIFS : collyre contenant du borate de sodium, acide borique (antiseptique) et phényléphrine (vasoconstricteur).
Emploi : proposé dans les irritations de la conjonctive («yeux rouges»).
Précautions : ne pas utiliser en cas de glaucome à angle fermé, d'hypertension artérielle et chez l'enfant âgé de moins de 3 ans.
Durée du traitement : 5-6 jours.
Sportifs : ce médicament peut donner une réaction positive lors des tests pour contrôle antidopage.
Conduite de véhicules : ce médicament peut dilater les pupilles (mydriase) et provoquer des troubles visuels; la conduite de véhicules ou l'utilisation de machines peut être dangereuse en cas d'instillations répétées.
Note : *vendu sans ordonnance; à éviter sans avis médical.*

BOROSTYROL®
(Mayoly-Spindler)

Introd. en 1928. Non remb. SS.

PRINCIPES ACTIFS :
– pommade : thymol, salol, menthol, benjoin, essence de bergamote;
– solution pour application locale : thymol, salol, menthol, benjoin, essence de bergamote, acide borique (antiseptique faible).

Emploi :
– pommade : proposée dans les crevasses, gerçures, engelures, plaies et brûlures superficielles;
– solution : gingivites, aphtes, piqûres d'insectes.

Effets indésirables possibles : réactions allergiques, augmentation de la sensibilité de la peau aux rayons solaires (photosensibilisation).

Note : vendu sans ordonnance; consultez votre médecin si les lésions persistent; des principes actifs plus efficaces et moins allergisants sont actuellement disponibles.

BRADYL® (Lafon)

Introd. en 1974. Liste II. Remb. SS 70%.
PRINCIPE ACTIF : *Nadoxolol.*

Préparations : comprimés à 250 mg.

Emploi : médicament appartenant au groupe des antiarythmiques qui sont utilisés pour régulariser et ralentir le rythme cardiaque notamment dans les crises de tachycardie; étant donné qu'il peut provoquer des problèmes cardiaques, ce médicament n'est utilisé que pour traiter les troubles du rythme d'une certaine gravité; le traitement devrait commencer en milieu hospitalier et être supervisé par un spécialiste.

Surveillance : des contrôles réguliers et fréquents sont nécessaires pour moduler les doses en fonction des effets du traitement et d'effets indésirables éventuels.

Conduite de véhicules : chez certains sujets, ce médicament provoque des vertiges ou diminue la vigilance : la conduite de véhicules ou l'utilisation de machines peut être dangereuse.

Arrêt du traitement : n'arrêtez pas brusquement le traitement sans consulter votre médecin.

Note : prescrit sur ordonnance médicale.

BRÉTYLATE® (Wellcome)

Introd. en 1974. Liste I. Remb. SS 70%.
PRINCIPE ACTIF : *Brétylium.*

Préparations (sous forme de tosilate) : ampoules injectables à 100 mg / 2 ml.

Emploi : antihypertenseur ayant des propriétés antiarythmiques employé uniquement dans les unités de soins intensifs.

Note : réservé aux hôpitaux.

BREVIBLOC® (Du Pont)

Introd. en 1989. Liste I.
PRINCIPE ACTIF : *Esmolol.*

Préparations : poudre pour solution injectable en flacons de 100 mg dans 10 ml (10 mg/ml).

Emploi : bêta-bloquant cardiosélectif, ayant une durée d'action brève, utilisé par voie intraveineuse dans les unités de soins intensifs pour traiter en urgence certains troubles du rythme cardiaque, notamment en relation avec des interventions chirurgicales.

Pour les détails → p. 96.

Note : réservé aux hôpitaux.

BRICANYL® (Astra)

Introd. en 1973. Liste I. Remb. SS 70%.
PRINCIPE ACTIF : *Terbutaline.*

Préparations : comprimés à 2,5 mg ou 5 mg; comprimés à libération prolongée à 5 mg *(Bricanyl LP®)*; ampoules injectables à 0,5 mg dans 1 ml; aérosoldoseur *Turbuhaler®* (bouffées de 0,25 mg ou 0,5 mg).

Emploi : médicament appartenant au groupe des bêtamimétiques qui agissent sur les récepteurs bêta-2 adrénergiques des muscles des bronches (bronchodilatation) et de l'utérus (action utérorelaxante).
– EN INHALATION : la terbutaline est utilisée pour traiter les crises d'asthme et par voie buccale dans le traitement de fond de l'asthme et pour prévenir l'asthme d'effort.
– PAR VOIE ORALE, EN INJECTION OU EN PERFUSION (à l'hôpital) : utilisée en cas de menace d'accouchement prématuré et dans d'autres conditions déterminées par votre médecin.

Pour les détails → p. 37 et 717.

Note : prescrit sur ordonnance médicale.

BRIEM® (P. Fabre)

Introd. en 1991. Liste I. Remb. SS 70%.

PRINCIPE ACTIF : **Bénazépril**.

Préparations : comprimés à 5 mg ou 10 mg.

Emploi : inhibiteur de l'enzyme de conversion utilisé dans le traitement de l'hypertension artérielle, éventuellement associé à un diurétique.

Durée d'action : environ 20 heures.

Pour les détails → p. 364.

Note : prescrit sur ordonnance médicale.

BRIÉTAL® (Lilly)

Introd. en 1985. Liste II.

PRINCIPE ACTIF : **Méthohexital**.

Préparations : poudre pour solution injectable en flacons à 500 mg (sel sodique).

Emploi : barbiturique à action brève, employé comme anesthésique général par voie intraveineuse; l'emploi est réservé au personnel spécialisé disposant du matériel nécessaire pour l'intubation trachéale et la ventilation assistée.

Effets indésirables possibles : risque d'accoutumance; des doses répétées peuvent entraîner une prolongation de la somnolence et une dépression respiratoire.

Note : réservé aux hôpitaux.

BRINALDIX® (Sandoz)

Introd. en 1963. Liste II. Remb. SS 70%.

PRINCIPE ACTIF : **Clopamide**.

Préparations : comprimés à 20 mg.

Emploi : diurétique thiazidique qui favorise la diurèse (production d'urine, élimination de l'eau et du sodium) et a une action antihypertensive (diminution d'une tension artérielle anormalement élevée). Il favorise les pertes de potassium dans les urines et entraîne une diminution du taux de potassium dans le sang (hypokaliémie).

Durée d'action : 6-12 heures.

Sportifs : ce médicament se trouve sur la liste des dopants interdits (Ministère de la Jeunesse et des Sports); il donne une réaction positive lors des contrôles antidopage.

Pour les détails → p. 232.

Note : prescrit sur ordonnance médicale.

BRISTAMOX®
(Bristol-Myers Squibb)

Introd. en 1982. Liste I. Remb. SS 70%.

PRINCIPE ACTIF : **Amoxicilline**.

Préparations : gélules à 500 mg; poudre pour solution buvable à 125 mg, 250 mg ou 500 mg par cuillerée-mesure.

Emploi : antibiotique du groupe des aminopénicillines ayant un large spectre d'action contre les bactéries, mais inefficace contre les staphylocoques producteurs de pénicillinases; l'amoxicilline est mieux absorbée par voie buccale que l'ampicilline et est éliminée surtout dans les urines (précautions en cas d'insuffisance rénale); signalez à votre médecin l'existence de toute maladie rénale (une réduction des doses peut être nécessaire).

Durée du traitement : elle est déterminée par votre médecin; l'interruption prématurée du traitement peut favoriser une rechute de l'infection.

Pour les détails → p. 520.

Note : prescrit sur ordonnance médicale.

BRISTOPEN®
(Bristol-Myers Squibb)

Introd. en 1963. Liste I. Remb. SS 70%.

PRINCIPE ACTIF : **Oxacilline**.

SYNONYME : Oxazocilline.

Préparations : gélules à 500 mg; compr. à 250 mg; sirop à 250 mg/mesure; ampoules injectables à flacons à 500 mg ou 1000 mg (sel sodique).

Emploi : pénicilline du groupe M, ß-lactamases-résistante, active contre les staphylocoques producteurs de pénicillinases.
Prendre le médicament de préférence à jeun, 1-2 heures avant les repas.

Pour les détails → p. 520.

Note : prescrit sur ordonnance médicale.

BROMOSEPTAL®
(Centrapharm)

Non remb. SS.

PRINCIPES ACTIFS : sirop contenant de la codéine et de la codéthyline (antitussifs opiacés), sulfogaïacol, eau de laurier cerise, teintures de belladone, de droséra et d'aconit, eucalyptus, sirops de polygala, de baume de tolu.

Emploi : proposé pour calmer la toux.

Précautions : ne pas utiliser en cas de
– asthme, insuffisance respiratoire (la
  diminution de la toux cause l'accumulation de mucosités dans les voies
  respiratoires);
– maladie du foie (l'élimination de la
  codéine est diminuée en cas d'insuffisance hépatique);
– hypertrophie de la prostate (aggravation de la difficulté à uriner);
– glaucome à angle fermé;
– grossesse, allaitement;
– enfants âgés de moins de 15 ans (la
  forme pour enfant est à éviter du fait
  de la présence de bromure de sodium).

Durée du traitement : si la toux persiste
après une semaine, si des crachats
sanglants ou des effets indésirables
apparaissent, arrêtez le traitement et
consultez votre médecin.

Alcool : évitez la consommation de
boissons alcoolisées pendant le traitement (majoration de l'effet sédatif).

Conduite de véhicules : ce médicament
peut diminuer la vigilance; la conduite
de véhicules ou l'utilisation de machines peut être dangereuse.

Effets indésirables possibles : somnolence, sécheresse de la bouche, confusion, nausées, vomissements, crises
d'asthme, constipation, éruption
cutanée (réaction allergique : arrêtez
immédiatement le traitement), difficulté à respirer ou à uriner (surtout
chez le sujet âgé).

Pour les détails → p. 59.

*Note : vendu sans ordonnance; l'efficacité
des antitussifs opiacés (codéine et
codéthyline) est généralement reconnue,
mais les autres composants ont peu
d'intérêt dans l'emploi proposé.*

BRONCHALÈNE® (J.-P. Martin)

Introd. en 1979. Non remb. SS.
PRINCIPES ACTIFS : sirop contenant :
– pholcodine : antitussif opiacé;
– chlorphénamine : antihistaminique,
  sédatif et atropinique;
– acide ascorbique : vitamine C;
– sorbitol : cholagogue, laxatif.

Emploi : proposé pour calmer la toux
irritative, sèche.

Précautions : ne pas utiliser en cas de
– asthme, insuffisance respiratoire (la
  diminution de la toux cause l'accumulation de mucosités dans les voies
  respiratoires);

– maladie du foie (l'élimination de la
  pholcodine est diminuée en cas d'insuffisance hépatique);
– hypertrophie de la prostate (aggravation de la difficulté à uriner);
– glaucome à angle fermé;
– grossesse (innocuité non établie),
  allaitement;
– enfants âgés de moins de 15 ans
  (moins de 3 ans pour la forme pour
  enfant).

Durée du traitement : si la toux persiste
après une semaine, si des crachats
sanglants ou des effets indésirables
apparaissent, arrêtez le traitement et
consultez votre médecin.

Alcool : évitez la consommation de
boissons alcoolisées pendant le traitement (majoration de l'effet sédatif).

Conduite de véhicules : ce médicament
peut diminuer la vigilance; la conduite
de véhicules ou l'utilisation de machines peut être dangereuse.

Effets indésirables possibles : somnolence, sécheresse de la bouche, confusion, nausées, vomissements, crises
d'asthme, constipation, éruption
cutanée (réaction allergique : arrêtez
immédiatement le traitement), difficulté à respirer ou à uriner (chez le
sujet âgé).

*Note : vendu sans ordonnance; l'efficacité
de la pholcodine est généralement
reconnue, mais la présence des autres
composants a peu d'intérêt dans l'emploi
proposé.*

BRONCHATHIOL®

(J.-P. Martin)

Introd. en 1986. Non remb. SS.
PRINCIPE ACTIF : *Carbocistéine.*

Préparations : solution buvable pour
adultes 0,75 g (par cuillerée à soupe)
ou pour enfants (0,1 g par cuillerée à
café).

Emploi : proposé pour liquéfier les
sécrétions bronchiques et en faciliter
l'expectoration dans les affections
respiratoires accompagnées de sécrétions bronchiques épaisses, notamment en cas de bronchite aiguë,
d'emphysème et d'autres affections
pulmonaires.

Précautions : ne pas utiliser en cas
d'allergie au produit, d'asthme
bronchique, d'encombrement des
bronches, d'ulcère gastroduodénal
évolutif, de grossesse ou d'allaite-

ment; ne pas employer chez l'enfant de moins de 5 ans.

Consultez votre médecin si votre état ne s'améliore pas rapidement ou s'il s'aggrave, en cas de crachats sanglants, d'amaigrissement, de fièvre.

Effets indésirables possibles : brûlures d'estomac, maux de tête, nausées, diarrhées.

Pour les détails → p. 287.

Note : *vendu sans ordonnance; à éviter sans avis médical.*

BRONCHEX® (Aérocid)

Non remb. SS.

PRINCIPES ACTIFS : pâtes et sirop contenant de la codéine (antitussif opiacé), bromoforme, eucalyptol, sulfogaïacol, teinture d'aconit, camphosulfonate de sodium.

Emploi : proposé pour calmer la toux irritative, sèche.

Précautions : ne pas utiliser en cas de
– asthme, insuffisance respiratoire (la diminution de la toux cause l'accumulation de mucosités dans les voies respiratoires);
– maladie du foie (l'élimination de la codéine est diminuée en cas d'insuffisance hépatique);
– grossesse (innocuité non établie), allaitement; des doses élevées en fin de grossesse peuvent provoquer une dépression respiratoire chez le nouveau-né;
– enfants âgés de moins de 15 ans (moins de 30 mois pour la forme pour enfant);
– sujets âgés: on conseille de réduire les doses de moitié.

Durée du traitement : si la toux persiste après une semaine, si des crachats sanglants ou des effets indésirables apparaissent, arrêtez le traitement et consultez votre médecin.

Alcool : évitez la consommation de boissons alcoolisées pendant le traitement (majoration de l'effet sédatif).

Conduite de véhicules : ce médicament peut diminuer la vigilance; la conduite de véhicules ou l'utilisation de machines peut être dangereuse.

Effets indésirables possibles : somnolence, sécheresse de la bouche, confusion mentale, nausées, vomissements, crises d'asthme, constipation, éruption cutanée (réaction allergique : arrêtez immédiatement le traitement),

difficulté à respirer, étourdissements, irritabilité.

Note : vendu sans ordonnance; l'efficacité de la codéine est généralement reconnue, mais les autres composants ont peu d'intérêt dans l'emploi proposé.

BRONCHOCYST®
(Sterling Midy)

Introd. en 1983. Non remb. SS.

PRINCIPE ACTIF : *Carbocistéine* .

Préparations : solution buvable pour adultes 0,75 g (par cuillerée à soupe) ou pour enfants (0,1 g par cuillerée à café).

Emploi : proposé pour liquéfier les sécrétions bronchiques et en faciliter l'expectoration dans les affections respiratoires accompagnées de sécrétions bronchiques épaisses, notamment en cas de bronchite aiguë, d'emphysème et d'autres affections pulmonaires.

Précautions : ne pas utiliser en cas d'allergie au produit, d'asthme, d'encombrement des bronches, d'ulcère gastroduodénal évolutif, de grossesse ou d'allaitement (innocuité non établie); ne pas employer chez l'enfant de moins de 5 ans.

Consultez votre médecin si votre état ne s'améliore pas rapidement ou s'il s'aggrave, en cas de crachats sanglants, d'amaigrissement, de fièvre.

Effets indésirables possibles : brûlures d'estomac, maux de tête, nausées, diarrhées.

Pour les détails → p. 287.

Note : *vendu sans ordonnance; à éviter sans avis médical.*

BRONCHODERMINE®
(Tissot)

Introd. en 1930. Remb. SS 40%.

PRINCIPES ACTIFS : pommade et suppositoires contenant du gaïacol, terpinol, terpinéol, eucalyptol et essence de pin.

Emploi : proposé dans le traitement symptomatique des affections respiratoires.

Précautions : ne pas utiliser en cas de grossesse ou d'allaitement (innocuité non établie).

Note : vendu sans ordonnance; des principes actifs plus efficaces sont actuellement disponibles.

BRONCHODUAL®
(Boehringer Ingelheim)

Introd. en 1991. Liste I. Remb. SS 70%.

PRINCIPES ACTIFS : suspension pour inhalation en flacon pressurisé contenant par bouffée
- fénotérol (50 μg) : antiasthmatique bêtamimétique (Berotec®)
- ipratropium (20 μg) : antiasthmatique atropinique (Atrovent®).

Emploi : utilisé en inhalation (aérosol) pour traiter les crises d'asthme ainsi que pour le traitement de fond de l'asthme; le médecin devrait vous expliquer le bon usage de l'appareil pour inhalation; en effet l'utilisation correcte de l'inhalateur est très importante pour le succès du traitement; l'inhalation du médicament doit être faite au cours d'une inspiration profonde et doit être suivie d'un arrêt de la respiration pendant quelques secondes; si l'efficacité du traitement diminue ou si l'asthme s'aggrave, n'augmentez pas la fréquence des inhalations, mais consultez votre médecin.

Enfants : ne pas utiliser chez les enfants âgés de moins de 5 ans; l'usage doit être contrôlé par un adulte.

Sportifs : l'attention des sportifs est attirée sur la possibilité d'une réaction positive des tests pratiqués lors de contrôles antidopage.

Pour les détails → p. 37 et Atrovent®.

Note : *médicament prescrit sur ordonnance médicale.*

BRONCHOKOD®
(Biogalénique)

Introd. en 1981. Remb. SS 40%.

PRINCIPE ACTIF : *Carbocistéine* .

Préparations : solution buvable pour adultes ou pour enfants; il existe une préparation «sans sucre».

Emploi : proposé pour liquéfier les sécrétions bronchiques et en faciliter l'expectoration dans les affections respiratoires accompagnées de sécrétions bronchiques épaisses, notamment en présence de bronchite aiguë, d'emphysème et d'autres affections.

Précautions : ne pas utiliser en cas d'allergie connue au produit, d'asthme bronchique, d'encombrement des bronches, d'ulcère gastroduodénal évolutif, de grossesse ou d'allaitement

(innocuité non établie); déconseillé chez l'enfant de moins de 5 ans.

Consultez votre médecin si votre état ne s'améliore pas rapidement ou s'il s'aggrave, en cas de crachats sanglants, d'amaigrissement, de fièvre.

Effets indésirables possibles : brûlures d'estomac, maux de tête, nausées, diarrhées.

Pour les détails → p. 287.

Note : *vendu sans ordonnance; à éviter sans avis médical.*

BRONCHOPNEUMOL®
(Gifrer)

Remb. SS 40%.

PRINCIPES ACTIFS : suppositoires contenant de la codéine (antitussif opiacé), bromoforme, sirop d'ipéca, teinture d'aconit, eau de laurier cerise.

Emploi : proposé pour calmer la toux irritative, sèche.

Précautions : ne pas utiliser en cas de
- asthme, insuffisance respiratoire (la diminution de la toux cause l'accumulation de mucosités dans les voies respiratoires);
- maladie du foie (l'élimination de la codéine est diminuée en cas d'insuffisance hépatique);
- grossesse (innocuité non établie), allaitement; des doses élevées en fin de grossesse peuvent provoquer une dépression respiratoire chez le nouveau-né;
- enfants âgés de moins de 15 ans (moins de 30 mois pour la forme pour enfant);
- sujets âgés: on conseille de réduire les doses de moitié .

Durée du traitement : si la toux persiste après une semaine, si des crachats sanglants ou des effets indésirables apparaissent, arrêtez le traitement et consultez votre médecin.

Alcool : évitez les boissons alcoolisées pendant le traitement (majoration de l'effet sédatif).

Conduite de véhicules : ce médicament peut diminuer la vigilance; la conduite de véhicules ou l'utilisation de machines peut être dangereuse.

Effets indésirables possibles : somnolence, sécheresse de la bouche, confusion mentale, nausées, vomissements, crises d'asthme, constipation, éruption cutanée (réaction allergique :

arrêtez immédiatement le traitement), difficulté à respirer ou à uriner (chez le sujet âgé).

Note : *vendu sans ordonnance ; l'efficacité de la codéine est généralement reconnue, mais les autres composants ont peu d'intérêt dans l'emploi proposé.*

BRONCHORECTINE®
au Citral (Mayoly-Spindler)

Introd. en 1971. Remb. SS 40%.

PRINCIPES ACTIFS : suppositoires contenant gaïacol, terpinol, essence de pin et de serpolet et citral.

Emploi : proposé pour traiter les symptômes des affections respiratoires.

Précautions : ne pas utiliser en cas de grossesse ou allaitement (innocuité non établie).

Note : *vendu sans ordonnance ; efficacité des principes actifs à confirmer dans l'emploi proposé.*

BRONCHOSPRAY® (Tissot)

Introd. en 1964. Remb. SS 40%.

PRINCIPES ACTIFS : flacon pressurisé contenant une solution pour application locale cutanée (poitrine, dos) contenant guaïfénésine, nicotinate de guétol, eucalyptol, terpinéol, essences de pin et de lavande.

Emploi : proposé pour traiter les symptômes des affections respiratoires.

Note : *vendu sans ordonnance ; efficacité des principes actifs à confirmer dans l'emploi proposé.*

BRONCHO-TULISAN®
Eucalyptol (Logeais)

Introd. en 1962. Non remb. SS.

PRINCIPES ACTIFS : suppositoires contenant :
- noscapine (camphosulfonate) : antitussif opiacé dont les effets sont analogues à ceux de la codéine ;
- acide acétylsalicylique (aspirine) : analgésique et antipyrétique ;
- eucalyptol (cinéole).

Emploi : proposé pour abaisser la fièvre et calmer la toux irritative, sèche.

Précautions : ne pas utiliser en cas de
- asthme, insuffisance respiratoire (la diminution de la toux cause l'accumulation des mucosités) ;
- maladie du foie (l'élimination de la noscapine est diminuée) ;
- allergie à l'aspirine ;

- ulcère gastro-duodénal évolutif ;
- hypersensibilité aux salicylés ;
- maladies hémorragiques ;
- traitement anticoagulant ;
- grossesse (innocuité de la noscapine non établie), allaitement ;
- enfants âgés de moins de 15 ans (moins de 30 mois pour la forme pour enfant).

Durée du traitement : si la toux persiste après une semaine, si des crachats sanglants ou des effets indésirables apparaissent, arrêtez le traitement et consultez votre médecin.

Alcool : évitez la consommation de boissons alcoolisées pendant le traitement (majoration de l'effet sédatif)

Sujets âgés : risque accru d'effets indésirables ; doses réduites de moitié.

Conduite de véhicules : ce médicament peut diminuer la vigilance ; la conduite de véhicules peut être dangereuse.

Effets indésirables possibles : somnolence, sécheresse de la bouche, confusion mentale, nausées, vomissements, douleurs gastriques, bourdonnements d'oreille, baisse de l'audition, maux de tête ; consultez votre médecin en cas de douleurs abdominales, de vomissements sanglants, de selles noires, de crise d'asthme, de prurit, d'urticaire ou de jaunisse.

Note : *vendu sans ordonnance ; l'efficacité de la noscapine et celle de l'aspirine sont généralement reconnues, mais une toux accompagnée de fièvre demande avant tout un examen médical.*

BRONCOCLAR® adulte
(Oberlin)

Introd. en 1991. Non remb. SS.

PRINCIPE ACTIF : **Carbocistéine**.

Préparations : solution buvable à 750 mg par c. à s. ou 100 mg par c. à c.

Emploi : proposé pour liquéfier les sécrétions bronchiques et en faciliter l'expectoration dans les affections respiratoires accompagnées de sécrétions bronchiques épaisses, notamment en cas de bronchite aiguë, d'emphysème et d'autres affections.

Précautions : ne pas employer en cas d'allergie au produit, d'asthme, d'encombrement des bronches, d'ulcère gastro-duodénal évolutif, de grossesse ou d'allaitement (innocuité non établie) ; ne pas utiliser chez l'enfant.

Consultez votre médecin si votre état ne s'améliore pas rapidement ou s'il s'aggrave, en cas de crachats sanglants, d'amaigrissement, de fièvre.

Effets indésirables possibles : brûlures d'estomac, maux de tête, nausées, diarrhées.

Pour les détails → p. 287.

Note : vendu sans ordonnance; à éviter sans avis médical.

BRONCORINOL® (Nicholas)

Non remb. SS.

PRINCIPES ACTIFS : sirop et pâtes contenant pholcodine (antitussif opiacé), benzoate de sodium, teintures d'aconit, de lobélie, de polygala et de jusquiame, essence d'amande amère et acide citrique.

Emploi : proposé pour calmer la toux irritative, sèche.

Précautions : ne pas utiliser en cas de
– asthme, insuffisance respiratoire (la diminution de la toux cause l'accumulation de mucosités dans les voies respiratoires);
– maladie du foie (l'élimination de la pholcodine est diminuée);
– hypertrophie de la prostate;
– glaucome à angle fermé;
– grossesse, allaitement;
– enfants âgés de moins de 15 ans (moins de 30 mois pour la forme pour enfant).

Durée du traitement : si la toux persiste après une semaine, si des crachats sanglants ou des effets indésirables apparaissent, arrêtez le traitement et consultez votre médecin.

Alcool : évitez l'usage de l'alcool pendant le traitement.

Conduite de véhicules : ce médicament peut diminuer la vigilance; la conduite de véhicules ou l'utilisation de machines peut être dangereuse.

Effets indésirables possibles : somnolence, sécheresse de la bouche, confusion mentale, nausées, vomissements, crises d'asthme, constipation, éruption cutanée (réaction allergique : arrêtez le traitement), difficulté à respirer ou à uriner (chez le sujet âgé).

Note : vendu sans ordonnance; l'efficacité de la pholcodine est généralement reconnue, mais les autres composants ont peu d'intérêt dans l'emploi proposé.

BRONILIDE® (Cassenne)

Introd. en 1991. Liste I. Remb. SS 70%.

PRINCIPE ACTIF : *Flunisolide*.

Préparations : suspension en flacon aérosol-doseur (bouffées à 250 μg).

Emploi : médicament apparenté à la cortisone (glucocorticoïde) ayant une action anti-inflammatoire et utilisé en *inhalation buccale* (aérosol) pour prévenir la crise d'asthme; ce médicament n'est pas indiqué pour traiter la crise d'asthme isolée ou l'état de mal asthmatique.

Pour les détails → p. 179.

Note : médicament prescrit sur ordonnance médicale.

BRONPAX® (Biocodex)

Introd. en 1960. Non remb. SS.

PRINCIPES ACTIFS :
– sirop adultes : codéine (antitussif opiacé), belladone teinture (atropinique), sulfogaïacol, benzoate de sodium, teintures d'aconit et de piscidia, extraits de sapin, tolu, terpine, réglisse;
– pâte à mâcher : codéthyline (antitussif opiacé), sulfogaïacol, benzoate de sodium, menthol, glycyrrhizine, terpinol et tyrothricine (antibiotique local);
– sirop enfants : sulfogaïacol, belladone teinture (atropinique), benzoate de sodium, teintures d'aconit et de piscidia, extraits de sapin, tolu, réglisse.

Emploi : proposé pour traiter la toux irritative, sèche, les irritations de la gorge (pâte à sucer) et les affections respiratoires (sirop enfants).

Précautions : ne pas utiliser en cas de
– asthme, insuffisance respiratoire (la diminution de la toux cause l'accumulation de mucosités dans les voies respiratoires);
– maladie du foie (l'élimination de la codéine peut être diminuée);
– hypertrophie de la prostate (risque d'aggravation de la difficulté à uriner);
– glaucome à angle fermé;
– grossesse (innocuité non établie), allaitement;

– enfants âgés de moins de 15 ans (moins de 30 mois pour la forme pour enfant).

Durée du traitement : si la toux persiste après une semaine, si des crachats sanglants ou des effets indésirables apparaissent, arrêtez le traitement et consultez votre médecin.

Alcool : évitez les boissons alcoolisées pendant le traitement.

Conduite de véhicules : ce médicament peut diminuer la vigilance; la conduite de véhicules ou l'utilisation de machines peut être dangereuse.

Effets indésirables possibles : somnolence, sécheresse de la bouche, confusion mentale, nausées, vomissements, crises d'asthme, constipation, éruption cutanée (réaction allergique : arrêtez immédiatement le traitement), difficulté à respirer ou à uriner (chez le sujet âgé).

Note : vendu sans ordonnance; l'efficacité des antitussifs opiacés (codéine et codéthyline) est généralement reconnue, mais les autres composants ont peu d'intérêt dans l'emploi proposé.

BROPARESTROL (Devimy)

Introd. en 1960. Non remb. SS.

PRINCIPE ACTIF : pommade contenant 10% de broparestrol (estrogène).

Emploi : proposé dans l'hyperséborrhée de l'acné.

Précautions : ne pas utiliser chez le jeune enfant de sexe masculin et ne pas appliquer sur la peau lésée; éviter les applications étendues et prolongées (risque de résorption.

Note : vendu sans ordonnance; à éviter sans avis médical.

BRUFEN® (Boots Pharma).

Introd. en 1975. Liste II. Remb. SS 70%.

PRINCIPE ACTIF : *Ibuprofène*

Préparations : comprimés à 400 mg; suppositoires à 500 mg.

Emploi : anti-inflammatoire non stéroïdien, du groupe des propionates, inhibant la synthèse des prostaglandines, utilisé à faibles doses pour soulager la douleur modérée (action analgésique), par exemple maux de tête, douleurs dentaires, douleurs menstruelles (dysménorrhées) et pour faire baisser la fièvre (action antipyrétique).

Il est utilisé à doses plus élevées comme anti-inflammatoire dans les inflammations douloureuses des articulations, des capsules articulaires, des muscles, des tendons et dans d'autres affections; dans la polyarthrite rhumatoïde et l'arthrose, il atténue la douleur, la tuméfaction et la raideur des articulations, mais ne guérit pas la maladie.

Durée d'action : environ 6 heures.

Pour les détails → p. 50.

Note : prescrit sur ordonnance médicale.

BRULEX® (Bailly-Speab)

Introd. en 1939. Non remb. SS.

PRINCIPES ACTIFS : pommade contenant de la phénazone (antipyrine), sousgallate de bismuth, oxyde de zinc, baume du Pérou.

Emploi : proposé dans les érythèmes solaires et les brûlures superficielles.

Note : vendu sans ordonnance; des principes actifs moins allergisants sont actuellement disponibles.

B.S.S.® (Alcon)

Introd. en 1985.

Préparations solution stérile physiologique pour irrigation intra-oculaire (B.S.S. = Balanced Salt Solution).

Emploi : utilisée en chirurgie oculaire.

BUCASEPT® (Aérocid)

Non remb. SS.

PRINCIPES ACTIFS : solution contenant acétarsol, salicylate de sodium, chloroforme, résorcine, chloral.

Emploi : antiseptique buccal proposé dans les gingivites et aphtes.

Précautions : ne pas utiliser chez l'enfant âgé de moins de 30 mois.

Durée du traitement : 10 jours au maximum sans contrôle médical.

Note : vendu sans ordonnance; des principes actifs plus efficaces sont actuellement disponibles.

BUCCAWALTER®
(Sterling Midy)

Introd. en 1930. Non remb. SS.

PRINCIPES ACTIFS : solution contenant amyléine, hydrate de chloral, borate de sodium et phénosalyl.

Emploi : antiseptique buccal.

Précautions : ne pas utiliser chez l'enfant âgé de moins de 30 mois.
Durée du traitement : 10 jours au maximum sans contrôle médical.
Note : vendu sans ordonnance; des principes actifs plus efficaces sont actuellement disponibles.

BUCCOTHYMOL®
(Centrapharm)

Introd. en 1954. Non remb. SS.
PRINCIPES ACTIFS : solution contenant tétracaïne (anesthésique local), chloral, menthol, thymol, acide salicylique, chlorate de sodium, alcool à 95°.
Emploi : antiseptique buccal proposé dans les gingivites et aphtes.
Précautions : ne pas utiliser chez l'enfant âgé de moins de 30 mois.
Durée du traitement : 10 jours au maximum sans contrôle médical.
Note : vendu sans ordonnance; des principes actifs plus efficaces sont actuellement disponibles.

BUFAL® (P. Fabre)

Introd. en 1992. Non remb. SS.
PRINCIPE ACTIF : **Bufexamac.**
Préparations : crème à 5%.
Emploi : proposé comme anti-inflammatoire local pour traiter la douleur dans les tendinites, arthrites des petites articulations, entorses, contusions, phlébites et dans d'autres conditions.
Précautions : ne pas appliquer sur des plaies ouvertes (coupures, écorchures, etc.) ou sur de grandes surfaces; ne pas employer pendant la grossesse et l'allaitement (innocuité non établie).
Effets indésirables possibles : sécheresse de la peau, sensation de brûlure, rougeur; réactions allergiques rares sous forme d'urticaire, d'éruption cutanée (interrompre le traitement).
Note : vendu sans ordonnance; consultez votre médecin si la douleur persiste ou s'aggrave.

BURINEX® (Leo)

Introd. en 1978. Liste II. Remb. SS 70%.
PRINCIPE ACTIF : **Bumétanide.**
Préparations : comprimés à 1 mg ou 5 mg; ampoules injectables à 0,5 mg dans 2 ml et 2 mg dans 4 ml; comprimés à 5 mg ou ampoules injectables à 5 mg dans 20 ml.

Emploi : médicament appartenant au groupe des diurétiques qui sont utilisés pour favoriser l'élimination de l'excès d'eau accumulée l'organisme (œdèmes) dans l'insuffisance cardiaque, hépatique ou rénale ainsi que dans l'hypertension artérielle; le bumétanide est aussi utilisé en injection en milieu hospitalier pour traiter l'œdème aigu du poumon, les crises hypertensives et certaines intoxications (diurèse forcée).

Le bumétanide a une action puissante et de courte durée (2-4 heures) au niveau de l'anse de Henlé du rein *(diurétique de l'anse)*; il a l'avantage, par rapport aux diurétiques thiazidiques, de pouvoir être utilisé en cas d'insuffisance rénale; il provoque des pertes de potassium qui peuvent aboutir à une diminution du taux sanguin du potassium (hypokaliémie) et nécessiter des supplément de potassium ou l'association avec un diurétique épargnant le potassium.

Sportifs : ce médicament se trouve sur la liste des dopants interdits (Ministère de la Jeunesse et des Sports); il donne une réaction positive en cas de tests pratiqués lors des contrôles antidopage.
Pour les détails → p. 232.
Note : prescrit sur ordonnance médicale.

BUSCOPAN® (Delagrange)

Introd. en 1954. Liste I. Remb. SS 40%.
PRINCIPE ACTIF : comprimés, suppositoires et solution injectable contenant du bromure de N-butylhyoscine (antispasmodique atropinique).
Emploi : proposé dans le traitement des manifestations douloureuses aiguës liées à des spasmes du tube digestif et des voies biliaires.
Pour les détails → p. 56.
Note : prescrit sur ordonnance médicale.

BUSPAR®
(Bristol-Myers Squibb)

Introd. en 1988. Liste I. Remb. SS 70%.
La durée de prescription ne peut dépasser 12 semaines.
PRINCIPE ACTIF : **Buspirone.**
Préparations : comprimés à 10 mg.
Emploi : médicament utilisé pour calmer l'anxiété; il n'est pas apparenté

aux benzodiazépines du point de vue chimique, mais ses effets sont analogues (→ p. 94); l'effet anxiolytique du buspirone est souvent retardé (jusqu'à 4 semaines), alors qu'il est immédiat avec les benzodiazépines; en outre, il ne possède pas d'action relaxante musculaire.

Risque de dépendance : évitez un traitement prolongé; le risque de dépendance semble moindre qu'avec les benzodiazépines; le passage d'une benzodiazépine au buspirone comporte un risque de syndrome de sevrage car il n'y a pas de tolérance croisée (la buspirone est introduite 15 jours avant de commencer la réduction progressive des doses de la benzodiazépine).

Conduite de véhicules : il faut éviter la conduite de véhicules ou l'utilisation de machines pendant le traitement à cause de sensations vertigineuses.

Intoxication : sommeil profond, respiration superficielle, évolution vers le coma; un traitement d'urgence à l'hôpital peut être nécessaire.

Pour les détails → p. 695.

Note : prescrit sur ordonnance médicale.

BUTAZOLIDINE® (Ciba-Geigy)

Introd. en 1954. Liste I. Remb. SS 70%.

PRINCIPE ACTIF : *Phénylbutazone*.

Préparations : comprimés à 100 mg; suppositoires à 250 mg.

Emploi : anti-inflammatoire non stéroïdien utilisé dans les inflammations douloureuses des articulations, des capsules articulaires, des muscles ou des tendons et dans d'autres affections déterminées par votre médecin; dans la polyarthrite rhumatoïde et dans l'arthrose, il atténue la douleur, la tuméfaction et la raideur des articulations, mais ne guérit pas la maladie. La phénylbutazone appartient au du groupe des pyrazolés qui peuvent entraîner une diminution du nombre des globules blancs dans le sang (agranulocytose parfois mortelle) et des atteintes du foie; en raison de sa toxicité, l'emploi de ce médicament est déconseillé dans les affections rhumatismales ou post-traumatiques spontanément régressives ou peu invalidantes; la phénylbutazone est proposée dans le traitement de cour-

te durée des poussées aiguës de des rhumatismes inflammatoires graves, rebelles aux autres anti-inflammatoires non stéroïdiens; la phénylbutazone est aussi utilisée dans la crise de goutte aiguë.

La durée du traitement ne devrait pas dépasser une semaine; en cas de traitement prolongé, consultez votre médecin à intervalles réguliers et en tout cas si vous avez de la fièvre et mal de gorge, pour contrôler la formule sanguine et les fonctions hépatiques et rénales.

Pour les détails → p. 50.

Note : prescrit sur ordonnance médicale.

BUTIX® gel (P. Fabre)

Introd. en 1987. Non remb. SS.

PRINCIPE ACTIF : *Diphénhydramine*.

Préparations : gel à 2%.

Emploi : antihistaminique proposé en application locale pour calmer le prurit après piqûres d'insectes et dans l'urticaire.

Note : vendu sans ordonnance; préférez un antihistaminique par voie orale, car le gel peut provoquer une réaction allergique locale.

BUTOBARBITAL Dipharma®
(Amido)

Introd. en 1958. Liste I. Remb. SS 70%. La prescription ne peut dépasser 4 semaines.

PRINCIPE ACTIF : *Butobarbital*.

Préparations : suppositoires à 200 mg.

Emploi : somnifère barbiturique proposé dans les insomnies occasionnelles (tous les troubles du sommeil ne nécessitent pas un traitement médicamenteux); l'utilisation est limitée car les barbituriques ne sont pas recommandés en dehors du traitement de l'épilepsie.

Précautions : ne pas utiliser en cas d'allergie, d'asthme, emphysème, de maladies des poumons chroniques, de porphyrie, de grossesse ou allaitement; ne pas employer chez l'enfant.

Alcool : à éviter pendant le traitement.

Conduite de véhicules : il faut éviter de conduire des véhicules ou d'utiliser des machines en raison de la somnolence diurne et la diminution de la vigilance provoquées par le médicament.

Risque de dépendance : la prise prolongée peut créer une dépendance mais le syndrome de sevrage s'observe en principe moins souvent qu'avec les barbituriques à action plus rapide; la dépendance se traduit par un fort besoin de prendre le médicament, une tendance à augmenter les doses (tolérance), des troubles psychiques, des symptômes de «sevrage» si vous arrêtez le traitement, notamment fatigue, faiblesse, dépression, déficits intellectuels et affectifs, nausées, vomissements, confusion.

Intoxication : nausées, maux de tête, obnubilation, confusion mentale, respiration lente, encombrement de la gorge, hypotension.

Note : prescrit sur ordonnance médicale.

BUXEPTAN® (Monot)

Introd. en 1988. Non remb. SS.

PRINCIPES ACTIFS : solution contenant du chloroforme, hydrate de chloral et acide thymique.

Emploi : bains de bouche dans les infections de la bouche et de la gorge.

Précautions : ne pas employer chez l'enfant âgé de moins de 30 mois.

Durée du traitement : 10 jours au maximum sans contrôle médical.

Note : vendu sans ordonnance; efficacité des principes actifs à confirmer dans l'emploi proposé.

C

Ca-C 1000® (Sandoz)

Introd. en 1965. Non remb. SS.

PRINCIPES ACTIFS: comprimés contenant du gluconolactate de calcium et de l'acide ascorbique (vitamine C).

Emploi : carence en vitamine C, traitement de la fatigue.

Précautions : ne pas utiliser en cas d'hypercalcémie, d'hypercalciurie, d'insuffisance rénale grave, de calculs des voies urinaires.

Note : vendu sans ordonnance;
– évitez l'utilisation en automédication, car une carence en vitamine C ne peut être diagnostiquée que par votre médecin; en outre, l'apport de calcium n'a pas d'intérêt dans cette indication;
– dans le traitement de la fatigue, l'efficacité reste à confirmer.

CACIT® (Procter & Gamble)

Introd. en 1988. Remb. SS 70%.

PRINCIPE ACTIF : comprimés contenant 0,5 g ou 1 g de carbonate de calcium.

Emploi : carences calciques.

Pour les détails → p. 121.

Note : vendu sans ordonnance; à éviter sans avis médical (une carence en calcium ne peut être diagnostiquée que par votre médecin).

CADITAR® (Iprad)

Introd. en 1959. Remb. SS 70%.

PRINCIPE ACTIF : préparation pour application locale ou à diluer pour bain contenant de l'huile de cade.

Emploi : proposé dans le traitement local du psoriasis et les ichtyoses (dont le diagnostic ne peut être posé que par votre médecin).

Note : vendu sans ordonnance; à éviter sans avis médical.

CALAMINE → Gel fluide de calamine.

CALCED® (Thérica)

Introd. en 1980. Non remb. SS.

PRINCIPES ACTIFS : solution buvable contenant 4.000 UI d'ergocalciférol (vitamine D2), de l'hypophosphite et pantothénate de calcium et de l'acide ascorbique (vitamine C).

Emploi : proposé dans les carences en vitamine D, notamment pour le traitement curatif de l'ostéomalacie de l'adulte (déminéralisation des os qui sont affaiblis); le traitement doit être conduit sous contrôle médical.

Précautions : des doses trop élevées ou des prises trop fréquentes augmentent le risque d'effets indésirables.

Surveillance : consultez votre médecin à intervalles réguliers pour évaluer les effets du traitement et contrôler le taux du calcium dans le sang (calcémie) et dans l'urine (calciurie).

En cas de diabète : tenir compte de la teneur en sucre de la préparation.

Intoxication : → Vitamine D.

Note : vendu sans ordonnance; l'efficacité de l'ergocalciférol est généralement reconnue, mais les autres composants ont peu d'intérêt dans l'emploi proposé; en outre, ce médicament ne doit pas être utilisé en automédication.

CALCIBRONAT® (Sandoz)

Introd. en 1934. Remb. SS 70%.

PRINCIPE ACTIF : comprimés effervescents, sirop et solution injectable contenant du bromo-galactogluconate de calcium.

Emploi : proposé dans les troubles légers du sommeil et la nervosité.

Précautions : ne pas utiliser chez l'enfant de moins de 30 mois, en cas d'acné, d'insuffisance rénale, de calculs rénaux, de grossesse, d'allaitement; utilisation très prudente chez les sujets âgés et en cas de régime désodé (diminution de l'élimination de bromures).

Conduite de véhicules : ce médicament peut diminuer la vigilance; la conduite de véhicules ou l'utilisation de machines peut être dangereuse.

Alcool : évitez les boissons alcoolisées pendant le traitement (majoration de l'effet sédatif).

En cas de diabète : tenir compte de la teneur en sucre du produit.

Effets indésirables possibles : somnolence; acné et troubles psychiques en cas de traitement prolongé.

Note : vendu sans ordonnance; les dérivés du brome ne sont pas recommandés comme sédatifs en raison des effets indésirables possibles.

CALCIDIA® (Soekami-Lefrancq)

Introd. en 1988. Remb. SS 70%.

PRINCIPE ACTIF : poudre orale contenant 3,85 g de carbonate de calcium par sachet.

Emploi : proposé dans les carences calciques.

Pour les détails → tableau ci-contre.

Note : vendu sans ordonnance; à éviter sans avis médical (une carence en calcium ne peut être diagnostiquée que par votre médecin).

CALCIFORTE® (Serozym)

Introd. en 1980. Remb. SS 70%.

PRINCIPES ACTIFS : solution buvable et poudre pour solution buvable contenant du gluconate, lactate, glucoheptonate et chlorure de calcium et de la levure.

Emploi : carences calciques.

Pour les détails → tableau ci-contre.

Note : vendu sans ordonnance; à éviter sans avis médical (une carence en calcium ne peut être diagnostiquée que par votre médecin).

CALCIPARINE® → Héparine.

CALCITAR® (Rorer)

Introd. en 1973. Liste II. Remb. SS 70%.

PRINCIPE ACTIF : *Calcitonine*.

SYNONYME : thyrocalcitonine.

Préparations *(calcitonine extractive de porc)* : poudre pour solution injectable en flacons à 50 UI ou 160 UI.

Emploi → Calcitonine ci-dessous.

Note : prescrit sur ordonnance médicale.

CALCITÉTRACÉMATE DISODIQUE (L'Arguenon)

Introd. en 1957. Liste II. Remb. SS 70%.

PRINCIPE ACTIF : *Calcium édétate de sodium*.

SYNONYMES : édétate calcique disodique, calciédétate de sodium, Calcium Disodium Edetate, EDTA Calcium.

Préparations : ampoules injectables à 500 mg dans 10 ml.

Emploi : antidote utilisé dans le traitement de l'intoxication aiguë par le plomb (intoxication saturnine).

Grossesse : ce médicament a causé des malformations du fœtus au cours de l'expérimentation animale.

Note : prescrit sur ordonnance médicale.

CALCITONINE

SYNONYME : thyrocalcitonine.

EXTRACTIVE DE PORC
    Calcitar® (Rorer).

SYNTHÉTIQUE HUMAINE
    Cibacalcine® (Ciba-Geigy).

SYNTHÉTIQUE DE SAUMON (SALCATONIN)
    Calsyn® (Rorer).
    Miacalcic® (Sandoz).

Emploi : hormone sécrétée par la glande thyroïde qui inhibe la libération du calcium osseux et est utilisée :
– pour traiter la maladie de Paget (déformation progressive des os des membres, de la colonne vertébrale et du crâne);

– dans l'excès de calcium dans le sang ou *hypercalcémie* due à des tumeurs osseuses ou à l'activité excessive des glandes parathyroïdes;
– chez la femme après la ménopause, la calcitonine a été proposée dans l'ostéoporose *uniquement* s'il y a tassement des vertèbre et si d'autres traitements sont mal tolérés.

Durée d'action : jusqu'à 3 jours.

Allergie : informez votre médecin si vous avez déjà fait une réaction allergique ou inhabituelle à la calcitonine (indiquez le nom de la spécialité).

Grossesse et allaitement : l'usage est déconseillé par mesure de prudence.

Régime : informez votre médecin si votre régime est riche en calcium et/ou en vitamine D.

Interactions : il faut informer votre médecin si vous prenez ou avez pris récemment d'autres médicaments, notamment des spécialités contenant du calcium et/ou de la vitamine D (diminution de l'efficacité de la calcitonine).

Perte d'efficacité : si au cours du traitement le médicament perd son efficacité (des anticorps peuvent se former dans l'organisme), votre médecin pourra vous conseiller de changer de spécialité.

Arrêt du traitement : ne pas arrêter le traitement sans avis médical (risque d'aggravation des symptômes de la maladie de Paget).

Effets indésirables possibles : nausées, vomissements, diarrhées vertiges, bouffées de chaleur, douleurs gastriques, troubles du goût, douleurs au point d'injection.

Réactions allergiques : éruptions cutanées à signaler immédiatement à votre médecin qui pourra vous conseiller de changer de spécialité (certains sujets sont allergiques à la calcitonine de saumon).

CALCIUM Corbière®
(Millot-Solac)

Introd. en 1952. Non remb. SS.
PRINCIPES ACTIFS : solution buvable et comprimés effervescents contenant du glucoheptonate de calcium, acide ascorbique (vitamine C), nicotinamide (vitamine PP), ergocalciférol (vitamine D2).   → p. 123

Si vous utilisez l'une des spécialités suivantes contenant un sel de calcium...

CARBONATE DE CALCIUM.
  Cacit® (Procter & Gamble)].
  Calcidia® (Soekami-Lefrancq).
  Caltrate® (Lederle).
  Orocal® (Théramex).
CHLORURE DE CALCIUM :
  Chlorure de calcium Aguettant®.
GLUBIONATE DE CALCIUM :
  Calcium Sandoz® (Sandoz) [inject.].
GLUBIONATE DE CALCIUM + LACTOBIONATE DE CALCIUM :
  Calcium Sandoz® (Sandoz) [sirop].
GLUCOHEPTONATE DE CALCIUM :
  Calcium Corbière®.

GLUCONATE DE CALCIUM :
  Gluconate de Calcium Lavoisier®
  Calcium Aguettant®
GLUCONATE + GLUCOHEPTONATE DE CALCIUM :
  Calciforte® (Serozym).
GLUCONOLACTATE + CARBONATE DE CALCIUM :
  Sandocal® (Sandoz) [poudre orale].
PIDOLATE DE CALCIUM.
  Efical® (Millot-Solac).
PHOSPHATE TRICALCIQUE.
  Ostram® (Merck-Clévenot).

Emploi : les sels de calcium sont indiqués lorsque le régime alimentaire ne fournit pas assez de calcium à l'organisme ou lorsque les besoins en calcium sont augmentés, notamment chez la femme pendant la grossesse, l'allaitement, la ménopause et, chez l'enfant et l'adolescent, en période de croissance; le calcium est stocké dans les os. Ces sels sont aussi utilisés lorsqu'il n'y a pas assez de calcium dans le sang (hypoglycémie) ou après la ménopause pour prévenir la diminution de la masse osseuse ou ostéoporose; ils sont employés en complément au traitement spécifique du rachitisme et de l'ostéomalacie.

Le traitement de ces affections doit être conduit sous surveillance médicale.

→

Les suppléments de calcium sont proposés, sans preuve d'efficacité, pour le traitement de fond de la tétanie chronique normocalcémique ou «spasmophilie».

Il faut éviter les suppléments de calcium lorsque le taux du calcium dans le sang est trop élevé (hypercalcémie), par exemple en cas de surdosage de la vitamine D, en cas d'hyperactivité des glandes parathyroïdes (hyperparathyroïdie) et de certaines tumeurs décalcifiantes primitives ou métastatiques.

L'apport optimal de calcium diffère selon les sources.

La Fondation Française pour la Nutrition propose les quantités journalières suivantes de calcium :

Enfants jusqu'à 3 ans	600 mg
Enfants de 4 à 9 ans	700 mg
Garçons de 10 à 19 ans	900 mg
Filles de 10 à 19 ans	1000 mg
Adultes	800 mg
Grossesse	1000 mg
Lactation	1200 mg

L'OMS et le Food and Nutrition Board (U.S.A.) proposent 1500 mg par jour pour la grossesse et 2000-3000 mg par jour pour la lactation.

Aliments et boissons riches en calcium

– *Aliments très riches en calcium* (entre 200 et 1000 mg/100 g) : lait en poudre, lait condensé, amandes, chocolat au lait, fromages fermentés et à pâte molle, mélasse, noix, sardines.

– *Aliments riches en calcium* (entre 100 et 200 mg/100 g) : brocoli, endives, épinards, figue sèche, fromages blancs, lait entier, persil, soja (farine), yaourt.

– *Eaux minérales riches en calcium* : Vittel Hépar (600 mg/l), Vittel Grande Source (200 mg/l), Contrexeville (450 mg/l), Badoit (160 mg/l), Perrier (130 mg/l), Vichy (suivant les sources entre 100 et 130 mg/l).

Etat de santé : vous devez informer votre médecin de toute affection susceptible de modifier les effets du médicament, notamment :

– diarrhées (pourraient diminuer la résorption du calcium contenu dans les préparations administrées par voie buccale);

– maladies des reins (l'administration de suppléments de calcium augmente le risque de calculs en cas d'insuffisance rénale);

– sarcoïdose (les suppléments de calcium augmentent le risque d'excès de calcium dans le sang ou hypercalcémie).

Grossesse et allaitement : il est très important que votre alimentation et d'éventuels suppléments vous fournissent assez de calcium pour assurer le développement du fœtus et du nourrisson.

Interactions : il faut informer votre médecin si vous prenez ou avez pris récemment d'autres médicaments, notamment : vitamine D, autres médicaments contenant du calcium, des phosphates ou du magnésium, digitaliques, phénytoïne, tétracyclines, sels de fluor (les suppléments de calcium ne doivent pas être pris à moins de 3 heures d'intervalle de la prise de l'un de ces médicaments).

Prescription : ne dépassez pas la dose prescrite; des doses trop élevées ou des prises trop fréquentes augmentent le risque d'effets indésirables, notamment la formation de calculs dans les voies urinaires.

Prise du médicament : les comprimés doivent être avalés avec un verre d'eau de préférence une ou deux heures après les repas, sauf avis contraire de votre médecin; il ne faut pas prendre les sels de calcium dans les trois heures qui précèdent ou suivent la prise par la bouche d'antibiotiques du groupe des tétracyclines.

En cas de diabète : contrôlez la teneur en sucre de la préparation.

Effets indésirables possibles en cas d'insuffisance rénale et/ou de traitement prolongé : perte de l'appétit, soif intense, nausées, vomissements, augmentation du volume des urines, élévation de la tension artérielle, constipation, maux de tête, irritabilité, sécheresse de la bouche, confusion mentale, troubles du rythme cardiaque, formation de calculs urinaires.

Note : médicaments vendus sans ordonnance; à éviter sans avis médical (une carence en calcium ne peut être diagnostiquée que par votre médecin).

[suite de la p. 121]
Emploi : proposé dans la fatigue.
Précautions : ne pas administrer en cas de calculs urinaires calciques ou d'hypersensibilité à la vitamine D; consultez votre médecin si la fatigue persiste (il peut s'agir d'une dépression ou d'une autre maladie).
Effets indésirables possibles : en raison de la présence d'ergocalciférol, des signes d'intoxication à la vitamine D (→ ce terme) peuvent apparaître en cas de doses excessives.
Note : vendu sans ordonnance; à éviter en automédication.

CALCIUM Sandoz® (Sandoz)

Introd. en 1933. Remb. SS 70
PRINCIPES ACTIFS :
– ampoules injectables : glubionate de calcium;
– comprimés : gluconolactate et carbonate de calcium.
– sirop : gluconate et lactobionate de calcium.
Emploi : carences calciques.
Pour les détails → p. 121.

CALCIUM-SORBISTÉRIT®
(Biosedra)

Introd. en 1983. Liste II. Remb. SS 100%.
PRINCIPE ACTIF : **Polystyrène sulfonate de calcium**.
Préparations : poudre pour suspension orale, 20 g par mesure; contient 90 mg de calcium par un gramme.
Emploi : résine échangeuse d'ions cationiques qui lie le potassium intestinal et forme avec lui des complexes insolubles éliminés dans les selles; elle est utilisée pour traiter la concentration excessive de potassium dans le sang (hyperkaliémies) compliquée de rétention d'eau et de sels au cours des insuffisance rénales.
Précautions : évitez les aliments riches en calcium (p. ex. produits laitiers); ne pas associer des digitaliques.
Effets indésirables possibles : constipation, occlusion intestinale.
Note : prescrit sur ordonnance médicale.

CALDINE®
(Boehringer Ingelheim)

Introd. en 1993. Liste I.
PRINCIPE ACTIF : **Lacidipine**.
Préparations : compr. à 2 mg ou 4 mg.

Emploi : inhibiteur calcique utilisé pour abaisser la tension artérielle en cas d'hypertension.
Pour les détails → p. 363.
Note : prescrit sur ordonnance médicale.

CALENDULÈNE® (Allergan)

Introd. en 1983. Non remb. SS.
PRINCIPE ACTIF : solution pour lavage oculaire contenant un extrait glycériné de *Calendula officinalis*.
Emploi : proposé pour l'hygiène oculaire et dans les irritations oculaires.
Précautions : consultez votre médecin si les troubles persistent.

CALMADERM® (Lederle)

Introd. en 1987. Non remb. SS.
PRINCIPE ACTIF : **Bufexamac**.
Préparations : crème à 5%.
Emploi : anti-inflammatoire local proposé pour traiter la douleur dans les tendinites, arthrites des petites articulations, entorses, contusions, phlébites et dans d'autres conditions.
Précautions : ne pas appliquer sur des plaies ouvertes (coupures, écorchures, etc.) ou sur de grandes surfaces; ne pas employer pendant la grossesse et l'allaitement (innocuité non établie).
Effets indésirables possibles : sécheresse de la peau, sensation de brûlure, rougeur; réactions allergiques rares sous forme d'urticaire, d'éruption cutanée (interrompre le traitement).
Note : vendu sans ordonnance; consultez votre médecin si la douleur persiste.

CALMIXÈNE® (Sandoz)

Introd. en 1975. Liste II. Remb. SS 70%.
PRINCIPE ACTIF : **Piméthixène**.
SYNONYME : pimétixène .
Préparations : sirop à 1 mg/c. à café.
Emploi : antihistaminique proposé dans la toux «asthmatiforme» du nourrisson et de l'enfant.
Pour les détails → p. 45.
Note : prescrit sur ordonnance médicale.

CALMODIGER®
(Plantes et Médecines)

Non remb. SS.
PRINCIPES ACTIFS : comprimés contenant kaolin, bicarbonate de sodium et de calcium, hydrocarbonate de magnésium et essence de menthe.

Emploi : proposé pour neutraliser l'excès d'acidité et comme pansement gastrique en cas de brûlures de l'estomac; en cas d'ulcère de l'estomac ou du duodénum, ce médicament ne doit être utilisé que sous surveillance médicale.

Prise du médicament : après les repas et éventuellement au coucher.

Précautions : consultez votre médecin si les troubles persistent et en cas de douleurs ou crampes abdominales, de selles noires, d'amaigrissement, de fièvre; ne pas utiliser en cas d'insuffisance rénale sévère; ne pas associer des tétracyclines.

Effets indésirables possibles : retard ou diminution de la résorption d'autres médicaments pris par la bouche (respecter un intervalle d'au moins 2 heures), constipation.

Note : vendu sans ordonnance; ne pas utiliser pendant plus de 5 jours sans avis médical.

CALMOROÏDE® (Phygiène)

Introd. en 1974. Non remb. SS.

PRINCIPES ACTIFS : pommade rectale et suppositoires contenant du rétinol (vitamine A) et des ruscogénines.

Emploi : proposé pour traiter les symptômes des poussées d'hémorroïdes.

Précautions : arrêtez le traitement et consultez votre médecin en cas d'accentuation des douleurs, d'apparition de sang dans les selles ou de fièvre.

Note : vendu sans ordonnance; efficacité des principes actifs à confirmer dans l'emploi proposé.

CALSCORBAT® (Aérocid)

Introd. en 1948. Non remb. SS.

PRINCIPE ACTIF : solution buvable pour adulte ou enfant contenant de l'asphocalcium (dérivé calcique de l'acide ascorbique ou vitamine C).

Emploi : proposé dans la fatigue.

Précautions : consultez votre médecin si la fatigue persiste (il peut s'agir d'une dépression ou d'une maladie nécessitant un traitement spécifique) ou en cas d'amaigrissement.

En cas de diabète : tenir compte de la teneur en sucre du produit.

Note : vendu sans ordonnance; efficacité du principe actif à confirmer dans l'emploi proposé.

CALSYN® (Rorer)

Introd. en 1978. Liste II. Remb. SS 70%.

PRINCIPE ACTIF : *Calcitonine*.

Préparations *(calcitonine de saumon synthétique ou salcatonin)* : poudre pour solution injectable en flacons à 50 UI et 100 UI.

Emploi : hormone sécrétée par la glande thyroïde qui inhibe la libération du calcium osseux et est utilisée dans le traitement de la maladie de Paget; chez la femme après la ménopause la calcitonine est proposée en cas d'ostéoporose (diminution de la masse de tissu osseux) avec tassement des vertèbres, lorsque d'autres traitements sont mal tolérés ou inefficaces.

Pour les détails → Calcitonine.

Note : prescrit sur ordonnance médicale.

CALTRATE® (Lederle)

Introd. en 1991. Remb. SS 70%.

PRINCIPE ACTIF : comprimés contenant 1,5 g de carbonate de calcium.

Emploi : proposé dans les carences calciques.

Pour les détails → p. 121.

Note : vendu sans ordonnance; à éviter sans avis médical (une carence en calcium ne peut être diagnostiquée que par votre médecin).

CALYPTOL® (Techni-Pharma)

Introd. en 1947. Remb. SS 40%.

PRINCIPES ACTIFS : émulsion pour inhalation ou application locale contenant eucalyptol, terpinéol, huile essentielle de pin, de thym, de romarin.

Emploi : proposé dans les états congestifs des voies aériennes supérieures.

Note : vendu sans ordonnance; efficacité des principes actifs à confirmer dans l'emploi proposé.

CALYPTOPHÉDRYL®
(Sarbach)

Remb. SS 40%.

PRINCIPES ACTIFS : sirop contenant de la codéthyline (antitussif opiacé), droséra, grindélia, belladone, aconit, éphédrine, camphosulfonate de sodium, eucalyptus, sulfogaïacol, benzoate de sodium.

Emploi : proposé pour calmer la toux.

Précautions : ne pas utiliser en cas de
– asthme, insuffisance respiratoire (la
  diminution de la toux cause l'accumulation de mucosités dans les voies
  respiratoires);
– maladie du foie (l'élimination de la
  codéthyline est diminuée en cas
  d'insuffisance hépatique);
– hypertrophie de la prostate (risque
  d'aggravation de la difficulté à
  uriner);
– glaucome à angle fermé;
– grossesse (innocuité non établie),
  allaitement;
– enfants âgés de moins de 15 ans
  (moins de 30 mois pour la forme
  pour enfant).
Durée du traitement : si la toux persiste
après une semaine, si des crachats
sanglants ou des effets indésirables
apparaissent, arrêtez le traitement et
consultez votre médecin.
Alcool : évitez les boissons alcoolisées
pendant le traitement.
Conduite de véhicules : ce médicament
peut diminuer la vigilance; la conduite
de véhicules ou l'utilisation de
machines peut être dangereuse.
Effets indésirables possibles : somnolence, sécheresse de la bouche,
confusion mentale, nausées, vomissements, crises d'asthme, constipation, éruption cutanée (réaction
allergique : arrêtez immédiatement
le traitement), difficulté à respirer ou
à uriner (chez le sujet âgé).
Note : *vendu sans ordonnance; l'efficacité
de la codéthyline est généralement
reconnue, mais les autres composants
ont peu d'intérêt dans l'emploi proposé.*

CAMILINE® (Arkopharma)

Introd. en 1989. Non remb. SS.
PRINCIPE ACTIF : gélules contenant de la
poudre de thé vert.
Emploi : proposé comme adjuvant des
régimes amaigrissants.
Note : *vendu sans ordonnance; efficacité
du principe actif à confirmer dans
l'emploi proposé.*

CAMPEL® (Farmitalia C. Erba)

Introd. en 1986. Remb. SS 40%.
PRINCIPE ACTIF : **Chromocarbe**.
Préparations : gélules à 200 mg.

Emploi : «vasculoprotecteur» proposé
dans le traitement des symptômes en
rapport avec l'insuffisance veinolymphatique (jambes lourdes, etc.).
Précautions : consultez votre médecin
en cas de suspicion de phlébite
(jambes rouges et/ou chaudes, douloureuses, surtout si d'un seul côté et
avec fièvre).
Note : *vendu sans ordonnance; efficacité
du principe actif à confirmer dans
l'emploi proposé.*

CAMPHODIONYL® (Iprad)

Introd. en 1943. Remb. SS 40%.
PRINCIPES ACTIFS : sirop contenant :
– codéine et codéthyline : antitussifs
  opiacés;
– sulfogaïacol, teinture d'aconit.
Emploi : proposé pour calmer la toux
irritative, sèche.
Précautions : ne pas utiliser en cas de
– asthme, insuffisance respiratoire (la
  diminution de la toux cause l'accumulation de mucosités dans les voies
  respiratoires);
– maladie du foie (l'élimination de la
  codéine et celle de la codéthyline
  peuvent être diminuées);
– grossesse, allaitement;
– enfants âgés de moins de 30 mois.
Durée du traitement : si la toux persiste
après une semaine, si des crachats
sanglants ou des effets indésirables
apparaissent, arrêtez le traitement et
consultez votre médecin.
Alcool : évitez les boissons alcoolisées
pendant le traitement.
Sujets âgés : risque accru d'effets
indésirables; doses réduites de moitié.
Conduite de véhicules : ce médicament
peut diminuer la vigilance; la conduite
de véhicules ou l'utilisation de machines peut être dangereuse.
Sportifs : ce médicament peut donner
une réaction positive en cas de tests
pratiqués lors des contrôles antidopage.
Effets indésirables possibles : somnolence, sécheresse de la bouche, confusion, nausées, vomissements, crises
d'asthme, constipation, éruption
cutanée (réaction allergique : arrêtez
le traitement).
Note : *l'efficacité de la codéine et celle de
la codéthyline sont généralement
reconnues, mais les autres composants
ont peu d'intérêt dans l'emploi proposé.*

CAMPHO-PNEUMINE®
(Marion Merrell Dow)

Introd. en 1942. Remb. SS 40%.

PRINCIPES ACTIFS :
– sirop nourrisson : bromure de sodium, camphosulfonate et benzoate de sodium, sulfogaïacol, thiamine (vitamine B1), sirop capillaire, coquelicot, tolu;
– suppositoires : camphre, gaïacol, créosote, eucalyptol et amyléine (anesthésique local).

Emploi : proposé dans les troubles de la sécrétion bronchique.

Effets indésirables possibles : somnolence, troubles psychiques, éruptions cutanées en cas de traitement prolongé.

Note : vendu sans ordonnance; l'efficacité de la codéine est généralement reconnue, mais les autres composants ont peu d'intérêt dans l'emploi proposé.

CAMPHO-PNEUMINE®
AMINOPHYLLINE
(Marion Merrell Dow)

Introd. en 1942. Remb. SS 40%.

PRINCIPES ACTIFS : sirop contenant
– codéine : antitussif opiacé;
– aminophylline : bronchodilatateur dérivé de la théophylline;
– belladone, teinture : atropinique;
– sulfogaïacol, benzoate de sodium, bromoforme, aconit, thiamine (vitamine B1), eucalyptus, fumeterre, tolu, sirop Desessartz, potion de Todd.

Emploi : proposé pour calmer la toux irritative, sèche.

Précautions : ne pas utiliser en cas de
– asthme, insuffisance respiratoire (la diminution de la toux cause l'accumulation de mucosités dans les voies respiratoires);
– maladie du foie (l'élimination de la codéine est diminuée);
– hypertrophie de la prostate;
– glaucome à angle fermé;
– grossesse (innocuité non établie), allaitement;
– enfants âgés de moins de 5 ans.

Durée du traitement : si la toux persiste après une semaine, si des crachats sanglants ou des effets indésirables apparaissent, arrêtez le traitement et consultez votre médecin.

Alcool : évitez les boissons alcoolisées pendant le traitement.

En cas de diabète : tenir compte de la teneur en sucre de la préparation.

Conduite de véhicules : ce médicament peut diminuer la vigilance; la conduite de véhicules ou l'utilisation de machines peut être dangereuse.

Sportifs : ce médicament peut donner une réaction positive en cas de tests pratiqués lors des contrôles antidopage.

Effets indésirables possibles : somnolence, sécheresse de la bouche, confusion, nausées, vomissements, vision trouble, crises d'asthme, constipation, éruption cutanée (réaction allergique : arrêtez immédiatement le traitement), difficulté à respirer ou à uriner (chez le sujet âgé).

Note : vendu sans ordonnance; l'efficacité de la codéine est généralement reconnue, mais les autres composants ont peu d'intérêt dans l'emploi proposé.

CAMPHO-PNEUMINE® sirop
nourrisson (Marion Merrell Dow)

Introd. en 1942. Remb. SS 40%.

PRINCIPES ACTIFS : sirop contenant du bromure de sodium, camphosulfonate et benzoate de sodium, sulfogaïacol, thiamine (vitamine B1), sirops de tolu, coquelicot, capillaire.

Emploi : proposé dans les troubles de la sécrétion bronchique.

Précautions : ne pas employer chez l'enfant de moins d'un an.

Effets indésirables : somnolence.

Note : vendu sans ordonnance; à éviter du fait de la présence de bromure de sodium.

CAMPHO-PNEUMINE®
suppositoires
(Marion Merrell Dow)

Introd. en 1942. Remb. SS 40%.

PRINCIPES ACTIFS : suppositoires contenant du camphre, gaïacol, créosote, eucalyptol, amyléine.

Emploi : proposé dans les affections courantes des voies respiratoires.

Précautions : ne pas utiliser chez l'enfant de moins de 30 mois.

Note : vendu sans ordonnance; des principes actifs plus efficaces sont actuellement disponibles.

CANDEREL® (Searle)

Non remb. SS.
PRINCIPE ACTIF : **Aspartam**.
Préparations : poudre et comprimés à 20 mg.
Emploi : substitut du sucre utilisé dans les régimes amaigrissants (hypocaloriques) et le diabète; il possède 180 fois le pouvoir sucrant du saccharose.
Précautions : ne pas utiliser en cas de phénylcétonurie.

CANOL® (Jolly-Jatel)

Introd. en 1953. Remb. SS 70%.
PRINCIPES ACTIFS: comprimés contenant des nébulisats de cynara, lawsonia, chimaphila, aphloïa.
Emploi : proposé dans les troubles de la digestion (dyspepsie).
Posologie (adulte) : 4-6 compr. par jour.
Précautions : ne pas utiliser en cas d'obstruction des voies biliaires; consultez votre médecin en cas de douleurs ou crampes abdominales d'origine indéterminée, de selles noires, d'amaigrissement, d'urines foncées, de douleurs de la région du foie, de jaunisse.
Note : vendu sans ordonnance; ne pas utiliser pendant plus de 5 jours sans avis médical.

CANTABILINE® (Lipha Santé)

Introd. en 1966.
PRINCIPE ACTIF : **Hymécromone**.
Préparations : gélules à 200 mg; comprimés à 400 mg. Remb. SS 40%.
Poudre pour solut. injectable en flacons à 200 mg. Liste II. Remb. SS 70%.
Emploi : médicament augmentant le flux biliaire proposé
– par voie buccale, dans le traitement des troubles de la digestion;
– en injections, dans la radiologie et la manométrie des voies biliaires.
Précautions : ne pas employer en cas d'obstruction des voies biliaires; demandez conseil à votre médecin en cas de douleurs ou crampes abdominales d'origine indéterminée, de selles noires, d'amaigrissement, d'urines foncées, de douleurs de la région du foie, de jaunisse.
Note : les gélules et les comprimés sont vendus sans ordonnance; ne pas utiliser pendant plus de 5 jours sans avis médical.

CANTALÈNE® (Lab. Salver)

Introd. en 1989. Non remb. SS.
PRINCIPES ACTIFS : comprimés à sucer contenant de la chlorhexidine (antiseptique local), tétracaïne (anesthésique local) et lysozyme.
Emploi : proposé dans le «mal de gorge» sans fièvre de l'adulte.
Précautions : ne pas utiliser chez l'enfant de moins de 6 ans.
Sportifs : ce médicament peut donner une réaction positive en cas de tests pratiqués lors des contrôles antidopage.
Note : vendu sans ordonnance; ne pas utiliser pendant plus de 5 jours sans avis médical.

CANTÉINE® liquide (Bouteille)

Introd. en 1935. Remb. 70%.
Préparations : solution buvable contenant des extraits de crataegus, hamamélis, passiflore, saule.
Emploi : proposé dans les dystonies neurovégétatives et les varices.
Note : vendu sans ordonnance; efficacité des principes actifs à confirmer dans l'emploi proposé.

CANTÉINE® dragées (Bouteille)

Introd. en 1950. Remb. 70%.
Préparations : comprimés contenant
– phénobarbital (15 mg/comprimé): barbiturique;
– extraits de crataegus, hamamélis, passiflore, saule, strophantus.
Emploi : proposé dans les dystonies neurovégétatives et les varices.
Précautions : ne pas employer chez l'enfant et en cas de grossesse, d'allaitement, de porphyries et d'insuffisance respiratoire; l'activité des anticoagulants oraux et des contraceptifs hormonaux peut être réduite.
Alcool : évitez les boissons alcoolisées pendant le traitement (majoration de l'effet sédatif).
Conduite de véhicules : ce médicament diminue la vigilance; la conduite de véhicules ou l'utilisation de machines peut être dangereuse.
Durée du traitement : ce médicament ne doit être utilisé que pour une brève période (maximum 4 semaines).

Effets indésirables possibles : somnolence, éruptions cutanées, troubles psychiques, notamment confusion, surtout chez le sujet âgé.
Note : vendu sans ordonnance; à éviter du fait de la présence de phénobarbital qui n'est pas recommandé en dehors du traitement de l'épilepsie.

CANTOR® (Clin Midy)

Introd. en 1990. Liste I. Remb. SS 40%.
PRINCIPE ACTIF : ***Minaprine***.
Préparations : comprimés à 100 mg.
Emploi : psychostimulant proposé dans la fatigue (ou asthénie fonctionnelle) matinale, la baisse de la libido, la baisse d'activité, le ralentissement psychomoteur, les pertes de mémoire et les difficulté de concentration; l'efficacité des médicaments «antifatigue» reste à confirmer.
Précautions : ne doit pas être employé en cas d'épilepsie, de grossesse (innocuité non établie) et d'allaitement; consultez votre médecin si la fatigue persiste (il peut s'agir d'une dépression ou d'une autre maladie nécessitant un traitement spécifique).
Effets indésirables possibles : insomnie, convulsions (surdosage).
Note : prescrit sur ordonnance médicale.

CAPERGYL® (Biostabilex-Urap)

Introd. en 1991. Liste II. Remb. SS 40%.
PRINCIPE ACTIF : ***Dihydroergotoxine*** (dihydroergocornine, dihydroergocristine, dihydroergocryptine A et B).
SYNONYMES : co-dergocrine, codergocrine, ergoloid.
Préparations : capsules à 4,5 mg.
Emploi : vasodilatateur périphérique dérivé de l'ergot de seigle proposé dans le traitement des troubles vasculaires cérébraux, notamment du déficit intellectuel lié au vieillissement; l'efficacité des vasodilatateurs périphériques dans ces affections reste à confirmer.
Précautions : ne pas utiliser en cas d'allergie aux dérivés de l'ergot de seigle, de pouls très lent, de tension artérielle très basse (hypotension), de grossesse ou allaitement, de traitement anticoagulant; ne pas associer d'autres dérivés de l'ergot de seigle.
Effets indésirables possibles : congestion nasale, nausées.
Note : prescrit sur ordonnance médicale.

CAPSULES PHARMATON® → Pharmaton®.

CAPSYL® (Sandoz)

Introd. en 1989. Non remb. SS.
PRINCIPE ACTIF : ***Dextrométhorphane***.
Préparations : capsules à 15 mg.
Emploi : antitussif opiacé, agissant sur le système nerveux central, utilisé pour calmer la toux irritative, sèche.

Le dextrométhorphane a une action sédative modérée; l'apparition d'une dépendance est exceptionnelle, mais l'abus est possible chez des sujets déjà toxicomanes.
Précautions : ne pas utiliser en cas de toux grasse, d'insuffisance respiratoire ou d'asthme, de grossesse ou d'allaitement.

Consultez votre médecin si la toux persiste, en cas de crachats sanglants, de fièvre, d'amaigrissement, d'éruption cutanée, de troubles de la vue, difficulté à uriner.
Sportifs : l'attention des sportifs est attirée sur le fait que les tests pour contrôle antidopage peuvent être positifs après usage du médicament.
Enfants : ne doit pas être utilisé chez les enfants âgés de moins de 15 ans.
Intoxication : hospitalisation d'urgence en cas de prise massive.
Pour les détails → p. 59.
Note : vendu sans ordonnance; efficacité généralement reconnue dans l'emploi proposé; ne pas utiliser chez l'enfant sans avis médical.

CAPTEA® (Théraplix)

Introd. en 1988. Liste I. Remb. SS 70%.
PRINCIPES ACTIFS : comprimés contenant
– captopril (50 mg) : inhibiteur de l'enzyme de conversion (Captolane®);
– hydrochlorothiazide (25 mg) : diurétique thiazidique (Esidrex®).
Emploi : association proposée pour traiter l'hypertension artérielle.
Pour les détails → p. 232 et p. 364.
Note : prescrit sur ordonnance médicale.

CAPTOLANE® (Théraplix)

Introd. en 1984. Liste I. Remb. SS 70%.
PRINCIPE ACTIF : *Captopril*.
Préparations : comprimés à 25 mg ou 50 mg.
Emploi : inhibiteur de l'enzyme de conversion utilisé dans le traitement de l'hypertension artérielle, éventuellement associé à un diurétique, ainsi que pour le traitement de l'insuffisance cardiaque (faiblesse du cœur), rebelle aux digitaliques et aux diurétiques.
Durée d'action : 6-8 heures.
Pour les détails → p. 364.
Note : prescrit sur ordonnance médicale.

CARBATROPRINE® (Aérocid)

PRINCIPES ACTIFS: comprimés contenant du charbon activé, atropine et benzoate de sodium.
Emploi : proposé dans les diarrhées.
Précautions : ne pas utiliser en cas de douleurs ou de crampes abdominales d'origine indéterminée, de selles contenant des glaires, du sang ou de couleur noire, d'amaigrissement, de jaunisse, d'hypertrophie de la prostate, de glaucome; ne pas employer chez l'enfant.
Note : vendu sans ordonnance; consultez votre médecin si la diarrhée persiste après 48 heures.

CARBO-CORT®
(Dome/Hollister-Stier)

Introd. en 1965. Liste I. Remb. SS 70%.
PRINCIPES ACTIFS : crème contenant de l'hydrocortisone (dermocorticoïde) et une solution alcoolique de goudron de houille (kératolytique).
Emploi : traitement du psoriasis, des eczémas secs et d'autres affections pour amincir la couche cornée de la peau (action kératolytique).
Précautions : ne pas appliquer sur les muqueuses.
Note : prescrit sur ordonnance médicale.

CARBO-DOME®
(Dome/Hollister-Stier)

Introd. en 1967. Non remb. SS.
PRINCIPE ACTIF : *Goudron de houille*.
SYNONYME : coaltar.
Préparations : crème à 2%.

Emploi : utilisé comme antiprurigineux dans les eczémas, le psoriasis et comme kératolytique dans les lésions ichtyosiques dont le diagnostic ne peut être posé que par votre médecin.
Précautions : ne pas utiliser sur des lésions infectées.
Effets indésirables possibles : les réactions allergiques sont rares.
Note : vendu sans ordonnance; à éviter en automédication.

CARBOLEVURE® (Vedim)

Introd. en 1971. Remb. SS 40%.
PRINCIPES ACTIFS : gélules contenant du charbon activé (adsorbant intestinal) et de la levure.
Emploi : proposé dans l'aérophagie, les ballonnements (météorisme) et dans les diarrhées aiguës.
Précautions : ne pas utiliser chez l'enfant de moins de 2 ans et en cas de douleurs ou crampes abdominales d'origine indéterminée, de selles noires, d'amaigrissement, de jaunisse; consultez votre médecin si la diarrhée persiste après 48 heures, si des glaires et du sang apparaissent dans les selles.
Effets indésirables possibles : retard ou diminution de la résorption d'autres médicaments pris par la bouche (respecter un intervalle d'au moins 2 heures).
Note : vendu sans ordonnance; ne pas utiliser pendant plus de 5 jours sans avis médical.

CARBOMIX® (S.C.A.T.)

Introd. en 1988. Non remb. SS.
PRINCIPE ACTIF : *Charbon activé*.
SYNONYME : charcoal.
Préparation : granulé pour suspension buvable ou pour utilisation par sonde gastrique (50 g).
Propriétés : adsorbant des gaz, des liquides et des toxines.
Emploi : utilisé dans les intoxications et surdosages médicamenteux lorsque les substances en cause peuvent être encore présentes dans le tube digestif; administré par voie buccale ou par sonde si le sujet est inconscient.
Précautions : ne pas utiliser en cas d'intoxication par des produits caustiques.
Conservation : la suspension préparée doit être utilisée aussitôt.
Note : vendu sans ordonnance.

CARBONAPHTINE® pectinée
(Gifrer Barbezat)

Introd. en 1970. Non remb. SS.

PRINCIPES ACTIFS : granulé contenant du charbon végétal (adsorbant intestinal), benzonaphtol, salicylate d'aluminium, pectine, kaolin, extraits de framboise et salicaire.

Emploi : proposé dans les ballonnements (météorisme), diarrhées aiguës.

Précautions : ne pas utiliser chez l'enfant de moins de 2 ans et en cas de douleurs ou crampes abdominales d'origine indéterminée, de selles noires, d'amaigrissement, de jaunisse; consultez votre médecin si la diarrhée persiste après 48 heures, si des glaires et du sang apparaissent dans les selles.

Effets indésirables possibles : retard ou diminution de la résorption d'autres médicaments pris par la bouche (respecter un intervalle d'au moins 2 heures).

Note : vendu sans ordonnance; ne pas utiliser pendant plus de 5 jours sans avis médical.

CARBONATE MONOSODIQUE → Bicarbonate de sodium.

CARBONEX® (Monal)

Introd. en 1957. Remb. SS 70%.

PRINCIPES ACTIFS : poudre orale contenant de l'hydroxyde de magnésium et du soufre.

Emploi : proposé dans le traitement des ballonnements et de la constipation.

Précautions : ne pas utiliser en cas de maladies inflammatoires de l'intestin, d'occlusion intestinale ou de douleurs abdominales.

Effets indésirables possibles :
– diarrhée, douleurs abdominales;
– l'usage prolongé peut causer une «maladie des laxatifs» avec augmentation du taux du potassium;
– en cas d'insuffisance rénale, rétention du magnésium avec troubles neuromusculaires et cardiovasculaires.

Note : vendu sans ordonnance; la présence de soufre a peu d'intérêt dans l'emploi proposé.; ne pas utiliser pendant plus de 5 jours sans avis médical.

CARBOPHAGYX® (Darcy)

Introd. en 1990. Non remb. SS.

PRINCIPES ACTIFS : gélules contenant du charbon activé (adsorbant intestinal) et de la levure.

Emploi : proposé dans l'aérophagie les ballonnements (météorisme), diarrhées aiguës.

Précautions : ne pas utiliser chez l'enfant de moins de 2 ans et en cas de douleurs ou crampes abdominales d'origine indéterminée, de selles noires, d'amaigrissement, de jaunisse; consultez votre médecin si la diarrhée persiste après 48 heures, si des glaires et du sang apparaissent dans les selles.

Effets indésirables possibles : retard ou diminution de la résorption d'autres médicaments pris par la bouche (respecter un intervalle d'au moins deux heures).

Note : vendu sans ordonnance; ne pas utiliser pendant plus de 5 jours sans avis médical.

CARBOPHOS® (Upsa)

Introd. en 1957. Remb. SS 40%.

PRINCIPES ACTIFS : comprimés contenant charbon végétal activé (adsorbant intestinal), carbonate de calcium, phosphate tricalcique, extrait de réglisse.

Emploi : proposé dans les troubles digestifs (dyspepsies), les ballonnements (météorisme), les brûlures gastriques.

Précautions : ne pas utiliser chez l'enfant de moins de 3 ans et en cas de douleurs ou crampes abdominales d'origine indéterminée, de selles noires, d'amaigrissement, de jaunisse; consultez votre médecin si la diarrhée persiste après 48 heures, si des glaires et du sang apparaissent dans les selles.

En cas de diabète : tenir compte de la teneur en sucre du produit.

Effets indésirables possibles : retard ou diminution de la résorption d'autres médicaments pris par la bouche (respecter un intervalle d'au moins deux heures); constipation.

Note : vendu sans ordonnance; ne pas utiliser pendant plus de 5 jours sans avis médical.

CARBOSYLANE® (Serolam)

Introd. en 1983. Remb. SS 40%.

PRINCIPES ACTIFS : gélules contenant du charbon activé (adsorbant intestinal) et diméticone (polysilane).

Emploi : proposé dans les troubles digestifs (dyspepsies) et les ballonnements (météorisme).

Note : vendu sans ordonnance; ne pas utiliser pendant plus de 5 jours sans avis médical.

CARDIOCALM® (Pharmastra)

Introd. en 1965. Remb. SS 70%.

PRINCIPES ACTIFS : comprimés contenant du phénobarbital (barbiturique à action prolongée) et un extrait d'aubépine.

Emploi : proposé comme sédatif et somnifère.

Précautions : ne pas employer chez l'enfant et en cas de grossesse ou d'allaitement, de porphyries et d'insuffisance respiratoire; l'activité des anticoagulants oraux et des contraceptifs hormonaux peut être réduite.

Alcool : évitez les boissons alcoolisées pendant le traitement.

Conduite de véhicules : ce médicament peut diminuer la vigilance et rendre dangereuse la conduite de véhicules ou l'utilisation de machines.

Durée du traitement : ce médicament ne doit être utilisé que pour une brève période (maximum 4 semaines).

Effets indésirables possibles : somnolence, éruptions cutanées, troubles psychiques, notamment confusion mentale chez le sujet âgé.

Note : vendu sans ordonnance; à éviter du fait de la présence de phénobarbital qui n'est pas recommandé en dehors du traitement de l'épilepsie.

CARDIOCYNÉSINE® (Boiron)

Préparation homéopathique proposée comme «tonique veineux».

CARDIOLITE® (Du Pont)

Introd. en 1991. Réservé aux hôpitaux. Trousse pour préparation radiopharmaceutique utilisée pour évaluer la fonction ventriculaire et pour le diagnostic de l'ischémie myocardique.

CARDIOQUINE® (Plantier)

Introd. en 1960. Remb. SS 70%.

PRINCIPE ACTIF : *Quinidine.*

Préparations : comprimés à 166 mg (base).

Emploi : la quinidine, un alcaloïde du quinquina *(Cinchona)*, appartient au groupe des médicaments antiarythmiques et est utilisée pour régulariser et ralentir le rythme cardiaque trop rapide. Comme les autres antiarythmiques, la quinidine peut aggraver une arythmie préexistante ou provoquer des arythmies nouvelles (effet arythmogène).

Durée d'action : 6-8 heures (plus de 12 heures pour les préparations à libération prolongée).

Allergie : informez votre médecin si vous avez déjà fait une réaction allergique ou inhabituelle à la quinidine ou à la quinine.

Surveillance : des contrôles réguliers et fréquents sont nécessaires pour moduler les doses en fonction des effets du traitement et d'effets indésirables éventuels.

Conduite de véhicules : chez certains sujets, ce médicament provoque des vertiges ou diminue la vigilance : la conduite de véhicules ou l'utilisation de machines peut être dangereuse.

Arrêt du traitement : n'arrêtez pas brusquement le traitement sans consulter votre médecin.

Intoxication : troubles sensoriels (visuels, auditifs), agitation, troubles respiratoires, chute de la tension artérielle, irrégularité et accélération du pouls, perte de conscience (hospitalisation d'urgence).

Note : le traitement doit être conduit sous surveillance médicale.

CARENCYL® (Riom)

Introd. en 1965. Liste I. Non remb. SS.

PRINCIPES ACTIFS : capsules contenant des vitamines (préparation polyvitaminée), fumarate ferreux, phosphate calcique, sulfate de manganèse, oxyde de zinc et fluorure de calcium.

Emploi : proposé dans la fatigue (efficacité à confirmer).

Précautions : ne pas utiliser en cas de calculs biliaires ou urinaires, en cas de grossesse ou d'allaitement (en raison de la présence de vitamine A);

la présence en faible dose de la vitamine B12 est insuffisante pour traiter une anémie, mais suffisante pour en masquer les manifestations et retarder le diagnostic; la présence de fer peut masquer une anémie ferriprive; consultez votre médecin si la fatigue persiste (dépression?); usage prudent chez l'enfant (présence de vitamines A et D).

Effets indésirables possibles : risque d'excès des vitamines A et D (vomissements, calculs rénaux, etc.) en cas d'utilisation prolongée.

Note : prescrit sur ordonnance médicale.

CARLYTÈNE® (Plantier)

Introd. en 1965. Remb. SS 40%.

PRINCIPE ACTIF : *Moxisylyte.*

Préparations : comprimés à 30 mg.

Emploi : vasodilatateur périphérique (alpha-bloquant) proposé dans les troubles psychiques et du comportement de la vieillesse; l'efficacité des vasodilatateurs périphériques dans ces troubles reste à confirmer.

Précautions : ne pas utiliser en cas de tension artérielle systolique inférieure à 100 mm de mercure; ne pas associer d'autres alpha-bloquants, des bêta-bloquants ou des antidépresseurs IMAO.

Effets indésirables possibles : vertiges, bouche sèche, malaises (hypotension).

Note : vendu sans ordonnance; à éviter en automédication.

CARTÉOL® (Chauvin)

Introd. en 1985. Liste I. Remb. SS 70%.

PRINCIPE ACTIF : *Cartéolol.*

Préparations : collyre à 1% ou 2%.

Emploi : utilisé pour abaisser la tension intra-oculaire, notamment en cas de glaucome à angle ouvert.

Pour les détails → p. 98.

Conservation : à utiliser dans les 15 jours après l'ouverture du flacon.

Note : prescrit sur ordonnance médicale.

CARUDOL®
(Boehringer Ingelheim)

Introd. en 1973. Liste II. Non remb. SS.

PRINCIPES ACTIFS : gel pour application locale contenant de la phénylbutazone-pipérazine, nicotinate de méthyle et pipérazine hexahydrate.

Emploi : proposé dans le traitement local des douleurs et contusions.

Précautions : ne pas appliquer sur les muqueuses, éviter les applications prolongées et sur de grandes surfaces, sur des plaies ouvertes ou infectées.

Note : prescrit sur ordonnance médicale.

CARYOLYSINE® (Delagrange)

Introd. en 1949. Liste I. Remb. SS 100%.

PRINCIPE ACTIF : *Chlorméthine.*

SYNONYME : méthylchloréthamine.

Préparations : solution injectable et pour application locale en ampoules à 10 mg dans 2 ml (à diluer).

Emploi : médicament appartenant au groupe des moutardes azotées, la chlorméthine agit sur les cellules lymphatiques; elle est utilisée en injections intraveineuses pour traiter des maladies caractérisées par une prolifération excessive des lymphocytes dans certaines leucémies, la maladie de Hodgkin et d'autres tumeurs des ganglions lymphatiques; deux ou plusieurs médicaments antinéoplasiques peuvent être utilisés en même temps selon des protocoles qui varient selon le type de la tumeur et le stade d'évolution.

La chlorméthine est utilisée en application cutanée dans le traitement de certaines formes de psoriasis et d'une affection lymphomateuse maligne de la peau appelée «mycosis fongoïde»; l'utilisation en cas de grossesse et pendant l'allaitement est déconseillée.

Note : le traitement doit être pris en charge par un spécialiste.

CATABEX® (Darcy)

Introd. en 1981. Non remb. SS.

PRINCIPES ACTIFS : sirop contenant de la guaifénésine (fluidifiant des sécrétions bronchiques) et dropropizine (antitussif).

Emploi : utilisé pour calmer la toux.

Précautions : ne pas utiliser chez l'enfant au-dessous de 6 mois ou en cas de grossesse.

Durée du traitement : si la toux persiste après une semaine, si des crachats sanglants ou des effets indésirables apparaissent, arrêtez le traitement et consultez votre médecin.

Note : vendu sans ordonnance; à éviter sans avis médical, surtout chez l'enfant.

CATACOL® (Alcon)

Introd. en 1974. Remb. SS 70%.

PRINCIPE ACTIF : *Inosine*.

Préparations : collyre à 0,1%.

Emploi : proposé dans la cataracte (efficacité à confirmer).

Conservation : à utiliser dans les 15 jours après l'ouverture du flacon.

Note : vendu sans ordonnance; à éviter sans avis médical, comme tous les collyres.

CATALGINE®
(Farmitalia C. Erba)

Introd. en 1965. Remb. SS 70%.

PRINCIPE ACTIF : *Aspirine*.

Préparations : poudre orale en sachets à 0,10 g, 0,25 g, 0,50 g ou 1 g sous forme d'acétylsalicylate de sodium.

Emploi : utilisée pour atténuer la douleur modérée (*analgésique*) et pour faire tomber la fièvre (*antipyrétique*), par exemple dans les états grippaux; à dose élevée, elle diminue les douleurs rhumatismales ainsi que la raideur et la tuméfaction des articulations (*anti-inflammatoire*); enfin, à dose faible, elle peut prévenir la formation de caillots sanguins dans les vaisseaux (*antiagrégant plaquettaire*).

Précautions : ce médicament ne doit pas être utilisé en cas d'allergie à l'aspirine, d'asthme, d'ulcère gastroduodénal évolutif, de maladie grave du foie ou des reins, de maladie hémorragique ou de traitement anticoagulant, de grossesse et chez l'enfant de moins de 10 ans sans avis médical, notamment lorsqu'on soupçonne une grippe ou une varicelle.

Arrêtez le traitement et consultez votre médecin si les douleurs persistent après 5 jours ou si la fièvre ne régresse pas au bout de 3 jours, en cas de bourdonnements d'oreille, de baisse de l'audition, de douleurs abdominales, de vomissements sanglants, de selles noires, de crises d'asthme, de prurit, d'urticaire ou de jaunisse.

Pour les détails → Aspirine.

Note : vendu sans ordonnance; l'efficacité de l'aspirine est généralement reconnue; il existe une préparation avec acide ascorbique qui a peu d'intérêt dans l'emploi proposé («Catalgine® à la vitamine C»).

CATAPRESSAN®
(Boehringer Ingelheim)

Introd. en 1971. Liste II. Remb. SS 70%.

PRINCIPE ACTIF : *Clonidine*.

Préparations : compr. à 0,15 mg; ampoules injectables à 0,15 mg/1 ml.

Emploi : médicament appartenant au groupe des antihypertenseurs utilisés pour faire baisser la tension artérielle et qui agissent en diminuant les impulsions nerveuses qui vont du cerveau au cœur et aux vaisseaux à travers les nerfs sympathiques; ces médicaments dilatent les vaisseaux, diminuent par conséquent la résistance au passage du sang et réduisent le travail cardiaque; en même temps, le rythme cardiaque est ralenti (bradycardie).

Le principal inconvénient de la clonidine est l'élévation brusque de la tension artérielle lorsqu'on oublie de prendre le médicament ou à l'arrêt brusque du traitement (effet «rebond»).

La clonidine est aussi utilisée en milieu hospitalier pour le traitement du syndrome de sevrage des opiacés.

Durée d'action : jusqu'à 20 heures.

Pour les détails → p. 47.

Note : prescrit sur ordonnance médicale.

CATARIDOL® (Martinet)

Introd. en 1963. Remb. SS 70%.

PRINCIPES ACTIFS : collyre contenant du chlorure de calcium et iodure de sodium.

Emploi : proposé dans la sclérose du cristallin (efficacité à confirmer).

Conservation : à utiliser dans les 15 jours après l'ouverture du flacon.

Note : vendu sans ordonnance; à éviter sans avis médical, comme tous les collyres.

CATARSTAT® (Chauvin)

Introd. en 1977. Remb. SS 70%.

PRINCIPES ACTIFS : collyre contenant de la pyridoxine (vitamine B6), glycine, acide glutamique, aspartate de magnésium et de potassium.

Emploi : proposé dans la cataracte (efficacité à confirmer).

Conservation : à utiliser dans les 15 jours après l'ouverture du flacon.

Note : *vendu sans ordonnance; à éviter sans avis médical, comme tous les collyres.*

CAVED'S® (Sarget)

Introd. en 1964. Non remb. SS.

PRINCIPES ACTIFS : comprimés à croquer contenant de l'hydroxyde d'aluminium, carbonate de magnésium, suc de réglisse.

Emploi : proposé pour neutraliser l'excès d'acidité et comme pansement gastrique en cas de brûlures de l'estomac; en cas d'ulcère de l'estomac ou du duodénum, ce médicament ne doit être utilisé que sous surveillance médicale.

Prise du médicament : 1-2 comprimés après les repas et éventuellement au coucher.

Précautions : consultez votre médecin si les troubles persistent et en cas de douleurs ou crampes abdominales, de selles noires, d'amaigrissement, de fièvre.

Ne pas utiliser en cas d'insuffisance rénale sévère ou d'hypertension artérielle; ne pas associer certains antibiotiques (tétracyclines).

Effets indésirables possibles : retard ou diminution de la résorption d'autres médicaments pris par la bouche (respecter un intervalle d'au moins 2 heures); parfois diarrhée.

Note : *vendu sans ordonnance; ne pas utiliser pendant plus de 5 jours sans avis médical.*

CÉBÉDEX® (Chauvin)

Introd. en 1973. Liste I. Remb. SS 70%.

PRINCIPE ACTIF : *Dexaméthasone.*

Préparations : collyre à 10 mg/10 ml.

Emploi : affections inflammatoires non infectieuses, de la partie antérieure de l'œil, conjonctivites allergiques, kératites interstitielles, épisclérites, uvéites antérieures, blépharites.

Conservation : à utiliser dans les 15 jours après l'ouverture du flacon.

Pour les détails → p. 178.

Note : *prescrit sur ordonnance médicale.*

CÉBÉDEXACOL® (Chauvin)

Introd. en 1973. Liste I. Remb. SS 70%.

PRINCIPES ACTIFS : collyre contenant de la dexaméthasone (corticoïde) et chloramphénicol (antibiotique).

Emploi : infections aiguës du segment antérieur de l'œil et de ses annexes.

Précautions : ne pas utiliser en cas d'infections virales, fongiques ou tuberculeuses ou d'antécédents de glaucome ou de réactions allergiques au chloramphénicol.

Surveillance : évitez le traitement prolongé (maximum 10 jours); le traitement exige des contrôles périodiques du sang (numération globulaire) parce que l'absorption du chloramphénicol dans l'organisme peut provoquer une diminution des globules sanguins (→ p. 147) avec des conséquences parfois graves.

Conservation : à utiliser dans les 15 jours après l'ouverture du flacon.

Note : *prescrit sur ordonnance médicale.*

CÉBÉMYXINE® (Chauvin)

Introd. en 1972. Remb. SS 70%.

PRINCIPES ACTIFS : collyre et pommade ophtalmique contenant de la néomycine et polymyxine B (antibiotiques locaux).

Emploi : infections bactériennes aiguës du segment antérieur de l'œil et de ses annexes (dont le diagnostic ne peut être posé que par votre médecin).

Précautions : ne pas utiliser en cas d'infections virales, fongiques ou tuberculeuses, d'antécédents de glaucome ou de réactions allergiques aux antibiotiques.

Conservation : à utiliser dans les 15 jours après l'ouverture du flacon.

Note : *vendu sans ordonnance; à éviter sans avis médical, comme tous les collyres.*

CÉBÉNICOL® (Chauvin)

Introd. en 1973. Liste I. Remb. SS 70%.

PRINCIPE ACTIF : *Chloramphénicol.*

Préparations : collyre, pommade ophtalmique.

Emploi : antibiotique proposé dans les infections bactériennes aiguës du segment antérieur de l'œil et de ses annexes.

Précautions : ne pas utiliser en cas d'allergie au chloramphénicol.

Surveillance : évitez le traitement prolongé (maximum 10 jours); le traitement exige des contrôles périodiques du sang (numération globulaire) parce que l'absorption du chloramphénicol dans l'organisme peut provoquer une diminution des globules sanguins (→ p. 147) avec des conséquences parfois graves.

Conservation : à utiliser dans les 15 jours après l'ouverture du flacon.

Note : prescrit sur ordonnance médicale.

CÉBÉRA® (Bouchara)

Introd. en 1981. Remb. SS 40%.

PRINCIPE ACTIF : *Alibendol*.

Préparations : comprimés à 100 mg; granulé enfants.

Emploi : proposé pour stimuler la sécrétion de la bile dans les troubles digestifs et la constipation.

Précautions : ne pas utiliser en cas d'obstruction des voies biliaires; consultez votre médecin en cas de douleurs ou crampes abdominales d'origine indéterminée, de selles noires, d'amaigrissement, d'urines foncées, de douleurs de la région du foie, de jaunisse.

Note : vendu sans ordonnance; ne pas utiliser pendant plus de 5 jours sans avis médical.

CÉBÉSINE® (Chauvin)

Introd. en 1975. Liste I.

PRINCIPE ACTIF : *Oxybuprocaïne*.

Préparations : collyre à 0,4%.

Emploi : anesthésique local utilisé pour
– l'extraction de corps étrangers superficiels de la cornée et de la conjonctive; ablation de points de suture;
– la mesure de la pression oculaire (tonométrie) et d'autres examens ophtalmologiques.

Note : réservé aux ophtalmologistes.

CEBION® (Merck-Clévenot)

PRINCIPE ACTIF : *Acide ascorbique*.

Emploi : carences en vitamine C.

Pour les détails → Vitamine C.

Note : vendu sans ordonnance; à éviter en automédication (une carence en vitamines ne peut être diagnostiquée que par votre médecin).

CEBUTID® (Boots Pharma)

Introd. en 1979. Liste II. Remb. SS 70%.

PRINCIPE ACTIF : *Flurbiprofène*.

Préparations : comprimés à 50 mg ou 100 mg; gélules à libération prolongée à 200 mg (*Cebutid LP®*); suppositoires à 100 mg.

Emploi : anti-inflammatoire non stéroïdien utilisé dans les inflammations douloureuses des articulations, des capsules articulaires, des muscles ou des tendons et dans d'autres affections déterminées par votre médecin; dans la polyarthrite rhumatoïde et dans l'arthrose, il atténue la douleur, la tuméfaction et la raideur des articulations, mais ne guérit pas la maladie.

Pour les détails → p. 50.

Note : prescrit sur ordonnance médicale.

CÉDILANIDE® (Sandoz)

Introd. en 1943. Liste I. Remb. SS 70%.

PRINCIPE ACTIF : *Deslanoside*.

Préparations : ampoules injectables à 0,4 mg dans 2 ml.

Emploi : dérivé de *Digitalis lanata* utilisé pour traiter l'insuffisance cardiaque (faiblesse du cœur).

Pour les détails → p. 319.

Note : prescrit sur ordonnance médicale.

CÉFACET® (Creapharm)

Introd. en 1992. Liste I. Remb. SS 70%.

PRINCIPE ACTIF : *Céfalexine*.

Préparations : comprimés à 500 mg ou 1000 mg; gélules à 500 mg; sachets à 125 mg ou 250 mg; sirop à 125 mg, 250 mg ou 500 mg par dose.

Emploi : antibiotique du groupe des céphalosporines (→ ce terme) utilisé pour traiter certaines infections bactériennes.

Précautions : ne pas utiliser en cas d'allergie à la pénicilline ou aux céphalosporines, de grossesse ou d'allaitement.

Effets indésirables possibles : nausées, vomissements, diarrhées, prurit et éruption cutanée (réaction allergique: arrêtez le traitement).

Note : prescrit sur ordonnance médicale.

CÉFACIDAL® → Céphalosporines.

CÉFADROXIL → Céphalosporines.

CÉFALINE® HAUTH
(Lab. de l'Homme de Fer)

Introd. en 1981. Non remb. SS.
PRINCIPES ACTIFS : poudre orale contenant
– paracétamol : analgésique à action périphérique et antipyrétique;
– caféine : stimulant central.
Emploi : proposé pour atténuer la douleur modérée *(analgésique)* et pour faire tomber la fièvre *(antipyrétique)*.
Durée du traitement : consultez votre médecin si les douleurs persistent après 5 jours ou si la fièvre ou le mal de gorge ne régressent pas au bout de 3 jours.
Précautions : ce médicament ne doit pas être utilisé en cas d'insuffisance hépatique et chez l'enfant âgé de moins de 10 ans.
Sportifs : ce médicament peut donner une réaction positive lors des tests pour contrôle antidopage.
Effets indésirables possibles : excitation, insomnie, palpitations, éruptions cutanées.
Intoxication : conduire le malade d'urgence à l'hôpital en cas de prise massive accidentelle.
Note : vendu sans ordonnance; l'efficacité du paracétamol est généralement reconnue, mais la présence de caféine a peu d'intérêt dans l'emploi proposé

CÉFALINE® PYRAZOLÉ
(Lab. de l'Homme de Fer)

Introd. en 1967. Liste I. Non remb. SS.
PRINCIPES ACTIFS : poudre orale contenant :
– métamizole sodique (noramidopyrine) : analgésique pyrazolé à action périphérique et antipyrétique à utiliser avec une extrême prudence en raison de sa toxicité potentielle;
– caféine : stimulant central;
– lactose.
Emploi : en raison de sa toxicité, ce médicament est réservé aux douleurs aiguës intenses et rebelles aux autres analgésiques.
Mise en garde : *l'apparition de fièvre, d'angine ou d'ulcérations buccales et l'augmentation de volume des ganglions lymphatiques du cou peuvent être dues à une diminution du nombre des*

globules blancs dans le sang (agranulocytose parfois fatale); ces manifestations imposent l'arrêt du traitement et une numération globulaire d'urgence et une consultation immédiate avec votre médecin.
Note : prescrit sur ordonnance médicale.

CÉFALOJECT® → Céphalosporines.

CÉFALOTINE → Céphalosporines.

CÉFAPÉROS®
(Bristol-Myers Squibb)

Introd. en 1987. Liste I. Remb. SS 70%.
PRINCIPE ACTIF : *Céfatrizine.*
Préparations : gélules à 500 mg; sirop à 125 mg ou 250 mg par dose.
Emploi : antibiotique du groupe des céphalosporines (→ ce terme) utilisé pour traiter certaines infections bactériennes.
Précautions : ne pas utiliser en cas d'allergie à la pénicilline ou aux céphalosporines, de grossesse ou d'allaitement.
Effets indésirables possibles : nausées, vomissements, diarrhées; parfois prurit et éruption cutanée (réaction allergique : arrêtez immédiatement le traitement).
Note : prescrit sur ordonnance médicale.

CÉFAZOLINE → Céphalosporines.

CEFIZOX® → Céphalosporines.

CÉFOBIS® → Céphalosporines.

CÉFODOX® (Roussel)

Introd. en 1991. Liste I. Remb. SS 70%.
PRINCIPE ACTIF : *Cefpodoxime.*
Préparations : comprimés à 100 mg (cefpodoxime-proxétil).
Emploi : antibiotique du groupe des céphalosporines (→ ce terme) utilisé pour traiter certaines infections bactériennes, notamment angines, pharyngites et sinusites aiguës.
Précautions : ne pas utiliser en cas d'allergie à la pénicilline ou aux céphalosporines, de grossesse ou d'allaitement; espacement des prises en cas d'insuffisance rénale.

Effets indésirables possibles : fatigue, nausées, vomissements, diarrhées, prurit, éruption cutanée (réaction allergique : arrêtez le traitement).
Note : prescrit sur ordonnance médicale.

CÉLECTOL® (Pharmuka)

Introd. en 1988. Liste I. Remb. SS 70%.
Principe actif : ***Céliprolol.***

Préparations : comprimés à 200 mg.

Emploi : médicament appartenant au groupe très nombreux des bêta-bloquants utilisé :
– pour abaisser la tension artérielle chez les hypertendus (antihypertenseur);
– pour prévenir les crises d'angine de poitrine (antiangoreux).
Il s'agit d'un bêta-bloquant de type «cardiosélectif».
Pour les détails → p. 96.
Note : prescrit sur ordonnance médicale.

CÉLESTAMINE®
(Schering-Plough)

Introd. en 1965. Liste I. Remb. SS 70%.

Préparations : comprimés contenant
– bétaméthasone (0,25 mg) : corticoïde (Célestène®);
– dexchlorphéniramine (2 mg) : antihistaminique ayant une action sédative et atropinique (Polaramine®).

Emploi : proposé par voie orale pour atténuer les réactions inflammatoires et allergiques, notamment les manifestations allergiques respiratoires, oculaires et cutanées; la bétaméthasone est un médicament puissant qui, s'il n'est pas utilisé selon la prescription médicale, peut provoquer des effets indésirables graves.
Pour les détails → p. 45 et p. 176.
Note : prescrit sur ordonnance médicale.

CÉLESTÈNE® (Schering-Plough)

Introd. en 1965. Liste I. Remb. SS 70%.
Principe actif : ***Bétaméthasone.***

Préparations : comprimés à 0,5 et 1 mg; soluté buvable à 0,5 mg/ml; ampoules injectables à 4 mg dans 1 ml, 8 mg dans 2 ml et 20 mg dans 5 ml; suspension injectable (*Célestène Chronodose®*).

Emploi : médicament apparenté à la cortisone utilisé par voie orale ou en injections pour atténuer les réactions inflammatoires et allergiques, ainsi que dans le traitement de maladies telles que des allergies cutanées graves, des crises d'asthme, ou des polyarthrites évolutives; il s'agit d'un médicament puissant qui, s'il n'est pas utilisé selon la prescription médicale, peut provoquer des effets indésirables graves.
Durée d'action : 12-24 heures.
Pour les détails → p. 176.
Note : prescrit sur ordonnance médicale.

CÉLESTODERM®
(Schering-Plough)

Introd. en 1966. Liste I. Remb. SS 70%.
Principe actif : ***Bétaméthasone.***

Préparations : crème, pommade à 0,10% ou 0,05%.

Emploi : corticoïde fluoré d'activité forte (classe II) utilisé en application locale pour soulager la douleur, le prurit et les signes d'inflammation et d'irritation de la peau, notamment dans l'eczéma et la dermatite allergique provoquée par le contact avec des plantes, métaux, produits de nettoyage, cosmétiques, etc.
Pour les détails → p. 205.
Note : prescrit sur ordonnance médicale.

CELIPTIUM® (Pasteur Vaccins)

Introd. en 1983. Liste I. Remb. SS 100%.
Principe actif : ***Acétate d'elliptinium.***
Préparations : poudre pour préparation injectable en flacons à 50 mg.
Emploi : médicament appartenant au groupe des agents intercalants, utilisé dans les services spécialisés pour traiter les proliférations cellulaires anormales du sein.
Note : le traitement doit être pris en charge par un spécialiste.

CELLTOP® (Farmitalia C. Erba)

Introd. en 1993. Liste I.
Principe actif : ***Etoposide.***
Préparations : solution injectable en ampoules à 100 mg dans 5 ml.
Emploi : médicament appartenant au groupe des antinéoplasiques employé par voie orale ou en perfusion intraveineuse pour traiter les proliférations cellulaires anormales au niveau du testicule, du poumon, des

ganglions lymphatiques, des leucémies aiguës et d'autres affections. L'étoposide est un dérivé semisynthétique de la podophyllotoxine inhibant l'entrée en mitose des cellules tumorales.
Note : réservé aux hôpitaux.

CELNIUM® (Millot-Solac)

Introd. en 1988. Non remb. SS.
Préparations : capsules contenant 50 µg de sélénium.
Emploi : élément minéral-trace proposé dans les affections musculaires et cutanées.
Effets indésirables possibles : vomissements, perte des cheveux et modification des ongles en cas d'usage prolongé.
Note : vendu sans ordonnance; efficacité du principe actif à confirmer dans l'emploi proposé.

CÉLOCURINE® (Kabi Pharmacia)

Introd. en 1954. Liste I.
PRINCIPE ACTIF : *Suxaméthonium.*
SYNONYME : succinylcholine.
Préparations : ampoules injectables à 10 mg/ml; poudre pour solution injectable en flacons à 0,1 g ou 1 g.
Emploi : curarisant dépolarisant (leptocurare) utilisé en chirurgie pour obtenir une relaxation musculaire de brève durée (3 à 10 minutes).
Note : réservé aux hôpitaux.

CÉMAFLAVONE® (Thérica)

Introd. en 1969. Remb. SS 40%.
PRINCIPES ACTIFS : solution buvable contenant des citroflavonoïdes, ascorbate de magnésium et métabisulfite de potassium.
Emploi : proposé dans les troubles de la fragilité capillaire et l'insuffisance veineuse et lymphatique (jambes lourdes, etc.).
Précautions : consultez votre médecin en cas de suspicion de phlébite (jambes rouges et/ou chaudes, douloureuses, surtout si d'un seul côté et avec fièvre).
Note : vendu sans ordonnance; efficacité des principes actifs à confirmer dans l'emploi proposé.

CEMIX® → Céphalosporines.

CENTOXIN® (Centocor)

Introd. en 1991.
PRINCIPE ACTIF : solution injectable pour perfusion contenant 100 mg d'un anticorps monoclonal humain de type IgM anti-endotoxine.
Emploi : proposé dans le traitement en soins intensifs des septicémies et du choc septique.
Note : réservé aux hôpitaux.

CENTRALGOL® (Zyma)

Introd. en 1977. Liste I. Remb. SS 70%.
PRINCIPE ACTIF : *Proxibarbal.*
Préparations : comprimés à 300 mg.
Emploi : médicament appartenant au groupe des barbituriques proposé dans les manifestations mineures de l'anxiété et de la ménopause (bouffées de chaleur, irritabilité, etc.); utilisation limitée car les barbituriques ne sont pas recommandés en dehors du traitement de l'épilepsie.
Alcool et sédatifs : évitez les boissons alcoolisées, de tranquillisants et de somnifères pendant le traitement.
Conduite de véhicules : il faut éviter de conduire des véhicules ou d'utiliser des machines en raison de la somnolence diurne et la diminution de la vigilance.
Risque de dépendance : la prise prolongée peut créer une dépendance; la dépendance se traduit par un fort besoin de prendre le médicament, une tendance à augmenter les doses (tolérance, des troubles psychiques, des symptômes de «sevrage» si vous arrêtez le traitement, notamment fatigue, faiblesse, dépression, déficits intellectuels et affectifs, nausées, crampes d'estomac, vomissements, tremblements, confusion.
Note : prescrit sur ordonnance médicale.

CÉPAZINE® (Clin Midy)

Introd. en 1988. Liste I. Remb. SS 70%.
PRINCIPE ACTIF : *Céfuroxime-axétil.*
Préparations : comprimés à 125 mg ou 250 mg.
Emploi : antibiotique du groupe des céphalosporines (→ ce terme) utilisé pour traiter des infections à germes sensibles, notamment urinaires, oto-rhino-laryngologiques et broncho-pulmonaires; actif contre *Branhamella catarrhalis*.

Précautions : ne pas employer en cas d'allergie aux pénicillines ou aux céphalosporines.

Effets indésirables possibles : troubles digestifs, visage enflé, œdème des lèvres, de la langue ou de la gorge avec voix rauque, difficulté à avaler et à respirer (œdème de Quincke); éruptions cutanées.

Note : prescrit sur ordonnance médicale.

CÉPÉVIT K® (Darcy)

Introd. en 1954. Non remb. SS.

PRINCIPES ACTIFS : comprimés contenant acide ascorbique (vitamine C), ménadione (vitamine K3), esculoside et hespéridine.

Emploi : fragilité capillaire.

Note : produit à éviter sans avis médical; une carence en vitamines ne peut être diagnostiquée que par votre médecin.

CÉPHYL® (Boiron)

Introd. en 1944. Non remb. SS.

PRINCIPES ACTIFS: comprimés contenant
– acide acétylsalicylique (aspirine) : analgésique et antipyrétique;
– éthenzamide : dérivé salicylé analgésique et antipyrétique;
– caféine : stimulant central;
– composants homéopathiques divers.

Emploi : proposé pour atténuer la douleur modérée *(analgésique)* et pour faire tomber la fièvre *(antipyrétique)*.

Durée du traitement : consultez votre médecin si les troubles persistent après 5 jours ou si la fièvre ne régresse pas au bout de 3 jours.

Précautions : ce médicament ne doit pas être utilisé en cas d'allergie à l'aspirine, d'asthme, d'ulcère gastroduodénal en évolution, de maladie hémorragique ou traitement anticoagulant, de grossesse et chez l'enfant âgé de moins de 10 ans sans avis médical.

Effets indésirables possibles : nausées, vomissements, douleurs gastriques, bourdonnements d'oreille, baisse de l'audition, maux de tête; consultez votre médecin en cas de douleurs abdominales, de vomissements sanglants, de selles noires, d'asthme, de prurit, d'urticaire ou de jaunisse.

Note : vendu sans ordonnance; l'efficacité de l'aspirine est généralement reconnue, mais les autres composants ont peu d'intérêt dans l'emploi proposé.

CÉPOREXINE® (Glaxo)

Introd. en 1972. Liste I. Remb. SS 70%.

PRINCIPE ACTIF : *Céfalexine*.

Préparations : comprimés à 500 mg ou 1000 mg; gélules à 500 mg; sachets à 125 mg ou 250 mg; sirop à 125 mg, 250 mg ou 500 mg par dose.

Emploi : antibiotique du groupe des céphalosporines (→ ce terme) utilisé pour traiter certaines infections.

Précautions : ne pas utiliser en cas d'allergie à la pénicilline ou aux céphalosporines, de grossesse ou d'allaitement.

Effets indésirables possibles : nausées, vomissements, diarrhées; parfois prurit, éruption cutanée.

Note : prescrit sur ordonnance médicale.

CÉPORINE® → Céphalosporines.

CÉQUINYL® (Sterling Midy)

Introd. en 1984. Non remb. SS.

PRINCIPES ACTIFS : comprimés contenant
– paracétamol : analgésique et antipyrétique;
– quinine chlorhydrate: antipaludique;
– acide ascorbique : vitamine C.

Emploi : proposé pour atténuer la douleur modérée *(analgésique)* et pour faire tomber la fièvre *(antipyrétique)*.

Durée du traitement : consultez votre médecin si les douleurs persistent après 5 jours ou si la fièvre ou le mal de gorge ne régressent pas au bout de 3 jours.

Précautions : ne pas utiliser en cas d'insuffisance rénale, de déficit congénital en glucose-6-phosphate déhydrogénase (G6PD) ou chez l'enfant âgé de moins de 7 ans.

Effets indésirables possibles :
– liés au paracétamol : respiration sifflante, éruption cutanée, urines orangées, jaunisse;
– liés à la quinine : vertiges, bourdonnements d'oreilles, surdité, vision trouble; certains sujets sont anormalement sensibles à la quinine qui dès la première ou les premières doses, provoque des effets indésirables parfois graves, notamment de la fièvre, une éruption cutanée ou une crise d'asthme, une accélération du

→ p. 141

Si vous utilisez l'une des spécialités suivantes contenant un antibiotique du groupe des céphalosporines...

PREMIÈRE GÉNÉRATION

CÉFACÉTRILE.
 Célospor® (Ciba-Geigy) [inject.].
CÉFACLOR.
 Alfatil® (Lilly) [orale].
CÉFADROXIL.
 Céfadroxil (Panmedica).
 Céfadroxil (Panpharma).
 Oracéfal® (Bristol-Myers Squibb)
 [orale].
CÉFALEXINE.
 Céfacet® (Creapharm).
 Céporexine® (Glaxo) [orale].
 Kéforal® (Lilly) [orale].
CÉFALORIDINE.
 Céporine® (Glaxo) [inject.].
CÉFALOTINE.
 Céfalotine (Panpharma) [inject.].
 Keflin® (Lilly) [inject.].
CÉFAPIRINE.
 Céfaloject® (Bristol-Myers Squibb)
 [inject.].
CÉFATRIZINE.
 Céfapéros® (Bristol-Myers Squibb)
 [orale].
CÉFAZOLINE.
 Céfacidal® (Bristol-Myers Squibb)
 [inject.].
 Céfazoline (Panpharma) [inject.].
 Kefzol® (Lilly) [inject.].
CÉFRADINE.
 Kelsef® (Gallier) [orale].

DEUXIÈME GÉNÉRATION

CÉFAMANDOLE.
 Kéfandol® (Lilly) [inject.].
CÉFOXITINE.
 Mefoxin® (MSD-Chibret) [inject.].
CÉFUROXIME.
 Curoxime® (Glaxo) [inject.].
CÉFUROXIME AXÉTIL.
 Cépazine® (Clin Midy) [orale].
 Zinnat® (Glaxo) [orale].

TROISIÈME GÉNÉRATION

CÉFIXIME.
 Oroken® (Pharmuka) [orale].
CÉFMÉNOXIME.
 Cemix® (Takeda) [inject.].
CÉFOPÉRAZONE.
 Céfobis® (Pfizer) [inject.].
CÉFOTAXIME.
 Claforan® (Roussel) [inject.].
CÉFOTÉTAN.
 Apacef® (Zeneca-Pharma) [inject.].
CÉFOTIAM
 Pansporine® (Takeda) [inject.].
CEFPODOXIME.
 Céfodox® (Roussel) [orale].
 Orelox® (Diamant) [orale].
CEFSULODINE.
 Pyocéfal® (Takeda) [inject.].
CEFTAZIDIME. *Fortum®* (Glaxo) [inject.].
CEFTIZOXIME.
 Cefizox® (Pharmuka) [inject.].
CEFTRIAXONE.
 Rocéphine® (Roche) [inject.].
LATAMOXEF
 Moxalactam (Lilly) [inject.].

Emploi : les céphalosporines appartiennent au groupe des antibiotiques qui sont des médicaments utilisés pour traiter les infections causées par des bactéries; ils agissent soit en tuant les bactéries (action bactéricide) soit en arrêtant leur croissance (action bactériostatique); ils n'agissent pas dans les infections virales, par exemple le rhume ou la grippe. La plupart des céphalosporines sont utilisées en injections, mais certaines sont actives par voie orale.

Classification : les céphalosporines sont classées en 3 «générations» selon leur activité contre les bactéries.

Un grand nombre de spécialités ont été introduites sur le marché; certains produits sont réservés à l'hôpital et sont administrés en perfusion intraveineuse.

Allergie : informez votre médecin si vous avez déjà fait une réaction allergique ou inhabituelle à une céphalosporine ou à une pénicilline.

État de santé : vous devez informer votre médecin de toute affection susceptible de modifier les effets du médicament, notamment :

– tendance aux hémorragies (certaines céphalosporines, notamment céfamandole, céfopérazone, céfotétan, cefménoxime, latamoxef, peuvent augmenter les risque de saignements);

– maladies du rein (les doses de certaines céphalosporines doivent être réduites en cas d'insuffisance rénale).

Grossesse et allaitement : l'innocuité n'ayant pas été établie chez la femme enceinte, ni lors de l'allaitement, l'usage est déconseillé par mesure de prudence.

Interactions : il faut informer votre médecin si vous prenez ou avez pris récemment d'autres médicaments, notamment des anticoagulants, acide valproïque, dipyridamole, pentoxifylline, sulfinpyrazone; en effet, ces médicaments peuvent augmenter le risque d'hémorragies s'ils sont utilisés en même temps que certaines céphalosporines, notamment céfamandole, céfopérazone, céfotétan, cefménoxime ou latamoxef.

Oubli : si vous oubliez de prendre le médicament, ne doublez pas la dose suivante.

Prise du médicament : on conseille de prendre les préparations orales 15 à 30 minutes après les repas.

Durée du traitement : respectez la durée de prescription de votre médecin; en effet, même si les fièvre et les autres signes d'infection disparaissent, l'arrêt du traitement vous expose à des complications ou à une rechute; en cas d'infection à streptocoques, vous devez continuer à prendre le médicament pendant au moins 10 jours sous peine de vous exposer à des lésions du cœur ou des reins.

Alcool : évitez les boissons alcoolisées pendant le traitement avec certaines céphalosporines, notamment céfamandole, céfopérazone, céfotétan, cefménoxime, latamoxef; en effet, l'alcool peut provoquer un malaise, des bouffées de chaleur, une rougeur de la face et du cou, une accélération du pouls et d'autres troubles (effet «antabuse»).

En cas de diabète : ces médicaments peuvent produire une réaction faussement positive lors de la recherche du glucose dans les urines.

Effets indésirables possibles :
– diarrhées, perte de l'appétit, nausées, vomissements, maux de tête, douleurs épigastriques);
– diarrhée grave avec selles aqueuses très fréquentes, douleurs, crampes abdominales (colite grave);
– saignements, troubles de la coagulation du sang observés avec certaines céphalosporines, par exemple céfamandole, céfopérazone, céfotétan, cefménoxime, latamoxef; ces troubles peuvent être corrigés par l'administration de vitamine K;
– prurit, urticaire, bouffissure des paupières et des lèvres (œdème de Quincke), fièvre, état de choc (réactions allergiques);
– vertiges, malaises, douleurs articulaires, respiration difficile.

[suite de la p. 139]
pouls et une chute de la tension artérielle avec vertiges, syncope et risque d'arrêt du cœur.
Note: *vendu sans ordonnance; l'efficacité du paracétamol est généralement reconnue, mais la quinine et la vitamine C ont peu d'intérêt dans l'emploi proposé.*

CÉRAT® inaltérable
(Roche-Posay)

Introd. en 1937. Non remb. SS.
PRINCIPES ACTIFS : pommade contenant du dioxyde de titane, silicate d'aluminium, cire d'abeille et huile de paraffine.
Emploi : proposé dans l'irritation et la sécheresse de la peau.
Note : *produit vendu sans ordonnance.*

CÉRÉBROL®
(Boehringer Ingelheim)

Introd. en 1974. Non remb. SS.
PRINCIPE ACTIF : **Déanol**.
Préparations : capsules, solut. buvable.
Emploi : stimulant non spécifique proposé dans la fatigue.
Précautions : ne doit pas être utilisé en cas d'épilepsie, chez l'enfant de moins de 8 ans, en cas de grossesse (innocuité non établie) et d'allaitement; consultez votre médecin si la fatigue persiste (il peut s'agir d'une dépression ou d'une maladie nécessitant un traitement spécifique) ou en cas d'amaigrissement.
Note : *vendu sans ordonnance; efficacité du principe actif à confirmer dans l'emploi proposé.*

CERNÉVIT® (Clintec)

Introd. en 1989. Liste II.

PRINCIPES ACTIFS : poudre pour solution injectable contenant des vitamines hydrosolubles (préparation polyvitaminée), sauf la vitamine K.

Emploi : proposé pour fournir des suppléments de vitamines dans les «carences vitaminiques multiples» lorsque la voie buccale est impossible.

Note : prescrit sur ordonnance médicale.

CÉRUBIDINE® (R. Bellon)

Introd. en 1968. Liste I. Remb. SS 100%.

PRINCIPE ACTIF : **Daunorubicine**.

SYNONYMES : daunomycine, rubidomycine.

Préparations : poudre pour solution injectable en flacons à 20 mg.

Emploi : médicament appartenant au groupe des anthracyclines utilisés pour traiter les proliférations cellulaires anormales et d'autres affections déterminées par votre médecin.

La daunorubicine est utilisée en injections dans le traitement des leucémies, de la maladie de Hodgkin et d'autres tumeurs des ganglions lymphatiques.

Le principal effet indésirable de la daunorubicine est sa toxicité cardiaque.

Note : le traitement doit être pris en charge par un spécialiste.

CERULEX® (Farmitalia C. Erba)

Introd. en 1985.

PRINCIPE ACTIF : **Cérulétide**.

Préparations : solution injectable en ampoules à 5 μg dans 1 ml; poudre pour solution injectable en flacons à 30 μg.

Propriétés : décapeptide de synthèse qui stimule la sécrétion pancréatique exocrine, la musculature de la vésicule biliaire et le péristaltisme intestinal.

Emploi : produit utilisé dans l'imagerie radiologique des voies biliaires.

Précautions : ne pas employer en cas d'occlusion intestinale, pancréatite aiguë ou subaiguë, insuffisance cardiaque décompensée, sujets âgés de moins de 16 ans.

Note : réservé aux hôpitaux.

CÉRULYSE® (Chauvin)

Introd. en 1957. Non remb. SS.

Préparations : solution auriculaire contenant 5% de xylène.

Emploi : utilisé pour ramollir les bouchons de cérumen de l'oreille.

Précautions : ne pas utiliser en cas de perforation du tympan ou d'allergie au produit.

Note : vendu sans ordonnance; à éviter sans avis médical.

CERVAGÈME® (R. Bellon)

Introd. en 1986. Liste I.

PRINCIPE ACTIF : **Géméprost**.

Préparations : ovules à 1 mg.

Emploi : analogue de la prostaglandine E$_1$ utilisé en milieu hospitalier pour préparer le col utérin aux explorations et interventions endo-utérines et, en association avec la mifépristone, dans l'interruption médicale de la grossesse.

Note : réservé aux hôpitaux.

CERVILANE® (Cassenne)

Introd. en 1978. Liste II. Remb. SS 40%.

PRINCIPES ACTIFS : comprimés contenant de la dihydroergocristine (vasodilatateur dérivé d'un alcaloïde de l'ergot de seigle) et lomifylline (dérivé de la théophylline).

Emploi : proposé dans les troubles vasculaires liés au vieillissement cérébral; l'efficacité des vasodilatateurs périphériques dans ces affections reste à confirmer.

Précautions : ne pas utiliser en cas de grossesse.

Note : prescrit sur ordonnance médicale.

CERVOXAN®
(SmithKline Beecham)

Introd. en 1978. Liste II. Remb. SS 40%.

PRINCIPE ACTIF : **Vinburnine**.

Préparations : gélules à 20 mg ou à 60 mg; amp. inject. à 15 mg/1 ml.

Propriétés : vasodilatateur périphérique ayant un effet spasmolytique analogue à celui de la papavérine.

Emploi : proposé dans les troubles psychiques et du comportement liés au vieillissement cérébral et dans l'ischémie cochléo-vestibulaire, rétinienne et dans les séquelles d'accidents vasculaires cérébraux; l'efficacité des vasodilatateurs périphériques dans ces affections reste à confirmer.

Précautions : ne pas employer en cas d'antécédents d'hépatite, d'hypertension intracrânienne, de grossesse.

Note : prescrit sur ordonnance médicale.

CÉTAVLON® (Zeneca-Pharma)

Introd. en 1950.

PRINCIPE ACTIF : *Cétrimide.*

– Solution alcoolique à 0,5% ou solution concentrée. Non remb. SS.

– Crème à 0,5%. Remb. SS 70%.

Propriétés : ammonium quaternaire ayant une action bactéricide, fongistatique et détergente.

Emploi : utilisé pour désinfecter les plaies cutanées superficielles.

Note : vendu sans ordonnance; efficacité généralement reconnue dans l'emploi proposé.

CÉTOGLUTARAN®
(Soekami-Lefrancq)

Introd. en 1983. Non remb. SS.

PRINCIPE ACTIF : *Cétoglutarate de calcium.*

Préparations : poudre orale à 2 g par sachet.

Emploi : stimulant non spécifique proposé dans la fatigue.

Précautions : consultez votre médecin si la fatigue persiste (il peut s'agir d'une dépression ou d'une maladie nécessitant un traitement spécifique) ou en cas d'amaigrissement.

En cas de diabète : tenir compte du contenu en sucre du produit.

Note : vendu sans ordonnance; efficacité du principe actif à confirmer dans l'emploi proposé.

CÉTORNAN® (Logeais)

Introd. en 1988.

Préparations : poudre pour solution buvable et solution entérale (par sonde) contenant de l'oxoglurate de L-ornithine monohydraté.

Emploi : proposé comme adjuvant de la nutrition chez les sujets dénutris.

Note : réservé collectivités.

CÉTRAPHYLLINE®
(Schering-Plough)

Introd. en 1983. Remb. SS 70%.

PRINCIPE ACTIF : *Théophylline.*

Préparations : gélules à 125 mg ou 250 mg.

Emploi : la théophylline est un dérivé de la xanthine qui dilate les bronches et facilite le passage de l'air; elle est utilisée en cas d'asthme, de bronchite chronique, d'emphysème pulmonaire et dans d'autres affections.

Pour les détails → Théophylline.

Note : vendu sans ordonnance; à éviter en automédication.

CHARBON DE BELLOC®
(Ardeval)

Introd. en 1849. Non remb. SS.

PRINCIPE ACTIF : *Charbon activé.*

SYNONYME : charcoal.

Préparations : poudre pour suspension buvable; pastilles à 0,9 g.

Propriétés : adsorbant des gaz, des liquides et des toxines.

Emploi : utilisé dans les flatulences, l'excès de gaz (aérophagie, météorisme abdominal).

Précautions : il faut laisser un intervalle libre d'au moins 2 heures entre la prise du charbon et celle d'un autre médicament dont l'absorption digestive pourrait être diminuée.

Note : vendu sans ordonnance; ne pas utiliser pendant plus de 5 jours sans avis médical.

CHÉNODEX® (Houdé)

Introd. en 1977. Liste I. Remb. SS 70%.

PRINCIPE ACTIF : *Acide chénodésoxycholique.*

SYNONYME : chénodiol.

Préparations : comprimés à 250 mg.

Emploi : l'acide chénodésoxycholique est normalement présent dans la bile (il est l'un des acides biliaires) et, dans l'organisme, joue un rôle dans la régulation du taux du cholestérol; lorsqu'il est administré par voie buccale, il diminue la concentration du cholestérol dans la bile et par conséquent favorise la dissolution des calculs présents dans la vésicule biliaire; il est utilisé en cas de calculs biliaires lorsqu'une intervention chirurgicale n'est pas indiquée ou comporterait un risque élevé; ce médicament n'agit que sur les calculs de cholestérol de petite dimension et si la vésicule biliaire a une fonction satisfaisante. La rechute après l'arrêt du traitement est fréquente.

Pour les détails → p. 231.

Note : prescrit sur ordonnance médicale.

CHIBRO-ATROPINE®
(M., S. & D. -Chibret)

Introd. en 1952. Liste I. Remb. SS 70%.

PRINCIPE ACTIF : *Atropine*.

SYNONYME : DL-Hyosciamine.

Préparations : collyre à 0.5% et 1%.

Emploi : le collyre provoque une dilatation de la pupille (mydriase passive) et une paralysie des muscles de l'accommodation (cycloplégie) qui permettent la mise au point d'objets rapprochés; il est utilisé dans la préparation à l'examen du fond d'œil et à la chirurgie oculaire, ainsi que dans certaines affections oculaires.

Précautions : l'instillation de ce collyre provoque des troubles de la vue et une perception double des objets (diplopie) qui peuvent gêner les conducteurs de véhicules lorsque les deux yeux ont été traités.

Effets indésirables possibles : sécheresse de la bouche, du nez et de la gorge, difficulté à uriner (surtout chez les prostatiques), palpitations, accélération du pouls.

Conservation : tout flacon entamé doit être utilisé dans les 15 jours.

Note : prescrit sur ordonnance médicale.

CHIBRO-BORALINE®
(M., S. & D.-Chibret)

Introd. en 1952. Remb. SS 70%.

PRINCIPES ACTIFS : collyre contenant de la synéphrine (vasoconstricteur), benzalkonium, acide borique et borate de sodium.

Emploi : proposé dans les irritations de la conjonctive et des annexes («yeux rouges»).

Précautions : ne pas utiliser en cas de glaucome à angle fermé, d'hypertension artérielle et chez l'enfant âgé de moins de 3 ans.

Durée du traitement : consultez votre médecin si les troubles persistent plus de 48 heures.

Sportifs : ce médicament peut donner une réaction positive en cas de tests pratiqués lors des contrôles antidopage.

Conduite de véhicules : ce médicament peut dilater les pupilles (mydriase) et provoquer des troubles visuels; la conduite de véhicules ou l'utilisation de machines peut être dangereuse en cas d'instillation répétées.

Conservation : à utiliser dans les 15 jours après l'ouverture du flacon.

Note : vendu sans ordonnance; à éviter sans avis médical, comme tous les collyres.

CHIBRO-CADRON®
(M., S. & D.-Chibret)

Introd. en 1962. Liste I. Remb. SS 70%.

PRINCIPES ACTIFS : solution pour instillations ophtalmiques, auriculaires et pulvérisations nasales contenant de la dexaméthasone (corticoïde) et de la néomycine (antibiotique).

Emploi : infections microbiennes aiguës du segment antérieur de l'œil, otites externes à tympan fermé, infections de la muqueuse de la bouche et de la gorge.

Précautions : ne pas utiliser en cas d'infections virales, fongiques ou tuberculeuses ou d'antécédents de glaucome; vérifier l'état du tympan avant toute application auriculaire.

Conservation : à utiliser dans les 15 jours après reconstitution.

Note : prescrit sur ordonnance médicale.

CHIBRO-PILOCARPINE®
(M., S. & D.-Chibret)

Introd. en 1952. Remb. SS 70%.

PRINCIPE ACTIF : *Pilocarpine*.

Préparations : collyre à 1% ou 2%.

Emploi : cholinergique utilisé pour contracter la pupille (myotique) et diminuer la tension intraoculaire dans le glaucome et dans d'autres affections. La durée d'action augmente avec la concentration du collyre.

Conduite de véhicules : l'attention des conducteurs de véhicules est attirée sur la gêne visuelle après emploi du collyre.

Effets indésirables possibles : les instillation répétées peuvent entraîner un passage du médicament dans la circulation avec salivation, larmoiement, transpirations, nausées et

vomissements, spasme bronchique, hypotension artérielle.
Conservation : tout flacon entamé doit être utilisé dans les 15 jours.
Note : vendu sans ordonnance; à éviter sans avis médical.

CHIBRO-PROSCAR®
(M., S. & D.-Chibret)

Introd. en 1992. Liste I. Non remb. SS.
PRINCIPE ACTIF : ***Finastéride.***
Préparations : comprimés à 5 mg.
Propriétés : ce médicament agit en inhibant la 5-alpha-réductase qui est un enzyme intracellulaire nécessaire à la transformation de la testostérone en dihydrotestostérone (DHT).
Emploi : proposé pour traiter les symptômes gênants d'une hypertrophie de la prostate bénigne ne justifiant pas une intervention chirurgicale; les effets ne se manifestent qu'après quelques mois de traitement.
Précautions : ce médicament ne doit en aucun cas administré à la femme.
Effets indésirables possibles : impuissance, diminution de la libido, diminution du volume du sperme.
Note : prescrit sur ordonnance médicale.

CHIBROXINE®
(M., S. & D.-Chibret)

Introd. en 1990. Liste I. Remb. SS 70%.
PRINCIPE ACTIF : ***Norfloxacine.***
Préparations : collyre à 3 mg/ml.
Emploi : fluoroquinolone proposé dans les infections superficielles de l'œil.
Conservation : tout flacon entamé doit être utilisé dans les 15 jours.
Note : prescrit sur ordonnance médicale.

CHLORAMINOPHÈNE®
(Techni-Pharma)

Introd. en 1956. Liste I. Remb. SS 100%.
PRINCIPE ACTIF : ***Chlorambucil.***
Préparations : dragées à 2 mg.
Emploi : médicament appartenant au groupe des moutardes azotées. Le chlorambucil agit sur les cellules tumorales, entravant leur croissance, et est utilisé pour traiter certaines maladies caractérisées par une prolifération excessive des lymphocytes dans les leucémies lymphoïdes, la maladie de Hodgkin et d'autres tumeurs des ganglions lymphatiques. Si vous avez une polyarthrite rhu-

matoïde traitée par des corticoïdes, le passage au chlorambucil demande une réduction progressive des doses des corticoïdes.
Note : le traitement doit être pris en charge par un spécialiste.

CHLORAMMONIC®
(Promedica)

Introd. en 1952. Remb. SS 40%.
PRINCIPE ACTIF : ***Chlorure d'ammonium.***
Préparations : dragées à 0,5 g.
Emploi : proposé comme acidifiant urinaire dans les infections urinaires avec urine alcaline et pour prévenir la formation de calculs urinaires contenant du calcium (lithiases calciques) dont le diagnostic ne peut être posé que par votre médecin.
Précautions : ne pas utiliser en cas d'insuffisance rénale ou d'intolérance au gluten.
Surveillance : des contrôles périodiques du sang et des urines sont nécessaires en cas de traitement prolongé
Note : vendu sans ordonnance; à éviter en automédication.

CHLORHEX-A-MYL®
(Blend-A-Pharm)

Introd. en 1984. Non remb. SS.
Principes actifs et emploi : bain de bouche contenant de la chlorhexidine (antiseptique local).
Emploi : antiseptique buccal proposé dans le «mal de gorge» de l'adulte sans fièvre.
Précautions : ne pas employer chez l'enfant de moins de 30 mois
Note : vendu sans ordonnance; ne pas utiliser pendant plus de 5 jours sans avis médical.

CHLORHEXIDINE

SPÉCIALITÉS :
Chlorhex-A-Myl® (Blend-A-Pharm) [sol. pour bain de bouche].
Collunovar® *Atomiseur* (Dexo) [collutoire].
Hibident® (Zeneca) [sol. pour bain de bouche].
Hibidil® (Zeneca) [sol. à 0,05%].
Hibiscrub® (Zeneca) [sol. moussante à 4%].
Hibisprint® (Zeneca) [sol. alcoolique à 0,5%]
Hibitane® (Zeneca) [sol. à 5% et 20%]

Plurexid® (Bottu)
  [sol. moussante à 1,5%].
Rhino-Blache® (Gallier)
  [solution nasale].
Septeal® (P. Fabre)
  [sol. alcoolique à 0,5%].
Urgospray® (Urgo)
  [sol. alcoolique à 0,125%].
Vitacontact® [sol. à 20% pour
  lentilles cornéennes].
Emploi: bactéricide externe à large
spectre utilisé dans les conditions
suivantes (respecter les dilutions
préconisées par le fabricant) :
– *Nettoyage et antisepsie des plaies* :
  solution à 0,05% (dilution au 1 :100
  de la solution à 5% ou 2,5 :1000 de la
  solution à 20%).
– *Préparation du champ opératoire* :
  solution à 0,5% (dilution au 1 :10 de
  la solution à 5%).
– *Irrigation vésicale :* solution à 0,02%
  (dilution à 1 :1000 de la solut. à 20%).
– *Irrigation d'autres cavités :* solution
  à 0,02% + NaCl à 9% (dilution à
  1 :1000 de la solution à 20% dans du
  sérum physiologique).
– *Antisepsie des mains* : solution
  alcoolique à 0,5% (laisser sécher sans
  rincer).
Effets indésirables possibles : la chlorhexidine est très peu absorbée par
voie cutanée; les effets indésirables
sont favorisés par la répétition des
applications, l'utilisation sur une
grande surface, sous pansement occlusif, sur une peau lésée, chez le
prématuré ou le nourrisson; les réactions allergiques sont rares.
*Note : médicaments vendus sans ordon-
nance; efficacité généralement reconnue
dans l'emploi proposé.*

CHLORIDIA® (Aérocid)

Introd. en 1951. Non remb. SS.
PRINCIPES ACTIFS : solution buvable
contenant de l'acide chlorhydrique,
pepsine, amyléine, chloroforme.
Emploi : proposé en cas d'acidité gastrique insuffisante (achlorhydrie).
Précautions : ne pas utiliser en cas
d'ulcère gastroduodénal.
Durée du traitement : doit être limitée à
quelques jours.
*Note: vendu sans ordonnance; utilisation
limitée du fait de la présence de
chloroforme qui est toxique pour le foie.*

CHLORO-MAGNÉSION®
(P.P.D.H.)

Introd. en 1962. Non remb. SS.
PRINCIPES ACTIFS : solution buvable
contenant du chlorure de magnésium
et chlorure de calcium.
Emploi : utilisé dans les carences magnésiennes et proposé, en l'absence de
carence magnésienne, dans la «spasmophilie» ou «tétanie constitutionnelle» avec crises d'anxiété et respiration accélérée (efficacité à confirmer).
Précautions : ne pas utiliser en cas
d'insuffisance rénale.
*Note : vendu sans ordonnance; à éviter
en automédication (une carence en
magnésium ne peut être diagnostiquée
que par votre médecin).*

CHLOROPHYLLINE®
(SmithKline Beecham)

Introd. en 1960. Non remb. SS.
Dragées contenant de la chlorophylle
proposées comme désodorisant en
cas de mauvaise haleine.

CHLORUMAGÈNE®
(Thépénier)

Introd. en 1929. Non remb. SS.
PRINCIPE ACTIF: poudre orale contenant
de l'hydroxyde de magnésium.
Emploi: proposé dans les troubles de la
digestion et dans la constipation.
Précautions : évitez une utilisation
prolongée et consultez votre médecin
en cas de douleurs ou crampes abdominales d'origine indéterminée, de
selles noires, d'amaigrissement.
Effets indésirables possibles: retard ou
diminution de la résorption d'autres
médicaments pris par la bouche
(respecter un intervalle d'au moins 2
heures).
*Note : vendu sans ordonnance; ne pas
utiliser pendant plus de 5 jours sans
avis médical.*

CHLORURE DE
BENZALKONIUM CdB®
(Théramex)

Introd. en 1988. Non remb. SS.
Préparations : ovule gynécologique à
18,9 mg.
Emploi : spermicide proposé dans la
contraception locale; on introduit un
→ p. 148

Si vous utilisez l'une des spécialités suivantes contenant un antibiotique...

CHLORAMPHÉNICOL
Tifomycine® (Roussel).

THIAMPHÉNICOL
Fluimucil Antibiotic® (Zambon).
Thiophénicol® (Clin-Midy).

Propriétés et emploi : ces médicaments appartiennent au groupe des antibiotiques qui sont utilisés pour traiter les infections causées par des bactéries; ils agissent soit en tuant les bactéries (action bactéricide) soit en arrêtant leur croissance (action bactériostatique); ils n'agissent pas dans les infections virales, par exemple le rhume ou la grippe.
Le chloramphénicol et le thiamphénicol sont efficaces dans de nombreuses infections; cependant, étant donné le risque d'effets indésirables parfois très graves, ces médicaments ne sont jamais employés dans les infections légères; dans les infections sévères (p. ex. fièvre typhoïde, certaines méningites ou septicémies), ils ne sont utilisés que lorsque d'autres médicaments moins toxiques sont inefficaces, ne sont pas disponibles ou ne peuvent pas être employés.

Allergie : informez votre médecin si vous avez déjà fait une réaction allergique ou inhabituelle au produit.

État de santé : vous devez informer votre médecin de toute affection susceptible de modifier les effets du médicament, notamment anémie, tendance aux hémorragies, maladies du foie ou du rein, déficit en glucose-6-phosphate déshydrogénase ou G6PD (risque d'anémie hémolytique chez les sujets atteints de cette anomalie congénitale rare).

Grossesse : ces médicaments ne doivent pas être utilisé pendant la grossesse et l'allaitement.

Enfants : ces antibiotiques ne doivent pas être utilisés chez le nouveau-né, le prématuré et le nourrisson âgé de moins de 6 mois; en effet, les enfants en bas âge n'arrivent pas à éliminer ces médicaments qui s'accumulent

dans le sang; en cas d'administration dans les 48 premières heures de la vie, risque d'apparition d'un «syndrome du bébé gris» avec ballonnement abdominal, abaissement de la température, troubles de la respiration, léthargie, couleur gris-cendré des téguments, collapsus et décès fréquent.

Sujets âgés : dose réduites, risque accru d'effets indésirables.

Interactions : il faut informer votre médecin si vous prenez ou avez pris récemment d'autres médicaments, notamment :
– anticoagulants oraux, antidiabétiques oraux (une réduction des doses de ces médicaments peut être nécessaire);
– pénicillines, érythromycine, lincomycine;
– barbituriques (diminution de la concentration dans le sang et de l'efficacité de l'antibiotique);
– contraceptifs oraux ou «pilule» (diminution possible de l'efficacité du contraceptif);
– azathioprine, chlorambucil, cyclophosphamide, méthotrexate, phénytoïne et zidovudine (toxicité accrue).

Prescription : ne dépassez pas la dose prescrite; des doses trop élevées ou des prises trop fréquentes augmentent le risque d'effets indésirables.

Oubli : si vous oubliez de prendre le médicament, ne doublez pas la dose suivante.

Prise du médicament : on conseille de prendre les comprimés une ou deux heures avant les repas avec un verre d'eau.

Durée du traitement : même si vous vous sentez mieux et vous n'avez plus de

CHLORAMPHÉNICOL (SUITE)

fièvre, respectez la durée de prescription de votre médecin et n'arrêtez pas le traitement sans le consulter (risque de rechute).

Surveillance : le traitement exige des contrôles fréquents de la formule sanguine; en effet, ces antibiotiques peuvent provoquer une diminution des globules blancs dans le sang avec des conséquences parfois graves.

En cas de diabète : il faut savoir que ces antibiotiques peuvent fausser les résultats des tests pour détecter le sucre dans les urines.

Effets indésirables possibles :
– sécheresse de la bouche, nausées, vomissements;
– fièvre, frissons, maux de gorge (diminution du nombre de globules blancs dans le sang ou agranulocytose);
– saignement au moindre traumatisme, présence de sang dans les urines ou les selles, coloration noire des selles, apparition de petites taches rouges sur la peau (diminution des plaquettes dans le sang);
– pâleur, faiblesse (diminution du nombre des globules rouges dans le sang ou anémie);
– éruption cutanée (réaction allergique : arrêtez le traitement);
– visage enflé, bouffissure des lèvres et des paupières, voix rauque, difficulté à respirer ou à avaler (œdème de Quincke);
– confusion mentale;
– troubles de la vue (névrite optique);
– diarrhées massives;
– fourmillements aux extrémités;
– «syndrome du bébé gris» chez le nouveau-né (→ ci-dessus).

NOTE - Les altérations sanguines peuvent se manifester des semaines ou des mois après l'arrêt du traitement.

[suite de la p. 146]
ovule au fond du vagin en position allongée 5 minutes avant le rapport; la protection est partielle (diminue le risque de grossesse sans le supprimer) et dure environ 4 heures; pas de lavage 12 heures avant et dans les 2 heures qui suivent les rapports.

Note : vendu sans ordonnance; efficacité généralement reconnue dans l'emploi proposé.

CHLORURE DE SODIUM

EQUIVALENCE : 1 g de NaCl correspond à 17 mmol d'ion Na$^+$ et 17 mmol d'ion Cl$^-$.

PAR VOIE BUCCALE : 1-20 g selon l'importance du déficit salin.

SOLUTION ISOTONIQUE POUR PERFUSION (0,9%) : cette solution, appelée aussi *soluté physiologique*, est utilisée en perfusion intraveineuse dans les pertes d'eau et de sodium (déshydratation extracellulaire), la diminution du volume sanguin et comme véhicule de médicaments administrés en perfusion.

CHOLARTYL® (Nicholas)

PRINCIPES ACTIFS : dragées contenant un extrait de bourdaine (laxatif irritant), nébulisat d'artichaut et de boldo et énoxolone.

Emploi : traitement de courte durée de la constipation.

Précautions : consultez votre médecin si la constipation persiste, en cas de sang dans les selles ou de selles noires, de douleurs abdominales avec diarrhée, d'amaigrissement.
L'usage prolongé risque de provoquer la «maladie des laxatifs» avec lésions de la muqueuse intestinale.

Note : vendu sans ordonnance; à éviter comme tous les laxatifs irritants.

CHOLEODORON® (Weleda)

Introd. en 1949. Non remb. SS.

PRINCIPES ACTIFS : solution buvable contenant chélidoine et curcuma.

Emploi : proposé dans les troubles de la digestion (dyspepsie), ballonnements, éructations, flatulences.

Précautions : évitez une utilisation prolongée et consultez votre médecin

en cas de douleurs ou crampes abdominales d'origine indéterminée, de selles noires, d'amaigrissement.
Note : vendu sans ordonnance; efficacité des principes actifs à confirmer dans l'emploi proposé.

CHOPHYTOL®
(Rosa-Phytopharma)

Introd. en 1928. Remb. SS 40%.
PRINCIPE ACTIF : solution buvable et injectable, comprimés contenant un extrait de *Cynara scolymus*.
Emploi : proposé dans les troubles de la digestion (dyspepsies).
Précautions : évitez une utilisation prolongée et consultez votre médecin en cas de douleurs ou crampes abdominales d'origine indéterminée, de selles noires, d'amaigrissement.
Note : vendu sans ordonnance; efficacité des principes actifs à confirmer dans l'emploi proposé.

CHROMARGON® (M. Richard)

Introd. en 1940. Remb. SS 70%.
PRINCIPES ACTIFS : solution pour application locale contenant de l'oxyquinol, acriflavine et chlorure de magnésium.
Emploi : antiseptique de la peau.
Note : vendu sans ordonnance; des principes actifs plus efficaces sont actuellement disponibles.

CHRONEXAN® (Sarget)

Introd. en 1989. Liste II. Remb. SS 70%.
PRINCIPE ACTIF : *Xipamide*.
Préparations : comprimés à 20 mg.
Emploi : diurétique thiazidique qui favorise la diurèse (production d'urine, élimination de l'eau et du sodium) et a une action antihypertensive (diminution d'une tension artérielle anormalement élevée). Il favorise les pertes de potassium dans les urines et entraîne une diminution du taux de potassium dans le sang (hypokaliémie). Durée d'action : 6-8 heures.
Sportifs : ce médicament se trouve sur la liste des dopants interdits (Ministère de la Jeunesse et des Sports); il donne une réaction positive en cas de tests pratiqués lors des contrôles antidopage.
Pour les détails → p. 232.
Note : prescrit sur ordonnance médicale.

CHRONO-INDOCID® → Indocid®.

CHYMODIACTINE®
(Boots Pharma)

Introd. en 1984. Liste I.
PRINCIPE ACTIF : *Chymopapaïne*.
Préparations : poudre pour injection intradiscale en flacons à 4000 U.
Emploi : la chymopapaïne est une enzyme protéolytique isolée du latex de papaya (*Carica papaya*); le médicament est injecté directement dans un disque de la colonne vertébrale pour dissoudre le noyau du disque qui comprime un nerf et ainsi soulager la douleur et d'autres symptômes d'une hernie discale; cette injection est pratiquée uniquement à l'hôpital sous anesthésie.
Avant de décider le traitement, discutez avec votre médecin les bienfaits attendus de l'utilisation de ce médicament par rapport aux risques d'effets indésirables; en effet, dans un petit pourcentage des cas, l'injection provoque une réaction allergique très grave (choc anaphylactique) et, exceptionnellement, une paralysie des jambes pouvant survenir dans les 3 semaines qui suivent l'intervention.
Allergie : informez votre médecin si vous avez déjà fait une réaction allergique ou inhabituelle à ce médicament ou au papaya, à la bière, à l'iode ou à d'autres substances et lesquelles.
Effets indésirables possibles : éruptions cutanées, bouffissure des paupières et des lèvres, voix rauque, difficulté à respirer ou à avaler (œdème de Quincke); difficulté à uriner, douleurs ou crampes à l'estomac ou à l'abdomen, maux de tête avec rigidité de la nuque, douleurs lombaires, faiblesse aux jambes pouvant survenir dans les 3 semaines qui suivent l'injection.
Note : réservé aux hôpitaux.

CHYMOTRYPSINE Chibret®
(M. S. & D.-Chibret)

Introd. en 1960. Remb. SS 40%.
PRINCIPE ACTIF : *Chymotrypsine*.
Préparations : solution pour usage chirurgical.
Emploi : enzyme protéolytique utilisée comme adjuvant de la chirurgie oculaire de la chambre antérieure.

CIBACALCINE® (Ciba-Geigy)

Introd. en 1984. Liste II. Remb. SS 70%.
PRINCIPE ACTIF : *Calcitonine*.
Préparations *(calcitonine humaine synthétique)* : poudre pour solution injectable en flacons à 0,25 mg ou 0,50 mg.
Emploi : hormone sécrétée par la glande thyroïde qui inhibe la libération du calcium osseux et est utilisée dans le traitement de la maladie de Paget; chez la femme après la ménopause la calcitonine est proposée en cas d'ostéoporose (diminution de la masse de tissu osseux) avec tassement des vertèbres, lorsque d'autres traitements sont mal tolérés ou inefficaces.
Pour les détails → Calcitonine.
Note : prescrit sur ordonnance médicale.

CIBACÈNE® (Ciba-Geigy)

Introd. en 1991. Liste I. Remb. SS 70%.
PRINCIPE ACTIF : *Bénazépril*.
Préparations : compr. à 5 mg ou 10 mg.
Emploi : inhibiteur de l'enzyme de conversion utilisé dans le traitement de l'hypertension artérielle, éventuellement associé à un diurétique.
Durée d'action : environ 20 heures.
Pour les détails → p. 364.
Note : prescrit sur ordonnance médicale.

CIBADREX® (Ciba-Geigy)

Introd. en 1993. Liste I. Remb. SS 70%.
Préparations : comprimés contenant :
– hydrochlorothiazide (12,5 mg) : diurétique thiazidique (Esidrex®);
– bénazépril (10 mg) : inhibiteur de l'enzyme de conversion (Cibacène®).
Emploi : association proposée pour traiter l'hypertension artérielle en cas d'échec d'un inhibiteur de l'enzyme de conversion utilisé seul.
Pour les détails : → p. 232 et p. 364.
Note : prescrit sur ordonnance médicale.

CIBLOR® (Inava)

Introd. en 1991. Liste I. Remb. SS 70%.
PRINCIPES ACTIFS : *Amoxicilline + Acide clavulanique*.
SYNONYME : co-amoxiclav.
Préparations : comprimés, poudre orale, poudre pour suspension buvable.

Emploi : association d'amoxicilline (pénicilline du groupe A) avec l'acide clavulanique (obtenu à partir de cultures de *Streptomyces clavuligerus*) qui est un inhibiteur des bêta-lactamases et par conséquent restaure l'activité de la pénicilline sur les germes qui sécrètent une ß-lactamase.
Note : prescrit sur ordonnance médicale.

CICADERMA® (Boiron)

Introd. avant 1944. Non remb. SS.
PRINCIPES ACTIFS : pommade contenant des plantes fraîches *(Calendula officinalis, Hypericum perforatum, Achillea millefolium, Ledum palustre, Anemone pulsatilla)*.
Emploi : proposé dans les brûlures et plaies superficielles peu étendues.
Précautions : consultez votre médecin si les troubles persistent ou en cas d'éruption cutanée avec démangeaisons ou d'œdème.
Note : vendu sans ordonnance; efficacité des principes actifs à confirmer dans l'emploi proposé.

CICATRYL® (Darcy)

Introd. en 1987. Non remb. SS.
PRINCIPES ACTIFS : pommade contenant de l'allantoïne, guaïazulène (constituant de l'essence de camomille), parachlorométacrésol, alphatocophérol acétate.
Emploi : proposé dans les plaies et brûlures superficielles peu étendues.
Précautions : consultez votre médecin si les troubles persistent, en cas d'éruption cutanée avec démangeaisons ou d'œdème.
Note : vendu sans ordonnance; efficacité des principes actifs à confirmer dans l'emploi proposé.

CIDERMEX® (Théraplix)

Introd. en 1963. Liste I. Remb. SS 70%.
PRINCIPES ACTIFS : pommade contenant de la néomycine (antibiotique) et triamcinolone acétonide (dermocorticoïde classe III → p. 205).
Emploi : traitement de les eczémas infectés et d'autres affections de la peau.
Application du produit : étaler le produit sur les lésions et le faire pénétrer par un léger massage; éviter tout contact avec les yeux. Ne dépassez

pas le nombre d'applications journalières prescrites par votre médecin (en général 2 par jour au maximum); des applications trop fréquentes et l'occlusion des lésions augmentent le risque d'effets indésirables.

Durée du traitement : ne pas dépasser 8 jours.

Effets indésirables possibles : prurit, sensation de brûlure; l'application sur de grandes surfaces ou sous un pansement occlusif peut entraîner un passage du principe actif dans la circulation sanguine, d'où l'apparition d'effets indésirables parfois généralisés; l'utilisation prolongée peut provoquer une atteinte de la peau du visage avec rougeur, amincissement et fragilité des téguments et apparition d'ecchymoses.

Note : prescrit sur ordonnance médicale.

CIELLA® (Lab. CPF)

Introd. en 1911. Non remb. SS.

PRINCIPES ACTIFS : solution pour lavage oculaire contenant du chlorobutanol, sulfate de zinc et acide borique.

Emploi : irritation de l'œil et de ses annexes.

CIFLOX® (Bayer Pharma)

Introd. en 1988. Liste I.

PRINCIPE ACTIF : *Ciprofloxacine*.

Préparations : comprimés à 250 mg, 500 mg ou 750 mg; solution injectable pour perfusion à 200 mg/100 ml.

Emploi : médicament appartenant au groupe des fluoroquinolones utilisé par voie buccale pour traiter certaines infections bactériennes, notamment des infections urinaires à gonocoques ou pour prévenir la méningite à méningocoques, et en perfusion intraveineuse pour traiter les infections graves.

Pour les détails → p. 290.

Note : réservé aux hôpitaux.

CIGARETTES BERTHIOT® (Monal)

Introd. en 1971. Non remb. SS.

PRINCIPES ACTIFS : cigarettes contenant des pétales de rose, tussilage, lobélie, cannelle, glycérol, miel, cachou, menthe, acide citrique, nitrate de potassium.

Emploi : désaccoutumance du tabac.

Précautions : ne pas utiliser en cas de grossesse et d'allaitement.

Note : vendu sans ordonnance; efficacité des principes actifs à confirmer dans l'emploi proposé.

CILEST® → Contraception hormonale.

CINOPAL® (Lederle/Novalis)

Introd. en 1982. Liste I. Remb. SS 70%.

PRINCIPE ACTIF : *Fenbufène*.

Préparations : comprimés à 300 mg.

Emploi : anti-inflammatoire non stéroïdien utilisé dans les inflammations douloureuses des articulations, des capsules articulaires, des muscles ou des tendons et dans d'autres affections déterminées par votre médecin; dans la polyarthrite rhumatoïde et dans l'arthrose, il atténue la douleur, la tuméfaction et le raideur des articulations, mais ne guérit pas la maladie.

Pour les détails → p. 50.

Note : prescrit sur ordonnance médicale.

CIPRALAN® (Upsa)

Introd. en 1987. Liste I. Remb. SS 70%.

PRINCIPE ACTIF : *Cibenzoline*.

Préparations : comprimés à 130 mg; ampoules injectables à 100 mg (réservées aux hôpitaux).

Emploi : médicament appartenant au groupe des antiarythmiques qui sont utilisés pour régulariser et ralentir le rythme cardiaque; comme les autres antiarythmiques, la cibenzoline peut aggraver une arythmie préexistante ou provoquer l'apparition d'arythmies nouvelles (effet arythmogène).

Surveillance : des contrôles réguliers et fréquents sont nécessaires pour moduler les doses en fonction des effets du traitement et d'effets indésirables éventuels.

Conduite de véhicules : chez certains sujets, ce médicament provoque des vertiges ou diminue la vigilance : la conduite de véhicules ou l'utilisation de machines peut être dangereuse.

Arrêt du traitement : n'arrêtez pas brusquement le traitement sans consulter votre médecin.

Intoxication : troubles sensoriels (visuels, auditifs), agitation, troubles respiratoires, chute de la tension artérielle, irrégularité, accélération du pouls, perte de conscience (hospitalisation d'urgence).

Note : prescrit sur ordonnance médicale.

CIRCULARINE® (Negma)

Introd. en 1972. Remb. SS 40%.

PRINCIPES ACTIFS: comprimés contenant du tocophérol, rutoside, citroflavonoïdes et esculoside.

Emploi : proposé dans l'insuffisance veineuse et lymphatique (jambes lourdes, etc.).

Précautions : consultez votre médecin en cas de suspicion de phlébite (jambes rouges et/ou chaudes, douloureuses, surtout si d'un seul côté et avec fièvre).

Note : vendu sans ordonnance; efficacité des principes actifs à confirmer dans l'emploi proposé.

CIRKAN® (Sinbio)

Introd. en 1980. Remb. SS 40%.

PRINCIPES ACTIFS: comprimés contenant des enzymes pancréatiques, ruscosides, acide ascorbique, hespéridine et méthyl-4-esculétol.

Emploi : proposé dans l'insuffisance veineuse et lymphatique (jambes lourdes, etc.).

Précautions : consultez votre médecin en cas de suspicion de phlébite (jambes rouges et/ou chaudes, douloureuses, surtout si d'un seul côté et avec fièvre).

Note : vendu sans ordonnance; efficacité des principes actifs à confirmer dans l'emploi proposé.

CIRKAN® à la prednacinolone (Sinbio)

Introd. en 1980. Liste I. Remb. SS 40%.

PRINCIPES ACTIFS : suppositoires contenant des ruscosides, désonide (corticoïde), lidocaïne (anesthésique local), rétinol (vitamine A), tocophérol et héparine sodique.

Emploi : poussées hémorroïdaires.

Précautions : arrêtez le traitement et consultez votre médecin en cas d'accentuation des douleurs, d'apparition de sang dans les selles ou de fièvre.

Note : prescrit sur ordonnance médicale.

CISPLATINE (Lilly) et CISPLATYL® (R. Bellon)

Introd. en 1979. Liste I.

PRINCIPE ACTIF : *Cisplatine*.

SYNONYME : cis-DDP.

Préparations : poudre pour solution injectable en flacons à 10 mg, 25 mg ou 50 mg; solution injectable en flacons à 10 mg, 25 mg ou 50 mg.

Emploi : médicament dérivé du platine utilisé dans le traitement de certaines tumeurs du testicule, de l'ovaire, de l'utérus, de l'œsophage, de la vessie et dans d'autres affections déterminées par votre médecin.

Note : réservé aux hôpitaux.

CITHYMÈNE® (Sterling Midy)

Non remb. SS.

PRINCIPES ACTIFS : pommade contenant du nicotinate de gaïacyle, de phényle et de méthyle, et thymol méthoxy.

Emploi : proposé comme «révulsif respiratoire».

Note : vendu sans ordonnance; efficacité des principes actifs à confirmer dans l'emploi proposé.

CITRARGININE® (Laphal)

Introd. en 1972. Remb. SS 40%.

PRINCIPES ACTIFS : solution buvable contenant de l'arginine (acide aminé) et de la bétaïne (base et citrate).

Emploi : proposé dans les troubles présumés d'origine hépatique.

Précautions : consultez votre médecin si les troubles persistent et en cas de douleurs ou crampes abdominales, de selles noires, d'ictère.

Note : vendu sans ordonnance; efficacité des principes actifs à confirmer dans l'emploi proposé.

CITRATE DE BÉTAÏNE

Remb. SS 40%.

PRINCIPE ACTIF : *Bétaïne*.

SPÉCIALITÉS :

Citrate de bétaïne (Beaufour).

Citrate de bétaïne (Upsa).

Préparations : solution buvable, comprimés, granulé.

Emploi : proposé dans les troubles digestifs et comme traitement adjuvant dans les hypertriglycéridémies (élévation de la concentration de certaines graisses dans le sang).

Précautions : consultez votre médecin si les troubles persistent et en cas de douleurs ou crampes abdominales, de selles noires, d'ictère (jaunisse) ou d'amaigrissement.

Note : vendu sans ordonnance; efficacité du principe actif à confirmer dans l'emploi proposé.

CITRO-B6® (Plantier)

Introd. en 1972. Remb. SS 40%.

PRINCIPES ACTIFS : solution buvable contenant de la pyridoxine (vitamine B6), bétaïne (base) et acide citrique.

Emploi : proposé dans les troubles présumés d'origine hépatique.

Précautions : consultez votre médecin si les troubles persistent et en cas de douleurs ou crampes abdominales, de selles noires, d'ictère (jaunisse) ou d'amaigrissement.

En cas de diabète : tenir compte de la teneur en sucre du produit.

Note : vendu sans ordonnance; efficacité des principes actifs à confirmer dans l'emploi proposé.

CITROCHOLINE® (Thérica)

Introd. en 1955. Remb. SS 40%.

PRINCIPES ACTIFS : solution buvable contenant des citrates de sodium, de magnésium et de choline.

La *Citrocholine® vitamine C* contient en outre de l'acide ascorbique.

Emploi : proposé dans les troubles de la digestion (dyspepsie) et la constipation.

Précautions : consultez votre médecin si les troubles persistent et en cas de douleurs ou crampes abdominales, de selles noires, d'ictère (jaunisse) ou d'amaigrissement.

Effets indésirables possibles : douleurs abdominales, diarrhées.

Note : vendu sans ordonnance; ne pas utiliser pendant plus de 5 jours sans avis médical.

CLAFORAN® → Céphalosporines.

CLAMOXYL®
(SmithKline Beecham)

Introd. en 1974. Liste I. Remb. SS 70%.

PRINCIPE ACTIF : *Amoxicilline.*

Préparations : gélules à 250 mg ou 500 mg; comprimés à 1 g; poudre pour suspension buvable en sachets à 125 mg, 250 mg ou 1 g; poudre pour sirop à 125 mg, 250 mg ou 500 mg par dose; préparations injectables en flacons à 500 mg ou 1 g.

Emploi : antibiotique du groupe des pénicillines A ayant un large spectre d'action contre les bactéries, mais inefficace contre les staphylocoques producteurs de pénicillinases.

L'amoxicilline est mieux absorbée par voie buccale que l'ampicilline et est éliminée surtout dans les urines (précautions en cas d'insuffisance rénale); signalez au médecin l'existence de toute maladie rénale (une réduction des doses peut être nécessaire).

Durée du traitement : elle est déterminée par votre médecin; l'interruption prématurée du traitement peut favoriser une rechute de l'infection.

Pour les détails → p. 520.

Note : prescrit sur ordonnance médicale.

CLARADOL® (Nicholas)

Introd. en 1985. Remb. SS 70%.

PRINCIPE ACTIF : *Paracétamol.*

Préparations : comprimés à 120 mg ou 500 mg.

Emploi : utilisé pour atténuer la douleur modérée *(analgésique)* et pour faire tomber la fièvre *(antipyrétique)*.

Posologie (adulte) : 1-2 comprimés à 500 mg 1 à 3 fois par jour dans un grand verre d'eau.

Prise du médicament : ménagez un intervalle minimum de 4 heures entre deux prises.

Durée du traitement : consultez votre médecin si les douleurs persistent après 5 jours ou si la fièvre ou les douleurs ne régressent pas au bout de 3 jours.

Précautions : ne doit pas être utilisé en cas d'insuffisance rénale, hépatique ou respiratoire, de déficit congénital en glucose-6-phosphate déshydrogénase ou G6PD (enzyme du globule rouge), de grossesse, d'allaitement et chez l'enfant âgé de moins de 7 ans.

Effets indésirables possibles : respiration sifflante, éruption cutanée et jaunisse.
Intoxication : en cas d'ingestion massive, hospitalisation d'urgence.
Pour les détails → Paracétamol.
Note : vendu sans ordonnance ; l'efficacité du paracétamol est généralement reconnue dans l'emploi proposé.

CLARADOL® caféine
(Nicholas)

Introd. en 1988. Remb. SS 70%.
PRINCIPES ACTIFS : comprimés contenant
– paracétamol (500 mg) : analgésique et antipyrétique périphérique;
– caféine (50 mg) : stimulant central.
Emploi : proposé pour atténuer la douleur modérée *(analgésique)* et pour faire tomber la fièvre *(antipyrétique)*.
Durée du traitement : consultez votre médecin si les douleurs persistent après 5 jours ou si la fièvre ou le mal de gorge ne régressent pas au bout de 3 jours.
Précautions : ce médicament ne doit pas être utilisé en cas d'insuffisance hépatique et chez l'enfant âgé de moins de 10 ans.
Sportifs : ce médicament peut donner une réaction positive en cas de tests pratiqués lors des contrôles antidopage.
Effets indésirables possibles : excitation, insomnie, palpitations, éruptions cutanées.
Intoxication : conduire le malade d'urgence à l'hôpital en cas de prise massive accidentelle.
Note : vendu sans ordonnance ; l'efficacité du paracétamol est généralement reconnue, mais la présence de caféine a peu d'intérêt dans l'emploi proposé.

CLARADOL® codéine
(Nicholas)

Introd. en 1992. Remb. SS 70%.
PRINCIPES ACTIFS : comprimés contenant
– paracétamol (500 mg) : analgésique et antipyrétique périphérique;
– codéine (20 mg) : analgésique central.
Emploi : proposé pour atténuer la douleur modérée *(analgésique)* et pour faire tomber la fièvre *(antipyrétique)*.
Durée du traitement : consultez votre médecin si les douleurs persistent après 5 jours ou si la fièvre ou le mal de gorge ne régressent pas au bout de 3 jours.
Précautions : ce médicament ne doit pas être utilisé en cas d'insuffisance hépatique, de grossesse, d'allaitement et chez l'enfant de moins de 10 ans.
Conduite de véhicules : les conducteurs de véhicules et les utilisateurs de machines doivent être informés de la possibilité de somnolence aggravée par l'alcool.
Sportifs : ce médicament peut donner une réaction positive en cas de tests pratiqués lors des contrôles antidopage.
Effets indésirables possibles : somnolence, vertiges, constipation, nausées, éruptions cutanées.
Intoxication : conduire le malade d'urgence à l'hôpital en cas de prise massive accidentelle.
Note : vendu sans ordonnance ; l'efficacité du paracétamol et celle de la codéine sont généralement reconnues dans l'emploi proposé.

CLARAGINE® (Nicholas)

Introd. en 1985. Remb. SS 70%.
PRINCIPE ACTIF : **Aspirine**.
Préparations : comprimés contenant 500 mg d'acide acétylsalicylique.
Emploi : l'aspirine est utilisée pour atténuer la douleur modérée *(analgésique)* et pour faire tomber la fièvre *(antipyrétique)*, par exemple dans les états grippaux; à dose élevée, elle diminue les douleurs rhumatismales ainsi que la raideur et la tuméfaction des articulations *(anti-inflammatoire)*; enfin, à dose faible, elle peut prévenir la formation de caillots sanguins dans les vaisseaux *(antiagrégant plaquettaire)*.
Précautions : ce médicament ne doit pas être utilisé en cas d'allergie à l'aspirine, d'asthme, d'ulcère gastroduodénal évolutif, de maladie grave du foie ou des reins, de maladie hémorragique ou de traitement anticoagulant, de grossesse et chez l'enfant âgé de moins de 10 ans sans avis médical, notamment lorsqu'on soupçonne une grippe ou une varicelle.
Arrêtez le traitement et consultez votre médecin si les douleurs persistent après 5 jours ou si la fièvre ne régresse pas au bout de 3 jours, en cas de bourdonnements d'oreille, de

diminution de l'audition, de douleurs abdominales, de vomissements sanglants, de selles noires, de crise d'asthme, de prurit, d'urticaire ou de jaunisse.

Intoxication : conduire le malade d'urgence à l'hôpital en cas de prise massive accidentelle.

Pour les détails → Aspirine.

Note : *vendu sans ordonnance; l'efficacité de l'aspirine est généralement reconnue dans l'emploi proposé.*

CLARAMID® (Jouveinal)

Introd. en 1988. Liste I. Remb. SS 70%.

PRINCIPE ACTIF : *Roxithromycine.*

Préparations : comprimés à 150 mg.

Emploi : antibiotique du groupe des macrolides utilisé par voie buccale ou en injections pour traiter les infections dues à des bactéries (inefficace dans les infections à virus).

Pour les détails → p. 415.

Note : *prescrit sur ordonnance médicale.*

CLARINASE® (Schering-Plough)

Introd. en 1992. Liste II. Non remb. SS.

PRINCIPES ACTIFS : comprimés à libération répétée *(Repetabs®)* contenant
– pseudoéphédrine (60 mg) : vasoconstricteur (Rhinalair®, Sudafed®);
– loratadine (5 mg) : antihistaminique (Clarityne®).

Emploi : proposé dans l'obstruction et l'hypersécrétion nasales au cours du rhume des foins (rhinites allergiques saisonnières).

Posologie (adulte) : 1 comprimé 2 fois par jour.

Précautions : ne pas utiliser en cas d'insuffisance respiratoire, de glaucome par fermeture de l'angle, d'adénome de la prostate, de fonctionnement excessif de la glande thyroïde (hyperthyroïdie), d'hypertension artérielle, d'angine de poitrine, de grossesse, d'allaitement, d'association avec les antidépresseurs IMAO; déconseillé pendant la grossesse et l'allaitement et chez les enfants âgés de moins de 12 ans.

Sportifs : ce médicament peut donner une réaction positive en cas de tests pour contrôle antidopage.

Alcool : évitez les boissons alcoolisées pendant le traitement.

Conduite de véhicules : ce médicament peut diminuer la vigilance : la conduite de véhicules ou l'utilisation de machines peut être dangereuse.

Effets indésirables possibles :
– liés à la loratadine (à doses élevées) : somnolence, sécheresse de la bouche, du nez et de la gorge, maux de tête, confusion mentale et agitation;
– liés à la pseudoéphédrine : palpitations, accélération ou irrégularité du pouls, maux de tête, étourdissements, nervosité, insomnie, transpirations, tremblements.

Intoxication : nausées, vomissements, pâleur, douleurs abdominales; transfert à l'hôpital dans les formes graves.

Note : *prescrit sur ordonnance médicale.*

CLARITYNE® (Schering-Plough)

Introd. en 1988. Liste II. Remb. SS 70%.

PRINCIPE ACTIF : *Loratadine.*

Préparations : comprimés à 10 mg.

Emploi : antihistaminique utilisé pour atténuer ou prévenir les symptômes d'une allergie par exemple dans le rhume des foins, urticaire chronique, conjonctivite allergique; bien que l'action sédative de ce médicament soit moindre que celle d'autres antihistaminiques, la prise de fortes doses peut entraîner un effet sédatif (fatigue, somnolence).

Pour les détails → p. 45.

Note : *prescrit sur ordonnance médicale.*

CLARIX® → Sirop Clarix®.

CLASTOBAN® (Rorer)

Introd. en 1990. Liste I.

PRINCIPE ACTIF : *Acide clodronique.*

Préparations (sel de sodium) :
– gélules à 400 mg : remb. SS. 70%.;
– ampoules injectables à 300 mg dans 5 ml : réservées aux hôpitaux.

Emploi : médicament appartenant au groupe des *diphosphonates* inhibant la résorption osseuse et donc la libération de calcium à partir du squelette; il est utilisé pour traiter l'excès de calcium dans le sang (hypercalcémie) observé dans certaines tumeurs malignes et dans d'autres affections.

Note : *prescrit sur ordonnance médicale.*

CLAVENTIN®
(SmithKline Beecham)

Introd. en 1988. Liste I.

PRINCIPES ACTIFS : *Ticarcilline + Acide clavulanique.*

Préparations : poudre pour solution injectable en flacons à
– ticarcilline 1,5 g + acide clavulanique 100 mg;
– ticarcilline 3 g + acide clavulanique 200 mg;
– ticarcilline 5 g + acide clavulanique 200 mg.

Emploi : l'association de ticarcilline (carboxypénicilline) avec l'acide clavulanique permet d'élargir le spectre d'activité de la ticarcilline aux staphylocoques producteurs de pénicillinases (sauf les souches méti-R) et à d'autres espèces bactériennes productrices de pénicillinases. Cependant, l'étude de la sensibilité *in vitro* est indispensable pour préciser la sensibilité du germe.

Pour les détails → p. 520.

Note : réservé aux hôpitaux.

CLÉDIAL® (Lipha Santé)

Introd. en 1983. Liste II. Remb. SS 70%.

PRINCIPE ACTIF : *Médifoxamine.*

Préparations : comprimés à 50 mg.

Emploi : antidépresseur ayant une action anxiolytique utilisé dans le traitement des états dépressifs.

Pour les détails → p. 40.

Note : prescrit sur ordonnance médicale.

CLÉRÉGIL® (Merck-Clévenot)

Introd. en 1963. Non remb. SS.

PRINCIPE ACTIF : *Déanol.*

Préparations : solution buvable en ampoules contenant de l'acéglumate de déanol.

Emploi : stimulant non spécifique proposé dans la fatigue.

Précautions : ne doit pas être utilisé en cas d'épilepsie, chez l'enfant de moins de 30 mois, en cas de grossesse (innocuité non établie) et d'allaitement; consultez votre médecin si la fatigue persiste (il peut s'agir d'une dépression ou d'une autre maladie nécessitant un traitement spécifique).

Note : vendu sans ordonnance; efficacité du principe actif à confirmer dans l'emploi proposé.

CLÉRIDIUM® (Marcofina)

Introd. en 1980. Liste II. Remb. SS 70%.,

PRINCIPE ACTIF : *Dipyridamole.*

Préparations : comprimés à 150 mg; solution injectable en ampoules à 10 mg dans 2 ml.

Emploi : médicament introduit à l'origine pour le traitement de fond de l'angine de poitrine et utilisé, en association avec l'aspirine à faibles doses, pour normaliser la tendance pathologique des plaquettes sanguines à l'agrégation et pour prévenir ainsi la formation de caillots sanguins, notamment chez les porteurs de prothèses valvulaires (valvules cardiaques artificielles).
La forme injectable est utilisée au cours des explorations cardiovasculaires (échocardiographie, scintigraphie myocardique).

Pour les détails → Dipyridamole.

Note : prescrit sur ordonnance médicale.

CLIMAXOL® (Lehning)

Introd. en 1952. Remb. SS 40%.

PRINCIPES ACTIFS : solution buvable contenant des teintures de gentiane, noix vomique, hamamélis, viburnum, lobélie, arnica, séneçon, hydrastis, crataegus, marrons d'Inde.

Emploi : proposé dans le traitement des symptômes en rapport avec l'insuffisance veinolymphatique (jambes lourdes, etc.) et la fragilité capillaire.

Précautions : consultez votre médecin en cas de suspicion de phlébite (jambes rouges et/ou chaudes, douloureuses, surtout si d'un seul côté et avec fièvre);
Ne pas utiliser en cas de grossesse.

Note : vendu sans ordonnance; efficacité des principes actifs à confirmer dans l'emploi proposé.

CLOMID® (Marion Merrell Dow)

Introd. en 1968. Liste I. Remb. SS 70%.

PRINCIPE ACTIF : *Clomifène.*

Préparations : comprimés à 50 mg.

Emploi : → Clomifène ci-contre.

Note : prescrit sur ordonnance médicale.

CLOMIFÈNE

SPÉCIALITÉS :
Clomid® (Marion Merrell Dow).
Pergotime® (Serono).

Emploi : inducteur de l'ovulation qui stimule la libération de certaines hormones par l'hypophyse et est utilisé en cas de stérilité féminine due à l'absence d'ovulation; ce traitement ne doit être entrepris que sous surveillance médicale spécialisée et sous contrôle biologique. Le traitement de la stérilité par le clomifène aboutit dans environ 8% des cas à une *grossesse multiple*.

Allergie : informez votre médecin si vous avez déjà fait une réaction allergique au clomifène ou présenté des troubles visuels pendant un traitement antérieur par ce médicament.

État de santé : vous devez informer votre médecin de toute affection susceptible de modifier les effets du médicament, notamment kyste de l'ovaire, fibrome de l'utérus (risque d'augmentation de volume), endométriose (risque d'aggravation), hémorragies gynécologiques d'origine indéterminée, inflammations des veines (phlébites), thromboses.

Grossesse et allaitement : ce médicament ne doit pas être utilisé chez la femme enceinte; en effet, il a causé des malformations du fœtus au cours de l'expérimentation animale; le clomifène n'est pas utilisé pendant l'allaitement.

Prise du médicament : prenez la dose prescrite, habituellement par cycles de 5 jours, en commençant le 5e jour du cycle menstruel ou un jour choisi par votre médecin en l'absence de cycle; prenez le médicament toujours à la même heure de la journée; avant de commencer le traitement, une grossesse doit être exclue.
Au cours du cycle de traitement, l'ovulation est habituellement induite 6-10 jours après l'administration de la dernière dose de clomifène; il faut faire coïncider les relations sexuelles avec cette période de fécondité présumée.
Lorsque la grossesse est intervenue, il faut arrêter la prise du médicament.

Oubli : si vous oubliez de prendre une dose, vous pouvez la prendre dès que vous vous en apercevez ou doubler la dose le jour suivant.

Surveillance : le clomifène peut causer des malformations du fœtus s'il est pris pendant la grossesse; par conséquent, avant le premier cycle de traitement et avant chaque nouveau cycle il faut vous s'assurer que vous n'êtes pas enceinte par la mesure quotidienne de la température et le dosage de certaines hormones. Si vous pensez que vous êtes devenue enceinte pendant le traitement, consultez immédiatement votre médecin. Vous devez vous présenter régulièrement aux contrôles exigés (examen médical, échographie, prélèvements sanguins nécessaires à la détermination du taux des hormones dans le sang).

Conduite de véhicules : le clomifène peut provoquent des troubles visuels ou des vertiges : la conduite de véhicules ou l'utilisation de machines peut être dangereuse dans ce cas.

Effets indésirables possibles : bouffées de chaleur, céphalées, nausées, augmentation de l'appétit et du poids, insomnie, maux de tête, vertiges, dépression, bouffées de chaleur, règles trop abondantes ou trop prolongées, saignements intermenstruels, envie fréquente d'uriner (pollakiurie), vue trouble, éclairs dans les yeux, persistance des images lumineuses, tache blanche pouvant aboutir à une cécité transitoire (scotome scintillant), douleurs abdominales ou pelviennes vives (hypertrophie ovarienne, parfois formation de kystes), urticaire, éruptions cutanées (arrêtez le traitement).

Intoxication : nausées, vomissements, bouffées de chaleur, troubles visuels, douleurs abdominales et pelviennes dues à l'augmentation de volume des ovaires.

Note : prescrit sur ordonnance médicale.

CLOPIXOL® (Lundbeck)

Introd. en 1992. Liste I.
PRINCIPE ACTIF : *Zuclopenthixol*.

Préparations : comprimés à 10 mg ou 25 mg; solution buvable à 2%; solution huileuse injectable à action prolongée en ampoules à 200 mg dans 1 ml; solution huileuse injectable à action semi-prolongée en ampoules à 50 mg dans 1 ml ou 100 mg dans 2 ml.

Emploi : neuroleptique du groupe des thioxanthènes, proche des phénothiazines, utilisé pour traiter certaines maladies mentales (psychoses) aiguës ou chroniques accompagnées d'états d'excitation et d'agitation; il est aussi employé en cas de troubles du comportement lors du sevrage alcoolique.

Durée d'action : la préparation à action prolongée (décanoate) a une durée d'action de 2-4 semaines.

Pour les détails → p. 468.

Note : réservé aux hôpitaux.

Co-A 1000® (Millot-Solac)

Introd. en 1960. Remb. SS 40%.

PRINCIPES ACTIFS : poudre pour solution injectable contenant coenzyme A, cystéine et gluconate de calcium.

Emploi : proposé dans les syndromes vasomoteurs, l'artérite chronique et l'athérome coronarien (efficacité à confirmer).

Note : vendu sans ordonnance; à éviter en automédication.

COALGAN® (Brothier)

Introd. en 1950. Remb. SS 70%.

PRINCIPE ACTIF : ouate pour application locale contenant de l'alginate de calcium (hémostatique local).

Emploi : proposé pour arrêter le saignement d'une plaie superficielle.

Précautions : ne pas utiliser en cas de traitement anticoagulant (le saignement peut indiquer un surdosage).

Note : vendu sans ordonnance; consultez votre médecin si le saignement persiste ou récidive.

COALTAR Saponine Le Beuf® (Gerda)

Introd. en 1958. Non remb. SS.

PRINCIPES ACTIFS : émulsion pour application locale contenant du goudron de houille et teinture de quillaya.

Emploi : proposé dans les eczémas, psoriasis, stomatites et gingivites.

Note : vendu sans ordonnance; à éviter sans avis médical.

COBANZYME® (L'Arguenon)

Introd. en 1969. Non remb. SS.

PRINCIPE ACTIF : **Cobamamide.**

SYNON. : dibencozide, coenzyme B12.

Préparations : gélules à 1 mg.

Emploi : coenzyme de la vitamine B12 proposé pour activer la croissance et

favoriser la nutrition tissulaire; l'efficacité n'a pas été confirmée en dehors des états de carence en vitamine B12.

Note : vendu sans ordonnance; à éviter sans avis médical.

COCCULINE® (Boiron)

Introd. en 1943. Non remb. SS.

Préparation homéopathique (comprimés) contenant des composants homéopathiques de *Cocculus*, tabac, noix vomique et petroleum.

Emploi : proposée dans le mal des transports.

Note : vendue sans ordonnance;.

CODATUX® (Amido)

Non remb. SS.

PRINCIPES ACTIFS : sirop contenant de la codéine et de la codéthyline (antitussifs opiacés), teintures d'aconit et de polygala, eau de laurier cerise, sirops d'érysimum et de tolu.

Emploi : proposé pour calmer la toux.

Précautions : ne pas utiliser en cas de

– asthme, insuffisance respiratoire (la diminution de la toux cause l'accumulation de mucosités dans les voies respiratoires);

– maladie du foie (l'élimination de la codéine est diminuée en cas d'insuffisance hépatique);

– hypertrophie de la prostate (risque d'aggravation de la difficulté à uriner);

– glaucome à angle fermé (risque d'aggravation);

– grossesse (innocuité non établie), allaitement;

Enfants : ce médicament n'est pas utilisé chez les enfants de moins de 15 ans.

Durée du traitement : si la toux persiste après une semaine, si des crachats sanglants ou des effets indésirables apparaissent, arrêtez le traitement et consultez votre médecin.

Alcool : évitez les boissons alcoolisées pendant le traitement.

Conduite de véhicules : ce médicament peut diminuer la vigilance; la conduite de véhicules ou l'utilisation de machines peut être dangereuse.

Effets indésirables possibles : somnolence, sécheresse de la bouche, confusion, nausées, vomissements, crises d'asthme, constipation, éruption cutanée (réaction allergique : arrêtez immédiatement le traitement), difficulté à respirer ou à uriner (chez le sujet âgé).

Note : *vendu sans ordonnance; l'efficacité des antitussifs opiacés (codéine et codéthyline) est généralement reconnue, mais les autres composants ont peu d'intérêt dans l'emploi proposé.*

CODÉTHYLINE (Houdé)

Introd. en 1938. Remb. SS 40%.

PRINCIPE ACTIF : **Codéthyline**.

SYNONYME : éthylmorphine.

Préparations : comprimés à 5 mg.

Emploi : médicament dérivé de la morphine, agissant sur le système nerveux central, utilisé pour calmer la toux irritative, sèche. La codéthyline a une action sédative modérée; l'apparition d'une dépendance est exceptionnelle, mais l'abus est possible chez des sujets déjà toxicomanes.

Durée d'action : 4-6 heures.

Précautions : ne pas utiliser en cas de toux grasse, d'insuffisance respiratoire ou d'asthme, de grossesse ou allaitement. Consultez votre médecin si la toux persiste, en cas de crachats sanglants, de fièvre, d'amaigrissement, d'éruptions, de troubles de la vue, de difficulté à uriner.

Sportifs : l'attention des sportifs est attirée sur le fait que les tests antidopage peuvent être positifs après utilisation du médicament.

Enfants : ne doit pas être utilisé chez les enfants âgés de moins de 15 ans.

Intoxication : hospitalisation d'urgence en cas de prise massive.

Pour les détails → p. 59.

Note : *vendu sans ordonnance; efficacité généralement reconnue dans l'emploi proposé.*

CODÉTRICINE® (Nicholas).

Non remb. SS.

PRINCIPES ACTIFS : pâtes à sucer contenant de la codéine (antitussif opiacé), tyrothricine (antibiotique), extraits de grindélia, doséra et euphorbe.

Emploi : proposé pour calmer la toux.

Précautions : ne pas utiliser en cas de
– allergie à la tyrothricine;
– asthme, insuffisance respiratoire (la diminution de la toux cause l'accu-

mulation de mucosités dans les voies respiratoires);
– maladie du foie (l'élimination de la codéine est diminuée en cas d'insuffisance hépatique);
– ulcère gastro-duodénal évolutif;
– grossesse (innocuité non établie), allaitement;
– enfants âgés de moins de 15 ans.

Durée du traitement : si la toux persiste après une semaine, si des crachats sanglants ou des effets indésirables apparaissent, arrêtez le traitement et consultez votre médecin.

Alcool : évitez les boissons alcoolisées pendant le traitement (majoration de l'effet sédatif).

Sujets âgés : risque accru d'effets indésirables; doses réduites de moitié.

Conduite de véhicules : ce médicament peut diminuer la vigilance; la conduite de véhicules ou l'utilisation de machines peut être dangereuse dans ce cas.

Sportifs : ce médicament peut donner une réaction positive en cas de tests pratiqués lors des contrôles antidopage.

Effets indésirables possibles : somnolence, sécheresse de la bouche, confusion, nausées, vomissements, crises d'asthme, constipation, éruption cutanée (réaction allergique : arrêtez immédiatement le traitement).

Note : *vendu sans ordonnance; l'efficacité de la codéine est généralement reconnue, mais les autres composants ont peu d'intérêt dans l'emploi proposé.*

CODOBROMYL®
(Sterling Midy)

Non remb. SS.

PRINCIPES ACTIFS : sirop contenant de la codéine (antitussif opiacé), bromoforme, sulfogaïacol, caféine, terpine, teinture d'aconit, extrait de polygala, benzoate de sodium.

Emploi : proposé pour calmer la toux.

Précautions : ne pas utiliser en cas de
– asthme, insuffisance respiratoire (la diminution de la toux cause l'accumulation de mucosités dans les voies respiratoires);
– maladie du foie (l'élimination de la codéine est diminuée en cas d'insuffisance hépatique);
– grossesse (innocuité non établie), allaitement;

– enfants âgés de moins de 15 ans (moins de 30 mois pour la forme pour enfant);
– sujets âgés: on conseille de réduire les doses de moitié.

Durée du traitement : si la toux persiste après une semaine, si des crachats sanglants ou des effets indésirables apparaissent, arrêtez le traitement et consultez votre médecin.

Alcool : évitez les boissons alcoolisées pendant le traitement (majoration de l'effet sédatif).

Conduite de véhicules : ce médicament peut diminuer la vigilance; la conduite de véhicules ou l'utilisation de machines peut être dangereuse.

Effets indésirables possibles : somnolence, sécheresse de la bouche, confusion, nausées, vomissements, crises d'asthme, constipation, éruption cutanée (réaction allergique : arrêtez immédiatement le traitement), difficulté à respirer ou à uriner (chez le sujet âgé).

Note : vendu sans ordonnance; l'efficacité de la codéine est généralement reconnue, mais les autres composants ont peu d'intérêt dans l'emploi proposé.

CODOLIPRANE® (Théraplix)

Introd. en 1990. Remb. SS 70%.
PRINCIPES ACTIFS : comprimés contenant
– codéine (20 mg) : analgésique opiacé;
– paracétamol (400 mg) : analgésique et antipyrétique.

Emploi : proposé pour atténuer la douleur modérée *(analgésique)* et pour faire tomber la fièvre *(antipyrétique)*.

Durée du traitement : consultez votre médecin si les douleurs persistent après 5 jours ou si la fièvre ou le mal de gorge ne régressent pas au bout de 3 jours.

Précautions : ce médicament ne doit pas être utilisé en cas d'insuffisance hépatique, d'insuffisance respiratoire, de grossesse, d'allaitement et chez l'enfant âgé de moins de 15 ans.

Conduite de véhicules : ce médicament peut diminuer la vigilance; la conduite de véhicules ou l'utilisation de machines peut être dangereuse.

Sportifs : ce médicament peut donner une réaction positive lors des tests pour contrôle antidopage.

Effets indésirables possibles : somnolence, vertiges, constipation, nausées, éruptions cutanées.

Intoxication : conduire le malade d'urgence à l'hôpital en cas de prise massive accidentelle.

Note : vendu sans ordonnance; l'efficacité du paracétamol et celle de la codéine sont généralement reconnues dans l'emploi proposé.

CODOTUSSYL® (Lederle)

Introd. en 1960. Non remb. SS.
PRINCIPES ACTIFS :
– pâtes à sucer : pholcodine (antitussif opiacé), teinture de belladone (atropinique), teinture d'aconit, benzoate de sodium et terpine;
– sirop : pholcodine (antitussif opiacé), belladone (atropinique), teinture d'aconit, benzoate de sodium, eau de laurier cerise, sirop de tolu, sirop de Desessartz.

Emploi : proposé pour calmer la toux irritative, sèche.

Précautions : ne pas utiliser en cas de
– asthme, insuffisance respiratoire (la diminution de la toux cause l'accumulation de mucosités dans les voies respiratoires);
– maladie du foie (l'élimination de la pholcodine est diminuée en cas d'insuffisance hépatique);
– hypertrophie de la prostate (risque d'aggravation de la difficulté à uriner);
– glaucome à angle fermé;
– grossesse, allaitement;
– enfants âgés de moins de 15 ans.

Durée du traitement : si la toux persiste après une semaine, si des crachats sanglants ou des effets indésirables apparaissent, arrêtez le traitement et consultez votre médecin.

Alcool : évitez les boissons alcoolisées pendant le traitement.

Conduite de véhicules : ce médicament peut diminuer la vigilance; la conduite de véhicules ou l'utilisation de machines peut être dangereuse.

En cas de diabète : tenir compte de la teneur en sucre du produit.

Effets indésirables possibles : somnolence, sécheresse de la bouche, confusion, nausées, vomissements, crises d'asthme, constipation, éruption cutanée (réaction allergique : arrêtez immédiatement le traitement), difficulté à respirer ou à uriner (chez le sujet âgé).

Note : *vendu sans ordonnance; l'efficacité de la pholcodine est généralement reconnue, mais les autres composants ont peu d'intérêt dans l'emploi proposé.*

COGITUM®
(Marion Merrell Dow)

Introd. en 1968. Non remb. SS.

PRINCIPE ACTIF : ampoules buvables contenant 250 mg d'acide acétylaminosuccinique (sel dipotassique).

Emploi : proposé dans la fatigue.

Précautions : consultez votre médecin si la fatigue persiste (il peut s'agir d'une dépression ou d'une autre maladie nécessitant un traitement spécifique) ou en cas d'amaigrissement.

Note : *vendu sans ordonnance; efficacité du principe actif à confirmer dans l'emploi proposé.*

COLARINE® (Sterling Midy)

Introd. en 1968. Non remb. SS.

PRINCIPES ACTIFS : gelée orale contenant
- huile de paraffine : laxatif lubrifiant;
- belladone et jusquiame : antispasmodiques atropiniques.

Emploi : proposé dans la constipation et les spasmes digestifs.

Précautions : ce médicament ne doit pas utilisé en cas de
- hypertrophie de la prostate (risque d'aggravation de la difficulté à uriner);
- glaucome à angle fermé;
- traitement anticoagulant;
- enfants âgés de moins de 3 ans.

Consultez votre médecin si la constipation persiste, en cas de selles noires ou de présence de sang dans les selles.

Durée du traitement : ne pas dépasser quelques jours.

Effet indésirable possibles :
- liés à l'huile de paraffine : peut provoquer un suintement anal; risque de pneumopathie par inhalation en cas de régurgitation chez les sujets inconscients, les patients âgés alités ou les enfants en bas âge; l'huile de paraffine diminue l'absorption de certains médicaments, notamment des anticoagulants dérivés de la

coumarine; l'utilisation prolongée peut réduire l'utilisation des vitamines liposolubles (A, D, E, K).
- liés à la belladone : sécheresse de la bouche, vision trouble, palpitations, constipation.

Note : *vendu sans ordonnance; à éviter sans avis médical à cause du risque d'effets indésirables.*

COLCHICINE (Houdé)

Introduit avant 1910.

Liste I. Remb. SS 70%.

Préparations : comprimés à 1 mg.

Emploi : la colchicine est un alcaloïde du colchique (*Colchicum autumnale*); elle est utilisée pour traiter l'accès de goutte aiguë, pour prévenir les accès chez les goutteux chroniques ou chez les sujets traités par l'allopurinol (mobilisation de l'acide urique), ainsi que pour traiter certaines affections rares (fièvre méditerranéenne familiale, sclérodermie).

Précautions : ne pas utiliser en cas d'allergie au produit; les affections suivantes peuvent modifier l'action du médicament :
- maladies des reins ou du foie (l'insuffisance rénale ou l'insuffisance hépatique peuvent demander la réduction des doses);
- maladie du cœur, affections gastro-intestinales (toxicité cumulative).

Grossesse : ce médicament ne doit pas être utilisé chez la femme enceinte ou susceptible de l'être; en effet, il a causé des malformations du fœtus au cours de l'expérimentation animale. Consultez votre médecin si vous devenez enceinte pendant le traitement.

Allaitement : utilisation déconseillée (passe dans le lait maternel).

Sujets âgés : risque accru d'effets indésirables.

Interactions : il faut informer votre médecin si vous prenez ou avez pris récemment d'autres médicaments.

Prescription : ne dépassez pas la dose prescrite par votre médecin; des doses trop élevées ou des prises trop fréquentes augmentent le risque d'effets indésirables.

Traitement de la crise de goutte : si vous utilisez la colchicine pour traiter une crise goutte aiguë :
- prenez le médicament dès les miers signes de la crise;

– arrêtez le traitement par la colchicine dès que la douleur diminue ou en cas de nausées, vomissements ou de diarrhée;
– si vous prenez un autre médicament contre la goutte, par exemple l'allopurinol, continuez à le prendre aux doses habituelles;
– en cas de diarrhée, évitez les antidiarrhéiques : ils pourraient masquer la diarrhée qui est le premier signe de surdosage de la colchicine.

Traitement de fond de la goutte : si vous prenez la colchicine régulièrement à faibles doses pour prévenir les crises de goutte, augmentez les doses dès les premiers signes de la crise, puis revenez aux doses faibles dès que la douleur diminue ou en cas de nausées, vomissements ou de diarrhée; si vous oubliez de prendre une dose et si vous le remarquez dans les 2 heures qui suivent, prenez immédiatement la dose oubliée; ne doublez pas la dose suivante; si vous oubliez le médicament plusieurs jours, prenez contact avec votre médecin.

Alcool : à éviter pendant le traitement.

Effets indésirables possibles :
– nausées, vomissements;
– diarrhées profuses : indiquent que les doses de colchicine sont excessives et doivent être réduites;
– fièvre, angine : diminution des globules blancs dans le sang;
– hémorragies, saignements au moindre traumatisme, selles noires : diminution du nombre des plaquettes dans le sang ou diminution du temps de prothrombine;
– urticaire, éruption cutanée : réaction allergique : arrêtez le traitement.

Stérilité : la colchicine peut causer chez l'homme une stérilité transitoire.

Intoxication : (à partir de 10 mg; dose constamment mortelle à partir de 40 mg) : douleurs et crampes abdominales, vomissements, diarrhées profuses, déshydratation, collapsus circulatoire; traitement à l'hôpital.

Note : prescrit sur ordonnance médicale.

COLCHIMAX® (Houdé)

Introd. en 1967. Liste I. Remb. SS 70%.
PRINCIPES ACTIFS : comprimés contenant
– colchicine (1 mg) : antigoutteux;
– phénobarbital (15 mg) : barbiturique à action prolongée;

– poudre d'opium (12,5 mg); analgésique à action centrale et antidiarrhéique;
– tiémonium iodure (50 mg) : antispasmodique atropinique.

Emploi : proposé pour traiter l'accès aigu de goutte; l'utilisation est limitée du fait de la présence de phénobarbital qui a peu d'intérêt dans l'emploi proposé et n'est pas recommandé en dehors du traitement de l'épilepsie.

Précautions : ne pas utiliser en cas d'insuffisance rénale ou hépatique, de grossesse, de glaucome à angle fermé, d'hypertrophie de la prostate, de sensibilisation à l'iode.

Conduite de véhicules : ce médicament peut diminuer la vigilance; la conduite de véhicules ou l'utilisation de machines peut être dangereuse dans ce cas.

Sportifs : ce médicament peut donner une réaction positive lors des tests pour contrôle antidopage.

Effets indésirables possibles :
– liés à la colchicine : nausées, vomissements, diarrhées profuses qui sont le signe d'un surdosage, fièvre, angine (peuvent indiquer une diminution du nombre des globules blancs dans le sang), hémorragies, saignements au moindre traumatisme, selles noires (peuvent indiquer une diminution du nombre des plaquettes dans le sang ou une diminution du temps de prothrombine); stérilité (azoospermie).
– liés au phénobarbital : somnolence, troubles psychiques, excitation, parfois confusion mentale, éruptions cutanées.

Note : prescrit sur ordonnance médicale.

COLICORT®
(M., S. & D.-Chibret)

Introd. en 1967. Liste I. Remb. SS 40%.
PRINCIPES ACTIFS : solution nasale et auriculaire contenant de la colistine et de la tétracycline (antibiotiques locaux) et prednisolone (corticoïde).

Emploi : proposé dans les infections nasales et auriculaires.
En présence d'écoulement purulent de l'oreille, un examen médical est indispensable avant le début du traitement.

Précautions : vérifier l'état du tympan avant toute application dans l'oreille.

Durée du traitement : ne pas dépasser 10 jours sans contrôle médical.

Effets indésirables possibles : réactions allergiques à la colistine ou à la tétracycline.

Note : prescrit sur ordonnance médicale.

COLIMYCINE® (R. Bellon)

Introd. en 1959. Liste I. Remb. SS 70%.

PRINCIPE ACTIF : **Colistine**.

SYNONYME : polymyxine E.

Préparations : comprimés à 1.500.000 UI; sirop à 250.000 UI par mesure; poudre pour solution injectable en flacons à 500.000 UI et à 1.000.000 UI.

Emploi : antibiotique du groupe des polymyxines, utilisé :
– *par voie intramusculaire ou intraveineuse* : utilisée pour traiter certaines infections graves à germes résistants à d'autres antibiotiques;
– *par voie buccale* : proposée dans les diarrhées présumées d'origine bactérienne en complément de la réhydratation et en l'absence de suspicion de phénomènes invasifs; la colistine est peu résorbée par la muqueuse intestinale normale.

Note : prescrit sur ordonnance médicale.

COLITIQUE® (Lactéol)

Introd. en 1930. Non remb. SS.

PRINCIPE ACTIF : suspension buvable contenant un lysat-vaccin anticolibacillaire et colibacilles.

Emploi : proposé dans la colibacillose.

Note : vendu sans ordonnance; efficacité du principe actif à confirmer dans l'emploi proposé.

COLLAFILM® (Interphar)

Introd. en 1975. Non remb. SS.

PRINCIPE ACTIF : gel pour application locale contenant du collagène.

Emploi : proposé comme cicatrisant dans les ulcères de jambe et abrasions superficielles.

Note : vendu sans ordonnance; efficacité du principe actif à confirmer dans l'emploi proposé.

COLLE BIOLOGIQUE → Biocol®.

COLLU-BLACHE® (Gallier)

Introd. en 1970. Non remb. SS.

PRINCIPES ACTIFS : collutoire contenant de la chlorhexidine (antiseptique) et de l'oxybuprocaïne (anesthésique).

Emploi : anesthésique et antiseptique buccal proposé dans le «mal de gorge» de l'adulte sans fièvre.

Note : vendu sans ordonnance; ne pas utiliser pendant plus de 5 jours sans avis médical.

COLLUCALMYL®
(Sterling-Midy).

Introd. en 1976. Non remb. SS.

PRINCIPES ACTIFS : collutoire contenant de l'hexamidine (antiseptique) et tétracaïne (anesthésique local).

Emploi : anesthésique et antiseptique buccal proposé dans le «mal de gorge» de l'adulte sans fièvre.

Note : vendu sans ordonnance; ne pas utiliser pendant plus de 5 jours sans avis médical.

COLLUDOL® (Lipha)

Introd. en 1983. Non remb. SS.

PRINCIPES ACTIFS : collutoire en flacon pressurisé contenant de la lidocaïne (anesthésique local) et hexamidine (antiseptique).

Emploi : anesthésique et antiseptique buccal proposé dans le «mal de gorge» de l'adulte sans fièvre.

Note : vendu sans ordonnance; ne pas utiliser pendant plus de 5 jours sans avis médical.

COLLU-HEXTRIL®
(Parke-Davis)

Introd. en 1968. Remb. SS 40%.

PRINCIPE ACTIF : collutoire en flacon pulvérisateur contenant de l'hexétidine.

Emploi : antiseptique buccal proposé dans le traitement d'appoint des infections de la cavité buccale et de l'oropharynx, notamment dans le «mal de gorge» de l'adulte sans fièvre.

Note : vendu sans ordonnance; ne pas utiliser pendant plus de 5 jours sans avis médical.

COLLUNOSOL® (Lederle)

Non remb. SS.

PRINCIPE ACTIF : collutoire contenant trichlorophénol (antiseptique) et tétracaïne (anesthésique local).

Emploi : anesthésique et antiseptique buccal proposé dans le «mal de gorge» de l'adulte sans fièvre.

Note : *vendu sans ordonnance; ne pas utiliser pendant plus de 5 jours sans avis médical.*

COLLUNOVAR® (Dexo)

Introd. en 1956. Remb. SS 40%.

PRINCIPE ACTIF : collutoire (bain de bouche) et collutoire (atomiseur) contenant de la chlorhexidine.

Emploi : antiseptique proposé dans le traitement d'appoint des infections de la cavité buccale et de l'oropharynx, notamment dans le «mal de gorge» de l'adulte sans fièvre.

Note : *vendu sans ordonnance; ne pas utiliser pendant plus de 5 jours sans avis médical.*

COLLUNOVAR® sec (Dexo)

Introd. en 1975. Non remb. SS.

PRINCIPES ACTIFS : pastilles contenant de la bacitracine et tyrothricine (antibiotiques locaux).

Emploi : anesthésique et antiseptique buccal proposé dans le «mal de gorge» de l'adulte sans fièvre.

Note : *vendu sans ordonnance; à éviter en automédication comme tous les antibiotiques locaux.*

COLLUPRESSINE® (Synthélabo)

Introd. en 1972. Non remb. SS.

PRINCIPES ACTIFS : collutoire en flacon pressurisé contenant de la félypressine (vasoconstricteur) et chlorhexidine (antiseptique local).

Emploi : antiseptique proposé dans le traitement d'appoint des infections de la cavité buccale et de l'oropharynx, notamment dans le «mal de gorge» de l'adulte sans fièvre.

Note : *vendu sans ordonnance; ne pas utiliser pendant plus de 5 jours sans avis médical.*

COLLUSPIR® (Soekami-Lefrancq)

Introd. en 1992. Non remb. SS.

PRINCIPES ACTIFS : collutoire en flacon pressurisé contenant de la tétracaïne (anesthésique local) et hexamidine (antiseptique).

Emploi : anesthésique et antiseptique buccal proposé dans le «mal de gorge» de l'adulte sans fièvre.

Note : *vendu sans ordonnance; ne pas utiliser pendant plus de 5 jours sans avis médical.*

COLLUSTAN® (Oberlin)

Introd. en 1985. Non remb. SS.

PRINCIPES ACTIFS : collutoire contenant de la chlorhexidine (antiseptique), amyléine (anesthésique local), menthol.

Emploi : anesthésique et antiseptique buccal proposé dans le «mal de gorge» de l'adulte sans fièvre.

Note : *vendu sans ordonnance; ne pas utiliser pendant plus de 5 jours sans avis médical.*

COLLYRE BLEU Laiter® (Opocalcium)

Introd. en 1945. Liste II. Remb. SS 70%.

PRINCIPES ACTIFS : collyre contenant du méthylthioninium (bleu de méthylène) et naphazoline (vasoconstricteur) à la concentration de 0,05% ou 0,1% («Fort»).

Emploi : proposé dans les irritations de la conjonctive et des annexes («yeux rouges»).

Précautions : ne pas utiliser en cas de glaucome à angle fermé, d'hypertension artérielle et chez l'enfant âgé de moins de 7 ans.

Durée du traitement : ne devrait pas dépasser 5-6 jours.

Sportifs : ce médicament peut donner une réaction positive lors des tests pour contrôle antidopage.

Conduite de véhicules : ce médicament peut dilater les pupilles (mydriase) et provoquer des troubles visuels; la conduite de véhicules ou l'utilisation de machines peut être dangereuse en cas d'instillation répétées.

Conservation : à utiliser dans les 15 jours après l'ouverture du flacon.

Note : *prescrit sur ordonnance médicale.*

COLLYREX® (Sterling Midy)

Introd. en 1979. Non remb. SS.
PRINCIPES ACTIFS : collyre contenant du thiomersal (antiseptique local), phényléphrine (vasoconstricteur), pentosane polysulfate.
Emploi : proposé dans les irritations oculaires («yeux rouges»).
Précautions : ne pas utiliser en cas de glaucome, d'allergie au mercure et chez l'enfant de moins de 30 mois.
Effets indésirables possibles : dilatation gênante des pupilles en cas d'instillations répétées.
Note : vendu sans ordonnance; à éviter sans avis médical, comme tous les collyres.

COLOFOAM® (Stafford-Miller)

Introd. en 1983. Liste I. Remb. SS 70%.
PRINCIPE ACTIF : *Hydrocortisone.*
SYNONYMES : cortisol, composé F.
Préparations : mousse rectale en flacon pressurisé avec applicateur doseur.
Emploi : corticoïde utilisé en application rectale dans le traitement des rectocolites hémorragiques, de la maladie de Crohn colique, de lésions rectales dues à la radiothérapie ou à la suite d'une résection du côlon.
Précautions : ne pas utiliser en cas d'ulcère gastroduodénal évolutif, de maladies bactériennes, de mycoses ou d'infections virales (herpès, zona, hépatites virales).
Effets indésirables possibles : surinfection locale.
Note : prescrit sur ordonnance médicale.

COLOPEG® (Nicholas)

Introd. en 1986. Remb. SS 70%.
PRINCIPES ACTIFS : poudre pour solution buvable contenant du polyéthylèneglycol, chlorure de sodium, sulfate de sodium, chlorure de potassium, bicarbonate de sodium.
Emploi : évacuateur colique utilisé avant les explorations endoscopiques ou radiologiques du côlon ou avant la chirurgie colique.

COLOPRIV® (Biothérapie)

Introd. en 1991. Liste II. Remb. SS 40%.
PRINCIPE ACTIF : *Mébévérine.*
Préparations : comprimés et capsules à 100 mg; susp. buvable à 10 mg/ml.

Emploi : antispasmodique agissant directement sur les fibres musculaires lisses, sans action atropinique, proposé dans le traitement des spasmes intestinaux et du «côlon irritable».
Pour les détails → p. 57.
Note : prescrit sur ordonnance médicale.

COLOPTEN® (Debat)

Introd. en 1976. Remb. SS 40%.
PRINCIPES ACTIFS : solution buvable et comprimés contenant des fractions antigéniques provenant de diverses bactéries.
Emploi : proposé dans les diarrhées non organiques.
Précautions : ne pas utiliser en cas de douleurs ou de crampes abdominales d'origine indéterminée, de selles noires, d'amaigrissement, de jaunisse; consultez votre médecin si la diarrhée persiste après 48 heures, si des glaires et du sang apparaissent dans les selles.
Note : vendu sans ordonnance; efficacité des principes actifs à confirmer dans l'emploi proposé.

COLPORMON® (Lipha Santé)

Introd. en 1962. Non remb. SS.
PRINCIPE ACTIF : *Diacétate d'hydroxyestrone.*
Préparations : comprimés à 100 µg.
Emploi : médicament appartenant au groupe des estrogènes qui sont des hormones femelles naturelles nécessaires pour le développement des caractères sexuels de la femme et pour la régulation du cycle menstruel pendant l'âge de la procréation.
Dérivé naturel de l'estrone, utilisé dans le traitement du prurit et des douleurs vulvaires et vaginales dues au déficit estrogénique de la ménopause; proposé dans la stérilité par insuffisance de la glaire cervicale.
En cas d'utilisation prolongée, on associe un progestatif pour diminuer le risque de cancer de l'endomètre. Interrompre l'utilisation en cas d'immobilisation prolongée.
Pour les détails → p. 266.
Note : vendu sans ordonnance; à utiliser sous contrôle médical.

COLPOSEPTINE® (Théramex)

Introd. en 1978. Liste II. Remb. SS 70%.
PRINCIPES ACTIFS : comprimés vaginaux
contenant du chlorquinaldol (antiseptique local) et du promestriène
(estrogène).
Emploi : proposé en application locale
dans l'atrophie vaginale par carence
estrogénique avec surinfection.
Note : prescrit sur ordonnance médicale.

COLPOTROPHINE®
(Théramex)

Introd. en 1975. Liste II. Remb. SS 70%.
PRINCIPE ACTIF : *Promestriène*.
Préparations : capsules vaginales à
10 mg; crème vaginale à 1%.
Emploi : estrogène caractérisé par son
incapacité de traverser les téguments
en proportion significative; utilisé en
application locale dans le traitement
des troubles trophiques locaux par
carence estrogénique (vaginites atrophiques, atrésies et dystrophies vaginales, atrophies de la vulve, etc.).
Note : prescrit sur ordonnance médicale.

COLPRONE® 5 (Wyeth)

Introd. en 1972. Liste I. Remb. SS 70%.
PRINCIPE ACTIF : *Médrogestone*.
Préparations : comprimés à 5 mg.
Emploi : médicament appartenant au
groupe des progestatifs qui sont des
hormones femelles apparentées à la
progestérone naturelle. La médrogestone est une hormone synthétique,
dérivée de la de la 17-méthylproges-
térone, utilisée dans le
– traitement des troubles des règles
dus à une carence en progestérone,
par ex. menstruations douloureuses
(dysménorrhée), absence de menstruations (aménorrhée);
– traitement séquentiel de la ménopause (associé à un estrogène);
– traitement de l'endométriose, affection caractérisée par la présence
anormale de tissu de revêtement de
l'utérus à l'extérieur de celui-ci;
– traitement d'autres conditions déterminées par votre médecin.
Pour les détails → p. 560.
Note : prescrit sur ordonnance médicale.

COLTRAMYL® (Roussel)

Introd. en 1957. Liste I. Remb. SS 70%.
PRINCIPE ACTIF : *Thiocolchicoside*.
Préparations : comprimés à 4 mg; ampoules injectables à 4 mg dans 2 ml.
Emploi : analogue d'un alcaloïde du
colchique proposé dans le traitement
d'appoint des contractures douloureuses et des dysménorrhées.
Précautions : ne pas utiliser pendant la
grossesse et l'allaitement.
Effets indésirables possibles: douleurs
d'estomac, diarrhées, excitation ou
obnubilation (forme injectable).
Pour les détails → p. 585.
Note : prescrit sur ordonnance médicale.

COMBANTRIN® (Pfizer)

Introd. en 1973. Remb. SS 70%.
PRINCIPE ACTIF : *Pyrantel*.
Préparations : comprimés à 125 mg;
suspension buvable à 125 mg par
mesure (sous forme de pamoate).
Emploi : médicament appartenant au
groupe des anthelminthiques ou vermifuges qui sont utilisés pour traiter
les infestations par des vers intestinaux; le pyrantel est employé pour
traiter l'ascaridiose, l'oxyurose, l'ankylostomiase et l'anguillulose : une
prise unique suffit pour venir à bout
de la plupart de ces infestations; toutefois, le traitement de l'oxyurose doit
être systématiquement répété au bout
de 2 à 4 semaines et tous les membres
de la famille ou de la communauté
doivent être traités en même temps.
On a observé qu'il est possible de
réduire sensiblement la prévalence
de l'ascaridiose avec un traitement
de masse une dose orale unique
administrée 3 ou 4 fois par an dans le
cadre de programmes de lutte contre
la maladie.
Le pyrantel agit en paralysant les vers
qui sont expulsé avec les selles.
Posologie (adulte) : prise unique de 6
comprimés à répéter après 2 à 4
semaines.
Précautions : ne pas utiliser en cas
d'allergie au produit ou d'insuffisance
hépatique.
Grossesse et allaitement: l'innocuité de
ce médicament n'ayant pas été établie
chez la femme enceinte, ni lors de
l'allaitement, son usage est déconseillé
par mesure de prudence.

Enfants : l'emploi de ce médicament est déconseillé chez les enfants âgés de moins de 2 ans.

Interactions : évitez l'association avec la pipérazine et le lévamisole.

Alcool : évitez les boissons alcoolisées.

Conduite de véhicules : chez certains sujets, ce médicament peut diminuer la vigilance : la conduite de véhicules ou l'utilisation de machines peut être dangereuse dans ce cas.

Effets indésirables possibles : somnolence, maux de tête, douleurs abdominales, nausées, diarrhée, vertiges, éruption cutanée (réaction allergique : arrêtez le traitement).

Note : vendu sans ordonnance; efficacité généralement reconnue dans l'emploi proposé.

COMBEYLAX® (Thera)

Introd. en 1992. Non remb. SS.

PRINCIPE ACTIF : *Pentaérythritol.*

Préparations : poudre orale en sachets à 5 g.

Emploi : accélérateur du transit intestinal par hydratation du bol proposé dans le traitement de la constipation occasionnelle.

Posologie (adulte) : 1-3 sachets à prendre à jeun dilués dans un grand verre d'eau ou dans une boisson chaude.

Précautions : ne pas utiliser en cas de maladies inflammatoires de l'intestin ou de douleurs abdominales de cause inconnue; éviter une utilisation prolongée; consultez votre médecin si la constipation persiste ou en cas de selles noires ou de présence de sang dans les selles.

Note : vendu sans ordonnance; le traitement médicamenteux de la constipation n'est qu'un adjuvant au traitement hygiéno-diététique qui comporte:
- *alimentation riche en fibres végétales (légumes, fruits, pain complet), boissons abondantes;*
- *activité physique et présentation quotidienne à la selle, à la même heure.*

COMPRALGYL® (Bayer)

Introd. en 1981. Non remb. SS.

PRINCIPES ACTIFS : comprimés contenant :
- acide acétylsalicylique (aspirine) : analgésique et antipyrétique;
- codéine : analgésique opiacé.

Emploi : proposé pour atténuer la douleur modérée *(analgésique)* et pour faire tomber la fièvre *(antipyrétique).*

Durée du traitement : consultez votre médecin si les douleurs persistent après 5 jours ou si la fièvre ou le mal de gorge ne régressent pas au bout de 3 jours.

Précautions : ne doit pas être utilisé en cas d'allergie à l'aspirine, d'asthme, d'ulcère gastroduodénal évolutif, de maladie hémorragique ou traitement anticoagulant, de grossesse et chez l'enfant âgé de moins de 10 ans sans avis médical.

Conduite de véhicules : ce médicament peut diminuer la vigilance : la conduite de véhicules ou l'utilisation de machines peut être dangereuse.

Sportifs : ce médicament peut donner une réaction positive en cas de tests pratiqués lors des contrôles antidopage.

Effets indésirables possibles :
- liés à la codéine : somnolence, vertiges, constipation;
- liés à l'aspirine : nausées, vomissements, douleurs gastriques, bourdonnements d'oreille, baisse de l'audition, maux de tête; consultez votre médecin en cas de douleurs abdominales, de vomissements sanglants, de selles noires, d'asthme, de prurit, d'urticaire ou de jaunisse (ou ictère).

Note : vendu sans ordonnance; l'efficacité de l'aspirine et celle de la codéine sont généralement reconnues dans l'emploi proposé.

COMPRIMÉS Pharmatex®
(Pharmatex)

Introd. en 1987. Non remb. SS.

PRINCIPE ACTIF : comprimés gynécologiques contenant du benzalkonium chlorure (spermicide).

Emploi : proposé dans la contraception locale; placer un comprimé au fond du vagin en position allongée 10 minutes avant le rapport; la protection est partielle (diminue le risque de grossesse sans le supprimer) et dure environ 3 heures; pas de lavage 12 heures avant et dans les 2 heures qui suivent les rapports.

Note : vendu sans ordonnance; efficacité généralement reconnue dans l'emploi proposé.

CONDOMS → Contraception locale.

CONDYLINE®
(Brocades Pharma)

Introd. en 1989. Liste I. Remb. SS 70%.
Principe actif : *Podophyllotoxine*.
Préparations : solution alcoolique pour application locale à 0,5 %.
Emploi : la podophyllotoxine est le principe actif de la podophylline, résine extraite de *Podophyllum peltatum;* elle est utilisée pour traiter les «verrues génitales» ou «condylomes acuminés» externes localisés au niveau des muqueuse génitales dont la surface est inférieure à 4 cm²; ces lésions sont transmises par contact sexuel et sont dues à un virus (papillomavirus), qui est aussi responsable des verrues de la peau; les patients du sexe masculin ayant des condylomes devraient se servir d'un préservatif pendant les rapports sexuels jusqu'à la guérison. Ce médicament convient au traitement à domicile par le patient lui-même à condition que celui-ci soit instruit sur son application par le médecin.
Allergie : informez votre médecin si vous avez déjà fait une réaction allergique ou inhabituelle à ce médicament.
Grossesse : ce médicament peut être absorbé à travers la peau et ne doit pas être utilisé chez la femme enceinte en raisons de ses effets sur la division des cellules (action antimitotique); si une grossesse survient pendant le traitement, il faut informer immédiatement le médecin traitant.
Allaitement : ce médicament ne doit par être utilisé pendant l'allaitement.
Enfants : ce médicament ne doit pas être utilisé chez l'enfant âgé de moins de 12 ans.
Application :
– La podophyllotoxine est un médicament à utiliser avec précaution; la première application est habituellement faite par votre médecin qui vous expliquera comment l'appliquer par la suite.
– Appliquez la solution sur le condylome et laissez sécher; évitez tout contact avec la peau saine et, en cas de contact accidentel, lavez avec de l'eau et savon ou avec un tampon imbibé d'alcool.
– Après chaque application, lavez soigneusement vos mains.
– Respectez scrupuleusement les indications de votre médecin sur la fréquence des applications et la durée du traitement; on conseille habituellement 2 applications par jour pendant 3 jours consécutifs.
– Une irritation locale et une ulcération des muqueuses et de la peau saines, à proximité ou à la base du condylome, peut être évitée en appliquant avant le traitement une couche protectrice de vaseline ou d'une pommade à base de zinc.
– En cas de projection accidentelle dans les yeux, rincez immédiatement avec de l'eau pendant 15 minutes.
– Evitez tout abus d'alcool pendant le traitement.
Effets indésirables locaux : vers le 2e ou 3e jour du traitement, on peut observer des rougeurs et des douleurs avec ulcération de la zone traitée; on œdème peut apparaître en cas de lésions au niveau du prépuce.
Effets indésirables généraux (à la suite d'absorption à travers la peau) : douleurs abdominales, nausées, vomissements, diarrhée, excitation, hallucination, confusion mentale, hémorragies, fièvre.
Note : prescrit sur ordonnance médicale.

CONFLICTAN® (Sarbach)

Introd. en 1982. Liste I. Remb. SS 70%.
Principe actif : *Oxaflozane.*
Préparations : solution buvable à 5 mg par 10 gouttes.
Emploi : antidépresseur du groupe des bicycliques, utilisé dans le traitement des états dépressifs de l'adulte, en particulier des états réactionnels.
Pour les détails → p. 40.
Note : prescrit sur ordonnance médicale.

CONJONCTYL® (Sédifa)

Introd. en 1974. Liste II. Remb. SS 40%.
Principe actif : solution injectable contenant du salicylate de méthylsilanetriol.
Emploi : proposé comme protecteur tissulaire dans les artérites, l'ostéoporose, les troubles psychiques et physiques du vieillissement (efficacité à confirmer).
Note : prescrit sur ordonnance médicale.

CONSTRILIA® (Alcon)

Introd. en 1979. Liste II. Remb. SS 70%.
PRINCIPES ACTIFS : collyre contenant thiomersal (antiseptique), tétryzoline (vasoconstricteur) et eau de rose.
Emploi : proposé dans les affections allergique ou inflammatoires du segment antérieur de l'œil.
Précautions : ne pas utiliser chez l'enfant de moins de 7 ans ou en cas de glaucome par fermeture de l'angle; évitez les instillations répétées en cas d'hypertension artérielle ou d'hyperthyroïdie.
Conservation : à utiliser dans les 15 jours après l'ouverture du flacon.
Note : prescrit sur ordonnance médicale.

CONTACTOL®
(M., S. & D.-Chibret)

Introd. en 1962. Non remb. SS.
Solution de contactologie contenant de l'hypromellose.

CONTALAX® (3M Santé)

Introd. en 1959. Non remb. SS.
PRINCIPE ACTIF : **Bisacodyl.**
Préparations : comprimés à 5 mg.
Emploi : traitement de la constipation.
Précautions : le bisacodyl appartient au groupe des laxatifs stimulants ou irritants qui contiennent ou libèrent dans l'intestin (surtout dans le côlon) des substances irritantes; ils augmentent la motricité (péristaltisme) du côlon et la sécrétion intestinale d'eau, d'électrolytes et de protéines; ils ne doivent être utilisés que pour des traitements de courte durée de la constipation occasionnelle.
Note : vendu sans ordonnance; à éviter comme tous les laxatifs irritants.

CONTRACIDE® (Norgan)

Introd. en 1985. Remb. SS 70%.
PRINCIPES ACTIFS : suspension buvable contenant de l'hydroxyde d'aluminium, trisilicate de magnésium et diméticone.
Emploi : proposé pour neutraliser l'excès d'acidité et comme pansement gastrique en cas de brûlures de l'estomac; en cas d'ulcère de l'estomac ou du duodénum, ce médicament ne doit être utilisé que sous surveillance médicale.

Prise du médicament : après les repas et éventuellement au coucher.
Précautions : consultez votre médecin si les troubles persistent et en cas de douleurs ou crampes abdominales, de selles noires, d'amaigrissement, de fièvre; ne pas utiliser en cas d'insuffisance rénale sévère; ne pas associer les tétracyclines.
Effets indésirables possibles : retard ou diminution de la résorption d'autres médicaments (respecter un intervalle d'au moins 2 heures), diarrhées.
Note : vendu sans ordonnance; ne pas utiliser pendant plus de 5 jours sans avis médical.

CONTRAGRIPPINE®
(Sterling Midy)

Introd. en 1990. Non remb. SS.
PRINCIPES ACTIFS : poudre pour solution buvable contenant
– paracétamol : analgésique et antipyrétique à action périphérique;
– acide ascorbique : vitamine C;
– aspartam : édulcorant.
Emploi : proposé pour atténuer la douleur modérée *(analgésique)* et pour faire tomber la fièvre *(antipyrétique).*
Durée du traitement : consultez votre médecin si les douleurs persistent après 5 jours ou si la fièvre ou le mal de gorge ne régressent pas au bout de 3 jours.
Précautions : ne pas utiliser chez l'enfant âgé de moins de 15 ans, en cas de grossesse ou d'allaitement et en cas de phénylcétonurie (à cause de la présence d'aspartam).
Note : vendu sans ordonnance; l'efficacité du paracétamol est généralement reconnue, mais la vitamine C a peu d'intérêt dans l'emploi proposé.

CONTRATHION® (Lab. SERB)

Introd. en 1961. Non remb. SS.
PRINCIPE ACTIF : poudre pour solution injectable en flacons contenant 200 mg d'iodure de pralidoxime.
Emploi : réactivateur de la cholinestérase utilisé comme antidote dans les intoxications aiguës par les anticholinestérasiques (insecticides organophosphorés) en association avec l'atropine; il est d'autant plus efficace qu'il est administré peu de temps après l'intoxication; il a peu d'effet après 36 h. → p. 172

CONTRACEPTION HORMONALE

ESTROPROGESTATIFS

ETHINYLESTRADIOL + NORÉTHISTÉRONE :
  Gynophase® (Schering) [normodosé biphasique : 50 μg + 1 mg/2 mg].
  Gynovlane® (Schering) [normodosé monophasique 50 μg + 2 mg].
  Milli Anovlar® (Schering) [normodosé monophasique 50 μg + 1 mg].
  Miniphase® (Schering) [minidosé biphasique 30 μg + 1 mg ou 40 μg + 2 mg].
  Ortho-Novum® (Cilag) [minidosé monophasique 35 μg + 1 mg].
  Trentovlane® (Schering) [minidosé monophasique 30 μg + 1 mg].
  Triella® (Cilag) [minidosé triphasique 35 μg + 0,5 mg, 35 μg + 0,75 mg ou
    35 μg + 1 mg].
ETHINYLESTRADIOL + LÉVONORGESTREL :
  Adépal® (Wyeth) [minidosé biphasique 30 μg +150 μg et 40 μg + 200 μg].
  Minidril® (Wyeth) [minidosé monophasique 30μg + 150 μg].
  Trinordiol® (Wyeth) [minidosé triphasique 30 μg + 50 μg, 40 μg + 75 μg et
    30 μg + 125 μg].
ETHINYLESTRADIOL + NORGESTREL :
  Stédiril® (Wyeth) [normodosé monophasique 50 μg + 0,5 mg].
ETHINYLESTRADIOL + LYNESTRÉNOL :
  Ovamezzo® (C.C.D.) [minidosé monophasique 37,5 μg + 0,75 mg].
  Ovanon® (Organon) [séquentiel : éthinylestradiol 50 μg x 7 jours;
    éthinylestradiol 50 μg + lynestrénol 2,5 mg x 15 jours].
  Ovariostat® (Organon) [normodosé monophasique 50 μg + 2,5 mg].
  Physiostat® (Organon) [séquentiel : éthinylestradiol 50 μg x 7 jours;
    éthinylestradiol 50 μg + lynestrénol 1 mg x 15 jours].
ETHINYLESTRADIOL + NORGESTRIÉNONE :
  Planor® (Roussel) [normodosé monophasique 50 μg + 2 mg].
ETHINYLESTRADIOL + QUINGESTANOL : *Rélovis®* (Substantia).
ETHINYLESTRADIOL + DÉSOGESTREL :
  Cycléane 20® (Searle) [minidosé monophasique 20 μg + 150 μg].
  Cycléane 30® (Searle) [minidosé monophasique 30 μg + 150 μg].
  Mercilon® (Organon) [minidosé monophasique 20 μg + 150 μg].
  Varnoline® (Organon) [minidosé monophasique 30 μg + 150 μg].
ETHINYLESTRADIOL + GESTODÈNE : *Minulet®* (Wyeth). *Moneva®* (Schering).
  Phaeva® (Schering) [minidosé triphasique 30 μg + 50 μg; 40 μg + 70 μg et
    30 μg + 100 μg].
  Tri-Minulet® (Wyeth) [minidosé triphasique 30 μg + 50 μg; 40 μg + 70 μg et
    30 μg + 100 μg].
ETHINYLESTRADIOL + NORGESTIMATE :
  Cilest® (Cilag) [minidosé monophasique 35 μg + 250 μg].
ETHINYLESTRADIOL + CYPROTÉRONE (indiqués uniquement en cas de signes
  d'androgénisation) :
  Diane 35® (Schering) [→ ce terme].

PROGESTATIFS

CONTRACEPTION CONTINUE À FAIBLE DOSE :

LÉVONORGESTREL :   NORÉTHISTÉRONE :
  Microval® (Wyeth) [30 μg].   *Milligynon®* (Schering) [600 μg]
LYNESTRÉNOL :   NORGESTRIÉNONE :
  Exluton® (Organon) [500 μg].   *Ogyline®* (Roussel) [350 μg].

CONTRACEPTION DISCONTINUE À FORTE DOSE :

LYNESTRÉNOL.   NORÉTHISTÉRONE.
  Orgamétril® (Organon) [10 mg].   *Primolut-Nor®* (Schering) [10 mg].

PROGESTATIFS INJECTABLES

MÉDROXYPROGESTÉRONE ACÉTATE :   NORÉTHISTÉRONE ÉNANTHATE :
  Depo-Provera® (Upjohn) [150 mg].   *Noristérat®* (Schering) [200 mg].

CONTRACEPTION LOCALE

Préservatifs masculins ou condoms

Epaisseur de 60 à 100 microns; possibilité de rupture ou d'éclatement (< 1%
lors de rapports vaginaux) le préservatif présente une efficacité contraceptive
et préventive pour les MST et le SIDA; lors de rapports anaux, utiliser des
préservatifs d'épaisseur plus importante (préservatifs Duo®).
Bien utilisé, le préservatif protège du SIDA.

Préservatif féminin

Fourreau très fin en polyuréthane (0,05 mm), muni à son extrémité externe
d'un anneau très fin; il est lubrifié uniquement à l'intérieur par un produit à
base de silicone; inséré avant le rapport, il semble aussi efficace que le
préservatif masculin.
Femidom® (Chartex).

Diaphragmes (obturateurs vaginaux)

Diaphragme «Diafam»® (Lab. C.C.D.).
Capsule de latex munie d'un ressort ayant un effet contraceptif local par
action mécanique; il faut placer le diaphragme en tout cas 2 heures avant le
rapport sexuel et il faut interposer un produit spermicide entre le diaphragme
et le col utérin.

Alpagelle® (Mercurochrome) [miristalkonium 0,9%].	*Genocrem*® (Lab. CCD) [hexylrésorcinol].
Crème Unidose® (Pharmatex) [benzalkonium 1,2%].	*Genola*® (Lab. C.C.D.) [benzododécinium + hexyl résorcinol].

Crèmes spermicides

Ces crèmes sont souvent associées aux diaphragmes ou aux préservatifs;
lorsqu'elles sont utilisées seules, on les Introd. à l'aide d'un applicateur
avant chaque rapport; la durée d'action varie de 4 à 10 heures. Pas d'irrigation
vaginale savonneuse avant ou après les rapports, car les savons, même à
l'état de traces, inactivent les spermicides.

Chlorure de Benzalkonium (Théramex).	*Ovules Pharmatex*® [benzalkonium].
Comprimés gynécologiques *Pharmatex*® [benzalkonium].	*Patentex*® (Lab.C.C.D.) [nonoxinol]. *Sémicid*® (Théraplix) [nonoxinol].
Mini-Ovule Pharmatex® [benzalkonium].	*Ta-Ro-Cap*® (Soekami-Lefrancq) [benzéthonium + phénylmercure].

Ovules spermicides

L'ovule peut être introduit jusqu'à une heure avant le rapport. Le délai
d'action est d'environ 10 minutes et la durée d'action varie de 2 h à 10 h. Pas
de lavage ni injection vaginale 12 h avant et dans 2 h suivant les rapports.

Eponges vaginales spermicides

Tampons Pharmatex® [benzalkonium].

Dispositifs intra-utérins (DIU)

STÉRILETS AU CUIVRE

Gravigarde® (Searle).	*Nova T*® (Schering).
Gyné-T® (Cilag).	*Stérilet T*® au cuivre (Schering).
ML Cu® 250 et 375 (Lab. C.C.D.).	*Stérilet T*® au cuivre argent

Constitués d'un support en polyéthylène et rendu opaque par du sulfate de
baryum dont la branche verticale porte une spirale en fil de cuivre d'une
surface de 200 mm² au minimum; efficace pendant 3-4 ans (le stérilet est
retiré après 3 ans environ). Ils doivent être placés pendant les derniers jours
des règles ou juste après.

STÉRILETS À LA PROGESTÉRONE

Progestasert® (Théraplix).
Constitué d'un corps en copolymère d'éthylène et d'acétate de vinyle en
forme de T qui contient dans sa partie verticale un réservoir de 38 mg de
progestérone additionnée de sulfate de baryum; efficace pendant 18 mois.

[suite de la p. 169]
Précautions : ne pas utiliser chez la femme enceinte, sauf si l'intoxication menace le pronostic vital.
Note : *vendu sans ordonnance; le traitement doit être pris en charge par un médecin.*

COQUELUSÉDAL® (Elerté)

Introd. en 1958. Remb. SS 40%. Liste II pour les suppositoires nourrissons et enfants.
PRINCIPES ACTIFS : suppositoires contenant du phénobarbital (barbiturique à action prolongée), du camphre, de l'essence de niaouli et des extraits de grindélia et de gelsémium.
Emploi : proposé pour calmer la toux.
Conduite de véhicules : ce médicament peut diminuer la vigilance : la conduite de véhicules ou l'utilisation de machines peut être dangereuse.
Effets indésirables possibles : somnolence, confusion mentale, éruptions.
Note : *vendu sans ordonnance (suppositoires adulte); à éviter du fait de la présence de phénobarbital qui n'est pas recommandé en dehors du traitement de l'épilepsie*

COQUELUSÉDAL®
paracétamol (Elerté)

Introd. en 1988. Remb. SS 40%.
PRINCIPES ACTIFS : suppositoires contenant du paracétamol (analgésique et antipyrétique), essence de niaouli, gelsémium et des extraits de grindélia, gelsémium.
Emploi : proposé dans les affections respiratoires fébriles.
Précautions : ne pas employer en cas d'insuffisance hépatique ou rénale.
Effets indésirables possibles : éruptions cutanées (arrêtez le traitement et consultez votre médecin).
Note : *vendu sans ordonnance; l'efficacité du paracétamol est généralement reconnue, mais les autres composants ont peu d'intérêt dans l'emploi proposé.*

CORAMINE® glucose (Zyma)

Introd. en 1951. Non remb. SS.
PRINCIPES ACTIFS : comprimés à sucer contenant de la nicéthamide et du glucose.
Emploi : stimulant du système nerveux central proposé pour prévenir les malaises dus à une baisse de la tension artérielle et les états de fatigue, notamment en altitude.
Précautions : ne pas utiliser chez l'enfant de moins de 15 ans, d'hypertension artérielle, d'épilepsie.
Sportifs : ce médicament peut donner une réaction positive en cas de tests pratiqués lors des contrôles antidopage.
Note : *vendu sans ordonnance; à éviter sans avis médical.*

CORBIONAX® (Millot-Solac) et
CORDARONE® (Labaz)

Introd. respectivement en 1984 et 1968. Liste II. Remb. SS 70%.
PRINCIPE ACTIF : *Amiodarone.*
Préparations : comprimés à 200 mg; ampoules injectables à 150 mg dans 3 ml (réservées aux hôpitaux).
Propriétés et emploi : médicament utilisé pour régulariser le rythme cardiaque (*antiarythmique*).

L'amiodarone agit à la fois sur la fibre musculaire et sur l'innervation du cœur; il est réservé au traitement des troubles du rythme graves (p. ex. rythme trop rapide dans la tachycardie ou irrégulier dans la fibrillation auriculaire), en cas de résistance aux autres traitements, et aux troubles du rythme associés à l'angine de poitrine (l'amiodarone a une action antiangineuse); le traitement devrait commencer en milieu hospitalier et être supervisé par un spécialiste.
La forme injectable est réservée à l'usage hospitalier.
L'amiodarone a une structure chimique analogue à celle de l'hormone thyroïdienne et contient de l'iode; il a tendance à s'accumuler dans l'organisme, notamment dans le tissu graisseux où il peut persister jusqu'à 3 mois après l'arrêt du traitement.
Allergie : informez votre médecin si vous avez déjà fait une réaction allergique ou inhabituelle à ce médicament, à l'iode ou à d'autres médicaments.
Etat de santé : vous devez informer votre médecin de toute affection susceptible de modifier les effets du médicament, notamment :
– maladie du foie (risque d'accumulation du médicament dans le sang);
– troubles du fonctionnement de la thyroïde (un test de la fonction

thyroïdienne peut être nécessaire avant et pendant le traitement);

– asthme, bronchite chronique, emphysème (risque d'aggravation);

– rythme cardiaque très lent (bradycardie).

Grossesse : ce médicament est ne doit pas être utilisé chez la femme enceinte ou susceptible de l'être; en effet, il a causé des malformations du fœtus au cours de l'expérimentation sur une espèce animale (rat); en outre, il peut entraîner un risque thyroïdien fœtal.

Allaitement : l'utilisation du médicament est déconseillée car il passe dans le lait maternel.

Sujets âgés : le ralentissement de la fréquence cardiaque peut être plus accentué.

Tabac, café : il est recommandé d'éviter autant que possible le tabac et les boissons contenant de la caféine qui peuvent aggraver certains troubles du rythme.

Interactions : il faut informer votre médecin si vous prenez ou avez pris récemment d'autres médicaments, notamment :

– autres antiarythmiques (il ne faut jamais associer deux antiarythmiques);

– anticoagulants oraux (augmentation de l'action anticoagulante);

– bêta-bloquants, vérapamil, digitaliques (associations à éviter);

– phénytoïne (augmentation des effets de la phénytoïne);

– benzodiazépines (augmentation de la toxicité cardiovasculaire);

– laxatifs irritants.

Prescription : ne dépassez pas la dose prescrite par votre médecin; des doses trop élevées ou des prises trop fréquentes augmentent le risque d'effets indésirables.

Oubli : si vous oubliez de prendre le médicament et si vous le remarquez dans les 2 heures qui suivent, prenez immédiatement la dose oubliée; ne doublez pas la dose suivante; si vous oubliez le médicament plusieurs jours, prenez contact avec votre médecin.

Surveillance : consultez votre médecin à intervalles réguliers pour évaluer les effets du traitement.

Exposition au soleil : l'amiodarone peut rendre votre peau très sensible aux rayons solaires et ultraviolets (photosensibilisation); dans ce cas, vous devez éviter l'exposition directe au soleil et porter des vêtements qui couvrent les bras et les jambes, un chapeau et des lunettes de soleil; utiliser éventuellement une crème solaire avec facteur de protection élevé.

Effets indésirables possibles :

– nausées, vomissements, douleurs abdominales, constipation;

– troubles visuels, perception de halos colorés autour des objets, sensation de brouillard (des dépôts peuvent se former sur la cornée);

– apparition d'une toux avec difficulté à respirer (infiltrat pulmonaire);

– perte ou augmentation de poids;

– ralentissement excessif du pouls (bradycardie);

– dépression, hallucinations;

– jaunisse;

– éruption cutanée (réaction allergique : arrêtez le traitement);

– fièvre, difficulté à la marche, pigmentation gris-ardoisée des parties découvertes de la peau (visage, cou et bras), sécheresse des yeux, tuméfaction des bourses (épididymite), tremblements des extrémités;

– le traitement prolongé expose au risque d'effets indésirables oculaires, pulmonaires, thyroïdiens et hépatiques.

Note : prescrit sur ordonnance médicale.

CORDARONE® → Corbionax®.

CORDIPATCH® (Théraplix)

Introd. en 1989. Liste II. Remb. SS 70%.

PRINCIPE ACTIF : ***Trinitrine***.

SYNONYMES : trinitrate de glycéryle, nitroglycérine, trinitroglycérine.

Préparations : système transdermique délivrant 5 mg/24 h ou 10 mg/24 h.

Emploi : médicament appartenant au groupe des dérivés nitrés qui dilatent les vaisseaux sanguins, notamment les vaisseaux du cœur (coronaires) et qui sont utilisés dans le traitement des crises d'angine de poitrine (sensation de constriction douloureuse dans la poitrine pouvant irradier dans le bras gauche).

Pour les détails → p. 203.

Note : prescrit sur ordonnance médicale.

CORDITRINE® (Specia)

Introd. en 1979. Liste II. Remb. SS 70%.

PRINCIPE ACTIF : **Trinitrine.**

SYNONYMES : trinitrate de glycéryle, nitroglycérine, trinitroglycérine.

Préparations : gélules à 6,5 mg.

Emploi : médicament appartenant au groupe des dérivés nitrés qui dilatent les vaisseaux sanguins, notamment les vaisseaux du cœur (coronaires) et qui sont utilisés dans le traitement des crises d'angine de poitrine (sensation de constriction douloureuse dans la poitrine pouvant irradier dans le bras gauche).

Pour les détails → p. 203.

Note : prescrit sur ordonnance médicale.

CORDIUM® (Riom)

Introd. en 1981. Liste I. Remb. SS 70%.

PRINCIPE ACTIF : **Bépridil.**

Préparations : comprimés gastrorésistants à 100 mg.

Emploi : inhibiteur calcique utilisé pour prévenir les crises d'angine de poitrine (sensation de constriction douloureuse dans la poitrine pouvant irradier dans le bras gauche) chez des patients qui ne répondent pas aux traitements conventionnels.

Durée d'action : jusqu'à 3 jours.

Effets indésirables possibles : ce médicament peut provoquer des troubles du rythme cardiaque parfois graves.

Pour les détails → p. 363.

Note : prescrit sur ordonnance médicale.

CORÉINE® (J.-P. Martin)

Introd. en 1919. Non remb. SS.

PRINCIPE ACTIF : **Carraghénate.**

Préparations : granulé à 2,55 g par cuillerée à café.

Emploi : mucilage de l'algue marine *Chondrus crispus* proposé dans la constipation résistante au traitement hygiéno-diététique.

Posologie (adulte) : 2-6 cuillerées à café par jour à avaler avec un grand verre d'eau.

Précautions : ne pas utiliser en cas de maladies inflammatoires de l'intestin ou de douleurs abdominales de cause inconnue; évitez une utilisation prolongée; consultez votre médecin si la constipation persiste ou en cas de selles noires ou de présence de sang dans les selles.

Note : vendu sans ordonnance; le traitement médicamenteux de la constipation n'est qu'un adjuvant au traitement hygiéno-diététique qui comporte :
– alimentation riche en fibres végétales (légumes, fruits, pain complet), boissons abondantes;
– activité physique et présentation quotidienne à la selle, à la même heure.

CO-RENITEC®
(M., S. & D.-Chibret)

Introd. en 1988. Liste I. Remb. SS 70%.

PRINCIPES ACTIFS: comprimés contenant
– énalapril (20 mg) : inhibiteur de l'enzyme de conversion (Renitec®);
– hydrochlorothiazide (12,5 mg) : diurétique thiazidique (Esidrex®).

Emploi : proposé pour traiter l'hypertension artérielle en cas d'échec du traitement par un inhibiteur de l'enzyme de conversion seul.

Pour les détails : → p. 232 et p. 364.

Note : prescrit sur ordonnance médicale.

CORGARD®
(Bristol-Myers Squibb)

Introd. en 1982. Liste I. Remb. SS 70%.

PRINCIPE ACTIF : **Nadolol.**

Préparations : comprimés à 80 mg.

Emploi : médicament appartenant au groupe très nombreux des bêta-bloquants utilisé
– pour abaisser la tension artérielle chez les hypertendus (antihypertenseur);
– pour prévenir les crises d'angine de poitrine (antiangoreux);
– pour régulariser le rythme cardiaque (antiarythmique);
– pour atténuer les palpitations et le tremblement dans l'activité excessive de la glande thyroïde (hyperthyroïdie ou maladie de Basedow);
– pour atténuer les signes fonctionnels de certaines maladies du cœur appelées cardiomyopathies obstructives.

Il s'agit d'un bêta-bloquant de type non «cardiosélectif».

Pour les détails → p. 96.

Note : prescrit sur ordonnance médicale.

CORICIDES feuille de saule
(Gilbert)

Introd. en 1969. Non remb. SS.
PRINCIPE ACTIF : emplâtre contenant de l'acide salicylique.
Emploi : utilisé en application locale dans le traitement des cors et des durillons.
Précautions : ne pas utiliser en cas d'allergie à l'aspirine.
Effets indésirables possibles : peut provoquer une irritation locale, une inflammation aiguë et même des ulcérations, surtout chez les diabétiques, lorsque la préparation est trop concentrée ; certains patients sont allergiques aux salicylates et l'application peut provoquer une urticaire ou même un érythème polymorphe.
Note : vendu sans ordonnance.

CORONARINE® (Negma)

Introd. en 1978. Liste II. Remb. SS 70 %.
PRINCIPE ACTIF : *Dipyridamole*.
Préparations : comprimés à 75 mg.
Emploi : médicament introduit à l'origine pour le traitement de fond de l'angine de poitrine et utilisé, en association avec l'aspirine à faibles doses, pour normaliser la tendance pathologique des plaquettes sanguines à l'agrégation et pour prévenir ainsi la formation de caillots sanguins.
Pour les détails → Dipyridamole.
Note : prescrit sur ordonnance médicale.

COROPHYLLINE® (Gerda)

Introd. en 1970. Liste II. Remb. SS 70 %.
PRINCIPE ACTIF : comprimés et solution buvable contenant de l'acéfylline heptaminol.
Emploi : dérivé de la théophylline proposé pour stimuler la respiration dans le traitement des troubles respiratoires des maladies bronchiques et pulmonaires chroniques.
Pour les détails → Théophylline.
Note : prescrit sur ordonnance médicale.

COROTROPE®
(Sterling Winthrop)

Introd. en 1990. Liste I.
PRINCIPE ACTIF : *Milrinone*.
Préparations : ampoules injectables contenant 10 mg dans 10 ml.

Emploi : cardiotonique utilisé dans les unités de soins intensifs pour le traitement à court terme de l'insuffisance cardiaque aiguë congestive, résistante au traitement conventionnel, chez des patients hospitalisés dans une unité de soins intensifs.
Note : réservé aux hôpitaux.

CORRECTOL® (Alcon)

Introd. en 1979. Remb. SS 70 %.
PRINCIPE ACTIF : *Inosine*.
Préparations : collyre à 0,1 % (monophosphate).
Emploi : proposé dans les troubles de la vision binoculaire (efficacité à confirmer).
Conservation : à utiliser dans les 15 jours après l'ouverture du flacon.
Note : vendu sans ordonnance ; à éviter sans avis médical, comme tous les collyres.

CORRIDUM® (Sterling Midy)

Non remb. SS.
PRINCIPES ACTIFS : solution pour application locale contenant acide salicylique, acide lactique, acide acétique, soluté alcoolique d'iode et teinture de thuya.
Emploi : en application locale dans le traitement des cors et durillons.
Précautions : ne pas utiliser en cas d'allergie à l'aspirine.
Effets indésirables possibles : peut provoquer une irritation locale, une inflammation aiguë et même des ulcérations, surtout chez les diabétiques, lorsque la préparation est trop concentrée ; certains patients sont allergiques aux salicylates et l'application locale peut provoquer une urticaire ou un érythème polymorphe.
Note : vendu sans ordonnance.

CORTANCYL® (Roussel)

Introd. en 1955. Liste I. Remb. SS 70 %.
PRINCIPE ACTIF : *Prednisone*.
SYNONYME : deltacortisone.
Préparations : comprimés à 1 mg, 5 mg ou 20 mg.
Emploi : médicament apparenté à la cortisone utilisé par voie orale ou en injections pour atténuer les réactions inflammatoires et allergiques, ainsi
→ p. 179

Si vous utilisez l'une des spécialités suivantes contenant un dérivé de la cortisone...

CORTICOÏDES NATURELS :
  Cortisone (Roussel)
  Hydrocortisone Roussel®
  Hydrocortisone Upjohn®

CORTICOÏDES DE SYNTHÈSE :
  Betnesol® (Glaxo)
  Célestène® (Schering-Plough)
  Cortancyl® (Roussel)
  Décadron® (M., S. & D.-Chibret)

CORTICOÏDES DE SYNTHÈSE (SUITE) :
  Dectancyl® (Roussel)
  Dépo-Médrol® (Upjohn)
  Dilar® (Cassenne)
  Diprostène® (Schering-Plough)
  Hydrocortancyl® (Roussel)
  Kenacort Retard®
    (Bristol-Myers Squibb).
  Médrol® (Upjohn)
  Méthylprednisolone (Dakota).

Emploi (par voie orale ou en injection)

– CORTICOÏDES NATURELS : la cortisone et l'hydrocortisone sont utilisés dans le traitement substitutif de l'insuffisance corticosurrénale ; l'hémisuccinate d'hydrocortisone est utilisé en injection en cas d'urgence (insuffisance corticosurrénale aiguë).

– CORTICOÏDES DE SYNTHÈSE :

Les corticoïdes de synthèse sont utilisés par voie orale ou en injections pour atténuer les réactions inflammatoires et allergiques, ainsi que dans le traitement de maladies telles que les allergies cutanées graves, les crises d'asthme ou la polyarthrite évolutive ; *il s'agit de médicaments puissants qui, s'il ne sont pas utilisés selon la prescription, peuvent provoquer des effets indésirables graves.*

– Action brève : prednisone, prednisolone, méthylprednisolone.
– Action intermédiaire : paraméthasone, triamcinolone.
– Action prolongée : bétaméthasone, dexaméthasone, cortivazol.

ÉQUIVALENCES :

25 mg de cortisone sont équivalents à

20 mg d'hydrocortisone ;

5 mg de prednisone ou prednisolone ;

4 mg de méthylprednisolone ou de triamcinolone ;

0,75 mg de bétaméthasone ou de dexaméthasone.

Allergie : informez votre médecin si vous avez déjà fait une réaction allergique ou inhabituelle à un corticoïde.

Etat de santé : vous devez informer votre médecin de toute affection susceptible de modifier les effets du médicament, notamment :

– ulcère gastro-duodénal évolutif : celui-ci doit d'abord être traité et sa guérison confirmée par voie endoscopique ; si les corticoïdes sont indispensables, ils doivent être utilisés sous protection d'un traitement antiulcéreux ;

– diabète sucré, hypertension artérielle, insuffisance cardiaque ;

– psoriasis : les corticoïdes ne peuvent être prescrits qu'en applications locales ;

– maladies parasitaires : elles peuvent flamber sous l'effet des corticoïdes (informez votre médecin si vous revenez d'un pays tropical) ;

– infections à virus, notamment herpès, tuberculose, mycoses généralisées, glaucome, cholestérol sanguin élevé, troubles psychiques.

Régime : informez votre médecin si vous suivez un régime sans sel.

Grossesse : les corticoïdes ne doivent pas être utilisés pendant la grossesse ; en effet, ils ont causé des malformations du fœtus au cours de l'expérimentation animale.

Allaitement : peuvent passer dans le lait maternel et il est préférable de ne pas les utiliser pendant l'allaitement.

Enfants : les corticoïdes à doses élevées peuvent ralentir la croissance des enfants ; suivre scrupuleusement les prescriptions du médecin.

Sujets âgés : les corticoïdes peuvent élever la pression artérielle et, surtout chez la femme, provoquer une diminution de la matrice des os (ostéoporose).

Sportifs : les corticoïdes utilisés par voie générale se trouvent sur la liste des dopants interdits (Ministère de la Jeunesse et des Sports) ; ils donnent une réaction positive en cas de contrôles antidopage.   →

Interactions : il faut informer votre médecin si vous prenez ou avez pris récemment d'autres médicaments, notamment glucosides cardiotoniques (digitaliques); anticoagulants oraux, héparine (risque accru d'hémorragies); antidiabétiques oraux et insuline (nécessité d'ajuster les doses); antiarythmiques de type quinidine, amiodarone, sotalol; anti-inflammatoires non stéroïdiens (augmentation du risque d'ulcération gastroduodénale); diurétiques thiazidiques (déplétion potassique accrue); médicaments qui contiennent du sodium (les corticoïdes favorisent la rétention de sodium qui peut causer une hypertension artérielle et des œdèmes); antihypertenseurs (diminution de l'effet antihypertenseur); barbituriques, phénytoïne et rifampicine (diminution de l'efficacité des corticoïdes).

Prise du médicament : compte tenu du rythme de la production interne de la cortisone, on conseille de prendre la dose quotidienne avant 8 heures du matin.

Surveillance : contrôlez la tension artérielle et le poids pendant les 2 premières semaines de traitement; réduire la dose si le sucre apparaît dans les urines.

Stress : vous devez informer votre médecin de toute situation d'agression (infection, traumatisme, chirurgie, etc.) qui pourrait survenir au cours du traitement; en effet, dans ces cas il peut être nécessaire d'augmenter la dose.

En cas de diabète : renforcez l'auto-surveillance glycémique.

Arrêt du traitement : l'arrêt brusque d'un traitement prolongé par les corticoïdes peut déclencher une insuffisance surrénale aiguë; consultez votre médecin qui vous indiquera comment diminuer progressivement les doses, par exemple en réduisant les doses de 10% tous les 8 à 15 jours; comme les effets des corticoïdes peuvent continuer dans les semaines ou mois qui suivent l'arrêt d'un traitement prolongé, une surveillance médicale est nécessaire pendant cette période; en particulier, vous devez signaler immédiatement à votre médecin l'apparition de symptômes tels que vertiges, évanouissements, nausées, douleurs abdominales, douleurs articulaires ou musculaires, fièvre, difficulté à respirer, vomissements, perte rapide de poids.

Vaccinations : pendant le traitement par des corticoïdes, ou dans les jours qui suivent l'arrêt du traitement, vous devez éviter toute vaccination sans avis médical; les corticoïdes ne doivent pas être utilisés environ 8 semaines avant et jusqu'à 2 semaines après vaccination par un vaccin vivant; il faut aussi éviter les contacts avec des personnes qui ont pris un vaccin oral contre la poliomyélite.

Effets indésirables possibles :

– troubles digestifs, augmentation de l'appétit;

– prise de poids, formation d'œdèmes (rétention d'eau et de sodium);

– élévation de la tension artérielle (hypertension);

– faiblesse musculaire (diminution du potassium dans le sang);

– altération de l'humeur, dépression ou sensation de bien-être (euphorie);

– douleurs dans les yeux, augmentation de la pression oculaire (glaucome);

TRAITEMENT PROLONGÉ : peut s'accompagner de divers troubles :

– acné, bouffissure du visage, augmentation de la pilosité (syndrome «cushingoïde»).

– élévation du taux du sucre dans le sang (diabète secondaire);

– douleurs osseuses (ostéoporose cortisonique);

– présence de sang dans les selles ou selles noires (perforation d'ulcère gastroduodénal);

– troubles visuels (apparition d'une cataracte).

Séquelles : l'arrêt brusque d'un traitement à doses élevées peut provoquer une mise au repos définitive des glandes corticosurrénales accompagnée d'insuffisance corticosurrénale chronique.

Intoxication : excitation, agitation, délire, vomissements et hypertension artérielle.

Si vous utilisez un corticoïde en injection locale...

Emploi : analogues de la cortisone utilisés dans les affections suivantes:
- *Injections intra-articulaires :* arthrites inflammatoires, arthrose en poussée.
- *Injections péri-articulaires :* périarthrite scapulo-humérale ou de la hanche, bursites, tendinites, syndrome du canal carpien, épicondylites.
- *Injections épidurales :* lombalgies, sciatiques.

Précautions : ne pas utiliser en cas de traitement anticoagulant, arthrite goutteuse, grossesse, allaitement, ulcère gastro-duodénal en évolution, infections virales (herpès, zona, varicelle), bactériennes (tuberculose), mycosiques, infections cutanées de voisinage.

Sportifs : ces médicaments peuvent donner une réaction positive en cas de tests pratiqués lors des contrôles antidopage.

Effets indésirables possibles :
- Risque infectieux local : arthrite septique (souvent staphylococcique) survenant 24-72 heures après injection intra-articulaire; péridurites et méningites après injection épidurale; bursite septique; abcès après injection péri-articulaire; ces accidents infectieux sont estimés à 2-5 cas pour 100.000 injections.
- Arthrite aiguë à microcristaux, régressant spontanément en 24-48 h.
- Atrophie locale de la peau, des tissus sous-cutanés et des tissus musculotendineux (risque de rupture tendineuse); cet effet est plus fréquent avec les injections de suspensions qu'avec les injections de solutés.
- Un traitement prolongé peut entraîner des effets indésirables généralisés par pénétration du principe actif dans la circulation.

Si vous utilisez un collyre contenant un corticoïde...

COLLYRES CORTISONIQUES :

Cébédex® (Chauvin).
Flucon® (Alcon).
Fludrocortisone 1 p. mille (Allergan).

Maxidex® (Alcon).
Médrysone (Faure).

Emploi : les *collyres cortisoniques* sont utilisés pour soulager et protéger l'œil dans certains états inflammatoires ou allergiques du segment antérieur, p. ex. dans les conjonctivites allergiques.

Précautions : surveillance ophtalmologique, en particulier de la tension oculaire et du cristallin en cas de traitemenbt prolongé; ne pas utiliser en cas d'allergie aux corticoïdes, de lésions oculaires provoquées par des virus (kératite herpétique), des bactéries ou des champignons (kératite mycosique), d'ulcérations cornéennes ou d'antécédents de glaucome; le diabète sucré peut favoriser l'apparition d'un glaucome ou d'une cataracte; les porteurs de lentilles de contact doivent utiliser le collyre en dehors du port des lentilles et attendre 15 min après l'instillation avant de les remettre; lorsqu'on utilise une suspension en collyre, il faut agiter le flacon avant l'instillation.

Durée du traitement : si vous ne remarquez aucune amélioration ou au contraire une aggravation après une semaine, consultez votre médecin.

Enfants : l'utilisation de collyres cortisoniques peut causer chez les enfants de moins de 2 ans des effets indésirables; il faut demander des instructions précises au pédiatre et les suivre scrupuleusement.

Effets indésirables possibles : lorsque la durée du traitement dépasse 15 jours, des douleurs à l'œil et/ou des troubles progressifs de la vue peuvent être dus à une augmentation de la pression dans l'œil (hypertonie oculaire) entraînant un risque de *glaucome cortisonique*. Informez immédiatement le médecin de ces effets indésirables.

Si vous utilisez un corticoïde en inhalation...

SPÉCIALITÉS :
Aldécine® (Byk).
Auxisone® (Boehringer Ingelheim).

Bécotide® (Glaxo).
Bronilide® (Cassenne).
Pulmicort® (Astra).

Emploi : analogues de la cortisone (glucocorticoïdes) ayant une action anti-inflammatoire et utilisés :
– en *inhalation buccale* (aérosol) pour prévenir la crise d'asthme (traitement de fond de l'asthme); ces médicaments ne sont pas utilisés pour traiter la crise d'asthme déclarée ou l'état de mal asthmatique;
– en *inhalation nasale* dans les rhinites allergiques et spasmodiques.

Allergie : informez votre médecin si vous avez déjà fait une réaction allergique ou inhabituelle à un corticoïde ou à un autre produit en inhalation.

Prise du médicament : on conseille d'inhaler juste avant les repas.

Etat de santé : vous devez informer votre médecin de toute affection susceptible de modifier les effets du médicament, notamment tuberculose pulmonaire, ulcère digestif en évolution, diabète, saignements du nez, troubles de la coagulation du sang.

Grossesse : à moins de nécessité absolue, les corticoïdes doivent être évités, surtout pendant les premiers 3 mois (risque d'effet tératogène et d'insuffisance surrénalienne néonatale chez l'enfant) et pendant l'allaitement.

Prescription : ne dépassez pas la dose prescrite; des doses trop élevées ou des prises trop fréquentes augmentent le risque d'effets indésirables; si vous prenez déjà des corticoïdes par voie buccale, le passage au traitement par inhalation doit être progressif pour éviter la mise en sommeil de la glande surrénale; en cas de stress ou de crise d'asthme sévère, il faut reprendre les médicaments par voie buccale et consulter votre médecin.

Délai d'action : un délai de quelques jours est nécessaire avant de pouvoir juger les effets du traitement; cependant, en l'absence d'une amélioration de votre état dans les 10 jours, informez-en votre médecin afin qu'il puisse vous proposer, le cas échéant, des mesures supplémentaires.

Technique d'inhalation : l'utilisation correcte de l'appareil d'inhalation est très importante; le rinçage de la bouche et du pharynx diminue la fréquence des complications locales, notamment de la candidose buccale.

Surveillance : consultez votre médecin à intervalles réguliers pour évaluer les effets du traitement et en cas de signes d'infection bronchopulmonaire (fièvre, toux, respiration difficile).

Effets indésirables possibles :
– irritation pharyngée, voix rauque, toux, surtout au début du traitement;
– sensation de brûlure dans la bouche, taches blanchâtres sur la muqueuse buccale (stomatite crémeuse ou candidose buccale);
– difficultés respiratoires et aggravation de l'asthme.

[suite de la p. 175]
que dans le traitement de maladies telles que des allergies cutanées sévères, des crises d'asthme, ou des polyarthrites évolutives; il s'agit d'un médicament qui, s'il n'est pas utilisé selon la prescription, peut provoquer des effets indésirables graves.

Durée d'action : 12-72 heures.

Pour les détails → p. 176.

Note : prescrit sur ordonnance médicale.

CORTEXYL®
(Soekami-Lefrancq)

Introd. en 1989. Non remb. SS.
PRINCIPE ACTIF : poudre orale contenant du DL-α-cétoglutarate de calcium.
Emploi : proposé dans la fatigue.
Précautions : ne pas utiliser chez la femme enceinte (innocuité non établie); consultez votre médecin si la fatigue persiste (il peut s'agir d'une dépression ou d'une autre maladie

nécessitant un traitement spécifique) ou en cas d'amaigrissement.

Note : *vendu sans ordonnance; efficacité du principe actif à confirmer dans l'emploi proposé.*

CORTICÉTINE® (Chauvin)

Introd. en 1968. Liste I. Remb. SS 40%.

PRINCIPES ACTIFS : solution auriculaire contenant de la framycétine (antibiotique) et dexaméthasone (corticoïde).

Emploi : proposé dans les otites externes à tympan fermé.

Durée du traitement : ne pas dépasser 10 jours.

Effets indésirables possibles : réactions allergiques à la framycétine.

Conservation : utiliser dans les 30 jours après l'ouverture du flacon.

Note : *prescrit sur ordonnance médicale.*

CORTICOTULLE Lumière® (Sarbach)

Introd. en 1970. Liste I. Remb. SS 70%.

PRINCIPES ACTIFS : compresses imprégnées de néomycine, polymyxine B et triamcinolone.

Emploi : proposé pour traiter les plaies et les brûlures présentant un granulome inflammatoire exubérant et surinfecté.

Effets indésirables possibles : possibilité de réactions allergiques à la néomycine ou à la polymyxine B.

Note : *prescrit sur ordonnance médicale.*

CORTIFRA® (Bouchara)

Introd. en 1979. Liste I. Remb. SS 40%.

PRINCIPES ACTIFS : solution auriculaire et solution nasale contenant de la framycétine (antibiotique) et prednisolone (corticoïde).

Emploi : proposé dans les otites externes à tympan fermé.

Durée du traitement : ne pas dépasser 10 jours.

Effets indésirables possibles : possibilité de réactions allergiques à la framycétine.

Note : *prescrit sur ordonnance médicale.*

CORTINE® naturelle (Syntex)

Introd. en 1949. Non remb. SS.

PRINCIPE ACTIF : préparation injectable et perlinguale contenant un extrait corticosurrénal d'origine porcine.

Emploi : proposé dans la fatigue (ou asthénie fonctionnelle).

Précautions : ne pas utiliser pendant la grossesse; consultez votre médecin si la fatigue persiste (il peut s'agir d'une dépression ou d'une autre maladie nécessitant un traitement spécifique) ou en cas d'amaigrissement; si la fatigue est due à une insuffisance corticosurrénale, votre médecin vous indiquera le traitement approprié.

Effets indésirables possibles : risque de réaction allergique avec urticaire, palpitations, crise asthmatique, état de choc en cas d'injection intramusculaire.

Note : *vendu sans ordonnance; efficacité du principe actif à confirmer dans l'emploi proposé.*

CORTISAL® baume (Chanteaud)

Introd. en 1978. Liste I. Remb. SS 40%.

PRINCIPES ACTIFS : crème contenant de la prednisolone (corticoïde) et du salicylate de propylèneglycol.

Emploi : proposé comme anti-inflammatoire local dans les tendinites, arthrites des petites articulations, entorses, contusion, phlébites, etc.

Note : *prescrit sur ordonnance médicale.*

CORTISONE (Roussel)

Introd. en 1952. Liste I. Remb. SS 70%.

PRINCIPE ACTIF : **Cortisone**.

SYNONYME : composé E.

Préparations : comprimés à 5 mg.

Emploi : hormone glucocorticoïde naturelle sécrétée par le cortex de la glande surrénale, transformée dans le foie en hydrocortisone; elle est employée par voie buccale, dans le traitement substitutif de l'insuffisance corticosurrénale chronique (maladie d'Addison). Les pertes de sodium causées par la cortisone demandent souvent l'association d'un minéralocorticoïde (désoxycortone).

Sportifs : ce médicament (ainsi que d'autres corticoïdes utilisés par voie générale) se trouve sur la liste des dopants interdits (Ministère de la Jeunesse et des Sports); il donne une réaction positive en cas de tests pratiqués lors des contrôles antidopage.

Surveillance : contrôler la tension artérielle et le poids pendant les 2 premières semaines de traitement; réduire la dose en cas de présence de sucre dans les urines.

Régime : dans le traitement substitutif de l'insuffisance surrénale chronique, un régime ayant un contenu normal en sodium est recommandé.

Alcool : évitez l'usage des boissons alcoolisées qui peuvent aggraver un ulcère gastro-duodénal si le médicament est pris par voie buccale.

Stress : vous devez informer votre médecin de toute situation d'agression (infection, traumatisme, chirurgie, etc.) qui pourrait survenir au cours du traitement; en effet, dans ces cas il peut être nécessaire d'augmenter la dose.

Pour les détails → p. 176.

Note : prescrit sur ordonnance médicale.

CORTNÉO® (Martinet)

Introd. en 1963. Liste I. Remb. SS 70%.

PRINCIPES ACTIFS : collyre contenant de la néomycine (antibiotique) et de l'hydrocortisone (corticoïde).

Emploi : infections microbiennes aiguës du segment antérieur de l'œil et de ses annexes.

Sportifs : ce médicament peut donner une réaction positive lors des tests pour contrôle antidopage.

Conservation : à utiliser dans les 15 jours après l'ouverture du flacon.

Note : prescrit sur ordonnance médicale.

CORVASAL® (Hoechst)

Introd. en 1983. Liste I. Remb. SS 70%.

PRINCIPE ACTIF : *Molsidomine*.

Préparations : comprimés à 2 mg ou 4 mg.

Emploi : médicament ayant une action voisine de celle des dérivés nitrés (→ p. 203) et un effet antiagrégant plaquettaire, proposé dans le traitement de fond de l'angine de poitrine (ne convient pas au traitement de la crise angineuse).

Précautions : ne pas utiliser en cas d'insuffisance cardiaque décompensée, d'hypotension artérielle, de grossesse (innocuité non établie) et d'allaitement.

Effets indésirables possibles : maux de tête, baisse de la tension artérielle (hypotension orthostatique), troubles

digestifs, vertiges, éruption cutanée (réaction allergique : arrêtez immédiatement le traitement).

Note : prescrit sur ordonnance médicale.

CORYZALIA® (Boiron)

Introd. en 1944. Non remb. SS.

Préparation homéopathique (comprimés) proposée dans les rhumes.

COSADON® (Hoechst)

Introd. en 1973. Non remb. SS.

PRINCIPES ACTIFS : comprimés contenant de la pentifylline (vasodilatateur périphérique) et acide nicotinique.

Emploi : proposé dans certains symptômes du déficit intellectuel du sujet âgé (troubles de l'attention, de la mémoire, etc.).

Note : vendu sans ordonnance; efficacité des principes actifs à confirmer dans l'emploi proposé.

COTUXINE® (Sterling Midy)

Non remb. SS.

PRINCIPES ACTIFS : gélules contenant de la chlorphénamine (antihistaminique, sédatif et atropinique) et dibunate de sodium (antitussif).

Emploi : utilisé pour calmer la toux irritative, sèche.

Précautions : ne pas utiliser en cas de
- asthme, insuffisance respiratoire (la diminution de la toux cause l'accumulation de mucosités dans les voies respiratoires);
- hypertrophie de la prostate (risque d'aggravation de la difficulté à uriner);
- glaucome à angle fermé;
- grossesse (innocuité non établie), allaitement;

Durée du traitement : si la toux persiste après une semaine, si des crachats sanglants ou des effets indésirables apparaissent, arrêtez le traitement et consultez votre médecin.

Alcool et sédatifs : évitez les boissons alcoolisées et des tranquillisants ou somnifères pendant le traitement.

Conduite de véhicules : ce médicament peut diminuer la vigilance; la conduite de véhicules ou l'utilisation de machines peut être dangereuse.

Effets indésirables possibles : somnolence, sécheresse de la bouche, confusion, nausées, vomissements, crises d'asthme, constipation, éruption cutanée (réaction allergique : arrêtez le traitement), difficulté à respirer ou à uriner.

Note : vendu sans ordonnance; tenir compte de l'effet sédatif.

COUMADINE®
(Marion Merrell Dow)

Introd. en 1959. Liste I. Remb. SS 70%.

PRINCIPE ACTIF : **Warfarine**.

Préparations : comprimés à 2 mg ou à 10 mg.

Emploi : anticoagulant oral utilisé pour prévenir la formation de caillots dans les vaisseaux sanguins (maladie thromboembolique); son emploi exige le contrôle périodique de la coagulabilité du sang; en effet, une dose trop élevée peut provoquer des hémorragies et une dose trop faible risque de ne pas protéger contre la formation de caillots.

Durée d'action : 2 à 3 jours.

Pour les détails → p. 38.

Note : prescrit sur ordonnance médicale.

COVATINE® (Bailly-Speab)

Introd. en 1958. Liste II. Remb. SS 70%.

PRINCIPE ACTIF : **Captodiame**.

Préparations : comprimés à 50 mg.

Emploi : tranquillisant proposé pour diminuer l'anxiété.

Précautions : ne pas utiliser en cas d'insuffisance rénale ou hépatique, de grossesse ou d'allaitement (innocuité non établie); éviter l'alcool, ne pas associer d'autres tranquillisants, sédatifs ou somnifères.

Conduite de véhicules : ce médicament peut diminuer la vigilance; la conduite de véhicules ou l'utilisation de machines peut être dangereuse.

Effets indésirables possibles : somnolence diurne.

Pour les détails → p. 695.

Note : prescrit sur ordonnance médicale.

COVERSYL® (Servier)

Introd. en 1988. Liste I. Remb. SS 70%.

PRINCIPE ACTIF : **Périndopril**.

Préparations : compr. à 2 mg ou 4 mg.

Emploi : inhibiteur de l'enzyme de conversion utilisé pour traiter l'hy-

pertension artérielle, éventuellement associé à un diurétique.

Pour les détails → p. 364.

Note : prescrit sur ordonnance médicale.

C.P.P.A. HUMAIN
(Bio-Transfusion)

Introd. en 1991. Remb. SS 100%.

Préparations : flacon de 10 ml, injectable par voie intraveineuse après reconstitution, contenant par ml ≥ 40 UI de facteur IX + 20 UI de facteur VII.

Propriétés : fraction plasmatique humaine lyophilisée contenant les facteurs du complexe prothrombique (facteur II, facteur VII, facteur IX, facteur X et protéine C) sous forme partiellement activée.

Emploi : utilisé dans le traitement préventif des hémorragies, notamment des hématomes et des hémarthroses chez les hémophiles A ayant un anticorps anti-facteur VIII.

L'administration doit être conduite sur la base de l'effet clinique obtenu et des contrôles biologiques.

Note: le traitement doit être pris en charge par un spécialiste. Bien que toutes les précautions aient été prises, le risque de transmission de maladies infectieuses par les fractions plasmatiques ne peut pas être entièrement exclu.

CRATAEGUS GMET® (Upsa)

Introd. en 1957. Remb. SS 70%.

PRINCIPE ACTIF : comprimés contenant un extrait et de la poudre d'aubépine.

Emploi : proposé dans l'éréthisme cardiaque, les états neurotoniques et les troubles mineurs du sommeil.

Note : vendu sans ordonnance; consultez votre médecin si les troubles persistent ou s'aggravent.

CRÈME BIOSTIM® → Biostim®.

CRÈME au Calendula (Boiron)

Introd. en 1943. Non remb. SS.

PRINCIPE ACTIF : crème contenant du Calendula TM.

Emploi : proposé pour traiter les crevasses, gerçures et dartres.

Note : vendu sans ordonnance; consultez votre médecin si la lésion persiste ou s'aggrave.

CRÈME des 3 Fleurs d'Orient®
(Crème d'Orient)

Introd. en 1989. Non remb. SS.
PRINCIPE ACTIF : *Méquinol.*
Préparations : pommade à 5% et à 10%.
Emploi : proposé en application locale dans les pigmentations circonscrites de la peau, notamment éphélides, chloasma (taches sur le visage après grossesse ou traitement par les estro-progestatifs), taches de sénescence, pigmentations dues aux cosmétiques, aux parfums ou cicatrices.
Précautions : appliquer uniquement sur les zones à décolorer; ne pas utiliser chez l'enfant avant 12 ans; protéger la peau du soleil (chapeau, vêtements longs, crème écran total).
Effets indésirables possibles : irritation locale; dépigmentation inesthétique en cas de débordement sur les zones cutanées saines, notamment pendant le sommeil
Note : vendu sans ordonnance; à éviter sans avis médical.

CRÈME DOMISTAN® → Domistan®.

CRÈME Pharmatex®

Introd. en 1980. Non remb. SS.
PRINCIPE ACTIF : *Chlorure de benzalkonium.*
Préparations : crème vaginale à 1,2 %.
Emploi : spermicide proposé dans la contraception locale; on introduit la crème au fond du vagin en position allongée avant le rapport; la protection est partielle et dure environ 10 heures; pas de lavage 12 heures avant et dans l'heure qui suit les rapports.
Note : vendu sans ordonnance; efficacité généralement reconnue dans l'emploi proposé.

CRÈME RAP® (Monal)

Introd. en 1921. Remb. SS 40%.
PRINCIPES ACTIFS : crème contenant des extraits de genêt, arnica, aconit, marron d'Inde, ciguë, jusquiame, noix vomique.
Emploi : proposé dans les varices, hémorroïdes, crampes, fatigue, lourdeur des jambes.
Note : vendu sans ordonnance; efficacité des principes actifs à confirmer dans l'emploi proposé.

CRÉON® (Latema)

Introd. en 1988. Remb. SS à 70%.
PRINCIPES ACTIFS : gélules gastrorésistantes contenant des enzymes pancréatiques d'origine porcine.
Propriétés : les enzymes pancréatiques naturelles servent à permettre la dégradation des protéines, des hydrates de carbone et des graisses de la nourriture et à les transformer en éléments assimilables.
Emploi : utilisé pour faciliter la digestion lorsque la sécrétion de ces enzymes est insuffisante, notamment dans la mucoviscidose; les effets ne se manifestent qu'après 2-3 mois d'utilisation quotidienne.
Précautions : ne pas utiliser en cas de pancréatite, d'allergie à la viande de porc; l'emploi est déconseillé en cas de grossesse et d'allaitement.
Effets indésirables possibles : nausées, crampes abdominales, vomissements, diarrhées chez les sujets hypersensibles aux extraits pancréatiques de porc; constipation en cas de surdosage.
Note : vendu sans ordonnance; à éviter en automédication (les enzymes pancréatiques ne sont utiles qu'en cas d'insuffisance pancréatique qui ne peut être diagnostiquée que par votre médecin).

CRINEX® (Crinex)

Introd. en 1933. Remb. SS 40%.
PRINCIPE ACTIF : comprimés et solution buvable contenant un extrait d'ovaire de truie.
Emploi : proposé dans les troubles des règles (dont la cause ne peut être déterminée que par votre médecin).
Note : vendu sans ordonnance; efficacité du principe actif à confirmer dans l'emploi proposé.

CRISTANYL® (Biogalénique)

Introd. en 1978. Liste II. Remb. SS 40%.
PRINCIPES ACTIFS : solution buvable contenant de la raubasine et de la dihydroergocristine.
Emploi : proposé dans les troubles du vieillissement (efficacité à confirmer) et dans d'autres affections.

Précautions : ne pas utiliser en cas d'allergie eux dérivés de l'ergot de seigle, de pouls très lent, de tension artérielle très basse (hypotension), de grossesse ou allaitement, de traitement anticoagulant; ne pas associer d'autres dérivés de l'ergot de seigle ou des antidépresseurs IMAO.
Note : *prescrit sur ordonnance médicale.*

CRISTOPAL® (Alcon)

Introd. en 1969. Remb. SS 70%.
PRINCIPES ACTIFS : collyre contenant du chlorure de calcium, iodure de sodium et glycine.
Emploi : proposé dans la cataracte (efficacité à confirmer).
Conservation : à utiliser dans les 15 jours après l'ouverture du flacon.
Note : *vendu sans ordonnance; à éviter sans avis médical, comme tous les collyres.*

CROMOPTIC® (Chauvin)

Introd. en 1985. Liste II. Remb. SS 70%.
PRINCIPE ACTIF : *Acide cromoglicique.*
Préparations : collyre contenant le sel de sodium de l'acide cromoglicique et benzalkonium.
Propriétés : l'acide cromoglicique agit sur certaines cellules appelées «mastocytes» en empêchant la libération des médiateurs de l'allergie.
Emploi : utilisé dans les conjonctivites allergiques.
Précautions : ne pas porter de verres de contact.
Conservation : à utiliser dans les 15 jours après l'ouverture du flacon.
Note : *prescrit sur ordonnance médicale.*

CRYOFLUORANE (Promedica)

Introd. en 1957. Remb. SS 70%.
Préparations : flacon pressurisé de 70 ml.
Emploi : utilisé dans l'anesthésie de surface de courte durée par réfrigération; lorsqu'on appuie sur la soupape du flacon, il s'échappe un fin jet de liquide qui refroidit l'endroit voulu. Tenir le flacon à 10 cm de la région intéressée et ne pas prolonger l'action (risque de nécrose); effet de suggestion intéressant lors de petites incisions qui ne demandent aucune anesthésie.

CUIVRE Microsol® (Herbaxt)

Introd. en 1991. Non remb. SS.
Préparations : solution buvable contenant 0,4 mg de cuivre élément par unidose.
Emploi : élément minéral trace proposé dans les états infectieux et rhumatismaux; ce traitement ne dispense pas d'un traitement spécifique éventuel.
Note : *vendu sans ordonnance; efficacité à confirmer dans l'emploi proposé.*

CURASTEN® (Lucien)

Introd. en 1986. Non remb. SS.
PRINCIPES ACTIFS : solution buvable contenant de la lysine et glucoheptonate de calcium.
Emploi : proposé dans la fatigue.
Précautions : consultez votre médecin si la fatigue persiste (il peut s'agir d'une dépression ou d'une maladie nécessitant un traitement spécifique) ou en cas d'amaigrissement.
Note : *vendu sans ordonnance; efficacité des principes actifs à confirmer dans l'emploi proposé.*

CURÉMO® (Rabi & Solabo)

Non remb. SS.
PRINCIPES ACTIFS : crème contenant de l'améléine (anesthésique local), éphédrine, marron d'Inde et salicylate d'amyle.
Emploi : proposé pour traiter les symptômes des poussées d'hémorroïdes.
Précautions : arrêtez le traitement et consultez votre médecin en cas de persistance ou d'accentuation des douleurs, d'apparition de sang dans les selles ou de fièvre.
Note : *vendu sans ordonnance.*

CUREPAR®
(Plantes et Médecines)

Non remb. SS.
PRINCIPES ACTIFS : solution buvable contenant des extraits fluides d'orthosiphon, d'artichaut et *Phyllantus niuri.*
Emploi : proposé dans les «digestions lentes et difficiles».
Note : *vendu sans ordonnance; efficacité des principes actifs à confirmer dans l'emploi proposé.*

CURIBRONCHES® (Splénodex)

Introd. en 1957. Remb. SS 40%.

PRINCIPES ACTIFS : sirop adultes contenant
- codéine et codéthyline : antitussifs opiacés;
- belladone : atropinique;
- sulfogaïacol, bromoforme, teinture d'aconit, sirop de tolu et eucalyptus.

Emploi : proposé pour calmer la toux irritative, sèche.

Précautions : ne pas utiliser en cas de
- asthme, insuffisance respiratoire (la diminution de la toux cause l'accumulation de mucosités dans les voies respiratoires);
- hypertrophie de la prostate;
- glaucome à angle fermé;
- maladie du foie (en cas d'insuffisance hépatique, la codéine et la codéthyline ne sont pas éliminées normalement);
- ulcère gastro-duodénal évolutif;
- grossesse (innocuité non établie), allaitement;
- enfants âgés de moins de 15 ans.

Durée du traitement : si la toux persiste après une semaine, si des crachats sanglants ou des effets indésirables apparaissent, arrêtez le traitement et consultez votre médecin.

Alcool : évitez les boissons alcoolisées pendant le traitement (majoration de l'effet sédatif).

Sujets âgés : risque accru d'effets indésirables.

Conduite de véhicules : ce médicament peut diminuer la vigilance; la conduite de véhicules ou l'utilisation de machines peut être dangereuse.

Sportifs : ce médicament peut donner une réaction positive lors des tests pour contrôle antidopage.

Effets indésirables possibles : somnolence, sécheresse de la bouche, confusion, nausées, vomissements, crises d'asthme, constipation, vision trouble, difficulté à uriner (chez les sujets prostatiques), confusion mentale ou agitation (sujets âgés), éruption cutanée (réaction allergique : arrêtez immédiatement le traitement).

Note : vendu sans ordonnance; l'efficacité des antitussifs opiacés (codéine et codéthyline) est généralement reconnue, mais les autres composants ont peu d'intérêt dans l'emploi proposé.

CUROSURF® (Serono)

Introd. en 1992. Liste I.

Préparations : fraction phospholipidique extraite de poumon de porc en suspension pour instillation intratrachéale ou intrabronchique en flacons de 120 mg.

Emploi : surfactant pulmonaire utilisé chez les nouveaux-nés dont le poids de naissance est inférieur à 700 g présentant un syndrome de détresse respiratoire (syndrome des membranes hyalines); l'utilisation est réservée aux praticiens expérimentés dans les soins et la réanimation des prématurés.

Effets indésirables possibles : hémorragie intrapulmonaire.

Note : médicament réservé aux services de néonatalogie.

CUROVEINYL® (Medgenix)

Introd. en 1951. Remb. SS 40%.

PRINCIPES ACTIFS : solution buvable contenant des extraits de marron d'Inde, hamamélis, hydrastis, genêt, cyprès.

Emploi : proposé dans les troubles de la fragilité capillaire et l'insuffisance veineuse et lymphatique (jambes lourdes, etc.).

Précautions : consultez votre médecin en cas de suspicion de phlébite (jambes rouges et/ou chaudes, douloureuses, surtout si d'un seul côté et avec fièvre).

Note : vendu sans ordonnance; efficacité des principes actifs à confirmer dans l'emploi proposé.

CUROXIME® → Céphalosporines.

CUTACNYL® (Galderma)

Introd. en 1979. Liste II. Remb. SS 70%.

PRINCIPE ACTIF : **Peroxyde de benzoyle.**

Préparations : lotion alcoolisée à 5% et à 10%; gel à 2,5%, 5% et 10%.

Emploi : utilisé en application locale dans le traitement de l'acné.

Pour les détails → Peroxyde de benzoyle.

Note : prescrit sur ordonnance médicale.

CUTERPÈS® (Chauvin)

Introd. en 1974. Liste I. Remb. SS 70%.
PRINCIPE ACTIF : **Ibacitabine**.
SYNONYME : iododésoxycytidine.
Préparations : pommade à 1%.
Emploi : antiviral utilisé en application locale percutanée dans le traitement de l'herpès cutanéo-muqueux récidivant dans ses localisations cutanées, labiales et génitales.
Note : prescrit sur ordonnance médicale.

CUTHÉPARINE® → Héparine.

CUTIPHILE® (Bruneau)

Non remb. SS.
PRINCIPES ACTIFS : poudre pour application locale contenant du nitrate basique de bismuth, gallate de bismuth, oxyde de zinc et talc.
Emploi : irritation de la peau.
Note : vendu sans ordonnance.

CUTISAN® (Innothéra)

Introd. en 1960. Non remb. SS.
PRINCIPE ACTIF : **Triclocarban**
Préparations : poudre pour application locale et pommade à 2 %.
Emploi : antiseptique externe proposé dans les petites lésions cutanées.
Précautions : ne pas chauffer ni diluer dans l'eau chaude; ne pas appliquer sur l'oreille ou sur une région cutanée étendue; consultez votre médecin en cas de fièvre; ne pas utiliser chez le nourrisson au-dessous de 6 mois.
Effets indésirables possibles : réactions allergiques, sensibilité aux rayons solaires (photosensibilisation); la formation de chloroaniline (en cas de chauffage) peut provoquer une méthémoglobinémie (altération du sang).
Note : vendu sans ordonnance; à éviter en automédication à cause des effets indésirables.

CUTISAN® à l'hydrocortisone
(Innothéra)

Introd. en 1964. Liste I. Non remb. SS.
PRINCIPES ACTIFS : pommade contenant de l'hydrocortisone (dermocorticoïde) et triclocarban (antiseptique externe → ci-dessus Cutisan®).

Emploi : traitement de les eczémas infectés et d'autres affections de la peau.
Application du produit : étaler le produit sur les lésions et le faire pénétrer par un léger massage; éviter tout contact avec les yeux. Ne dépassez pas le nombre d'applications journalières prescrites par votre médecin (en général 2 par jour au maximum); des applications trop fréquentes et l'occlusion des lésions augmentent le risque d'effets indésirables.
Durée du traitement : ne pas dépasser 8 jours.
Effets indésirables possibles : prurit, sensation de brûlure; l'application sur de grandes surfaces ou sous un pansement occlusif peut entraîner un passage du principe actif dans la circulation sanguine, d'où l'apparition d'effets indésirables généralisés; possibilité de réactions allergiques à la néomycine; l'utilisation prolongée peut provoquer une atteinte de la peau du visage avec rougeur, amincissement et fragilité des téguments et apparition d'ecchymoses.
Note : prescrit sur ordonnance médicale.

CYCLÉANE® → Contraception hormonale.

CYCLERGINE® (Byk)

Introd. en 1981. Remb. SS 40%.
PRINCIPE ACTIF : **Cyclandélate**.
Préparations : comprimés ou gélules à 400 mg.
Emploi : vasodilatateur périphérique musculotrope proposé dans les artériopathies chroniques oblitérantes des membres inférieurs, les troubles psychiques et du comportement de la sénescence cérébrale, les troubles cochléo-vestibulaires et rétiniens d'origine ischémique; l'efficacité des vasodilatateurs périphériques dans ces affections reste à confirmer.
Effets indésirables possibles : troubles digestifs, allergies cutanées.
Note : vendu sans ordonnance; à éviter en automédication.

CYCLO 3® (P. Fabre)

Introd. en 1972. Remb. SS 40%.
PRINCIPES ACTIFS : crème contenant des extraits de *Ruscus aculeatus* et de mélilot.

Emploi : proposé dans l'insuffisance veineuse et lymphatique (jambes lourdes, etc.).

Précautions : consultez votre médecin en cas de suspicion de phlébite (jambes rouges et/ou chaudes, douloureuses, surtout si d'un seul côté et avec fièvre).

Note : *vendu sans ordonnance; efficacité des principes actifs à confirmer dans l'emploi proposé.*

CYCLO 3® fort (P. Fabre)

Introd. en 1991. Remb. SS 40%.

PRINCIPES ACTIFS : gélules contenant des extraits de *Ruscus aculeatus*, hespéridine méthyl chalcone et acide ascorbique.

Emploi : proposé dans l'insuffisance veineuse et lymphatique.

Précautions : consultez votre médecin en cas de suspicion de phlébite (jambes rouges et/ou chaudes, douloureuses, surtout si d'un seul côté et avec fièvre); ne pas utiliser pendant la grossesse (innocuité non établie).

Note : *vendu sans ordonnance; efficacité des principes actifs à confirmer dans l'emploi proposé.*

CYCLOSPASMOL®
(Brocades Pharma)

Introd. en 1972. Remb. SS 70%.

PRINCIPE ACTIF : *Cyclandélate*.

Préparations : comprimés ou gélules à 400 mg.

Emploi : vasodilatateur périphérique musculotrope proposé dans les artériopathies chroniques oblitérantes des membres inférieurs, les troubles psychiques et du comportement de la sénescence cérébrale, les troubles cochléo-vestibulaires et rétiniens d'origine ischémique; l'efficacité des vasodilatateurs périphériques dans ces affections reste à confirmer.

Effets indésirables possibles : troubles digestifs, allergies cutanées.

Note : *vendu sans ordonnance; à éviter en automédication.*

CYCLOTÉRIAM® (Roussel)

Introd. en 1976. Liste II. Remb. SS 70%.

PRINCIPES ACTIFS : comprimés contenant

– cyclothiazide (3 mg) : diurétique de type thiazidique;

– triamtérène (150 mg) : diurétique distal épargnant le potassium.

Emploi : association d'un diurétique dérivé de la thiazide et d'un diurétique distal épargnant le potassium dans le but de limiter autant que possible les pertes potassiques indésirables.

Ce médicament permet d'éliminer l'eau retenue dans l'organisme et de diminuer la pression artérielle lorsque celle-ci est trop élevée; il est utilisé pour traiter l'hypertension artérielle et les œdèmes cardiaques, notamment en cas de traitement digitalique.

Sportifs : ce médicament contient des principes actifs qui se trouvent sur la liste des dopants interdits (Ministère de la Jeunesse et des Sports); il donne une réaction positive lors des contrôles antidopage.

Pour les détails → p. 232 et p. 233.

Note : *prescrit sur ordonnance médicale.*

CYMÉVAN® (Syntex)

Introd. en 1988. Liste I.

PRINCIPE ACTIF : *Ganciclovir*.

Préparations : poudre pour solution injectable en flacons à 500 mg.

Emploi : médicament appartenant au groupe des antiviraux utilisé en injections intraveineuses dans le traitement des infections à cytomégalovirus mettant en jeu le pronostic vital (pneumonie, colite, encéphalite) ou la vision (rétinite) survenant chez des sujets immunodéprimés, notamment sujets atteint de SIDA, transplantés de moelle osseuse ou d'organes sous traitement immunosuppresseur ou sujets traités par des antinéoplasiques.

Grossesse : ce médicament ne doit pas être utilisé pendant la grossesse; en effet, il a causé des malformations du fœtus au cours de l'expérimentation animale; si une grossesse survient pendant le traitement, il faut informer immédiatement le médecin traitant. Chez l'homme, l'utilisation du préservatif est recommandée pendant le traitement et dans les trois mois qui suivent.

Allaitement : ce médicament ne doit pas être utilisé pendant l'allaitement, car il passe dans le lait maternel.

Enfants : ne doit être utilisé qu'en cas de nécessité absolue.

Interactions : il faut informer votre médecin si vous prenez ou avez pris récemment d'autres médicaments, notamment, probénécide, amphotéricine B, flucytosine, dapsone, co-trimoxazole, pentamidine, zidovudine (augmentation des effets indésirables du ganciclovir sur les globules sanguins).

Boissons : pendant le traitement, vous devez boire abondamment (3-4 litres par jour) pour éviter des effets indésirables au niveau des reins.

Surveillance : ce médicament agit sur la moelle osseuse qui produit les cellules du sang ; le traitement exige des contrôles périodiques, en particulier de la formule sanguine, pour que votre médecin puisse déterminer la dose optimale en évitant une diminution excessive des globules sanguins ; des contrôles réguliers de la vue pendant le traitement sont aussi importants.

Effets indésirables possibles :
– nausées, vomissements, diarrhées, parfois maux de tête ;
– saignement au moindre traumatisme, présence de sang dans les urines ou les selles, coloration noire des selles, apparition de petites taches rouges sur la peau (diminution du nombre des plaquettes dans le sang) ;
– fièvre, frissons, maux de gorge, ulcérations buccales (diminution des globules blancs dans le sang) ;
– convulsions, tremblements, troubles du comportement, cauchemars ;
– prurit, fièvre, éruptions cutanées (réaction allergique : arrêtez immédiatement le traitement) ;
– toux, asthme ;
– perte des cheveux (alopécie).
Note : réservé aux hôpitaux.

CYNOMEL®
(Marion Merrell Dow)

Introd. en 1961. Liste II. Remb. SS 70%.
PRINCIPE ACTIF : **Liothyronine**.
SYNONYMES : triiodothyronine, L-T3 ou T3 (lévogyre).
Préparations : comprimés à 25 µg [équivalents à 100 µg de lévothyroxine].
Emploi : médicament utilisé par voie buccale lorsque la glande thyroïde ne produit pas assez d'hormones thyroïdiennes dans l'hypothyroïdie, le myxœdème (bouffissure du visage et des mains), le goitre simple (aug-

mentation de volume de la glande thyroïde), l'inflammation de la glande thyroïde (thyroïdite chronique) et les proliférations cellulaires anormales au niveau de la thyroïde.
La liothyronine a les mêmes effets que la lévothyroxine, mais son action est plus rapide et plus brève (en cas de surdosage, les effets indésirables régressent plus rapidement).
Pour les détails → p. 346.
Note : *prescrit sur ordonnance médicale.*

CYSTICHOL® (Bailleul)

Introd. en 1984. Non remb. SS.
PRINCIPES ACTIFS : gélules contenant de la cystine (lévogyre) et de la choline bitartrate.
Emploi : proposé dans les symptômes digestifs présumés d'origine hépatique.
Précautions : consultez votre médecin en cas de douleurs ou crampes abdominales d'origine indéterminée, de selles noires, d'amaigrissement.
Note : vendu sans ordonnance ; ne pas utiliser pendant plus de 5 jours sans avis médical.

CYSTINE B6® (Bailleul)

Introd. en 1975. Remb. SS 40%.
PRINCIPES ACTIFS : comprimés contenant de la cystine (lévogyre) et de la pyridoxine (vitamine B6).
Emploi : proposé dans la perte de cheveux (alopécie), le trouble de la croissance des ongles, la fragilité capillaire ; les ongles et les cheveux fragiles peuvent être le signe d'une maladie générale (consultez votre médecin).
Note : vendu sans ordonnance ; efficacité des principes actifs à confirmer dans l'emploi proposé.

CYTARBEL® (R. Bellon)

Introd. en 1989. Liste I. Remb. SS 100%.
PRINCIPE ACTIF : **Cytarabine**.
SYNONYME : cytosine-arabinoside.
Préparations : ampoules à 40 mg, 100 mg, 500 mg ou 1000 mg ; poudre pour solution injectable en flacons à 100 mg, 500 mg, 1 g et 2 g (flacons à 1 g et 2 g réservés aux hôpitaux).

Emploi : médicament appartenant au groupe des antimétabolites employé en perfusion intraveineuse pour traiter les leucémies aiguës, les proliférations cellulaires anormales au niveau des ganglions lymphatiques et dans d'autres affections.
Note : *le traitement doit être pris en charge par un spécialiste.*

CYTÉAL® (Sinbio)

Introd. en 1978.
Remb. SS 70% (solution).
PRINCIPES ACTIFS : savon solide et solution pour application locale contenant de la chlorhexidine, hexamidine et chlorocrésol.
Emploi : antisepsie et nettoyage de la peau et de certaines muqueuses, notamment en gynécologie.
Précautions : bien rincer après usage; ne pas utiliser dans les lésions cutanées de l'oreille ou proches des yeux.
Effets indésirables possibles : réactions allergiques, eczéma de contact.
Note : *produit vendu sans ordonnance.*

CYTOSTIMULINE®
(Sterling Midy)

Introd. en 1965. Non remb. SS.
PRINCIPES ACTIFS : solution buvable contenant de l'aspartate de magnésium, aspartate de potassium et citrate de fer.
Emploi : proposé dans la fatigue (efficacité à confirmer).
Précautions : ne pas utiliser chez l'enfant de moins de 15 ans; consultez votre médecin si la fatigue persiste (il peut s'agir d'une dépression ou d'une maladie nécessitant un traitement spécifique) ou en cas d'amaigrissement.
Effets indésirables possibles : coloration noire des selles (présence de fer).
Note : *vendu sans ordonnance; à éviter en automédication à cause de la présence de citrate de fer qui peut masquer un saignement digestif.*

CYTOTEC® (Searle)

Introd. en 1987. Liste I. Remb. SS 70%.
PRINCIPE ACTIF : *Misoprostol*.
Préparations : capsules à 200 µg.
Emploi : analogue synthétique de la prostaglandine endogène E1 ayant un effet inhibiteur de la sécrétion d'acide gastrique et un effet protecteur de la muqueuse gastrique. Il est utilisé pour
– prévenir l'ulcère gastroduodénal dû aux anti-inflammatoires non stéroïdiens lorsque leur emploi est jugé indispensable (rhumatisme inflammatoire grave);
– traiter l'ulcère gastroduodénal évolutif (après avoir vérifié la bénignité de l'ulcère).
Précautions : ne pas employer en cas d'allergie au produit ou à d'autres prostaglandines, de maladies vasculaires cérébrales ou coronaires (en effet, l'hypotension provoquée par le misoprostol pourrait précipiter des complications), de grossesse (il provoque des contractions de l'utérus et peut avoir un effet abortif) et d'allaitement; si une grossesse survient pendant le traitement, il faut informer immédiatement le médecin traitant.
Tabac et alcool : le tabac et les boissons alcoolisées sont déconseillés pendant le traitement.
Interactions : il faut informer votre médecin si vous prenez ou avez pris récemment d'autres médicaments.
Effets indésirables possibles :
– diarrhée (qui nécessite parfois l'interruption du traitement);
– nausées, vomissements, douleurs abdominales, vertiges, maux de tête.
Note : *prescrit sur ordonnance médicale.*

D

DACRINE® (M., S. & D.-Chibret)

Introd. en 1970. Remb. SS 70%.
PRINCIPES ACTIFS : collyre contenant de la chlorhexidine (antiseptique), synéphrine (vasoconstricteur) et hydrastinine (vasoconstricteur).
Emploi : proposé dans les irritations de la conjonctive et des annexes («yeux rouges»).
Précautions : ne pas employer en cas de glaucome à angle fermé, d'hypertension artérielle et chez l'enfant âgé de moins de 3 ans; consultez votre médecin si les troubles persistent plus de 48 heures.
Sportifs : ce médicament peut donner une réaction positive lors des tests pour contrôle antidopage.

Conduite de véhicules : ce médicament peut dilater les pupilles (mydriase) et provoquer des troubles visuels; la conduite de véhicules ou l'utilisation de machines peut être dangereuse en cas d'instillations répétées.

Conservation : à utiliser dans les 15 jours après l'ouverture du flacon.

Note : vendu sans ordonnance; à éviter sans avis médical, comme tous les collyres.

DACRYOSÉRUM®
(M., S. & D.-Chibret)

Introd. en 1948. Remb. SS 70%.

PRINCIPES ACTIFS : solution pour lavage oculaire contenant du borate de sodium, phénylmercure, acide borique, chlorure de sodium.

Emploi : proposé dans l'irritation du globe oculaire et des paupières.

Note : produit vendu sans ordonnance; consultez votre médecin si les troubles persistent plus de 48 heures.

DAFALGAN® (Upsa)

Introd. en 1985. Remb. SS 70%.

PRINCIPE ACTIF : *Paracétamol*.

Préparations : gélules à 500 mg; poudre orale nourrisson en sachets à 80 mg; poudre orale jeune enfant en sachets à 150 mg; suppositoires à 80 mg, 150 mg, 300 mg ou 600 mg.

Emploi : utilisé pour atténuer la douleur modérée *(analgésique)* et pour faire tomber la fièvre *(antipyrétique)*.

Posologie (adulte) : 1-2 comprimés à 500 mg 1 à 3 fois par jour dans un grand verre d'eau.

Prise du médicament : ménagez un intervalle minimum de 4 heures entre deux prises.

Durée du traitement : consultez votre médecin si les douleurs persistent après 5 jours ou si la fièvre ne régresse pas au bout de 3 jours.

Précautions : ce médicament ne doit pas être utilisé en cas d'insuffisance rénale, hépatique ou respiratoire, de déficit congénital en glucose-6-phosphate déshydrogénase ou G6PD (enzyme du globule rouge), de grossesse, d'allaitement et chez l'enfant de moins de 7 ans, sauf sur avis médical.

Effets indésirables possibles : respiration sifflante, éruption cutanée, urines orangées, jaunisse.

Pour les détails → Paracétamol.

Note : vendu sans ordonnance; l'efficacité du paracétamol est généralement reconnue dans l'emploi proposé.

DAFALGAN® codéine (Upsa)

Introd. en 1991. Liste I. Remb. SS 70%.

PRINCIPES ACTIFS : comprimés contenant :
– paracétamol (500 mg) : analgésique et antipyrétique périphérique;
– codéine (30 mg) : analgésique central.

Emploi : proposé pour atténuer la douleur modérée *(analgésique)* et pour faire tomber la fièvre *(antipyrétique)*.

Durée du traitement : consultez votre médecin si les douleurs persistent après 5 jours ou si la fièvre ou le mal de gorge ne régressent pas au bout de 3 jours.

Précautions : ce médicament ne doit pas être utilisé en cas d'insuffisance hépatique, d'insuffisance respiratoire, de grossesse, d'allaitement et chez l'enfant âgé de moins de 15 ans; évitez l'association avec l'alcool, les tranquillisants et les somnifères.

Conduite de véhicules : ce médicament peut diminuer la vigilance; la conduite de véhicules ou l'utilisation de machines peut être dangereuse.

Sportifs : ce médicament peut donner une réaction positive lors des tests pour contrôle antidopage.

Effets indésirables possibles :
– liés au paracétamol : respiration sifflante, éruption cutanée, urines orangées, jaunisse;
– liés à la codéine : somnolence, vertiges, constipation.

Note : prescrit sur ordonnance médicale.

DAFLON® (Servier)

Introd. en 1971. Remb. SS 40%.

PRINCIPES ACTIFS : comprimés contenant des flavonoïdes (375 mg ou 500 mg).

Emploi : proposé dans le traitement des symptômes en rapport avec l'insuffisance veinolymphatique (jambes lourdes, etc.) ou la fragilité capillaire.

Précautions : consultez votre médecin en cas de suspicion de phlébite (jambes rouges, douloureuses, surtout si d'un seul côté et avec fièvre).

Note : vendu sans ordonnance; efficacité des principes actifs à confirmer dans l'emploi proposé.

DAIVONEX® (Leo)

Introd. en 1993. Liste II.

PRINCIPE ACTIF : *Calcipotriol.*

Préparations : pommade à 0,005%.

Emploi : analogue de la vitamine D proposé pour traiter le psoriasis en plaque affectant jusqu'à 40%. de la surface corporelle.

Précautions : ne pas appliquer sur le visage; ne pas utiliser pendant la grossesse et l'allaitement ou en cas d'hypercalcémie.

Note : prescrit sur ordonnance médicale.

DAKIN Cooper Stabilisé®
(Lab. CPF)

Introd. en 1990. Remb. SS 70%.

Préparations : solution pour application locale contenant de l'hypochlorite de sodium correspondant à 500 mg de chlore actif par 100 ml.

Emploi : antiseptique de la peau.

Note : produit vendu sans ordonnance.

DAKTACORT® (Janssen)

Introd. en 1979. Liste I. Remb. SS 70%.

PRINCIPES ACTIFS : gel pour application locale contenant de l'hydrocortisone (dermocorticoïde) et miconazole (antifongique).

Emploi : traitement des mycoses superficielles avec signes d'inflammation.

Application du produit : étaler le produit sur les lésions et le faire pénétrer par un léger massage; éviter tout contact avec les yeux. Ne dépassez pas le nombre d'applications journalières prescrites par votre médecin (en général une par jour); des applications trop fréquentes et l'occlusion des lésions augmentent le risque d'effets indésirables généralisés.

Durée du traitement : ne pas dépasser 8 jours.

Effets indésirables possibles : prurit, sensation de brûlure; l'application sur de grandes surfaces ou sous un pansement occlusif peut entraîner un passage du principe actif dans la circulation sanguine, d'où l'apparition d'effets indésirables parfois généralisés; l'utilisation prolongée peut provoquer une atteinte de la peau du visage avec rougeur, amincissement et fragilité des téguments et apparition d'ecchymoses.

Note : prescrit sur ordonnance médicale.

DAKTARIN® (Janssen)

Introd. en 1976. Liste I. Remb. SS 70%.

PRINCIPE ACTIF : *Miconazole.*

Préparations : comprimés à 125 mg; gel buccal à 62,5 mg par cuillère-mesure de 2,5 ml; ampoules injectables à 200 mg dans 20 ml.

Emploi : médicament appartenant au groupe des antifongiques imidazolés qui sont employés pour traiter certaines infections causées par des levures et des champignons (mycoses).

Le miconazole est utilisé :

PAR VOIE BUCCALE :
– *comprimés* : candidoses digestives (oropharyngées, gastriques, intestinales);
– *gel buccal* : mycoses de la cavité buccale (muguet, perlèche, glossites, gingivites, stomatites).

PAR VOIE GYNÉCOLOGIQUE (ovules, gel) :
– vulvovaginites candidosiques (pour les détails → *Gyno-Daktarin®*).

EN PERFUSION INTRAVEINEUSE (en milieu hospitalier) :
– infections mycosiques graves à germes sensibles;.
– prévention des mycoses chez les sujets immunodéprimés (infections opportunistes).

Allergie : informez votre médecin si vous avez déjà fait une réaction allergique ou inhabituelle à ce médicament ou à un autre antifongique imidazolé.

Grossesse et allaitement : l'innocuité de ce médicament n'ayant pas été établie chez la femme enceinte, ni lors de l'allaitement, son usage est déconseillé.

Interactions : il faut informer votre médecin si vous prenez ou avez pris récemment d'autres médicaments, notamment :
– anticoagulants oraux (augmentation de l'action anticoagulante; risque d'hémorragies imprévisibles);
– antidiabétiques oraux (augmentation de l'effet hypoglycémiant);
– phénytoïne (élévation du taux plasmatique de la phénytoïne);
– isoniazide (diminution de l'efficacité du miconazole);
– amphotéricine B (diminution de l'efficacité du miconazole).
– rifampicine (diminution de l'efficacité du miconazole).

Prescription : ne dépassez pas la dose prescrite par votre médecin; des doses trop élevées augmentent le risque d'effets indésirables.

Effets indésirables possibles :
PAR VOIE BUCCALE :
– nausées, diarrhées;
– troubles psychiques.
EN PERFUSION :
– phlébite au point d'injection;
– nausées, vomissements, diarrhées;
– éruption cutanée (réaction allergique : il faut arrêter immédiatement le traitement);
– baisse de la tension artérielle et pouls irrégulier (arythmies);
– fièvre, frissons, maux de gorge, ulcérations buccales (diminution des globules blancs dans le sang).
– anémie en cas de traitement au long cours.
Note : prescrit sur ordonnance médicale.

DAKTARIN® pour application locale (Janssen)

Introd. en 1974. Remb. SS 70%.
PRINCIPE ACTIF : **Miconazole**.
Préparations : gel, poudre, lotion à 2%. Formes gynécologiques → Gyno-Daktarin®
Propriétés : antifongique appartenant au groupe des imidazolés qui sont utilisés pour traiter les infections de la peau causées par des champignons ou des levures (mycoses).
Emploi :
– candidoses cutanéo-muqueuses;
– dermatophytoses de la peau glabre (herpès circiné), intertrigo des grands plis (eczéma marginé de Hébra) et des orteils (pied d'athlète);
– teignes et sycosis dermatophytiques (traitement d'appoint);
– onyxis dermatophytique (traitement d'appoint);
– pityriasis versicolor.
Précautions : ne pas employer en cas d'hypersensibilité aux antifongiques du groupe des imidazolés, de maladies de la peau causées par des virus ou les germes de la tuberculose ou de la syphilis; ne pas appliquer sur une grande surface ou une peau lésée (risque accru d'absorption).
Effets indésirables possibles : irritation, sensation de brûlure; éruption cutanée (réaction allergique : arrêtez immédiatement le traitement).
Note : vendu sans ordonnance; à éviter sans avis médical, sauf en cas de rechutes d'affections diagnostiquées antérieurement par votre médecin.

DALACINE® (Upjohn)

Introd. en 1972. Liste I. Remb. SS 70%.
PRINCIPE ACTIF : **Clindamycine**.
Préparations : gélules à 75 mg ou 150 mg; ampoules injectables à 600 mg (réservées aux hôpitaux).
Emploi : antibiotique du groupe des lincosanides utilisé par voie orale et en injections dans le traitement d'infections graves dues à des germes résistants à d'autres antibactériens, en particulier certaines péritonites et infections des poumons, des os et des articulations.
Son utilité est limitée par le risque d'une complication grave, appelée «colite pseudomembraneuse», due à la prolifération dans l'intestin de germes résistants et se manifestant par des crampes abdominales, une fièvre, des diarrhées persistantes et des selles contenant du sang.
Précautions : ne pas employer en cas d'allergie au produit, de maladies intestinales, notamment colite, asthme, rhume des foins ou autres allergies, de myasthénie, de grossesse et allaitement (innocuité non établie).
Effets indésirables possibles : en cas de diarrhées, arrêtez immédiatement le traitement et consultez votre médecin, car il pourrait s'agir d'une colite pseudomembraneuse; celle-ci peut se manifester quelques semaines après l'arrêt du traitement.
Note : prescrit sur ordonnance médicale.

DALACINE T® Topic (Upjohn)

Introd. en 1985. Liste I. Non remb. SS.
PRINCIPE ACTIF : solution alcoolique pour application cutanée contenant 1% de clindamycine (antibiotique).
Emploi : traitement de l'acné, notamment des formes à dominante inflammatoire.
Précautions : ne pas employer en cas d'antécédentes d'allergie à la clindamycine ou à la lincomycine, de diarrhées ou de colite (à cause du risque de résorption); ne pas appliquer en proximité de l'œil; un emploi prolongé peut provoquer l'apparition de bactéries résistantes à l'antibiotique.
Grossesse et allaitement : l'utilisation est déconseillée, car son innocuité n'a pas été établie chez la femme enceinte, ni lors de l'allaitement.

Effets indésirables possibles : irritation, prurit, sensation de brûlure, sécheresse et rougeur de la peau.
Note : prescrit sur ordonnance médicale.

DANATROL®
(Sterling Winthrop)

Introd. en 1980. Liste I. Remb. SS 70%.
PRINCIPE ACTIF : *Danazol.*
Préparations : gélules à 200 mg.
Emploi → Danazol ci-dessous.
Note : prescrit sur ordonnance médicale.

DANAZOL

SPÉCIALITÉS :
Danatrol® (Sterling Winthrop).
Mastodanatrol® (Sterling Winthrop).
Emploi : hormone antigonadotrope synthétique utilisée pour traiter les affections suivantes :
– endométriose (affection caractérisée par la présence anormale de tissu de revêtement de l'utérus à l'extérieur de celui-ci) avec ou sans stérilité;
– nodules ou kystes bénins du sein (mastopathie fibrokystique);
– œdème angioneurotique héréditaire (affection congénitale rare caractérisée par des crises d'œdème du visage, des bras et des jambes, souvent accompagnées de douleurs abdominales et diarrhée).
Le danazol conserve une activité modérée du même type que la testostérone et peut provoquer chez la femme des effets androgéniques irréversibles.
Allergie : informez votre médecin si vous avez déjà fait une réaction allergique ou inhabituelle au danazol ou aux androgènes (hormones mâles) ou au anabolisants stéroïdiens.
Etat de santé : vous devez informer votre médecin de toute affection susceptible de modifier les effets du médicament, notamment :
– maladies du foie (ce médicament ne doit pas être utilisé en cas d'insuffisance hépatique ou d'hépatite récente ou chronique, d'ictère familial de Rotor ou de Dubin-Johnson);
– maladies des reins (risque de rétention d'eau et de sodium);
– insuffisance cardiaque;
– hémorragies vaginales d'origine indéterminée;
– épilepsie, migraine (risque de déclenchement de crises);

– diabète sucré (risque d'élévation du taux du glucose dans le sang);
– hémorragies génitales d'origine indéterminée;
– porphyries (risque d'aggravation).
Grossesse : ce médicament ne doit pas être utilisé chez la femme enceinte ou susceptible de l'être; en effet, il peut provoquer le développement de caractères masculins chez le fœtus femelle (masculinisation fœtale); en cas d'arrêt des règles (aménorrhée), on conseille de faire un test de grossesse avant de commencer le traitement.
Allaitement : l'utilisation de ce médicament est déconseillée, car il passe dans le lait maternel.
Enfants : ce médicament n'est pas utilisé chez l'enfant (risque de ralentissement de la croissance et d'hypertrophie des organes génitaux).
Interactions : il faut informer votre médecin si vous prenez ou avez pris récemment d'autres médicaments, notamment des anticoagulants oraux (majoration de l'effet anticoagulant et risque d'hémorragie).
Prescription : ne dépassez pas la dose prescrite par votre médecin; des doses trop élevées ou des prises trop fréquentes augmentent le risque d'effets indésirables.
Oubli : si vous oubliez de prendre le médicament et si vous le remarquez dans les 2 heures qui suivent, prenez immédiatement la dose oubliée; ne doublez pas la dose suivante.
Surveillance : si vous prenez ce médicament pour une endométriose ou une mastopathie fibrokystique :
– les règles peuvent devenir irrégulières ou s'arrêter;
– si vous êtes en âge de procréer, vous devez éviter une grossesse pendant le traitement et dans les 3 mois qui suivent par une contraception locale (n'utilisez pas la «pilule»);
– si vous avez des raisons de penser que vous êtes devenue enceinte pendant le traitement, consultez immédiatement votre médecin, car vous risquez d'avoir une fille ayant des caractères masculins;
– si les règles ne reviennent pas dans les 2 mois qui suivent l'arrêt du traitement, consultez votre médecin;
– dès que vous constatez une modification de la voix, il faut interrompre le traitement et informer votre médecin; en effet, les femmes dont

l'activité professionnelle est liée à la voix (par exemple, les soprani) doivent savoir que l'emploi de ce médicament peut provoquer une baisse permanente de la voix.

Exposition au soleil : le danazol peut rendre votre peau très sensible aux rayons solaires et ultraviolets (photosensibilisation); dans ce cas, vous devez éviter l'exposition directe au soleil et porter des vêtements qui couvrent les bras et les jambes, un chapeau et des lunettes de soleil.

En cas de diabète : on conseille de renforcer l'autosurveillance glycémique.

Arrêt du traitement : n'arrêtez pas le traitement sans consulter votre médecin.

Effets indésirables possibles :
– chevilles enflées et prise de poids (rétention d'eau), crampes musculaires, bouffées de chaleur, nausées, vertiges, nervosité, maux de tête, dépression, sensibilité accrue de la peau au soleil, sudation abondante, modifications ou absence persistante des règles;
– effets androgéniques chez la femme: acné, accentuation de la pilosité (hirsutisme), modification de la voix, hypertrophie du clitoris, diminution de volume des seins, chute des cheveux;
– chez l'homme : diminution de la libido, modifications des spermatozoïdes;
– présence de sang dans l'urine (cystite hémorragique);
– jaunisse;
– l'usage prolongé expose à un faible risque d'atteinte hépatique qui est évitée par des contrôles périodiques de la fonction hépatique.

DANTRIUM® (Lipha Santé)

Introd. en 1979. Liste I. Remb. SS 70%.
PRINCIPE ACTIF : *Dantrolène*.

Préparations : gélules à 25 mg ou 100 mg; poudre pour solution injectable en flacons à 20 mg.

Emploi : médicament appartenant au groupe des relaxants musculaires ou myorelaxants; il est utilisé dans les contractures et spasmes musculaires douloureux causés par la sclérose en plaques, les accidents vasculaires cérébraux («attaques») ou par des lésions de la moelle épinière; il est particulièrement utile pour faciliter la réadaptation; son action s'exerce directement sur la fibre musculaire striée, sans altération de la conduction neuromusculaire (pas d'effet curarisant). Il est aussi utilisé pour prévenir (voie orale) ou traiter (voie intraveineuse) un trouble héréditaire appelé «hyperthermie maligne» qui survient pendant ou après une anesthésie générale et est caractérisée par de la fièvre et une rigidité des muscles.

Exposition au soleil : le dantrolène peut rendre votre peau très sensible aux rayons solaires et ultraviolets (photosensibilisation); dans ce cas, vous devez éviter l'exposition directe au soleil et porter des vêtements qui couvrent les bras et les jambes, un chapeau et des lunettes de soleil.

Toxicité hépatique : l'utilisation de ce médicament comporte un risque de toxicité hépatique, surtout avec des doses élevées et des traitements prolongés; des atteintes hépatiques peuvent se manifester jusqu'à 12 mois après le début du traitement; elles sont évitées par des contrôles périodiques des fonctions hépatiques avant et pendant le traitement.

Pour les détails → p. 585.
Note : prescrit sur ordonnance médicale.

DAONIL® et **HÉMI-DAONIL®**
(Hoechst)

Introd. en 1969. Liste I. Remb. SS 70%.
PRINCIPE ACTIF : *Glibenclamide*.
SYNONYMES : glybenzcyclamide, glyburide.

Préparations :
Comprimés à 1,25 mg (*Daonil® faible*).
Comprimés à 2,5 mg (*Hémi-Daonil®*).
Comprimés à 5 mg (*Daonil®*).

Emploi : antidiabétique oral utilisé par voie buccale dans le diabète qui se développe chez l'adulte, dont le contrôle ne nécessite pas des injections d'insuline (diabète non insulino-dépendant de type II ou DNID) et qu'un régime seul ne peut pas équilibrer suffisamment; l'injection d'insuline dans cette forme de diabète peut cependant être nécessaire en cas de blessure ou de brûlure, d'infection grave, d'apparition d'un coma acido-cétosique, d'intervention chirurgicale ou de grossesse. L'usage de ce médicament constitue un complément à votre régime et il ne saurait en aucun cas le remplacer.

Durée de l'action : 12 à 24 heures.
Pour les détails → p. 42.
Note : prescrit sur ordonnance médicale.

DAZEN® (Takeda)

Introd. en 1981. Remb. SS 40%.
PRINCIPE ACTIF : comprimés contenant 10.000 unités de serrapeptase.
Emploi : enzyme protéolytique proposée par voie buccale, en comprimés gastro-résistants, dans le traitement des œdèmes inflammatoires.
Effets secondaires possibles : des cas d'éruptions cutanées graves ont été signalés.
Note : vendu sans ordonnance ; efficacité du principe actif à confirmer dans l'emploi proposé.

DÉBÉKACYL® (R. Bellon)

Introd. en 1981. Liste I. Remb. SS 70%.
PRINCIPE ACTIF : *Dibékacine*.
Préparations : ampoules injectables à 25 mg ou 75 mg.
Emploi : antibiotique du groupe des aminosides ou aminoglycosides utilisé en injections pour traiter des infections graves, souvent en association avec d'autres agents antibactériens ; les effets indésirables les plus importants sont les troubles de l'ouïe et de l'équilibre par atteinte de l'oreille interne en cas de surdosage ou d'insuffisance rénale.
Pour plus de détails → p. 25.
Note : prescrit sur ordonnance médicale.

DÉBRIDAT® (Jouveinal)

Introd. en 1970. Liste II. Remb. SS 40%.
PRINCIPE ACTIF : *Trimébutine*.
Préparations : comprimés à 100 mg ; suppositoires à 80 mg ; suspension buvable à 5 mg/ml ; suppositoires à 100 mg ; ampoules injectables à 50 mg dans 5 ml.
Emploi : antispasmodique agissant directement sur les fibres musculaires lisses, sans action atropinique, utilisé dans le traitement des spasmes douloureux du tube digestif, des voies biliaires et urinaires.
Pour les détails → p. 57.
Note : prescrit sur ordonnance médicale.

DEBRISAN® (Kabi Pharmacia)

Introd. en 1979. Remb. SS 40%.
PRINCIPE ACTIF : pâte, poudre et pansements contenant du dextranomère.
Emploi : agent détersif agissant par absorption, appliqué sur les plaies suintantes, notamment les ulcères de jambe, escarres de décubitus.
Note : vendu sans ordonnance ; consultez votre médecin si les lésions persistent.

DÉBRUMYL® (P. Fabre)

Introd. en 1972. Non remb. SS.
PRINCIPES ACTIFS : solution buvable contenant du déanol (psychostimulant) et de l'heptaminol (tonique vasculaire).
Emploi : proposé dans la fatigue.
Précautions : ne doit pas être utilisé en cas d'épilepsie, d'hypertension, de fonctionnement excessif de la glande thyroïde (hyperthyroïdie), chez l'enfant, en cas de grossesse (innocuité non établie) et d'allaitement ; consultez votre médecin si la fatigue persiste (il peut s'agir d'une dépression ou d'une autre maladie nécessitant un traitement spécifique) ou en cas d'amaigrissement.
Sportifs : ce médicament peut donner une réaction positive en cas de tests pratiqués lors des contrôles antidopage.
En cas de diabète : tenir compte de la teneur en sucre du produit.
Effets indésirables possibles : insomnies, maux de tête, diarrhées, prurit.
Note : vendu sans ordonnance ; efficacité des principes actifs à confirmer dans l'emploi proposé.

DÉCADRON® et SOLUDÉCADRON®
(M., S. & D.-Chibret)

Introd. en 1960. Liste I. Remb. SS 70%.
PRINCIPE ACTIF : *Dexaméthasone*.
Préparations :
– comprimés à 0,5 mg (*Décadron®*) ;
– solution injectable en ampoules à 4 mg dans 1 ml et à 20 mg dans 5 ml (*Soludécadron®*).
Emploi : médicament apparenté à la cortisone (glucocorticoïde) utilisé par voie orale ou en injections pour atténuer les réactions inflammatoires et allergiques, ainsi que dans le trai-

tement de maladies telles que des allergies cutanées graves, des crises d'asthme ou des polyarthrites évolutives; il s'agit d'un médicament puissant qui, s'il n'est pas utilisé selon la prescription, peut provoquer des effets indésirables graves.

Durée d'action : 12-72 heures.

Pour les détails → p. 176.

Note : *prescrit sur ordonnance médicale.*

DÉCA-DURABOLIN®
(Organon)

Introd. en 1964. Liste II. Non remb. SS.

PRINCIPE ACTIF : **Nandrolone**.

SYNONYMES : norandrosténolone, nortestostérone.

Préparations : ampoules injectables à 50 mg.

Emploi : médicament appartenant au groupe des anabolisants stéroïdiens (ou stéroïdes anabolisants) qui sont des dérivés de l'hormone sexuelle mâle (testostérone) dont ils conservent une certaine activité; ces médicaments sont proposés, sans preuve d'efficacité, pour favoriser la reconstitution des muscles dans les états de dénutrition, notamment chez le sujet âgé en association avec un régime riche en protéines, dans les brûlures étendues, les escarres, les suites d'interventions chirurgicales, après immobilisation prolongée et certaines ostéoporoses.

Précautions, effets indésirables possibles → p. 31.

Note : *prescrit sur ordonnance médicale.*

DÉCAPEPTYL® (Ipsen/Biotech)

Introd. en 1986. Liste I.

PRINCIPE ACTIF : **Triptoréline**.

Préparations :
Poudre pour solution injectable en flacons de 0,1 mg dans 1 ml. Remb. SS 100%.
Préparation à libération prolongée en ampoules à 3,75 mg dans 2 ml. Remb. SS 70%.

Emploi : substance analogue de la gonadoréline (LH-RH) utilisée pour le traitement palliatif des proliférations cellulaires anormales au niveau de la prostate et, en milieu spécialisé, en cas de stérilité féminine, en association avec d'autres médicaments.

Effets indésirables possibles :
– *Chez l'homme* : impuissance, sueurs froides, bouffées de chaleur, fourmillements ou picotements aux extrémités, difficulté à uriner, faiblesse des jambes, éruption cutanée.
– *Chez la femme* : bouffées de chaleur, maux de tête, modification de la libido, sécheresse vaginale; déminéralisation des os (ostéoporose) en cas d'administration prolongée; si des règles trop abondantes surviennent au cours du traitement, consultez votre médecin pour en rechercher la cause.

Note : *prescrit sur ordonnance médicale.*

DÉCONTRACTYL®
(Synthélabo)

Introd. en 1950. Non remb. SS.

PRINCIPE ACTIF : **Méphénésine**.

SYNONYMES : crésoxydiol, crésoxypropanediol.

Préparations : comprimés à 250 mg.

Emploi : médicament appartenant au groupe des relaxants musculaires ou myorelaxants; il est utilisé dans les contractures et spasmes musculaires douloureux de la sclérose en plaques, de certaines lésions de la moelle épinière et dans d'autres affections; son action relaxante s'exerce par l'intermédiaire du système nerveux.

Pour les détails → p. 585.

Note : *vendu sans ordonnance; à éviter en automédication.*

DÉCONTRACTYL® baume
(Synthélabo)

Introd. en 1956. Non remb. SS.

PRINCIPE ACTIF : **Méphénésine**.

Préparations : baume à 10%
[+ nicotinate de méthyle].

Emploi : relaxant musculaire proposé comme adjuvant des massages dans le traitement des contractures douloureuses.

Note : *vendu sans ordonnance; consultez votre médecin si les douleurs persistent.*

DECORPA® (Norgan)

Introd. en 1944. Non remb. SS.

PRINCIPE ACTIF : **Gomme de sterculia**.

Préparations : granulé en sachets de 5,6 g.

Emploi : laxatif mécanique qui agit en augmentant le volume des selles proposé comme adjuvant aux régimes amaigrissants.

Posologie (adulte) : 1 sachet avant chaque repas; mettre le granulé dans la bouche et avaler sans mâcher avec un verre d'eau.

Précautions : ne pas employer en cas de maladies inflammatoires de l'intestin ou de douleurs abdominales de cause inconnue; évitez une utilisation prolongée; consultez votre médecin si la constipation persiste ou en cas de selles noires ou de présence de sang dans les selles.

Effets indésirables possibles : ballonnements en cas d'apport d'eau insuffisant.

Note : vendu sans ordonnance; le traitement médicamenteux de la constipation n'est qu'un adjuvant au traitement hygiéno-diététique qui comporte:

– alimentation riche en fibres végétales (légumes, fruits, pain complet), boissons abondantes;

– activité physique et présentation quotidienne à la selle, à la même heure.

DECTANCYL® (Roussel).

Introd. en 1959. Liste I. Remb. SS 70%.

PRINCIPE ACTIF : **Dexaméthasone**.

Préparations : comprimés à 0,5 mg; suspension injectable en flacons à 5 mg dans 1 ml et 15 mg dans 3 ml.

Emploi : médicament apparenté à la cortisone (glucocorticoïde) utilisé par voie orale ou en injections pour atténuer les réactions inflammatoires et allergiques, ainsi que dans le traitement de maladies telles que des allergies cutanées graves, des crises d'asthme ou des polyarthrites évolutives; il s'agit d'un médicament puissant qui, s'il n'est pas utilisé selon la prescription du médecin, peut provoquer des effets indésirables.

Durée d'action : 12-72 heures.

Pour les détails → p. 176.

Note : prescrit sur ordonnance médicale.

DÉDROGYL® (Roussel)

Introd. en 1976. Liste II. Remb. SS 40%.

PRINCIPE ACTIF : **Calcitédiol**.

Préparations : solution buvable à 5 µg par goutte.

Emploi : métabolite de la vitamine D employé dans le traitement des ostéodystrophies rénales, rachitismes pseudo-carentiels, rachitisme et ostéomalacie par hypophosphatémie, hypoparathyroïdie et pseudohypoparathyroïdie.

Note : prescrit sur ordonnance médicale.

DÉFANYL® (Lederle/Novalis)

Introd. en 1980. Liste I. Remb. SS 70%.

PRINCIPE ACTIF : **Amoxapine**.

Préparations : comprimés à 50 mg ou 100 mg; solut. buvable à 50 mg/ml.

Emploi : antidépresseur du groupe des tricycliques, ayant une action sédative et atropinique, utilisé chez l'adulte dans les états dépressifs.

Durée d'action : environ 24 heures.

Pour les détails → p. 40.

Note : prescrit sur ordonnance médicale.

DÉFILTRAN® (Gallier)

Introd. en 1972. Liste II. Non remb. SS.

PRINCIPE ACTIF : **Acétazolamide**.

Préparations : crème dermique à 10%.

Emploi : inhibiteur de l'anhydrase carbonique proposé en application locale dans le traitement des œdèmes post-traumatiques.

Sportifs : ce médicament peut donner une réaction positive en cas de tests pratiqués lors des contrôles antidopage.

Effets indésirables possibles : irritation, prurit, rougeur locale.

Note : prescrit sur ordonnance médicale.

DÉFLAMOL® (Fumouze)

Introd. en 1946. Non remb. SS.

PRINCIPES ACTIFS : pommade contenant du dioxyde de titane et oxyde de zinc.

Emploi : proposé dans les irritation de la peau.

Précautions : évitez l'utilisation prolongée sur de grandes surfaces.

Note : vendu sans ordonnance.

DÉHYDROÉMÉTINE (Roche)

Introd. en 1963. Liste II. Remb. SS 70%.

PRINCIPE ACTIF : **Déhydroémétine**.

Préparations : ampoules injectables à 20 mg ou 60 mg.

Emploi : amœbicide tissulaire utilisé en injections sous-cutanées.

DYSENTERIE AMIBIENNE :

– en remplacement du métronidazole ou d'autres dérivés nitro-imidazolés

chez les patients gravement malades qui ne peuvent pas prendre de médicaments par voie orale;
– après l'échec d'un traitement par les dérivés nitro-imidazolés.

ABCÈS AMIBIEN :
– utilisée seule, la déhydroémétine est efficace, mais en général un second traitement est nécessaire 6 semaines plus tard chez les patients présentant des abcès hépatiques étendus.

Précautions : surveiller attentivement la fréquence cardiaque et la tension artérielle; le traitement doit être immédiatement interrompu en cas de douleurs précordiales, d'accélération ou d'irrégularité du pouls, d'hypotension grave ou de modifications de l'électrocardiogramme.

Grossesse : la dysenterie amibienne peut suivre une évolution fulminante en fin de grossesse; le traitement par la déhydroémétine peut alors sauver la vie de la mère.

Effets indésirables possibles : vomissements, diarrhées, faiblesse.
Note : prescrit sur ordonnance médicale.

DELABARRE® (Fumouze)

Introd. en 1940. Non remb. SS.
PRINCIPES ACTIFS : gel gingival et solution gingivale contenant de la pulpe de tamarin et stigmates de safran.
Emploi : proposé dans les douleurs de la première dentition.
Note : produit vendu sans ordonnance.

DELBIASE® (Promedica)

Introd. en 1944. Non remb. SS.
PRINCIPES ACTIFS : comprimés contenant du chlorure de magnésium et du bromure de magnésium.
Emploi : utilisé dans les carences magnésiennes et proposé, en l'absence de carence magnésienne, dans la «spasmophilie» ou «tétanie constitutionnelle» avec crises d'anxiété et respiration accélérée (efficacité à confirmer).
Effets indésirables possibles : somnolence, troubles psychiques, éruptions cutanées en cas d'usage prolongé.
Note : vendu sans ordonnance; à éviter en automédication (une carence en magnésium ne peut être diagnostiquée que par votre médecin).

DÉLIPODERM® (Théramex)

Introd. en 1976. Liste II.
PRINCIPE ACTIF : **Promestriène**.
Préparations :
– crème vaginale à 1%. Remb. SS 70%;
– solution pour application locale. Non remb. SS.
Emploi : estrogène caractérisé par son incapacité de traverser les téguments en proportion significative; utilisé en application locale gynécologique dans le traitement des troubles trophiques locaux par carence estrogénique (vaginites atrophiques, atrésies et dystrophies vaginales, atrophies de la vulve, etc.).
Note : prescrit sur ordonnance médicale.

DELIPROCT® (Schering)

Introd. en 1964. Liste I. Non remb. SS.
PRINCIPES ACTIFS : pommade et suppositoires contenant de la prednisolone (corticoïde) et de la cinchocaïne (anesthésique local).
Emploi : proposé dans les manifestations douloureuses et prurigineuses anales, notamment dans le crise hémorroïdaire.
Précautions : arrêtez le traitement et consultez votre médecin en cas d'accentuation des douleurs, d'apparition de sang dans les selles ou de fièvre.
Note : prescrit sur ordonnance médicale.

DELLOVA® (P.P.D.H.)

Introd. en 1972. Liste II. Non remb. SS.
PRINCIPES ACTIFS : comprimés contenant
– phénolphtaléine : laxatif irritant;
– digitale : glucoside cardiotonique;
– poudre d'ovaire et de thyroïde.
Emploi : proposé dans l'obésité; médicament à éviter comme tous les laxatifs irritants.
Précautions : consultez votre médecin si la constipation persiste, en cas de sang dans les selles ou de selles noires, de douleurs abdominales avec diarrhée, d'amaigrissement. L'usage prolongé risque de provoquer la «maladie des laxatifs» avec lésions de la muqueuse intestinale.
Note : prescrit sur ordonnance médicale.

DELTAZEN® LP (Upjohn)

Introd. en 1990. Liste I. Remb. SS 70%.

PRINCIPE ACTIF : **Diltiazem**.

Préparations : gélules à libération prolongée à 300 mg.

Emploi : inhibiteur calcique utilisé pour prévenir les crises d'angine de poitrine (sensation de constriction douloureuse dans la poitrine pouvant irradier dans le bras gauche) et pour abaisser la tension artérielle en cas d'hypertension artérielle lorsque les diurétiques et/ou les bêta-bloquants sont inefficaces.

Pour les détails → p. 363.

Note : prescrit sur ordonnance médicale.

DÉLURSAN® (Houdé)

Introd. en 1980. Liste I. Remb. SS 70%.

PRINCIPE ACTIF : **Acide ursodésoxycholique**.

SYNONYME : ursodiol.

Préparations : comprimés à 250 mg.

Emploi : l'acide ursodésoxycholique diminue la concentration du cholestérol dans la bile et par conséquent favorise la dissolution des calculs présents dans la vésicule biliaire; il est utilisé en cas de calculs biliaires lorsqu'une intervention chirurgicale n'est pas indiquée ou comporterait un risque élevé; ce médicament n'agit que sur les calculs de cholestérol de petite dimension et si la vésicule biliaire a une fonction satisfaisante; la rechute après l'arrêt du traitement est fréquente.

Pour les détails → p. 231.

Note : prescrit sur ordonnance médicale.

DENORAL® comprimés
(Pharmuka)

Introd. en 1966. Remb. SS 40%.

PRINCIPES ACTIFS: comprimés contenant

– phénylpropanolamine (noréphédrine): vasoconstricteur;
– buzépide : antispasmodique atropinique;
– clocinizine : antihistaminique, sédatif et atropinique.

Emploi : proposé dans la congestion des muqueuses nasales et du pharynx (rhino-pharyngites aiguës).

Précautions : ne pas utiliser en cas de
– asthme, insuffisance respiratoire;
– maladies du foie ou des reins;
– hypertrophie de la prostate;
– glaucome à angle fermé;
– myasthénie (risque d'aggravation de la faiblesse musculaire);
– association avec les antidépresseurs IMAO;
– enfants au-dessous de 12 ans;
– grossesse et allaitement (innocuité non établie).

Alcool et sédatifs : évitez la consommation d'alcool et de tranquillisants pendant le traitement.

Conduite de véhicules : ce médicament peut diminuer la vigilance; la conduite de véhicules ou l'utilisation de machines peut être dangereuse.

Sportifs : ce médicament peut donner une réaction positive en cas de tests pratiqués lors des contrôles antidopage.

Effets indésirables possibles : somnolence, sécheresse de la bouche, du nez et de la gorge, vision trouble, accélération du pouls, palpitations, bouffées de chaleur, nausées, constipation, difficulté à uriner (chez les sujets prostatiques), confusion mentale ou agitation (sujets âgés).

Note : des spécialités différentes par leur composition (comprimés et sirop) sont vendues sans ordonnance sous le même nom; à éviter sans avis médical.

DENORAL® sirop (Pharmuka)

Introd. en 1966. Remb. SS 40%.

PRINCIPES ACTIFS : sirop adulte et enfant contenant
– pholcodine : antitussif opiacé;
– buzépide : antispasmodique atropinique;
– clocinizine : antihistaminique, sédatif et atropinique.

Emploi : utilisé pour calmer la toux irritative, sèche.

Précautions : ne pas utiliser en cas de
– asthme, insuffisance respiratoire (la diminution de la toux cause l'accumulation de mucosités dans les voies respiratoires);
– maladie du foie (l'élimination de la pholcodine est diminuée);
– hypertrophie de la prostate;
– glaucome à angle fermé;
– myasthénie (risque d'aggravation de la faiblesse musculaire);

– grossesse, allaitement;
– enfants âgés de moins de 30 mois.
Consultez votre médecin si la toux persiste, en cas de crachats sanglants, de fièvre, d'amaigrissement, d'éruption cutanée, de troubles de la vue, de difficulté à uriner.

Alcool et sédatifs : évitez la consommation d'alcool et de tranquillisants ou somnifères pendant le traitement (majoration de l'effet sédatif).

Conduite de véhicules : ce médicament peut diminuer la vigilance; la conduite de véhicules ou l'utilisation de machines peut être dangereuse.

En cas de diabète : tenir compte de la teneur en sucre du produit.

Effets indésirables possibles : somnolence, sécheresse de la bouche, confusion, nausées, vomissements, crises d'asthme, constipation, difficulté à respirer.

Note : des spécialités différentes par leur composition (comprimés et sirop) sont vendues sans ordonnance sous le même nom; l'efficacité de la pholcodine est généralement reconnue, mais les autres composants ont peu d'intérêt dans l'emploi proposé.

DENTO-BAUME® (Picot)

Non remb. SS.
PRINCIPES ACTIFS : liquide contenant amyléine, chloroforme, menthol, girofle, phénosalyl et essence de benjoin.
Emploi : proposé en application locale dans les douleurs dentaires.
Précautions : ne pas utiliser chez l'enfant de moins de 30 mois.
Note : vendu sans ordonnance; consultez votre dentiste si la douleur persiste ou s'aggrave.

DENTOCURE® (J.-P. Martin)

Introd. en 1934. Non remb. SS.
PRINCIPES ACTIFS : solution gingivale et dentaire contenant de la procaïne (anesthésique local), chloral, menthol, chloroforme, camphre, essence de girofle, teinture de safran et alcool éthylique.
Emploi : proposé pour calmer les douleurs dentaires.
Précautions : ne pas utiliser chez l'enfant de moins de 30 mois.
Note : vendu sans ordonnance; consultez votre dentiste si la douleur persiste ou s'aggrave.

DÉPAKINE® (Labaz)

Introd. en 1967. Liste II. Remb. SS 70%.
PRINCIPE ACTIF : **Acide valproïque**.
Préparations (sous forme de sel de sodium) : comprimés à 200 mg ou 500 mg; compr. à libération prolongée à 500 mg (*Dépakine Chrono*®); soluté buvable à 200 mg/ml; sirop à 100 mg ou 200 mg par mesure; lyophilisat pour injection intraveineuse en flacons à 400 mg/4 ml.
Emploi : antiépileptique employé dans les absences (petit mal) et autres formes d'épilepsie résistantes aux autres médicaments; l'acide valproïque n'a pas un effet sédatif, mais d'autres effets indésirables sont observés, notamment dans les atteintes hépatiques chez le jeune enfant au cours des six premiers mois du traitement. Il ne faut donc l'employer que chez l'enfant que lorsqu'elles ne répondent à aucun autre traitement.
Pour les détails → Valproate de sodium.
Note : prescrit sur ordonnance médicale.

DÉPAMIDE® (Labaz)

Introd. en 1971. Liste II. Remb. SS 70%.
PRINCIPE ACTIF : **Valpromide**.
Préparations : comprimés à 300 mg.
Emploi : médicament qui se transforme dans l'organisme en acide valproïque et a les mêmes effets antiépileptiques que celui-ci (→ Valproate de sodium); proposé aussi comme normothymique pour le traitement préventif des psychoses maniaco-dépressives chez les sujets ayant une contre-indication aux sels de lithium.
Note : prescrit sur ordonnance médicale.

DÉPARON® → Tinoran®.

DÉPO-MÉDROL® → Médrol®.

DÉPO-PRODASONE® → Prodasone®.

DÉPO-PROVERA® (Upjohn)

Introd. en 1983. Liste I. Remb. SS 70%.
PRINCIPE ACTIF : **Médroxyprogestérone**.
Préparations : suspension injectable (retard) en flacons à 150 mg.

Emploi : médicament appartenant au groupe des progestatifs (gestagènes) qui sont des hormones femelles apparentées à la progestérone naturelle sécrétée par le corps jaune.

La médroxyprogestérone est une hormone synthétique, dérivée de la 17-OH-progestérone, utilisée sous contrôle médical dans la contraception à longue durée d'action; une injection intramusculaire profonde de la préparation retard (150 mg) au début du cycle permet une couverture contraceptive de 3 mois.

Pour les détails → p. 560.

Note : prescrit sur ordonnance médicale.

DÉPRÉNYL® (Schering-Plough)

Introd. en 1988. Liste I. Remb. SS 70%.

PRINCIPE ACTIF : **Sélégiline**.

Préparations : comprimés à 5 mg.

Propriétés : inhibiteur de la monoamine-oxydase de type B (IMAO-B), enzyme catabolisant la dopamine au niveau cérébral.

Emploi : utilisé en association avec la lévodopa dans le traitement de la maladie de Parkinson, lorsque les effets de la lévodopa diminuent.

Précautions : ne pas associer les antidépresseurs inhibiteurs de la monoamine oxydase (IMAO) ou les sels de lithium.

Effets indésirables possibles : augmentation des effets indésirables de la lévodopa dont l'action est prolongée et majorée.

Note : prescrit sur ordonnance médicale.

DÉPURATIF DES ALPES® (Sodia)

Introd. en 1909. Non remb. SS.

PRINCIPES ACTIFS : solution buvable contenant :
– extraits de séné et de bourdaine : laxatifs irritants (anthraquinones);
– réglisse.

Emploi : traitement de la constipation.

Précautions : consultez votre médecin si la constipation persiste, en cas de sang dans les selles ou de selles noires, de douleurs abdominales avec diarrhée, d'amaigrissement.

L'usage prolongé risque de provoquer la «maladie des laxatifs» avec lésions de la muqueuse intestinale.

Note : vendu sans ordonnance; à éviter comme tous les laxatifs irritants.

DÉPURATIF PARNEL® (Médecine Végétale)

Introd. en 1913. Non remb. SS.

PRINCIPES ACTIFS : sirop contenant des extraits de séné (laxatif irritant), bardane, pensée sauvage, saponaire, fumeterre, salsepareille, parahydroxybenzoate de méthyle sodé.

Emploi : traitement de la constipation.

Précautions : consultez votre médecin si la constipation persiste, en cas de sang dans les selles ou de selles noires, de douleurs abdominales avec diarrhée, d'amaigrissement.

L'usage prolongé risque de provoquer la «maladie des laxatifs» avec lésions de la muqueuse intestinale.

Note : vendu sans ordonnance; à éviter comme tous les laxatifs irritants.

DÉPURATIF RICHELET® (Richelet)

Introd. en 1905. Non remb. SS.

PRINCIPES ACTIFS : solution buvable sucrée et non sucrée contenant des extraits fluides de plantes, teinture de gentiane, tanin, chlorure et bromure de magnésium, vitamine PP.

Emploi : proposé dans la fatigue.

Précautions : ne pas employer en cas d'intolérance aux bromures; consultez votre médecin si la fatigue persiste (il peut s'agir d'une dépression ou d'une autre maladie nécessitant un traitement spécifique) ou en cas d'amaigrissement.

Note : vendu sans ordonnance; efficacité des principes actifs à confirmer dans l'emploi proposé; les bromures ne sont pas recommandés en raison des effets indésirables.

DEPURATUM® (Lehning)

Introd. en 1954. Non remb. SS.

PRINCIPES ACTIFS : gélules contenant du suc d'aloès (laxatif irritant), extrait de séné (laxatif irritant), écorce de bourdaine (laxatif irritant) et d'autres composants végétaux (arrête-bœuf, bouleau, acore odorant, romarin, genévrier, rhapontic, fumeterre, bourdaine, thym).

Emploi : traitement de courte durée de la constipation.

Précautions : consultez votre médecin si la constipation persiste, en cas de sang dans les selles ou de selles noires, de douleurs abdominales avec diarrhée, d'amaigrissement.

L'usage prolongé risque de provoquer la «maladie des laxatifs» avec lésions de la muqueuse intestinale.

Note : vendu sans ordonnance; à éviter comme tous les laxatifs irritants.

DERGIFLUX® (Gallier)

Introd. en 1980. Liste II. Remb. SS 70%.
PRINCIPE ACTIF : **Dihydroergotamine**.
Préparations : solution buvable à 2 mg par ml (=20 gouttes).
Emploi : traitement de la crise de migraine.
Pour les détails → Dihydroergotamine.
Note : prescrit sur ordonnance médicale.

DERGOTAMINE® (Abbott)

Introd. en 1980. Liste II. Remb. SS 70%.
PRINCIPE ACTIF : **Dihydroergotamine**.
Préparations : solution buvable à 2 mg par ml (=20 gouttes).
Emploi : traitement de la crise de migraine.
Pour les détails → Dihydroergotamine.
Note : prescrit sur ordonnance médicale.

DÉRINOX® (Lucien)

Introd. en 1962. Liste I. Remb. SS 40%.
PRINCIPES ACTIFS : solution nasale contenant phényléphrine et naphazoline (vasoconstricteurs), cétrimide (antiseptique local), prednisolone (corticoïde).
Emploi : proposé dans la congestion des muqueuses nasales et du pharynx.
Précautions : ne pas employer en cas d'affections virales, de glaucome par fermeture de l'angle, d'association aux antidépresseurs IMAO, d'hypertension et chez l'enfant âgé de moins de 7 ans.
Durée du traitement : l'utilisation pendant plus de 5-6 jours consécutifs est déconseillée en raison du risque d'aggravation de la congestion nasale («rebond»), obstruction chronique du nez par hypertrophie des cornets (rhinite «iatrogène»).
Effets indésirables possibles (provoqués par l'absorption de la phényléphrine et la naphazoline dans l'organisme) : palpitations, accéléra-

tion ou irrégularité du pouls, maux de tête, étourdissements, nervosité, insomnie, transpirations, tremblements.
Note : prescrit sur ordonnance médicale.

DERMACHROME® (Goupil)

Introd. en 1971. Non remb. SS.
PRINCIPES ACTIFS : solution pour application locale contenant du thiomersal (antiseptique organomercuriel), lidocaïne (anesthésique local) et phényléphrine (vasoconstricteur).
Emploi : proposé comme anesthésique et antiseptique local dans les petites lésions superficielles de la peau.
Effets indésirables possibles : risque d'absorption de la phényléphrine avec palpitations, accélération ou irrégularité du pouls, maux de tête, étourdissements, nervosité, transpirations.
Note : vendu sans ordonnance; ne pas utiliser pendant plus de 24 heures sans avis médical.

DERMACIDE® liquide
(Clin Midy)

Introd. en 1953. Non remb. SS.
PRINCIPES ACTIFS : solution pour application locale contenant de l'oxyquinol, acide salicylique, laurylsulfate et propionate de sodium.
Emploi : proposé comme antiseptique dans les petites lésions superficielles.
Note : vendu sans ordonnance.

DERMACIDE® pain
dermatologique (Clin Midy)

Introd. en 1948. Non remb. SS.
PRINCIPES ACTIFS : pain contenant des acides benzoïque, salicylique et tartrique.
Emploi : proposé pour nettoyer la peau et des muqueuses.
Note : vendu sans ordonnance.

DERMASPRAY® (Nicholas).

Non remb. SS.
PRINCIPES ACTIFS : solution contenant de la chlorhexidine et benzalkonium.
Emploi : proposé comme antiseptique local dans les petites lésions superficielles de la peau et dans les piqûres d'insectes.
Note : vendu sans ordonnance.

Si vous utilisez l'une des spécialités suivantes pour traiter l'angine de poitrine...

SPÉCIALITÉS CONTENANT UN DÉRIVÉ NITRÉ :

Cordipatch® (Théraplix)
  [adhésif].
Corditrine® (Specia).
Diafusor® (P. Fabre) [adhésif].
Discotrine® (3M Santé) [adhésif].
Disorlon® (Procter & Gamble).
Isocard® (Schwarz).
Langoran® (Marion Merrell Dow).
Lénitral® (Besins-Iscovesco).
Lénitral injectable®
Lénitral percutané®
  (Besins-Iscovesco).

Lénitral spray® (Besins-Iscovesco).
Monicor LP® (P. Fabre).
Natirose® (Procter & Gamble).
Natispray® (Procter & Gamble).
Nitriderm-TTS® (Ciba-Geigy)
  [adhésif].
Nitrodex® (Dexo).
Oxycardin® (Schwarz).
Risordan® (Théraplix).
Sorbitrate® (Zeneca-Pharma).
Trinitran LP® (Théraplix).
Trinitrine simple® (Laleuf).

Propriétés et emploi : les *dérivés nitrés* dilatent les vaisseaux sanguins, notamment les vaisseaux du cœur (coronaires) et sont utilisés dans le traitement de l'angine de poitrine; ils ont un effet immédiat par voie sublinguale et retardé par voie orale. Ils sont employés :
– pour traiter la crise aiguë d'angine de poitrine en cours (sensation de constriction douloureuse dans la poitrine pouvant irradier dans le bras gauche); on utilise un comprimé sublingual dès le début de la crise; la dose peut être renouvelée;
– pour prévenir la crise d'angine de poitrine avant toute activité ou événement qui pourrait la déclencher; on utilise une préparation par voie sublinguale (action rapide) ou orale (action lente);
– pour la prévention à long terme des crises d'angine de poitrine invalidantes;
– dans la phase aiguë de l'infarctus du myocarde, l'œdème aigu du poumon et la crise d'angine de poitrine sévère : perfusion intraveineuse continue en milieu hospitalier;
– pour traiter l'insuffisance cardiaque (faiblesse du cœur), en complément des autres thérapeutiques.

Précautions : ne pas utiliser en cas d'allergie aux dérivés nitrés, d'infarctus du myocarde récent avec tension artérielle basse, d'anémie grave (risque d'aggravation), de maladies du foie ou des reins (diminution de l'élimination des nitrites en cas d'insuffisance hépatique ou rénale), de glaucome (risque d'aggravation, surveiller la pression intraoculaire), d'hyperthyroïdie, d'accident vasculaire cérébral récent (attaque), de migraine.

Grossesse et allaitement : l'innocuité n'ayant pas été établie chez la femme enceinte, ni lors de l'allaitement, l'usage est déconseillé par prudence.

Sujets âgés : risque accru d'effets indésirables, notamment de confusion.

Interactions : il faut informer votre médecin si vous prenez ou avez pris récemment d'autres médicaments, notamment des antihypertenseurs, des diurétiques, vasodilatateurs, antidépresseurs tricycliques (majoration de l'effet hypotenseur), sympathomimétiques.

Prescription : ne dépassez pas la dose prescrite; des doses trop élevées ou des prises trop fréquentes augmentent le risque d'effets indésirables, notamment une baisse excessive de la tension artérielle.

Surveillance : des contrôles réguliers de la tension artérielle peuvent être nécessaires pour ajuster les doses et éviter une baisse trop importante avec des maux de tête violents.

Alcool : à éviter pendant le traitement (risque d'hypotension grave).

Conduite de véhicules : ces médicaments peuvent provoquer des vertiges; la conduite de véhicules ou l'utilisation de machines peut être dangereuse; l'association avec l'alcool aggrave les troubles.   →

DÉRIVÉS NITRÉS (SUITE)

Arrêt du traitement : si vous utilisez un dérivé nitré pour la prévention à long terme des crises l'angine de poitrine, *n'arrêtez jamais brusquement le traitement* (risque de déclencher des crises d'angine de poitrine); consultez votre médecin sur la réduction progressive des doses.

Tolérance : l'usage prolongé provoque une diminution de l'efficacité.

Hypotension : l'effet indésirable le plus important est la baisse de la tension artérielle due à la dilatation des vaisseaux sanguins; elle se traduit par des *maux de tête* parfois violents, des vertiges, des étourdissements ou des évanouissements («voile noir devant les yeux») lorsque, étant couché ou assis, vous vous levez trop rapidement (hypotension orthostatique); tous ces troubles sont atténués par la position assise ou couchée et par une diminution des doses; ils sont aggravés par le temps chaud et la station debout.

Autres effets indésirables possibles : palpitations, accélération du pouls, rougeur du visage (flush), nausées, vomissements, douleurs gastriques.

Intoxication : vomissements, maux de tête sévères, fièvre, baisse de la tension artérielle évoluant vers l'état de choc; parfois coloration bleuâtre de la peau (méthémoglobinémie).

DERMICLONE®
(Soekami-Lefrancq)

Introd. en 1969. Liste I. Remb. SS 40%.

PRINCIPES ACTIFS : pommade contenant de la phénylbutazone (anti-inflammatoire), hydrocortisone (dermocorticoïde), lidocaïne (anesthésique local), acide sorbique, métoxyde sodé.

Emploi : proposé comme anti-inflammatoire local dans les tendinites, arthrites des petites articulations, entorses, contusions, phlébites, etc.

Durée du traitement : ne pas dépasser 8 jours.

Sportifs : ce médicament peut donner une réaction positive lors des tests pour contrôle antidopage.

Effets indésirables possibles : prurit, sensation de brûlure; l'application sur de grandes surfaces ou sous un pansement occlusif peut entraîner un passage du principe actif dans la circulation sanguine, d'où l'apparition d'effets indésirables généralisés; possibilité de réactions allergiques à la lidocaïne; l'utilisation prolongée peut provoquer une atteinte de la peau du visage avec rougeur, amincissement et fragilité des téguments et apparition d'ecchymoses.

Note : prescrit sur ordonnance médicale.

DERMO 6®
(Pharmadéveloppement)

Introd. en 1962. Remb. SS 70%.

PRINCIPE ACTIF : **Pyridoxine**.

SYNONYME : vitamine B6.

Préparations : onguent et lotion à 1,2%.

Emploi : proposé dans le traitement des séborrhées du visage et du cuir chevelu (cheveux gras).

Note : vendu sans ordonnance; efficacité du principe actif à confirmer dans l'emploi proposé.

DERMOCALM®
(Pharmadéveloppement)

Introd. en 1966. Liste I. Remb. SS 40%.

PRINCIPES ACTIFS : crème contenant de la framycétine (antibiotique), hydrocortisone (dermocorticoïde), lidocaïne (anesthésique local) et rétinol (vitamine A).

Emploi : proposé dans les plaies et les brûlures superficielles.

Durée du traitement : ne pas dépasser 8 jours.

Effets indésirables possibles : prurit, sensation de brûlure; l'application sur de grandes surfaces ou sous un pansement occlusif peut entraîner un passage du principe actif dans la circulation sanguine, d'où l'apparition d'effets indésirables généralisés. Possibilité de réactions allergiques à la lidocaïne; l'utilisation prolongée peut provoquer une atteinte de la peau du visage avec rougeur, amincissement et fragilité des téguments et apparition d'ecchymoses.

Parfois, réactions allergiques à la framycétine.

Note : prescrit sur ordonnance médicale.

Si vous utilisez une pommade ou un autre produit pour application cutanée contenant un corticoïde...

CLASSE I (ACTIVITÉ TRÈS FORTE)
Dermoval® (Glaxo).
Diprolène® (Schering-Plough).
CLASSE II (ACTIVITÉ FORTE)
Betneval® (Glaxo).
Célestoderm® (Schering-Plough).
Diprosone® (Schering-Plough).
Efficort® (Galderma).
Epitopic® (Gerda).
Halog® (Bristol-Myers Squibb).
Locoïd® (Brocades Pharma).
Nérisone®, (Schering).
Penticort® (Lederle).

Synalar® (Cassenne).
Topicorte® (Roussel).
Topilar® (Syntex).
Topsyne® (Cassenne).
CLASSE III (ACTIVITÉ ASSEZ FORTE)
Aclosone® (Schering-Plough).
Locapred® (P. Fabre).
Tibicorten® (Stiefel).
Tridésonit® (Dome / Hollister).
Ultralan® (Schering).
CLASSE IV (ACTIVITÉ MODÉRÉE)
Hydracort® (Galderma).
Hydrocortisone Astier®.

Emploi : les *dermocorticoïdes* sont des corticoïdes utilisés en application locale pour soulager la douleur, le prurit et les signes d'inflammation et d'irritation de la peau, notamment dans l'eczéma et la dermatite allergique provoquée par le contact avec des plantes, métaux, produits de nettoyage, cosmétiques, etc.

Activité anti-inflammatoire : la classification pharmacologique européenne permet de distinguer les produits selon leur activité :
Classe I (activité très forte).
Classe II (activité forte).
Classe III (activité assez forte).
Classe IV (activité modérée).
On commence toujours le traitement par un produit peu puissant.

Formes pharmaceutiques :
– Crèmes : particulièrement adaptées aux lésions suintantes.
– Pommades, crèmes épaisses : utilisées dans les dermatoses sèches, hyperkératosiques ou fissuraires.
– Lotions, gels, sprays : lésions macérées des plis, cuir chevelu, régions pilaires, muqueuses.

Précautions : ne pas utiliser en cas d'allergie aux corticoïdes, d'infections cutanées bactériennes, virales ou fongiques (mycoses), de gale, d'acné, de rosacée, de lésions ulcérées, d'atrophie cutanée, d'ulcères de jambe ; l'application sur les plaies ouvertes ou infectées, sur les furoncles ou les abcès doit être évitée ; l'utilisation de dermocorticoïdes est déconseillée pendant le premier trimestre de la grossesse et l'allaite-

ment ; en cas d'utilisation prolongée, l'arrêt du traitement doit être progressif en diminuant la fréquence des applications ou en passant à un médicament moins fort (pour éviter le risque de «rebond» et d'insuffisance surrénalienne aiguë).

Application du produit : étaler le produit sur les lésions et le faire pénétrer par un léger massage ; éviter tout contact avec les yeux. Ne dépassez pas le nombre d'applications journalières prescrites par votre médecin (en général deux par jour au maximum) ; des applications trop fréquentes et l'occlusion des lésions augmentent le risque d'effets indésirables généralisés.

Durée du traitement : ne pas dépasser 8 jours.

Effets indésirables possibles : l'application sur de grandes surfaces peut entraîner un passage du principe actif dans la circulation sanguine, d'où apparition d'effets indésirables généralisés ; ces effets sont plus fréquents avec les dermocorticoïdes forts ; l'utilisation prolongée peut provoquer des altérations de la peau avec rougeur, amincissement, fragilité des téguments et apparition d'ecchymoses ; ces altérations s'observent en particulier au visage, dans la région de l'aine, aux aisselles et sous pansement occlusif.

Note : dans de nombreuses spécialités, les dermocorticoïdes sont associés aux antibiotiques, antifongiques, antiseptiques, etc. ; l'avantage de ces associations reste à démontrer.

DERMOCUIVRE® (Chauvin)

Introd. en 1934. Non remb. SS.

PRINCIPES ACTIFS : pommade contenant du sulfate de cuivre et oxyde de zinc.

Emploi : proposé comme antiseptique local dans l'eczéma et les gerçures.

Note : vendu sans ordonnance ; consultez votre médecin si les lésions persistent.

DERMO-DRAINOL® (Boiron)

Préparation homéopathique (solution buvable) proposée dans l'acné et l'eczéma.

DERMOKALIXAN® (Bristol)

Introd. en 1963. Liste I.

PRINCIPES ACTIFS : pommade contenant de la kanamycine, amfomycine et hydrocortisone.

Emploi : proposé dans les eczémas surinfectés.

Note : réservé à l'exportation.

DERMO-SULFURYL® (Monal)

Introd. en 1937. Remb. SS 70%.

PRINCIPES ACTIFS : pommade contenant du soufre, du sulfate de cuivre et du sulfate de zinc.

Emploi : proposé comme antiseptique et antiséborrhéique.

Note : vendu sans ordonnance ; efficacité des principes actifs à confirmer dans l'emploi proposé.

DERMOVAL® (Glaxo)

Introd. en 1978. Liste I. Remb. SS 70%.

PRINCIPE ACTIF : **Clobétasol**.

Préparations (sous forme de propionate) : crème ou gel à 0,05%.

Emploi : corticoïde d'activité très forte (classe I) utilisé en application locale pour soulager la douleur, le prurit et les signes d'inflammation et d'irritation de la peau, notamment dans l'eczéma et la dermatite allergique provoquée par le contact avec des plantes, métaux, produits de nettoyage, cosmétiques, etc. ainsi que dans les processus de lichénification.

Pour les détails → p. 205.

Note : prescrit sur ordonnance médicale.

DERMSTER® (Oberlin)

Introd. en 1990. Non remb. SS.

PRINCIPES ACTIFS : solution pour application locale contenant de l'hexamidine et de l'oxyquinol.

Emploi : proposé comme antiseptique dans les plaies et les brûlures superficielles.

Note : vendu sans ordonnance ; consultez votre médecin si les lésions persistent.

DEROL® soluble (Leurquin)

Introd. en 1989. Remb. SS 70%.

PRINCIPE ACTIF : **Aspirine**.

Préparations : poudre orale en sachet contenant de l'acétylsalicylate de lysine correspondant à 100 mg, 250 mg ou 500 mg d'aspirine.

Emploi : l'aspirine est utilisée pour atténuer la douleur modérée (*analgésique*) et pour faire tomber la fièvre (*antipyrétique*), par exemple dans les états grippaux ; à dose élevée, elle diminue les douleurs rhumatismales ainsi que la raideur et la tuméfaction des articulations (*anti-inflammatoire*) ; enfin, à dose faible, elle peut prévenir la formation de caillots sanguins dans les vaisseaux (*antiagrégant plaquettaire*).

Précautions : ce médicament ne doit pas être utilisé en cas d'allergie à l'aspirine, d'asthme, d'ulcère gastroduodénal évolutif, de maladie grave du foie ou des reins, de maladie hémorragique ou de traitement anticoagulant, de grossesse et chez l'enfant âgé de moins de 10 ans sans avis médical, notamment lorsqu'on soupçonne une grippe ou une varicelle.

Arrêtez le traitement et consultez votre médecin si les douleurs persistent après 5 jours ou si la fièvre ne régresse pas au bout de 3 jours, en cas de bourdonnements d'oreille, de diminution de l'audition, de douleurs abdominales, de vomissements sanglants, de selles noires, de prurit, de crise d'asthme, d'urticaire ou de jaunisse.

Intoxication : conduire le malade d'urgence à l'hôpital en cas de prise massive accidentelle.

Pour les détails → Aspirine.

Note : vendu sans ordonnance ; l'efficacité de l'aspirine est généralement reconnue dans l'emploi proposé.

DÉSATURA® (Millot-Solac)

Introd. en 1985. Liste I. Remb. SS 70%.
PRINCIPES ACTIFS: comprimés contenant
– allopurinol (100 mg) : inhibiteur de la
synthèse de l'acide urique (Xanturic®
ou Zyloric®);
– benzbromarone (25 mg) : uricosurique
(Désuric®).
Emploi : association de l'allopurinol
qui inhibe la formation de l'acide
urique et de benzbromarone qui
favorise son élimination urinaire
proposée dans le traitement de fond
des hyperuricémies primitives.
Pour les détails → p. 44.
Note : prescrit sur ordonnance médicale.

DÉSERNIL® (Sandoz)

Introd. en 1962. Liste II. Remb. SS 70%.
PRINCIPE ACTIF : **Méthysergide**.
Préparations : comprimés à 2,2 mg.
Propriétés et emploi : dérivé d'un alcaloïde de l'ergot de seigle utilisé *pour
prévenir les crises de migraine récidivantes;* il est employé pendant l'intervalle entre les crises (traitement
de fond); il n'a pas d'action sur la
crise déclarée de migraine.
La méthysergide étant un antagoniste
de la sérotonine, il a été aussi proposé
pour atténuer les symptômes liés aux
tumeurs carcinoïdes de l'intestin
grêle.
L'utilisation prolongée expose au
risque d'une prolifération du tissu
fibreux avec des douleurs lombaires
et des troubles urinaires.
Allergie : informez votre médecin si vous
avez déjà fait une réaction allergique
ou inhabituelle à ce médicament ou à
un autre dérivé de l'ergot de seigle.
État de santé : vous devez informer votre
médecin de toute affection susceptible
de modifier ses effets du médicament,
notamment :
– maladies du foie ou des reins;
– hypertension artérielle sévère;
– affections vasculaires périphériques:
artérite oblitérante, syndrome de
Raynaud et thrombophlébite;
– angine de poitrine;
– tabagisme;
– polyarthrite rhumatoïde.
Grossesse : ce médicament ne doit pas
être utilisé chez la femme enceinte en
raison de son action ocytocique résiduelle (risque de contractions de
l'utérus).

Allaitement : l'utilisation de ce médicament est déconseillée, car il passe
dans le lait maternel et peut causer
des vomissements, des diarrhées et
des convulsions chez le nourrisson.
Enfants : ce médicament ne doit pas être
utilisé avant 10 ans.
Sujets âgés : l'usage est déconseillé à
cause du risque accru d'effets indésirables.
Interactions : il faut informer votre
médecin si vous prenez ou avez pris
récemment d'autres médicaments,
notamment des vasoconstricteurs.
Prescription : ne dépassez pas la dose
prescrite et respectez la durée de la
cure; des doses trop élevées et un
traitement prolongé augmentent le
risque d'effets indésirables.
Oubli : si vous oubliez de prendre le
médicament et si vous le remarquez
dans les 2 heures qui suivent, prenez
immédiatement la dose oubliée; ne
doublez pas la dose suivante; si vous
oubliez le médicament plusieurs jours,
prenez contact avec votre médecin.
Prise du médicament : pour atténuer les
troubles digestifs, on conseille de
prendre le médicament aux repas ou
avec du lait.
La méthysergide est utilisé en cures
intermittentes de six mois au maximum, séparées par une interruption
d'un mois entre deux cures; en effet,
l'administration prolongée expose au
risque d'une prolifération du tissu
fibreux qui provoque notamment des
douleurs lombaires et des troubles
urinaires; on recommande de réduire
progressivement les doses au cours
des 2-3 dernières semaines de chaque
cure pour éviter de violents maux
de tête à l'arrêt du traitement (effet
«rebond»).
Surveillance : les contrôles réguliers sont
nécessaires, notamment des radio-
graphies ou échographies des voies
urinaires en cas de traitement prolongé.
Conduite de véhicules : chez certains
sujets, ce médicament provoque une
somnolence diurne ou diminue les
réflexes : la conduite de véhicules ou
l'utilisation de machines peut être
dangereuse dans ce cas.
Alcool : évitez les boissons alcoolisées
qui peuvent aggraver la migraine et
le tabac qui peut aggraver les troubles
circulatoires.
Exposition au froid : comme le méthysergide diminue la lumière des vais-

seaux (vasoconstriction) et la circulation du sang, évitez l'exposition prolongée au froid.

Arrêt du traitement : n'arrêtez pas le traitement sans consulter votre médecin qui vous indiquera comment réduire progressivement les doses; en effet, l'interruption brusque du traitement au long cours peut entraîner une recrudescence de la migraine.

Effets indésirables possibles :
– somnolence marquée, vertiges, nausées, vomissements, diarrhée, accélération du pouls (tachycardie);
– insomnie, cauchemars;
– fourmillements, engourdissement et douleurs au niveau des extrémités, mains et pieds froids, crise d'angine de poitrine (constriction des vaisseaux sanguins);
– diminution du volume des urines, douleurs lombaires, difficulté à uriner (fibrose rétropéritonéale);
– douleurs précordiales, difficulté à respirer (fibrose pleuropulmonaire ou cardiaque);
– urticaire, éruption cutanée (réaction allergique : arrêtez le traitement).

Intoxication : maux de tête, agitation, nausées, vomissements, diarrhées, dilatation des pupilles (mydriase), accélération du pouls (tachycardie).
Note : prescrit sur ordonnance médicale.

DESFÉRAL® (Ciba-Geigy)

Introd. en 1965. Liste I. Remb. SS 100%.
PRINCIPE ACTIF : *Déféroxamine.*
Préparations : poudre pour solution injectable en flacons à 0,5 g dans 5 ml.
Emploi : médicament utilisé pour éliminer un excès de fer dans l'organisme, notamment en cas d'intoxication aiguë par le fer ou lorsque le fer est accumulé dans le foie par exemple chez les patients qui ont reçu de nombreuses transfusions.
La déféroxamine fixe le fer (ion ferrique) et l'aluminium dans le sang et forme des complexes solubles qui sont éliminés dans les urines; elle est aussi utilisée pour traiter les surcharges en aluminium chez les patients dialysés.
Le test à la déféroxamine permet de dépister les surcharges ferriques et l'intoxication aluminique.
Grossesse : ce médicament a causé des malformations du fœtus au cours de l'expérimentation animale.

Enfants : un traitement prolongé est déconseillé chez les enfants âgés de moins de 3 ans.
Interactions : il faut informer votre médecin si vous prenez ou avez pris récemment d'autres médicaments, notamment de l'acide ascorbique ou vitamine C (l'association peut causer des troubles cardiaques surtout chez les sujets âgés).
Surveillance : en cas de traitement prolongé, des contrôles périodiques du sang et des urines sont nécessaires pour vérifier les effets du médicament. Une surveillance ophtalmologique (risque de cataracte et de névrite optique) et des contrôles audiométriques (risque de diminution de l'ouïe) peuvent être nécessaires.
Effets indésirables possibles : baisse de la vue le soir ou difficulté à distinguer les couleurs, baisse de l'ouïe, crise d'asthme, urticaire, éruption cutanée, crampes musculaires, fièvre, crampes abdominales et diarrhée (entérocolite), crampes musculaire, pouls accéléré et irrégulier (toxicité cardiaque), irritation et induration au point d'injection. Le traitement entraîne une coloration rouille des urines et parfois une coloration noire des selles.
Note : prescrit sur ordonnance médicale.

DÉSINTEX® (Richard)

Introd. en 1958. Remb. SS 40%.
PRINCIPES ACTIFS : solution buvable et comprimés contenant du thiosulfates de sodium et de magnésium.
Emploi : manifestations allergiques.
Note : vendu sans ordonnance; des principes actifs plus efficaces sont actuellement disponibles.

DÉSINTEX-CHOLINE®
(Richard)

Introd. en 1954. Remb. SS 40%.
PRINCIPES ACTIFS : solution buvable et comprimés contenant du thiosulfate de sodium, thiosulfate de magnésium et chlorhydrate de choline.
Emploi : troubles digestifs (dyspepsies).
Précautions : consultez votre médecin en cas de douleurs ou crampes abdominales, de selles noires, d'amaigrissement, de fièvre.
Note : vendu sans ordonnance; ne pas utiliser pendant plus de 5 jours sans avis médical.

DÉSOCORT® (Chauvin)

Introd. en 1964. Liste I.

PRINCIPES ACTIFS : collyre (remb. 70%.)
et solution auriculaire (remb. 40%.)
contenant de la chlorhexidine (antiseptique), prednisolone (corticoïde).

Emploi : proposé comme antiallergique
et antiseptique.

Précautions : ne pas employer en cas
d'infections virales, fongiques ou
tuberculeuses ou d'antécédents de
glaucome; vérifier l'état du tympan
avant toute application auriculaire.

Durée du traitement : ne pas dépasser
10 jours sans contrôle médical.

Conservation : à utiliser dans les 15
jours après l'ouverture du flacon.

Note : prescrit sur ordonnance médicale.

DÉSOMÉDINE® (Chauvin)

Introd. en 1962. Non remb. SS.

PRINCIPE ACTIF : collyre contenant de
l'hexamidine (antiseptique).

Emploi : proposé dans les infections
bactériennes de l'œil et de ses annexes.

Conservation : à utiliser dans les 15
jours après l'ouverture du flacon.

*Note : vendu sans ordonnance; à éviter
sans avis médical, comme tous les
collyres.*

DESTOLIT®
(Marion Merrell Dow)

Introd. en 1980. Liste I. Remb. SS 70%.

PRINCIPE ACTIF : **Acide ursodésoxycholique.**

SYNONYME : ursodiol.

Préparations : comprimés à 150 mg.

Emploi : l'acide ursodésoxycholique
diminue la concentration du cholestérol dans la bile et par conséquent
favorise la dissolution des calculs
présents dans la vésicule biliaire; il
est utilisé en cas de calculs biliaires
lorsqu'une intervention chirurgicale
n'est pas indiquée ou comporterait
un risque élevé; ce médicament n'agit
que sur les calculs de cholestérol de
petite dimension et si la vésicule
biliaire a une fonction satisfaisante; la
rechute après l'arrêt du traitement est
fréquente.

Pour les détails → p. 231.

Note : prescrit sur ordonnance médicale.

DÉSURIC® (Labaz)

Introd. en 1976. Liste II. Remb. SS 70%.

PRINCIPE ACTIF : **Benzbromarone.**

Préparations : comprimés à 100 mg.

Emploi : médicament qui favorise
l'élimination de l'acide urique dans
les urines (action uricosurique) utilisé
dans le traitement de fond de la goutte;
il n'a pas d'effet sur la crise de goutte
en cours. Le benzbromarone est aussi
utilisé dans d'autres affections où le
taux d'acide urique dans le sang est
trop élevé (hyperuricémie) et pour
prévenir la formation des calculs dans
les reins.

Pou les détails → p. 44.

Note : prescrit sur ordonnance médicale.

DETENSIEL® (Merck-Clévenot)

Introd. en 1987. Liste I. Remb. SS 70%.

PRINCIPE ACTIF : **Bisoprolol.**

Préparations : comprimés à 10 mg.

Emploi : médicament appartenant au
groupe très nombreux des bêta-
bloquants utilisé :

– pour abaisser la tension artérielle
chez les hypertendus (antihypertenseur);

– pour prévenir les crises d'angine de
poitrine (antiangoreux).

Il s'agit d'un bêta-bloquant de type
«cardiosélectif».

Durée d'action : jusqu'à 24 heures.

Pour les détails → p. 96.

Note : prescrit sur ordonnance médicale.

DÉTERZYME® (Fournier)

Introd. en 1976. Remb. SS 40%.

PRINCIPE ACTIF : poudre pour application locale en flacon pressurisé contenant une fraction extraite d'*Aspergillus orzae.*

Emploi : détersion des plaies.

Précautions : les applications doivent
être suspendues dès que la détersion
est obtenue ou si des douleurs apparaissent après l'application.

*Note : vendu sans ordonnance; à éviter
en automédication.*

DÉTICÈNE® (R. Bellon)

Introd. en 1976. Liste I. Remb. SS 100%.

PRINCIPE ACTIF : **Dacarbazine.**

SYNONYME : DTIC.

Préparations : solution injectable en
flacons à 100 mg.

Emploi : médicament appartenant au groupe des agents alkylants employé en perfusion intraveineuse pour traiter les proliférations cellulaires anormales au niveau des ganglions lymphatiques, le mélanome malin et dans d'autres affections déterminées par votre médecin.
Note : *le traitement doit être pris en charge par un spécialiste.*

DÉTOXALGINE® (Lyocentre)

Introd. en 1966. Non remb. SS.
PRINCIPES ACTIFS: comprimés contenant de l'acide acétylsalicylique (aspirine), acide ascorbique (vitamine C) et glucuronamide («hépatoprotecteur»).
Emploi : proposé pour atténuer la douleur modérée (*analgésique*) et pour faire tomber la fièvre (*antipyrétique*).
Durée du traitement : consultez votre médecin si les douleurs persistent après 5 jours ou si la fièvre ou le mal de gorge ne régressent pas au bout de 3 jours.
Précautions : ce médicament ne doit pas être utilisé en cas d'allergie à l'aspirine, d'asthme, d'ulcère gastroduodénal en évolution, de maladie hémorragique ou traitement anticoagulant, de grossesse et chez l'enfant de moins de 10 ans sans avis médical.
Effets indésirables possibles : nausées, vomissements, douleurs gastriques, bourdonnements d'oreille, baisse de l'audition, maux de tête; consultez votre médecin en cas de douleurs abdominales, de vomissements sanglants, de selles noires, de prurit, d'asthme, d'urticaire ou d'ictère.
Intoxication : hospitalisation en cas de prise massive accidentelle.
Note : *vendu sans ordonnance; l'efficacité de l'aspirine est généralement reconnue, mais les autres composants ont peu d'intérêt dans l'emploi proposé.*

DÉTRASONE® (Sterling Midy)

Non remb. SS.
PRINCIPES ACTIFS : pommade contenant du chlorhydrate de propanocaïne (anesthésique local) et de l'énoxolone (anti-inflammatoire).
Emploi : proposé dans le prurit.
Effets indésirables possibles : réaction allergique locale (éruption cutanée).
Note : *vendu sans ordonnance; consultez votre médecin si les troubles persistent.*

DÉTURGYLONE® (Synthélabo)

Introd. en 1969. Liste I. Remb. SS 40%.
PRINCIPES ACTIFS: solution nasale contenant un composé équimoléculaire de prednisolone (corticoïde) et de fénoxazoline (sympathomimétique vasoconstricteur); ce composé est parfois appelé «prednazoline».
Emploi : proposé dans la congestion des muqueuses nasales et du pharynx (rhino-pharyngites).
Précautions : ne pas employer en cas d'affections virales, de glaucome par fermeture de l'angle, d'association avec des antidépresseurs IMAO, d'hypertension et chez l'enfant de moins de 7 ans.
Durée du traitement : l'utilisation pendant plus de 5-6 jours consécutifs est déconseillée en raison du risque d'aggravation de la congestion nasale («rebond»), obstruction chronique du nez par hypertrophie des cornets (rhinite «iatrogène»).
Effets indésirables possibles (provoqués par l'absorption de la fénoxazoline dans l'organisme) : palpitations, accélération ou irrégularité du pouls, maux de tête, étourdissements, nervosité, transpirations, insomnie.
Note : *prescrit sur ordonnance médicale.*

DEXADERME Kéfrane®
(RoCsa)

Introd. en 1989. Liste I. Non remb. SS.
PRINCIPES ACTIFS : pommade contenant du sulfate de cuivre, sulfate de zinc et dexaméthasone (corticoïde).
Emploi : proposé dans les dermatoses non suintantes avec surinfection microbienne modérée.
Application du produit : étaler le produit sur les lésions et le faire pénétrer par un léger massage; éviter tout contact avec les yeux. Ne dépassez pas le nombre d'applications journalières prescrites par votre médecin (en général une par jour); des applications trop fréquentes et l'occlusion des lésions augmentent le risque d'effets indésirables généralisés.
Durée du traitement : ne pas dépasser 8 jours.
Effets indésirables possibles : prurit, sensation de brûlure; l'application sur de grandes surfaces ou sous un pansement occlusif peut entraîner un passage du principe actif dans la

circulation sanguine, d'où l'apparition d'effets indésirables généralisés. L'utilisation prolongée peut provoquer une atteinte de la peau du visage avec rougeur, amincissement et fragilité des téguments et apparition d'ecchymoses.

Note : *prescrit sur ordonnance médicale.*

DEXAMBUTOL® (L'Arguenon)

Introd. en 1970. Liste I. Remb. SS 70%.
PRINCIPE ACTIF : ***Ethambutol.***

Préparations : comprimés à 250 mg ou 500 mg.

Emploi : médicament utilisé dans le traitement de la tuberculose, en association avec d'autres antituberculeux, en particulier l'isoniazide et la rifampicine, ainsi que dans les infections par certaines mycobactéries non tuberculeuses ou atypiques.

L'effet indésirable le plus important est une névrite optique entraînant des troubles oculaires.

Durée d'action : jusqu'à 4 jours.

Précautions : ne pas employer en cas d'allergie au produit; les affections suivantes peuvent modifier l'action du médicament :
– névrite optique ou autres troubles oculaires (risque d'aggravation);
– maladie du rein (l'insuffisance rénale diminue l'élimination du médicament qui s'accumule dans le sang; nécessité de réduire les doses);
– goutte (risque d'aggravation).

Grossesse : ce médicament ne doit pas être utilisé chez la femme enceinte ou susceptible de l'être; en effet, il a causé des malformations du fœtus au cours de l'expérimentation animale. En cas de grossesse, on adoptera le traitement de six mois à base d'isoniazide, de rifampicine et de pyrazinamide.

Allaitement : l'utilisation de ce médicament est déconseillée, car il passe dans le lait maternel.

Enfants : l'utilisation est déconseillée chez les enfants trop jeunes pour signaler d'éventuels troubles visuels.

Sujets âgés : risque accru d'effets indésirables; réduire les doses.

Interactions : il faut informer votre médecin si vous prenez ou avez pris récemment d'autres médicaments.

Prescription : ne dépassez pas la dose prescrite; des doses trop élevées ou des prises trop fréquentes augmentent les risques d'effets indésirables.

Prise du médicament : on conseille de prendre les comprimés de préférence le matin à jeun.

Oubli : si vous oubliez de prendre le médicament et si vous le remarquez dans les 2 heures qui suivent, prenez immédiatement la dose oubliée; ne doublez pas la dose suivante; si vous oubliez le médicament plusieurs jours, prenez contact avec votre médecin.

Durée du traitement : dans le traitement de la tuberculose, il est essentiel que vous continuez à prendre l'éthambutol et les autres médicaments associés aussi longtemps que votre médecin estime le traitement nécessaire, d'habitude pendant 9 mois; l'arrêt prématuré du traitement pourrait provoquer une rechute.

Surveillance : des visites de contrôle périodiques sont indispensables pour vérifier l'absence de répercussions du traitement sur la vue (examen ophtalmologique) ou sur la fonction hépatique.

Conduite de véhicules : des troubles visuels éventuels pourraient rendre dangereuse la conduite de véhicules ou l'utilisation de machines.

Effets indésirables possibles :
– perte de l'appétit, nausées, vomissements;
– douleurs dans les yeux, baisse de l'acuité visuelle, altération de la perception des couleurs (surtout rouge et vert), cécité au centre du champ visuel (scotome central); le surdosage et l'insuffisance rénale sont souvent à l'origine de ces troubles;
– fourmillements, douleurs, brûlures, faiblesse des mains ou des pieds (névrite périphérique)
– crise de goutte aiguë (élévation du taux de l'acide urique dans le sang);
– prurit, éruption cutanée (réaction allergique : arrêtez le traitement.

Note : *prescrit sur ordonnance médicale.*

DEXAMBUTOL-INH®
(L'Arguenon)

Introd. en 1973. Liste I. Remb. SS 70%.
PRINCIPES ACTIFS : comprimés contenant
– éthambutol 400 mg (Dexambutol®);
– isoniazide 150 mg (Rimifon®).

Emploi : utilisé dans le traitement de la tuberculose.

Note : *prescrit sur ordonnance médicale.*

DEXAPOLYFRA® (P. Poirier)

Introd. en 1978. Liste I. Remb. SS 40%.

PRINCIPES ACTIFS : solutions auriculaire et nasale contenant de la dexaméthasone (corticoïde), framycétine et polymyxine B (antibiotiques locaux).

Emploi : proposé dans les infections nasales et auriculaires.

Précautions : il est indispensable de vérifier l'intégrité du tympan avant toute application auriculaire.

Durée du traitement : ne pas dépasser 10 jours.

Effets indésirables possibles : réactions allergiques à la framycétine ou à la polymyxine B.

Note : prescrit sur ordonnance médicale.

DEXIR® (Oberlin)

Introd. en 1987. Non remb. SS.

PRINCIPE ACTIF : **Dextrométhorphane**.

Préparations : sirop adulte à 15 mg par cuillerée à café; sirop enfant à 7,5 mg par cuillerée à café.

Emploi : dérivé de la morphine, agissant sur le système nerveux central, utilisé pour calmer la toux irritative, sèche. Le dextrométhorphane a une action sédative modérée; l'apparition d'une dépendance est exceptionnelle, mais l'abus est possible chez des sujets déjà toxicomanes.

Précautions : ne pas employer en cas de toux grasse, d'insuffisance respiratoire ou d'asthme, de grossesse ou d'allaitement.

Consultez votre médecin si la toux persiste, en cas de crachats sanglants, de fièvre, d'amaigrissement, d'éruption, de troubles de la vue, de difficulté à uriner.

Sportifs : l'attention des sportifs est attirée sur le fait que les tests antidopage peuvent être positifs après prise du médicament.

Enfants : ne doit pas être utilisé chez les enfants de moins de 15 ans (moins de 30 mois pour la forme pour enfant).

Intoxication : hospitalisation d'urgence en cas de prise massive.

Pour les détails → p. 59.

Note : vendu sans ordonnance; efficacité généralement reconnue dans l'emploi proposé; ne pas utiliser chez l'enfant sans avis médical.

DEXTOMA®
(SmithKline Beecham)

Introd. en 1988. Non remb. SS.

PRINCIPES ACTIFS : comprimés contenant des hydroxydes et carbonates d'aluminium et de magnésium.

Emploi : proposé pour neutraliser l'excès d'acidité et comme pansement gastrique dans les douleurs liées aux affections de l'œsophage, de l'estomac et du duodénum; en cas d'ulcère de l'estomac ou du duodénum, ce médicament ne doit être utilisé que sous surveillance médicale.

Prise du médicament : après les repas et éventuellement au coucher.

Précautions : consultez votre médecin si les troubles persistent et en cas de douleurs ou crampes abdominales, de selles noires, d'amaigrissement, de fièvre; ne pas utiliser en cas d'insuffisance rénale sévère; ne pas associer des tétracyclines.

Effets indésirables possibles : retard ou diminution de la résorption d'autres médicaments pris par la bouche (respecter un intervalle d'au moins 2 h).

Note : vendu sans ordonnance; ne pas utiliser pendant plus de 5 jours sans avis médical.

DEXTRARINE®
phénylbutazone (Synthélabo)

Introd. en 1963. Liste II. Remb. SS 40%.

PRINCIPES ACTIFS : pommade contenant du dextran sulfate et phénylbutazone.

Emploi : proposé comme anti-inflammatoire local dans les tendinites, arthrites des petites articulations, entorses, contusion, phlébites et dans d'autres conditions.

Note : prescrit sur ordonnance médicale.

DIABÈNE® (Lehning)

Préparation homéopathique (solution buvable) proposée pour traiter le diabète (efficacité à confirmer).

DIABINÈSE® (Pfizer)

Introd. en 1960. Liste I. Remb. SS 70%.

PRINCIPE ACTIF : **Chlorpropamide**.

Préparations : comprimés à 250 mg.

Emploi : antidiabétique oral utilisé dans le diabète qui se développe chez l'adulte, dont le contrôle ne nécessite pas des injections d'insuline (diabète non insulino-dépendant de type II ou DNID) et qu'un régime seul ne peut pas équilibrer suffisamment; l'injection d'insuline dans cette forme de diabète peut cependant être nécessaire en cas de blessure ou de brûlure, d'infection grave, d'apparition d'un coma acido-cétosique, d'intervention chirurgicale ou de grossesse.

Ce médicament est aussi utilisé dans certaines formes de diabète insipide.

Durée d'action : 24 à 60 heures.
Pour les détails → p. 42.
Note : prescrit sur ordonnance médicale.

DIACOR LP® (Houdé)

Introd. en 1992. Liste I. Remb. SS 70%.
PRINCIPE ACTIF : *Diltiazem.*

Préparations : gélules à libération prolongée à 90 mg ou 120 mg.
Emploi : inhibiteur calcique utilisé pour prévenir les crises d'angine de poitrine (sensation de constriction douloureuse dans la poitrine pouvant irradier dans le bras gauche) et pour abaisser la tension artérielle en cas d'hypertension artérielle lorsque les diurétiques et/ou les bêta-bloquants sont inefficaces.
Pour les détails → p. 363.
Note : prescrit sur ordonnance médicale.

DI-ACTANE® (Menarini)

Introd. en 1987. Liste II. Remb. SS 40%.
PRINCIPE ACTIF : *Naftidrofuryl.*

Préparations : gélules à 100 mg ou à 200 mg.
Propriétés : substance qui dilate les vaisseaux sanguins en agissant directement sur les muscles des parois vasculaires (vasodilatateur musculotrope).
Emploi : proposé dans le traitement des artérites oblitérantes des membres inférieurs et du déficit intellectuel chez les sujets âgés; l'efficacité des vasodilatateurs périphériques dans ces affections reste à confirmer.
Précautions : ne pas associer les bêta-bloquants ou les antiarythmiques.
Note : prescrit sur ordonnance médicale.

DIACURE® (Lehning)

Introd. 1953. Non remb. SS.
Préparation homéopathique proposée dans le diabète (efficacité à confirmer).

DIAFUSOR® (P. Fabre)

Introd. en 1991. Liste II. Remb. SS 70%.
PRINCIPE ACTIF : *Trinitrine .*
SYNONYMES : trinitrate de glycéryle, nitroglycérine, trinitroglycérine.
Préparations : système transdermique délivrant 5 mg/24 h ou 10 mg/24 h.
Emploi : médicament appartenant au groupe des dérivés nitrés qui dilatent les vaisseaux sanguins, notamment les vaisseaux du cœur (coronaires) et qui sont utilisés dans le traitement des crises d'angine de poitrine (sensation de constriction douloureuse dans la poitrine pouvant irradier dans le bras gauche).
Pour les détails → p. 203.
Note : prescrit sur ordonnance médicale.

DIALENS® (Fisons)

Introd. en 1976. Non remb. SS.
PRINCIPES ACTIFS : collyre contenant du dextran et de la chlorhexidine.
Emploi : proposé dans l'insuffisance lacrymale («œil sec») et chez les porteurs de lentilles cornéennes.
Note : vendu sans ordonnance; à éviter sans avis médical, comme tous les collyres.

DIAMICRON® (Servier)

Introd. en 1972. Liste I. Remb. SS 70%.
PRINCIPE ACTIF : *Gliclazide.*
Préparations : comprimés à 80 mg.
Emploi : antidiabétique oral utilisé dans le diabète qui se développe chez l'adulte, dont le contrôle ne nécessite pas des injections d'insuline (diabète non insulino-dépendant de type II ou DNID) et qu'un régime seul ne peut pas équilibrer suffisamment; l'injection d'insuline dans cette forme de diabète peut cependant être nécessaire en cas de blessure ou de brûlure, d'infection grave, d'apparition d'un coma acido-cétosique, d'intervention chirurgicale ou de grossesse.
Durée d'action : 12 à 24 heures.
Pour les détails → p. 42.
Note : prescrit sur ordonnance médicale.

DIAMORIL® (Roques)

Introd. en 1988. Remb. SS 40%.

PRINCIPE ACTIF : comprimés contenant 300 mg de benzquercine.

Emploi : proposé dans le traitement des symptômes en rapport avec l'insuffisance veinolymphatique (jambes lourdes, etc.).

Précautions : consultez votre médecin en cas de suspicion de phlébite (jambes rouges et/ou chaudes, douloureuses, surtout si d'un seul côté et avec fièvre).

Note : vendu sans ordonnance; efficacité du principe actif à confirmer dans l'emploi proposé.

DIAMOX® (Théraplix)

Introd. en 1956. Liste II Remb. SS 70%.

PRINCIPE ACTIF : *Acétazolamide.*

Préparations : comprimés à 250 mg; ampoules injectables à 500 mg/5 ml.

Emploi : sulfamide inhibiteur de l'anhydrase carbonique introduit d'abord comme diurétique; utilisé pour diminuer la pression intra-oculaire dans le glaucome, pour prévenir et traiter le mal des montagnes et parfois comme adjuvant dans le traitement de l'épilepsie (petit mal).

Durée d'action : 6-24 heures.

Régime : on conseille de prendre les comprimés au cours des repas, de suivre un régime riche en fruits (en particulier jus d'orange ou de pamplemousse, abricots frais ou secs) et légumes pour compenser les pertes éventuelles de potassium et de boire abondamment (pour compenser les pertes d'eau dues à l'effet diurétique et éviter le risque de calculs).

Alcool : à éviter pendant le traitement.

Conduite de véhicules : assurez-vous que le médicament n'entraîne pas de vertiges avant de conduire des véhicules ou d'utiliser des machines.

Sportifs : ce médicament (ainsi que d'autres diurétiques) se trouve sur la liste des dopants interdits (Ministère de la Jeunesse et des Sports); il donne une réaction positive lors des contrôles antidopage.

Arrêt du traitement : si vous prenez ce médicament depuis plusieurs semaines pour une épilepsie, n'arrêtez pas le traitement sans consulter votre médecin (risque d'aggravation des crises).

Effets indésirables possibles :
– perte de l'appétit, somnolence, perte de poids, vertiges, maux de tête, perte de la libido, dépression;
– difficulté à respirer, douleurs et difficulté à uriner, présence de sang dans les urines, diminution du volume des urines, lumbago, fièvre, frisson, mal de gorge.

Note : prescrit sur ordonnance médicale.

DIANE 35® (Schering)

Introd. en 1987. Liste I. Non remb. SS.

PRINCIPES ACTIFS: comprimés contenant 35 µg d'éthinylestradiol (estrogène) et 2 mg de cyprotérone (antiandrogène → Androcur®).

Emploi : proposé comme contraceptif chez les femmes atteintes de manifestations d'hyperandrogénie modérée : acné sur peau très grasse (séborrhée), pilosité augmentée (hirsutisme); les effets du traitement sur l'acné n'apparaissent qu'après 3-4 mois.

Précautions : ne pas employer en cas de grossesse, d'allaitement, d'insuffisance hépatique, de phlébite, d'anémie ou d'augmentation du cholestérol sanguin; consultez votre médecin si l'hirsutisme s'aggrave.

Effets indésirables possibles : maux de tête, nausées, vomissements, sensation de tension mammaire, apparition de taches brunâtres sur le visage (aggravées par l'exposition au soleil), modification de la libido; le risque de formation de caillots dans les artères (thromboses et embolies) s'accroît avec l'âge et l'usage du tabac.

Note : prescrit sur ordonnance médicale.

DI-ANTALVIC® (Houdé)

Introd. en 1965. Liste I. Remb. SS 70%.

PRINCIPES ACTIFS :

Gélules contenant
– dextropropoxyphène (30 mg) : analgésique morphinique «mineur»;
– paracétamol (400 mg) : analgésique périphérique et antipyrétique.

Suppositoires contenant
– 60 mg de dextropropoxyphène et 800 mg de paracétamol.

Emploi : proposé pour atténuer la douleur modérée *(analgésique)* et pour faire tomber la fièvre *(antipyrétique).*

Précautions : ce médicament ne doit pas être utilisé en cas d'insuffisance hépatique, d'insuffisance rénale, de tendance suicidaire, de grossesse, d'allaitement et chez l'enfant âgé de moins de 15 ans; ne pas associer à des antidépresseurs.

Conduite de véhicules : la conduite de véhicules ou l'utilisation de machines peut être dangereuse en raison de la diminution de la vigilance.

Durée du traitement : la durée du traitement ne doit pas dépasser 10 jours (risque de dépendance).

Dépendance : le risque de dépendance n'apparaît que pour des doses supérieures à celles recommandées et pour des traitements prolongés; l'abus est possible chez des sujets déjà toxicomanes.

Sportifs : le dextropropoxyphène se trouve sur la liste des dopants interdits (Ministère de la Jeunesse et des Sports); il donne une réaction positive en cas de tests pratiqués lors des contrôles antidopage.

Alcool : évitez les boissons alcoolisées pendant le traitement (majoration de l'effet sédatif).

Effets indésirables possibles :
– liés au dextropropoxyphène : somnolence, constipation, céphalées, euphorie, vertiges, troubles visuels;
– liés au paracétamol : consultez votre médecin en cas de douleurs abdominales, de vomissements sanglants, de selles noires, de crise d'asthme, de prurit, d'urticaire ou de jaunisse.

Note : prescrit sur ordonnance médicale.

DIAPID® (Sandoz)

Introd. en 1976. Liste II. Remb. SS 70%.
PRINCIPE ACTIF : **Lypressine**.

Préparations : soluté pour pulvérisations nasales à 50 UI/ml (une pulvérisation libère environ 6 UI de lypressine).

Emploi : analogue synthétique de l'hormone antidiurétique naturelle ou vasopressine qui est sécrétée par l'hypophyse postérieur et qui règle le volume des urines; en cas de carence, le rein n'est plus capable de concentrer les urines et un *diabète insipide* apparaît qui se manifeste par l'émission abondante d'urine (5-8 litres par jour) et une soif constante.

La lypressine est utilisée en pulvérisations nasales dans les formes modérées de diabète insipide (durée d'action 3-6 heures); dans les formes plus graves un analogue à longue durée d'action est souvent préférable (→ Minirin®).

Précautions : ne pas employer en cas d'allergie au produit, de grossesse ou allaitement; emploi prudent en cas d'hypertension artérielle ou de maladie des coronaires.

Interactions : il faut informer votre médecin si vous prenez ou avez pris récemment d'autres médicaments, notamment chlorpropamide, glibenclamide, carbamazépine, clofibrate, sels de lithium (diminution de l'effet antidiurétique).

Horaire : respectez un intervalle de 4 heures entre chaque prise.

Effets indésirables possibles : confusion, convulsions, somnolence, maux de tête, prise de poids rapide (rétention d'eau), écoulement du nez (voie nasale); bouffées de chaleur, rougeur de la face et du cou, frissons, crampes abdominales, saignement du nez (épistaxis), conjonctivite, rhinite; toux et difficulté à respirer en cas d'inhalation accidentelle du produit.

Intoxication («intoxication par l'eau») : somnolence, maux de tête persistants, crampes abdominales, confusion mentale, convulsions, évolution vers le coma; demander une aide d'urgence dans les formes graves.

Note : prescrit sur ordonnance médicale.

DIAREX® (Rabi & Solabo)

Non remb. SS.
PRINCIPES ACTIFS : solution buvable contenant de l'acide salicylique, acide lactique, camomille, girofle, cannelle et camphre.

Emploi : proposé dans les diarrhées.

Note : vendu sans ordonnance; efficacité des principes actifs à confirmer dans l'emploi proposé.

DIARLAC® (Fournier)

Introd. en 1990. Non remb. SS.
PRINCIPES ACTIFS : gélules contenant des cultures de *Lactobacillus casei*.

Emploi : proposé dans les diarrhées non organiques.

Précautions : ne pas employer en cas de douleurs ou de crampes abdominales d'origine indéterminée, de selles noires, d'amaigrissement, de jaunisse; consultez votre médecin si la diarrhée persiste après 48 heures, si des glaires et du sang apparaissent dans les selles ; dans les diarrhées d'origine infectieuse dues à des bactéries ou à des protozoaires, des traitements spécifiques sont parfois indispensables ; en outre, surtout chez l'enfant, la déshydratation qui accompagne toute diarrhée aiguë demande avant tout une réhydratation par voie orale ou par injection dans les cas graves.

Note : vendu sans ordonnance ; efficacité des principes actifs à confirmer dans l'emploi proposé.

DIARSED® (Clin Midy)

Introd. en 1962. Liste I. Remb. SS 40%.

PRINCIPE ACTIF : **Diphénoxylate**

Préparations : comprimés à 2,5 mg [+ 0,025 mg d'atropine].

Emploi : antidiarrhéique opiacé apparenté à la morphine qui peut causer, à doses élevées, une dépendance ; dans le but d'empêcher tout usage abusif, il est associé à l'atropine qui cause des effets atropiniques désagréables lorsqu'on augmente la dose ; il est utilisé pour ralentir le transit intestinal dans la diarrhée aiguë (sans selles sanglantes ou purulentes) ; il ne doit pas être utilisé dans les diarrhées infectieuses ou causées par des antibiotiques ou des substances toxiques, car il peut empêcher l'élimination de substances nuisibles ; son utilisation est dangereuse en cas de rectocolite hémorragique (risque de dilatation du côlon ou de mégacôlon) ou de diarrhée avec présence de sang ou de glaires sanguinolentes dans les selles ; enfin, son usage chez l'enfant demande une surveillance particulière (recourir toujours à la réhydratation orale).

Durée d'action : jusqu'à 24 heures.

Allergie : informez votre médecin si vous avez déjà fait une réaction allergique ou inhabituelle au diphénoxylate, à l'atropine ou à d'autres opiacés.

État de santé : vous devez informer votre médecin de toute affection susceptible de modifier les effets du médicament, notamment :
- maladie du foie (l'insuffisance hépatique diminue l'élimination) ;
- douleurs abdominales (possibilité d'occlusion intestinale aiguë ou de poussée aiguë de rectocolite hémorragique et de dilatation du côlon) ;

- diarrhée avec présence de sang ou de glaires sanguinolentes dans les selles ;
- constipation avec risque d'occlusion intestinale ;
- glaucome par fermeture de l'angle (risque d'aggravation par l'atropine) ;
- difficulté à uriner (risque d'aggravation par l'atropine) ;
- toxicomanie antérieure (risque accru d'abus).

Grossesse : l'utilisation est déconseillée chez la femme enceinte ou susceptible de l'être ; en effet, il a causé des troubles du développement du fœtus au cours de l'expérimentation animale.

Allaitement : l'utilisation est déconseillée, car il passe dans le lait maternel.

Enfants : le jeune enfant est très sensible à l'effet déprimant la respiration ; ce médicament ne doit pas être utilisé chez l'enfant âgé de moins de 6 ans et en cas de syndrome de Down.

Sujets âgés : utilisation prudente à cause du risque de dépression de la respiration.

Sportifs : ce médicament se trouve sur la liste des dopants interdits (Ministère de la Jeunesse et des Sports) ; il donne une réaction positive en cas de tests pratiqués lors des contrôles antidopage.

Interactions : il faut informer votre médecin si vous prenez ou avez pris récemment d'autres médicaments, notamment les antibiotiques (risque accru de colite pseudomembraneuse).

Boissons : compensez les pertes de liquides dues à la diarrhée aiguë par des boissons abondantes et éventuellement par une solution pour réhydratation orale.

Alcool : évitez les boissons alcoolisées.

Autres médicaments : n'utilisez aucun autre médicament sans l'avis de votre médecin.

Durée du traitement : si aucune amélioration ne se manifeste au bout de 48 heures ou si des glaires et du sang apparaissent dans les selles, consultez votre médecin ; des examens de laboratoire peuvent être nécessaires pour préciser la cause de la diarrhée ; l'utilisation prolongée ou régulière de ce médicament est déconseillée.

Conduite de véhicules : ce médicament peut provoquer une somnolence diurne dangereuse chez les conducteurs de véhicules.

Effets indésirables possibles :
– douleurs abdominales, distension abdominale, nausées, vomissements, constipation sévère, éruption cutanée (réaction allergique : arrêtez immédiatement le traitement);
– somnolence, sécheresse de la bouche, vertiges, troubles de la vue, accélération du pouls (tachycardie), excitation (surtout chez l'enfant).

Intoxication : syndrome atropinique avec contraction des pupilles (myosis), sédation, dépression respiratoire due au diphénoxylate (particulièrement sévère chez l'enfant), évolution vers le coma.

Note : prescrit sur ordonnance médicale.

DIASAL® (Procter & Gamble).

Composition : sel diététique sans sodium contenant du chlorure de potassium et acide glutamique.
Emploi : utilisé dans les régimes sans sel ou désodés.
Précautions : ne pas employer en cas de maladie d'Addison ou d'insuffisance rénale; ne pas associer des diurétiques épargnant le potassium.
Note : produit vendu sans ordonnance.

DIBENCOZAN® Fort (Houdé)

Introd. en 1973. Liste II. Remb. SS 40%.
PRINCIPE ACTIF : **Cobamamide.**
SYNONYMES : dibencozide, coenzyme B12
Préparations : poudre pour solution injectable en flacons à 20 mg.
Emploi : coenzyme de la vitamine B12 proposé pour soulager les douleurs des névrites, polynévrites, névralgies, sciatiques etc.; l'efficacité en dehors des états de carence en vitamine B12 reste à confirmer.
Effets indésirables possibles : réactions allergiques (prurit, urticaire, état de choc), acné et coloration rouge des urines
Note : prescrit sur ordonnance médicale.

DICETEL® (Latéma)

Introd. en 1984. Liste II. Remb. SS 40%.
PRINCIPE ACTIF : **Pinavérium.**
Préparations (sous forme de bromure): comprimés à 50 mg.
Emploi : antispasmodique agissant directement sur les fibres musculaires lisses, sans action atropinique, proposé dans le traitement des douleurs liées aux spasmes fonctionnels de l'intestin et des voies biliaires.
Pour les détails → 57.
Note : prescrit sur ordonnance médicale.

DICLOCIL® (Bristol-Myers Squibb)

Introd. en 1973. Liste I. Remb. SS 70%.
PRINCIPE ACTIF : **Dicloxacilline.**
Préparations : gélules à 500 mg (sel sodique).
Emploi : pénicilline du groupe M, bêta-lactamases-résistante, active contre les staphylocoques producteurs de pénicillinases.
Pour les détails → p. 520.
Note : prescrit sur ordonnance médicale.

DICODIN® (Sarget)

Introd. en 1992. Liste I. Non remb. SS.
PRINCIPE ACTIF : **Dihydrocodéine.**
Préparations : comprimés à libération prolongée à 60 mg (tartrate).
Emploi : dérivé de la codéine, alcaloïde extrait de l'opium, utilisé pour de courtes périodes et, aux doses recommandées, ne cause pas de dépendance; cependant, à doses élevées et en cas d'usage prolongé, possibilité de dépendance.
Précautions : ne pas employer en cas de toux grasse, d'insuffisance respiratoire ou d'asthme, de grossesse ou allaitement; consultez votre médecin si la toux persiste, en cas de crachats sanglants, de fièvre, d'amaigrissement, d'éruption cutanée, de troubles de la vue, de difficulté à uriner.
Sportifs : l'attention des sportifs est attirée sur le fait que les tests antidopage peuvent être positifs après administration du médicament.
Enfants : ne pas utiliser chez les enfants âgés de moins de 15 ans (moins de 30 mois pour la forme pour enfant).
Intoxication : hospitalisation d'urgence en cas de prise massive.
Pour les détails → p. 59.
Note : prescrit sur ordonnance médicale.

DICYNONE® (Delalande)

Introd. en 1965. Remb. SS 70%.
PRINCIPE ACTIF : **Etamsylate.**

Préparations : comprimés à 250 mg ou 500 mg; ampoules injectables à 250 mg (sel sodique).

Emploi : médicament dont le mécanisme d'action est incertain, proposé par voie buccale dans les hémorragies par fragilité capillaire (dont le diagnostic ne peut être posé que par votre médecin).

Note : vendu sans ordonnance; à éviter en automédication.

DIDRONEL® (Procter & Gamble)

Introd. en 1982. Liste II. Remb. SS 70%.
PRINCIPE ACTIF : **Acide étidronique**.

Préparations (sous forme de sel sodique) : comprimés à 200 mg ou 400 mg; solution injectable en ampoules de 300 mg dans 6 ml.

Emploi : médicament appartenant au groupe des *diphosphonates* inhibant la résorption osseuse et donc la libération de calcium à partir du squelette; il est utilisé par voie buccale dans le traitement de la maladie de Paget pour réduire le remaniement osseux et dans l'ostéoporose de la ménopause avec tassement des vertèbres, en alternance avec l'administration de calcium; il est utilisé en injection dans le traitement de l'excès de calcium dans le sang (hypercalcémie) observé dans certaines tumeurs avec ou sans métastases osseuses.

Durée d'action : 2-4 semaines.

Précautions : ne pas employer en cas d'allergie, de fracture (suspendre le traitement jusqu'à consolidation), de maladie des reins, de maladies intestinales avec diarrhées.

Grossesse : déconseillé chez la femme enceinte ou susceptible de l'être; en effet, d'autres diphosphonates ont causé des altérations osseuses du fœtus au cours de l'expérimentation animale.

Allaitement : l'utilisation de ce médicament est déconseillée par prudence.

Interactions : il faut informer votre médecin si vous prenez ou avez pris récemment d'autres médicaments, notamment des antiacides gastriques, ou des médicaments contenant du calcium, de l'aluminium ou du fer qui diminuent la résorption digestive.

Prise du médicament : on conseille de prendre les comprimés en dehors des repas; on ne devrait rien manger une heure avant ou après la prise du médicament.

Boissons : des boissons abondantes peuvent être essentielles pour favoriser l'élimination du médicament dans les urines et éviter son accumulation.

Régime : limitez les aliments riches en calcium, tels que les produits laitiers qui peuvent diminuer l'absorption du médicament.

Effets indésirables possibles : nausées, diarrhées, éruption cutanée (réaction allergique : arrêtez immédiatement le traitement).

Note : prescrit sur ordonnance médicale.

DIÉNOL® (Doms-Adrian)

Introd. en 1943. Non remb. SS.
PRINCIPES ACTIFS : suspension rectale (lavement) contenant du fer et du manganèse à l'état colloïdal, chlorure de sodium, chlorure de magnésium et parahydroxybenzoate de méthyle.

Emploi : proposé dans les hyperthermies (fièvres); efficacité à confirmer.

Précautions : ne pas utiliser en cas de diarrhée.

Note : vendu sans ordonnance; à éviter en automédication.

DIERGO® spray (Sandoz)

Introd. en 1987. Liste II. Non remb. SS.
PRINCIPE ACTIF : **Dihydroergotamine**.

Préparations : solution nasale pour pulvérisations à 1 mg/pulvérisation.

Emploi : traitement de la crise de migraine.

Pour les détails → Dihydroergotamine.

Note : prescrit sur ordonnance médicale.

DIFFU-K® → Potassium, Sels de.

DIFRAREL® (Leurquin)

Introd. en 1964. Remb. SS 40%.
PRINCIPES ACTIFS : comprimés contenant du bétacarotène et un extrait de *Vaccinium myrtillus*.

Emploi : proposé dans les manifestations en rapport avec la fragilité capillaire et l'insuffisance veineuse.

Précautions : consultez votre médecin en cas de suspicion de phlébite (jambes rouges, douloureuses, surtout si d'un seul côté et avec fièvre).

Note : vendu sans ordonnance; efficacité des principes actifs à confirmer dans l'emploi proposé.

DIFRAREL E® (Leurquin)

Introd. en 1966. Remb. SS 40%.

PRINCIPES ACTIFS: comprimés contenant du tocophérol (vitamine E) et un extrait de *Vaccinium myrtillus*.

Emploi : proposé dans les myopies.

Note : vendu sans ordonnance; efficacité des principes actifs à confirmer dans l'emploi proposé.

DIGÉDRYL® (Salver)

Introd. en 1975. Non remb. SS.

PRINCIPES ACTIFS: comprimés contenant de la boldine, sulfate, phosphate et carbonate de sodium.

Emploi : proposé pour stimuler la sécrétion de la bile dans les troubles de la digestion (dyspepsies) et comme laxatif.

Précautions : ne pas employer en cas d'obstruction des voies biliaires; consultez votre médecin en cas de douleurs ou crampes abdominales d'origine indéterminée, de selles noires, d'amaigrissement, d'urines foncées, de douleurs de la région du foie, de jaunisse.

En cas de régime sans sel : tenir compte de la teneur en sodium du produit.

Effets indésirables possibles : diarrhées.

Note : vendu sans ordonnance; ne pas utiliser pendant plus de 5 jours sans avis médical.

DIGEFLASH®
(Boehringer Ingelheim)

Introd. en 1989. Non remb. SS.

PRINCIPE ACTIF : comprimés contenant des enzymes pancréatiques.

Emploi : proposé dans les troubles digestifs (dyspepsies).

Note : vendu sans ordonnance; à éviter en automédication (les enzymes pancréatiques ne sont utiles qu'en cas d'insuffisance pancréatique qui ne peut être diagnostiquée que par votre médecin).

DIGESTIF MARGA® (CPF)

Introd. en 1945. Non remb. SS.

PRINCIPES ACTIFS : tablettes contenant des hydroxydes de magnésium et d'aluminium et carbonate de calcium.

Emploi : proposé pour neutraliser l'excès d'acidité et comme pansement gastrique dans les douleurs liées aux affections de l'œsophage, de l'estomac et du duodénum; en cas d'ulcère de l'estomac ou du duodénum, ce médicament ne doit être utilisé que sous surveillance médicale.

Prise du médicament : 6-8 tablettes par jour entre les repas.

Précautions : consultez votre médecin si les troubles persistent et en cas de douleurs ou crampes abdominales, de selles noires, d'amaigrissement, de fièvre; ne pas utiliser en cas d'insuffisance rénale sévère; ne pas associer des tétracyclines.

Effets indésirables possibles : retard ou diminution de la résorption d'autres médicaments (respecter un intervalle d'au moins 2 heures).

Note : vendu sans ordonnance; ne pas utiliser pendant plus de 5 jours sans avis médical.

DIGESTIVAL®
(Plantes et Médecines)

Non remb. SS.

PRINCIPES ACTIFS: comprimés contenant un extrait de boldo, papaïne, pepsine, artichaut, valériane, acide glutamique.

Emploi : proposé dans la «digestion difficile».

Note : vendu sans ordonnance; ne pas utiliser pendant plus de 5 jours sans avis médical.

DIGESTOBOL® (Lederle)

Non remb. SS.

PRINCIPES ACTIFS : tablettes contenant boldine, amyléine (anesthésique local), carbonate de magnésium et de calcium, kaolin, glycérophosphate de magnésium, peroxyde de magnésium, carbonate de sodium.

Emploi : proposé comme pansement gastrique; en cas d'ulcère de l'estomac ou du duodénum, ce médicament ne doit être utilisé que sous surveillance médicale.

Précautions : consultez votre médecin si les troubles persistent et en cas de douleurs ou crampes abdominales, de selles noires, d'amaigrissement, de fièvre; ne pas employer en cas d'insuffisance rénale sévère; ne pas associer des tétracyclines.

Effets indésirables possibles : retard ou diminution de la résorption d'autres médicaments pris par la bouche (attendre au moins 2 heures), diarrhée.
Note : vendu sans ordonnance; ne pas utiliser pendant plus de 5 jours sans avis médical.

DIGESTODORON® (Weleda)

Introd. en 1949. Non remb. SS.
PRINCIPES ACTIFS : solution buvable contenant de la fougère mâle, fougère aigle, polypode, scolopendre, saule.
Emploi : troubles de la digestion.
Précautions : consultez votre médecin en cas de douleurs ou crampes abdominales d'origine indéterminée, de selles noires, d'amaigrissement, de jaunisse.
Note : vendu sans ordonnance; efficacité des principes actifs à confirmer dans l'emploi proposé.

DIGITALINE NATIVELLE®
(Procter & Gamble)

Introd. en 1887. Liste I. Remb. SS 70%.
PRINCIPE ACTIF : *Digitoxine.*
Préparations : comprimés à 0,1 mg; solution buvable à 0,1 mg par 5 gouttes; ampoules injectables à 0,2 mg/1 ml.
Emploi : glucoside purifié obtenu à partir de la feuille de *Digitalis purpurea* ayant les mêmes effets que la digoxine, mais dont la durée d'action est plus longue (5-9 jours); par conséquent, dans le traitement d'entretien de l'insuffisance cardiaque, il n'est pas nécessaire de prendre une dose tous les jours et l'omission sporadique d'une dose n'a pas de conséquences.
Pour les détails → p. 319.
Note : prescrit sur ordonnance médicale.

DIGITOXINE → Digitaline.

DIGOXINE NATIVELLE®
(Procter & Gamble)

Introd. en 1960. Liste I. Remb. SS 70%.
PRINCIPE ACTIF : *Digoxine.*
Préparations : comprimés à 0,25 mg ; soluté buvable à 0,05 mg/ml; ampoules injectables à 0,05 mg (pour enfant) et 0,50 mg (pour adultes).
Emploi : glucoside purifié obtenu à partir de la feuille de *Digitalis lanata*

utilisé pour traiter l'insuffisance cardiaque et certains troubles du rythme cardiaque.
Durée d'action : jusqu'à 2 jours.
Pour les détails → p. 319.
Note : prescrit sur ordonnance médicale.

DI-HYDAN® (Delalande)

Introd. en 1941. Remb. SS 70%.
PRINCIPE ACTIF : *Phénytoïne.*
SYNONYME : diphénylhydantoïne.
Préparations : comprimés à 100 mg.
Emploi : antiépileptique chef de file des dérivés de l'hydantoïne, la phénytoïne est employée dans le traitement du grand mal et de l'épilepsie focale (n'est pas indiquée dans le petit mal); elle est employée seule ou parfois en association avec un autre médicament antiépileptique (p. ex. carbamazépine ou phénobarbital).
Dans le traitement de l'épilepsie, il peut être nécessaire de contrôler le taux sanguin du médicament dans les cas qui répondent mal au traitement ou qui présentent des effets indésirables; en effet, la marge entre le taux sanguin efficace et le taux sanguin toxique est étroite; d'autre part, le taux sanguin du médicament est influencé par de nombreux facteurs et peut varier de façon imprévisible.
Durée d'action : 24 heures.
Allergie : informez votre médecin si vous avez déjà fait une réaction allergique ou inhabituelle à ce médicament ou à d'autres dérivés de l'hydantoïne.
État de santé : vous devez informer votre médecin de toute affection susceptible de modifier les effets du médicament, notamment :
– maladies du foie ou du rein (l'insuffisance hépatique ou rénale peut modifier le taux sanguin de la phénytoïne);
– diabète sucré (la phénytoïne peut modifier le taux sanguin du glucose);
– maladies du sang;
– troubles du rythme cardiaque, pouls lent et irrégulier (bloc auriculo-ventriculaire).
Grossesse : on a signalé que la phénytoïne cause des malformations du fœtus dans l'expérimentation animale (effet tératogène); d'autre part, son emploi vers la fin de la grossesse peut entraîner chez le nouveau-né une hypoprothrombinémie sensible à la

vitamine K; par conséquent, chez la femme en âge de procréer, la phénytoïne est déconseillée, mais la grossesse ne justifie jamais l'arrêt brutal du traitement car le risque de déclencher ainsi l'état de mal épileptique est important.

Allaitement : utilisation déconseillée (passage dans le lait maternel).

Enfants : certains effets indésirables sont plus fréquents que chez l'adulte, notamment les hémorragies et la tuméfaction des gencives.

Interactions : il faut informer votre médecin si vous prenez ou avez pris récemment d'autres médicaments; de nombreux médicaments peuvent modifier les effets de la phénytoïne, notamment :
– acide valproïque, acide folique, amiodarone, anticoagulants, antidépresseurs, diazépam, furosémide, miconazole, nifédipine, progabide, corticoïdes, théophylline, tétracyclines (l'association avec ces médicaments est déconseillée, sauf avis contraire du médecin);
– anticoagulants, antidiabétiques, antiasthmatiques (une adaptation des doses de ces médicaments peut être nécessaire);
– chloramphénicol, disulfirame, phénylbutazone, co-trimoxazole (ces médicaments augmentent la toxicité de la phénytoïne);
– l'efficacité de la «pilule» (contraception orale), surtout des produits faiblement dosés, est diminuée par la phénytoïne, ce qui peut donner lieu à des saignements inattendus ou à une grossesse; il faut de changer de méthode contraceptive (recourir à la contraception locale) ou choisir un produit plus fortement dosé en estrogènes.

Prescription : ne dépassez pas la dose prescrite par votre médecin; même si les crises ont totalement cessé, ne changez pas de dose sans l'avis de votre médecin.

Oubli : si vous oubliez de prendre le médicament et si vous le remarquez dans les 2 heures qui suivent, prenez immédiatement la dose oubliée; ne doublez pas la dose suivante.

Surveillance : pendant les premiers mois, des contrôles fréquents sont nécessaires pour que votre médecin puisse moduler les doses en fonction des résultats et des effets indésirables éventuels; évitez un changement brusque de médicament antiépileptique (risque d'augmentation de la fréquence ou d'aggravation des crises).

Autres médicaments : ne prenez aucun autre médicament sans l'avis du médecin, car de nombreux médicaments peuvent modifier les réactions de l'organisme à la phénytoïne.

Alcool : à éviter pendant le traitement (effets imprévisibles).

Conduite de véhicules : l'aptitude à conduire des véhicules ou à utiliser des machines peut être diminuée par des vertiges ou une baisse de la vigilance, surtout au début du traitement.

Hygiène buccale : les gencives sont souvent tuméfiées (hyperplasie gingivale), ce qui demande un bonne hygiène buccale et parfois un examen dentaire en cas de saignement ou de douleurs.

Arrêt du traitement : si vous avez pris ce médicament pendant plusieurs semaines ou pendant plus longtemps, ne jamais arrêter le traitement sans l'avis du médecin; en effet, l'arrêt brusque peut avoir des conséquences graves, notamment l'apparition de crises convulsives et d'un état de mal épileptique; dans la mesure du possible, on étalera l'arrêt du traitement sur une période de 6 mois, en diminuant les doses progressivement.

En cas de diabète : ce médicament peut modifier le taux du glucose dans le sang; par conséquent, les patients diabétiques doivent contrôler la glycémie et informer leur médecin de toute variation inhabituelle.

Effets indésirables possibles :
– liés à une dose trop élevée : nausées, vomissements, nervosité, vertiges, perception double des objets (diplopie), mouvements involontaires des yeux (nystagmus), troubles du sommeil, états confusionnels, troubles de l'équilibre, troubles de la parole, tremblements musculaires, parfois excitation;
– saignement au moindre traumatisme, présence de sang dans les urines ou les selles, coloration noire des selles, apparition de petites taches rouges sur la peau (diminution du nombre des plaquettes dans le sang);
– fièvre, frissons, maux de gorge, ulcérations buccales (diminution des globules blancs dans le sang);

- pâleur, faiblesse (anémie);
- prurit, éruption cutanée (réaction allergique : arrêtez le traitement);
- coloration jaune des yeux et de la peau, jaunisse;
- pilosité augmentée chez la femme (hirsutisme);
- augmentation de volume des seins chez l'homme (gynécomastie), taches de pigmentation, mouvements involontaires (choréiformes), baisse des facultés d'apprentissage et de compréhension;
- en cas de traitement prolongé : on observe parfois des troubles osseux (ostéomalacie, rachitisme), qui peuvent nécessiter des suppléments de vitamine D, ou une anémie de type mégaloblastique par carence en acide folique.

Préparation injectable : en milieu hospitalier, la phénytoïne est utilisée en injections dans l'état de mal épileptique ainsi que dans le traitement des troubles du rythme cardiaque causés par les dérivés de la digitale; elle est disponibles sous forme d'ampoules injectables à 250 mg (Dilantin® Parke-Davis) réservées aux hôpitaux.

Note : prescrit sur ordonnance médicale.

DIHYDROERGOTAMINE

Liste II. Remb. SS 70%.
SPÉCIALITÉS :
Dergiflux® (Gallier).
Dergotamine® (Abbott).
Diergo® Spray (Sandoz) [solution nasale].
Dihydroergotamine Lafarge® (Sterling Midy).
Dihydroergotamine (Sandoz).
Ikaran® (P. Fabre).
Séglor® (Millot-Solac).
Séglor Lyoc® (Millot-Solac).
Tamik® (Marcofina).

Emploi : médicament dérivé de l'ergotamine (alcaloïde de l'ergot de seigle) utilisé pour traiter la *crise de migraine* (utiliser dès les premiers symptômes d'une crise); la dihydroergotamine agit en diminuant la lumière de certains vaisseaux de la tête (vasoconstriction). Dans le traitement des crises légères de migraine, d'autres médicaments sont préférables, p. ex. l'aspirine ou le paracétamol.

Allergie : informez votre médecin si vous avez déjà fait une réaction allergique ou inhabituelle à ce médicament ou à des spécialités contenant d'autres alcaloïdes de l'ergot de seigle.

État de santé : vous devez informer votre médecin de toute affection susceptible de modifier les effets du médicament, notamment :
- maladies du cœur;
- angine de poitrine (risque de crise);
- artériosclérose, artérite oblitérante ou phlébite des membres inférieurs;
- hypertension artérielle mal contrôlée (risque d'aggravation);
- maladie du foie (l'insuffisance hépatique augmente les risques d'effets indésirables);
- état infectieux;
- tabagisme.

Grossesse : ce médicament ne doit pas être utilisé en cas de grossesse; en effet, il peut provoquer des contractions de l'utérus (action ocytocique).

Allaitement : la dihydroergotamine ne doit pas être utilisée, car elle réduit la sécrétion de lait, passe dans le lait maternel et peut causer des troubles chez le nourrisson.

Sujets âgés : ils sont très sensibles à la constriction des vaisseaux provoquée par ce médicament (doses réduites).

Interactions : il faut informer votre médecin si vous prenez ou avez pris récemment d'autres médicaments, notamment :
- antibiotiques macrolides, par exemple érythromycine, josamycine, roxithromycine (risque de spasmes des vaisseaux périphériques);
- autres dérivés de l'ergot de seigle;
- bêta-bloquants (risque de spasmes des vaisseaux périphériques);
- sympathomimétiques qui peuvent être contenus dans des spécialités contre le rhume (risque accru d'hypertension).

Prescription : ne dépassez pas la dose prescrite par votre médecin pour la crise; des doses trop élevées ou des prises trop fréquentes (habituellement toutes les 30 minutes, jusqu'à atteindre la dose maximale) augmentent le risque d'effets indésirables.

Prise du médicament : prenez ce médicament dès les premiers signes de la crise de migraine et couchez-vous dans une chambre sombre pour au moins 2 heures.

Alcool : évitez l'alcool et le tabac qui peuvent aggraver la migraine.

Exposition au froid : comme la dihydroergotamine diminue la lumière des vaisseaux (vasoconstriction) et la circulation du sang, évitez l'exposition prolongée au froid.

Effets indésirables possibles :
– somnolence, vertiges, aggravation des nausées et des vomissements qui accompagnent la crise de migraine, diarrhées, prurit;
– spasmes des vaisseaux périphériques («ergotisme vasculaire»): mains et pieds froids, crampes musculaires à la marche puis au repos, fourmillements, picotements, engourdissement et douleurs au niveau des membres; sans traitement, ces troubles peuvent aboutir à l'occlusion des artères; parfois douleurs de type angine de poitrine.
Note : prescrit sur ordonnance médicale.

DILAR® (Cassenne)

Introd. en 1966. Liste I. Remb. SS 70%.
PRINCIPE ACTIF : **Paraméthasone**.
Préparations : suspension injectable en ampoules à 40 mg dans 2 ml.
Emploi : médicament apparenté à la cortisone utilisé
– en injection intramusculaire pour traiter des affections allergiques graves et d'autres conditions déterminées par votre médecin;
– en injection intra ou périarticulaire pour traiter des affections rhumatismales, notamment des arthrites en poussée, des tendinites et bursites.
Pour les détails → p. 176 et p. 178.
Note : prescrit sur ordonnance médicale.

DILATRANE® (Labomed)

Introd. en 1983. Remb. SS 70%.
PRINCIPE ACTIF : **Théophylline**
Préparations : gélules à 50 mg, 100 mg, 200 mg ou 300 mg.
Emploi : dérivé de la xanthine qui dilate les bronches et facilite le passage de l'air, la théophylline est utilisée en cas d'asthme, de bronchite chronique, d'emphysème pulmonaire et dans d'autres affections.
Pour les détails → Théophylline.
Note : vendu sans ordonnance; à éviter en automédication.

DILPAVAN® (Biogalénique)

Introd. en 1969. Liste I. Remb. SS 40%.
PRINCIPES ACTIFS: comprimés contenant de l'hespéridine, pyridoxine (vitamine B6), acide ascorbique (vitamine C) et papavérine (spasmolytique).
Emploi : proposé pour traiter la fragilité capillaire (efficacité à confirmer).
Conduite de véhicules : assurez vous que le médicament n'entraîne pas de somnolence diurne avant de conduire des véhicules.
Note : prescrit sur ordonnance médicale.

DILRÈNE LP® (Clin Midy)

Introd. en 1990. Liste I. Remb. SS 70%.
PRINCIPE ACTIF : **Diltiazem**.
Préparations : gélules à libération prolongée à 300 mg.
Emploi : inhibiteur calcique utilisé pour prévenir les crises d'angine de poitrine (sensation de constriction douloureuse dans la poitrine pouvant irradier dans le bras gauche) et pour abaisser la tension artérielle en cas d'hypertension artérielle lorsque les diurétiques et/ou les bêta-bloquants sont inefficaces.
Pour les détails → p. 363.
Note : prescrit sur ordonnance médicale.

DIMALAN® (Parke-Davis)

Introd. en 1982. Non remb. SS.
PRINCIPES ACTIFS : suspension buvable contenant des hydroxydes d'aluminium et de magnésium et de la diméticone.
Emploi : proposé pour neutraliser l'excès d'acidité et comme pansement gastrique dans les douleurs liées aux affections de l'œsophage, de l'estomac et du duodénum; en cas d'ulcère de l'estomac ou du duodénum, ce médicament ne doit être utilisé que sous surveillance médicale.
Prise du médicament : après les repas et éventuellement au coucher.
Précautions : consultez votre médecin si les troubles persistent et en cas de douleurs ou crampes abdominales, de selles noires, d'amaigrissement, de fièvre; ne pas utiliser en cas d'insuffisance rénale sévère; ne pas associer des tétracyclines.
Effets indésirables possibles : retard ou diminution de la résorption d'autres médicaments pris par la bouche (laissez un intervalle d'au moins 2 h.)
Note : vendu sans ordonnance; ne pas utiliser pendant plus de 5 jours sans avis médical.

DIMÉGAN® (Dexo)

Introd. en 1966. Liste II (injectable et auto-injectable). Remb. SS 70%. (sauf auto-injectable).

PRINCIPE ACTIF : *Bromphéniramine*.

Préparations : comprimés à 4 mg; gélules à libération prolongée à 12 mg (*Chronules®*); ampoules injectables et auto-injectables à 10 mg dans 1 ml.

Emploi : antihistaminique ayant des propriétés sédatives et atropiniques utilisé pour prévenir et traiter les affections allergiques, notamment rhinites et conjonctivites allergiques, urticaire, rhume des foins, œdème de Quincke (visage enflé, bouffissure des lèvres et des paupières, voix rauque, difficulté à respirer), piqûres d'insectes; chez l'enfant âgé de moins de 5 ans, tenir compte du risque d'arrêt respiratoire pendant le sommeil.

Durée d'action : 4-6 heures (environ 12 heures pour les préparations à libération prolongée).

Pour les détails → p. 45.

Note : vendu sans ordonnance; efficacité généralement reconnue dans l'emploi proposé; tenir compte de l'effet sédatif.

DIMÉTANE® Expectorant (Wyeth)

Introd. en 1974. Remb. SS 40%.

PRINCIPES ACTIFS : sirop adulte contenant :
– pholcodine : antitussif opiacé;
– bromphéniramine : antihistaminique sédatif et atropinique (Dimégan®);
– phényléphrine : vasoconstricteur;
– guaïfénésine, benzoate de sodium.

Emploi : proposé pour calmer la toux irritative, sèche.

Précautions : ne pas utiliser en cas de
– asthme, insuffisance respiratoire (la diminution de la toux cause l'accumulation de mucosités dans les voies respiratoires);
– maladie du foie;
– hypertrophie de la prostate;
– glaucome à angle fermé;
– grossesse, allaitement;
– enfants âgés de moins de 5 ans (le sirop pour enfant ne contient pas de pholcodine).

Durée du traitement : si la toux persiste après une semaine, si des crachats sanglants ou des effets indésirables apparaissent, arrêtez le traitement et consultez votre médecin.

Alcool : évitez les boissons alcoolisées pendant le traitement.

Conduite de véhicules : ce médicament peut diminuer la vigilance; la conduite de véhicules ou l'utilisation de machines peut être dangereuse.

Effets indésirables possibles : somnolence, sécheresse de la bouche, confusion, nausées, vomissements, crises d'asthme, constipation, éruption cutanée (réaction allergique : arrêtez immédiatement le traitement), difficulté à respirer ou à uriner (chez le sujet âgé).

Note : vendu sans ordonnance; l'efficacité de la pholcodine est généralement reconnue, mais les autres composants ont peu d'intérêt dans l'emploi proposé.

DINACODE® (Picot)

Introd. en 1938. Remb. SS 40%.

PRINCIPES ACTIFS : sirop, comprimés et suppositoires contenant :
– codéine : antitussif opiacé;
– extraits de belladone et de datura : atropiniques;
– benzoate de sodium, baume de tolu.
Les *suppositoires nourrissons* contiennent du phénobarbital.

Emploi : utilisé pour calmer la toux irritative, sèche.

Précautions : ne pas utiliser en cas de
– asthme, insuffisance respiratoire (la diminution de la toux cause l'accumulation de mucosités dans les voies respiratoires);
– maladie du foie (l'élimination de la codéine est diminuée en cas d'insuffisance hépatique);
– hypertrophie de la prostate;
– glaucome à angle fermé;
– grossesse, allaitement;
– enfants âgés de moins de 15 ans (moins de 30 mois pour la forme pour enfant).

Durée du traitement : si la toux persiste après une semaine, si des crachats sanglants ou des effets indésirables apparaissent, arrêtez le traitement et consultez votre médecin.

Alcool : évitez les boissons alcoolisées pendant le traitement.

Conduite de véhicules : ce médicament peut diminuer la vigilance; la conduite de véhicules ou l'utilisation de machines peut être dangereuse.

Effets indésirables possibles : somnolence, sécheresse de la bouche, confusion, nausées, vomissements, crises d'asthme, constipation, vision trouble, éruption cutanée (réaction allergique : arrêtez le traitement), difficulté à respirer ou à uriner.
Note : vendu sans ordonnance; l'efficacité de la codéine est généralement reconnue, mais les autres composants ont peu d'intérêt dans l'emploi proposé; en outre, les suppositoires nourrissons sont à éviter du fait de la présence de phénobarbital de même que le sirop nourrisson du fait de la présence de bromure de sodium.

DININTEL® (Diamant)

Introd. en 1971. Liste I. Non remb. SS.
PRINCIPE ACTIF : *Clobenzorex*.
Préparations : gélules ou comprimés à 30 mg.
Emploi : excitant du système nerveux central analogue de l'amphétamine utilisé pour diminuer l'appétit dans le traitement à court terme de l'obésité («coupe-faim»); associé à l'exercice physique et à un régime pauvre en hydrate de carbones, graisses et calories, ce médicament peut aider certains patients, mais l'action s'estompe au bout de quelques semaines et s'accompagne d'effets indésirables, notamment de l'apparition d'une dépendance. L'emploi de ce médicament devrait se limiter à des situations particulières et ne devrait pas dépasser 6 semaines.
Pour les détails → p. 33.
Note : prescrit sur ordonnance médicale.

DIO® (Sciencex)

Introd. en 1992. Remb. SS 40%.
PRINCIPE ACTIF : comprimés contenant 300 mg de diosmine.
Emploi : proposé dans le traitement des symptômes en rapport avec l'insuffisance veinolymphatique (jambes lourdes, etc.) ou la fragilité capillaire.
Précautions : ne pas utiliser pendant la grossesse et l'allaitement; consultez votre médecin en cas de suspicion de phlébite (jambes rouges et/ou chaudes, douloureuses, surtout si d'un seul côté et avec fièvre).
Note : vendu sans ordonnance; efficacité du principe actif à confirmer dans l'emploi proposé.

DIOPARINE® collyre (Faure)

Introd. en 1961. Liste I. Remb. SS 70%.
PRINCIPE ACTIF : collyre contenant de l'iodohéparinate de sodium.
Emploi : proposé dans les ulcérations de la cornée.
Conservation : à utiliser dans les 15 jours après l'ouverture du flacon.
Note : prescrit sur ordonnance médicale.

DIOPARINE® comprimés
(Knoll)

Introd. en 1961. Liste I. Remb. SS 70%.
PRINCIPE ACTIF : comprimés sublinguaux contenant de l'iodohéparinate de sodium (héparine iodée).
Emploi : proposé dans l'athérosclérose (efficacité à confirmer).
Note : prescrit sur ordonnance médicale.

DIOSMIL® (R. Bellon)

Introd. en 1983. Remb. SS 40%.
PRINCIPE ACTIF : comprimés contenant 150 mg ou 300 mg de diosmine.
Emploi : proposé dans le traitement des symptômes en rapport avec l'insuffisance veinolymphatique (jambes lourdes, etc.) ou la fragilité capillaire.
Précautions : ne pas utiliser pendant la grossesse et l'allaitement.
Consultez votre médecin en cas de suspicion de phlébite (jambes rouges et/ou chaudes, douloureuses, surtout si d'un seul côté et avec fièvre).
Note : vendu sans ordonnance; efficacité du principe actif à confirmer dans l'emploi proposé.

DIOVENOR® (Innothéra)

Introd. en 1978. Remb. SS 40%.
PRINCIPE ACTIF : comprimés contenant 150 mg ou 300 mg de diosmine.
Emploi : proposé dans le traitement des symptômes en rapport avec l'insuffisance veinolymphatique (jambes lourdes, etc.) ou la fragilité capillaire.
Précautions : ne pas utiliser pendant la grossesse et l'allaitement.
Consultez votre médecin en cas de suspicion de phlébite (jambes rouges et/ou chaudes, douloureuses, surtout si d'un seul côté et avec fièvre).
Note : vendu sans ordonnance; efficacité du principe actif à confirmer dans l'emploi proposé.

DIPENTUM® (R. Bellon)

Introd. en 1992. Remb. SS 70%.
PRINCIPE ACTIF : *Olsalazine*.
Préparations : gélules à 250 mg.
Emploi : l'olsalazine est constituée par
2 molécules de mésalazine (Pentasa®);
elle est utilisée dans le traitement des
poussées de rectocolite hémorragique. Avant le début du traitement, le
diagnostic doit être confirmé par
rectoscopie et sigmoïdoscopie. En
traitement continu, elle est proposée
pour prévenir les rechutes dans la
rectocolite hémorragique.
Pour les détails → Pentasa®.
*Note : vendu sans ordonnance; le traite-
ment doit être conduit sous surveillance
médicale.*

DIPHAR® (Pharbiol)

Introd. en 1992. Liste II. Remb. SS 70%.
PRINCIPE ACTIF : *Dipyridamole*.
Préparations : comprimés à 75 mg.
Emploi : médicament introduit à l'origine pour le traitement de fond de
l'angine de poitrine et utilisé, en
association avec l'aspirine à faibles
doses, pour normaliser la tendance
pathologique des plaquettes sanguines à l'agrégation et pour prévenir
ainsi la formation de caillots sanguins,
surtout chez les porteurs de prothèses
valvulaires (valvules artificielles).
Pour les détails → Dipyridamole.
Note : prescrit sur ordonnance médicale.

DIPIPÉRON® (Janssen)

Introd. en 1967. Liste I. Remb. SS 70%.
PRINCIPE ACTIF : *Pipampérone*.
Préparations : comprimés à 40 mg;
solution buvable à 40 mg/ml.
Emploi : médicament appartenant au
groupe des neuroleptiques dérivés
de la butyrophénone ayant une action
sédative, utilisé pour traiter certaines
maladies mentales ainsi que les états
d'agressivité.
Pour les détails → p. 468.
Note : prescrit sur ordonnance médicale.

DIPRIVAN® (Zeneca-Pharma)

Introd. en 1986. Liste I.
PRINCIPE ACTIF : *Propofol*.
Préparations : émulsion injectable en
ampoules à 200 mg ou en flacons à
500 mg.

Emploi : anesthésique intraveineux
dont l'emploi est réservé aux anesthésistes en clinique ou en hôpital
disposant du matériel nécessaire à la
réanimation.
Note : réservé aux hôpitaux.

DIPROLÈNE®, DIPROSONE®
(Schering-Plough)

Introduits en 1986 et 1974.
Liste I. Remb. SS 70%.
PRINCIPE ACTIF : *Bétaméthasone*.
Préparations : crème, pommade et
lotion à 0,05%.
Emploi : corticoïde fluoré d'activité très
forte (Diprolène®) ou forte (Diproso-
ne®) utilisé en application locale pour
soulager la douleur, le prurit et les
signes d'inflammation et d'irritation
de la peau, notamment dans l'eczéma
et la dermatite allergique provoquée
par le contact avec des plantes, métaux, produits de nettoyage, cosmétiques, etc.
Pour les détails → p. 205.
Note : prescrit sur ordonnance médicale.

DIPROSALIC®
(Schering-Plough)

Introd. en 1978. Liste I. Remb. SS 70%.
PRINCIPES ACTIFS : pommade et lotion
contenant de l'acide salicylique et de
la bétaméthasone (dermocorticoïde).
Emploi : traitement des dermatoses non
suintantes avec surinfection microbienne modérée.
Application du produit : étaler le produit
sur les lésions et le faire pénétrer par
un léger massage; éviter tout contact
avec les yeux. Ne dépassez pas le
nombre d'applications journalières
prescrites par votre médecin (en
général une par jour); des applications
trop fréquentes et l'occlusion des
lésions augmentent le risque d'effets
indésirables généralisés.
Durée du traitement : ne pas dépasser 8
jours.
Effets indésirables possibles : prurit,
sensation de brûlure; l'application sur
de grandes surfaces ou sous un pansement occlusif peut entraîner un
passage du principe actif dans la
circulation sanguine, d'où l'apparition d'effets indésirables parfois
généralisés; l'utilisation prolongée

peut provoquer une atteinte de la peau du visage avec rougeur, amincissement et fragilité des téguments et apparition d'ecchymoses.

Note : prescrit sur ordonnance médicale.

DIPROSEPT® (Schering-Plough)

Introd. en 1983. Liste I. Remb. SS 70%.

PRINCIPES ACTIFS : crème contenant du clioquinol (antiseptique) et de la bétaméthasone (dermocorticoïde).

Emploi : traitement des dermatoses non suintantes avec surinfection microbienne modérée.

Application du produit : étaler le produit sur les lésions et le faire pénétrer par un léger massage ; éviter tout contact avec les yeux. Ne dépassez pas le nombre d'applications journalières prescrites par votre médecin (en général une par jour) ; des applications trop fréquentes et l'occlusion des lésions augmentent le risque d'effets indésirables généralisés.

Durée du traitement : maximum 8 jours.

Effets indésirables possibles : prurit, sensation de brûlure ; l'application sur de grandes surfaces ou sous un pansement occlusif peut entraîner un passage du principe actif dans la circulation sanguine, d'où l'apparition d'effets indésirables parfois généralisés ; l'utilisation prolongée peut provoquer une atteinte de la peau du visage avec rougeur, amincissement et fragilité des téguments et apparition d'ecchymoses.

Note : prescrit sur ordonnance médicale.

DIPROSONE® → Diprolène®.

DIPROSONE® Néomycine
(Schering-Plough)

Introd. en 1974. Liste I. Remb. SS 70%.

PRINCIPES ACTIFS : pommade contenant de la bétaméthasone (dermocorticoïde de classe II) et néomycine (antibiotique local).

Emploi : traitement de les eczémas infectés et d'autres affections de la peau.

Application du produit : étaler le produit sur les lésions et le faire pénétrer par un léger massage ; éviter tout contact avec les yeux. Ne dépassez pas le nombre d'applications journalières prescrites par votre médecin (en

général 2 par jour au maximum) ; des applications trop fréquentes et l'occlusion des lésions augmentent le risque d'effets indésirables généralisés.

Durée du traitement : ne pas dépasser 8 jours.

Effets indésirables possibles : prurit, sensation de brûlure ; l'application sur de grandes surfaces ou sous un pansement occlusif peut entraîner un passage du principe actif dans la circulation sanguine, d'où l'apparition d'effets indésirables parfois généralisés ; possibilité de réactions allergiques à la néomycine ; l'utilisation prolongée peut provoquer une atteinte de la peau du visage avec rougeur, amincissement et fragilité des téguments et apparition d'ecchymoses.

Note : prescrit sur ordonnance médicale.

DIPROSTÈNE®
(Schering-Plough)

Introd. en 1977. Liste I. Remb. SS 70%.

PRINCIPE ACTIF : **Bétaméthasone**.

Préparations : suspension injectable en seringue préremplie à 7 mg.

Emploi : médicament apparenté à la cortisone utilisé en injections pour atténuer les réactions inflammatoires et allergiques, ainsi que dans le traitement de maladies telles que des allergies cutanées graves, des crises d'asthme, ou des polyarthrites évolutives. Il s'agit d'un médicament puissant qui, s'il n'est pas utilisé selon la prescription, peut provoquer des effets indésirables graves.

Durée d'action : 12-24 heures.

Pour les détails → p. 176.

Note : prescrit sur ordonnance médicale.

DIPYRIDAMOLE

SPÉCIALITÉS :
Cléridium® (Marcofina).
Coronarine® (Negma).
Diphar® (Pharbiol).
Perkod® (Biogalénique).
Persantine® (Boehringer Ingelheim).
Prandiol® (Théraplix).
Protangix® (Soekami-Lefrancq).

Emploi : *antiagrégant plaquettaire* ou antiplaquettaire qui prévient le dépôt de plaquettes sur les lésions de la paroi artérielle ; il est utilisés pour normaliser la tendance pathologique des plaquettes sanguines à l'agrégation et pour prévenir ainsi la formation de caillots sanguins, notamment chez les porteurs de prothèses valvulaires.

Précautions : ne pas employer en cas d'allergie au produit; les affections suivantes peuvent modifier l'action du médicament :
– maladies du sang avec tendance aux hémorragies;
– ulcère gastrique ou duodénal;
– hypertension artérielle.

Grossesse et allaitement : l'innocuité de ce médicament n'ayant pas été établie chez la femme enceinte, ni lors de l'allaitement, son usage est déconseillé par mesure de prudence.

Interactions : il faut informer votre médecin si vous prenez ou avez pris récemment d'autres médicaments, notamment :
– acide valproïque, céfamandole, céfopérazone, céfotétan, cefménoxime, latamoxef, pentoxifylline, sulfinpyrazone (risque accru d'hémorragies);
– anticoagulants oraux (réduction des doses en cas d'association);
– aspirine ou spécialités contenant de l'aspirine.

Prescription : ne dépassez pas la dose prescrite par votre médecin; des doses trop élevées ou des prises trop fréquentes augmentent le risque d'effets indésirables.

Oubli : si vous oubliez de prendre le médicament et si vous le remarquez dans les 2 heures qui suivent, prenez immédiatement la dose oubliée; ne doublez pas la dose suivante; si vous oubliez le médicament plusieurs jours, prenez contact avec votre médecin.

Prise du médicament : on conseille de prendre le médicament avec un verre d'eau une heure avant ou deux heures après les repas.

Autres médicaments : le dipyridamole est habituellement associé à l'aspirine ou parfois à un anticoagulant oral; ne prenez aucun autre médicament sans l'avis de votre médecin.

Café et thé : contiennent des dérivés xanthiniques qui peuvent diminuer l'efficacité du traitement.

Conduite de véhicules : assurez vous que le traitement n'entraîne ni étourdissements, ni vertiges avant de conduire des véhicules ou d'utiliser des machines.

Effets indésirables possibles :
– maux de tête, bouffées de chaleur, vertiges, étourdissements au moment de vous lever (tension trop basse ou hypotension orthostatique), nausées, vomissements, diarrhées;
– prurit, éruption cutanée (réaction allergique : arrêtez le traitement).

DIREXIODE® (Delalande)

Introd. en 1949. Liste I. Remb. SS 40%.
PRINCIPE ACTIF : *Diiodohydroxyquinoléine.*

SYNONYME : iodoquinol.

Préparations : comprimés à 210 mg.

Emploi : médicament dérivé de l'hydroxy-8-quinoléine ayant une action antiprotozoaire; il est utilisé dans le traitement de l'amibiase intestinale (amœbicide de contact).
L'utilisation dans les diarrhées aiguës présumées d'origine infectieuse n'est pas recommandée.

Précautions : ne pas employer en cas d'allergie au produit, d'affections oculaires, de maladies du foie ou des reins, d'hyperthyroïdie ou maladie de Basedow, de grossesse (a causé des malformations du fœtus au cours de l'expérimentation animale) et d'allaitement.

Prise du médicament : on conseille de prendre le médicament après les repas.

Conduite de véhicules : assurez vous que le médicament n'entraîne pas de troubles de la vue avant de conduire des véhicules ou d'utiliser des machines.

Durée du traitement : des troubles neurologiques ont été observés après traitement prolongé à hautes doses par une autre hydroxy-8-quinoléine (clioquinol), caractérisés par une myélite subaiguë, une névrite optique et une neuropathie périphérique (SMON = Subacute Myelo-Optic Neuropathy); par prudence, il est conseillé de ne pas prolonger l'administration au-delà de 4 semaines.

Arrêt du traitement : ne pas interrompre le traitement sans consulter votre médecin; ce médicament contient de l'iode qui peut modifier les résultats des tests de la fonction thyroïdienne jusqu'à 6 mois après l'arrêt du traitement.

Effets indésirables possibles :
– nausées, diarrhées, crampes, prurit anal;

– prurit, acné, éruption cutanée (réaction allergique : arrêtez le traitement);
– troubles de la vue, diminution de l'acuité visuelle (atrophie du nerf optique);
– cou enflé (hypothyroïdie ou hyperthyroïdie);
– fourmillements et faiblesse des mains et des pieds (polynévrite).

Note : prescrit sur ordonnance médicale.

DISCOTRINE® (3M Santé)

Introd. en 1992. Liste II. Remb. SS 70%.
PRINCIPE ACTIF : **Trinitrine** .
SYNONYMES : trinitrate de glycéryle, nitroglycérine, trinitroglycérine.
Préparations : système transdermique délivrant 5 mg/24 h et 10 mg/24 h.
Emploi : médicament appartenant au groupe des dérivés nitrés qui dilatent les vaisseaux sanguins, notamment les vaisseaux du cœur (coronaires) et qui sont utilisés dans le traitement des crises d'angine de poitrine (sensation de constriction douloureuse dans la poitrine pouvant irradier dans le bras gauche).
Pour les détails → p. 203.
Note : prescrit sur ordonnance médicale.

DISIPAL® (Brocades Pharma)

Introd. en 1961. Liste I. Remb. SS 70%.
PRINCIPE ACTIF : **Orphénadrine**.
Préparations : comprimés à 50 mg ou 100 mg.
Emploi : atropinique de synthèse utilisé dans la maladie de Parkinson (paralysie agitante) pour réduire le tremblement, la rigidité musculaire et l'hypersalivation; il est employé seul dans les formes débutantes de la maladie ou en association avec la lévodopa dans les formes plus avancées; il est aussi utilisé pour contrôler le torticolis spasmodique, les mouvements involontaires des yeux et les signes de maladie de Parkinson observés au début du traitement par les neuroleptiques (dyskinésies «précoces»).
Dans certains pays, ce médicament est utilisé pour traiter les crampes musculaires.
Pour les détails → p. 52.
Note : prescrit sur ordonnance médicale.

DISORLON® (Procter & Gamble)

Introd. en 1983. Liste II. Remb. SS 70%.
PRINCIPE ACTIF : **Dinitrate d'isosorbide**.
SYNONYMES : isosorbide dinitrate, ISDN.
Préparations : gélules à action prolongée à 20 mg ou 40 mg.
Emploi : médicament appartenant au groupe des dérivés nitrés qui dilatent les vaisseaux sanguins, notamment les vaisseaux du cœur (coronaires) et qui sont utilisés dans le traitement des crises d'angine de poitrine (sensation de constriction douloureuse dans la poitrine).
Pour les détails → p. 203.
Note : prescrit sur ordonnance médicale.

DISSOLURIC® (Aérocid)

Non remb. SS.
PRINCIPES ACTIFS : granulé contenant méthénamine, soufre, pipérazine, acide tartrique, benzoate de lithium.
Emploi : proposé dans la goutte et l'hyperuricémie.
Note : vendu sans ordonnance; efficacité des principes actifs à confirmer dans l'emploi proposé.

DISSOLVUROL® (Dissolvurol)

Introd. en 1956. Remb. SS 70%.
PRINCIPE ACTIF : solution buvable et suppositoires contenant de la silice colloïdale ionisée.
Emploi : proposé dans l'hyperuricémie, les arthrites et périarthrites, les calculs des reins et de la vessie.
Note : vendu sans ordonnance; efficacité du principe actif à confirmer dans l'emploi proposé.

DISTILBÈNE® (Gerda)

Introd. en 1951.
Liste I ou II. Remb. SS 70%.
PRINCIPE ACTIF : **Diéthylstilbestrol**.
SYNONYMES : D.E.S., stilbœstrol.
Préparations : comprimés à 1 mg (Liste II); comprimés à 25 mg (Liste I).
Emploi : médicament appartenant au groupe des estrogènes qui sont des hormones femelles naturelles nécessaires pour le développement des caractères sexuels de la femme et pour la régulation du cycle menstruel pendant l'âge de la procréation.
Le diéthylstilbestrol est un estrogène de synthèse non stéroïdien *strictement*

réservé au traitement des proliférations cellulaires anormales au niveau de la prostate; il ne doit en aucun cas être utilisé chez la femme enceinte ou comme contraceptif; en effet, des tumeurs du vagin ont été signalées chez les filles de mères traitées au cours de la grossesse, ainsi que des anomalies de l'appareil génital chez le garçon.

Pour les détails → p. 266.

Note : *prescrit sur ordonnance médicale.*

DISULONE® (Specia)

Introd. en 1959. Liste I. Remb. SS 70%.

PRINCIPE ACTIF : **Dapsone** .

SYNONYMES : diaphénylsulfone; diphénasone, DDS, sulfone mère.

Préparations : comprimés contenant 100 mg de dapsone [+ 200 mg d'oxalate de fer].

Emploi :
- dans la lèpre, utilisé avec d'autres antilépreux, pendant plusieurs mois ou pendant des années;
- dans la dermatite herpétiforme qui accompagne parfois la cœliakie; on associe un régime sans gluten;
- dans la polychondrite atrophiante (affection rare des cartilages de l'oreille, du nez ou du larynx); un traitement prolongé est nécessaire;
- dans les formes bénignes ou de gravité moyenne de pneumopathie à *Pneumocystis carinii*, en association avec la triméthoprime par voie orale.

Note : *prescrit sur ordonnance médicale.*

DITAVÈNE®
(Pharmadéveloppement)

Introd. en 1981. Liste I. Non remb. SS.

PRINCIPES ACTIFS : crème contenant de l'héparine (sel sodique) et digitoxine.

Emploi : proposé dans la couperose et dans d'autres affections de la peau.

Précautions : ne pas employer en cas d'eczémas et surveiller le pouls en cas d'administration prolongé.

Note : *prescrit sur ordonnance médicale.*

DITHRANOL

SPÉCIALITÉS :
Anthranol® (Stiefel).
Dithrasis® (Galderma).

Emploi : utilisé en pommade dans le traitement du psoriasis en plaques par applications de courte durée modulées par votre médecin en fonction de la tolérance individuelle et de la réponse au traitement.

Précautions :
- ne pas utiliser en cas d'allergie au produit et en cas de grossesse;
- ne pas utiliser chez l'enfant la pommade à 3%;
- avant de commencer le traitement, vérifier la tolérance au produit par un essai sur une zone limitée;
- ne pas appliquer sur les régions où la peau est fragile (visage, plis et zones génitales, cuir chevelu), sur une plaie ou une lésion suintante;
- éviter les pansements occlusifs;
- en cas de contact avec les yeux, les paupières ou les muqueuses, rincer abondamment à l'eau tiède;
- avant chaque application, les parties de la peau à traiter sont lavées à l'eau et savon et soigneusement séchées;
- les mains protégées avec des gants, la pommade est étalée en couche mince sur les lésions, en évitant de déborder sur la peau saine, et laissée durant le temps préconisé par votre médecin (en général de 10 à 30 minutes); après ce délai, la pommade est essuyée avec un mouchoir en papier et les lésions lavées pour assurer une bonne élimination du produit;
- se laver soigneusement les mains après chaque application;
- ne dépassez pas le nombre d'applications prescrites par votre médecin; des applications trop fréquentes et l'occlusion des lésions augmentent le risque d'effets indésirables;
- évitez le contact avec les vêtements pour ne pas les tacher; nettoyer le lavabo et la douche à l'aide d'un détergent javellisé.

Effets indésirables possibles :
- sensation de cuisson au moment de l'application avec rougeur de la peau à la périphérie des lésions;
- coloration brunâtre en bordure des zones traitées qui disparaît en quelques semaines.

DITHRASIS® (Galderma)

Introd. en 1988. Remb. SS 70%.

PRINCIPE ACTIF : **Dithranol**.

Préparations : pommades à 0,3%, 1% et 3%.

Emploi → Dithranol ci-dessus.

Note : *vendu sans ordonnance; à éviter en automédication.*

Si vous utilisez l'une des spécialités suivantes pour dissoudre les calculs biliaires...

SPÉCIALITÉS	
Arsacol® (Zambon).	*Délursan*® (Houdé).
Chénodex® (Houdé).	*Destolit*® (Marion Merrell Dow).
	Ursolvan® (Synthélabo).

Emploi : ces médicaments diminuent la concentration du cholestérol dans la bile et par conséquent favoriseraient la dissolution des calculs présents dans la vésicule biliaire; ils sont proposés en cas de calculs biliaires lorsque la chirurgie n'est pas indiquée ou comporterait un risque élevé; ils n'agissent que sur les calculs de cholestérol de petite dimension et uniquement si la vésicule biliaire a une fonction satisfaisante.
La rechute après l'arrêt du traitement est fréquente.

Allergie : informez votre médecin si vous avez déjà fait une réaction allergique ou inhabituelle à des médicaments contenant des acides biliaires.

Etat de santé : vous devez informer votre médecin de toute affection susceptible de modifier les effets du médicament, notamment maladies du foie, inflammation de la vésicule biliaire (cholécystite), colique hépatique dans le 3 mois qui précèdent le traitement ou coliques fréquentes, inflammation du pancréas (ou pancréatite), ulcère gastro-duodénal en phase active.

Grossesse : ces médicaments ne doivent pas être utilisés chez la femme enceinte ou susceptible de l'être; en effet, ils ont causé des lésions du foie et des reins chez le fœtus au cours de l'expérimentation animale; il est recommandé d'avoir recours à une contraception fiable chez les femmes en âge de procréer.

Allaitement : par prudence, l'utilisation est déconseillée.

Interactions : il faut informer votre médecin si vous prenez ou avez pris récemment d'autres médicaments, notamment dantrolène, méthyldopa, perhexiline, antidépresseurs IMAO, kétoconazole (risque accru de toxicité hépatique), antiacides gastriques (diminution de l'absorption).

Prescription : ne dépassez pas la dose prescrite; des doses trop élevées ou des prises trop fréquentes augmentent le risque d'effets indésirables.

Oubli : si vous oubliez de prendre le médicament et si vous le remarquez dans les 2 heures qui suivent, prenez immédiatement la dose oubliée; ne doublez pas la dose suivante.

Régime : on conseille de prendre les comprimés au cours des repas et de suivre un régime riche en fibres et pauvre en graisses.

Durée du traitement : respectez la durée de la prescription de votre médecin et n'arrêtez pas le traitement même en cas d'amélioration; en effet, la dissolution des calculs exige un traitement ininterrompu pendant 9 à 18 mois (jusqu'à 2 ans); si aucune amélioration n'est constatée après 12 mois, on conseille d'arrêter le traitement.

Surveillance : des contrôles radiologiques ou échographiques périodiques sont nécessaires pour vérifier les progrès dans la dissolution des calculs; des examens biologiques sont nécessaires pour vérifier que la fonction hépatique n'est pas modifiée et que le taux du cholestérol sanguin n'est pas augmenté par le traitement.
Consultez votre médecin immédiatement si vous avez des douleurs gastriques ou abdominales, localisées au quadrant supérieur droit et accompagnés de nausées et vomissements; ces symptômes peuvent indiquer une complication au niveau de la vésicule biliaire.

Effets indésirables possibles :
- diarrhées (peuvent demander une réduction des doses);
- perte de l'appétit;
- éruption cutanée (réaction allergique : arrêtez immédiatement le traitement).

Si vous utilisez l'un des diurétiques suivants...

DIURÉTIQUES FAVORISANT LES PERTES DE POTASSIUM

DIURÉTIQUES THIAZIDIQUES
ET APPARENTÉS :
  Brinaldix® (Sandoz).
  Chronexan® (Sarget).
  Esidrex® (Ciba-Geigy).
  Eurelix LP® (Hoechst).
  Fludex® (Biopharma).
  Hygroton-Quart® (Ciba-Geigy).

Lumitens® (Sarbach).
Naturine® (Leo).
Tenstaten® (Ipsen).
DIURÉTIQUES DE L'ANSE :
  Burinex® (Leo).
  Furosémide (Dakota).
  Furosémix® (Biogalénique).
  Lasilix® (Hoechst).

Propriétés et emploi : les diurétiques thiazidiques favorisent la production d'urine *(action diurétique)* et diminuent la tension artérielle trop élevée *(action antihypertensive)*; ils entraînent des pertes de potassium dans les urines et diminuent le taux de potassium dans le sang *(action hypokaliémiante)*.

Les diurétiques de l'anse ont une action plus puissante et de courte durée (6-8 heures) au niveau de l'anse de Henle du rein et ont l'avantage de pouvoir être utilisés en cas d'insuffisance rénale; ils favorisent aussi les pertes de potassium.

Tous ces diurétiques sont employés:
– pour assécher les œdèmes (accumulation d'eau dans les tissus) dans l'insuffisance cardiaque chronique, dans les maladies rénales avec rétention hydrique et dans la cirrhose du foie à un stade avancé;
– pour faire baisser la pression sanguine : on associe souvent un autre antihypertenseur; l'action antihypertensive ne se manifeste qu'après 3-6 semaines de traitement.

Ces diurétiques favorisent les pertes de potassium qui peuvent aboutir à une diminution du taux sanguin du potassium *(hypokaliémie)* et nécessiter des suppléments de potassium ou l'association avec un diurétique épargnant le potassium

Allergie : informez votre médecin si vous avez déjà fait une réaction allergique ou inhabituelle à un diurétique ou à un sulfamide.

Etat de santé : vous devez informer votre médecin de toute affection susceptible de modifier les effets du médicament, notamment :
– insuffisance rénale avancée (risque d'accumulation dans le sang et de diminution de l'effet diurétique);

– maladie du foie grave (risque d'encéphalopathie hépatique);
– goutte (risque de crise de goutte aiguë);
– diabète sucré (risque d'augmentation du taux du sucre dans le sang);
– inflammation du pancréas (risque d'aggravation);
– lupus érythémateux disséminé (risque d'aggravation).

Grossesse : l'administration de diurétiques ne se justifie pas dans le traitement des œdèmes ou l'hypertension gravidique; en outre, ils traverse la barrière placentaire et peuvent causer des effets indésirables chez le nouveau-né.

Allaitement : les diurétiques sont déconseillés, de faibles quantités pouvant passer dans le lait maternel.

Sportifs : les diurétiques se trouvent sur la liste des dopants interdits (Ministère de la Jeunesse et des Sports); ils donnent une réaction positive en cas de tests pratiqués lors des contrôles antidopage.

Sujets âgés : risque accru d'effets indésirables.

Interactions : il faut informer votre médecin si vous prenez ou avez pris récemment d'autres médicaments, notamment glucosides cardiotoniques ou digitaliques, *(la toxicité de la digitale est augmentée par le déficit en potassium)*, anti-inflammatoires non stéroïdiens (risque d'insuffisance rénale en cas de déshydratation), acide tiénilique, amiodarone, bépridil, quinidine, sotalol, lidoflazine, prénylamine, vincamine (risque de troubles du rythme du cœur, parfois «torsades de pointe»), corticoïdes, laxatifs irritants, amphotéricine B (aggravation des pertes de potassium), anticoagulants oraux (action

DIURÉTIQUES THIAZIDIQUES (SUITE) :

anticoagulante diminuée), sels de lithium (augmentation du taux sanguin du lithium et effets indésirables graves), metformine (association à éviter).

Prescription : ne dépassez pas la dose prescrite; des doses trop élevées ou des prises trop fréquentes augmentent le risque d'effets indésirables.

Horaire : le médicament est en général pris le matin, au petit déjeuner, en une seule fois; si une seconde dose est nécessaire, elle ne doit pas être prise en fin d'après-midi, afin que le besoin d'uriner ne perturbe pas le sommeil.

Régime : on conseille un régime riche en potassium (fruits, en particulier jus d'orange, de pamplemousse, abricots frais ou secs, légumes); si cette mesure est insuffisante, votre médecin peut soit vous prescrire des suppléments de potassium, soit associer un diurétique épargnant le potassium (→ ci-dessous).

En cas d'hypertension : votre régime doit être pauvre en sel, mais pas «sans sel strict» (un régime sans sel strict n'est pas recommandé pendant le traitement).

Autres médicaments : ne prenez aucun autre médicament sans l'avis de votre médecin.

Alcool : évitez la consommation de boissons alcoolisées, car la déshydratation peut majorer les effets de l'alcool.

Surveillance : des contrôles périodiques de la fonction rénale et des électrolytes (sels) sont nécessaires en cas de traitement prolongé.

En cas de diabète : contrôlez plus souvent votre sucre dans le sang et/ou dans les urines (les diurétiques peuvent élever le taux de sucre).

Exposition au soleil : ces médicaments peuvent rendre votre peau très sensible aux rayons solaires et ultraviolets (photosensibilisation); dans ce cas, vous devez éviter l'exposition directe au soleil et porter des vêtements qui couvrent les bras et les jambes, un chapeau et des lunettes de soleil.

Effets indésirables possibles :

– *Pertes excessives de potassium (hypokaliémie)* : fatigue, faiblesse musculaire, sécheresse de la bouche, irrégularité du pouls; ces troubles sont évités par un régime riche en potassium (beaucoup de fruits et légumes).

– *Pertes excessives d'eau (déshydratation)* : soif, fatigue, tension artérielle basse, étourdissements quand vous vous levez (hypotension orthostatique), faiblesse musculaire.

– *Réactions allergiques (rares)* : éruptions cutanées, augmentation de la sensibilité cutanée à la lumière, diminution des plaquettes ou des globules blancs dans le sang.

Autres effets indésirables occasionnels : somnolence, nausées, vomissements, douleurs au niveau de l'œsophage et de l'estomac, diarrhée, impuissance.

Si vous utilisez l'un des diurétiques suivants...

DIURÉTIQUES «ÉPARGNANT» LE POTASSIUM :

Aldactone® (Searle).   *Soludactone*® (Searle).
Modamide® (M., S. & D.-Chibret).   *Spiroctan*® (Lipha Santé).
Practon ® (Biogalénique).   *Spironone*® *Microfine* (Pharmafarm).

Propriétés et emploi : les diurétiques sont utilisés pour favoriser l'élimination de l'excès d'eau accumulée dans l'organisme; contrairement aux dérivés de la thiazide, les diurétiques «épargnant» le potassium ne provoquent pas de pertes de potassium. Ils sont utilisés dans le traitement des œdèmes cardiaques ou cirrhotiques, ainsi que dans le traitement de l'hypertension artérielle; ils sont souvent associés à un diurétique thiazidique.

En cas d'insuffisance rénale, les diurétiques épargnant le potassium peuvent causer une *élévation dangereuse du taux de potassium dans le sang (hyperkaliémie).*   →

DIURÉTIQUES ÉPARGNANT LE POTASSIUM :

Allergie : informez votre médecin si vous avez déjà fait une réaction allergique ou inhabituelle à un diurétique ou à un sulfamide.

État de santé : vous devez informer votre médecin de toute affection susceptible de modifier les effets du médicament, notamment maladies des reins, cirrhose du foie, diabète sucré non contrôlé, insuffisance corticosurrénale, maladie d'Addison, goutte (risque d'accès aigu).

Grossesse : l'administration des diurétiques ne se justifie pas dans le traitement des œdèmes ou de l'hypertension pendant la grossesse.

Allaitement : déconseillés, car de faibles quantités peuvent passer dans le lait maternel.

Régime : éviter les aliments riches en potassium, notamment les fruits (en particulier jus d'orange ou de pamplemousse, abricots frais ou secs) et les légumes, ainsi que les «sels de remplacement».

Sportifs : les diurétiques sont sur la liste des dopants interdits (Ministère de la Jeunesse et des Sports); ils donnent une réaction positive en cas de tests pratiqués lors des contrôles antidopage.

Enfants : ces médicaments ne sont pas recommandés chez l'enfant.

Sujets âgés : utilisation prudente (risque accru d'élévation du taux du potassium dans le sang).

Interactions : il faut informer votre médecin si vous prenez ou avez pris récemment d'autres médicaments, notamment :
– sels de potassium (risque d'élévation du taux du potassium dans le sang);
– sels de lithium (risque accru d'effets indésirables du lithium);
– inhibiteurs de l'enzyme de conversion (risque d'élévation du taux du potassium dans le sang);
– digitaliques (risque accru d'effets indésirables de la digitale).

Oubli : si vous oubliez de prendre le médicament et si vous le remarquez dans les 2 heures qui suivent, prenez immédiatement la dose oubliée; ne doublez pas la dose suivante.

Horaire : la dose est en général prise le matin, au petit déjeuner, en une seule fois; si une seconde dose est nécessaire, elle ne doit pas être prise en fin d'après-midi, afin que l'augmentation du volume des urines ne perturbe pas le sommeil.

Régime : en cas d'hypertension, votre régime doit être pauvre en sel, mais pas «sans sel strict»; n'utilisez pas de «sels de remplacement» qui contiennent souvent du potassium.

Alcool : évitez la consommation de boissons alcoolisées, car la déshydratation peut majorer les effets de l'alcool.

Surveillance : des contrôles périodiques de la fonction rénale et des électrolytes (sels), notamment du taux de potassium dans le sang (kaliémie), sont nécessaires en cas de traitement prolongé.

En cas de diabète : contrôlez plus souvent le taux sanguin du potassium.

Exposition au soleil : ces médicaments peuvent rendre votre peau sensible aux rayons solaires et ultraviolets (photosensibilisation); dans ce cas, vous devez éviter l'exposition directe au soleil et porter des vêtements qui couvrent les bras et les jambes, un chapeau et des lunettes de soleil.

Effets indésirables possibles :

– nausées, vomissements, diarrhées ou constipation;
– faiblesse musculaire, lourdeur des jambes, fourmillements, pouls irrégulier, somnolence, confusion (taux élevé de potassium dans le sang);
– étourdissements quand vous vous levez (tension trop basse ou hypotension orthostatique), crampes dans les mollets, vertiges, vomissements et parfois état confusionnel (hyponatrémie par restriction excessive du sel de cuisine);
– prurit, éruptions cutanées (réaction allergique : arrêtez immédiatement le traitement), jaunisse.

DITROPAN® (Debat)

Introd. en 1985. Liste II. Remb. SS 40%.
PRINCIPE ACTIF : **Oxybutynine.**
Préparations : comprimés à 5 mg.
Emploi : atropinique de synthèse provoquant un relâchement des fibres musculaires lisses du tube digestif et des voies urinaires et une diminution des sécrétions gastriques, salivaires, lacrymales et de la sudation; proposé dans les spasmes de la vessie avec besoin fréquent d'uriner.
Pour les détails → p. 56.
Note : prescrit sur ordonnance médicale.

DIVANE® (Chanteaud)

Introd. en 1990. Non remb. SS.
PRINCIPE ACTIF : comprimés contenant un extrait d'aubépine.
Emploi : proposé dans l'«éréthisme» cardiaque et la «neurotonie».
Note : vendu sans ordonnance; consultez votre médecin si les troubles persistent ou s'aggravent.

DIVINA® (Innothéra)

Introd. en 1992. Liste I.
PRINCIPES ACTIFS : comprimés blancs contenant de l'estradiol (estrogène) et comprimés bleus contenant estradiol et médroxyprogestérone (progestatif); administration séquentielle avec des pauses d'une semaine.
Emploi : l'estriol est un estrogène naturel dont la durée d'action est relativement courte utilisé par voie buccale pour corriger la carence estrogénique après la ménopause (troubles du retour d'âge) et atténuer les bouffées de chaleur, transpirations, vertiges et les symptômes de la vaginite atrophique; il est aussi utilisé pour prévenir, ralentir ou stabiliser l'ostéoporose postménopausique; le médroxyprogestérone est un progestatif qui est associé pour diminuer les risques de cancer de l'endomètre; interrompre l'administration en cas d'immobilisation prolongée et un mois avant une intervention chirurgicale.
Ce produit est un estroprogestatif non contraceptif.
Pour les détails → p. 266.
Note : prescrit sur ordonnance médicale.

DOBUTREX® (Lilly)

Introd. en 1989. Liste I.
PRINCIPE ACTIF : **Dobutamine.**
Préparations : solution pour perfusion en flacons de 250 mg dans 20 ml.
Emploi : médicament utilisé en milieu hospitalier en perfusion intraveineuse à l'aide d'une pompe à débit constant pour traiter certains états de choc et dans d'autres conditions.
Note : réservé aux hôpitaux.

DODÉCAVIT® (L'Arguenon)

Introd. en 1978. Remb. SS 40%.
PRINCIPE ACTIF : **Hydroxocobalamine.**
SYNONYME : vitamine B12.
Préparations : ampoules injectables à 10 mg.
Emploi : carences en vitamine B12.
Pour les détails → Vitamine B12.
Note : vendu sans ordonnance; le traitement doit être conduit sous surveillance médicale.

DOGMATIL® (Delagrange)

Introd. en 1969. Liste I. Remb. SS 70%.
PRINCIPE ACTIF : **Sulpiride.**
Préparations : comprimés à 200 mg; gélules à 50 mg; solution buvable à 25 mg par cuillerée à café; ampoules injectables à 100 mg dans 2 ml.
Emploi : neuroleptique du groupe des benzamides substitués utilisé :
EN MÉDECINE GÉNÉRALE (DOSES FAIBLES)
– états névrotiques avec inhibition;
– composante psychosomatique de la maladie ulcéreuse, rectocolite hémorragique, etc.;
– syndromes vertigineux.
EN PSYCHIATRIE (DOSES ÉLEVÉES)
– maladies mentales (psychoses).
Pour les détails → p. 468.
Note : prescrit sur ordonnance médicale.

DOLAL® (Biocodex)

Introd. en 1971. Remb. SS 40%.
PRINCIPES ACTIFS : liniment contenant du salicylate de phényl-3 propyle et méthoxy-5 salicylate d'éthyle.
Emploi : proposé dans le traitement local des douleurs et contusions.
Précautions : ne pas employer en cas d'allergie à l'aspirine et chez l'enfant de moins de 5 ans.
Note : vendu sans ordonnance; consultez votre médecin si la lésion persiste.

DOLCYMÈNE® (Sterling Midy)

Introd. en 1963. Non remb. SS.

PRINCIPES ACTIFS : pommade contenant du paracymène (analgésique local).

Emploi : proposé dans le traitement local des douleurs d'origine musculaire, tendineuse ou ligamentaire et dans les contractures douloureuses.

Note : vendu sans ordonnance; consultez votre médecin si les troubles persistent.

DOLGIT® (Merck-Clévenot)

Introd. en 1988. Liste II. Remb. SS 40%.

PRINCIPE ACTIF : crème contenant 5% d'ibuprofène.

Emploi : proposé comme anti-inflammatoire local pour traiter la douleur dans les tendinites, arthrites des petites articulations, entorses, contusions et phlébites.

Précautions : ne pas appliquer sur des plaies ouvertes (coupures, écorchures, etc.) ou sur de grandes surfaces; ne pas employer pendant la grossesse et l'allaitement (innocuité non établie).

Effets indésirables possibles : sécheresse de la peau, sensation de brûlure, rougeur; réactions allergiques rares sous forme d'urticaire, d'éruption cutanée (interrompre le traitement).

Note : prescrit sur ordonnance médicale.

DOLIPOL® (Hoechst)

Introd. en 1956. Liste I. Remb. SS 70%.

PRINCIPE ACTIF : **Tolbutamide**.

Préparations : comprimés à 500 mg; ampoules injectables à 1 g dans 20 ml.

Emploi : antidiabétique oral utilisé dans le diabète qui se développe chez l'adulte, dont le contrôle ne nécessite pas des injections d'insuline (diabète non insulino-dépendant de type II ou DNID) et qu'un régime seul ne peut pas équilibrer suffisamment; l'injection d'insuline dans cette forme de diabète peut cependant être nécessaire en cas de blessure ou de brûlure, d'infection grave, d'apparition d'un coma acido-cétosique, d'intervention chirurgicale ou de grossesse. L'usage de ce médicament constitue un complément à votre régime et il ne saurait en aucun cas le remplacer.

Durée d'action : 6 à 12 heures.

Pour les détails → p. 42.

Note : prescrit sur ordonnance médicale.

DOLIPRANE® (Théraplix)

Introd. en 1981. Remb. SS 70%.

PRINCIPE ACTIF : **Paracétamol**.

Préparations : comprimés à 500 mg; poudre orale en sachets à 50 mg, 125 mg ou 250 mg; suppositoires à 80 mg, 170 mg, 350 mg ou 1 g.

Emploi : utilisé pour atténuer la douleur modérée (analgésique) et pour faire tomber la fièvre (antipyrétique).

Posologie (adulte) : 1-2 comprimés à 500 mg 1 à 3 fois par jour dans un grand verre d'eau.

Prise du médicament : ménagez un intervalle minimum de 4 heures entre deux prises.

Durée du traitement : consultez votre médecin si les douleurs persistent après 5 jours ou si la fièvre ou les douleurs ne régressent pas au bout de 3 jours.

Précautions : ce médicament ne doit pas être utilisé en cas d'insuffisance rénale, hépatique ou respiratoire, de déficit congénital en G6PD ou glucose-6-phosphate déhydrogénase (enzyme du globule rouge), de grossesse, d'allaitement et chez l'enfant âgé de moins de 7 ans (sauf la forme pour enfant).

Effets indésirables possibles : respiration sifflante, éruption, ictère.

Intoxication : en cas d'ingestion massive accidentelle, hospitalisation.

Pour les détails → Paracétamol.

Note : vendu sans ordonnance; l'efficacité du paracétamol est généralement reconnue dans l'emploi proposé.

DOLKO® (Lucien)

Introd. en 1991. Remb. SS 70%.

PRINCIPE ACTIF : **Paracétamol**.

Préparations : comprimés à 500 mg; poudre pour solution buvable en sachets à 500 mg; solution buvable en flacons à 30 mg/ml; suppositoires à 80 mg ou 170 mg.

Emploi : utilisé pour atténuer la douleur modérée (analgésique) et pour faire tomber la fièvre (antipyrétique).

Posologie (adulte) : 1-2 comprimés à 500 mg 1 à 3 fois par jour dans un grand verre d'eau.

Prise du médicament : ménagez un intervalle minimum de 4 heures entre deux prises.

Durée du traitement : consultez votre médecin si les douleurs persistent après 5 jours ou si la fièvre ou les douleurs ne régressent pas au bout de 3 jours.

Précautions : ce médicament ne doit pas être utilisé en cas d'insuffisance rénale, hépatique ou respiratoire, de déficit congénital en G6PD ou glucose-6-phosphate déhydrogénase (enzyme du globule rouge), de grossesse, d'allaitement et chez l'enfant âgé de moins de 7 ans.

Effets indésirables possibles : respiration sifflante, éruption, ictère.

Intoxication : en cas d'ingestion massive, hospitalisation d'urgence.

Pour les détails → Paracétamol.

Note : vendu sans ordonnance ; l'efficacité du paracétamol est généralement reconnue dans l'emploi proposé.

DOLOBIS® (M., S. & D.-Chibret)

Introd. en 1981. Liste II. Non remb. SS.

Principe actif : *Diflunisal.*

Préparations : comprimés à 250 mg.

Propriétés : dérivé salicylé à longue durée d'action, ayant un effet analgésique périphérique.

Emploi : proposé pour soulager les douleurs rhumatismales (arthroses, arthrites), post-traumatiques (entorses, foulures, luxations, fractures) et post-opératoires.

Précautions : ce médicament ne doit pas être utilisé en cas d'allergie à l'aspirine, d'asthme, d'ulcère gastroduodénal en évolution, de maladie hémorragique ou traitement anticoagulant, d'insuffisance rénale, de grossesse et chez l'enfant.

Effets indésirables possibles : nausées, vomissements, douleurs gastriques, maux de tête ; consultez votre médecin en cas de diminution de l'audition, de bourdonnements d'oreille, de douleurs abdominales, de vomissements sanglants, de selles noires, de crise d'asthme, de prurit, d'urticaire, d'éruption cutanée.

Intoxication : conduire le malade d'urgence à l'hôpital en cas de prise massive accidentelle.

Note : prescrit sur ordonnance médicale.

DOLODENT® (Théranol)

Introd. en 1952. Non remb. SS.

Principes actifs : baume gingival contenant de l'amyléine (anesthésique local) et du chloral.

Emploi : proposé dans le traitement local des douleurs dentaires.

Note : vendu sans ordonnance ; consultez votre dentiste si les douleurs persistent.

DOLODERM® (RP Labo)

Introd. en 1954. Non remb. SS.

Principe actif : pommade contenant du diéthyl-acétylsalicylate de méthyle.

Emploi : proposé dans les douleurs d'origine musculaire et tendineuse.

Précautions : ne pas employer en cas d'allergie à l'aspirine ; ne pas appliquer sur des plaies ouvertes ou infectées ou sur les muqueuses.

Note : vendu sans ordonnance ; consultez votre médecin si les troubles persistent.

DOLOGASTRINE®
(Gifrer Barbezat)

Introd. en 1947. Non remb. SS.

Principes actifs : poudre orale contenant de la codéine (morphinique), hydroxyde de magnésium, carbonate monosodique, phosphate disodique et sulfate de sodium (purgatif).

Emploi : proposé comme pansement gastrique dans les douleurs liées aux affections de l'œsophage, de l'estomac et du duodénum.

Prise du médicament : après les repas et éventuellement au coucher.

Précautions : consultez votre médecin si les troubles persistent et en cas de douleurs ou crampes abdominales, de selles noires, d'amaigrissement, de fièvre ; ne pas utiliser en cas d'insuffisance rénale sévère ; ne pas associer des tétracyclines.

Sportifs : ce médicament peut donner une réaction positive lors des tests pour contrôle antidopage.

Conduite de véhicules : ce médicament peut diminuer la vigilance ; la conduite de véhicules ou l'utilisation de machines peut être dangereuse.

Effets indésirables possibles : somnolence, retard ou diminution de la résorption d'autres médicaments pris par la bouche (respecter un intervalle d'au moins 2 heures) ; diarrhées.

Note : vendu sans ordonnance ; utilisation limitée à cause de la présence de codéine dans un pansement gastrique.

DOLONÉVRAN® (Synthélabo)

Introd. en 1978. Liste II. Remb. SS 40%.

PRINCIPE ACTIF : *Cobamamide*.

SYNONYMES : dibencozide ; coenzyme B12

Préparations : poudre pour solution injectable en flacons à 20 mg

Emploi : coenzyme de la vitamine B12 proposé comme «antalgique» pour soulager les douleurs des névrites, polynévrites, névralgies, sciatiques etc.; l'efficacité en dehors des états de carence en vitamine B12 reste à confirmer.

Note : prescrit sur ordonnance médicale.

DOLOPAX® (Gifrer Barbezat)

Introd. en 1957. Non remb. SS.

PRINCIPES ACTIFS : pommade contenant acide salicylique, hydrate de chloral, nicotinate de méthyle, salicylates de glycol et d'amyle, essences de romarin, lavande et thym.

Emploi : proposé dans le traitement local des douleurs.

Note : vendu sans ordonnance ; consultez votre médecin si les douleurs persistent.

DOLOSAL® (Specia)

Introd. en 1943. Remb. SS 70%.

Stupéfiants (règle des 7 jours).

PRINCIPE ACTIF : *Péthidine*.

SYNONYME : mépéridine.

Préparations : ampoules injectables à 100 mg dans 2 ml.

Emploi : succédané synthétique de la morphine (action morphinomimétique sans action antagoniste), la péthidine appartient au groupe des analgésiques à action centrale, appelés aussi narcotiques ou opioïdes qui sont utilisé pour soulager la douleur ; ces médicaments agissent au niveau du système nerveux central.

A la suite d'usage répété à dose élevée, la péthidine peut provoquer une *dépendance* physique et psychique qui s'accompagne, à l'arrêt de l'administration, d'un *syndrome de sevrage ;* chez la plupart des patients, leur emploi pendant une courte période pour soulager la douleur ne provoque pas de dépendance et l'arrêt ne pose aucun problème.

La péthidine est utilisée en injections dans les douleurs intenses et rebelles aux analgésiques périphériques, notamment les douleurs post-opératoire ou post-traumatiques, les douleurs d'origine cancéreuse et la colique néphrétique ou biliaire (on associe un antispasmodique)

Pour les détails → Morphine, p. 444.

Note : prescrit sur ordonnance médicale.

DOLPYC® (Pharmeurop)

Introd. en 1936. Non remb. SS.

PRINCIPES ACTIFS : baume contenant des piments de solanacées et du chloroforme.

Emploi : proposé dans le traitement local des douleurs et contusions.

Précautions : ne doit pas être appliqué sur les plaies, dermatoses suintantes, eczéma, tissus infectés.

Note : vendu sans ordonnance ; efficacité des principes actifs à confirmer dans l'emploi proposé.

DOMISTAN® (Therval)

Introd. en 1952. Non remb. SS.

PRINCIPE ACTIF : *Histapyrrodine*.

Préparations : comprimés à 25 mg.

Emploi : antihistaminique utilisé pour prévenir et traiter les affections allergiques, notamment rhinites et conjonctivites allergiques, urticaire, rhume des foins ; l'histapyrrodine possède des propriétés sédatives et atropiniques ; ne pas utiliser chez l'enfant âgé de moins de 12 ans. On conseille de prendre le médicament le soir.

Pour les détails → p. 45.

Note : vendu sans ordonnance ; efficacité généralement reconnue dans l'emploi proposé ; tenir compte de l'effet sédatif.

DOMISTAN® Crème (Therval)

Introd. en 1952. Non remb. SS.

PRINCIPES ACTIFS : crème contenant de l'histapyrrodine (antihistaminique) et isolinoléate d'éthyle («vitamine F»).

Emploi : proposé pour calmer le prurit à la suite de piqûres d'insectes ou de végétaux.

Effets indésirables possibles : risque de sensibilisation de la peau aux rayons solaires (photosensibilisation).

Note : vendu sans ordonnance ; les antihistaminiques locaux sont allergisants ; préférer la préparation par voie orale.

DONORMYL® (Oberlin)

Introd. en 1974. Non remb. SS.

PRINCIPE ACTIF : *Doxylamine.*

Préparations : comprimés à 15 mg.

Emploi : antihistaminique ayant des propriétés sédatives et atropiniques. La doxylamine est employée pour prévenir et traiter les affections allergiques, notamment rhinites et conjonctivites allergiques, urticaire, rhume des foins ; elle est aussi proposée pour traiter l'inappétence et les troubles du sommeil chez l'adulte.

L'utilisation de ce médicament est déconseillée chez l'enfant de moins de 15 ans (risque d'arrêt respiratoire pendant le sommeil).

Pour les détails → p. 45.

Note : vendu sans ordonnance ; l'action antihistaminique et sédative du principe actif est généralement reconnue.

DONTOPIVALONE®
(Jouveinal)

Introd. en 1987. Liste II. Remb. SS 40%.

PRINCIPES ACTIFS : poudre pour bains de bouche contenant de la chlorhexidine (antiseptique local) et tixocortol (corticoïde).

Emploi : proposé comme anti-inflammatoire et antiseptique dans les affections buccales et dentaires.

Précautions : ne pas utiliser chez les enfants de moins de 30 mois.

Note : prescrit sur ordonnance médicale.

DOPAMINE

Introd. en 1976. Liste I.

Dopamine Lucien®.
Dopamine Pierre Fabre®.

Préparations : ampoules à 50 mg dans 5 ml ou 200 mg dans 5 ml.

Emploi : sympathomimétique bêta-stimulant utilisé en milieu hospitalier en perfusion intraveineuse à l'aide d'une pompe à débit constant pour traiter certains états de choc et dans d'autres conditions.

Note : réservé aux hôpitaux.

DOPERGINE® (Schering)

Introd. en 1991. Liste I. Remb. SS 70%.

PRINCIPE ACTIF : *Lisuride.*

Préparations : comprimés à 0,2 mg ou 0,5 mg.

Emploi : dérivé semi-synthétique d'un alcaloïde de l'ergot de seigle diminuant la sécrétion par l'hypophyse d'une hormone appelée *prolactine* dont l'excès produit l'écoulement de lait en dehors de la période de lactation (galactorrhée), l'absence de règles (aménorrhée) et une stérilité ; ce médicament est utilisé pour traiter ces troubles ainsi que pour arrêter la lactation après l'accouchement ; en outre, il est utilisé pour traiter la maladie de Parkinson où il stimule directement la libération de dopamine par les récepteurs spécifiques et pallie ainsi la déplétion en dopamine qui caractérise cette maladie.

Précautions : ne pas employer en cas d'allergie aux dérivés de l'ergot de seigle ; utilisation prudente en cas de maladies du foie ou des reins, de troubles circulatoires artériels périphériques et coronariens (angine de poitrine), de maladies mentales (risque d'aggravation) ; l'innocuité de ce médicament n'ayant pas été établie chez la femme enceinte, ni lors de l'allaitement, son usage est déconseillé par mesure de prudence.

Interactions : il faut informer votre médecin si vous prenez ou avez pris récemment d'autres médicaments, notamment des neuroleptiques, antidépresseurs inhibiteurs de la monoamine oxydase ou IMAO, érythromycine ou josamycine.

Prise du médicament : pour améliorer la tolérance digestive, prenez le médicament au milieu des repas.

En cas de stérilité : si, après examen gynécologique, ophtalmologique et radiologique de l'hypophyse, vous utilisez la lisuride pour traiter une stérilité due à un excès de prolactine, une grossesse peut survenir à la suite du traitement ; dans ce cas, consultez votre médecin sur l'arrêt éventuel du traitement.

En cas d'excès de prolactine : si vous utilisez la lisuride pour traiter d'autres troubles liés à un excès de prolactine, notamment un syndrome aménorrhée-galactorrhée, et si une grossesse n'est pas désirée, recourez à une contraception locale pendant toute la durée du traitement, en évitant la contraception hormonale («pilule»).

En cas de maladie de Parkinson : si vous avez une maladie de Parkinson et passez de la lévodopa à la lisuride, consultez votre médecin sur le passage progressif d'un médicament à l'autre.

Arrêt de la lactation : lorsqu'on utilise ce médicament pour arrêter la lactation, il ne faut ni mettre l'enfant au sein, ni aspirer le lait; au stade précoce d'une mastite, l'action du médicament est souvent suffisante.

Conduite de véhicules : chez certains sujets, ce médicament provoque des vertiges ou diminue la vigilance; la conduite de véhicules ou l'utilisation de machines peut être dangereuse.

Alcool : formellement déconseillé.

Arrêt du traitement : l'action du médicament ne se manifeste qu'après plusieurs semaines; n'arrêtez pas le traitement ou n'augmentez pas les doses sans consulter votre médecin.

Effets indésirables possibles :
– troubles digestifs, vertiges, étourdissements lorsque vous vous levez brusquement (tension trop basse ou hypotension orthostatique), maux de tête, bouffées de chaleur, transpirations, somnolence, sécheresse de la bouche, constipation, pâleur des extrémités;
– troubles visuels, mal de tête subit;
– vomissements, selles noires;
– évanouissement (collapsus), difficulté à respirer;
– excitation, confusion mentale, cauchemars, hallucinations, idées délirantes (sujets âgés, doses élevées).

Intoxication : nausées, vomissements, vertiges, mouvements involontaires, variations de la tension artérielle, transpirations, hallucinations.

Note : prescrit sur ordonnance médicale.

DOPS® (Fuca)

Introd. en 1919. Non remb. SS.

PRINCIPES ACTIFS : poudre orale et tablettes contenant de l'hydroxyde de magnésium, bicarbonate de sodium, carbonate de calcium, dioxyde de titane et carbonate de magnésium.

Emploi : proposé pour neutraliser l'excès d'acidité et comme pansement gastrique en cas de brûlures de l'estomac; en cas d'ulcère de l'estomac ou du duodénum, ce médicament ne doit être utilisé que sous surveillance médicale.

Précautions : consultez votre médecin si les troubles persistent et en cas de douleurs ou crampes abdominales,

de selles noires, d'amaigrissement, de fièvre; ne pas utiliser en cas d'insuffisance rénale sévère; ne pas associer certains antibiotiques (tétracyclines).

Prise du médicament : après les repas et éventuellement au coucher.

Effets indésirables possibles : retard ou diminution de la résorption d'autres médicaments pris par la bouche (respecter un intervalle d'au moins 2 heures).

Note : vendu sans ordonnance; ne pas utiliser pendant plus de 5 jours sans avis médical.

DOUDOL® (Monot)

Introd. en 1973. Non remb. SS.

PRINCIPES ACTIFS : sirop contenant de la codéthyline (antitussif opiacé), émétine (antiamibien) et chlorure d'ammonium.

Emploi : proposé pour calmer la toux irritative, sèche.

Précautions : ne pas utiliser en cas de
– asthme, insuffisance respiratoire (la diminution de la toux cause l'accumulation de mucosités dans les voies respiratoires);
– maladie du foie (l'élimination de la codéthyline est diminuée en cas d'insuffisance hépatique);
– ulcère gastro-duodénal évolutif;
– grossesse (innocuité non établie), allaitement;
– enfants âgés de moins de 15 ans (de 3 ans pour la forme pour enfant).

Durée du traitement : si la toux persiste après une semaine, si des crachats sanglants ou des effets indésirables apparaissent, arrêtez le traitement et consultez votre médecin.

Alcool : évitez les boissons alcoolisées pendant le traitement (majoration de l'effet sédatif).

Sujets âgés : risque accru d'effets indésirables; doses réduites de moitié.

Conduite de véhicules : ce médicament peut diminuer la vigilance; la conduite de véhicules ou l'utilisation de machines peut être dangereuse.

Sportifs : ce médicament peut donner une réaction positive lors des tests pour contrôle antidopage.

En cas de diabète : tenir compte de la teneur en sucre du produit.

Effets indésirables possibles : somnolence, sécheresse de la bouche, confusion, nausées, vomissements, constipation, crises d'asthme (bronchospasme), constipation, éruption cutanée (réaction allergique : arrêtez immédiatement le traitement).

Note : *vendu sans ordonnance; l'efficacité de la codéthyline est généralement reconnue, mais les autres composants ont peu d'intérêt dans l'emploi proposé.*

DOXIUM® (Delalande)

Introd. en 1971. Remb. SS 40%.

PRINCIPE ACTIF : comprimés contenant 250 mg de dobésilate de calcium.

Emploi : proposé dans le traitement des symptômes en rapport avec l'insuffisance veinolymphatique.

Précautions : consultez votre médecin en cas de suspicion de phlébite (jambes rouges et/ou chaudes, douloureuses, surtout si d'un seul côté et avec fièvre).

Effets indésirables possibles : fièvre inexpliquée, probablement due à une hypersensibilité.

Note : *vendu sans ordonnance; efficacité du principe actif à confirmer dans l'emploi proposé.*

DOXORUBICINE (Dakota)

Introd. en 1990. Liste I. Remb. SS 100%.

PRINCIPE ACTIF : *Doxorubicine*.

SYNONYMES : adriamycine.

Préparations : poudre pour solution injectable en flacons ampoules à 10 mg ou 50 mg.

Emploi : médicament appartenant au groupe des anthracyclines, utilisé en perfusion intraveineuse pour traiter les leucémies aiguës, les proliférations cellulaires anormales au niveau des ganglions lymphatiques (maladie de Hodgkin) et d'autres tumeurs, notamment du poumon, du sein, de l'estomac, de la vessie, de la thyroïde et de l'ovaire, et d'autres affections déterminées par votre médecin.

Note : *le traitement doit être pris en charge par un spécialiste.*

DOXY-100® (Elerté)

Introd. en 1986. Liste I. Remb. SS 70%.

PRINCIPE ACTIF : *Doxycycline*.

Préparations : comprimés à 100 mg.

Emploi : antibiotique dérivé de la tétracycline, mieux résorbée que

celle-ci par voie digestive et diffusant mieux dans les tissus; la doxycycline a l'avantage sur la tétracycline de pouvoir être administrée en cas d'insuffisance rénale. La doxycycline est employée dans le traitement des infections à germes sensibles, notamment infections uro-génitales et sexuellement transmissibles.

Pour les détails → p. 672.

Note : *prescrit sur ordonnance médicale.*

DOXYCLINE® (Plantier)

Introd. en 1980. Liste I. Remb. SS 70%.

PRINCIPE ACTIF : *Doxycycline*

Préparations : gélules à 100 mg.

Emploi : antibiotique dérivé de la tétracycline, la doxycycline est employée dans le traitement des infections à germes sensibles, notamment infections uro-génitales et sexuellement transmissibles.

Pour les détails → p. 672.

Note : *prescrit sur ordonnance médicale.*

DOXYGRAM® (Negma)

Introd. en 1983. Liste I. Remb. SS 70%.

PRINCIPE ACTIF : *Doxycycline*

Préparations : gélules à 100 mg.

Emploi : antibiotique dérivé de la tétracycline, la doxycycline est employée dans le traitement des infections à germes sensibles, notamment infections uro-génitales et sexuellement transmissibles.

Pour les détails → p. 672.

Note : *prescrit sur ordonnance médicale.*

DOXYLETS® (Galephar)

Introd. en 1986. Liste I. Remb. SS 70%.

PRINCIPE ACTIF : *Doxycycline*

Préparations : gélules à 100 mg.

Emploi : antibiotique dérivé de la tétracycline, la doxycycline est employée dans le traitement des infections à germes sensibles, notamment infections uro-génitales et sexuellement transmissibles.

Pour les détails → p. 672.

Note : *prescrit sur ordonnance médicale.*

DRAGÉES FUCA® (Fuca)

Introd. en 1958. Non remb. SS.

PRINCIPES ACTIFS: comprimés contenant des extraits de cascara et bourdaine (laxatifs irritant) et fucus.

Emploi : traitement de courte durée de la constipation.

Précautions : consultez votre médecin si la constipation persiste, en cas de sang dans les selles ou de selles noires, de douleurs abdominales avec diarrhée, d'amaigrissement.

L'usage prolongé risque de provoquer la «maladie des laxatifs» avec lésions de la muqueuse intestinale.

Note : vendu sans ordonnance; à éviter comme tous les laxatifs irritants.

DRAGÉES VÉGÉTALES REX® (Lehning)

Introd. en 1952. Remb. SS 40%.

PRINCIPES ACTIFS: comprimés contenant des extraits d'aloès, de cascara et bourdaine (laxatifs irritants contenant des anthraquinones), de fucus, belladone (atropinique), évonyme, extrait biliaire, gélose.

Emploi : traitement de la constipation.

Précautions : consultez votre médecin si la constipation persiste, en cas de sang dans les selles ou de selles noires, de douleurs abdominales avec diarrhée, d'amaigrissement.

L'usage prolongé risque de provoquer la «maladie des laxatifs» avec lésions de la muqueuse intestinale.

Note : vendu sans ordonnance; à éviter comme tous les laxatifs irritants.

DRAINOBYL® (Gallier)

Non remb. SS.

PRINCIPES ACTIFS: granulé contenant du salicylate, benzoate et carbonate de sodium, chlorobutanol, hexylrésorcinol, chlorure de nickel et de cobalt, teinture de boldo, romarin, combretum et pissenlit.

Emploi : «digestion difficile».

Note : vendu sans ordonnance.

DRAMAMINE® (Searle)

Introd. en 1958. Non remb. SS.

PRINCIPE ACTIF : *Dimenhydrinate.*

Préparations : comprimés à 50 mg; gélules à 50 mg; sirop à 16 mg par cuillerée à café.

Emploi : antihistaminique ayant des propriétés sédatives et atropiniques utilisé pour prévenir et traiter le «mal des transports», notamment pour atténuer les nausées, les vertiges et les vomissements dus à l'excitation de l'oreille interne par des accélérations et décélérations répétées; il est aussi proposé pour prévenir les vomissements dus à d'autres causes.

Pour les détails → p. 45.

Note : vendu sans ordonnance; l'action antihistaminique du dimenhydrinate est généralement reconnue; tenir compte de l'effet sédatif.

DRILL® pastilles (P. Fabre)

Introd. en 1984. Non remb. SS.

PRINCIPES ACTIFS : pastilles à sucer contenant chlorhexidine (antiseptique local), tétracaïne (anesthésique local), acide ascorbique (vitamine C), glycyrrhizate d'ammonium.

Emploi : anesthésique et antiseptique buccal proposé dans le «mal de gorge» de l'adulte sans fièvre.

Sportifs : ce médicament peut donner une réaction positive lors des tests pour contrôle antidopage.

En cas de diabète : tenir compte de la teneur en sucre du produit.

Effets indésirables possibles : risque de fausse route par anesthésie de la gorge, notamment chez l'enfant de moins de 12 ans.

Note : vendu sans ordonnance; ne pas utiliser pendant plus de 5 jours sans avis médical.

DROLEPTAN® (Janssen)

Introd. en 1967. Liste I. Remb. SS 70%.

PRINCIPE ACTIF : *Dropéridol.*

Préparations : solution injectable à 50 mg/10 ml (présentation hospitalière); solution buvable à 20 mg/ml.

Emploi : neuroleptique dérivé de la butyrophénone, ayant une action sédative, rapide et de brève durée, et un effet antiémétique (contre les vomissements) puissant.

Le dropéridol est utilisé pour traiter les états d'agitation au cours des maladies mentales, pour la préparation à l'anesthésie (prémédication) et dans d'autres conditions.

Pour les détails → p. 468.

Note : prescrit sur ordonnance médicale.

DROSETUX® (Dolisos)

Introd. en 1974. Non remb. SS.

Préparation homéopathique (sirop) proposée pour calmer la toux.

D.T. BIS® (Mérieux)

Introd. en 1969. Remb. SS 70%.
Vaccin diphtérique et tétanique de rappel.

D.T. COQ® (Mérieux)

Introd. en 1959. Remb. SS 70%.
Vaccin diphtérique, tétanique, coquelucheux, adsorbé sur l'hydroxyde d'aluminium.

D.T. POLIO® (Mérieux)

Introd. en 1961. Remb. SS 70%.
Vaccin diphtérique, tétanique et poliomyélitique inactivé.

D.T. VAX® (Mérieux)

Introd. en 1959. Remb. SS 70%.
Vaccin diphtérique et tétanique.

DUBOISINE® (Martinet)

Introd. en 1952. Liste I. Remb. SS 70%.
PRINCIPE ACTIF : collyre contenant 1% d'hyoscyamine (atropinique).
Emploi : collyre mydriatique (dilate la pupille), à action prolongée, utilisé dans les uvéites antérieures (iritis).
Précautions : ne pas employer en cas de glaucome par fermeture de l'angle.
Conservation : à utiliser dans les 15 jours après l'ouverture du flacon.
Note : *prescrit sur ordonnance médicale.*

DUCASE®
(Lab. Médecine Végétale)

Introd. en 1913. Non remb. SS.
PRINCIPES ACTIFS : pilules contenant
– poudre de cascara : laxatif irritant;
– oxalate ferreux;
– extraits de gentiane, de réglisse et de quassia.
Emploi : proposé dans la fatigue (ou asthénie fonctionnelle).
Précautions : consultez votre médecin si la fatigue persiste (il peut s'agir d'une dépression ou d'une autre maladie nécessitant un traitement spécifique) ou en cas d'amaigrissement; la présence de fer peut masquer une anémie ferriprive due à un saignement digestif.
Note : *vendu sans ordonnance; à éviter comme tous les laxatifs irritants.*

DULCIBLEU® (Allergan)

Introd. en 1967. Remb. SS 70%.
PRINCIPES ACTIFS : collyre contenant du méthylthioninium (bleu de méthylène) et phényléphrine (sympathomimétique vasoconstricteur).
Emploi : proposé dans les irritations de la conjonctive et des annexes («yeux rouges»).
Précautions : ne pas employer en cas de glaucome à angle fermé, d'hypertension artérielle et chez l'enfant âgé de moins de 3 ans.
Durée du traitement : ne devrait pas dépasser 5-6 jours.
Sportifs : peut donner une réaction positive en cas de tests pratiqués lors des contrôles antidopage.
Conduite de véhicules : ce médicament peut dilater les pupilles (mydriase) et provoquer des troubles visuels; la conduite de véhicules ou l'utilisation de machines peut être dangereuse en cas d'instillation répétées.
Conservation : à utiliser dans les 15 jours après l'ouverture du flacon.
Note : *vendu sans ordonnance; à éviter sans avis médical, comme tous les collyres.*

DULCICORTINE® (Allergan)

Introd. en 1965. Liste I. Remb. SS 70%.
PRINCIPES ACTIFS : collyre contenant de la néomycine (antibiotique) et de l'hydrocortisone (corticoïde).
Emploi : infections microbiennes aiguës du segment antérieur de l'œil et de ses annexes.
Précautions : ne pas employer en cas d'infections virales, fongiques ou tuberculeuses ou d'antécédents de glaucome; surveillance de la tension oculaire.
Durée du traitement : ne pas dépasser 10 jours sans contrôle médical.
Sportifs : ce médicament peut donner une réaction positive lors des tests pour contrôle antidopage.
Conservation : à utiliser dans les 15 jours après l'ouverture du flacon.
Note : *prescrit sur ordonnance médicale.*

DULCIDRINE® (Allergan)

Introd. en 1974. Non remb. SS.
PRINCIPES ACTIFS : collyre contenant de la synéphrine (vasoconstricteur) et chlorhexidine (antiseptique local).

Emploi : proposé dans les irritations de la conjonctive et des annexes («yeux rouges»).

Précautions : ne pas employer en cas de glaucome à angle fermé, d'hypertension artérielle et chez l'enfant âgé de moins de 3 ans.

Durée du traitement : ne pas dépasser 5-6 jours.

Sportifs : peut donner une réaction positive lors des tests pour contrôle antidopage.

Conduite de véhicules : ce médicament peut dilater les pupilles (mydriase) et provoquer des troubles visuels; la conduite de véhicules ou l'utilisation de machines peut être dangereuse en cas d'instillation répétées.

Conservation : à utiliser dans les 15 jours après l'ouverture du flacon.

Note : vendu sans ordonnance; à éviter sans avis médical, comme tous les collyres.

DULCILARMES® (Allergan)

Introd. en 1980. Remb. SS 70%.

PRINCIPE ACTIF : solution ophtalmique contenant de la polyvidone.
Récipients unidose à 6 mg/0,4 ml.

Emploi : utilisé dans l'insuffisance de la sécrétion des larmes («œil sec»).

Conservation : à utiliser dans les 15 jours après l'ouverture du flacon.

Note : vendu sans ordonnance; à éviter sans avis médical, comme tous les collyres.

DULCIMYXINE® (Allergan)

Introd. en 1968. Remb. SS 70%.

PRINCIPES ACTIFS : collyre et pommade ophtalmique contenant de la framycétine (antibiotique) et de la polymyxine B (antibiotique).

Emploi : proposé dans les infections bactériennes superficielles de l'œil et de ses annexes.

Conservation : à utiliser dans les 15 jours après l'ouverture du flacon.

Note : vendu sans ordonnance; à éviter sans avis médical, comme tous les collyres.

DULCION® (Allergan)

Introd. en 1986. Liste II. Remb. SS 40%.

PRINCIPE ACTIF : **Dihydroergotoxine** (dihydroergocornine, dihydroergocristine, dihydroergocryptine A et B).

SYNONYMES : co-dergocrine, codergocrine, ergoloid.

Préparations : lyophilisat oral à 4,5 mg.

Emploi : vasodilatateur périphérique dérivé de l'ergot de seigle proposé dans le traitement des troubles vasculaires cérébraux, notamment du déficit intellectuel lié au vieillissement; l'efficacité des vasodilatateurs périphériques dans ces affections reste à confirmer.

Précautions : ne pas employer en cas d'allergie aux dérivés de l'ergot de seigle, de pouls très lent, de tension artérielle très basse (hypotension), de grossesse ou allaitement, de traitement anticoagulant; ne pas associer d'autres dérivés de l'ergot de seigle.

Effets indésirables possibles : congestion nasale, nausées.

Note : prescrit sur ordonnance médicale.

DULCIPHAK® (Allergan)

Introd. en 1976. Remb. SS 70%.

PRINCIPE ACTIF : collyre contenant un dérivé organique du silicium.

Emploi : proposé dans les opacités séniles du cristallin ou cataracte (efficacité à confirmer).

Conservation : à utiliser dans les 15 jours après l'ouverture du flacon.

Note : vendu sans ordonnance; à éviter sans avis médical, comme tous les collyres.

DULCOLAX® comprimés
(Boehringer Ingelheim)

Introd. en 1963. Non remb. SS.

PRINCIPE ACTIF : **Bisacodyl**.

Préparations : comprimés à 5 mg.

Emploi : traitement de la constipation.

Précautions : le bisacodyl appartient au groupe des laxatifs stimulants ou irritants qui contiennent ou libèrent dans l'intestin (surtout dans le côlon) des substances irritantes; consultez votre médecin si la constipation persiste, en cas de sang dans les selles ou de selles noires, de douleurs abdominales, diarrhée, d'amaigrissement. L'usage prolongé peut provoquer la «maladie des laxatifs» avec lésions de la muqueuse intestinale.

Note : vendu sans ordonnance; à éviter comme tous les laxatifs irritants.

DULCOLAX® suppositoires
(Boehringer Ingelheim)

Introd. en 1963. Non remb. SS.

PRINCIPE ACTIF : **Bisacodyl**.

Préparations : suppositoires à 10 mg.

Emploi : laxatif irritant proposé dans la constipation.

Précautions : ne pas employer en cas d'hémorroïdes, de fissures anales ou de rectocolite hémorragique; consultez votre médecin si la constipation persiste, si du sang apparaît dans les selles ou en cas d'amaigrissement.

Effets indésirables possibles : irritation du rectum, brûlures anales.

Note : *vendu sans ordonnance; ne pas utiliser pendant plus de 3 jours.*

DUOFILM® (Stiefel)

Introd. en 1981. Non remb. SS.

PRINCIPES ACTIFS : solution pour application locale contenant de l'acide salicylique, acide lactique et collodion.

Emploi : proposé dans le traitement des verrues plantaires et des mains.

Précautions : appliquer strictement sur la verrue sans déborder sur la peau saine; ne pas utiliser pour les verrues du visage et des organes génitaux; consultez votre médecin en cas de saignement, de modification de la lésion ou d'apparition d'une croûte.

Effets indésirables possibles : irritation, sensation de brûlure, formation de croûtes, saignement.

Note : *vendu sans ordonnance; à éviter sans avis médical.*

DUPHALAC® (Duphar)

Introd. en 1972. Remb. SS 40%.

PRINCIPE ACTIF : **Lactulose**.

Préparations : soluté buvable à 50%.

Propriétés : laxatif osmotique qui accélère le transit intestinal et diminue l'absorption intestinale de l'ammoniac; dans le gros intestin, le lactulose est transformé en acide lactique (stimule l'activité intestinale) et en acide acétique éliminés dans les selles.

Emploi : le lactulose est utilisé dans
– la constipation (peut être administré en cas de grossesse);
– l'encéphalopathie hépatique avec hyperammoniémie (par voie buccale, par sonde digestive ou en lavement).

Précautions : ne pas employer en cas

de douleurs abdominales d'origine inconnue, de saignement rectal, d'intolérance au lactose ou au galactose.

Effets indésirables possibles : diarrhée, ballonnement.

Note : *vendu sans ordonnance; ne pas utiliser pendant plus de 5 jours sans avis médical.*

DUPHASTON® (Duphar)

Introd. en 1985. Remb. SS 70%.

PRINCIPE ACTIF : **Dydrogestérone**.

Préparations : comprimés à 10 mg.

Emploi : médicament appartenant au groupe des progestatifs qui sont des hormones femelles apparentées à la progestérone naturelle.
La dydrogestérone est une hormone synthétique utilisée notamment pour traiter
– les troubles des menstruations dus à une carence en progestérone, en particulier menstruations douloureuses (dysménorrhée), irrégularités ou absence des menstruations;
– l'endométriose, affection caractérisée par la présence anormale de tissu de revêtement de l'utérus à l'extérieur de celui-ci;
– les troubles de la ménopause (cycle artificiel, associé à un estrogène);
– avortement à répétition par insuffisance lutéale prouvée.

Pour les détails → p. 560.

Note : *médicament à utiliser sous contrôle médical.*

DURABOLIN® (Organon)

Introd. en 1959. Liste II. Non remb. SS.

PRINCIPE ACTIF : **Nandrolone**.

SYNONYMES : norandrosténolone, nortestostérone.

Préparations : ampoules injectables à 50 mg.

Emploi : médicament appartenant au groupe des anabolisants stéroïdiens (ou stéroïdes anabolisants) qui sont des dérivés de l'hormone sexuelle mâle (testostérone) dont ils conservent une certaine activité; ces médicaments sont proposés, sans preuve d'efficacité, pour favoriser la reconstitution des muscles dans les états de dénutrition, notamment chez le sujet âgé en association avec un régime riche en protéines, dans les brûlures étendues, les escarres, les suites d'interventions chirurgicales, après immobilisation prolongée et certaines ostéoporoses.

Précautions, effets indésirables possibles → p. 31.

Note : prescrit sur ordonnance médicale.

DURANEST® (Astra)

Introd. en 1977. Remb. SS 70%.

PRINCIPES ACTIFS : solution contenant 1% d'étidocaïne avec adrénaline (Liste I) ou sans adrénaline (Liste II).

Emploi : anesthésique local injectable à longue durée d'action (3-6 heures).

Note : réservé aux hôpitaux.

DUSPATALIN® (Duphar)

Introd. en 1974. Liste II. Remb. SS 40%.

PRINCIPE ACTIF : *Mébévérine.*

Préparations : comprimés et capsules à 100 mg; suspension buvable à 10 mg par ml.

Emploi : antispasmodique agissant directement sur les fibres musculaires lisses, sans action atropinique, proposé dans le traitement des spasmes intestinaux et du «côlon irritable».

Pour les détails → p. 57.

Note : prescrit sur ordonnance médicale.

DUVADILAN® (Duphar)

Introd. en 1967. Remb. SS 40%.

PRINCIPE ACTIF : *Isoxsuprine.*

Préparations : comprimés à 10 mg; ampoules injectables à 10 mg dans 2 ml.

Emploi : médicament utilisé comme dilatateur des vaisseaux périphériques, en particulier des jambes et du cerveau (efficacité à confirmer) et comme utérorelaxant dans la menace d'accouchement prématuré.

Pour les détails → p. 717.

Note : médicament à utiliser sous contrôle médical.

DUXIL® (Therval)

Introd. en 1979 Liste II. Remb. SS 70%.

PRINCIPES ACTIFS : comprimés et suspension buvable contenant de la raubasine (vasodilatateur périphérique) et de l'almitrine (stimulant respiratoire).

Emploi : proposé dans les troubles intellectuels et cérébraux d'origine ischémique (efficacité à confirmer).

Précautions : ne pas employer en cas de grossesse (innocuité non établie).

Effets indésirables possibles (liés à l'almitrine) : insomnie, anxiété, agitation, amaigrissement important, troubles de la sensibilité (paresthésies) au niveau des membres inférieurs.

Note : prescrit sur ordonnance médicale.

DYNABOLON® (Théramex)

Introd. en 1965. Liste II. Non remb. SS.

PRINCIPE ACTIF : *Nandrolone.*

SYNONYMES : norandrosténolone, nor-testostérone.

Préparations : ampoules injectables à 50 mg (undécanoate).

Emploi : médicament appartenant au groupe des anabolisants stéroïdiens (ou stéroïdes anabolisants) qui sont des dérivés de l'hormone sexuelle mâle (testostérone) dont ils conservent une certaine activité; ces médicaments sont proposés, sans preuve d'efficacité, pour favoriser la reconstitution des muscles dans les états de dénutrition, notamment chez le sujet âgé en association avec un régime riche en protéines, dans les brûlures étendues, les escarres, les suites d'interventions chirurgicales, après immobilisation prolongée et certaines ostéoporoses.

Précautions, effets indésirables possibles → p. 31.

Note : prescrit sur ordonnance médicale.

DYNAVITAL® (Monal)

Introd. en 1989. Non remb. SS.

PRINCIPES ACTIFS : gélules contenant chacune un oligo-élément (cobalt, cuivre, fluor, etc.).

Emploi : le traitement par un oligo-élément minéral est réservé à l'adulte et ne dispense pas d'un traitement spécifique éventuel.

Note : vendu sans ordonnance; efficacité à confirmer dans l'emploi proposé.

DYSKINÉBYL® (Zyma)

Introd. en 1962. Remb. SS 40%.

PRINCIPE ACTIF : capsules et solution buvable contenant du dihydroxydibutyléther (stimulant de la sécrétion de la bile).

Emploi : troubles digestifs (dyspepsie).
Précautions : ne pas employer en cas
de maladie cœliaque par intolérance
au gluten ou d'obstruction des voies
biliaires; consultez votre médecin en
cas de douleurs ou crampes abdominales d'origine indéterminée, de selles
noires, d'amaigrissement, d'urines
foncées, de douleurs de la région du
foie, de jaunisse.
*Note : vendu sans ordonnance; ne pas
utiliser pendant plus de 5 jours sans
avis médical.*

DYSPNÉ-INHAL® (Augot)

Introd. en 1936. Liste I. Non remb. SS.
PRINCIPE ACTIF : flacon avec atomiseur
délivrant 0,08-0,13 mg d'adrénaline
(ou épinéphrine) par unité de prise
(= 10 pressions sur la poire).
Emploi : aérosol proposé pour traiter
les crises d'asthme (on préfère les
bêtamimétiques) et d'œdème de la
glotte; ne pas utiliser en cas d'état de
mal asthmatique.
Précautions : ne pas employer en cas
d'angine de poitrine, cardiomyopathie obstructive, hypertension artérielle, hyperthyroïdie, glaucome à
angle fermé. Ne jamais utiliser en
position couchée.
Effets indésirables possibles : palpitations, accélération ou irrégularité du
pouls, maux de tête, étourdissements,
difficulté à respirer, nervosité, insomnie, transpirations, tremblements,
hypertension artérielle.
Note : prescrit sur ordonnance médicale.

E

EAU OXYGÉNÉE
(Gifrer Barbezat)

Introd. en 1939. Non remb. SS.
SYNONYMES : peroxyde d'oxygène, H_2O_2.
Préparations : solution aqueuse à 10
volumes (3%).
Emploi : antiseptique légèrement hémostatique, l'eau oxygénée est utilisée
dans le nettoyage des lésions cutanéo-
muqueuses, les petites plaies cutanées, les soins bucco-dentaires.
Précautions : éviter le contact avec les
yeux; conserver à l'abri de la chaleur
et de la lumière; ne pas avaler.
Note : produit vendu sans ordonnance.

EAU PRÉCIEUSE Dépensier®
(Phygiène)

Introd. en 1890. Non remb. SS.
PRINCIPES ACTIFS : solution pour application locale contenant de l'acide borique (antiseptique faible), acide
salicylique, résorcinol, tanin, para-
crésol, phénol, menthol.
Emploi : proposé dans les boutons, irritations de la peau, etc.
Précautions : ne pas employer en cas
d'allergie à l'aspirine et chez l'enfant
de moins de 30 mois.
Effets indésirables possibles : eczéma.
*Note : vendu sans ordonnance; des prin-
cipes actifs plus efficaces sont actuellement disponibles.*

ÉCAZIDE® (Bristol-Myers Squibb)

Introd. en 1988. Liste I. Remb. SS 70%.
Préparations : comprimés contenant
– captopril (50 mg) : inhibiteur de l'enzyme de conversion (Captolane®);
– hydrochlorothiazide (25 mg) : diurétique thiazidique (Esidrex®).
Emploi : association proposée pour
traiter l'hypertension artérielle.
Pour les détails : → p. 232 et p. 364.
Note : prescrit sur ordonnance médicale.

ÉCLARAN® (P. Fabre)

Introd. en 1984. Liste II. Remb. SS 70%.
PRINCIPE ACTIF : *Peroxyde de benzoyle*.
Préparations : gel aqueux ou alcoolisé
ou lotion alcoolisée à 5% et à 10%.
Emploi : utilisé en application locale
dans le traitement de l'acné.
Pour les détails → Peroxyde de ben-
zoyle.
Note : prescrit sur ordonnance médicale.

ÉDUCTYL® (Techni-Pharma)

Introd. en 1951. Remb. SS 40%.
PRINCIPES ACTIFS : suppositoires contenant du bitartrate de potassium et
bicarbonate de sodium.
Emploi : proposé dans la constipation
résistante au traitement hygiéno-
diététique et aux laxatifs non irritants.
Précautions : ne pas employer en cas
d'hémorroïdes, de fissures anales ou
de rectocolite hémorragique; consultez votre médecin si la constipation
persiste, si du sang apparaît dans les
selles ou en cas d'amaigrissement.

Effets indésirables possibles : irritation du rectum, brûlures anales.
Note : vendu sans ordonnance; ne pas utiliser pendant plus de 3 jours.

ÉDULCOR® (P. Fabre)

Introd. en 1973. Non remb. SS.
PRINCIPES ACTIFS : pâtes pectorales contenant de la gomme arabique, eucalyptus seul ou eucalyptus et menthol ou réglisse, goudron et baume de tolu.
Emploi : proposé dans les troubles de la sécrétion bronchique.
Note : vendu sans ordonnance; des principes actifs plus efficaces sont actuellement disponibles.

ÉDULCOR® codéine (P. Fabre)

Introd. en 1973. Non remb. SS.
PRINCIPES ACTIFS : pâtes pectorales contenant codéine (antitussif opiacé), baume de tolu, eau de laurier-cerise.
Emploi : proposé pour calmer la toux irritative, sèche.
Précautions : ne pas utiliser en cas de
– asthme, insuffisance respiratoire (la diminution de la toux cause l'accumulation des mucosités);
– maladie du foie;
– grossesse, allaitement;
– enfants.
Durée du traitement : si la toux persiste après une semaine, si des crachats sanglants ou des effets indésirables apparaissent, arrêtez le traitement et consultez votre médecin.
Alcool : évitez les boissons alcoolisées pendant le traitement.
Sujets âgés : risque accru d'effets indésirables; doses réduites de moitié.
Conduite de véhicules : la codéine peut diminuer la vigilance; la conduite de véhicules ou l'utilisation de machines peut être dangereuse.
Sportifs : ce médicament peut donner une réaction positive lors des tests pour contrôle antidopage.
Effets indésirables possibles : somnolence, sécheresse de la bouche, confusion, nausées, vomissements, crises d'asthme, constipation, éruption cutanée (réaction allergique : arrêtez immédiatement le traitement).
Note : vendu sans ordonnance; l'efficacité de la codéine est généralement reconnue, mais les autres composants ont peu d'intérêt dans l'emploi proposé.

EFFACNÉ® (Roche-Posay)

Introd. en 1984. Liste II. Remb. SS 70%.
PRINCIPE ACTIF : *Peroxyde de benzoyle*.
Préparations : gel dermique aqueux ou alcoolisé ou lotion alcoolisée à 5%.
Emploi : utilisé en application locale dans le traitement de l'acné.
Pour les détails → Peroxyde de benzoyle.
Note : prescrit sur ordonnance médicale.

EFFEDERM® (CS Lab.)

Introd. en 1975. Liste I.
PRINCIPE ACTIF : *Trétinoïne*.
Préparations :
– crème à 0,05% : remb. SS. 70%.;
– lotion pour application locale à 0,05% : non remb. SS.
Emploi : rétinoïde apparenté à la vitamine A (rétinol), la trétinoïne est utilisée en applications locales dans le traitement de certaines formes d'acné et dans d'autres affections de la peau (troubles de la kératinisation); elle a été proposée pour améliorer l'aspect de la peau lésée par une exposition chronique au soleil (sécurité à long terme non établie).
Pour les détails → Trétinoïne.
Note : prescrit sur ordonnance médicale.

EFFERALGAN® (Upsa)

Introd. en 1984. Remb. SS 70%.
PRINCIPE ACTIF : *Paracétamol*.
Préparations : comprimés à 500 mg; poudre orale en sachets à 80 ou 150 mg; solution buvable à 60 mg par cuillerée mesure (pour enfant).
Emploi : utilisé pour atténuer la douleur modérée (*analgésique*) et pour faire tomber la fièvre (*antipyrétique*).
Posologie (adulte) : 1-2 comprimés à 500 mg 1 à 3 fois par jour dans un grand verre d'eau.
Prise du médicament : ménagez un intervalle minimum de 4 heures entre deux prises.
Durée du traitement : consultez votre médecin si les douleurs persistent après 5 jours ou si la fièvre ou les douleurs ne régressent pas au bout de 3 jours.
Précautions : ce médicament ne doit pas être utilisé en cas d'insuffisance

rénale, hépatique ou respiratoire, de déficit congénital en glucose-6-phosphate déshydrogénase ou G6PD (enzyme du globule rouge), de grossesse, d'allaitement et chez l'enfant âgé de moins de 7 ans (sauf pour la forme pédiatrique).

Effets indésirables possibles : respiration sifflante, éruption cutanée, jaunisse.

Intoxication : hospitalisation en cas d'ingestion massive accidentelle.

Pour les détails → Paracétamol.

Note : vendu sans ordonnance ; l'efficacité du paracétamol est généralement reconnue dans l'emploi proposé.

EFFERALGAN® codéine
(Upsa)

Introd. en 1986. Liste I. Remb. SS 70%.

PRINCIPES ACTIFS : comprimés contenant
– paracétamol : analgésique à action périphérique et antipyrétique ;
– codéine : analgésique central.

Emploi : proposé pour atténuer la douleur modérée (*analgésique*) et pour faire tomber la fièvre (*antipyrétique*).

Durée du traitement : consultez votre médecin si les douleurs persistent après 5 jours ou si la fièvre ou le mal de gorge ne régressent pas au bout de 3 jours.

Précautions : ce médicament ne doit pas être utilisé en cas d'insuffisance hépatique, d'insuffisance respiratoire, de grossesse, d'allaitement et chez l'enfant âgé de moins de 15 ans.

Conduite de véhicules : ce médicament peut diminuer la vigilance ; la conduite de véhicules ou l'utilisation de machines peut être dangereuse.

Sportifs : ce médicament peut donner une réaction positive lors des tests pour contrôle antidopage.

Effets indésirables possibles : somnolence, vertiges, constipation, nausées, éruptions cutanées.

Note : prescrit sur ordonnance médicale.

EFFERALGAN® vitaminé C
(Upsa)

Introd. en 1972. Remb. SS 70%.

PRINCIPES ACTIFS : comprimés contenant du paracétamol et acide ascorbique (vitamine C).

Emploi : proposé pour atténuer la douleur modérée (*analgésique*) et pour faire tomber la fièvre (*antipyrétique*).

Durée du traitement : consultez votre médecin si les douleurs persistent après 5 jours ou si la fièvre ou le mal de gorge ne régressent pas au bout de 3 jours.

Précautions : ce médicament ne doit pas être utilisé en cas d'insuffisance hépatique, d'insuffisance respiratoire, de déficit en glucose-6-phosphate déshydrogénase ou G6PD (enzyme du globule rouge), de grossesse, d'allaitement et chez l'enfant âgé de moins de 5 ans.

Effets indésirables possibles : respiration sifflante, éruption cutanée, jaunisse.

Pour les détails → Paracétamol.

Note : vendu sans ordonnance ; l'efficacité du paracétamol est généralement reconnue, mais la présence de vitamine C a peu d'intérêt dans l'emploi proposé.

EFFICORT® (Galderma)

Introd. en 1991. Liste I. Remb. SS 70%.

PRINCIPE ACTIF : **Hydrocortisone** .

SYNONYMES : cortisol, composé F.

Préparations (acéponate) : crème dermique à 0,127%.

Emploi : corticoïde d'activité forte (classe II) utilisé en application locale pour soulager la douleur, le prurit et les signes d'inflammation et d'irritation de la peau, notamment dans l'eczéma et la dermatite allergique provoquée par le contact avec des plantes, métaux, produits de nettoyage, cosmétiques, etc. ainsi que dans les processus de lichénification.

Pour les détails → p. 205.

Note : prescrit sur ordonnance médicale.

EFFIDOSE FUCUS® (Ardeval)

Introd. en 1990. Non remb. SS.

PRINCIPE ACTIF : suspension buvable contenant du *Fucus vesiculosus*.

Emploi : proposé comme adjuvant des régimes amaigrissants.

Précautions : ne pas employer en cas d'intolérance à l'iode, de grossesse ou chez l'enfant de moins de 15 ans.

Note : vendu sans ordonnance ; efficacité du principe actif à confirmer dans l'emploi proposé.

EFFORTIL®
(Boehringer Ingelheim)

Introd. en 1959. Remb. SS 70%.

PRINCIPE ACTIF : *Etiléfrine*.

Préparations : comprimés à 5 mg; soluté buvable à 5 mg pour 10 gouttes; solution injectable en ampoules à 10 mg dans 1 ml (Liste I).

Propriétés : sympathomimétique alpha- et bêta-stimulant, ayant une action stimulante sur le cœur; il augmente le débit cardiaque et élève la tension artérielle.

Emploi : proposé pour traiter les troubles circulatoires survenant en cas d'hypotension orthostatique observés lors du changement de la position couchée à la position debout, notamment maux de tête, vertiges, étourdissements, voile noir devant les yeux, évanouissements.

Précautions : ne pas employer en cas d'hypertension artérielle, pouls rapide, troubles du rythme cardiaque, hyperthyroïdie, angine de poitrine, infarctus du myocarde, glaucome à angle fermé, adénome prostatique, grossesse; ne pas associer des bêta-bloquants ou des antidépresseurs IMAO non sélectifs.

Effets indésirables possibles : maux de tête, palpitations, accélération du pouls (tachycardie), bouffées de chaleur, agitation.

Note : vendu sans ordonnance; à éviter en automédication .

EFIMAG® (Rosa-Phytopharma)

Introd. en 1989. Remb. SS 40%.

PRINCIPE ACTIF : poudre orale contenant du pidolate de magnésium.

Emploi : utilisé dans les carences magnésiennes et proposé, en l'absence de carence, dans la spasmophilie ou tétanie constitutionnelle avec crises d'anxiété et respiration accélérée (efficacité à confirmer).

Précautions : ne pas employer en cas d'insuffisance rénale.

Effets indésirables possibles : retard ou diminution de la résorption d'autres médicaments pris par la bouche (respecter un intervalle d'au moins deux heures), diarrhée.

Note : vendu sans ordonnance; à éviter en automédication (une carence en magnésium ne peut être diagnostiquée que par votre médecin).

EFUDIX® (Roche)

Introd. en 1978. Liste I. Remb. SS 70%.

PRINCIPE ACTIF : *Fluorouracil*.

Préparations : crème dermique à 5%.

Propriétés : le fluorouracil empêche la croissance des cellules.

Emploi : crème utilisée pour traiter certaines lésions de la peau, notamment troubles de la formation de la peau de la face, du front et du cuir chevelu dus à l'âge ou à l'exposition excessive au soleil; il est aussi employé pour traiter les épithéliomas basocellulaires (proliférations anormales des cellules de la peau), la malade de Bowen et d'autres affections.

Précautions : ne pas employer en cas de grossesse ou chez l'enfant; lavez-vous soigneusement les mains après l'application; évitez toute exposition au soleil et tout contact avec les yeux et les muqueuses; la durée du traitement est de 3 à 4 semaines.

Effets indésirables possibles : irritation, rougeur, desquamation de la peau (évitez l'exposition au soleil et consultez votre médecin); ces effets apparaissent 1-2 semaines après le début du traitement et peuvent durer 1-2 mois après l'arrêt.

Note : prescrit sur ordonnance médicale.

ÉKIMOL® (Sterling Midy)

Non remb. SS.

PRINCIPES ACTIFS : pommade contenant des extraits d'arnica et de *Tamus communis*.

Emploi : proposé dans les douleurs des articulations et des muscles et les petits traumatismes.

Note : vendu sans ordonnance; consultez votre médecin si les douleurs persistent.

EKTOGAN® (Hoechst)

Introd. en 1905. Non remb. SS.

PRINCIPES ACTIFS : poudre pour application locale et pommade contenant des peroxydes de zinc et de magnésium, oxyde de zinc et lactose.

Emploi : antiseptique proposé dans le traitement des lésions cutanées susceptibles de se surinfecter, notamment érythème solaire, gerçures.

Précautions : utilisation prudente en cas de lésions suintantes.

Note : vendu sans ordonnance; consultez votre médecin si les lésions persistent.

ÉLASE® (Parke-Davis)

Introd. en 1969. Remb. SS 40%.

PRINCIPES ACTIFS : pommade contenant de la fibrinolysine et de la désoxyribonucléase.

Emploi : proposé pour la détersion enzymatique des plaies dans les ulcères d'origine veineuse, les plaies chroniques et les brûlures.

Note : vendu sans ordonnance; à éviter sans avis médical.

ÉLAVIL® (M., S. & D.-Chibret)

Introd. en 196. Liste I. Remb. SS 70%.

PRINCIPE ACTIF : *Amitriptyline*.

Préparations : comprimés à 10 mg ou 25 mg .

Emploi : antidépresseur du groupe des tricycliques, ayant une action sédative et atropinique, utilisé dans le traitement des états dépressifs de l'adulte et parfois pour traiter les douleurs rebelles aux médicaments contre la douleur habituels.

L'amitriptyline a été proposée chez l'enfant qui «mouille» son lit (énurésie nocturne sans lésion organique).

Pour les détails → p. 40.

Note : prescrit sur ordonnance médicale.

ELDISINE® (Lilly)

Introd. en 1983. Liste I.

PRINCIPE ACTIF : *Vindésine*.

Préparations : poudre pour solution injectable en flacons à 1 mg ou 4 mg.

Emploi : dérivé semi-synthétique de la vinblastine (alcaloïde extrait de la pervenche); la vindésine appartient au groupe des «poisons du fuseau» et est utilisée par voie intraveineuse pour traiter les proliférations cellulaires anormales, notamment au niveau du poumon, du sein et de l'œsophage, les leucémies lymphoblastiques aiguës, les lymphomes malins et dans d'autres affections déterminées par votre médecin.

Note : réservé aux hôpitaux.

ÉLECTROPHYTAL® (Boiron)

Préparation homéopathique (gélules) proposée dans les furoncles et plaies infectées (efficacité à confirmer).

ÉLÉNOL® et ÉLENTOL®
(Gerda)

Introd. en 1959 et 1950. Non remb. SS.

PRINCIPE ACTIF : *Lindane*.

SYNONYMES : hexachlorocyclohexane, hexachlorure de gamma-benzène.

Préparations :
Crème à 1% + amyléine 0,6% *(Elénol®)*.
Poudre à 0,8% *(Élentol®)*.

Emploi : antiparasitaire externe utilisé en applications locales;
– la poudre est utilisées dans le traitement des pédiculoses (poux adultes et lentes de la tête, du corps et du pubis) et dans la désinfection des vêtements et literie en cas de gale et de poux de corps;
– la crème est utilisée dans le traitement de la gale et autres acarioses (août ats, sarcoptes, tiques) et des poux de la tête (l'amyléine associée est un anesthésique local).

Précautions : ne pas utiliser chez les enfants âgés de moins de 2 ans, en cas de grossesse ou d'allaitement; éviter les applications prolongées (le contact avec la peau doit être limité à 12 heures pour l'adulte et à 6 heures pour l'enfant) ou répétées; ne pas appliquer sur la peau lésée, les yeux ou les muqueuses.

Effets indésirables possibles : irritation, prurit, rougeur, eczéma (réaction allergique : arrêtez le traitement).

Intoxication : en cas d'ingestion accidentelle ou de résorption à travers la peau (peau lésée, jeune enfant), possibilité d'agitation, vomissements, crampes musculaires et convulsions qui demandent une aide médicale d'urgence; en outre, possibilité de lésion du foie et de la moelle osseuse (diminution du nombre des globules dans le sang).

Conservation : mettre hors de portée des enfants.

Note : vendu sans ordonnance; efficacité généralement reconnue dans l'emploi proposé.

ELISOR® (Bristol-Myers Squibb)

Introd. en 1991. Liste I. Remb. SS 70%.

PRINCIPE ACTIF : *Pravastatine*.

Préparations : comprimés à 20 mg.

Emploi : médicament appartenant au groupe des hypolipidémiants qui sont utilisés pour abaisser les taux du cholestérol et des triglycérides dans le sang (graisses ou lipides sanguins).

La pravastatine appartient à la famille des inhibiteurs de la HMG-CoA réductase et est utilisée lorsque les taux du cholestérol et des triglycérides dans le sang restent trop élevés malgré un régime adapté, poursuivi correctement pendant 3-6 mois.

Pour les détails → p. 353.

Note : prescrit sur ordonnance médicale.

ÉLIXIR BONJEAN®
(Thépénier)

Introd. en 1900. Non remb. SS.

PRINCIPES ACTIFS : solution alcoolique à 18° contenant des extraits d'orange amère, mélisse, anis vert, cumin, cachou, menthe.

Emploi : proposé dans les troubles de la digestion.

Note : vendu sans ordonnance; efficacité des principes actifs à confirmer dans l'emploi proposé.

ÉLIXIR DE BOULEAU
(Weleda)

Introd. en 1949. Non remb. SS.

PRINCIPE ACTIF : sirop contenant un extrait de bouleau.

Emploi : proposé dans les troubles de la digestion et des fonctions rénales.

Note : vendu sans ordonnance; efficacité du principe actif à confirmer dans l'emploi proposé.

ÉLIXIR DUPEYROUX®
(Noguès)

Introd. en 1898. Non remb. SS.

PRINCIPES ACTIFS : solution buvable contenant créosote, gaïacol, iode, tanin, phosphate calcique, acide phosphorique, chlorhydrique et lactique.

Emploi : proposé dans le traitement des troubles de la sécrétion bronchique.

Note : vendu sans ordonnance; des principes actifs plus efficaces sont actuellement disponibles.

ÉLIXIR GREZ
chlorhydropepsique® (Monin)

Introd. en 1900. Remb. SS 40%.

PRINCIPES ACTIFS : vin médicinal contenant pepsine, acide chlorhydrique, noix vomique, teinture de gentiane et d'oranges amères.

Emploi : proposé dans l'hypochlorhydrie gastrique, vomissements de la grossesse et de la tuberculose, etc.

Note : vendu sans ordonnance; efficacité des principes actifs à confirmer dans l'emploi proposé.

ÉLIXIR PARÉGORIQUE
(Lipha)

Introd. en 1970. Liste I. Non remb. SS.

PRINCIPE ACTIF : solution buvable contenant de la teinture d'opium benzoïque à 50%.

Emploi : traitement de la diarrhée.

Précautions : ne pas utiliser chez l'enfant de moins de 30 mois et en cas de rectocolite hémorragique; administration prudente chez le sujet âgé; ne pas employer en cas de douleurs abdominales d'origine indéterminée, de selles noires, d'amaigrissement, de jaunisse; consultez votre médecin si la diarrhée persiste après 48 heures, si des glaires et du sang apparaissent dans les selles; dans les diarrhées d'origine infectieuse dues à des bactéries ou à des protozoaires, des traitements spécifiques sont parfois indispensables; en outre, surtout chez les enfants, la déshydratation qui accompagne toute diarrhée aiguë demande avant tout une réhydratation par voie orale ou par injection dans les cas graves.

Effets indésirables possibles : apparition d'une dépendance en cas de traitement prolongé.

Note : prescrit sur ordonnance médicale.

ÉLIXIR SPARK®
(Médecine Végétale)

Introd. en 1913. Non remb. SS.

PRINCIPES ACTIFS : solution buvable contenant des extraits de séné et de cascara (laxatifs irritants), boldo, artichaut, houblon, orange amère, gentiane, sauge, camomille, absinthe, quassia, chicorée, colombo, centaurée.

Emploi : troubles digestifs, constipation.

Précautions : consultez votre médecin si la constipation persiste, en cas de sang dans les selles ou de selles noires, de douleurs abdominales avec diarrhée, d'amaigrissement. L'usage prolongé risque de provoquer des lésions de la muqueuse intestinale.

Note : vendu sans ordonnance; à éviter comme tous les laxatifs irritants.

ÉLIXIR contre la toux (Weleda)

Introd. en 1949. Non remb. SS.
PRINCIPES ACTIFS : sirop contenant de l'ipéca, anis vert, douce-amère, droséra, malt, marrube blanc, pulsatilla, thym.
Emploi : proposé dans les affections respiratoires avec encombrement bronchique.
Note : vendu sans ordonnance; des principes actifs plus efficaces sont actuellement disponibles.

ELOHES® (Biosedra)

Introd. en 1990.
PRINCIPE ACTIF : **Hydroxyéthylamidon.**
Préparations : solution injectable pour perfusion à 6% en flacons de 6 g.
Emploi : succédané du plasma.
Note : réservé à l'usage hospitalier.

ELUDRIL® (Inava)

Introd. en 1968. Remb. SS 40%.
PRINCIPES ACTIFS :
– collutoire : chlorhexidine, poloxamère et tétracaïne;
– bain de bouche : chlorhexidine, docusate sodique et chloroforme;
– tablettes : chlorhexidine, tétracaïne et acide ascorbique.
Emploi : anesthésique et antiseptique buccal proposé dans le «mal de gorge» de l'adulte sans fièvre.
Note : vendu sans ordonnance; consultez votre médecin si les troubles persistent ou s'aggravent.

ÉLUSANES® gélules
(Plantes et Médecines)

Introd. en 1987-1991. Non remb. SS.
Gamme de produits phytothérapiques comportant des gélules contenant chacune un extrait d'une plante médicinale.

ELVORINE® (Lederle)

Introd. en 1992.
PRINCIPE ACTIF : **Folinate de calcium** (forme lévogyre).
SYNONYMES : lévofolinate de calcium.
Préparations : poudre pour solution injectable en flacons à 25 mg, 50 mg ou 175 mg.
Propriétés : la forme lévogyre du folinate de calcium a les mêmes effets que la forme racémique (Lederfoline®), mais est deux fois plus active.
Emploi : sel de l'acide folique utilisé
– comme antidote dans le surdosage accidentel des médicaments antagonistes de l'acide folique (antifoliques), notamment méthotrexate, triméthoprime, pyriméthamine, pentamidine, triamtérène et phénytoïne;
– dans le traitement de certaines anémies dites «mégaloblastiques» dues à une carence en acide folique ou aux médicaments antifoliques.
Précautions : ce médicament ne doit pas être utilisé pour traiter l'anémie pernicieuse car il améliore les symptômes de l'anémie, mais ne protège pas le patient de la progression du syndrome neurologique.
Effets indésirables possibles : troubles digestifs, réactions allergiques rares.
Note : réservé aux hôpitaux.

ÉMINASE® (SmithKline Beecham)

Introd. en 1990. Liste I.
PRINCIPE ACTIF : **Anistreplase.**
SYNONYME : APSAC (Anisoylated Plasminogen Streptokinase Activator Complex).
Préparations : poudre pour solution injectable en flacon à 30 UI.
Emploi : utilisé en milieu hospitalier pour dissoudre les caillots de sang qui se sont formés dans certains vaisseaux, notamment du cœur et des poumons, et qui empêchent la circulation du sang.
Pour les détails → p. 681.
Note : réservé aux hôpitaux.

ENANTONE® LP (Takeda)

Introd. en 1989. Liste I. Remb. SS 70%.
PRINCIPE ACTIF : **Leuproréline.**
SYNONYME : leuprolide.
Préparations : poudre pour solution injectable [à libération prolongée], flacon à 3,75 mg dans 2 ml.
Emploi : analogue de la gonadoréline (LH-RH) entraînant une stimulation initiale de la sécrétion des hormones gonadotropes (FSH, LH) suivie après 2-4 semaines d'une inhibition de cette sécrétion aboutissant à une diminution des taux de la testostérone chez l'homme et de l'estradiol chez la femme («castration pharmacologi-

que») réversible en 4 semaines après l'arrêt du traitement.

La leuproréline est utilisée en injections dans le traitement

– chez l'homme, des proliférations cellulaires anormales au niveau de la prostate avec métastases;

– chez la femme, de l'endométriose à localisation génitale ou extragénitale. La préparation à libération prolongée est injectée toutes les 4 semaines.

Effets indésirables possibles :

– chez l'homme : impuissance, sueurs froides, bouffées de chaleur, fourmillements ou picotements aux extrémités, difficulté à uriner, faiblesse des jambes, éruption cutanée.

– chez la femme : bouffées de chaleur, maux de tête, modification de la libido, sécheresse vaginale; déminéralisation des os (ostéoporose) en cas d'administration prolongée; si des règles trop abondantes surviennent au cours du traitement de l'endométriose, il faut consulter votre médecin pour en rechercher la cause.

Note : prescrit sur ordonnance médicale.

ENCÉPHABOL®
(Merck-Clévenot)

Introd. en 1971. Liste I. Remb. SS 40%.
PRINCIPE ACTIF : **Pyritinol**.
Préparations : comprimés à 100 mg.
Emploi : dérivé sulfhydrilé, utilisé autrefois comme activateur du métabolisme cérébral, et actuellement proposé comme antirhumatismal rémissif dans le traitement de fond de la polyarthrite rhumatoïde évolutive lorsque la radiologie met en évidence des érosions cartilagineuses et osseuses évolutives. En raison des effets indésirables graves, l'emploi est limité aux cas résistants aux autres traitements; comme les effets ne se manifestent qu'au bout de 2-3 mois, il est très important que vous continuez pendant ce délai le traitement prescrit par votre médecin; si aucun résultat n'est obtenu après ce délai, le traitement doit être interrompu.
Pour les détails → p. 55.
Note : prescrit sur ordonnance médicale.

ENDIUM®
(Europhta)

Introd. en 1992. Remb. SS 40%.
PRINCIPE ACTIF : comprimés contenant 300 mg de diosmine.

Emploi : proposé dans le traitement des symptômes en rapport avec l'insuffisance veinolymphatique (jambes lourdes, etc.) ou la fragilité capillaire.
Précautions : ne pas utiliser pendant la grossesse et l'allaitement; consultez votre médecin en cas de suspicion de phlébite (jambes rouges et/ou chaudes, douloureuses, surtout si d'un seul côté et avec fièvre).
Note : vendu sans ordonnance; efficacité du principe actif à confirmer dans l'emploi proposé.

ENDOLIPIDE® (Bruneau)

Introd. en 1986.
PRINCIPES ACTIFS : émulsion injectable contenant huile de soja, lécithine d'œuf et glycérol.
Emploi : utilisé dans l'alimentation artificielle parentérale pour fournir un apport calorique important sous un volume faible.

ENDHOMÉTROL® (Boiron)

Préparation homéopathique (ovules) proposée dans les «affections vaginales».

ENDOPANCRINE® → Insuline.

ENDOTÉLON® (Labaz)

Introd. en 1978. Remb. SS 40%.
PRINCIPE ACTIF : comprimés contenant un extrait de pépins de raisin (titré en oligomères procyanidoliques).
Emploi : proposé dans l'insuffisance veineuse et lymphatique.
Précautions : consultez votre médecin en cas de suspicion de phlébite (jambes rouges et/ou chaudes, douloureuses, surtout si d'un seul côté et avec fièvre).
Note : vendu sans ordonnance; efficacité du principe actif à confirmer dans l'emploi proposé.

ENDOXAN ASTA® (Sarget)

Introd. en 1974. Liste I. Remb. SS 100%.
PRINCIPE ACTIF : **Cyclophosphamide**.
Préparations : comprimés à 50 mg; poudre pour solution injectable en flacons à 100 mg ou 500 mg.
Emploi : agent alkylant appartenant au groupe des moutardes azotées admi-

nistré par voie buccale, en injections ou perfusions veineuses (à l'hôpital). Le cyclophosphamide agit sur les cellules lymphatiques et est utilisé pour traiter certaines maladies caractérisées par une prolifération excessive des lymphocytes dans les leucémies lymphatiques chroniques, la maladie de Hodgkin et d'autres proliférations cellulaires anormales au niveau des ganglions lymphatiques ainsi que dans le traitement de certaines tumeurs des os, des bronches, des testicules et de l'ovaire.

Comme le cyclophosphamide déprime le système immunitaire (immunodépresseur), il est aussi utilisé pour traiter les maladies dites «auto-immunes», notamment la polyarthrite rhumatoïde sévère, le lupus érythémateux disséminé et certaines affections rénales.

Note : *le traitement doit être pris en charge par un spécialiste.*

ENGERIX® → Vaccin antihépatite B.

ENTECET® (Gallier)

Introd. en 1992. Remb. SS 40%.

PRINCIPES ACTIFS: comprimés contenant de l'orge germé, amylase, lipase et protéase fongiques.

Emploi : troubles de la digestion.

Note : *vendu sans ordonnance; ne pas utiliser pendant plus de 5 jours sans avis médical.*

ENTERCINE® (Robapharm)

Introd. en 1969. Liste I. Remb. SS 40%.

PRINCIPES ACTIFS : gélules contenant :
- dihydrostreptomycine : antibiotique aminoside (abandonné);
- sulfaguanidine : sulfamide antibactérien (actuellement peu utilisé);
- homatropine (méthylbromure) : antispasmodique atropinique;
- broxyquinoline : antiprotozoaire.

Emploi : proposé dans les diarrhées aiguës présumées d'origine bactérienne (sans selles sanglantes ou purulentes).

Précautions : ne pas employer en cas d'insuffisance rénale, de déficit en glucose-6-phosphate déshydrogénase ou G6PD, glaucome par fermeture de l'angle, hypertrophie de la prostate, grossesse et allaitement, de douleurs abdominales d'origine indéterminée, de selles noires, d'amaigrissement, de jaunisse; dans les diarrhées d'origine infectieuse dues à des bactéries ou à des protozoaires, des traitements spécifiques sont parfois indispensables; en outre, surtout chez l'enfant, la déshydratation qui accompagne toute diarrhée aiguë demande avant tout une réhydratation par voie orale ou par injection dans les cas graves.

Durée du traitement : la durée du traitement ne doit pas dépasser 4 jours.

Effets indésirables possibles : sécheresse de la bouche, vision trouble ou auditifs, constipation, difficulté à uriner (chez les prostatiques), confusion mentale ou agitation (sujets âgés).

Note : *prescrit sur ordonnance médicale.*

ENTÉROMUCILAGE®
(Bayer Pharma)

Introd. en 1958. Non remb. SS.

PRINCIPES ACTIFS : granulé contenant de la gomme de sterculia (laxatif de lest), thiamine (vitamine B1) et nicotinamide (vitamine PP).

Emploi : constipation occasionnelle.

Prise du médicament : toujours boire de l'eau avec chaque prise.

Durée du traitement : ne pas dépasser quelques jours.

Précautions : ne pas employer en cas de maladies inflammatoires de l'intestin ou de douleurs abdominales de cause inconnue; évitez une utilisation prolongée; consultez votre médecin si la constipation persiste ou en cas de selles noires ou de présence de sang dans les selles.

Note : *vendu sans ordonnance; l'efficacité de la gomme de sterculia est généralement reconnue, mais les autres composants ont peu d'intérêt dans l'emploi proposé.*

ENTÉROPATHYL®
(Pharminter)

Non remb. SS.

PRINCIPE ACTIF : **Sulfaguanidine**

Préparations : comprimés à 0,5 g.

Emploi : sulfamide antibactérien intestinal proposé dans les diarrhées aiguës «toxi-alimentaires».

Précautions : ne pas employer en cas d'allergie aux sulfamides, de grossesse, de maladies du sang, d'insuffisance rénale ou hépatique, de déficit en G6PD (anomalie héréditaire d'un enzyme dans les globules rouges), de présence de sang ou de glaire dans les selles.

Effets indésirables possibles : consultez votre médecin si la diarrhée persiste après 48 heures; arrêtez le traitement si du sang apparaît dans les selles ou en cas d'éruption cutanée, de jaunisse, d'urines orangées.

Note : vendu sans ordonnance; les sulfamides intestinaux sont actuellement peu utilisés.

ÉNURÉTINE® (Le Marchand)

Introd. en 1973. Liste I. Remb. SS 70%.
PRINCIPES ACTIFS: comprimés contenant
– phénobarbital : barbiturique à action prolongée;
– isopropamide : spasmolytique atropinique;
– éphédrine : sympathomimétique;
– vitamine E, vitamine B1 (thiamine).

Emploi : proposé dans l'incontinence d'urine; l'utilisation est limitée du fait de la présence de phénobarbital qui n'est pas recommandé en dehors du traitement de l'épilepsie.

Précautions : ne pas employer chez l'enfant âgé de moins de 15 ans, en cas de angine de poitrine, hypertension artérielle, fonctionnement excessif de la glande thyroïde (hyperthyroïdie), glaucome, rétention urinaire, porphyries, insuffisance respiratoire, grossesse, allaitement.

Conduite de véhicules : ce médicament peut diminuer la vigilance; la conduite de véhicules ou l'utilisation de machines peut être dangereuse.

Alcool : évitez les boissons alcoolisées pendant le traitement (majoration de l'effet sédatif).

Sportifs : ce médicament peut donner une réaction positive lors des tests pour contrôle antidopage.

Effets indésirables possibles :
– phénobarbital : somnolence, confusion mentale, éruptions cutanées;
– éphédrine : palpitations, accélération ou irrégularité du pouls, maux de tête, étourdissements, transpiration, nervosité, tremblements, insomnie;
– isopropamide : sécheresse de la bouche, du nez et de la gorge, troubles visuels, accélération du pouls, palpitations, bouffées de chaleur, nausées,

constipation, difficulté à uriner (chez les prostatiques), confusion mentale ou agitation (sujets âgés).

Note : prescrit sur ordonnance médicale.

ÉOLÈNE® (Fisons)

Introd. en 1990. Liste I. Remb. SS 70%.
PRINCIPE ACTIF : **Salbutamol**.
SYNONYME : albuterol.
Préparations : aérosol-doseur (bouffées à 100 µg).
Emploi : bêtamimétique employé en inhalation pour traiter les crises d'asthme
Pour les détails → p. 37.
Note : prescrit sur ordonnance médicale.

ÉOSINE DEMEL® (Lab. CPF)

Introd. en 1982. Non remb. SS.
PRINCIPE ACTIF : solution aqueuse à 2% d'éosine.
Emploi : antiseptique faible de la peau utilisé en application locale.

ÉOSINE ALCOOLIQUE
(Gifrer Barbezat)

Introd. en 1987. Non remb. SS.
PRINCIPE ACTIF : solution alcoolique à 2% d'éosine.
Emploi : antiseptique faible de la peau utilisé en application locale.

ÉOSINE AQUEUSE
(Gifrer Barbezat)

Introd. en 1977. Non remb. SS.
PRINCIPE ACTIF : solution aqueuse à 2% d'éosine.
Emploi : antiseptique faible de la peau.

ÉOSINE AQUEUSE (Gilbert)

Introd. en 1989. Non remb. SS.
PRINCIPE ACTIF : solution aqueuse à 2% d'éosine.
Emploi : antiseptique faible de la peau.

ÉPANAL® UN et DEUX (Bouchara)

Introd. en 1934. Non remb. SS.
PRINCIPES ACTIFS : comprimés Epanal® UN et Epanal® DEUX contenant respectivement 10 mg et 20 mg de phénobarbital et 30 mg d'extrait d'aubépine.
Emploi : proposés dans les troubles du sommeil et l'anxiété.

Note : *vendu sans ordonnance; à éviter en raison de la présence de phénobarbital qui n'est pas recommandé comme somnifère ou sédatif.*

ÉPANAL® CINQ (Bouchara)

Introd. en 1934. Liste II. Non remb. SS.
PRINCIPES ACTIFS: comprimés contenant 50 mg de phénobarbital, sans aubépine.
Emploi : proposés dans le traitement de l'épilepsie.
Pour les détails → Phénobarbital.
Note : *prescrit sur ordonnance médicale.*

ÉPHYDION® (Marcofina)

Introd. en 1955. Liste I. Remb. SS 40%.
PRINCIPES ACTIFS : solution buvable, sirop et comprimés contenant
– codéthyline : antitussif opiacé;
– éphédrine : vasoconstricteur sympathomimétique;
– belladone : spasmolytique atropinique;
– grindélia, doséra, benzoate de sodium et sulfogaïacol (sirop).
Emploi : proposé pour calmer la toux irritative, sèche.
Précautions : ne pas employer en cas d'asthme, d'insuffisance respiratoire, d'hypertrophie de la prostate, de glaucome à angle fermé, d'ulcère gastro-duodénal évolutif, de grossesse (innocuité non établie), allaitement; ne pas employer chez l'enfant âgé de moins de 15 ans.
Durée du traitement : si la toux persiste après une semaine, si des crachats sanglants ou des effets indésirables apparaissent, arrêtez le traitement et consultez votre médecin.
Alcool : évitez les boissons alcoolisées pendant le traitement (majoration de l'effet sédatif).
Sujets âgés : risque accru d'effets indésirables.
Conduite de véhicules : ce médicament peut diminuer la vigilance; la conduite de véhicules ou l'utilisation de machines peut être dangereuse.
Sportifs : ce médicament peut donner une réaction positive lors des tests pour contrôle antidopage.
Effets indésirables possibles :
– codéthyline : somnolence, vertiges, constipation, nausées, éruptions cutanées, crises d'asthme (bronchospasme).

– éphédrine : palpitations, accélération ou irrégularité du pouls, maux de tête, étourdissements, nervosité, transpirations, insomnie, tremblements;
– belladone : sécheresse de la bouche, du nez et de la gorge, vision trouble, accélération du pouls, palpitations, bouffées de chaleur, nausées, constipation, difficulté à uriner (chez les prostatiques), confusion mentale ou agitation (sujets âgés).
Note : *prescrit sur ordonnance médicale.*

ÉPHYDROL® (Saunier-Daguin)

Introd. en 1946. Non remb. SS.
PRINCIPES ACTIFS: crème et solution pour application locale contenant de la formaldéhyde, camphre, térébenthine, essences de lavande, bergamote, citron, menthol, saligénine, sanicle (teinture).
Emploi : proposé dans la transpiration excessive et la mauvaise odeur (bromidrose) notamment des pieds.
Précautions : ne pas utiliser chez les enfants de moins de 7 ans.
Note : *vendu sans ordonnance.*

ÉPHYNAL® (Roche)

Introd. en 1939. Remb. SS 40%.
PRINCIPE ACTIF : **Tocophérol.**
SYNONYME : alpha-tocophérol, vitamine E.
Préparations : comprimés à 100 mg.
Emploi : carences en vitamine E.
Pour les détails → Vitamine E.
Note : *vendu sans ordonnance; à éviter en automédication (une carence en vitamines ne peut être diagnostiquée que par votre médecin).*

ÉPIPHANE® (Biorga)

Introd. en 1992. Non remb. SS.
PRINCIPE ACTIF : poudre orale contenant de la gélatine en sachets à 7 g (arôme pamplemousse).
Emploi : ongles et cheveux fragiles.
Note : *vendu sans ordonnance; efficacité à confirmer dans l'emploi proposé; les ongles et les cheveux fragiles peuvent être le signe d'une maladie générale (consultez votre médecin).*

EPITOPIC® (Gerda)

Introd. en 1978. Liste I. Remb. SS 70%.
PRINCIPE ACTIF : *Difluprednate*.
Préparations : crème à 0,02%; gel à 0,05%.
Emploi : corticoïde fluoré d'activité forte (classe II) utilisé en application locale pour soulager la douleur, le prurit et les signes d'inflammation et d'irritation de la peau, notamment dans l'eczéma et la dermatite allergique provoquée par le contact avec des plantes, métaux, produits de nettoyage, cosmétiques, etc. ainsi que dans les processus de lichénification.
Pour les détails → p. 205.
Note : prescrit sur ordonnance médicale.

EPPY® (Allergan)

Introd. en 1976. Liste I. Remb. SS 70%.
PRINCIPE ACTIF : *Epinéphrine* ou *adrénaline*.
Préparations : collyre à 1%.
Emploi : sympathomimétique utilisé en collyre dans le glaucome chronique à angle ouvert et pour diminuer la pression intraoculaire élevée et contrôle périodique de la tension intraoculaire.
Précautions : ne pas employer en cas de glaucome par fermeture de l'angle; utilisation prudente en cas de maladie cardiovasculaire, d'hypertension artérielle, d'angine de poitrine ou de diabète.
Effets indésirables possibles : sensations de brûlure et de picotement, maux de tête; rarement accélération du pouls, hypertension artérielle par résorption du médicament dans la circulation générale; dilatation de la pupille (mydriase active); risque d'accès de glaucome aigu chez les sujets prédisposés à angle iridocornéen étroit ou ayant des antécédents de glaucome à angle fermé.
Conservation : à utiliser dans les 15 jours après l'ouverture du flacon.
Note : prescrit sur ordonnance médicale.

EPREX® (Cilag)

Introd. en 1989. Liste I.
PRINCIPE ACTIF : *Epoétine alfa*.
SYNONYMES : érythropoïétine humaine recombinante, r-HuEPO.
Préparations : ampoules injectables à 2.000 U, 4.000 U ou 10.000 U/1 ml.

Emploi : l'époétine synthétique (recombinante) a les mêmes propriétés que l'érythropoïétine naturelle qui est normalement sécrétée par les reins et qui stimule la production de globules rouges par la moelle osseuse; lorsque la sécrétion de l'époétine naturelle est insuffisante, la production de globules rouges diminue et une anémie apparaît; tel est le cas, par exemple, de l'anémie des insuffisants rénaux chroniques dialysés; cette anémie peut être traitée par des injections d'époétine synthétique.

Ce médicament est aussi utilisé dans le traitement de l'anémie des insuffisants rénaux chroniques non dialysés et de l'anémie provoquée par la zidovudine chez des patients atteints de SIDA.

L'époétine est habituellement injectée par un médecin ou une infirmière après une séance de dialyse; des contrôles réguliers de la tension artérielle, du taux d'hémoglobine dans le sang et d'autres examens sont essentiels pour ajuster les doses, éviter les effets indésirables et assurer l'efficacité du traitement.

Sportifs : ce médicament donne une réaction positive en cas de tests pratiqués lors des contrôles antidopage; l'administration d'époétine constitue un «dopage sanguin» susceptible de stimuler la production de globules rouges et de modifier artificiellement les capacités des personnes participant à des compétitions et manifestations sportives (Ministère de la Jeunesse et des Sports).

Effets indésirables possibles :
– hypertension artérielle, accélération du pouls, maux de tête;
– convulsions, souvent liées à une crise hypertensive (augmentation trop rapide du taux l'hémoglobine dans le sang);
– fièvre, frissons, douleurs musculaires et osseuses, transpirations apparaissant 1-2 heures après l'injection et régressant en 12 heures environ (pseudogrippe);
– réactions allergiques cutanées, bouffissure des paupières (œdème palpébral);
– thrombose au point d'injection.
Note : conditions particulières de délivrance.

ÉPURAM® (Pharmafarm)

Introd. en 1972. Remb. SS 40%.

PRINCIPES ACTIFS: comprimés contenant arginine, ornithine et citrulline (acides aminés).

Emploi : proposé dans les troubles hépatiques fonctionnels.

Note : vendu sans ordonnance; efficacité des principes actifs à confirmer dans l'emploi proposé.

ÉQUANIL® (Clin Midy)

Introd. en 1967. Liste I. Remb. SS 70%. La durée de prescription ne peut dépasser 12 semaines.

PRINCIPE ACTIF : *Méprobamate*.

SYNONYME : procalmadiol.

Préparations : comprimés à 250 mg ou 400 mg; ampoules injectables à 400 mg dans 5 ml.

Emploi : tranquillisant utilisé dans l'anxiété et les contractures douloureuses.

Précautions : ne pas employer en cas d'allergie au produit, d'insuffisance respiratoire, de porphyrie, de myasthénie, de tendance à l'alcoolisme ou à la toxicomanie, de dépression.
Ce médicament ne doit pas être utilisé chez la femme enceinte ou susceptible de l'être; en effet, il a causé des malformations du fœtus dans l'expérimentation animale.
Utilisation prudente chez le sujet âgé.
L'emploi de ce médicament est déconseillé chez l'enfant.

Alcool : évitez les boissons alcoolisées pendant le traitement.

Risque de dépendance : évitez tout traitement prolongé à doses élevées qui peut provoquer une dépendance et un syndrome de sevrage lors de l'arrêt brusque (avec troubles du sommeil, transpirations, tremblements, tension musculaire, nausées, crampes d'estomac, vomissements, tremblements, convulsions et confusion mentale); si vous avez développé une dépendance, consultez votre médecin qui pourra vous conseiller une diminution progressive des doses sur plusieurs semaines avant l'arrêt complet du traitement.

Conduite de véhicules : il faut éviter la conduite de véhicules ou l'utilisation de machines pendant le traitement à cause de sensations vertigineuses ou d'ébriété causées par le médicament.

Effets indésirables possibles : somnolence diurne, sensations ébrieuses, vertiges, troubles de l'équilibre, marche hésitante par action relaxante sur les muscles; parfois réactions paradoxales avec excitation et irritabilité, euphorie; urticaire, éruption cutanée (réaction allergique : arrêtez immédiatement le traitement).

Intoxication : sommeil très profond, respiration superficielle, évolution vers le coma; un traitement d'urgence à l'hôpital peut être nécessaire.

Pour les détails → p. 695.

Note : prescrit sur ordonnance médicale.

EQUIBAR® (Biogalénique)

Introd. en 1982. Liste I. Remb. SS 70%.

PRINCIPE ACTIF : *Méthyldopa*.

SYNONYME : alphaméthyldopa.

Préparations : comprimés à 250 mg ou 500 mg.

Emploi : médicament appartenant au groupe des antihypertenseurs utilisés pour faire baisser la tension artérielle et qui agissent en diminuant les impulsions nerveuses qui vont du cerveau au cœur et aux vaisseaux à travers les nerfs sympathiques; ces médicaments dilatent les vaisseaux, diminuent par conséquent la résistance au passage du sang et réduisent le travail cardiaque; en même temps, le rythme cardiaque est ralenti (bradycardie).
La méthyldopa est utilisée pour traiter l'hypertension artérielle, souvent en association avec un diurétique.

Durée d'action : 6-12 heures.

Pour les détails → p. 47.

Note : prescrit sur ordonnance médicale.

EQUILIUM® (Fumouze)

Introd. en 1984. Liste I. Remb. SS 70%.

PRINCIPE ACTIF : *Tiapride*.

Préparations : comprimés à 100 mg; ampoules injectables à 100 mg/2 ml.

Emploi : neuroleptique du groupe des benzamides substitués utilisé pour traiter

– les tics et les mouvements anormaux choréiformes (antidyskinétique);

– les douleurs intenses et rebelles;

– les états d'agitation et d'agressivité, notamment chez le sujet alcooliques.

Pour les détails → p. 468.

Note : prescrit sur ordonnance médicale.

ÉRACINE® (Sterling Winthrop)

Introd. en 1982. Liste I. Remb. SS 70%.
PRINCIPE ACTIF : **Rosoxacine**.
Préparations : comprimés à 150 mg.
Emploi : médicament appartenant aux groupe des quinolones
– utilisé dans le «traitement-minute» des gonococcies aiguës non compliquées de l'homme et de la femme, notamment chez les sujets allergiques aux bêta-lactamines; le traitement simultané du partenaire est recommandé; en outre, au moment du traitement et 3 mois après, il faut contrôler la sérologie de la syphilis car ce médicament est inactif contre cette maladie.
– proposé, en complément de la réhydratation, dans le traitement des diarrhées aiguës présumées d'origine bactérienne (sans selles sanglantes ou purulentes).
Pour les détails → p. 579.
Note : prescrit sur ordonnance médicale.

ERCÉFURYL® (Synthélabo)

Introd. en 1964. Liste II. Remb. SS 40%.
PRINCIPE ACTIF : **Nifuroxazide**.
Préparations : gélules à 100 mg ou 200 mg; suspension buvable à 220 mg par cuillerée-mesure.
Emploi : dérivé du nitrofurane proposé, en complément de la réhydratation, dans le traitement des diarrhées aiguës présumées d'origine bactérienne (sans selles sanglantes ou purulentes); en l'absence d'une altération de la muqueuse intestinale, ce médicament n'est pratiquement pas résorbé par le tube digestif.
Précautions : ne pas employer en cas d'allergie au produit ou à un autre dérivé du nitrofurane, de maladies intestinales chroniques, grossesse et allaitement (innocuité non établie).
Alcool : peut provoquer un malaise, des bouffées de chaleur, une rougeur de la face et du cou, une accélération du pouls (tachycardie) et d'autres troubles (effet «antabuse»).
Durée du traitement : ne pas dépasser 7 jours; si aucune amélioration ne se manifeste, on arrête le traitement après 3 jours.
Effets indésirables possibles : prurit, éruption cutanée (réaction allergique : arrêtez le traitement).
Note : prescrit sur ordonnance médicale.

ERCÉVIT® (Synthélabo)

Introd. en 1977. Remb. SS 40%.
PRINCIPES ACTIFS: comprimés contenant rutoside propylsulfonate de sodium et acide ascorbique (vitam. C).
Emploi : proposé dans les troubles de la fragilité capillaire et dans l'insuffisance veineuse et lymphatique (jambes lourdes, etc.).
Précautions : consultez votre médecin en cas de suspicion de phlébite (jambes rouges et/ou chaudes, douloureuses, surtout si d'un seul côté et avec fièvre). Ne pas utiliser pendant la grossesse.
Effets indésirables possibles : nausées.
Note : vendu sans ordonnance; efficacité des principes actifs à confirmer dans l'emploi proposé.

ERGADYL® (RP Labo)

Introd. en 1963. Non remb. SS.
PRINCIPES ACTIFS: comprimés contenant phosphocréatinine, fumarate de potassium et succinate de N-méthylcolamine.
Emploi : proposé dans la fatigue.
Précautions : consultez votre médecin si la fatigue persiste (il peut s'agir d'une dépression ou d'une autre maladie nécessitant un traitement spécifique) ou en cas d'amaigrissement.
Note : vendu sans ordonnance; efficacité des principes actifs à confirmer dans l'emploi proposé.

ERGODOSE® (Murat)

Introd. en 1987. Liste II. Remb. SS 40%.
PRINCIPE ACTIF : **Dihydroergotoxine** (dihydroergocornine, dihydroergocristine, dihydroergocryptine A et B).
SYNONYMES : co-dergocrine, codergocrine, ergoloid.
Préparations : capsules à 4,5 mg (dose quotidienne unique).
Emploi : vasodilatateur périphérique dérivé de l'ergot de seigle proposé dans le traitement des troubles vasculaires cérébraux, notamment du déficit intellectuel lié au vieillissement; l'efficacité des vasodilatateurs périphériques dans ces affections reste à confirmer.
Précautions : ne pas employer en cas d'allergie aux dérivés de l'ergot de seigle, de pouls très lent, de tension

artérielle très basse (hypotension), de grossesse ou allaitement, de traitement anticoagulant; ne pas associer d'autres dérivés de l'ergot de seigle.

Effets indésirables possibles : congestion nasale, nausées.

Note : prescrit sur ordonnance médicale.

ERGOKOD® (Biogalénique)

Introd. en 1985. Liste II. Remb. SS 40%.

PRINCIPE ACTIF : **Dihydroergotoxine** (dihydroergocornine, dihydroergocristine, dihydroergocryptine A et B).

Préparations : solution buvable à 0,05 mg par goutte.

Emploi : vasodilatateur périphérique dérivé de l'ergot de seigle proposé dans le traitement des troubles vasculaires cérébraux, notamment du déficit intellectuel lié à la sénescence; l'efficacité des vasodilatateurs périphériques dans ces affections reste à confirmer.

Précautions : ne pas employer en cas d'allergie aux dérivés de l'ergot de seigle, de pouls très lent, de tension artérielle très basse (hypotension), de grossesse ou allaitement, de traitement anticoagulant; ne pas associer d'autres dérivés de l'ergot de seigle.

Effets indésirables possibles : congestion nasale, nausées.

Note : prescrit sur ordonnance médicale.

ÉRY® (Bouchara)

Introd. en 1979. Liste I. Remb. SS 70%.

PRINCIPE ACTIF : **Erythromycine**.

Préparations : comprimés à 500 mg : granulé en sachet à 125 mg (nourrissons) ou 250 mg (enfants).

Emploi : antibiotique du groupe des macrolides largement utilisé par voie buccale ou en injections pour traiter les infections dues à des bactéries (inefficace dans les infections à virus); l'érythromycine peut remplacer la pénicilline ou les tétracyclines chez les sujets allergiques.

Pour les détails → p. 415.

Note : prescrit sur ordonnance médicale.

ÉRYCOCCI® (Pharmafarm)

Introd. en 1984. Liste I. Remb. SS 70%.

PRINCIPE ACTIF : **Erythromycine**.

Préparations : granulé pour suspension buvable en sachets à 250 mg, 500 mg ou 1000 mg.

Emploi : antibiotique du groupe des macrolides largement utilisé par voie buccale ou en injections pour traiter les infections dues à des bactéries (inefficace dans les infections à virus); l'érythromycine peut remplacer la pénicilline ou les tétracyclines chez les sujets allergiques à ces médicaments.

Pour plus de détails → p. 415.

Note : prescrit sur ordonnance médicale.

ÉRYFLUID® (P. Fabre)

Introd. en 1984. Liste I. Remb. SS 70%.

PRINCIPE ACTIF : **Erythromycine**.

Préparations : solution alcoolique à 4% pour application locale.

Emploi : antibiotique macrolide utilisé en application locale dans le traitement de l'acné, notamment des formes à dominante inflammatoire.

Précautions : ne pas employer en cas d'antécédentes d'allergie à l'érythromycine; ne pas appliquer en proximité de l'œil; un emploi prolongé peut provoquer l'apparition de bactéries résistantes à l'antibiotique.

Effets indésirables possibles : irritation, prurit, sensation de brûlure, sécheresse et rougeur de la peau.

Note : prescrit sur ordonnance médicale.

ÉRYPHAR® (Diophar)

Introd. en 1992. Liste I. Remb. SS 70%.

PRINCIPE ACTIF : **Erythromycine**.

Préparations : granulé en sachets à 0,5 g ou 1 g; granulé pour sirop à 200 mg par cuillerée mesure.

Emploi : antibiotique du groupe des macrolides largement utilisé par voie buccale ou en injections pour traiter les infections dues à des bactéries; l'érythromycine peut remplacer la pénicilline ou les tétracyclines chez les sujets allergiques à ces médicaments.

Pour les détails → p. 415.

Note : prescrit sur ordonnance médicale.

ÉRYTÉAL® (P. Fabre)

Introd. en 1988. Non remb. SS.

PRINCIPES ACTIFS : pommade contenant de l'huile de foie de morue et de flétan, de l'oxyde de zinc et du cétrimonium.

Emploi : proposé dans le traitement de l'érythème fessier du nourrisson et des brûlures superficielles.
Note : vendu sans ordonnance; consultez votre médecin si les troubles persistent.

ÉRYTHROCINE® (Abbott)

Introd. en 1977. Liste I. Remb. SS 70%.
PRINCIPE ACTIF : *Erythromycine*.
Préparations : comprimés à 500 mg : granulé en sachet à 250 mg, 500 mg ou 1000 mg; granulé pour sirop à 250 mg ou 500 mg par 5 ml; flacons pour perfusion à 1 g.
Emploi : antibiotique du groupe des macrolides largement utilisé par voie buccale ou en injections pour traiter les infections dues à des bactéries (inefficace dans les infections à virus); l'érythromycine peut remplacer la pénicilline ou les tétracyclines chez les sujets allergiques à ces médicaments.
Pour les détails → p. 415.
Note : prescrit sur ordonnance médicale.

ÉRYTHROGEL® (Biorga)

Introd. en 1984. Liste I. Remb. SS 70%.
PRINCIPE ACTIF : *Erythromycine*.
Préparations : gel alcoolique à 4% pour application locale.
Emploi : antibiotique macrolide utilisé en application locale dans le traitement de l'acné, notamment des formes à dominante inflammatoire.
Précautions : ne pas employer en cas d'antécédentes d'allergie à l'érythromycine; ne pas appliquer en proximité de l'œil; un emploi prolongé peut provoquer l'apparition de bactéries résistantes à l'antibiotique.
Effets indésirables possibles : irritation, prurit, sensation de brûlure, sécheresse et rougeur de la peau.
Note : prescrit sur ordonnance médicale.

ÉRYTHROGRAM® (Negma)

Introd. en 1983. Liste I. Remb. SS 70%.
PRINCIPE ACTIF : *Erythromycine*.
Préparations : poudre orale en sachets à 500 mg ou 1000 mg.
Emploi : antibiotique du groupe des macrolides largement utilisé par voie buccale ou en injections pour traiter les infections dues à des bactéries (inefficace dans les infections à virus);

l'érythromycine peut remplacer la pénicilline ou les tétracyclines chez les sujets allergiques.
Pour les détails → p. 415.
Note : prescrit sur ordonnance médicale.

ÉRYTHROMYCINE (Bailleul)

Introd. en 1991. Liste I Remb. SS 70%.
PRINCIPE ACTIF : *Erythromycine*.
Préparations : solution alcoolique à 4% pour application locale.
Emploi : antibiotique macrolide utilisé en application locale dans le traitement de l'acné, notamment des formes à dominante inflammatoire.
Précautions : ne pas employer en cas d'antécédentes d'allergie à l'érythromycine; ne pas appliquer en proximité de l'œil; un emploi prolongé peut provoquer l'apparition de bactéries résistantes à l'antibiotique.
Effets indésirables possibles : irritation, prurit, sensation de brûlure, sécheresse et rougeur de la peau.
Note : prescrit sur ordonnance médicale.

ÉRYTHROTON® (Lipha Santé)

Introd. en 1956. Remb. SS 40%.
PRINCIPE ACTIF : comprimés contenant du bétaïnate ferreux (15 mg en fer).
Emploi : traitement de l'anémie ferriprive.
Pour les détails → p. 279.
Note : vendu sans ordonnance; à éviter en automédication.

ESBERIVEN® (Boots Pharma)

Introd. en 1964. Remb. SS 40%.
PRINCIPES ACTIFS :
– solution buvable et injectable : rutoside et extrait de mélilot;
– crème : héparine et extrait de mélilot.
Emploi : proposé dans le traitement de l'insuffisance veineuse et lymphatique (jambes lourdes, etc.) et dans les hémorroïdes.
Précautions : consultez votre médecin en cas de suspicion de phlébite (jambes rouges et/ou chaudes, douloureuses, surtout si d'un seul côté et avec fièvre) ou d'apparition de sang dans les selles.
Note : vendu sans ordonnance; efficacité des principes actifs à confirmer dans l'emploi proposé.

ESCINOGEL® (Doms-Adrian)

Introd. en 1972. Remb. SS 40%.

PRINCIPES ACTIFS : gel pour application locale contenant du baméthan (sympathomimétique) et de l'aescine.

Emploi : proposé dans l'insuffisance veineuse et lymphatique (jambes lourdes, etc.).

Précautions : consultez votre médecin en cas de suspicion de phlébite (jambes rouges et/ou chaudes, douloureuses, surtout si d'un seul côté et avec fièvre).

Note : vendu sans ordonnance; efficacité des principes actifs à confirmer dans l'emploi proposé.

ESIDREX® (Ciba-Geigy)

Introd. en 1960. Liste II. Remb. SS 70%.

PRINCIPE ACTIF : **Hydrochlorothiazide.**

Préparations : comprimés à 25 mg.

Emploi : diurétique thiazidique qui favorise la diurèse (production d'urine, élimination de l'eau et du sodium) et a une action antihypertensive (diminution d'une tension artérielle anormalement élevée). Il favorise les pertes de potassium dans les urines et entraîne une diminution du taux de potassium dans le sang (hypokaliémie).

Emplois rares de l'hydrochlorothiazide :

– certaines formes de diabète insipide (production fortement augmentée d'urines claires, sans augmentation du sucre dans le sang); l'hydrochlorothiazide diminue paradoxalement la production d'urine dans cette maladie;

– pour réduire l'excrétion excessive de calcium dans les urines dans l'hypercalciurie idiopathique (trouble du métabolisme du calcium d'origine inconnue) et prévenir la formation de calculs urinaires.

Durée d'action : 6-12 heures.

Sportifs : ce médicament se trouve sur la liste des dopants interdits (Ministère de la Jeunesse et des Sports); il donne une réaction positive en cas de tests pratiqués lors des contrôles antidopage.

Pour les détails → p. 232.

Note : prescrit sur ordonnance médicale.

ESIMIL® (Ciba-Geigy)

Introd. en 1969. Liste I. Remb. SS 70%.

PRINCIPES ACTIFS: comprimés contenant
– guanéthidine (10 mg) : sympatholytique post-ganglionnaire (Isméline®);
– hydrochlorothiazide (25 mg) : diurétique thiazidique (Esidrex®).

Emploi : médicament appartenant au groupe des antihypertenseurs utilisés pour faire baisser la tension artérielle; ces médicaments dilatent les vaisseaux et diminuent par conséquent la résistance au passage du sang, réduisent le travail cardiaque et préviennent les crises douloureuses d'angine de poitrine; cette spécialité est une association d'un antihypertenseur (guanéthidine) qui abaisse la tension artérielle élevée en inhibant la libération de la noradrénaline par les terminaisons nerveuses sympathiques post-ganglionnaires et d'un diurétique thiazidique.

Pour les détails → p. 48 et p. 232.

Note : prescrit sur ordonnance médicale.

ESPÉRAL® (Millot-Solac)

Introd. en 1950. Liste I. Remb. SS 70%.

PRINCIPE ACTIF : **Disulfirame.**

Préparations : comprimés à 500 mg.

Emploi : utilisé dans la prévention des rechutes lors du traitement de l'alcoolisme chronique, en association avec d'autres formes de traitement non médicamenteuses; il s'agit d'un médicament dangereux (on conseille de commencer le traitement en milieu hospitalier, ensuite le patient sera revu périodiquement par le médecin).

Le disulfirame agit en bloquant l'enzyme qui assure la transformation de l'acétaldéhyde qui est normalement produite dans l'organisme à partir de l'alcool; lorsque le patient traité absorbe de l'alcool, la transformation de l'alcool est bloqué au stade d'acétaldéhyde auquel sont dus les troubles décrits sous le nom d'effet «antabuse» (Antabus® est le nom d'une spécialité vendue à l'étranger)

Durée d'action : l'interaction avec l'alcool dure environ une semaine après l'arrêt du traitement.

Allergie : informez votre médecin si vous avez déjà fait une réaction allergique ou inhabituelle à ce médicament.

Etat de santé : vous devez informer votre médecin de toute affection susceptible d'être aggravée par les effets du disulfirame, notamment, maladies du cœur et des vaisseaux, angine de poitrine, épilepsie, maladies du foie ou des reins, diabète sucré, insuffisance de la thyroïde (hypothyroïdie).

Grossesse et allaitement : l'innocuité n'ayant pas été établie chez la femme enceinte, ni lors de l'allaitement, son usage est déconseillé par prudence.

Régime : les boissons et aliments contenant de l'alcool peuvent provoquer une réaction avec le disulfirame.

Sujets âgés : doses réduites.

Interactions : il faut informer votre médecin si vous prenez ou avez pris récemment d'autres médicaments, notamment :

– anticoagulants oraux (majoration de l'effet anticoagulant);

– phénytoïne (élévation des concentrations plasmatiques de la phénytoïne dont les doses doivent être réduites);

– isoniazide (troubles du comportement et de l'équilibre);

– métronidazole et autres dérivés nitro-imidazolés (bouffées délirantes, état confusionnel).

Prise du médicament : on conseille de prendre le médicament tous les jours à la même heure le matin.

Alcool : 24 heures avant de prendre ce médicament et *pendant toute la durée du traitement*, vous devez éviter toute boisson alcoolisée, ainsi que des aliments et des médicaments contenant de l'alcool (élixirs, teintures, bains de bouche, lotions, etc.; informez-vous auprès de votre pharmacien).

Effet «antabuse» : si vous prenez le disulfirame, même une quantité infime d'alcool peut provoquer une réaction très déplaisante, appelée «effet antabuse», qui comporte notamment un malaise, des bouffées de chaleur, une rougeur de la face et du cou, l'injection des conjonctives, des palpitations, des maux de tête, une difficulté à respirer, des nausées, des vomissements, une accélération du pouls (tachycardie), une baisse de la tension artérielle (hypotension) et un collapsus si vous ingérez une grande quantité d'alcool; cette réaction peut durer une ou plusieurs heures et peut laisser le sujet dans un état inconscient; elle peut se produire en cas

d'absorption d'alcool jusqu'à une semaine après l'arrêt du traitement.

Autres médicaments : ne prenez aucun autre médicament sans l'avis de votre médecin; évitez en particulier les sédatifs, tranquillisants et somnifères.

Conduite de véhicules : assurez-vous que le médicament n'entraîne ni troubles de la vue, ni vertiges avant de conduire des véhicules ou d'utiliser des machines.

Effets indésirables possibles :

– nausées, vomissements, vertiges, impuissance, insomnie, maux de tête, goût métallique de la bouche, baisse de la mémoire;

– éruption cutanée (réaction allergique : arrêtez immédiatement le traitement).

– traitement prolongé : troubles de la vue (névrite optique); altérations de l'humeur; fourmillements et faiblesse des mains et des pieds (polynévrite);

Association avec l'alcool à doses élevées : chute de la tension artérielle (collapsus), troubles du rythme cardiaque, crise d'angine de poitrine, œdème pulmonaire ou cérébral; on a signalé des cas de mort par hémorragie méningée ou infarctus du myocarde.

Note : prescrit sur ordonnance médicale.

ESSENCE ALGÉRIENNE®
(Toulade)

Introd. en 1905. Non remb. SS.

PRINCIPES ACTIFS : solution pour inhalation et application locale contenant eucalyptus, menthol et gaïacol

Emploi : proposé dans la congestion des voies aériennes supérieures.

Note : vendu sans ordonnance; ne pas utiliser pendant plus de 5 jours sans avis médical.

ESTRACYT® (Kabi Pharmacia)

Introd. en 1981. Liste I. Remb. SS 100%.

PRINCIPE ACTIF : *Estramustine*.

Préparations : gélules à 140 mg (base).

Emploi : médicament appartenant au groupe des moutardes azotées utilisé pour traiter les proliférations cellulaires anormales au niveau de la prostate.

L'estramustine est la combinaison d'un estrogène avec la chlormétine (Caryolysine®).

Note : le traitement doit être pris en charge par un spécialiste.

ESTRADERM TTS®
(Ciba-Geigy)

Introd. en 1988. Liste II. Non remb. SS.
PRINCIPE ACTIF : **Estradiol.**
SYNONYME : dihydrofolliculine.
Préparations : système transdermique adhésif délivrant 25 µg, 50 µg ou 100 µg/24 heures, à renouveler tous les 4 jours.
Emploi : estrogène utilisé pour corriger la carence estrogénique après la ménopause (âge critique) et atténuer les bouffées de chaleur, transpirations, vertiges et les symptômes de la vaginite atrophique; il est aussi utilisé pour prévenir, ralentir ou stabiliser l'ostéoporose postménopausique en association avec un progestatif pour diminuer les risques de cancer de l'endomètre; dans le traitement de l'insuffisance ovarienne survenant avant ou après la puberté (hypogonadisme), il est utilisé en alternance avec un progestatif pour établir ou maintenir un cycle artificiel; interrompre le traitement en cas d'immobilisation prolongée.
Le médicament est utilisé par voie transdermique à l'aide d'un adhésif qui, appliqué sur la peau, délivre l'hormone directement dans la circulation sanguine.
Pour les détails → p. 266.
Note : prescrit sur ordonnance médicale.

ESTROFEM® sans estriol
(Novo Nordisk)

Introd. en 1992. Liste II. Non remb. SS.
PRINCIPES ACTIFS: comprimés contenant 2 mg d'estradiol (17ß).
Emploi : médicament appartenant au groupe des estrogènes qui sont des hormones femelles naturelles produites par les ovaires et nécessaires pour le développement des caractères sexuels de la femme et pour la régulation du cycle menstruel pendant l'âge de la procréation.
L'estradiol est utilisé pour corriger la carence estrogénique après la ménopause et atténuer les bouffées de chaleur, transpirations, vertiges et les symptômes de la vaginite atrophique; il est aussi utilisé pour prévenir, ralentir ou stabiliser l'ostéoporose postménopausique en association avec un progestatif pour diminuer les risques de cancer de l'endomètre;

dans le traitement de l'insuffisance ovarienne survenant avant ou après la puberté, il est utilisé en alternance avec un progestatif pour établir ou maintenir un cycle artificiel; interrompre l'administration en cas d'immobilisation prolongée.
Pour les détails → p. 266.
Note : prescrit sur ordonnance médicale.

ESTULIC® (Sandoz)

Introd. en 1981. Liste II. Remb. SS 70%.
PRINCIPE ACTIF : **Guanfacine.**
Préparations : comprimés à 2 mg.
Emploi : médicament appartenant au groupe des antihypertenseurs utilisés pour faire baisser la tension artérielle et qui agissent en diminuant les impulsions nerveuses qui vont du cerveau au cœur et aux vaisseaux à travers les nerfs sympathiques; ces médicaments dilatent les vaisseaux, diminuent par conséquent la résistance au passage du sang et réduisent le travail cardiaque; en même temps, le rythme cardiaque est ralenti (bradycardie).
Le principal inconvénient est l'élévation brusque de la tension artérielle lorsqu'on oublie de prendre le médicament ou à l'arrêt du traitement (effet «rebond»).
La guanfacine est aussi utilisée en milieu hospitalier dans le traitement du syndrome de sevrage des opiacés.
Durée d'action : jusqu'à 20 heures.
Pour les détails → p. 47.
Note : prescrit sur ordonnance médicale.

ÉTHINYL-ŒSTRADIOL
(Roussel)

Introd. en 1949. Liste II. Remb. SS 70%.
PRINCIPE ACTIF : **Ethinylestradiol.**
Préparations : comprimés à 50 µg.
Emploi : médicament appartenant au groupe des estrogènes qui sont des hormones femelles naturelles nécessaires pour le développement des caractères sexuels de la femme et pour la régulation du cycle menstruel pendant l'âge de la procréation.
L'éthinylestradiol est utilisé par voie buccale pour corriger la carence estrogénique après la ménopause et atténuer les bouffées de chaleur, les transpirations, les vertiges et les
→ p. 267

Si vous utilisez l'une des spécialités suivantes contenant une hormone femelle du groupe des estrogènes...

ESTROGÈNES NATURELS
ESTRADIOL
  Benzo-Gynœstryl® (Roussel).
  Estraderm TTS® (Ciba) [adhésif].
  Estrofem® sans estriol
    (Novo Nordisk).
  Œstradiol Retard (Théramex)
  Œstrogel® (Besins-Iscovesco) [gel].
  Oromone® (Sarbach).
  Progynova® (Schering).
ESTRIOL
  Ovestin® (Organon).
  Synapause® (Organon).

ESTROGÈNES CONJUGUÉS
  Prémarin® (Wyeth).
HYDROXYESTRONE
  Colpormon® (Lipha Santé).

ESTROGÈNES SYNTHÉTIQUES
DIÉTHYLSTILBESTROL
  Distilbène® (Gerda).
ETHINYLESTRADIOL
  Ethinyl-œstradiol Roussel®
  ST-52® (Sarget).

Propriétés et emploi : les *estrogènes* sont des hormones femelles produites par les ovaires.

Les estrogènes sont nécessaires pour le développement des caractères sexuels de la femme pendant la puberté et pour la régulation du cycle menstruel pendant l'âge de la procréation.

Ces médicaments sont utilisés :

– pour corriger la carence estrogénique après la ménopause (naturelle ou après ablation chirurgicale des ovaires) et atténuer les bouffées de chaleur, transpirations, vertiges et les symptômes de la vaginite atrophique;

– pour prévenir, ralentir ou stabiliser l'ostéoporose post-ménopausique, en association avec un progestatif pour diminuer les risques de cancer de l'utérus;

– pour traiter l'insuffisance ovarienne survenant avant ou après la puberté (ou hypogonadisme), en alternance avec un progestatif pour établir ou maintenir un cycle artificiel.

– certains estrogènes synthétiques sont strictement réservés au traitement des proliférations cellulaires anormales au niveau de la prostate.

Précautions : informez votre médecin d'une allergie éventuelle aux estrogènes et de toute affection susceptible de modifier les effets du médicament, notamment : phlébites, thromboses, embolies, tabagisme (risque accru de formation de caillots), hépatite antérieure, hypertension artérielle, tumeur du sein ou de l'utérus (confirmée ou soupçonnée), hyperplasie, fibrome de l'utérus, endométriose, hémorragies vaginales d'origine indéterminée, hyperlipidémie, calculs de la vésicule biliaire (risque d'aggravation), porphyries, migraine, épilepsie.

Grossesse : certains estrogènes synthétiques ne doivent pas être utilisés chez la femme enceinte ou susceptible de l'être (risque d'adénomatose génitale chez les filles de mères traitées au cours de la grossesse).

Allaitement : l'utilisation des estrogènes est déconseillée, car ils passent dans le lait maternel et leurs effets sur l'enfant sont inconnus.

Interactions : il faut informer votre médecin si vous prenez ou avez pris récemment d'autres médicaments, notamment :

– anticoagulants oraux (diminution de l'action des anticoagulants dont la dose doit être augmentée);

– barbituriques, phénytoïne, rifampicine (action estrogénique diminuée);

– antidépresseurs tricycliques (augmentation de la toxicité des antidépresseurs tricycliques);

– bromocriptine (association à éviter);

– ciclosporine (toxicité rénale de la ciclosporine augmentée).

– troléandomycine (risque d'hépatite).

Tabac : évitez le tabac qui augmente le risque d'effets indésirables cardiaques et vasculaires.

Surveillance : en cas de traitement prolongé, consultez périodiquement votre médecin pour vérifier les effets, au moins tous les ans et de préférence tous les 6 mois; entre autres examens, votre médecin pourra vous conseiller une mammographie.

En cas de grossesse : si vous pensez que vous êtes devenue enceinte, arrêtez le traitement et consultez immédiatement votre médecin.

Chirurgie : on conseille d'interrompre l'administration en cas d'immobilisation prolongée et un mois avant une intervention chirurgicale.

Effets indésirables possibles :
– perte de l'appétit, maux de tête, nausées, vomissements, augmenta-

tion du poids (rétention de sodium et d'eau), tension mammaire, taches sur le visage, modification de la libido, jambes lourdes, état dépressif;
– douleur vive et soudaine dans la poitrine ou une jambe (peut indiquer la formation d'un caillot qui demande un traitement d'urgence);
– maux de tête importants et inhabituels; troubles oculaires;
– élévation de la tension artérielle;
– hémorragie vaginale anormale;
– jaunisse;
– éruption cutanée (réaction allergique : arrêtez le traitement).
– traitement prolongé : augmente le risque de cancer de l'utérus, d'accidents cardiovasculaires (surtout en cas de tabagisme) et de calculs de la vésicule biliaire.

[suite de la p. 265]
symptômes de la vaginite atrophique; il est aussi utilisé pour prévenir, ralentir ou stabiliser l'ostéoporose postménopausique en association avec un progestatif pour diminuer les risques de cancer de l'endomètre; dans l'insuffisance ovarienne survenant avant ou après la puberté (hypogonadisme), il est utilisé en alternance avec un progestatif pour établir ou pour maintenir un cycle artificiel; interrompre le traitement en cas d'immobilisation prolongée et un mois avant une opération.
Pour les détails → p. tableau ci-contre.
Note : prescrit sur ordonnance médicale.

ÉTIOVEN® (Cassenne)

Introd. en 1991. Liste II. Remb. SS 40%.
PRINCIPE ACTIF : **Naftazone**.
Préparations : comprimés à 10 mg.
Emploi : «vasculoprotecteur» proposé dans le traitement des symptômes en rapport avec l'insuffisance veino-lymphatique (jambes lourdes, etc.).
Précautions : consultez votre médecin en cas de suspicion de phlébite (jambes rouges et/ou chaudes, douloureuses, surtout si d'un seul côté et avec fièvre); ne pas utiliser en cas de grossesse (innocuité non établie).
Note : prescrit sur ordonnance médicale.

EUBISPASME® codéthyline
(Promedica)

Introd. en 1965. Non remb. SS.
PRINCIPES ACTIFS : comprimés (Liste II) et suppositoires (Liste I) contenant de la codéthyline (antitussif opiacé), de la poudre d'opium, de l'anisohydrocinnamol et de l'acide camphorique.
Emploi : proposé comme antitussif (comprimés) et comme antispasmodique et antalgique (suppositoires).
Précautions : ne pas utiliser en cas de
– asthme, insuffisance respiratoire (la diminution de la toux cause l'accumulation de mucosités dans les voies respiratoires);
– maladie du foie (l'élimination de la codéthyline est diminuée en cas d'insuffisance hépatique);
– ulcère gastro-duodénal évolutif;
– grossesse (innocuité non établie), allaitement.
Durée du traitement : doit être limitée à quelques jours.
Alcool : évitez les boissons alcoolisées pendant le traitement (majoration de l'effet sédatif).
Enfants : ce médicament ne doit pas être utilisé chez l'enfant.
Sujets âgés : risque accru d'effets indésirables; doses réduites de moitié.
Conduite de véhicules : ce médicament peut diminuer la vigilance; la condui-

te de véhicules ou l'utilisation des machines peut être dangereuse.

Sportifs : ce médicament peut donner une réaction positive lors des tests pour contrôle antidopage.

Effets indésirables possibles : somnolence, sécheresse de la bouche, confusion, nausées, vomissements, crises d'asthme, constipation, éruption cutanée (réaction allergique : arrêtez immédiatement le traitement).

Note : prescrit sur ordonnance médicale.

EUCALYPTINE® Le Brun
(Janssen)

Introd. en 1922. Non remb. SS.

PRINCIPES ACTIFS :

– capsules : codéine (antitussif opiacé), eucalyptol, phénol, camphre, gaïacol, bromoforme;
– suppositoires : codéine (antitussif opiacé), eucalyptol, phénol, camphre, gaïacol, bromoforme;
– sirop : codéine (antitussif opiacé), eucalyptol, phénolsulfonate, sulfogaïacol, bromoforme, camphre, teintures de belladone et d'aconit.
– *Eucalyptine Pholcodine®* : la codéine est remplacée par la pholcodine qui est aussi un antitussif opiacé.

Emploi : proposé dans la toux.

Précautions : ne pas utiliser en cas de
– asthme, insuffisance respiratoire (la diminution de la toux cause l'accumulation de mucosités dans les voies respiratoires);
– maladie du foie (l'élimination de la codéine est diminuée en cas d'insuffisance hépatique);
– ulcère gastro-duodénal évolutif;
– grossesse, allaitement;
– enfants âgés de moins de 15 ans (de 30 mois pour la forme pour enfant).

Durée du traitement : si la toux persiste après une semaine, si des crachats sanglants ou des effets indésirables apparaissent, arrêtez le traitement et consultez votre médecin.

Alcool : évitez les boissons alcoolisées pendant le traitement (majoration de l'effet sédatif).

Sujets âgés : risque accru d'effets indésirables; doses réduites de moitié.

Conduite de véhicules : ce médicament peut diminuer la vigilance; la conduite de véhicules ou l'utilisation de machines peut être dangereuse.

Sportifs : ce médicament peut donner une réaction positive lors des tests pour contrôle antidopage.

Effets indésirables possibles : somnolence, sécheresse de la bouche, confusion, nausées, vomissements, crises d'asthme, constipation, éruption cutanée (réaction allergique : arrêtez immédiatement le traitement).

Note : vendu sans ordonnance; l'efficacité des antitussifs opiacés (codéine ou pholcodine) est généralement reconnue, mais les autres composants ont peu d'intérêt dans l'emploi proposé.

EUCALYPTOSPIRINE®
(Doms-Adrian)

Introd. en 1957. Remb. SS 40%.

PRINCIPES ACTIFS : suppositoires adulte et enfant contenant

– codéthyline : antitussif opiacé;
– acide acétylsalicylique (aspirine) : analgésique et antipyrétique;
– améléine : anesthésique local;
– eucalyptol, gaïacol, camphosulfonate de sodium.

Emploi : proposé dans la toux.

Précautions : ne pas utiliser en cas de
– asthme, insuffisance respiratoire (la diminution de la toux cause l'accumulation de mucosités dans les voies respiratoires);
– maladie du foie (l'élimination de la codéthyline est diminuée en cas d'insuffisance hépatique);
– ulcère gastro-duodénal évolutif;
– maladie hémorragique;
– traitement anticoagulant;
– insuffisance respiratoire;
– grossesse (innocuité non établie), allaitement;
– enfant âgé de moins de 15 ans (moins de 30 mois pour la forme pour enfant).

Durée du traitement : si la toux persiste après une semaine, si des crachats sanglants ou des effets indésirables apparaissent, arrêtez le traitement et consultez votre médecin.

Alcool : évitez les boissons alcoolisées pendant le traitement (majoration de l'effet sédatif).

Sujets âgés : risque accru d'effets indésirables; doses réduites de moitié.

Conduite de véhicules : ce médicament peut diminuer la vigilance; la conduite de véhicules ou l'utilisation de machines peut être dangereuse dans ce cas.

Sportifs : ce médicament peut donner une réaction positive lors des tests pour contrôle antidopage.

Effets indésirables possibles : somnolence, vertiges, sécheresse de la bouche, confusion mentale, nausées, vomissements, douleurs gastriques, bourdonnements d'oreille, baisse de l'audition, maux de tête.

Consultez votre médecin en cas de douleurs abdominales, de vomissements sanglants, de selles noires, de crise d'asthme, de prurit, d'urticaire ou de jaunisse.

Note : *vendu sans ordonnance; l'efficacité de la codéthyline est généralement reconnue, mais les autres composants ont peu d'intérêt dans l'emploi proposé.*

EUCOL® (Soekami-Lefrancq)

Introd. en 1970. Non remb. SS.

PRINCIPE ACTIF : comprimés contenant 1,5 g d'oxoglurate de mono-arginine (acide aminé).

Emploi : proposé dans la fatigue.

Précautions : consultez votre médecin si la fatigue persiste (il peut s'agir d'une dépression ou d'une autre maladie nécessitant un traitement spécifique) ou en cas d'amaigrissement.

Note : *vendu sans ordonnance; efficacité du principe actif à confirmer dans l'emploi proposé.*

EUCTAN® (Delalande)

Introd. en 1978. Liste II. Remb. SS 70%.

PRINCIPE ACTIF : *Tolonidine.*

Préparations : solution buvable contenant 0,5 mg/ml (20 gouttes = 0,5 mg).

Emploi : médicament appartenant au groupe des antihypertenseurs utilisés pour faire baisser la tension artérielle et qui agissent en diminuant les impulsions nerveuses qui vont du cerveau au cœur et aux vaisseaux à travers les nerfs sympathiques; ces médicaments dilatent les vaisseaux, diminuent par conséquent la résistance au passage du sang et réduisent le travail cardiaque; en même temps, le rythme cardiaque est ralenti (bradycardie); le principal inconvénient est l'élévation brusque de la tension artérielle lorsqu'on oublie de prendre

le médicament ou à l'arrêt du traitement (effet «rebond»).

Pour les détails → p. 47.

Note : *prescrit sur ordonnance médicale.*

EUFOSYL® (Sterling Midy)

Introd. en 1984. Non remb. SS.

PRINCIPES ACTIFS : comprimés à sucer contenant de la tétracaïne (anesthésique local), déqualinium (antiseptique externe) et lysozyme.

Emploi : inflammations de la bouche, du larynx et aphtes.

Précautions : ne pas utiliser chez l'enfant de moins de 15 ans.

Note : *vendu sans ordonnance; ne pas utiliser pendant plus de 5 jours sans avis médical.*

EUGLUCAN® et MIGLUCAN® (Boehringer Mannheim)

Introd. en 1969 et 1974.

Liste I. Remb. SS 70%.

PRINCIPE ACTIF : *Glibenclamide.*

SYNONYME : glyburide.

Préparations :
– comprimés à 5 mg (*Euglucan®*);
– comprimés à 2,5 mg (*Miglucan®*).

Emploi : antidiabétique oral utilisé par voie buccale dans le diabète qui se développe chez l'adulte, dont le contrôle ne nécessite pas des injections d'insuline (diabète non insulino-dépendant de type II ou DNID) et qu'un régime seul ne peut pas équilibrer suffisamment; l'injection d'insuline dans cette forme de diabète peut cependant être nécessaire en cas de blessure ou de brûlure, d'infection grave, d'apparition d'un coma acidocétosique, d'intervention chirurgicale ou de grossesse. L'usage de ce médicament constitue un complément à votre régime et il ne saurait en aucun cas le remplacer.

Durée d'action : 12 à 24 heures.

Pour les détails → p. 42.

Note : *prescrit sur ordonnance médicale.*

EULEXINE® (Schering-Plough)

Introd. en 1987. Liste I. Remb. SS 100%.

PRINCIPE ACTIF : *Flutamide.*

Préparations : comprimés à 250 mg.

Emploi : médicament appartenant au groupe des antiandrogènes qui bloquent l'action de la testostérone (hormone mâle); il est utilisé dans le traitement des proliférations cellulai- res anormales au niveau de la prostate, en association avec une castration chirurgicale ou «pharmacologique».

Effets indésirables possibles : nausées, vomissements, insomnie, augmentation de volume des seins chez l'homme, diminution du nombre des spermatozoïdes, rarement ictère. En association avec une castration chirurgicale ou pharmacologique : bouffées de chaleur, impuissance, stérilité.

Note : prescrit sur ordonnance médicale.

EUPEPTIQUE TISY® (Laphal)

Introd. en 1910. Non remb. SS.

PRINCIPES ACTIFS : solution buvable contenant des extraits de pancréas et de muqueuse digestive de porc, orge germée et extrait d'orange.

Emploi : troubles de la digestion.

Note : vendu sans ordonnance; efficacité des principes actifs à confirmer dans l'emploi proposé.

EUPHON® (Mayoly-Spindler)

Introd. en 1928. Remb. SS 40%.

PRINCIPES ACTIFS : sirop, solution buvable, pastilles à sucer contenant de la codéine (antitussif opiacé), extrait ou teinture d'aconit, érysimum, formiate de sodium.

Emploi : proposé dans la toux, l'extinction de voix et l'enrouement.

Précautions : ne pas employer chez l'enfant âgé de moins de 7 ans, en cas de grossesse, d'allaitement, d'asthme et d'insuffisance respiratoire.

Durée du traitement : consultez votre médecin si les troubles ne s'améliorent pas après 5 jours.

Alcool : évitez les boissons alcoolisées.

Conduite de véhicules : la conduite de véhicules ou l'utilisation de machines peut être dangereuse en raison de la diminution de la vigilance.

Sportifs : ce médicament peut donner une réaction positive lors des tests pour contrôle antidopage.

Effets indésirables possibles : somnolence, constipation.

Note : vendu sans ordonnance; l'efficacité de la codéine dans la toux est généralement reconnue, mais les autres composants ont peu d'intérêt dans l'emploi proposé.

EUPHYLLINE L.A.® (Byk)

Introd. en 1981. Remb. SS 70%.

PRINCIPE ACTIF : gélules à libération prolongée contenant 50 mg, 100 mg, 200 mg , 300 mg ou 400 mg de théophylline.

Emploi : dérivé de la xanthine qui dilate les bronches et facilite le passage de l'air la théophylline est utilisée en cas d'asthme, de bronchite chronique, d'emphysème pulmonaire et dans d'autres affections.

Pour les détails → Théophylline.

Note : vendu sans ordonnance; à utiliser sous contrôle médical.

EUPHYTOSE®
(Soekami-Lefrancq)

Introd. en 1927. Remb. SS 70%.

PRINCIPES ACTIFS : comprimés et solution buvable contenant extraits de valériane, aubépine, passiflore, kola, ballote.

Emploi : proposé dans les états anxieux, les troubles légers du sommeil, les palpitations.

Note : vendu sans ordonnance; consultez votre médecin si les troubles persistent après quelques jours.

EUPNÉRON® (Lyocentre)

Introd. en 1972. Liste II. Remb. SS 70%.

PRINCIPE ACTIF : *Eprozinol.*

Préparations : comprimés à 50 mg; sirop à 15 mg par cuillerée à café.

Emploi : antihistaminique et bronchodilatateur proposé dans l'asthme et dans les bronchites chroniques obstructives à forme spastique.

Effets indésirables possibles : somnolence (prudence chez les conducteurs de véhicules).

Note : prescrit sur ordonnance médicale.

EUPRESSYL® (Byk)

Introd. en 1989. Liste I. Remb. SS 70%.

PRINCIPE ACTIF : *Urapidil.*

Préparations : gélules à 30 mg ou 60 mg; ampoules injectables à 25 mg dans 5 ml et 50 mg dans 10 ml.

Emploi : médicament appartenant au groupe des antihypertenseurs utilisés pour faire baisser la tension artérielle; ces médicaments dilatent les vaisseaux, diminuent par conséquent la résistance au passage du sang et réduisent le travail cardiaque; contrairement à d'autres antihypertenseurs, l'urapidil ne ralentit pas le rythme du cœur. L'urapidil est utilisé dans le traitement de l'hypertension artérielle, associé éventuellement à un diurétique ou à un bêta-bloquant.

Pour les détails → p. 48.

Note : prescrit sur ordonnance médicale.

EURAX® (Zyma)

Introd. en 1949. Non remb. SS.

PRINCIPE ACTIF : ***Crotamiton***.

Préparations : crème à 10%.

Emploi : proposé dans le traitement des prurits (le prurit n'est qu'un symptôme dont il faut rechercher la cause).

Applications : deux applications le soir à 24 heures d'intervalle; attendre 2-3 jours avant de prendre un bain.

Précautions : ne pas appliquer sur des lésions suintantes ou proches des yeux; ne pas utiliser chez le nourrisson ou enfant en bas âge.

Effets indésirables possibles : irritation cutanée, allergie de contact; pâleur, fièvre (méthémoglobinémie).

Note : vendu sans ordonnance; consultez votre médecin si le prurit persiste après 24 heures.

EURELIX LP® (Hoechst)

Introd. en 1993. Liste II. Remb. SS 40%.

PRINCIPE ACTIF : ***Pirétanide***.

Préparations : gélules à libération prolongée à 6 mg.

Emploi : médicament appartenant au groupe des diurétiques de l'anse qui sont utilisés pour
- favoriser l'élimination de l'excès d'eau accumulée dans l'organisme (œdèmes) dans l'insuffisance cardiaque, hépatique ou rénale;
- traiter l'hypertension artérielle.

  Le pirétanide a l'avantage, par rapport aux diurétiques thiazidiques, de pouvoir être utilisé en cas d'insuffisance rénale; il provoque des pertes de potassium qui peuvent aboutir à une diminution du taux sanguin du potassium (hypokaliémie) et nécessiter des supplément de potassium ou l'association avec un diurétique épargnant le potassium. Ce médicament est utilisé pour traiter l'hypertension artérielle.

Durée d'action : 6 à 8 heures.

Pour les détails → p. 232.

Note : prescrit sur ordonnance médicale.

EUROBIOL® (Eurorga)

Introd. en 1969. Remb. SS 40%.

PRINCIPES ACTIFS :
- poudre orale en flacons ou sachets, comprimés contenant du pancréas de porc lyophilisé;
- gélules gastro-résistantes contenant une poudre de pancréas de porc.

Propriétés : les enzymes pancréatiques naturelles servent à permettre la dégradation des protéines, des hydrates de carbone et des graisses de la nourriture et à les transformer en éléments assimilables.

Emploi : utilisé pour faciliter la digestion lorsque la sécrétion de ces enzymes est insuffisante, notamment dans la mucoviscidose; les effets ne se manifestent qu'après 2-3 mois d'utilisation quotidienne.

Précautions : ne pas employer en cas de pancréatite (inflammation du pancréas), d'allergie à la viande de porc; l'emploi est déconseillé en cas de grossesse et d'allaitement.

Effets indésirables possibles : nausées, crampes abdominales, vomissements, diarrhées chez les sujets hypersensibles aux extraits pancréatiques de porc; constipation en cas de surdosage.

Note : vendu sans ordonnance; à éviter en automédication (les enzymes pancréatiques ne sont utiles qu'en cas d'insuffisance pancréatique qui ne peut être diagnostiquée que par votre médecin).

EUSAPRIM® (Wellcome)

Introd. en 1971. Liste I. Remb. SS 70%.

PRINCIPES ACTIFS : ***Sulfaméthoxazole + triméthoprime***.

SYNONYMES : cotrimazole, TMP-SMX.

Préparations :
- comprimés : triméthoprime 80 mg et sulfaméthoxazole 400 mg (Eusaprim® «Adulte»);
- comprimés : triméthoprime 160 mg et sulfaméthoxazole 800 mg (Eusaprim® «Fort»);

– comprimés : triméthoprime 200 mg
et sulfaméthoxazole 100 mg;
– suspension : triméthoprime 40 mg et
sulfaméthoxazole 200 mg/mesure;
– ampoules : triméthoprime 80 mg et
sulfaméthoxazole 400 mg;
– ampoules : triméthoprime 160 mg et
sulfaméthoxazole 800 mg.

Emploi : association d'un sulfamide à
élimination lente (sulfaméthoxazole)
avec un autre antibactérien (triméthoprime) ayant une action sur de
nombreuses bactéries et certains protozoaires.
Ce médicament est utilisé pour traiter
de nombreuses infections.
Pour les détails → p. 649.
Note : prescrit sur ordonnance médicale.

EUTHYRAL® (Merck-Clévenot)

Introd. en 1977. Liste II. Remb. SS 70%.
PRINCIPES ACTIFS: comprimés contenant
– 20 µg de liothyronine sodique
(Cynomel®) et
– 100 µg de lévothyroxine sodique
(Lévothyrox®).

Emploi : association de deux hormones
thyroïdiennes dans un rapport proche
du rapport physiologique; ce médicament est utilisé par voie buccale
lorsque la glande thyroïde ne produit
pas assez d'hormones thyroïdiennes,
c'est-à-dire en cas d'insuffisance thyroïdienne ou hypothyroïdie et de
myxœdème (bouffissure du visage et
des mains). Ce médicament ne doit
pas être employé pour traiter l'obésité
sans insuffisance thyroïdienne.
Pour les détails → p. 346.
Note : prescrit sur ordonnance médicale.

EUTUXAL® (Synlab)

Introd. en 1977. Liste I. Remb. SS 40%.
PRINCIPES ACTIFS : gélules contenant du
cloroqualone et de la guaïfénésine.
Emploi : proposé comme antitussif.
Précautions : ne pas utiliser en cas de :
– asthme, insuffisance respiratoire (la
diminution de la toux cause l'accumulation de mucosités);
– grossesse, allaitement;
– enfants âgés de moins de 15 ans.
Durée du traitement : si la toux persiste
après une semaine, si des crachats
sanglants ou des effets indésirables

apparaissent, arrêtez le traitement et
consultez votre médecin.
Conduite de véhicules : ce médicament
peut diminuer la vigilance; la conduite
de véhicules ou l'utilisation de
machines peut être dangereuse.
Effets indésirables possibles : somnolence, éruption cutanée (réaction
allergique : arrêtez immédiatement
le traitement).
Note : prescrit sur ordonnance médicale.

EUVANOL® (Monot)

Introd. en 1974. Non remb. SS.
PRINCIPES ACTIFS : flacon pressurisé pour
pulvérisation nasale contenant des
essences de géranium et de niaouli,
camphre, benzalkonium bromure.
Emploi : infections de la muqueuse
nasale et du pharynx.
Précautions : ne pas utiliser chez l'enfant de moins de 30 mois.
*Note : vendu sans ordonnance; ne pas
utiliser pendant plus de 5 jours sans
avis médical.*

EXACYL® (Choay)

Introd. en 1971. Liste I. Remb. SS 70%.
PRINCIPE ACTIF : *Acide tranexamique*.
Préparations : comprimés à 250 mg ou
500 mg; ampoules injectables à
500 mg dans 5 ml; ampoules buvables
à 1 g.
Emploi : médicament employé pour
arrêter des hémorragies qui peuvent
survenir au cours ou à la suite d'interventions chirurgicales et dentaires ou
au cours du traitement fibrinolytique;
utilisé aussi pour prévenir les hémorragies en cas d'extraction dentaire
chez des sujets hémophiles.
Précautions : ne pas employer en cas
d'allergie au produit ou à l'acide
aminocaproïque, de maladies hémorragiques ou thromboemboliques
(formation de caillots de sang), de
troubles de la vision des couleurs (ou
dyschromatopsie), de présence de
sang dans les urines, en cas de grossesse ou d'allaitement.
Surveillance : des contrôles ophtalmologiques sont nécessaires lorsque le
médicament est utilisé pendant plusieurs semaines.
Effets indésirables possibles :
– nausées, vomissements, diarrhée,
vertiges (hypotension artérielle);

– troubles visuels, en particulier de la vision des couleurs (dyschromatopsie), maux de tête sévères, douleurs aux jambes, difficulté à respirer, troubles de la parole, faiblesse et douleurs musculaires, urines foncées, éruptions cutanées.

Note : prescrit sur ordonnance médicale.

EX'AIL® vitamine P (Phygiène)

Introd. en 1975. Non remb. SS.

PRINCIPES ACTIFS: comprimés contenant de la poudre d'ail, de la rutine et de la chlorophylle.

Emploi : proposé dans les troubles circulatoires mineurs, jambes lourdes, fragilité capillaire, hémorroïdes.

Précautions : consultez votre médecin en cas de suspicion de phlébite (jambes rouges et/ou chaudes, douloureuses, surtout si d'un seul côté et avec fièvre).

Note : vendu sans ordonnance; efficacité des principes actifs à confirmer dans l'emploi proposé.

EXLUTON® → Contraception hormonale.

EXOCINE® (Allergan)

Introd. en 1990. Liste I. Remb. SS 70%.

PRINCIPE ACTIF : *Ofloxacine.*

Préparations : collyre à 0,3%.

Emploi : fluoroquinolone utilisé pour traiter les infections superficielles de l'œil d'origine bactérienne, notamment conjonctivites, ulcère infectieux de la cornée, inflammation des paupières (blépharites), orgelet.

Précautions : ne pas employer en cas d'allergie aux quinolones, de grossesse et d'allaitement (innocuité non établie).

Effets indésirables possibles : sensation de brûlure, picotements.

Note : prescrit sur ordonnance médicale.

EXOMUC® (Bouchara)

Introd. en 1984. Remb. SS 40%.

PRINCIPE ACTIF : *Acétylcystéine.*

Préparations : granulé en sachets de 200 mg.

Emploi : proposé pour liquéfier les sécrétions bronchiques et en faciliter l'expectoration dans les affections respiratoires accompagnées de sé-

crétions bronchiques épaisses, en particulier en cas de bronchite aiguë, d'emphysème et d'autres affections.

Précautions : ne pas employer en cas d'allergie au produit, d'asthme, d'encombrement des bronches, d'ulcère gastroduodénal évolutif, de grossesse ou d'allaitement (innocuité non établie); ne pas employer chez l'enfant de moins de 5 ans.

Consultez votre médecin si votre état ne s'améliore pas rapidement ou s'il s'aggrave, en cas de crachats sanglants, d'amaigrissement, de fièvre.

Effets indésirables possibles : brûlures d'estomac, maux de tête, nausées, diarrhées.

Pour les détails → p. 287.

Note : vendu sans ordonnance; à éviter sans avis médical, surtout chez l'enfant.

EXOSEPTOPLIX®
(Doms-Adrian)

Introd. en 1939. Non remb. SS.

PRINCIPE ACTIF : *Sulfanilamide.*

SYNONYME : sulfonamide.

Préparations : poudre pour application locale.

Emploi : antiseptique externe utilisé dans le traitement d'appoint des lésions cutanées infectées ou susceptibles de se surinfecter.

Effets indésirables possibles : réactions allergiques.

Note : vendu sans ordonnance; à éviter en automédication (les sulfamides locaux sont allergisants).

EXTENCILLINE® (Specia)

Introd. en 1954. Liste I. Remb. SS 70%.

PRINCIPE ACTIF : *Benzathine benzylpénicilline.*

SYNONYME : benzathine pénicilline G.

Préparations : flacons pour suspension aqueuse à 0.6, 1,2 et 2,4 millions d'UI; flacons de suspension huileuse à 2,4 millions d'UI.

Emploi : forme retard de la pénicilline G utilisée en injections intramusculaires pour traiter l'angine streptococcique, pour prévenir les rechutes du rhumatisme articulaire aigu, pour traiter la syphilis primaire, secondaire et latente ainsi que pour traiter la syphilis tertiaire et la neurosyphilis.

Pour les détails → p. 520.

Note : prescrit sur ordonnance médicale.

EXTOVYL®
(Marion Merrell Dow)

Introd. en 1981. Liste I. Remb. SS 70%.
PRINCIPE ACTIF : **Bétahistine.**
Préparations : gélules à 12 mg; comprimés à 8 mg.
Emploi : antihistaminique partiel proposé pour prévenir et traiter les vertiges, notamment le vertige de Ménière (crises de vertige avec bourdonnements d'oreille et surdité).
Précautions : utilisation prudente chez les asthmatiques; ne pas utiliser en cas d'ulcère gastro-duodénal, de phéochromocytome (tumeur des la surrénale), de grossesse et d'allaitement (innocuité non établie).
Note : prescrit sur ordonnance médicale.

EXTRANASE® (Rottapharm)

Introd. en 1969. Remb. SS 40%.
PRINCIPE ACTIF : **Bromélaïnes.**
Préparations : comprimés gastrorésistants à 900 nK.
Emploi : préparation d'enzymes protéolytiques et anti-inflammatoires extraits des tiges d'ananas (*Ananas comosus*) proposée par voie buccale dans le traitement des œdèmes post-traumatiques et post-opératoires.
Précautions : ne pas employer en cas de troubles de la coagulation ou de traitement anticoagulant.
Note : *vendu sans ordonnance; efficacité du principe actif à confirmer dans l'emploi proposé.*

F

FACILAX® (Lederle)

Non remb. SS.
PRINCIPES ACTIFS: comprimés contenant du docusate sodique et dantrone (laxatifs irritants).
Emploi : proposé dans les troubles digestifs et la constipation.
Précautions : consultez votre médecin si la constipation persiste, en cas de sang dans les selles ou de selles noires, de douleurs abdominales avec diarrhée ou d'amaigrissement.
L'usage prolongé risque de provoquer la «maladie des laxatifs».
Note : *vendu sans ordonnance; à éviter comme tous les laxatifs irritants.*

FACTEUR VII → Acset®, Proconvertine.

FACTEUR VIII, Concentré de

SYNON. : facteur antihémophilique A.
SPÉCIALITÉS :
Facteur VIII Humain très haute pureté (Bio-Transfusion).
Facteur VIII Humain Spécial Willebrand (Bio-Transfusion).
Emploi : fraction du plasma humain utilisée pour prévenir et traiter les hémorragies graves de l'hémophilie A lorsque l'utilisation de préparations moins concentrées risquerait d'entraîner une surcharge liquidienne.
La préparation «spécial Willebrand» est utilisée pour le traitement curatif des hémorragies de la maladie de von Willebrand.
Note : *le traitement doit être pris en charge par un spécialiste. Bien que toutes les précautions aient été prises, le risque de transmission de maladies infectieuses par les fractions plasmatiques ne peut pas être entièrement exclu.*

FACTEUR IX, Concentré de

SYNON. : facteur antihémophilique B, facteur Christmas.
SPÉCIALITÉ :
Facteur IX Humain haute pureté (Bio-Transfusion).
Emploi : fraction du plasma humain utilisée pour prévenir et traiter les hémorragies dans l'hémophilie B et autres carences en facteur IX.
Note : *le traitement doit être pris en charge par un spécialiste. Bien que toutes les précautions aient été prises, le risque de transmission de maladies infectieuses par les fractions plasmatiques ne peut pas être entièrement exclu.*

FACTEUR WILLEBRAND

SYNONYME : cofacteur de la ristocétine.
Facteur Willebrand Humain très haute pureté (Bio-Transfusion).
Emploi : fraction du plasma humain utilisée pour le traitement préventif des hémorragies de la maladie de von Willebrand.
Note : *mêmes précautions que pour le Facteur VIII.*

FADIAMONE® (CS Lab.)

Introd. en 1977. Liste II. Non remb. SS.
PRINCIPES ACTIFS : crème contenant de
l'estrone, estradiol, testostérone,
prégnénolone et allantoïne.
Emploi : proposé dans la sénescence de
la peau (efficacité à confirmer).
Note : prescrit sur ordonnance médicale.

FANSIDAR® (Roche)

Introd. en 1971. Liste I. Non remb. SS.
PRINCIPES ACTIFS : comprimés à 500 mg
de sulfadoxine + 25 mg de pyriméthamine ; ampoules injectables (uniquement intramusculaire) à 400 mg
de sulfadoxine + 20 mg de pyriméthamine.
Emploi : antipaludique utilisé dans le
traitement des crises aiguës de paludisme à *Plasmodium falciparum*
résistantes à la chloroquine :
– dans les régions où l'on sait qu'il y a
des plasmodies chloroquinorésistantes, et
– chez les malades à qui l'on conseille
de ne pas prendre de chloroquine,
soit parce qu'ils ont précédemment
présenté un prurit intense dû à cette
substance, soit pour d'autres raisons.
La pyriméthamine et la sulfadoxine
ayant une durée d'action très prolongée, une dose unique suffit en général
à faire disparaître l'infestation et à
assurer une efficacité pendant 10 à 15
jours : une nouvelle dose ne doit pas
être administrée avant *un délai d'au
moins 8 jours* ; ce médicament inhibe
la synthèse de l'acide folique (action
antifolique).
On ne recommande plus ce médicament pour la prévention ou le traitement du paludisme sensible à la
chloroquine, car des réactions indésirables graves ont été signalées, avec
une incidence de 1 : 5000 à 1 : 8000,
chez les sujets soumis à un traitement
préventif. La résistance s'est déve-
loppée dans des zones étendues en
Asie du Sud-Est, Amérique du Sud
et en Afrique orientale.
Ce médicament est aussi utilisé dans
le traitement de la toxoplasmose et
des infections à *Pneumocystis carinii*.
Précautions : ne pas employer en cas
d'allergie aux sulfamides ou à la
pyriméthamine, d'anémie ou autres
maladies du sang, d'épilepsie, de

maladies du foie ou des reins, de
carence en acide folique due à la
malnutrition ou à un autre médicament
antifolique, de porphyrie (risque de
déclenchement d'une crise), de déficit
en glucose-6-phosphate déshydrogénase ou G6PD (chez les sujets atteints
de cette anomalie congénitale rare, la
pyriméthamine peut provoquer une
anémie hémolytique), de grossesse ou
d'allaitement.
Interactions : il faut informer votre
médecin si vous prenez ou avez pris
récemment d'autres médicaments,
notamment les suivants : zidovudine,
autres antifoliques, méthotrexate,
triméthoprime, chloramphénicol,
phénylbutazone.
Boissons : pendant le traitement, vous
devez boire abondamment pour éviter
des effets indésirables au niveau du
rein.
**En cas d'anémie ou de traitement pro-
longé** : votre médecin pourra vous
conseiller de prendre du folinate de
calcium pour traiter ou éviter une
carence en acide folique.
Surveillance : le traitement à doses
élevées de la toxoplasmose exige des
contrôles périodiques de la formule
sanguine pour que votre médecin
puisse arrêter le traitement en cas de
diminution des globules sanguins et
éviter des effets indésirables graves.
Effets indésirables possibles :
– perte de l'appétit, nausées, vomissements ;
– rougeurs de la peau, prurit, éruption
cutanée (réaction allergique : arrêtez
immédiatement le traitement) ;
– faiblesse, pâleur (anémie par carence
en acide folique) ;
– sensibilité accrue de la peau au soleil
(photosensibilisation) ;
– saignement au moindre traumatisme, présence de sang dans les urines
ou les selles, coloration noire des
selles, apparition de petites taches
rouges sur la peau (diminution du
nombre des plaquettes dans le sang) ;
– fièvre, frissons, maux de gorge,
ulcérations buccales (diminution du
nombre des globules blancs dans le
sang) ;
– urines foncées, décoloration des
selles, jaunisse ;
– toux, douleurs au thorax, difficulté à
respirer.
Note : prescrit sur ordonnance médicale.

FARLUTAL®
(Farmitalia Carlo Erba)

Introd. en 1978. Liste I. Remb. SS 100%.
PRINCIPE ACTIF : *Médroxyprogestérone*.
Préparations : comprimés à 500 mg; suspension injectable (préparation retard) en flacons à 500 mg.
Emploi : médicament appartenant au groupe des progestatifs (gestagènes) qui sont des hormones femelles apparentées à la progestérone naturelle sécrétée par le corps jaune.
La médroxyprogestérone est une hormone synthétique, dérivée de la 17-OH-progestérone, utilisée sous contrôle médical dans le :
– traitement adjuvant des proliférations cellulaires anormales, p. ex. au niveau du sein et de l'utérus;
– traitement d'autres conditions déterminées par votre médecin.
Pour les détails → p. 560.
Note : prescrit sur ordonnance médicale.

FARMORUBICINE®
(Farmitalia Carlo Erba)

Introd. en 1985. Liste I. Remb. SS 100%.
PRINCIPE ACTIF : *Epirubicine*.
SYNONYME : pidorubicine.
Préparations : poudre pour solution injectable en flacons à 10 mg ou 50 mg; solution injectable pour perfusion à 10 mg/5 ml, 20 mg/10 ml et 50 mg dans 25 ml.
Emploi : médicament appartenant au groupe des anthracyclines employée en injections pour traiter la maladie de Hodgkin et d'autres tumeurs des ganglions lymphatiques, les proliférations cellulaires anormales au niveau des os, du sein, de l'ovaire, de l'œsophage, de l'estomac, du poumon, de la vessie et d'autres affections déterminées par votre médecin.
Note : le traitement doit être pris en charge par un spécialiste.

FASIGYNE®
(Pfizer)

Introd. en 1975. Liste I. Remb. SS 70%.
PRINCIPE ACTIF : *Tinidazole*.
Préparations : comprimés à 500 mg.
Emploi : antiprotozoaire nitro-imidazolé actif contre les protozoaires (organismes vivants unicellulaires) intestinaux et certaines bactéries anaérobies (germes capables de prospérer sans oxygène).

Le tinidazole est utilisé chez l'adulte dans les affections suivantes :
– trichomonase urogénitale (traitement simultané du partenaire);
– amibiase et lambliase (giardiase);
– vaginite à *Gardnerella vaginalis;*
– autres conditions déterminées par votre médecin.
Pour les détails → p. 53.
Note : prescrit sur ordonnance médicale.

FAZOL®
(Pharmuka)

Introd. en 1979. Remb. SS 70%.
PRINCIPE ACTIF : *Isoconazole*.
Préparations : crème à 2%; poudre pour application locale à 2%; ovules gynécologiques à 300 mg (*Fazol G®*).
Emploi : médicament appartenant au groupe des antifongiques locaux imidazolés qui sont utilisés en application locale pour traiter les infections de la peau causées par des champignons ou des levures (mycoses superficielles); il est aussi actif contre certaines bactéries, notamment staphylocoques et streptocoques; l'isoconazole est utilisé pour traiter les dermatophytoses de la peau glabre et des orteils (pied d'athlète), les teignes et d'autres affections.
Les ovules gynécologiques sont employés dans les mycoses vaginales.
Précautions : ne pas appliquer sur une grande surface, une peau lésée et chez le nourrisson (risque d'absorption du produit); en cas de mycose localisée au pied (pied d'athlète), assécher soigneusement les espaces entre les orteils après la toilette et changer de bas ou de chaussettes tous les jours.
Effets indésirables possibles : irritation locale, prurit, brûlures.
Note : vendu sans ordonnance; à éviter sans avis médical, sauf en cas de rechutes d'affections diagnostiquées antérieurement par votre médecin.

FÉBRECTOL®
(Millot-Solac)

Introd. en 1971. Remb. SS 70%.
PRINCIPES ACTIFS :
– comprimés contenant du paracétamol (analgésique et antipyrétique) et alpha-amylase (enzyme);
– suppositoires adulte contenant paracétamol et essence d'aiguilles de pin.
Emploi : proposé pour atténuer la douleur modérée (*analgésique*) et pour faire tomber la fièvre (*antipyrétique*).

Durée du traitement : consultez votre médecin si les douleurs persistent après 5 jours ou si la fièvre ou le mal de gorge ne régressent pas au bout de 3 jours.

Précautions : ce médicament ne doit pas être utilisé en cas d'insuffisance hépatique.

Note : vendu sans ordonnance ; l'efficacité du paracétamol est généralement reconnue, mais les autres composants ont peu d'intérêt dans l'emploi proposé.

FÉBRECTOL® suppositoires enfants et nourrissons
(Millot-Solac)

Introd. en 1964. Liste II Remb. SS 40%.

PRINCIPES ACTIFS : suppositoires pour enfants et nourrissons contenant du paracétamol (analgésique et antipyrétique à action périphérique), du phénobarbital (barbiturique à action prolongée), essence d'aiguilles de pin.

Emploi : proposé pour atténuer la douleur modérée (analgésique) et pour faire tomber la fièvre (antipyrétique) ; l'utilisation est limitée du fait de la présence de phénobarbital qui n'est pas recommandé en dehors du traitement de l'épilepsie.

Précautions : ne pas employer en cas d'insuffisance respiratoire, de porphyries.

Effets indésirables possibles : somnolence, éruptions cutanées, confusion.

Note : prescrit sur ordonnance médicale.

FÉBRISPIR® (Soekami-Lefrancq)

Introd. en 1991. Non remb. SS.

PRINCIPES ACTIFS : poudre orale contenant :
– paracétamol : analgésique à action périphérique et antipyrétique ;
– phéniramine : antihistaminique, sédatif et atropinique ;
– acide ascorbique : vitamine C.

Emploi : proposé dans les rhinites et pharyngites aiguës et dans la grippe.

Précautions : ne pas utiliser en cas de
– hypertrophie de la prostate ;
– glaucome à angle fermé ;
– maladies du foie ou des reins (élimination diminuée en cas d'insuffisance hépatique ou rénale) ;
– grossesse et allaitement (innocuité non établie) ;
– enfant âgé de moins de 15 ans.

Conduite de véhicules : ce médicament peut diminuer la vigilance ; la conduite de véhicules ou l'utilisation de machines peut être dangereuse.

Alcool : évitez les boissons alcoolisées pendant le traitement.

Durée du traitement : doit être limitée à quelques jours.

Effets indésirables possibles : somnolence, sécheresse de la bouche, du nez et de la gorge, vision trouble, accélération du pouls, palpitations, bouffées de chaleur, nausées, constipation, difficulté à uriner (chez les prostatiques), respiration sifflante, confusion mentale ou agitation (sujets âgés).

Note : vendu sans ordonnance ; à éviter en automédication en raison des effets indésirables possibles ; la vitamine C a peu d'intérêt dans l'emploi proposé.

FELDÈNE® (Pfizer)

Introd. en 1981. Liste I. Remb. SS 70%.

PRINCIPE ACTIF : *Piroxicam.*

Préparations : gélules à 10 mg ou 20 mg ; comprimés à 20 mg («dispersible») ; suppositoires à 20 mg ; ampoules injectables à 20 mg dans 1 ml.

Emploi : anti-inflammatoire non stéroïdien, du groupe des oxicams, inhibant la synthèse des prostaglandines utilisé pour calmer la douleur *(action analgésique)* et diminuer l'inflammation des articulations, des capsules, des muscles ou des tendons *(action anti-inflammatoire).*

Le piroxicam persiste pendant longtemps dans le sang et des doses répétées risquent de provoquer l'accumulation du médicament dans le sang et par conséquent des effets indésirables ; le piroxicam est aussi utilisé dans le traitement de la crise de goutte aiguë.

En injections, le piroxicam est proposé dans le traitement de courte durée des sciatiques et des lombalgies aiguës et des coliques du rein (sous surveillance médicale stricte).

En application locale, il est employé dans les tendinites, les inflammations des petites articulations, les douleurs dues aux traumatismes bénins, les entorses, les contusions musculaires et tendineuses (→ Geldène®).

Pour les détails → p. 50.

Note : prescrit sur ordonnance médicale.

FÉLISÉDINE® (Monal)

Introd. en 1955. Remb. SS 70%.

PRINCIPES ACTIFS: comprimés contenant du phénobarbital (barbiturique à action prolongée) et des extraits de valériane et de crataegus.

Emploi : proposé comme sédatif, somnifère et dans l'éréthisme cardiaque.

Précautions : ne pas employer chez l'enfant et en cas de grossesse, d'allaitement, de porphyries et d'insuffisance respiratoire; l'efficacité des anticoagulants oraux et des contraceptifs hormonaux peut être réduite.

Alcool : évitez les boissons alcoolisées pendant le traitement.

Conduite de véhicules : ce médicament peut diminuer la vigilance; la conduite de véhicules ou l'utilisation de machines peut être dangereuse.

Durée du traitement : ce médicament ne doit être utilisé que pour une brève période (maximum 4 semaines).

Effets indésirables possibles : somnolence, éruptions cutanées, troubles psychiques, notamment confusion mentale chez le sujet âgé.

Note : *vendu sans ordonnance; à éviter du fait de la présence de phénobarbital qui n'est pas recommandé en dehors du traitement de l'épilepsie.*

FÉNALGIC® (Specia).

Introd. en 1984. Liste II. Remb. SS 70%.

PRINCIPE ACTIF : *Ibuprofène*.

Préparations : comprimés à 400 mg.

Emploi : anti-inflammatoire non stéroïdien utilisé dans les inflammations douloureuses des articulations, des capsules articulaires, des muscles ou des tendons et dans d'autres affections déterminées par votre médecin.

Dans la polyarthrite rhumatoïde et l'arthrose, il atténue la douleur, la tuméfaction et la raideur des articulations, mais ne guérit pas la maladie.

Durée d'action : environ 6 heures.

Pour les détails → p. 50.

Note : *prescrit sur ordonnance médicale.*

FENPROPOREX (Deglaude)

Introd. en 1977. Liste I. Non remb. SS.

PRINCIPE ACTIF : *Fenproporex*.

Préparations : comprimés à libération prolongée à 20 mg.

Emploi : excitant du système nerveux central analogue de l'amphétamine utilisé pour diminuer l'appétit dans le traitement à court terme de l'obésité («coupe-faim»); associé à l'exercice physique et à un régime pauvre en hydrate de carbones, graisses et calories, ce médicament peut aider certains patients, mais l'action s'estompe en quelques semaines et s'accompagne d'effets indésirables, notamment de l'apparition d'une dépendance. L'emploi de ce médicament devrait se limiter à des situations particulières où une perte pondérale rapide est souhaitée, p. ex. avant une opération chirurgicale, et ne devrait pas dépasser 6 semaines.

Pour les détails → p. 33.

Note : *prescrit sur ordonnance médicale.*

FENTAC® (Sarget)

Introd. en 1986. Liste I. Remb. SS 70%.

PRINCIPE ACTIF : *Fentiazac*.

Préparations : comprimés à 200 mg.

Emploi : médicament appartenant au groupe des anti-inflammatoires non stéroïdiens qui sont utilisés dans les inflammations douloureuses des articulations, des capsules, des muscles ou des tendons et dans d'autres affections déterminées par votre médecin; dans la polyarthrite rhumatoïde et l'arthrose, ils atténuent la douleur, la tuméfaction et la raideur des articulations, mais ne guérissent pas la maladie.

Pour les détails → p. 50.

Note : *prescrit sur ordonnance médicale.*

FENTANYL (Janssen)

Introd. en 1973.

Stupéfiants (règle des 7 jours).

PRINCIPE ACTIF : *Fentanyl*.

Préparations : ampoules à 100 µg dans 2 ml et à 500 µg dans 10 ml.

Emploi : analgésique morphinique 50 à 100 fois plus puissant que la morphine réservé à l'anesthésie.

L'emploi de ce produit est réservé aux anesthésistes en clinique ou en hôpital disposant du matériel nécessaire à la réanimation.

Pour les détails → Morphine, p. 444.

Note : *réservé aux hôpitaux.*

Si vous utilisez l'une des spécialités suivantes contenant du fer pour traiter une anémie...

SPÉCIALITÉS CONTENANT UN SEL FERREUX :

ASCORBATE FERREUX :
Ascofer® (Gerda)   [fer 33 mg/compr.]

BÉTAÏNATE FERREUX :
Erythroton® (Lipha)   [fer 15 mg/compr.]

CHLORURE FERREUX (+ vitamine C) :
Fer UCB® (UCB Pharma)   [fer 50 mg/5 ml]

FÉRÉDÉTATE DE SODIUM :
Ferrostrane® (Parke-Davis)   [fer 34 mg/5 ml].

FUMARATE FERREUX :
Fumafer® (Labaz)   [fer 66 mg/compr.].

SUCCINATE FERREUX :
Inofer® (Inogyne)   [fer 33 mg/compr.].

SULFATE FERREUX (+ vitamine C) :
Fero-grad® (Abbott)   [fer 105 mg/compr.].
Tardyféron® (Robapharm)   [fer 80 mg/compr.].

Propriétés et emploi : le fer est indispensable pour la synthèse de l'hémoglobine et pour la formation des globules rouges; lorsque l'apport alimentaire est insuffisant ou les besoins de l'organisme sont augmentés, une *anémie ferriprive* apparaît; pour normaliser le taux de l'hémoglobine dans l'anémie ferriprive, on utilise des sels ferreux par voie orale. Le régime alimentaire apporte une quantité suffisante de fer qui est contenu surtout dans certains légumes verts (épinards, persil), légumes secs, fruits oléagineux (noix, noisettes, amandes), cacao, foie, poissons, huîtres, moules. Chez l'homme adulte et chez la femme après la ménopause, les besoins en fer sont d'environ 10 mg par jour; chez la femme pendant la période génitale, ils sont d'environ 15 mg par jour; pendant la grossesse, les besoins en fer sont d'environ 30 mg par jour, mais la carence n'apparaît que si le régime est pauvre en fer ou si celui-ci est mal absorbé.

Le nouveau-né a des réserves pour environ 6 mois et le prématuré pour 2 mois, périodes après lesquelles le régime doit être diversifié, le lait maternel étant pauvre en fer.

Avec un régime normal, la carence en fer est due surtout à des *hémorragies anormales*; en cas d'ulcère gastroduodénal, une hémorragie de quelques millilitres par jour suffit à rendre négatif le bilan du fer et à provoquer une *anémie ferriprive*;

celle-ci se manifeste par une pâleur, de la fatigue, un souffle court, l'accélération du pouls et des palpitations. *Il ne faut jamais utiliser un sel de fer en automédication car il pourrait masquer et donc retarder le diagnostic de la cause d'un saignement chronique.*

L'absorption maxima de fer est d'environ 25 mg par jour; il faut en moyenne 2 mois pour normaliser le taux d'hémoglobine dans l'anémie ferriprive sérieuse; par la suite, il faut poursuivre le traitement pendant plusieurs semaines pour reconstituer les stocks de fer.

Précautions : ne pas utiliser en cas d'allergie au fer, de certaines anémies non ferriprives dues à une mauvaise utilisation du fer, de thalassémie (risque d'aggravation), de surcharge en fer, d'hémochromatose (stockage excessif de fer) ou d'hémolyse chronique.

Grossesse et allaitement : votre médecin peut vous indiquer si vous avez besoin d'un apport supplémentaire.

Interactions : il faut informer votre médecin si vous prenez ou avez pris récemment d'autres médicaments, notamment : tétracyclines, antiacides et pansements gastriques, sels de calcium, colestyramine, acide ascorbique ou vitamine C à doses élevées (favoriserait l'absorption et l'accumulation du fer).

Prise du médicament : si vous êtes peu tolérant au fer, commencez par une dose faible qui est mieux tolérée après les repas; dès que vous êtes habitué

SELS FERREUX (SUITE)
à la prise après les repas, passez à la prise entre ou avant les repas (lorsque l'absorption digestive est meilleure) et augmentez la dose.

Prescription : le lait, le yoghourt, les fromages, les œufs, le thé, le café diminuent l'absorption du fer et doivent être évités pour au moins 2 heures après avoir pris le médicament.

Surveillance : un contrôle est nécessaire après 3 mois de traitement; si vous prenez un sel de fer pendant plus de 6 mois, consultez votre médecin pour vérifier qu'il n'y a pas surdosage et accumulation de fer.

Effets indésirables possibles :
– *signes d'intolérance au fer* : nausées, douleurs gastriques, constipation; l'irritation gastro-intestinale est proportionnelle à la quantité de fer contenue dans la préparation, quel que soit le sel utilisé;

– *coloration des selles* : l'apparition de selles noires (contenant du Fe_2S) n'a pas de signification particulière, mais peut masquer une hémorragie gastro-intestinale; pour éviter la coloration des dents, les brosser et se rincer la bouche immédiatement après la prise du médicament.

Intoxication (l'intoxication est très dangereuse, surtout chez l'enfant) : nausées, vomissements, agitation, douleurs abdominales, fièvre, accélération du pouls, vertiges, coloration bleue des lèvres et du visage, présence de sang dans les selles, baisse de la tension artérielle et état de choc; ces symptômes apparaissent dans l'heure qui suit l'ingestion et s'atténuent progressivement, mais sont suivis d'une déshydratation et d'une acidose métabolique grave évoluant vers le coma; l'hospitalisation d'urgence est nécessaire.

FÉNUGRÈNE® (Monal)

Introd. en 1944. Remb. SS 40%.
PRINCIPE ACTIF : comprimés et solution buvable contenant un extrait de fénugrec.
Emploi : proposé pour faciliter la prise de poids.
Précautions : ne pas administrer à l'enfant de moins de 5 ans.
Note : *vendu sans ordonnance; efficacité du principe actif à confirmer dans l'emploi proposé.*

FER LUCIEN® (Lucien)

Introd. en 1974. Remb. SS 70%.
PRINCIPE ACTIF : **Hydroxyde ferrique polymaltose**.
Préparations : ampoules injectables à 100 mg (fer trivalent) dans 2 ml.
Emploi : les préparations de fer pour injections intramusculaires ne sont indiquées qu'en cas d'intolérance absolue des préparations orales, de syndrome de malabsorption ou d'insuccès d'un traitement par voie orale. Chez les patients soumis à des séances d'hémodialyse, on peut administrer certaines préparations dans le circuit sanguin extracorporel.
Effets indésirables possibles :
– les réactions allergiques peuvent être graves et des chocs anaphylactiques mortels ont été signalés;

– coloration indélébile de la peau en cas d'injection trop superficielle ou d'utilisation pour l'injection de la même aiguille qui a servi pour aspirer dans la seringue le contenu de l'ampoule.
Intoxication → tableau ci-dessus.
Note : *médicament à utiliser sous contrôle médical.*

FER UCB® (UCB Pharma)

Introd. en 1964. Non remb. SS.
PRINCIPES ACTIFS : ampoules buvables de 5 ml contenant du chlorure ferreux (177 mg), acide ascorbique (10 mg) et acide citrique.
Emploi : anémie ferriprive.
Pour les détails → p. 279.
Note : *vendu sans ordonnance; à éviter en automédication.*

FERO-GRAD® LP Vit. C
(Abbott)

Introd. en 1971. Remb. SS 70%.
PRINCIPES ACTIFS : comprimés contenant du sulfate ferreux (fer 105 mg) et acide ascorbique (500 mg).
Emploi : anémie ferriprive.
Pour les détails → p. 279.
Note : *vendu sans ordonnance; à éviter en automédication; l'acide ascorbique a peu d'intérêt dans l'emploi proposé.*

FERROSTRANE® (Parke-Davis)

Introd. en 1965. Liste II. Remb. SS 70%.
PRINCIPE ACTIF : sirop contenant du fé-
rédétate de sodium (fer 34 mg /5 ml)
Emploi : anémie ferriprive.
Pour les détails → p. 279.
Note : prescrit sur ordonnance médicale.

FERTILINE® (Pharmagyne)

Introd. en 1988. Liste I. Remb. SS 100%.
PRINCIPE ACTIF : *Urofollitropine* .
SYNONYMES : FSH urinaire purifiée,
hormone folliculo-stimulante.
Préparations : ampoules injectables
ayant une action *exclusivement*
folliculo-stimulante (75 UI de FSH
par ampoule), avec une activité lutéinostimulante résiduelle presque nulle
(< 1 UI de LH par ampoule).
Propriétés et emploi : hormone gonadotrope utilisée en injection intramusculaire pour traiter certaines
formes de stérilité féminine (risque
de grossesse multiple) ou pour préparer à la fécondation *in vitro*, en
association avec la gonadotrophine
chorionique (HCG).
Précautions : ne pas employer en cas
d'allergie au produit; les affections
suivantes peuvent modifier l'action
du médicament :
– kyste de l'ovaire, fibrome de l'utérus;
– hémorragies vaginales inhabituelles;
– maladies des glandes surrénales, de
l'hypophyse ou de la thyroïde.
Grossesse : le traitement est arrêté dès
l'apparition de signes de grossesse.
Interactions : il faut informer votre
médecin si vous prenez ou avez pris
récemment d'autres médicaments.
Surveillance : la sélection des patients
et la conduite du traitement sont du
ressort du spécialiste; des contrôles
réguliers, éventuellement des dosages
d'hormones dans le sang et l'urine,
sont indispensables.
Autres médicaments : ne prenez aucun
autre médicament sans consulter votre
médecin.
Température : prenez et notez la température tous les jours pour que votre
médecin puisse déterminer le moment
de l'ovulation et déterminer la période
de fécondité présumée.
Effets indésirables possibles :
– douleurs abdominales (augmentation de volume des ovaires, rupture
d'un kyste ovarien);

– fièvre, difficulté à respirer (thrombose ou embolie pulmonaire).
*Note : le traitement doit être pris en
charge par un spécialiste.*

FERVEX® (Oberlin)

Introd. en 1984. Non remb. SS.
PRINCIPES ACTIFS : granulé contenant :
– paracétamol : analgésique à action
périphérique et antipyrétique;
– phéniramine : antihistaminique,
sédatif et atropinique;
– acide ascorbique : vitamine C.
Emploi : proposé dans les rhinites et
pharyngites aiguës et dans la grippe.
Précautions : ne pas utiliser en cas de
– hypertrophie de la prostate;
– glaucome à angle fermé;
– maladies du foie ou des reins (élimination diminuée en cas d'insuffisance
hépatique ou rénale);
– myasthénie (risque d'aggravation de
la faiblesse musculaire);
– grossesse et allaitement;
– enfant âgé de moins de 15 ans.
Conduite de véhicules : ce médicament
peut diminuer la vigilance; la conduite
de véhicules ou l'utilisation de machines peut être dangereuse.
Alcool : évitez les boissons alcoolisées
pendant le traitement (majoration de
l'effet sédatif).
Durée du traitement : doit être limitée à
quelques jours.
Effets indésirables possibles : somnolence, sécheresse de la bouche, du nez
et de la gorge, troubles visuels, accélération du pouls, palpitations, bouffées de chaleur, nausées, constipation,
difficulté à uriner (chez les prostatiques), respiration sifflante, confusion mentale ou agitation (sujets âgés).
*Note : vendu sans ordonnance; à éviter
en automédication en raison des effets
indésirables possibles; la vitamine C a
peu d'intérêt dans l'emploi proposé.*

FESTALE® (Hoechst)

Introd. en 1958. Non remb. SS.
PRINCIPES ACTIFS : comprimés contenant
des enzymes pancréatiques, bile de
bœuf et hémicellulose.
Emploi : proposé dans le traitement des
troubles digestifs (dyspepsies),
ballonnements (météorisme); avaler
les comprimés sans les croquer.
Précautions : consultez votre médecin
en cas de douleurs ou crampes abdo-

minales d'origine indéterminée, de selles noires, d'amaigrissement.

En cas de régime sans sel : tenir compte de la teneur en sodium du produit.

Note : vendu sans ordonnance; ne pas utiliser pendant plus de 5 jours sans avis médical.

FEV 300® (Merck-Clévenot)

Introd. en 1966. Non remb. SS.
PRINCIPES ACTIFS : poudre pour solution injectable contenant un extrait de foie, cocarboxylase, triphosadénine et co-enzyme A.
Emploi : proposé dans la fatigue.
Précautions : consultez votre médecin si la fatigue persiste (il peut s'agir d'une dépression ou d'une maladie nécessitant un traitement spécifique) ou en cas d'amaigrissement.
Note : vendu sans ordonnance; efficacité des principes actifs à confirmer dans l'emploi proposé.

FIBERFORM®
(Boehringer Ingelheim)

Introd. en 1991. Non remb. SS.
PRINCIPE ACTIF : poudre orale contenant une poudre de fibres de blé.
Emploi : laxatif de lest utilisé dans la constipation occasionnelle; toujours boire de l'eau avec chaque prise.
Note : vendu sans ordonnance; le traitement médicamenteux de la constipation n'est qu'un adjuvant au traitement hygiéno-diététique qui comporte:
– alimentation riche en fibres végétales (légumes, fruits, pain complet), boissons abondantes;
– activité physique et présentation quotidienne à la selle, à la même heure.

FIBORAN® (Pharmuka)

Introd. en 1977. Liste I. Remb. SS 70%.
PRINCIPE ACTIF : *Aprindine.*
Préparations : gélules à 50 mg.
Emploi : médicament appartenant au groupe des antiarythmiques qui sont utilisés pour régulariser et ralentir le rythme cardiaque notamment dans les crises de tachycardie; étant donné qu'il peut provoquer des problèmes cardiaques, ce médicament n'est utilisé que dans certains troubles du rythme d'une certaine gravité; le traitement devrait commencer en milieu

hospitalier et être supervisé par un spécialiste.

Durée d'action : environ 24 heures.

Allergie : informez votre médecin si vous avez déjà fait une réaction allergique ou inhabituelle à ce médicament, à la lidocaïne ou à des anesthésiques.

Surveillance : des contrôles réguliers et fréquents sont nécessaires pour moduler les doses en fonction des effets du traitement et d'effets indésirables éventuels.

Conduite de véhicules : chez certains sujets, ce médicament provoque des vertiges ou diminue la vigilance; la conduite de véhicules ou l'utilisation de machines peut être dangereuse.

Arrêt du traitement : n'arrêtez pas le traitement sans consulter votre médecin.

Note : prescrit sur ordonnance médicale.

FIBRINOGÈNE HUMAIN
(Bio-Transfusion)

Remb. SS 100%.
SYNONYME : facteur de coagulation I.
Préparations : flacons contenant 1 à 3 g de fibrinogène d'origine plasmatique humaine.
Emploi : utilisé en perfusion intraveineuse dans le traitement des déficits constitutionnels (afibrinogénémie, hypofibrinogénémie) et dans d'autres affections déterminées par votre médecin.
Note : le traitement doit être pris en charge par un spécialiste. Bien que toutes les précautions aient été prises, le risque de transmission de maladies infectieuses par les fractions plasmatiques ne peut pas être entièrement exclu.

FINIDOL® (Sandoz)

Introd. en 1960. Non remb. SS.
PRINCIPES ACTIFS: comprimés contenant acide acétylsalicylique (analgésique et antipyrétique), caféine (stimulant central) et hydroxyde d'aluminium (pansement gastrique).
Emploi : proposé pour atténuer la douleur modérée (analgésique) et pour faire tomber la fièvre (antipyrétique).
Durée du traitement : consultez votre médecin si les douleurs persistent après 5 jours ou si la fièvre ou le mal de gorge ne régressent pas au bout de 3 jours.

Précautions : ce médicament ne doit pas être utilisé en cas d'ulcère gastro-duodénal évolutif, de maladie hémorragique ou de traitement anti-coagulant, de grossesse et chez les enfants âgés de moins de 3 ans.

Effets indésirables possibles : nausées, vomissements, douleurs gastriques, bourdonnements d'oreille, baisse de l'audition, maux de tête, réactions allergiques (prurit, urticaire, asthme).

Note : *vendu sans ordonnance; l'efficacité de l'aspirine est généralement reconnue, mais les autres composants ont peu d'intérêt dans l'emploi proposé.*

FITAXAL® (Phygiène)

Introd. en 1991. Non Remb. SS
PRINCIPE ACTIF : **Lactulose**.

Préparations : gelée orale à 40%.

Propriétés : laxatif osmotique qui accélère le transit intestinal et diminue l'absorption intestinale de l'ammoniac; dans le gros intestin, le lactulose est transformé en acide lactique (stimule l'activité intestinale) et en acide acétique qui sont éliminés dans les selles.

Emploi : le lactulose est utilisé dans
– la constipation (peut être administré en cas de grossesse);
– l'encéphalopathie hépatique avec hyperammoniémie (par voie buccale, par sonde ou en lavement).

Précautions : ne pas employer en cas de douleurs abdominales d'origine inconnue, de saignement rectal, d'intolérance au lactose ou au galactose.

Effets indésirables possibles : diarrhées, ballonnement.

Note : *vendu sans ordonnance; ne pas utiliser pendant plus de 5 jours sans avis médical.*

FLAGENTYL® (Specia)

Introd. en 1981. Remb. SS 70%.
PRINCIPE ACTIF : **Secnidazole**.

Préparations : comprimés à 500 mg.

Emploi : dérivé nitro-imidazolé utilisé dans le traitement de toutes les formes d'amibiase (intestinales et hépatiques).

Pour les détails → p. 53.

Note : *vendu sans ordonnance; à éviter en automédication.*

FLAGYL® (Specia)

Introd. en 1969. Liste I. Remb. SS 70%.
PRINCIPE ACTIF : **Métronidazole**.

Préparations : comprimés à 250 mg ou 500 mg; suspension buvable à 125 mg par cuillerée-mesure; ovules gynécologiques à 500 mg; solution injectable pour perfusion en flacons à 500 mg dans 100 ml (réservée aux hôpitaux).

Emploi : dérivé nitro-imidazolé actif contre les protozoaires (organismes vivants unicellulaires) intestinaux et certaines bactéries anaérobies (germes capables de prospérer sans oxygène). Le métronidazole est utilisé par voie buccale ou en perfusions pour traiter les affections suivantes :
– trichomonase urogénitale (infection due à *Trichomonas vaginalis*); comme la maladie est sexuellement transmissible, le partenaire sexuel doit aussi être traité, même s'il ne présente aucun symptôme; le «traitement-minute» consiste en une prise unique le soir chez l'homme comme chez la femme;
– vaginite à *Gardnerella vaginalis*;
– amibiase sous sa forme intestinale (dysenterie amibienne) et extra-intestinale (abcès amibien du foie, du poumon, du cerveau);
– lambliase ou giardiase (parasitose de l'intestin grêle);
– autres affections déterminées par votre médecin.

Pour les détails → p. 53.

Note : *prescrit sur ordonnance médicale.*

FLAMMAZINE® (Duphar)

Introd. en 1979. Remb. SS 40%.
PRINCIPE ACTIF : crème dermique contenant de la sulfadiazine argentique.

Emploi : sulfamide proposé comme antiseptique externe pour la prévention des infections lors des plaies ouvertes, d'ulcères de jambe, d'escarres, de brûlures.

Précautions : ne pas utiliser chez le nouveau-né, en cas de grossesse et d'allaitement, d'hypersensibilité aux sulfamides, d'insuffisance rénale ou hépatique sévère; sur les zones de la peau exposées au soleil, appliquez le produit sous pansement pour éviter une coloration grise.

Effets indésirables possibles : sensibilisation aux rayons solaires (photosensibilisation), éruption cutanée (réaction allergique : arrêtez immédiatement le traitement).

Note : vendu sans ordonnance; à éviter en automédication à cause du risque d'effets indésirables.

FLAVAN® (Pharmafarm)

Introd. en 1968. Remb. SS 40%.

PRINCIPE ACTIF : *Leucocianidol*.

Préparations : comprimés à 20 mg.

Emploi : «vasculoprotecteur» proposé dans le traitement des symptômes en rapport avec l'insuffisance veinolymphatique (jambes lourdes, etc.) et la fragilité capillaire au niveau de la peau.

Précautions : consultez votre médecin en cas de suspicion de phlébite (jambes rouges et/ou chaudes, douloureuses, surtout si d'un seul côté et avec fièvre).

Note : vendu sans ordonnance; efficacité du principe actif à confirmer dans l'emploi proposé.

FLAVIASTASE® (Iphym)

Introd. en 1957. Remb. SS 40%.

PRINCIPES ACTIFS: comprimés contenant des enzymes digestives d'origine fongique (amylase, protéase).

Emploi : proposé dans le traitement des troubles digestifs (dyspepsies), ballonnements (météorisme).

Précautions : consultez votre médecin en cas de douleurs ou crampes abdominales d'origine indéterminée, de selles noires, d'amaigrissement.

Note : vendu sans ordonnance; ne pas utiliser pendant plus de 5 jours sans avis médical.

FLAVOQUINE® (Roussel)

Introd. en 1951. Liste II. Non remb. SS.

PRINCIPE ACTIF : *Amodiaquine*.

Préparations : comprimés à 200 mg ou poudre orale à 50 mg par mesure.

Propriétés : amino-4-quinoléine dont les effets sont analogues à ceux de la chloroquine (→ Nivaquine®).

Emploi : traitement de l'accès palustre; à la suite de cas d'hépatite et/ou d'agranulocytose, parfois fatale, ce médicament n'est plus recommandé pour la prévention du paludisme.

Note : prescrit sur ordonnance médicale.

FLÉBOSMIL® (Bouchara)

Introd. en 1988. Remb. SS 40%.

PRINCIPE ACTIF : comprimés contenant 300 mg de diosmine.

Emploi : proposé dans le traitement des symptômes en rapport avec l'insuffisance veinolymphatique (jambes lourdes, etc.) ou la fragilité capillaire.

Précautions : ne pas utiliser pendant la grossesse et l'allaitement; consultez votre médecin en cas de suspicion de phlébite (jambes rouges et/ou chaudes, douloureuses, surtout si d'un seul côté et avec fièvre).

Note : vendu sans ordonnance; efficacité du principe actif à confirmer dans l'emploi proposé.

FLÉCAÏNE® (3M Santé)

Introd. en 1984. Liste I. Remb. SS 70%.

PRINCIPE ACTIF : *Flécaïnide*.

Préparations : comprimés à 100 mg; ampoules injectables à 40 mg (réservées aux hôpitaux).

Emploi : médicament appartenant au groupe des antiarythmiques qui sont utilisés pour régulariser et ralentir le rythme cardiaque notamment dans les crises de tachycardie; étant donné qu'il peut provoquer des problèmes cardiaques, ce médicament n'est utilisé que dans les troubles du rythme d'une certaine gravité; le traitement devrait commencer en milieu hospitalier et être supervisé par un spécialiste.

Durée d'action : environ 12 heures.

Allergie : informez votre médecin si vous avez déjà fait une réaction allergique ou inhabituelle à ce médicament, à la lidocaïne ou à des anesthésiques locaux.

Surveillance : des contrôles réguliers et fréquents sont nécessaires pour moduler les doses en fonction des effets du traitement et d'effets indésirables éventuels.

Conduite de véhicules : chez certains sujets, ce médicament provoque des vertiges ou diminue la vigilance; la conduite de véhicules ou l'utilisation de machines peut être dangereuse.

Arrêt du traitement : n'arrêtez pas brusquement le traitement sans consulter votre médecin.

Note : prescrit sur ordonnance médicale.

FLECTOR® (Génévrier)

Introd. en 1993. Liste II. Remb. SS 40%.
PRINCIPE ACTIF : **Diclofénac**.
Préparations : gel pour application locale à 1%.
Emploi : proposé comme anti-inflammatoire local pour traiter la douleur dans les tendinites, arthrites des petites articulations, entorses, contusions, phlébites et dans d'autres conditions.
Précautions : ne pas appliquer sur des plaies ouvertes (coupures, écorchures, etc.) ou sur de grandes surfaces; ne pas employer pendant la grossesse et l'allaitement.
Effets indésirables possibles : sécheresse de la peau, sensation de brûlure, rougeur; réactions allergiques rares sous forme d'urticaire, d'éruption cutanée (interrompre le traitement).
Note : prescrit sur ordonnance médicale.

FLEMOXINE® (Brocades)

Introd. en 1992. Liste I. Remb. SS 70%.
PRINCIPE ACTIF : **Amoxicilline**.
Préparations : comprimés à 125 mg, 250 mg ou 1 g.
Emploi : antibiotique du groupe des pénicillines A ayant un large spectre d'action contre les bactéries, mais inefficace contre les staphylocoques producteurs de pénicillinases.
L'amoxicilline est mieux absorbée par voie buccale que l'ampicilline et est éliminée surtout dans les urines (précautions en cas d'insuffisance rénale); signalez à votre médecin toute maladie rénale qui peut demander une réduction des doses.
Durée du traitement : elle est déterminée par votre médecin; l'interruption prématurée du traitement peut favoriser une rechute de l'infection.
Pour les détails → p. 520.
Note : prescrit sur ordonnance médicale.

FLÉTAGEX® (Sterling Midy)

Introd. en 1940. Non remb. SS.
PRINCIPES ACTIFS : pommade contenant de l'huile de foie de morue et rétinol (vitamine A).
Emploi : proposé dans le traitement d'appoint des dermites irritatives, notamment «coup de soleil» (érythème solaire), gerçures.

Précautions : utilisation prudente en cas de lésions suintantes.
Note : vendu sans ordonnance; consultez votre médecin si les lésions persistent.

FLODIL® (Astra)

Introd. en 1992. Liste I. Remb. SS 70%.
PRINCIPE ACTIF : **Félodipine**.
Préparations : comprimés à libération prolongée à 5 mg.
Emploi : inhibiteur calcique utilisé pour traiter l'hypertension artérielle.
Pour les détails → p. 363.
Note : prescrit sur ordonnance médicale.

FLOGENCYL® (Parke-Davis)

Introd. en 1978. Remb. SS 40%.
PRINCIPE ACTIF : gel contenant de la bêta-aescine.
Emploi : proposé en application locale sur les aphtes et les ulcérations de la muqueuse buccale.
Précautions : ne pas utiliser chez l'enfant de moins de 30 mois.
Note : vendu sans ordonnance; ne pas utiliser pendant plus de 5 jours sans avis médical.

FLOROCYCLINE®
(SmithKline Beecham)

Introd. en 1967. Liste I. Remb. SS 40%.
PRINCIPES ACTIFS : **Tétracycline**
Préparations : gélules à 250 mg [+ levures 100 mg].
Emploi → p. 672.
Note : prescrit sur ordonnance médicale.

FLOXYFRAL® (Duphar)

Introd. en 1986. Liste I. Remb. SS 70%.
PRINCIPE ACTIF : **Fluvoxamine**.
Préparations : gélules à 50 mg.
Emploi : antidépresseur monocyclique bloquant la recapture de la sérotonine, utilisé dans le traitement des états dépressifs de l'adulte.
Pour les détails → p. 40.
Note : prescrit sur ordonnance médicale.

FLUANXOL® (Lundbeck)

Introd. en 1976. Liste I. Remb. SS 70%.
PRINCIPE ACTIF : **Flupentixol**.
Préparations : solution buvable à 4% (1 mg par goutte); forme retard, ampoules injectables à 20 mg ou 100 mg dans 1 ml (*Fluanxol® LP*).

Emploi : neuroleptique du groupe des thioxanthènes, proches des phéno-thiazines, utilisé pour traiter certaines maladies mentales (psychoses) aiguës ou chroniques accompagnées d'états d'excitation et d'agitation; il est aussi employé en cas de troubles du comportement lors du sevrage alcoolique.
Durée d'action : la préparation-retard (décanoate) a une durée d'action de 4 semaines (une injection intramusculaire par mois).
Pour les détails → p. 468.
Note : *prescrit sur ordonnance médicale.*

FLUBILAR® (Byk)

Introd. en 1971. Remb. SS 40%.
PRINCIPES ACTIFS : solution buvable en ampoules contenant chacune 100 mg ou 200 mg de cis-camphorate de méthyle sodé et 7,5 mg de benzoate de sodium.
Emploi : proposé pour stimuler la sécrétion de bile dans les troubles digestifs et de la constipation.
Précautions : ne pas employer en cas d'obstruction des voies biliaires; consultez votre médecin en cas de douleurs ou de crampes abdominales, de selles noires, d'amaigrissement, de douleurs de la région du foie, d'urines foncées, de jaunisse.
En cas de régime désodé : tenir compte de la teneur en sodium du produit.
Effets indésirables possibles : douleurs abdominales, diarrhées.
Note : vendu sans ordonnance; ne pas utiliser pendant plus de 5 jours sans avis médical.

FLUCON® (Alcon)

Introd. en 1983. Liste I. Remb. SS 70%.
PRINCIPE ACTIF : *Fluorométholone* .
Préparations : collyre à 0,1%.
Emploi : conjonctivites, inflammations des paupières (blépharites) et des voies lacrymales.
Conservation : à utiliser dans les 15 jours après l'ouverture du flacon.
Pour les détails → p. 178.
Note : prescrit sur ordonnance médicale.

FLUDEX® (Biopharma)

Introd. en 1977. Liste II. Remb. SS 70%.
PRINCIPE ACTIF : *Indapamide*.
Préparations : comprimés à 2,5 mg.

Emploi : médicament appartenant au groupe des diurétiques thiazidiques qui sont utilisés à faibles doses pour traiter l'hypertension artérielle.
Sportifs : ce médicament se trouve sur la liste des dopants interdits (Ministère de la Jeunesse et des Sports); il donne une réaction positive lors des contrôles antidopage.
Pour les détails → p. 232.
Note : prescrit sur ordonnance médicale.

FLUDIXAN® (Doms-Adrian)

Introd. en 1983. Remb. SS 40%.
PRINCIPE ACTIF : *Ethylcystéine*.
Préparations : comprimés à 150 mg.
Emploi : proposé pour liquéfier les sécrétions bronchiques et en faciliter l'expectoration dans les affections respiratoires accompagnées de sécrétions bronchiques épaisses, notamment en cas de bronchite aiguë, d'emphysème et d'autres affections.
Précautions : ne pas employer en cas d'allergie au produit, d'asthme, d'encombrement des bronches, d'ulcère gastroduodénal évolutif, de grossesse ou d'allaitement (innocuité non établie); ne pas employer chez l'enfant de moins de 5 ans.
Consultez votre médecin si votre état ne s'améliore pas rapidement ou s'il s'aggrave, en cas de crachats sanglants, d'amaigrissement, de fièvre.
Effets indésirables possibles : brûlures d'estomac, maux de tête, nausées, diarrhées.
Pour les détails → tableau ci-contre.
Note : vendu sans ordonnance; à éviter sans avis médical, surtout chez l'enfant.

FLUDROCORTISONE
1 p. mille (Allergan)

Introd. en 1959. Liste I. Remb. SS 70%.
PRINCIPE ACTIF : *Fludrocortisone*.
Préparations : collyre à 0,1%; pommade ophtalmique à 0,1%.
Emploi : minéralocorticoïde utilisé en collyre dans les conjonctivites et inflammations des paupières (blépharites) et des voies lacrymales.
Conservation : à utiliser dans les 15 jours après l'ouverture du flacon.
Pour les détails → p. 178.
Note : prescrit sur ordonnance médicale.

Si vous utilisez l'une des spécialités suivantes pour fluidifier les sécrétions bronchiques...

Bisolvon® (Boehringer Ingelheim).
Bronchathiol® (Martin).
Bronchocyst® (Sterling Midy)
Bronchokod® (Biogalénique).
Broncoclar® (Oberlin).
Exomuc® (Bouchara).
Fludixan® (Doms-Adrian).
Fluimucil® (Zambon).
Guéthural® (Elerté).
Hexafluid® (Dynathéra).
Muciclar® (Parke-Davis).
Mucitux® (Riom).

Mucofluid® (UCB Pharma).
Mucolator® (Abbott).
Mucomyst® (Bristol-Myers Squibb).
Mucoplexil® (R.P. Labo).
Mucothiol® (S.C.A.T.).
Muxol® (Leurquin).
Pneumoclar® (Pharminter).
Rhinathiol® (Synthélabo).
Solmucol® (Génévrier).
Surbronc® (Boehringer Ingelheim).
Tixair® (Sarget).
Viscotiol® (Corbière).

Emploi : les *fluidifiants des sécrétions bronchiques* ou *mucolytiques* sont censés liquéfier les sécrétions bronchiques et en faciliter l'expectoration.

L'efficacité de nombreux médicaments offerts sur le marché reste à démontrer à cause des difficultés des études cliniques contrôlées, de la rareté des mesures objectives des sécrétions bronchiques et de la brièveté des essais thérapeutiques habituellement établis sur deux semaines.

Les fluidifiants des sécrétions bronchiques ne sont utiles qu'en présence d'un mucus hypervisqueux et hyperélastique.

La plupart de ces agents peuvent irriter les muqueuses digestives, entraînant parfois une mauvaise tolérance digestive (douleurs gastriques, nausées, diarrhées); ils ne doivent pas être utilisés en cas d'ulcère ou de gastrite.

Chez les sujets bronchiteux et les asthmatiques chroniques, on préfère généralement utiliser un antiasthmatique bêtamimétique.

Certains cliniciens estiment que des boissons abondantes, la vapeur ou les aérosols d'eau sont parmi les meilleurs expectorants; quoi qu'il en soit, la kinésithérapie (gymnastique) respiratoire, le drainage de posture et parfois l'aspiration sont nécessaires pour évacuer les sécrétions trop abondantes de la muqueuse bronchique.

Précautions : ne pas utiliser ces médicaments en cas d'encombrement des bronches ou d'asthme bronchique, d'ulcère gastroduodénal évolutif, de grossesse ou d'allaitement (innocuité non établie), d'allergie au produit; ne pas employer chez l'enfant âgé de moins de 5 ans (sauf les formes pour enfant et sur avis du médecin traitant).

Consultez votre médecin si votre état ne s'améliore pas rapidement, si apparaissent des crachats sanglants, une fièvre, un amaigrissement.

Autres médicaments : ne prenez pas en même temps des médicaments contre la toux (par exemple codéine), qui pourraient empêcher l'expectoration du mucus.

Effets indésirables possibles :
– brûlures d'estomac, maux de tête, nausées, vomissements;
– respiration difficile (obstruction des bronches qui peut demander une aspiration);
– crachats tachés de sang;
– fièvre, éruption cutanée (réaction allergique : arrêtez immédiatement le traitement).

FLUIMUCIL® (Zambon)

Introd. en 1981. Remb. SS 40%.

PRINCIPE ACTIF : **Acétylcystéine**.

Préparations : granulé pour solution buvable en sachets à 200 mg; ampoules injectables à 5 g dans 25 ml (Liste II, réservées aux hôpitaux).

Emploi : proposé pour liquéfier les sécrétions bronchiques et en faciliter l'expectoration dans les affections respiratoires accompagnées de sécrétions bronchiques épaisses, notamment en cas de bronchite aiguë, d'emphysème et d'autres affections.

La forme injectable est utilisée en milieu hospitalier pour traiter l'intoxication aiguë par le paracétamol, lorsque l'administration de la forme orale est impossible.

Précautions : ne pas employer en cas d'allergie au produit, d'asthme, d'encombrement des bronches, d'ulcère gastroduodénal évolutif, de grossesse ou d'allaitement (innocuité non établie); ne pas employer chez l'enfant âgé de moins de 5 ans.

Consultez votre médecin si votre état ne s'améliore pas rapidement ou s'il s'aggrave, en cas de crachats sanglants, d'amaigrissement, de fièvre.

Effets indésirables possibles : brûlures d'estomac, maux de tête, nausées, diarrhées.

Pour les détails → p. 287.

Note : *le granulé est vendu sans ordonnance; médicament à éviter sans avis médical, surtout chez l'enfant.*

FLUIMUCIL ANTIBIOTIC®
(Zambon)

Introd. en 1979. Liste I. Remb. SS 40%.

PRINCIPE ACTIF : **Thiamphénicol acétyl-cystéinate**.

Préparations : préparation injectable en flacons contenant thiamphénicol 750 mg + acétylcystéine 345 mg.

Emploi : médicament appartenant au groupe des antibiotiques qui sont utilisés pour traiter les infections causées par des bactéries; ils agissent soit en tuant les bactéries (action bactéricide) soit en arrêtant leur croissance (action bactériostatique); ils n'agissent pas dans les infections virales, par exemple le rhume ou la grippe.

Le thiamphénicol est un analogue du chloramphénicol qui est efficace dans de nombreuses infections; cependant, étant donné le risque des effets indésirables graves du chloramphénicol, ce médicament n'est jamais employé dans les infections légères.

Dans les infections sévères, le thiamphénicol n'est utilisé que lorsque d'autres médicaments moins toxiques sont inefficaces ou ne peuvent pas être employés.

L'acétylcystéine est un fluidifiant des sécrétions bronchiques.

Pour les détails → p. 147.

Note : *prescrit sur ordonnance médicale.*

FLUISÉDAL® (Elerté)

Introd. en 1969. Remb. SS 40%.

PRINCIPES ACTIFS : sirop contenant
– benzoate de méglumine;
– polysorbate 20;
– prométhazine : antihistaminique, sédatif et atropinique (Phénergan®).
Une forme «sans prométhazine» a été introduite en 1990.

Emploi : proposé dans les troubles de la sécrétion bronchique.

Précautions : ne pas utiliser chez le nouveau-né, nourrisson et enfant âgé de moins de 2 ans (risque d'arrêt de la respiration pendant le sommeil), en cas d'insuffisance hépatique; de glaucome par fermeture de l'angle, d'hypertrophie prostatique.

Conduite de véhicules : ce médicament peut diminuer la vigilance; la conduite de véhicules ou l'utilisation de machines peut être dangereuse.

Alcool : évitez les boissons alcoolisées pendant le traitement (majoration de l'effet sédatif).

Durée du traitement : ce médicament ne doit être utilisé que pour une brève période.

Effets indésirables possibles : somnolence, sécheresse de la bouche, du nez et de la gorge, ztoubles visuels, accélération du pouls, palpitations, bouffées de chaleur, nausées, constipation, difficulté à uriner (chez les sujets prostatiques), confusion mentale ou agitation, éruptions cutanées.

Note : *vendu sans ordonnance; des principes actifs plus efficaces dans l'emploi proposé sont actuellement disponibles.*

FLUNIR® (Oberlin)

Introd. en 1983. Non remb. SS.

Préparation : pommade contenant 3% d'acide niflumique.

Emploi : proposé comme anti-inflammatoire local pour traiter la douleur dans les tendinites, arthrites des petites articulations, entorses, contusions, phlébites et dans d'autres affections.

Précautions : ne pas appliquer sur les plaies ouvertes (coupures, écorchures, etc.) ou sur de grandes surfaces; ne pas employer pendant la grossesse et l'allaitement (innocuité non établie).

Effets indésirables possibles : sécheresse de la peau, sensation de brûlure, rougeur; réactions allergiques rares sous forme d'urticaire, d'éruption cutanée (interrompre le traitement).

Note : vendu sans ordonnance; consultez votre médecin si les douleurs persistent.

FLUOCALCIC®
(Brocades Pharma)

Introd. en 1987. Remb. SS 70%.

Principes actifs : comprimés contenant du monofluorophosphate disodique et carbonate de calcium; un comprimé apporte 13,2 mg d'ion fluor et 500 mg de calcium élément.

Emploi : proposé dans le traitement des ostéoporoses vertébrales avec tassement, dont le diagnostic ne peut être posé que par votre médecin.

Effets indésirables possibles : nausées, vomissements, diarrhées, douleurs osseuses et articulaires.

Intoxication aiguë : troubles digestifs, faiblesses et douleurs musculaires, tétanie (hypocalcémie), dépression respiratoire, convulsions, diminution du volume de l'urine.

Intoxication chronique (fluorose) : douleurs articulaires, ostéosclérose et anémie.

Note : vendu sans ordonnance; à utiliser sous contrôle médical.

FLUOGEL® (Dentoria)

Introd. en 1983. Remb. SS 70%.

Principes actifs : gel dentaire contant du fluorure de sodium et bifluorure d'ammonium.

Emploi : proposé en application locale pour prévenir les caries dentaires post-radiothérapiques.

Pour les détails → Fluorure de sodium.

Note : vendu sans ordonnance; à éviter sans avis médical.

FLUOGUM® (Goupil)

Introd. en 1978. Non remb. SS.

Principes actifs : gomme à mâcher contenant 250 mg de fluorure de sodium par tablette.

Emploi : prévention des caries dentaires.

Pour les détails → Fluorure de sodium.

Note : vendu sans ordonnance; à éviter sans avis médical.

FLUON® (Rabi & Solabo)

Introd. en 1956. Non remb. SS.

Principes actifs : comprimés et solution buvable contenant perméthol, extraits de marron d'Inde, séneçon, valériane, viburnum, hamamélis.

Emploi : proposé dans les symptômes en rapport avec l'insuffisance veino-lymphatique (jambes lourdes, etc.).

Précautions : consultez votre médecin en cas de suspicion de phlébite (jambes rouges et/ou chaudes, douloureuses, surtout si d'un seul côté et avec fièvre).

Note : vendu sans ordonnance; efficacité des principes actifs à confirmer dans l'emploi proposé.

FLUOR MONAL® (Monal)

Introd. en 1971. Remb. SS 70%.

Principes actifs : comprimés contenant 0,5 mg de fluorure de sodium.

Emploi : proposé pour prévenir les caries dentaires.

Pour les détails → Fluorure de sodium.

Note : vendu sans ordonnance; à éviter sans avis médical.

FLUORESCÉINE® (Faure)

Introd. en 1975. Non remb. SS.

Préparations : collyre à 2%; soluté injectable à 10% et 20% (sel sodique).

Emploi : colorant fluorescent utilisé en ophtalmologie sous forme de collyre à 2% pour la recherche de corps étrangers ou de lésions de la cornée; il peut être injecté par voie intraveineuse pour l'examen du fond d'œil.

Effets indésirables possibles : réactions allergiques.

Note : produit à usage diagnostique.

Si vous utilisez l'une des spécialités suivantes pour traiter une infection...

SPÉCIALITÉS CONTENANT UN FLUOROQUINOLONE :

Ciflox® (Bayer Pharma).   Oflocet® (Diamant).
Noroxine® (M. S. & D.-Chibret).   Péflacine® (R. Bellon).

Emploi : les *fluoroquinolones* sont utilisés par voie buccale pour traiter certaines infections bactériennes, notamment les infections urinaires à gonocoques, ou pour prévenir la méningite à méningocoques; en perfusion intraveineuse, ils sont utilisés pour traiter des infections graves.

Allergie : informez votre médecin si vous avez déjà fait une réaction allergique à un médicament du groupe des fluoroquinolones ou des quinolones.

Etat de santé : vous devez informer votre médecin de toute affection susceptible de modifier les effets du médicament, notamment, maladies des reins, épilepsie, convulsions antérieures, traumatisme crânien ou accident vasculaire cérébral récent («attaque»), déficit en glucose-6-phosphate déhydrogénase ou G6PD (chez les sujets atteints de cette anomalie congénitale rare, risque d'anémie hémolytique).

Grossesse : ces médicaments ne doivent pas être utilisés chez la femme enceinte ou susceptible de l'être; en effet, certains fluoroquinolones ont causé des troubles du développement osseux du fœtus au cours de l'expérimentation animale.

Allaitement : utilisation déconseillée.

Enfants et adolescents : ces médicaments ne doivent pas être utilisés jusqu'à la fin de la période de croissance; en effet, ils ont causé des retards de développement des cartilages au cours de l'expérimentation animale.

Interactions : il faut informer votre médecin si vous prenez ou avez pris récemment d'autres médicaments, notamment théophylline, nitrofurantoïne, anticoagulants oraux, antiacides gastriques.

Prise du médicament : les comprimés sont pris de préférence avec un verre d'eau au milieu des repas du matin et du soir .

Durée du traitement : respectez la durée de prescription de votre médecin, même si les fièvre et les autres signes d'infection disparaissent; l'arrêt prématuré du traitement vous expose à une rechute car la disparition des symptômes ne signifie pas nécessairement guérison totale de l'infection.

Exposition au soleil : les fluoroquinolones peuvent rendre votre peau très sensible aux rayons solaires et ultraviolets (photosensibilisation); dans ce cas, pendant toute la durée du traitement, vous devez éviter l'exposition directe au soleil et porter des vêtements qui couvrent les bras et les jambes, un chapeau et des lunettes de soleil.

Conduite de véhicules : chez certains sujets, les fluoroquinolones causent des vertiges, des étourdissements ou diminuent la vigilance.

Effets indésirables possibles :
– perte de l'appétit, nausées, vomissements, diarrhées, maux de tête, vertiges, troubles du sommeil, fatigue, sensations d'ébriété, cauchemars;
– troubles visuels, agitation, hallucinations, confusion mentale, convulsions;
– douleurs musculaires et articulaires;
– prurit, urticaire, éruption cutanée, bouffissure des paupières et des lèvres (œdème de Quincke) : ces réactions allergiques sont indépendantes de la dose absorbée, demandent l'arrêt immédiat du traitement et constituent une contre-indication définitive à l'emploi du produit;
– chevilles enflées, œdèmes (insuffisance rénale); confusion, hallucinations;
– diarrhées persistantes, nausées, vomissements, crampes abdominales, fièvre, selles contenant du sang: il peut s'agir d'une *colite pseudomembraneuse* qui exige, dans les formes graves, une hospitalisation; ne pas administrer d'antidiarrhéiques, p. ex. lopéramide ou diphénoxylate qui peuvent aggraver les diarrhées.

FLUOR-IN® (Monal)

Introd. en 1978. Non remb. SS.

PRINCIPES ACTIFS: comprimés contenant 1,5 mg de fluorure de sodium.

Emploi : proposé pour prévenir les caries dentaires.

Pour les détails → Fluorure de sodium.

Note : vendu sans ordonnance; à éviter sans avis médical.

FLUORO-URACILE (Roche)

Introd. en 1978. Liste I. Remb. SS 100%.

PRINCIPE ACTIF : *Fluorouracil*.

SYNONYME : 5-FU.

Préparations : ampoules injectables à 250 mg dans 5 ml. Sous forme de crème dermique → *Efudix*®.

Emploi : médicament appartenant au groupe des antimétabolites employé en perfusion intraveineuse pour traiter les proliférations cellulaires anormales au niveau du tube digestif, du sein ou de l'ovaire.

Note : le traitement doit être pris en charge par un spécialiste.

FLUORURE DE SODIUM

A doses faibles, pour prévenir les caries dentaires

SPÉCIALITÉS :
Fluogel® (Dentoria).
Fluogum® (Goupil).
Fluor Monal®.
Fluor-In® (Goupil).
NaF Crinex®.
Zymafluor® (Zyma).

Préparations : comprimés à 0,25 mg, 0,5, 1 mg ou 1,5 mg; gomme à mâcher; gel dentaire.

Emploi : afin de prévenir la carie dentaire dans la population, une certaine quantité de fluorure est ajouté à l'eau potable et/ou au sel de cuisine.

Posologie : les doses journalières suivantes sont proposées pour prévenir la carie dentaire :

– lorsque l'eau est fluorée (1 mg/litre): pas d'administration de comprimés fluorés;
– lorsque le sel n'est pas fluoré: 0,25 mg par jour jusqu'à 2 ans, 0,50 mg de 2 à 4 ans, 0,75 mg de 4 à 5 ans et de 1 mg jusqu'à 16 ans;
– lorsque le sel est fluoré : 0,25 mg par jour jusqu'à 3 ans;
– chez la femme enceinte à partir du 5e mois : 1 mg/ jour;
– la dose maximale est de 2 mg/jour;
– les médicaments contenant du calcium et les aliments riches en calcium (fromages, laitages) peuvent réduire la résorption digestive du fluor;
– les applications locales seules (dentifrices) ne préviennent pas la carie, mais elles semblent renforcer l'action du fluorure de sodium pris par voie buccale.

Effets indésirables possibles : les faibles doses utilisées dans la prévention de la carie dentaire ne provoquent pas d'effets indésirables, sauf parfois un aspect moucheté de l'émail dentaire en cas de doses excessives ou d'eau potable trop fluorée (plus de 2 mg par litre).

Intoxication aiguë : troubles digestifs, faiblesses et douleurs musculaires, tétanie (hypocalcémie), dépression respiratoire, convulsions, diminution du volume de l'urine (hospitalisation d'urgence).

Intoxication chronique (fluorose) : des doses supérieures à 2 mg par jour pendant plusieurs années peuvent provoquer des taches sur les dents, des douleurs articulaires, une anémie.

A doses élevées, pour traiter l'ostéoporose grave

SPÉCIALITÉS :
Ostéofluor® (Merck-Clévenot).
Rumafluor® (Zyma).

Emploi : le fluorure de sodium à doses élevées est utilisé sous surveillance médicale pour traiter l'ostéoporose grave, *uniquement* en cas de tassement vertébral; ce traitement doit être associé à une prise quotidienne de 1-2 g de calcium élément (pour éviter une déminéralisation osseuse ou ostéomalacie). Le calcium doit être ingéré à distance de la prise de fluor. L'association de vitamine D peut être nécessaire en cas de malabsorption calcique, mais demande une surveillance stricte de la calcémie et de la calciurie.

Précautions : ne pas employer en cas d'allergie au produit; les affections suivantes peuvent modifier l'action du médicament :

– maladie des reins (risque de rétention de fluorure en cas d'insuffisance rénale, même modérée);

– ostéomalacie ou déminéralisation osseuse (risque d'aggravation).

Grossesse et allaitement : l'innocuité de ce médicament n'ayant pas été établie chez la femme enceinte, ni lors de l'allaitement, son usage est déconseillé par mesure de prudence.

Enfants : le fluorure de sodium à doses élevées ne doit pas être employé chez les enfants et adolescents en période de croissance.

Sujets âgés : exigent une surveillance particulière pendant le traitement à cause du risque accru d'effets indésirables, notamment de fracture du col du fémur.

Interactions : il faut informer votre médecin si vous prenez ou avez pris récemment d'autres médicaments.

Prescription : ne dépassez pas la dose prescrite par votre médecin; des doses trop élevées augmentent le risque d'effets indésirables.

Prise du médicament : les comprimés doivent être avalés, sans être croqués, avec un verre d'eau (à l'exclusion de boissons lactées), dans la demi-heure qui précède le repas.

Oubli : si vous oubliez de prendre le médicament et si vous le remarquez dans les 2 heures qui suivent, prenez immédiatement la dose oubliée; ne doublez pas la dose suivante; si vous oubliez le médicament plusieurs jours, prenez contact avec votre médecin.

Médicaments associés : ce médicament ne doit pas être administré seul mais associé à une préparation de calcium ingérée à distance de la prise de fluorure, selon la prescription de votre médecin qui pourra aussi vous indiquer si l'association de vitamine D est nécessaire dans votre cas.

L'association de médicaments contenant de l'aluminium ou du magnésium diminue l'absorption du fluorure.

Durée du traitement : on recommande en général un traitement de 2 ans.

Surveillance : consultez votre médecin à intervalles réguliers pour évaluer les progrès du traitement.

Effets indésirables possibles : nausées, vomissements, diarrhées; douleurs articulaires (régressent à l'arrêt du traitement).

Intoxication aiguë : troubles digestifs, faiblesses et douleurs musculaires, tétanie (hypocalcémie), dépression respiratoire, convulsions, diminution du volume de l'urine.

Intoxication chronique (fluorose): douleurs articulaires, ostéosclérose, anémie; s'observe à partir d'une prise continue de 15-20 mg/jour.

FLUVERMAL® (Janssen)

Introd. en 1980. Remb. SS 70%.

PRINCIPE ACTIF : **Flubendazole**.

Préparations : comprimés à 100 mg; suspension buvable à 100 mg par cuillerée à café.

Emploi : médicament appartenant au groupe des anthelminthiques ou vermifuges qui sont utilisés pour traiter les infestations par des vers; le flubendazole, dont l'absorption digestive est faible, est employé pour traiter l'ascaridiose, l'oxyurose, l'ankylostomiase et l'anguillulose.

Posologie (adulte et enfant) :

– *oxyurose* : 100 mg en une prise unique; cette dose doit être systématiquement répété au bout de 2 à 4 semaines et tous les membres de la famille doivent être traités en même temps pour éviter la réinfestation;

– *ascaridiose* : 100 mg matin et soir pendant 3 jours.

Précautions : à éviter pendant la grossesse (innocuité non établie).

Effets indésirables possibles : maux de tête, vertiges, douleurs abdominales, nausées, diarrhée, éruption cutanée.

Note : *vendu sans ordonnance; efficacité du principe actif généralement reconnue dans l'emploi proposé.*

FOLINATE DE CALCIUM
(R. Bellon)

Introd. en 1975. Non remb. SS.

PRINCIPE ACTIF : **Folinate de calcium**.

SYNONYMES : acide folinique, leucovorine, citrovorum factor.

Préparations : ampoules à 2,5 mg.

Emploi : le folinate de calcium est un dérivé de l'acide folique utilisé :

– comme antidote dans le surdosage accidentel des médicaments antagonistes de l'acide folique (antifoliques), notamment méthotrexate, triméthoprime, pyriméthamine, pentamidine, triamtérène et phénytoïne;

– dans le traitement de certaines anémies dites «mégaloblastiques» dues à une carence en acide folique ou aux médicaments antifoliques.

Précautions : ce médicament ne doit pas être utilisé pour traiter l'anémie pernicieuse car il améliore les symptômes de l'anémie, mais ne protège pas le patient de la progression du syndrome neurologique.
Effets indésirables possibles : troubles digestifs, réactions allergiques rares.
Note : à utiliser sous contrôle médical.

FOLINORAL® (Lucien)

Introd. en 1989. Non remb. SS.
PRINCIPE ACTIF : **Folinate de calcium.**
SYNONYMES : acide folinique, leucovorine, citrovorum factor.
Préparations : gélules à 5 mg .
Emploi : le folinate de calcium est un dérivé de l'acide folique utilisé :
– comme antidote dans le surdosage accidentel des médicaments antagonistes de l'acide folique (antifoliques), notamment méthotrexate, triméthoprime, pyriméthamine, pentamidine, triamtérène, phénytoïne;
– dans le traitement de certaines anémies dites «mégaloblastiques» dues à une carence en acide folique ou aux médicaments antifoliques.
Précautions : ce médicament ne doit pas être utilisé pour traiter l'anémie pernicieuse car il améliore les symptômes de l'anémie, mais ne protège pas le patient de la progression du syndrome neurologique.
Effets indésirables possibles : troubles digestifs, réactions allergiques rares.
Note : à utiliser sous contrôle médical.

FONCITRIL 4000® (Lafon)

Introd. en 1967. Non remb. SS.
PRINCIPES ACTIFS : granulé contenant des citrates de sodium et de potassium, acide citrique et triméthylphloroglucinol.
Emploi : utilisé sous surveillance médicale pour alcaliniser les urines.
Note : vendu sans ordonnance; à utiliser sous contrôle médical.

FONGAMIL® (Biorga)

Introd. en 1991. Liste I. Remb. SS 70%.
PRINCIPE ACTIF : **Omoconazole.**
Préparations : crème à 1%, poudre à 1% et solution à 1% p. application locale.
Emploi : dérivé imidazolé appartenant au groupe des antifongiques locaux qui sont utilisés en application locale

pour traiter les infections de la peau causées par des champignons ou des levures (mycoses superficielles); il est aussi actif contre certaines bactéries, notamment staphylocoques et streptocoques; l'omoconazole est utilisé pour traiter les dermatophytoses de la peau glabre et des orteils (pied d'athlète), les teignes.
Précautions : ne pas appliquer sur une grande surface, une peau lésée et chez le nourrisson (risque d'absorption du produit).
Effets indésirables possibles : irritation locale, prurit, brûlures.
Note : prescrit sur ordonnance médicale.

FONGÉRYL® (L'Arguenon)

Introd. en 1952. Non remb. SS.
PRINCIPE ACTIF : pommade et solution pour application locale contenant un ammonium quaternaire (antifongique local).
Emploi : proposé dans les mycoses cutanées superficielles (infections par des champignons).
Précautions : ne pas appliquer sur les muqueuses.
Note : vendu sans ordonnance; à éviter sans avis médical, sauf en cas de rechutes d'affections diagnostiquées antérieurement par votre médecin.

FONGIBACTYL®
(Pharmascience)

Introd. en 1966. Non remb. SS.
PRINCIPES ACTIFS : solution pour application locale contenant du chlorure de miristalkonium (antiseptique local) et acide lauryloxypropyl-bêta-aminobutyrique.
Emploi : proposé dans les mycoses cutanées superficielles (infections par des champignons).
Précautions : ne pas appliquer sur les muqueuses.
Note : vendu sans ordonnance; à éviter sans avis médical, sauf en cas de rechutes d'affections diagnostiquées antérieurement par votre médecin.

FONLIPOL® (Lafon)

Introd. en 1972. Liste II. Remb. SS 70%.
PRINCIPE ACTIF : **Tiadénol.**
Préparations : comprimés à 400 mg.
Emploi : médicament appartenant au groupe des hypolipidémiants qui sont

utilisés pour abaisser les taux du cholestérol et des triglycérides dans le sang (graisses ou lipides sanguins). Le tiadénol est utilisé lorsque les taux du cholestérol dans le sang reste trop élevés malgré un régime adapté, poursuivi correctement pendant 3 à 6 mois.

Pour les détails → p. 353.

Note : *prescrit sur ordonnance médicale.*

FONZYLANE® (Lafon)

Introd. en 1976. Liste II. Remb. SS 70%.

PRINCIPE ACTIF : **Buflomédil.**

Préparations : comprimés à 150 mg ou 300 mg; ampoules injectables à 50 mg dans 5 ml; solution injectable pour perfusion en flacons à 400 mg/40 ml ou poches à 400 mg dans 120 ml.

Emploi : vasodilatateur périphérique utilisé dans le traitement des artériopathies des membres inférieurs, notamment en cas de claudication intermittente ou de syndrome de Raynaud; l'efficacité des vasodilatateurs périphériques dans ces affections reste à confirmer.

Note : *prescrit sur ordonnance médicale.*

FORMOCARBINE®
(SmithKline Beecham)

Introd. en 1925. Non remb. SS.

PRINCIPE ACTIF : **Charbon activé.**

SYNONYME : charcoal.

Préparations : gélules, granulé.

Propriétés : le charbon activé est un adsorbant des gaz, des liquides et des toxines.

Emploi : proposé dans les flatulences, l'excès de gaz (météorisme).

Précautions : il faut laisser un intervalle libre d'au moins 2 heures entre la prise du charbon et celle d'un autre médicament dont l'absorption digestive pourrait être diminuée.

En cas de diabète : tenir compte de la teneur en sucre du produit.

Note : *vendu sans ordonnance; ne pas utiliser pendant plus de 5 jours sans avis médical.*

FORTAL® (Sterling Winthrop)

Introd. en 1969. Remb. SS 70%.

Stupéfiants (règle des 7 jours).

PRINCIPE ACTIF : **Pentazocine.**

Préparations : ampoules injectables à 30 mg dans 1 ml.

Emploi : analgésique morphinique «majeur» ayant une action agoniste partielle (agoniste/antagoniste), dont le risque d'abus semble relativement faible; cependant, ce médicament est employé uniquement dans les douleurs intenses et rebelles aux analgésiques périphériques, les douleurs post-opératoires ou post-traumatiques, celles d'origine cancéreuse et de la colique rénale ou biliaire (associer un antispasmodique). Ne pas utiliser chez les toxicomanes (risque de manifestations de sevrage aiguës).

Pour les détails → Morphine, p. 444.

Note : *prescrit sur ordonnance médicale.*

FORTRANS® (Beaufour)

Introd. en 1988. Remb. SS 70%.

PRINCIPES ACTIFS : poudre pour solution buvable contenant du polyéthylèneglycol, chlorure de sodium, sulfate de sodium, chlorure de potassium, bicarbonate de sodium.

Emploi : évacuateur colique utilisé avant les explorations endoscopiques ou radiologiques du côlon ou avant la chirurgie colique.

Note : *produit à usage diagnostique.*

FORTUM® → Céphalosporines.

FORVITAL® (Lederle)

Introd. en 1985. Non remb. SS.

PRINCIPES ACTIFS : comprimés contenant des vitamines hydrosolubles (B1, B2, B6, B12, C, acide folique, acide pantothénique, nicotinamide, tocophérol) et fumarate ferreux.

Emploi : proposé dans les «carences vitaminiques multiples»; ce médicament est inadéquat pour traiter des carences spécifiques en vitamines; efficacité à confirmer dans les états de fatigue passagers.

Effets indésirables possibles : la présence en faible dose de la vitamine B12 est insuffisante pour traiter une anémie, mais suffisante pour en masquer les manifestations et retarder le diagnostic; la présence de fer peut masquer une anémie ferriprive par saignement digestif.

Note : *vendu sans ordonnance; à éviter en automédication (une carence en vitamines ne peut être diagnostiquée que par votre médecin).*

FOSCAVIR® (Astra)

Introd. en 1991. Liste I.

PRINCIPE ACTIF : *Foscarnet sodique*.

Préparations : soluté injectable pour perfusion intraveineuse à 24 mg/ml.

Emploi : antiviral utilisé en milieu hospitalier pour traiter la rétinite à cytomégalovirus chez des sujets infectés par le VIH au stade de SIDA.

Note : *réservé aux hôpitaux.*

FOSFOCINE® (Clin Midy)

Introd. en 1980. Liste I.

PRINCIPE ACTIF : *Fosfomycine*.

Préparations (sel sodique) : poudre pour solution injectable en flacons à 1 g et 4 g.

Emploi : antibiotique utilisé en perfusions intraveineuses à l'hôpital pour traiter certaines infections graves résistantes aux autres antibiotiques. La fosfomycine est aussi utilisée par voie buccale, en une prise unique, pour traiter la cystite (inflammation de la vessie) aiguë non compliquée de la femme jeune (→ Monuril®).

Précautions : ne pas employer en cas d'insuffisance rénale, au cours de la grossesse et pendant l'allaitement ; ne pas associer le métoclopramide.

Effets indésirables possibles : nausées, diarrhées, éruption cutanée (réaction allergique).

Note : *réservé aux hôpitaux.*

FOSLYMAR® (Rorer)

Introd. en 1978. Non remb. SS.

PRINCIPES ACTIFS : comprimés contenant du phosphate de glycine et phosphate de magnésium ; un comprimé contient 400 mg de phosphore élément et 49 mg de magnésium.

Emploi : proposé sous surveillance médicale dans les carences en phosphore et en magnésium.

Précautions : ne pas employer en cas d'insuffisance rénale ; on recommande des contrôles périodiques du taux du calcium dans le sang (calcémie) et dans les urines (calciurie).

Note : *vendu sans ordonnance ; à éviter en automédication (une carence en phosphore ou en magnésium ne peut être reconnue que par votre médecin).*

FRAGIPREL® (Biogalénique)

Introd. en 1966. Remb. SS 40%.

PRINCIPES ACTIFS : comprimés contenant de la troxérutine, extrait de *Ruscus aculeatus* (fragon), hespéridine et acide ascorbique (vitamine C).

Emploi : proposé dans la fragilité capillaire.

Note : *vendu sans ordonnance ; efficacité des principes actifs à confirmer dans l'emploi proposé.*

FRAGMINE® (Kabi Pharmacia)

Introd. en 1988. Liste I. Remb. SS 70%.

PRINCIPE ACTIF : *Daltéparine sodique*.

SYNONYME : tédelparine.

Préparations : fragments de glycosaminoglycane héparine d'origine porcine (poids moléculaire 4000-6000) en ampoules injectables à 2.500, 5.000 ou 10.000 UI anti-Xa (antifacteur Xa).

Emploi : médicament appartenant au groupe des *héparines de faible poids moléculaire* ayant une action anticoagulante (diminution de la tendance du sang à se coaguler) et une action antithrombotique (inhibition de la formation et de l'extension des caillots dans les vaisseaux sanguins).

Par rapport à l'héparine standard, les héparines de faible poids moléculaire ont, dans les études de laboratoire, une action antithrombotique plus importante que l'action anticoagulante ; en outre, leur demi-vie plasmatique prolongée permet une seule injection quotidienne.

Ce médicament est employé pour traiter les caillots sanguins formés dans les veines profondes (thromboses veineuse profondes constituées) ; il est injecté par voie sous-cutanée à l'aide de seringues de haute précision et d'aiguilles très fines.

Pour les détails → p. 337.

Note : *prescrit sur ordonnance médicale.*

FRAGONAL® (Phygiène)

Introd. en 1965. Non remb. SS.

PRINCIPES ACTIFS : comprimés contenant un extrait de *Ruscus aculeatus* (fragon) et esculoside.

Emploi : proposé dans le traitement des symptômes en rapport avec l'insuffisance veinolymphatique (jambes lourdes, etc.).

Précautions : consultez votre médecin en cas de suspicion de phlébite (jambes rouges et/ou chaudes, douloureuses, surtout si d'un seul côté et avec fièvre).
Note : *vendu sans ordonnance; efficacité des principes actifs à confirmer dans l'emploi proposé.*

FRAKIDEX® (Chauvin)

Introd. en 1984. Liste I. Remb. SS 70%.
PRINCIPES ACTIFS : collyre et pommade ophtalmique contenant de la framycétine (antibiotique) et dexaméthasone (corticoïde).
Emploi : infections microbiennes aiguës du segment antérieur de l'œil et de ses annexes.
Précautions : ne pas employer en cas d'infections virales, fongiques ou tuberculeuses ou d'antécédents de glaucome.
Surveillance : en cas de traitement prolongé, consultez périodiquement votre médecin; surveillance de la tension oculaire.
Sportifs : ce médicament peut donner une réaction positive lors des tests pour contrôle antidopage.
Conservation : à utiliser dans les 15 jours après l'ouverture du flacon.
Note : *prescrit sur ordonnance médicale.*

FRAMITULLE® (Cassenne)

Introd. en 1991. Non remb. SS.
Préparations : compresses contenant de la framycétine (antibiotique), vaseline et lanoline.
Indications : pansement proposé en cas de brûlures et plaies.
Effets indésirables possibles : réactions allergiques locales.
Note : *vendu sans ordonnance; à éviter en automédication comme tous les antibiotiques locaux.*

FRAMYBIOTAL® (J.-P. Martin)

Introd. en 1990. Non remb. SS.
PRINCIPE ACTIF : *Framycétine.*
SYNONYME : néomycine B.
Préparations : solution nasale en flacon nébuliseur.
Emploi : antibiotique aminoside, utilisé en application locale, actif sur les staphylocoques, streptocoques, proposé dans les infections de la muqueuse nasale et pharyngée.

Durée du traitement : ne pas dépasser 10 jours.
Effets indésirables possibles : réactions allergiques cutanées.
Note : *vendu sans ordonnance; à éviter en automédication comme tous les antibiotiques locaux.*

FRAXIPARINE® (Choay)

Introd. en 1985. Liste I. Remb. SS 70%.
PRINCIPE ACTIF : *Nadroparine calcique.*
Préparations : fragments de glycosaminoglycane héparine d'origine porcine (poids moléculaire 4000-5000) en seringues injectables de 0,2 ml, 0,3 ml, 0,4 ml, 0,6 ml, 0,8 ml et 1 ml à 10250 UI AXa (antifacteur Xa) par ml.
Emploi : médicament appartenant au groupe des *héparines de faible poids moléculaire* ayant une action anticoagulante (diminution de la tendance du sang à se coaguler) et une action antithrombotique (inhibition de la formation et de l'extension des caillots dans les vaisseaux sanguins).
Par rapport à l'héparine standard, les héparines de faible poids moléculaire ont, dans les études de laboratoire, une action antithrombotique plus importante que l'action anticoagulante; leur demi-vie plasmatique prolongée permet une seule injection quotidienne. Ce médicament est employé pour traiter les caillots sanguins formés dans les veines (thromboses veineuses profondes constituées); il est injecté par voie sous-cutanée à l'aide de seringues de haute précision et d'aiguilles très fines.
Pour les détails → p. 337.
Note : *prescrit sur ordonnance médicale.*

FRAZOLINE® (Bouchara)

Introd. en 1979. Liste II. Remb. SS 40%.
PRINCIPES ACTIFS : solution nasale contenant de la framycétine (antibiotique), naphazoline (vasoconstricteur local) et amyléine anesthésique local.
Emploi : proposé dans la congestion des muqueuses nasales et du pharynx (rhino-pharyngites aiguës).
Durée du traitement : l'utilisation pendant plus de 5-6 jours consécutifs est déconseillée en raison du risque d'aggravation de la congestion nasale («rebond»), obstruction chronique du nez par hypertrophie des cornets.

Précautions : ne pas utiliser chez les enfants âgés de moins de 3 ans, en cas de glaucome par fermeture de l'angle, de fonctionnement excessif de la glande thyroïde (hyperthyroïdie), d'insuffisance hépatique, de grossesse, d'allaitement, d'association avec les antidépresseurs IMAO.

Effets indésirables possibles : palpitations, accélération ou irrégularité du pouls, maux de tête, étourdissements, nervosité, insomnie, transpirations et tremblements.

Note : prescrit sur ordonnance médicale.

FRUBIOSE CALCIQUE®
(Boehringer Ingelheim)

Introd. en 1948. Non remb. SS.

PRINCIPES ACTIFS : solution buvable (en ampoules «faibles» ou «fortes») contenant de l'ergocalciférol (vitamine D2), gluconate de calcium et lactate de calcium.

Emploi : proposé dans les carences en vitamine D, notamment pour le traitement curatif de l'ostéomalacie de l'adulte (déminéralisation des os qui sont affaiblis), dont le diagnostic ne peut être posé que par votre médecin.

Prescription : ne dépassez pas la dose prescrite par votre médecin; des doses trop élevées augmentent le risque d'effets indésirables.

Surveillance : consultez votre médecin à intervalles réguliers pour évaluer les effets du traitement et contrôler le taux du calcium dans le sang (calcémie) et dans l'urine (calciurie).

En cas de diabète : tenir compte de la teneur en sucre de la préparation.

Intoxication : → Vitamine D.

Note : vendu sans ordonnance; à utiliser sous contrôle médical.

FRUCOL® (Boehringer Ingelheim)

Introd. en 1989. Non remb. SS.

PRINCIPE ACTIF : comprimés contenant du férulate de magnésium.

Emploi : troubles digestifs (dyspepsie).

Précautions : ne pas utiliser pendant la grossesse ou en cas d'insuffisance hépatique ou rénale; consultez votre médecin si les troubles persistent et en cas de crampes abdominales, de selles noires, d'amaigrissement.

Note : vendu sans ordonnance; ne pas utiliser pendant plus de 5 jours sans avis médical.

FRUCTINES® au picosulfate de sodium (DB Pharma)

Introd. en 1973. Non remb. SS.

PRINCIPE ACTIF : comprimés à sucer contenant du picosulfate de sodium.

Emploi : traitement de courte durée de la constipation.

Précautions : le picosulfate de sodium appartient au groupe des laxatifs salins qui augmentent la motricité (péristaltisme) du côlon et la sécrétion intestinale d'eau, d'électrolytes et de protéines; il ne doit être utilisé que pour des traitements de courte durée (maximum 3 jours) de la constipation occasionnelle.

En cas de diabète : tenir compte de la teneur en sucre du produit.

Note : vendu sans ordonnance; à éviter comme tous les laxatifs irritants.

FUCIDINE® (Leo)

Introd. en 1965. Liste I. Remb. SS 70%.

PRINCIPE ACTIF : *Acide fusidique.*

Préparations : comprimés à 250 mg; suspension buvable à 100 mg/mesure et 250 mg/mesure; poudre pour solution injectable en flacons à 500 mg (réservés à l'usage hospitalier).

Emploi : antibiotique utilisé par voie buccale ou en perfusions dans le traitement des infections à staphylocoques notamment cutanées, osseuses et articulaires; dans les infections sévères, on associe une pénicilline ou un aminoside ou un macrolide; ce médicament n'est pas indiqué dans les infections cérébrales, méningées ou urinaires.

Prise du médicament : on conseille de prendre les comprimés au cours des repas pour atténuer les troubles digestifs.

Grossesse et allaitement : l'innocuité n'ayant pas été établie chez la femme enceinte, ni lors de l'allaitement, l'usage est déconseillé par prudence.

Effets indésirables possibles :

– prurit, éruption cutanée (réaction allergique : arrêtez immédiatement le traitement);

– toxicité hépatique, jaunisse;

– saignement au moindre traumatisme, présence de sang dans les urines

ou les selles, coloration noire des selles, apparition de petites taches bleues ou rouges sur la peau (diminution des plaquettes dans le sang);
– fièvre, frissons, maux de gorge, ulcérations buccales (diminution des globules blancs dans le sang).

Note : prescrit sur ordonnance médicale.

FUCIDINE® crème, pommade
(Leo)

Introd. en 1966. Liste I. Remb. SS 70%.
PRINCIPE ACTIF : *Acide fusidique.*

Préparations : pommade et crème à 2%.

Emploi : antibiotique utilisé en application cutanée dans le traitement des infections à staphylocoques de la peau, notamment furoncle, anthrax, impétigo et dans d'autres affections déterminées par votre médecin.

Effets indésirables possibles : eczéma allergique de contact.

Note : prescrit sur ordonnance médicale.

FUCITHALMIC® (Leo)

Introd. en 1990. Liste I. Remb. SS 70%.
PRINCIPE ACTIF : *Acide fusidique.*

Préparations : gel ophtalmique contenant 1% d'acide fusidique.

Emploi : antibiotique utilisé pour traiter les infections bactériennes aiguës du segment antérieur de l'œil.

Conservation : à utiliser dans les 15 jours après l'ouverture du flacon.

Note : prescrit sur ordonnance médicale.

FULCINE FORTE®
(Zeneca-Pharma)

Introd. en 1972. Liste I. Remb. SS 70%.
PRINCIPE ACTIF : *Griséofulvine.*

Préparations : comprimés à 500 mg.

Emploi : antibiotique appartenant au groupe des antifongiques qui sont employés pour traiter certaines infections causées par des levures et des champignons (mycoses); la griséofulvine est utilisée par voie buccale notamment pour traiter les dermatophytoses de la peau glabre et des orteils (pied d'athlète), les teignes et d'autres affections; elle est peu active en applications locales qui doivent être associées à un traitement par voie buccale; une hygiène générale rigoureuse est essentielle afin de réduire le risque de réinfection.

Proposée, en l'absence d'activité spécifique actuellement démontrée, dans les algodystrophies réflexes post-traumatiques et dans le syndrome de Raynaud.

Durée d'action : jusqu'à 24 heures.

Précautions : ne pas employer en cas d'allergie au produit, aux pénicillines ou à la pénicillamine, de maladie du foie, de lupus érythémateux disséminé, de porphyrie (risque de crise aiguë), de grossesse (il a causé des malformations du fœtus au cours de l'expérimentation animale) et d'allaitement.

Interactions : il faut informer votre médecin si vous prenez ou avez pris récemment d'autres médicaments, notamment : kétoconazole, isoniazide, ciclosporine, contraceptifs hormonaux (diminution de l'efficacité des pilules anticonceptionnelles), anticoagulants oraux (diminution de l'effet anticoagulant), barbituriques (diminuent l'efficacité de la griséofulvine).

Délai d'action : dans le traitement de certaines infections, les effets ne se manifestent qu'après un délai de plusieurs mois; pendant cette période, il est très important de continuer le traitement; consultez votre médecin si vous doutez de l'efficacité du traitement.

Surveillance : des contrôles périodiques sont nécessaires pendant le traitement pour vérifier les fonctions hépatiques et rénales et les globules sanguins.

Alcool : évitez la consommation de boissons alcoolisées qui peuvent produire un effet «antabuse» avec malaise, des bouffées de chaleur, une rougeur de la face et du cou, l'injection des conjonctives, des palpitations et des maux de tête.

Conduite de véhicules : chez certains sujets, ce médicament provoque des vertiges, ou diminue la vigilance; la conduite de véhicules ou l'utilisation de machines peut être dangereuse.

Effets indésirables possibles :
– maux de tête, perte du goût, sécheresse de la bouche (sensation de soif), douleurs gastriques, nausées, diarrhées, vertiges, somnolence;
– confusion mentale;
– sensibilité accrue de la peau au soleil (photosensibilisation);
– visage enflé, bouffissure des lèvres et des paupières, voix rauque, difficulté à respirer ou à avaler (œdème de Quincke);

– éruption cutanée (réaction allergique : arrêtez immédiatement le traitement);
– engourdissement, fourmillements aux extrémités;
– articulations douloureuses et enflées;
– fièvre, mal de gorge, angine (diminution des globules blancs du sang;
– toxicité hépatique, jaunisse.
Intoxication : confusion mentale, atteinte hépatique.
Note : prescrit sur ordonnance médicale.

FUMAFER® (Labaz)

Introd. en 1964, Remb. SS 70%.
PRINCIPE ACTIF : comprimés contenant 200 mg de fumarate ferreux [fer 66 mg/comprimé]; poudre contenant 100 mg de fumarate ferreux par cuillère-dose [33 mg de fer].
Emploi : anémie ferriprive.
Pour les détails → p. 279.
Note : vendu sans ordonnance; à éviter en automédication.

FUNGIZONE®
(Bristol-Myers Squibb)

Introd. en 1962. Liste I. Remb. SS 70%.
PRINCIPE ACTIF : *Amphotéricine B*.
Préparations : gélules à 250 mg; suspension orale à 100 mg/ml; lotion aqueuse à 3% pour application locale; poudre pour solution injectable en flacons à 50 mg (réservés aux hôpitaux).
Emploi : antifongique appartenant à la famille des polyènes utilisé dans le traitement de certaines infections appelées mycoses et causées par des champignons (levures et moisissures); le maniement de ce médicament est délicat à cause de sa toxicité.
L'amphotéricine B est utilisée par voie buccale (en cas de candidose buccale ou intestinale confirmée), en perfusion intraveineuse (mycoses profondes), par voie intrarachidienne, en inhalations, en instillations vésicales et en application locale dans les mycoses de la peau, des muqueuses ou du vagin; elle est aussi utilisée dans d'autres affections, notamment les leishmanioses et certaines infections «opportunistes» chez des sujets atteints de SIDA.
Précautions : ne pas employer en cas d'allergie au produit; les maladies des reins peuvent augmenter les risques de toxicité et nécessiter une réduction des doses.
Grossesse et allaitement : il n'existe pas de contre-indication actuellement connue à l'utilisation de ce médicament; cependant, son innocuité n'a pas été établie chez la femme enceinte et on conseille de l'employer qu'en cas de nécessité absolue.
Interactions : il faut informer votre médecin si vous prenez ou avez pris récemment d'autres médicaments, notamment certains antiarythmiques (vincamine, quinidine, amiodarone), digitaliques, ciclosporine.
Voie orale : ne dépassez pas la dose prescrite par votre médecin; des doses trop élevées ou des prises trop fréquentes augmentent le risque d'effets indésirables.
Perfusion intraveineuse : l'amphotéricine B est une substance très toxique qui ne doit être employée que sous surveillance médicale qualifiée;
– pendant toute la durée du traitement, vous devez doit boire abondamment;
– l'usage de ce médicament peut provoquer une atteinte de la moelle osseuse et une diminution du nombre des globules blancs dans le sang qui se traduit en particulier par une susceptibilité aux infections et des hémorragies gingivales; dans ces conditions, des mesures particulières d'hygiène buccale peuvent être recommandées par votre médecin.
Lotion aqueuse : évitez tout contact avec la muqueuse buccale; évitez l'utilisation sur une grande surface de peau lésée et chez le nourrisson.
Effets indésirables possibles :
– *Voie buccale* : les effets indésirables sont minimes parce que le médicament est très peu absorbé au niveau de l'intestin.
– *Perfusion intraveineuse* : maux de tête, perte de l'appétit, nausées et vomissements, diarrhée; rarement, frissons, fièvre, crampes musculaires, douleur au point d'injection, palpitations, troubles de la vue, convulsions, faiblesse des muscles de la main ou du pied, respiration difficile, éruptions cutanées, mal de gorge, hémorragies.
– *Injection intrarachidienne* : difficulté à uriner, douleurs ou faiblesse musculaire.
Note : prescrit sur ordonnance médicale.

FUOGLAIR® (Pharminter)

Non remb. SS.

PRINCIPES ACTIFS : sirop contenant des teintures de droséra et grindélia, bromure de sodium, benzoate de sodium et sulfate de magnésium.

Emploi : proposé pour calmer la toux.

Note : vendu sans ordonnance; à éviter du fait de la présence de bromure de sodium.

FUOGRIP® (Pharminter)

PRINCIPES ACTIFS: comprimés contenant phénacétine (analgésique à action périphérique), caféine, quinine et mépyramine.

Emploi : proposé dans les états grippaux.

Effets indésirables possibles : l'utilisation prolongée provoque des lésions rénales irréversibles parfois fatales; seul un traitement très court, non répété, peut être envisagé.

Note : vendu sans ordonnance; à éviter à cause de la présence de phénacétine qui est toxique pour le rein; les autres composants ont peu d'intérêt dans l'emploi proposé.

FUOMYGDAL® (Pharminter).

PRINCIPES ACTIFS : tablettes à sucer contenant de la bacitracine zinc (antibiotique local) et amyléine chlorhydrate (anesthésique local).

Emploi : anesthésique et antiseptique buccal proposé dans le «mal de gorge» de l'adulte sans fièvre.

Effets indésirables possibles : éruption cutanée (réaction allergique).

Note : vendu sans ordonnance; ne pas utiliser pendant plus de 5 jours sans avis médical.

FUORHINOSE® (Pharminter)

PRINCIPES ACTIFS : solution nasale contenant bromure de benzododécinium (antiseptique) et chlorure de sodium.

Emploi : rhume de cerveau.

Note : vendu sans ordonnance.

FUOTUSSYL® (Pharminter)

Non remb. SS.

PRINCIPES ACTIFS : sirop contenant de la pholcodine (antitussif opiacé), ben-

zoate de sodium et bromogalacto-gluconate de calcium.

Emploi : utilisé pour calmer la toux irritative, sèche.

Précautions : ne pas utiliser en cas de

– asthme, insuffisance respiratoire (la diminution de la toux cause l'accumulation de mucosités dans les voies respiratoires);

– maladie du foie (l'élimination de la pholcodine est diminuée en cas d'insuffisance hépatique);

– grossesse (innocuité non établie), allaitement;

– enfants âgés de moins de 15 ans.

Durée du traitement : si la toux persiste après une semaine, si des crachats sanglants ou des effets indésirables apparaissent, arrêtez le traitement et consultez votre médecin.

Alcool : évitez les boissons alcoolisées pendant le traitement.

Sportifs : ce médicament peut donner une réaction positive en cas de tests pratiqués lors des contrôles antidopage.

Conduite de véhicules : ce médicament peut diminuer la vigilance; la conduite de véhicules ou l'utilisation de machines peut être dangereuse dans ce cas.

Effets indésirables possibles : somnolence, nausées, vomissements, crises d'asthme bronchique, constipation, vertiges, éruption cutanée (réaction allergique).

Note : vendu sans ordonnance; l'efficacité de la pholcodine est généralement reconnue, mais la présence des autres composants a peu d'intérêt dans l'emploi proposé.

FUOTUX® (Pharminter)

Non remb. SS.

PRINCIPES ACTIFS : sirop contenant de la pholcodine et codéthyline (antitussifs opiacés), benzoate de sodium, sulfogaïacol, teinture de belladone et de polygala.

Emploi : proposé pour calmer la toux.

Pour les détails → p. 59.

Note : vendu sans ordonnance; l'efficacité des antitussifs opiacés (pholcodine et codéthyline) est généralement reconnue, mais les autres composants ont peu d'intérêt dans l'emploi proposé.

FURADANTINE® (Lipha Santé)

Introd. en 1971. Liste I. Remb. SS 70%.
PRINCIPE ACTIF : **Nitrofurantoïne.**
Préparations : gélules à 50 mg.
Emploi : antiseptique urinaire appartenant aux groupe des nitrofuranes
utilisé pour traiter les infections bactériennes des voies urinaires basses
non compliquées, notamment l'infection de la vessie (cystite); la nitrofurantoïne est inefficace dans l'urétrite
à gonocoques et dans les infections
du rein ou de la prostate.
Durée d'action : jusqu'à 6-8 heures.
Précautions : ne pas employer en cas
d'allergie au produit ou à un autre
nitrofurane, de maladies des reins, de
déficit en glucose-6-phosphate déhydrogénase ou G6PD (chez les sujets
atteints de cette anomalie congénitale
rare, ce médicament peut provoquer
une anémie hémolytique). L'innocuité
de ce médicament n'ayant pas été
établie chez la femme enceinte, ni lors
de l'allaitement, son emploi n'est pas
conseillé par mesure de prudence.
Déconseillé aussi chez l'enfant âgé de
moins de 3 mois (risque d'hémolyse).
En cas de diabète : les résultats des tests
pour déceler le sucre dans l'urine
peuvent être faussés.
Effets indésirables possibles : nausées
et vomissements, diarrhée, maux de
tête, vertiges; prurit, urticaire, éruption
cutanée, douleurs articulaires (réaction
allergique : arrêtez immédiatement le
traitement); fourmillements et perte
de sensibilité aux mains et aux pieds,
douleurs aux membres (polynévrite);
fièvre, frissons, maux de gorge, ulcérations buccales (diminution du
nombre des globules blancs dans le
sang); une coloration brunâtre des
urines peut être due à la présence du
médicament.
Intoxication : nausées, vomissements,
diarrhées, hémolyse, somnolence,
troubles mentaux, convulsions.
Note : prescrit sur ordonnance médicale.

FUROSÉMIX® (Biogalénique)

Introd. en 1984. Liste II. Remb. SS 70%.
PRINCIPE ACTIF : **Furosémide.**
Préparations : comprimés à 40 mg ou à
20 mg (*Furosémix®* faible).
Emploi : médicament appartenant au
groupe des diurétiques qui sont utilisés pour :

– favoriser l'élimination de l'excès
d'eau accumulée dans l'organisme
(œdèmes) dans l'insuffisance cardiaque, hépatique ou rénale;
– traiter l'hypertension artérielle.
Le furosémide a une action puissante
et de courte durée; il agit au niveau de
l'anse de Henle du rein (*diurétique de
l'anse*); il a l'avantage, par rapport
aux diurétiques thiazidiques, de
pouvoir être utilisé en cas d'insuffisance rénale; il provoque des pertes
de potassium qui peuvent aboutir à
une diminution du taux sanguin du
potassium (hypokaliémie) et nécessiter des suppléments de potassium
ou l'association avec un diurétique
épargnant le potassium.
Le furosémide est utilisé en injections
à l'hôpital pour traiter l'œdème aigu
du poumon, les crises hypertensives
et certaines intoxications.
Durée d'action : 6 à 8 heures.
Sportifs : ce médicament se trouve sur
la liste des dopants interdits (Ministère
de la Jeunesse et des Sports); il donne
une réaction positive en cas de tests
pratiqués lors des contrôles antidopage.
Pour les détails → p. 232.
Note : prescrit sur ordonnance médicale.

G

GABACET® (Delalande)

Introd. en 1979. Liste II. Remb. SS 40%.
PRINCIPE ACTIF : **Piracétam.**
Préparations : gélules à 400 mg ;
solution buvable à 1,25 g par ampoule;
solution injectable en ampoules à 1 g
dans 5 ml.
Emploi : stimulant non spécifique
proposé dans le déficit intellectuel du
sujet âgé (troubles de la mémoire,
attention, etc.), dans les infarctus
cérébraux constitués et chez l'enfant
dans le traitement d'appoint de la
dyslexie.
Précautions : espacer les prises ou
diminuer les doses en cas d'insuffisance rénale; ne pas utiliser en cas de
grossesse (innocuité non établie) ou
d'insuffisance rénale sévère.
Effets indésirables possibles : excitation chez certains sujets.
Note : prescrit sur ordonnance médicale.

GABRÈNE® (Synthélabo)

Introd. en 1985. Liste I. Remb. SS 70%.
PRINCIPE ACTIF : **Progabide**.

Préparations : comprimés à 300 mg ou 600 mg; sachets de poudre orale à 150 mg.

Emploi : médicament appartenant au groupe des antiépileptiques dont les indications sont limitées aux épilepsies résistantes aux autres traitements (toxicité hépatique importante); le progabide est aussi utilisé dans le traitement des certaines formes particulières d'épilepsie de l'enfant, par exemple syndrome de West (spasmes en flexion) et syndrome de Lennox-Gastaut (variante du petit mal).

Précautions : ne pas employer en cas d'allergie au produit; les affections suivantes peuvent modifier l'action du médicament :
– maladies du foie, hépatite antérieure (risque accru d'effets indésirables);
– maladie des reins (une diminution des doses est nécessaire en cas d'insuffisance rénale).

Grossesse et allaitement : l'innocuité de ce médicament n'ayant pas été établie chez la femme enceinte, ni lors de l'allaitement, son usage est déconseillé par mesure de prudence.

Interactions : il faut informer votre médecin si vous prenez ou avez pris récemment d'autres médicaments, notamment :
– phénytoïne, phénobarbital (augmentation des taux sanguins et de la toxicité de ces médicaments);
– benzodiazépines (majoration des effets sédatifs).

Prescription : ne dépassez pas la dose prescrite par votre médecin; des doses trop élevées ou des prises trop fréquentes augmentent le risque d'effets indésirables.

Oubli : si vous oubliez de prendre le médicament et si vous le remarquez dans les 2 heures qui suivent, prenez immédiatement la dose oubliée; ne doublez pas la dose suivante; si vous oubliez le médicament plusieurs jours, prenez contact avec votre médecin.

Alcool : à éviter pendant le traitement.

Surveillance : consultez votre médecin à intervalles réguliers pour évaluer les résultats du traitement et contrôler régulièrement la fonction hépatique.

Conduite de véhicules : chez certains sujets, ce médicament peut provoquer une somnolence et des vertiges : la conduite de véhicules ou l'utilisation de machines peut être dangereuse dans ce cas.

Autres médicaments : ne prenez aucun autre médicament sans consulter votre médecin.

Effets indésirables possibles : somnolence, troubles digestifs, vertiges, excitabilité; jaunisse.

Intoxication : somnolence évoluant vers le coma, diminution du tonus musculaire.

Note : prescrit sur ordonnance médicale.

GAÏACOL VACHERON® (Soludia)

Introd. en 1944. Remb. SS 40%.
PRINCIPE ACTIF : sirop contenant du gaïacol.

Emploi : proposé dans le traitement des troubles de la sécrétion bronchique.

Précautions : ne pas employer en cas de grossesse.

En cas de diabète : tenir compte de la teneur en sucre du produit.

Note : vendu sans ordonnance; des principes actifs plus efficaces sont actuellement disponibles.

GAÏARSOL® (Chanteaud)

Introd. en 1963. Remb. SS 40%.
PRINCIPES ACTIFS : sirop contenant de la codéine (antitussif opiacé), gaïacol, acide méthylarsinique (dérivé de l'arsenic), teinture d'aconit, sirop de baume de tolu.

Emploi : proposé pour calmer la toux irritative, sèche.

Précautions : ne pas utiliser en cas de
– asthme, insuffisance respiratoire (la diminution de la toux cause l'accumulation de mucosités dans les voies respiratoires);
– maladie du foie (l'élimination de la codéine est diminuée en cas d'insuffisance hépatique);
– ulcère gastro-duodénal évolutif;
– grossesse, allaitement;
– enfants âgés de moins de 30 mois.

Durée du traitement : si la toux persiste après une semaine, si des crachats sanglants ou des effets indésirables apparaissent, arrêtez le traitement et consultez votre médecin.

Alcool : à éviter pendant le traitement.

Sujets âgés : risque accru d'effets indésirables; doses réduites de moitié.

Conduite de véhicules : ce médicament peut diminuer la vigilance; la conduite de véhicules ou l'utilisation de machines peut être dangereuse.

Sportifs : ce médicament peut donner une réaction positive lors des tests pour contrôle antidopage.

Effets indésirables possibles : somnolence, sécheresse de la bouche, confusion, nausées, vomissements, crises d'asthme, constipation, éruption cutanée (réaction allergique : arrêtez le traitement).

Note : vendu sans ordonnance; l'efficacité de la codéine est généralement reconnue, mais les autres composants ont peu d'intérêt dans l'emploi proposé.

GALACTOGIL®
(Nutripharm Elgi)

Introd. en 1942. Non remb. SS.

PRINCIPES ACTIFS : granulé contenant du diphosphate tricalcique, extrait de galéga, malt, vanilline, essences de fenouil et de cumin.

Emploi : proposé dans l'insuffisance de la sécrétion lactée.

Note : vendu sans ordonnance; efficacité des principes actifs à confirmer dans l'emploi proposé.

GALIRÈNE® (Merck-Clévenot)

Introd. en 1963. Remb. SS 70%.

PRINCIPES ACTIFS : solution buvable contenant du bromure de calcium et lactate de calcium.

Emploi : proposé dans les troubles légers du sommeil et la nervosité.

Sujets âgés : risque accru de troubles psychiques (confusion, désorientation hallucinations).

Alcool : évitez les boissons alcoolisées pendant le traitement.

Conduite de véhicules : ce médicament peut diminuer la vigilance; la conduite de véhicules ou l'utilisation de machines peut être dangereuse.

Effets indésirables possibles : somnolence diurne, confusion mentale, désorientation, hallucinations, éruptions cutanées à type d'acné.

Note : vendu sans ordonnance; les bromures ne sont pas recommandés en raison des effets indésirables, notamment acné et troubles psychiques.

GAMMA 16® → Immunoglobulines humaines polyvalentes.

GAMMA COQ® → Immunoglobulines anticoqueluche.

GAMMAGLOBULINES → Immunoglobulines.

GAMMA-OH® (Clintec)

Introd. en 1961. Liste I. Remb. SS 70%.

PRINCIPE ACTIF : **Hydroxybutyrate de sodium.**

Préparations : ampoules injectables à 2,42 g.

Emploi : utilisé pour induire l'anesthésie générale par voie intraveineuse en association avec un analgésique à action centrale et si nécessaire à un curarisant.

Note : réservé aux hôpitaux.

GAMMA TÉTANOS® → Immunoglobulines antitétaniques.

GANIDAN® (Specia)

Non remb. SS.

PRINCIPE ACTIF : **Sulfaguanidine**

Préparations : comprimés à 0,5 g.

Emploi : sulfamide antibactérien intestinal qui a été utilisé dans les diarrhées aiguës toxi-alimentaires.

Précautions : ne pas employer en cas d'allergie aux sulfamides, de grossesse, de maladies du sang, d'insuffisance rénale ou hépatique, de déficit en G6PD (anomalie enzymatique héréditaire), de présence de sang ou de glaire dans les selles.

Effets indésirables possibles : consultez votre médecin si la diarrhée persiste après 48 heures.

Arrêtez le traitement si du sang apparaît dans les selles, en cas d'éruption cutanée, de jaunisse, d'urines orangées.

Note : vendu sans ordonnance; les sulfamides intestinaux sont actuellement peu utilisés.

GAOPATHYL® (Pharminter).

PRINCIPES ACTIFS : tablettes contenant de l'hydroxyde de magnésium, hydrate d'aluminium et allantoïne.

Emploi : proposé pour neutraliser l'excès d'acidité et comme pansement gastrique dans le reflux gastro-œsophagien (liquide acide remontant dans la bouche) ; en cas d'ulcère de l'estomac ou du duodénum, ce médicament ne doit être utilisé que sous surveillance médicale.

Prise du médicament : après les repas et éventuellement au coucher.

Précautions : consultez votre médecin si les troubles persistent et en cas de douleurs ou crampes abdominales, de selles noires, d'amaigrissement, de fièvre ; ne pas utiliser en cas d'insuffisance rénale sévère ; ne pas associer certains antibiotiques (tétracyclines).

Effets indésirables possibles : retard ou diminution de la résorption d'autres médicaments pris par la bouche (respecter un intervalle d'au moins 2 heures), diarrhée.

Note : vendu sans ordonnance ; ne pas utiliser pendant plus de 5 jours sans avis médical.

GAOPTOL® (Europhta)

Introd. en 1991. Liste I. Remb. SS 70%.

PRINCIPE ACTIF : *Timolol*.

Préparations : collyre à 0,25% ou 0.50%.

Emploi : utilisé pour abaisser la tension intra-oculaire, notamment en cas de glaucome à angle ouvert.

Pour les détails → p. 98.

Conservation : à utiliser dans les 15 jours après l'ouverture du flacon.

Note : prescrit sur ordonnance médicale.

GAOSÉDAL® (Pharminter)

PRINCIPES ACTIFS : comprimés contenant du butobarbital (barbiturique), paracétamol, vitamine B1, caféine.

Emploi : proposé pour calmer les douleurs.

Note : vendu sans ordonnance ; à éviter du fait de la présence de butobarbital (les barbituriques ne sont pas recommandés en dehors du traitement de l'épilepsie).

GAOSUCRYL® (Pharminter).

Introd. en 1978. Non remb. SS.

PRINCIPE ACTIF : *Saccharine*.

Préparations : comprimés à 15 mg (sel de sodium).

Propriétés : édulcorant de synthèse possédant 300 fois le pouvoir sucrant du saccharose ; la saccharine est excrétée inchangée dans les urines et traverse la barrière fœto-placentaire.

Emploi : succédané du sucre dans les régimes hypocaloriques et chez les diabétiques.

GARASPIRINE® (Iprad)

Introd. en 1947. Remb. SS 70%.

PRINCIPES ACTIFS : comprimés et suppositoires (Liste II) contenant :
– acide acétylsalicylique (ou aspirine) : analgésique et antipyrétique ;
– phénobarbital : barbiturique à action prolongée ;
– papavérine (sauf suppositoires pour nourrissons) : spasmolytique.

Emploi : proposé pour atténuer la douleur modérée *(analgésique)* et pour faire tomber la fièvre *(antipyrétique).*

Durée du traitement : consultez votre médecin si les douleurs persistent après 5 jours ou si la fièvre ou le mal de gorge ne régressent pas au bout de 3 jours.

Précautions : ne pas employer chez l'enfant et en cas d'allergie à l'aspirine d'ulcère gastroduodénal, d'asthme, de maladie hémorragique ou traitement anticoagulant, de grossesse, d'allaitement, de porphyries et d'insuffisance respiratoire ; l'activité des anticoagulants oraux et des contraceptifs hormonaux peut être réduite.

Alcool : évitez les boissons alcoolisées pendant le traitement (majoration de l'effet sédatif).

Conduite de véhicules : ce médicament peut diminuer la vigilance ; la conduite de véhicules ou l'utilisation de machines peut être dangereuse.

Effets indésirables possibles :
– liés à l'aspirine : nausées et vomissements, douleurs de l'estomac, bourdonnements d'oreille, diminution de l'audition, maux de tête ; consultez votre médecin en cas de douleurs abdominales, de vomissements sanglants, de selles noires, de prurit, de crise d'asthme, d'urticaire, d'asthme ou de jaunisse ;

– liés au phénobarbital : somnolence, éruptions cutanées, troubles psychiques, notamment confusion mentale chez le sujet âgé.

Note : vendu sans ordonnance; à éviter du fait de la présence de phénobarbital qui n'est pas recommandé en dehors du traitement de l'épilepsie.

GARDÉNAL® (Specia)

Introd. en 1920. Liste II. Remb. SS 70%.
PRINCIPE ACTIF : **Phénobarbital**.
Préparations : comprimés à 10 mg, 50 mg ou 100 mg; lyophilisat pour usage parentéral en flacons à 40 mg dans 2 ml (sel de sodium).
Emploi : barbiturique à action prolongée introduit il y a plus de 70 ans, le phénobarbital est l'un des antiépileptiques les plus efficaces dans le traitement de l'épilepsie (grand mal), seul ou associé à la phénytoïne.
Durée d'action : 24-48 heures; certains effets peuvent persister jusqu'à 6 jours.
Pour les détails → Phénobarbital.
Note : prescrit sur ordonnance médicale.

GASTRALUGEL®
(Biogalénique)

Introd. en 1960. Remb. SS 70%.
PRINCIPES ACTIFS : comprimés à croquer contenant de l'hydroxyde d'aluminium et silice hydratée amorphe.
Emploi : proposé pour neutraliser l'excès d'acidité et comme pansement gastrique en cas de brûlures de l'estomac; en cas d'ulcère de l'estomac ou du duodénum, ce médicament ne doit être utilisé que sous surveillance médicale.
Prise du médicament : après les repas et éventuellement au coucher.
Précautions : consultez votre médecin si les troubles persistent et en cas de douleurs ou crampes abdominales, de selles noires, d'amaigrissement, de fièvre; ne pas utiliser en cas d'insuffisance rénale sévère; ne pas associer des tétracyclines.
Effets indésirables possibles : retard ou diminution de la résorption d'autres médicaments pris par la bouche (respecter un intervalle d'au moins 2 h).
Note : vendu sans ordonnance; ne pas utiliser pendant plus de 5 jours sans avis médical.

GASTREX®
(Boehringer Ingelheim)

Introd. en 1977. Non remb. SS.
PRINCIPES ACTIFS : comprimés à croquer contenant de l'hydroxyde de magnésium et histidinate d'aluminium.
Emploi : proposé pour neutraliser l'excès d'acidité et comme pansement gastrique dans le reflux gastro-œsophagien (liquide acide remontant dans la bouche); en cas d'ulcère de l'estomac ou du duodénum, ce médicament ne doit être utilisé que sous surveillance médicale.
Prise du médicament : après les repas et éventuellement au coucher.
Précautions : consultez votre médecin si les troubles persistent et en cas de douleurs ou crampes abdominales, de selles noires, d'amaigrissement, de fièvre; ne pas utiliser en cas d'insuffisance rénale sévère; ne pas associer des tétracyclines.
Effets indésirables possibles : retard ou diminution de la résorption d'autres médicaments pris par la bouche (respecter un intervalle d'au moins 2 heures), diarrhée.
Note : vendu sans ordonnance; ne pas utiliser pendant plus de 5 jours sans avis médical.

GASTRIC® (DB Pharma)

Introd. en 1966. Non remb. SS.
PRINCIPES ACTIFS : comprimés contenant hydroxyde d'aluminium, carbonate et trisilicate de magnésium, sels de Vichy, écorce de bourdaine, réglisse.
Emploi : proposé comme pansement gastrique en cas de brûlures gastriques.
Précautions : consultez votre médecin si les troubles persistent et en cas de douleurs ou crampes abdominales, de selles noires, d'amaigrissement, de fièvre; ne pas utiliser en cas d'insuffisance rénale sévère; ne pas associer des tétracyclines.
Effets indésirables possibles : retard ou diminution de la résorption d'autres médicaments pris par la bouche (respecter un intervalle d'au moins 2 heures), diarrhée.
Note : vendu sans ordonnance; ne pas utiliser pendant plus de 5 jours sans avis médical.

Si vous utilisez l'une des spécialités suivantes contenant un stimulant gastrique...

Anausin® (Sarget).
Motilium® (Janssen).
Péridys® (Robapharm).
Plitican® (Delagrange).

Prepulsid® (Janssen).
Primpéran® (Delagrange).
Prokinyl LP® (Techni-Pharma).

Emploi : ces médicaments, appelés gastrocinétiques, sont des stimulants gastriques apparentés aux neuroleptiques ; ils stimulent les mouvements de l'estomac, de l'œsophage et du duodénum et sont utilisés :

– par voie buccale pour traiter les nausées, les vomissements (à l'exclusion des vomissements de la grossesse) et les troubles de la motricité digestive, notamment le reflux gastro-œsophagien (liquide acide remontant dans la bouche) et le retard de l'évacuation gastrique ou gastroparésie ;

– en injection pour prévenir et traiter les nausées et les vomissements causés par les médicaments anticancéreux.

Allergie : informez votre médecin si vous avez déjà fait une réaction allergique ou inhabituelle à des neuroleptiques (dyskinésies «tardives»).

État de santé : vous devez informer votre médecin de toute affection susceptible de modifier les effets du médicament, notamment maladies du foie ou des reins, maladie de Parkinson, épilepsie, antécédents d'hémorragies gastrointestinales, occlusion intestinale organique, phéochromocytome (tumeur du tissu médullaire de la glande de surrénale : risque de crises hypertensives graves).

Grossesse et allaitement : l'innocuité n'ayant pas été établie chez la femme enceinte, l'usage est déconseillé par mesure de prudence.

Interactions : il faut informer votre médecin si vous prenez ou avez pris récemment d'autres médicaments, notamment des anticoagulants oraux, cimétidine, ranitidine, neuroleptiques (risque accru d'effets indésirables, notamment dyskinésies, association à éviter), sédatifs, tranquillisants, somnifères (majoration de l'effet sédatif), antispasmodiques atropiniques (association à éviter) et dérivés de la phénothiazine (association à éviter).

Prescription : ne dépassez pas la dose prescrite ; des doses trop élevées ou des prises trop fréquentes augmentent le risque d'effets indésirables.

Oubli : si vous oubliez de prendre le médicament, ne doublez pas la dose suivante.

Alcool : évitez la consommation de boissons alcoolisées (majoration de l'effet sédatif).

Conduite de véhicules : l'aptitude à conduire des véhicules ou à utiliser des machines peut être diminuée par la somnolence diurne et une baisse de la vigilance.

Effets indésirables possibles :

– somnolence, lassitude, vertiges, maux de tête, diarrhée, gaz intestinaux.

EFFETS INDÉSIRABLES TRÈS RARES :

– tremblements, rigidité de la face et des membres (syndrome parkinsonien) ;

– torticolis spasmodique avec mouvements rotatoires ou latéraux des yeux, mâchoire serrée (dyskinésies «précoces») ;

– mouvements involontaires de la langue, de la face, de la mâchoire et des mains (dyskinésies «tardives») ;

– troubles des règles, augmentation de volume des seins chez l'homme (gynécomastie) avec parfois un petit écoulement de lait (galactorrhée) ;

– éruption cutanée (réaction allergique : arrêtez le traitement).

GASTRILAX® (Saunier-Daguin)

PRINCIPES ACTIFS : sulfate de sodium (purgatif salin), phosphate et carbonate de sodium, acide citrique.

Emploi : proposé comme pansement gastrique.

Note : vendu sans ordonnance; laxatif à ne pas utiliser pendant plus de 5 jours sans avis médical.

GASTROCYNÉSINE® (Boiron)

Introd. en 1969. Non remb. SS.
Préparation homéopathique (comprimés) proposée dans les malaises après les repas.

GASTRO-DRAINOL® (Boiron)

Non remb. SS.
Préparation homéopathique (comprimés) proposée dans les douleurs gastriques, dyspepsie, inappétence.

GASTROPAX® (Lehning)

Introd. en 1952. Remb. SS 70%.
PRINCIPES ACTIFS : poudre orale contenant de l'hydroxyde d'aluminium, teinture de belladone (antispasmodique atropinique), bicarbonate et sulfate de sodium, phosphate tricalcique, carbonate de magnésium et de calcium, silicate d'aluminium, teinture de badiane, charbon végétal, réglisse.

Emploi : proposé pour neutraliser l'excès d'acidité gastrique et pour traiter la constipation spasmodique.

Précautions : ne pas utiliser en cas de
– hypertrophie de la prostate (risque d'aggravation de la difficulté à uriner);
– glaucome à angle fermé;
– insuffisance rénale et dialyse chronique.

Consultez votre médecin en cas de douleurs ou crampes abdominales d'origine indéterminée, de selles noires, d'amaigrissement, de jaunisse; ne pas utiliser en cas d'insuffisance rénale, de dialyse chronique.

Effets indésirables possibles : somnolence, sécheresse de la bouche, du nez et de la gorge, vision trouble, accélération du pouls, palpitations, bouffées de chaleur, nausées, constipation, difficulté à uriner (chez les prosta-

tiques), confusion mentale ou agitation (sujets âgés), crises d'asthme, retard ou diminution de la résorption d'autres médicaments (respecter un intervalle d'au moins 2 heures).

Note : vendu sans ordonnance; le sulfate de sodium est un purgatif salin; la plupart des autres composants ont peu d'intérêt dans l'emploi proposé.

GASTROPHORYL® (Nicholas)

Non remb. SS.
PRINCIPES ACTIFS : silicate de magnésium, glycinate d'aluminium, glycyrrhizate monoammoniacal.

Emploi : proposé comme pansement gastrique en cas de brûlures gastriques.

Précautions : consultez votre médecin si les troubles persistent et en cas de douleurs ou crampes abdominales, de selles noires, d'amaigrissement, de fièvre; ne pas utiliser en cas d'insuffisance rénale sévère; ne pas associer des tétracyclines.

Effets indésirables possibles : retard ou diminution de la résorption d'autres médicaments pris par la bouche (respecter un intervalle d'au moins 2 heures), diarrhée.

Note : vendu sans ordonnance; ne pas utiliser pendant plus de 5 jours sans avis médical.

GASTROPULGITE® (Beaufour)

Introd. en 1967. Remb. SS 70%.
PRINCIPES ACTIFS : poudre orale contenant de l'attapulgite de Mormoiron (silicate d'aluminium et de magnésium naturel extrait d'un gisement situé dans le Vaucluse), hydroxyde d'aluminium et carbonate de magnésium.

Emploi : proposé pour neutraliser l'excès d'acidité et comme pansement gastrique dans les douleurs liées aux affections de l'œsophage, de l'estomac et dans le reflux gastro-œsophagien (liquide acide remontant dans la bouche).

Précautions : consultez votre médecin si les troubles persistent et en cas de douleurs ou crampes abdominales, de selles noires, d'amaigrissement, de fièvre; ne pas utiliser en cas d'insuffisance rénale sévère; ne pas associer des tétracyclines.

Effets indésirables possibles : retard ou diminution de la résorption d'autres médicaments pris par la bouche (respecter un intervalle d'au moins deux heures).
Note : vendu sans ordonnance; ne pas utiliser pendant plus de 5 jours sans avis médical.

GASTROSÉDYL® (P. Poirier)

Introd. en 1938. Liste II. Remb. SS 40%.
PRINCIPES ACTIFS : solution buvable contenant de la codéine (antidiarrhéique opiacé), teinture de belladone et de jusquiame (spasmolytiques atropiniques) et bromure de sodium.
Emploi : proposé dans l'hypermotilité gastrique et l'ulcère gastroduodénal.
Précautions : ne pas utiliser en cas de
– maladie du foie (l'élimination de la codéine est diminuée en cas d'insuffisance hépatique);
– hypertrophie de la prostate;
– glaucome à angle fermé;
– grossesse (innocuité non établie), allaitement;
– enfants âgés de moins de 15 ans.
Durée du traitement : doit être limitée à quelques jours.
Alcool : évitez les boissons alcoolisées pendant le traitement (majoration de l'effet sédatif).
Conduite de véhicules : ce médicament peut diminuer la vigilance; la conduite de véhicules ou l'utilisation de machines peut être dangereuse.
Sportifs : ce médicament peut donner une réaction positive en cas de tests pour contrôle antidopage.
Effets indésirables possibles : somnolence, sécheresse de la bouche, confusion, vision trouble, accélération du pouls, palpitations, bouffées de chaleur, nausées, vomissements, crises d'asthme, constipation, éruption cutanée (réaction allergique : arrêtez immédiatement le traitement), difficulté à respirer ou à uriner (chez le sujet âgé).
Note : prescrit sur ordonnance médicale.

GAVISCON®
(SmithKline Beecham)

Introd. en 1978. Remb. SS 70%.
PRINCIPES ACTIFS :
– comprimés : acide alginique, alginate de sodium, bicarbonate de sodium, hydroxyde d'aluminium;

– suspension buvable : alginate et bicarbonate de sodium.
Emploi : proposé pour neutraliser l'excès d'acidité et comme pansement gastrique dans le reflux gastro-œsophagien (liquide acide remontant dans la bouche); en cas d'ulcère de l'estomac ou du duodénum, ce médicament ne doit être utilisé que sous surveillance médicale.
Prise du médicament : après les repas et éventuellement au coucher; mâcher les comprimés avant de les avaler avec un demi-verre d'eau.
Précautions : consultez votre médecin si les troubles persistent et en cas de douleurs ou crampes abdominales, de selles noires, d'amaigrissement, de fièvre; ne pas utiliser en cas d'insuffisance rénale sévère; ne pas associer des tétracyclines.
En cas de régime sans sel : tenir compte de la teneur en sodium du produit.
Effets indésirables possibles : retard ou diminution de la résorption d'autres médicaments pris par la bouche (respecter un intervalle d'au moins 2 heures); constipation.
Note : vendu sans ordonnance; ne pas utiliser pendant plus de 5 jours sans avis médical.

GEL à l'acétotartrate d'alumine (Delalande)

Introd. en 1976. Non remb. SS.
PRINCIPES ACTIFS : gel pour application locale contenant de l'acétotartrate d'aluminium et méthylcitrine.
Emploi : proposé dans les douleurs musculaires et l'insuffisance veineuse chronique.
Note : vendu sans ordonnance; consultez votre médecin si les douleurs persistent.

GEL fluide de calamine
(Thérica)

Introd. en 1981. Non remb. SS.
PRINCIPES ACTIFS : gel pour application locale contenant de la calamine (carbonate de zinc), oxyde de zinc, benzalkonium (antiseptique local), carboxyméthylcellulose, glycérol.
Emploi : proposé dans les érythèmes solaires et les brûlures superficielles.
Note : vendu sans ordonnance; consultez votre médecin si les lésions persistent.

GEL-LARMES® (Transphyto)

Introd. en 1990. Remb. SS 70%.
PRINCIPES ACTIFS : gel ophtalmique contenant du carbomère et mercurothiolate sodique.
Emploi : proposé dans l'insuffisance de sécrétion des larmes («œil sec»).
Note : vendu sans ordonnance; à éviter sans avis médical.

GEL de Polysilane (Clin Midy)

Introd. en 1965. Remb. SS 70%.
PRINCIPE ACTIF : **Diméticone.**
SYNONYME : polysilane.
Préparations : gelée orale en sachets à 2,25 g.
Emploi : silicone non résorbée par le tube digestif proposée pour neutraliser l'excès d'acidité et comme pansement gastrique dans les gastrites, les ulcères gastro-duodénaux, le reflux gastro-œsophagien (liquide acide remontant dans la bouche) ainsi que dans le ballonnement, l'aérophagie, le météorisme et les flatulences; en cas d'ulcère de l'estomac ou du duodénum, ce médicament doit être utilisé sous surveillance médicale.
Prise du médicament : après les repas et éventuellement au coucher.
Précautions : le diméticone diminue l'absorption intestinale des phosphates; consultez votre médecin si les troubles persistent et en cas de crampes abdominales, de selles noires, d'amaigrissement, de fièvre.
Effets indésirables possibles : retard ou diminution de la résorption d'autres médicaments pris par la bouche (respecter un intervalle d'au moins 2 heures), diarrhée.
Note : vendu sans ordonnance; ne pas utiliser pendant plus de 5 jours sans avis médical.

GELDÈNE® (Pfizer)

Introd. en 1990. Liste I. Remb. SS 40%.
PRINCIPE ACTIF : gel pour application locale contenant du piroxicam.
Emploi : proposé comme anti-inflammatoire local pour traiter la douleur dans les tendinites, arthrites des petites articulations, entorses, contusions et phlébites.
Précautions : ne pas appliquer sur des plaies ouvertes (coupures, écorchures, etc.) ou sur de grandes surfaces; ne pas employer pendant la grossesse et l'allaitement (innocuité non établie).
Effets indésirables possibles : sécheresse de la peau, sensation de brûlure, rougeur; réactions allergiques rares sous forme d'urticaire, d'éruption cutanée (interrompre le traitement).
Note : prescrit sur ordonnance médicale.

GÉLOGASTRINE® (Monot).

PRINCIPES ACTIFS : tablettes contenant du kaolin, gélose et gélatine.
Emploi : proposé pour neutraliser l'excès d'acidité et comme pansement gastrique en cas de brûlures de l'estomac; en cas d'ulcère de l'estomac ou du duodénum, ce médicament ne doit être utilisé que sous surveillance médicale.
Précautions : consultez votre médecin si les troubles persistent et en cas de douleurs ou crampes abdominales, de selles noires, d'amaigrissement, de fièvre; ne pas utiliser en cas d'insuffisance rénale sévère; ne pas associer des tétracyclines.
Effets indésirables possibles : retard ou diminution de la résorption d'autres médicaments (respecter un intervalle d'au moins 2 heures).
Note : vendu sans ordonnance; ne pas utiliser pendant plus de 5 jours sans avis médical.

GÉLOPECTOSE®
(Nutripharm Elgi)

Introd. en 1959. Non remb. SS.
PRINCIPES ACTIFS : poudre orale contenant de la pectine, cellulose, silice hydratée, dextrine maltose.
Emploi : proposé chez le nourrisson dans les régurgitations et les diarrhées.
Précautions : consultez votre médecin si la diarrhée persiste après 48 heures, en cas de glaires ou de sang dans les selles, de fièvre; dans les diarrhées d'origine infectieuse dues à des bactéries ou à des protozoaires, des traitements spécifiques sont parfois indispensables; en outre, la déshydratation qui accompagne toute diarrhée aiguë demande avant tout une réhydratation par voie orale ou par injection dans les cas graves.
Note : vendu sans ordonnance; à éviter sans avis médical.

GÉLOSÉDINE® (Bayer-Pharma)

Introd. en 1972. Remb. SS 40%.

PRINCIPES ACTIFS : gelée orale contenant du diméticone et sorbitol (laxatif osmotique).

Emploi : proposé dans les douleurs gastriques et les ballonnements.

En cas de diabète : tenir compte de la teneur en sucre du produit.

Note : vendu sans ordonnance; ne pas utiliser pendant plus de 5 jours sans avis médical.

GELOX® (Beaufour)

Introd. en 1982. Remb. SS 70%.

PRINCIPES ACTIFS : suspension buvable contenant de l'hydroxyde d'aluminium et de magnésium et montmorillonite beidellitique.

Emploi : proposé pour neutraliser l'excès d'acidité et comme pansement gastrique en cas de brûlures de l'estomac; en cas d'ulcère de l'estomac ou du duodénum, ce médicament ne doit être utilisé que sous surveillance médicale.

Prise du médicament : après les repas et éventuellement au coucher.

Précautions : consultez votre médecin si les troubles persistent et en cas de douleurs ou crampes abdominales, de selles noires, d'amaigrissement, de fièvre; ne pas utiliser en cas d'insuffisance rénale sévère; ne pas associer des tétracyclines.

En cas de diabète : tenir compte de la teneur en sucre du produit.

Effets indésirables possibles : retard ou diminution de la résorption d'autres médicaments pris par la bouche (respecter un intervalle d'au moins 2 heures).

Note : vendu sans ordonnance; ne pas utiliser pendant plus de 5 jours sans avis médical.

GEL-PHAN® (P. Fabre)

Introd. en 1974. Non remb. SS.

PRINCIPE ACTIF : gélules contenant de la gélatine.

Emploi : proposé pour traiter les ongles et les cheveux fragiles.

Note : vendu sans ordonnance; le principe actif a peu d'intérêt dans l'emploi proposé; les ongles et les cheveux fragiles peuvent être le signe d'une maladie générale (consultez votre médecin).

GÉLUCYSTINE® (Parke-Davis)

Introd. en 1978. Remb. SS 40%.

PRINCIPE ACTIF : gélules contenant de la cystéine lévogyre.

Emploi : proposé pour traiter les ongles et les cheveux fragiles.

Note : vendu sans ordonnance; le principe actif a peu d'intérêt dans l'emploi proposé; les ongles et les cheveux peuvent être le signe d'une maladie générale (consultez votre médecin).

GÉLUMALINE® (Sarbach)

Introd. en 1981. Non remb. SS.

PRINCIPES ACTIFS : gélules contenant :
– paracétamol : analgésique et antipyrétique;
– codéine : analgésique opiacé;
– belladone teinture : atropinique;
– caféine : stimulant central.

Emploi : proposé pour atténuer la douleur modérée (*analgésique*) et pour faire tomber la fièvre (*antipyrétique*).

Durée du traitement : consultez votre médecin si les douleurs persistent après 5 jours ou si la fièvre ou le mal de gorge ne régressent pas au bout de 3 jours.

Précautions : ne pas utiliser en cas de
– asthme, insuffisance respiratoire (la diminution de la toux cause l'accumulation de mucosités dans les voies respiratoires);
– maladie du foie (l'élimination de la codéine est diminuée en cas d'insuffisance hépatique);
– hypertrophie de la prostate;
– glaucome à angle fermé;
– grossesse (innocuité non établie), allaitement;
– enfants âgés de moins de 15 ans.

Alcool : évitez les boissons alcoolisées pendant le traitement (majoration de l'effet sédatif).

Conduite de véhicules : ce médicament peut diminuer la vigilance; la conduite de véhicules ou l'utilisation de machines peut être dangereuse.

Sportifs : ce médicament peut donner une réaction positive en cas de tests pratiqués lors des contrôles antidopage.

Effets indésirables possibles : somnolence, sécheresse de la bouche, confusion, nausées, vomissements, crises d'asthme, constipation, éruption cutanée (réaction allergique: arrêtez immédiatement le traitement), difficulté à respirer ou à uriner (chez le sujet âgé).

Note : vendu sans ordonnance; l'efficacité du paracétamol et celle de la codéine sont généralement reconnues, mais les autres composants ont peu d'intérêt dans l'emploi proposé.

GÉLURIC® (Monot)

Non remb. SS.

PRINCIPES ACTIFS : pommade contenant huile de thym et de géranium, salicylate de phényle, hydrate de chloral, phénazone, chloroforme.

Emploi : proposé comme antiseptique de la peau.

Note : vendu sans ordonnance; des principes actifs plus efficaces sont actuellement disponibles.

GELUSIL® (Parke-Davis)

Introd. en 1931. Non remb. SS.

PRINCIPES ACTIFS : comprimés à croquer contenant du trisilicate de magnésium et de l'hydrate d'alumine.

Emploi : proposé pour neutraliser l'excès d'acidité et comme pansement gastrique dans les douleurs liées aux affections de l'œsophage, de l'estomac et du duodénum; en cas d'ulcère de l'estomac ou du duodénum, ce médicament ne doit être utilisé que sous surveillance médicale.

Prise du médicament : après les repas et éventuellement au coucher.

Précautions : consultez votre médecin si les troubles persistent et en cas de douleurs ou crampes abdominales, de selles noires, d'amaigrissement, de fièvre; ne pas utiliser en cas d'insuffisance rénale sévère; ne pas associer des tétracyclines.

Effets indésirables possibles : retard ou diminution de la résorption d'autres médicaments pris par la bouche (respecter un intervalle d'au moins 2 heures), diarrhée.

Note : vendu sans ordonnance; ne pas utiliser pendant plus de 5 jours sans avis médical.

GÉLYSTÈNE® (Wyeth)

PRINCIPES ACTIFS : gélules contenant aspartate de L-lysine, ascorbate de cystéine, phosphate d'adénosine et vitamine B12.

Emploi : proposé dans la fatigue.

Précautions : consultez votre médecin si la fatigue persiste (il peut s'agir d'une dépression ou d'une autre maladie nécessitant un traitement spécifique) ou en cas d'amaigrissement.

Note : vendu sans ordonnance; efficacité du principe actif à confirmer dans l'emploi proposé.

GÉNATROPINE® (Amido)

Introd. en 1959. Liste I. Remb. SS 40%.

PRINCIPE ACTIF : ***Atropine-oxyde.***

Préparations : gouttes dosées à 0,5 mg par 10 gouttes; granules à 0,5 mg; ampoules injectables à 2 mg.

Emploi : médicament qui libère de l'atropine dans l'organisme et provoquer un relâchement des fibres musculaires lisses du tube digestif et une diminution des sécrétions gastriques, salivaires, lacrymales et de la sudation. Utilisé dans les spasmes douloureux des voies digestives, biliaires et urinaires.

Pour les détails → p. 56.

Note : prescrit sur ordonnance médicale.

GÉNÉSÉRINE 3® (Amido)

Introd. en 1971. Liste I. Remb. SS 70%.

PRINCIPE ACTIF : ***Physostigmine.***

SYNONYME : ésérine.

Préparations (ésérine oxyde salicylate): solution buvable à 0,068 mg par goutte; granules à 1,02 mg par unité.

Propriétés : parasympathomimétique, alcaloïde de la fève de Calabar (*Physostigma venenosum*).

Emploi : proposé dans les troubles de la digestion (dyspepsie).

Précautions : consultez votre médecin en cas de douleurs ou crampes abdominales d'origine indéterminée, de selles noires, d'amaigrissement.

Effets indésirables possibles: douleurs abdominales, diarrhées.

Note : prescrit sur ordonnance médicale.

GENHEVAC B® → Vaccin antihépatite B.

GÉNOLA® (Lab. CCD)

Introd. en 1971. Non remb. SS.

PRINCIPES ACTIFS : gel vaginal contenant du benzododécinium et hexylrésorcinol (spermicides).

Emploi : proposé pour la contraception locale; on l'introduit au fond du vagin en position allongée à l'aide d'un applicateur avant le rapport; la protection est partielle (diminue le risque de grossesse sans le supprimer) et dure environ 4 heures.

Note : *vendu sans ordonnance; efficacité généralement reconnue dans l'emploi proposé.*

GÉNOSCOPOLAMINE®
(Amido)

Introd. en 1924. Liste I. Remb. SS 70%.
PRINCIPE ACTIF : *Hyoscine*.
SYNONYME : scopolamine.
Préparations (oxyde bromhydrate) : solution buvable à 0,05 mg/goutte.
Emploi : alcaloïde de la belladone qui diffère de l'atropine par son action sédative sur le système nerveux central; ce médicament est utilisé dans le traitement de la maladie de Parkinson (paralysie agitante) pour réduire le tremblement et la rigidité musculaire; il est employé seul dans les formes débutantes de la maladie ou en association avec la lévodopa dans les formes plus avancées; il est aussi utilisé pour contrôler le torticolis spasmodique, les mouvements involontaires des yeux et le syndrome parkinsonien d'origine médicamenteuse observé au début du traitement par les neuroleptiques (dyskinésies «précoces»).
Pour les détails → p. 52.
Note : *prescrit sur ordonnance médicale.*

GENOTONORM®
(Kabi Pharmacia)

Introd. en 1988. Liste I.
PRINCIPE ACTIF : *Somatropine* .
SYNONYMES : somatotrophine, somatotropine, hormone somatotrope, Human Growth Hormone, GH, hGH, HGH, R-hGH.
Préparations : poudre pour solution injectable en flacons :
– KabiPen® : 16 UI;
– KabiQuick® : 2 UI, 3 UI, 4 UI;
– KabiVial® : 4 UI, 16 UI.
Emploi : la somatropine est une substance obtenue par biotechnologie dont la structure est identique à celle de *l'hormone de croissance* sécrétée par

l'hypophyse chez l'homme pour stimuler la croissance de l'enfant.
Ce médicament est utilisé en injections régulières chez l'enfant de petite taille en cas de carence en hormone de croissance (nanisme hypophysaire); le traitement est d'autant plus efficace qu'il est commencé plus tôt et est poursuivi jusqu'à ce que l'enfant ait atteint une taille satisfaisante ou que la période de croissance soit terminée (fermeture des cartilages de croissance); l'hormone de croissance est aussi utilisée en cas de petite taille due au syndrome de Turner (une affection congénitale rare qui touche les enfants de sexe féminin).
Pour les détails → Hormone de croissance.
Note : *conditions particulières de délivrance.*

GENTALLINE®
(Schering-Plough)

Introd. en 1968. Liste I. Remb. SS 70%.
PRINCIPE ACTIF : *Gentamicine*.
Préparations : ampoules à 10 mg, 40 mg, 80 mg ou 160 mg.
Emploi : antibiotique du groupe des aminosides ou aminoglycosides utilisé en injections pour traiter des infections graves, souvent en association avec d'autres agents antibactériens; les effets indésirables les plus importants sont les troubles de l'ouïe et de l'équilibre par atteinte de l'oreille interne en cas de surdosage ou d'insuffisance rénale, notamment chez les sujets âgés.
La gentamicine est aussi utilisée en applications locales sous forme de collyre, pommade ophtalmique et crème dermique; le développement de souches bactériennes résistantes est fréquent.
Pour les détails → p. 25.
Note : *prescrit sur ordonnance médicale.*

GENTALLINE® collyre et pommade ophtalmique
(Schering-Plough)

Introd. en 1982. Liste I. Remb. SS 70%.
PRINCIPE ACTIF : *Gentamicine*.
Préparations : collyre et pommade ophtalmique à 0,3%.
Emploi : infections bactériennes sévères du segment antérieur de l'œil et de

ses annexes, notamment conjonctivites, kératite, ulcères de la cornée et orgelet.

Précautions : ne pas employer en cas d'allergie à la gentamicine.

Durée du traitement : ne pas dépasser une semaine.

Effets indésirables possibles : irritation locale, réactions allergiques croisées à la néomycine.

Conservation : à utiliser dans les 15 jours après l'ouverture du flacon.

Note : prescrit sur ordonnance médicale.

GENTALLINE® crème
(Schering-Plough)

Introd. en 1983. Liste I. Non remb. SS.

PRINCIPE ACTIF : **Gentamicine**.

Préparations : crème à 1%.

Emploi : proposé comme traitement d'appoint des les infections superficielles de la peau, notamment à staphylocoques : furoncles, anthrax, panaris, etc.

Précautions : ne pas employer en cas d'allergie à la gentamicine, chez l'enfant de moins de 30 mois et en cas de grossesse et allaitement (innocuité non établie); évitez l'application sur des surfaces étendues.

Durée du traitement : ne pas dépasser une semaine.

Effets indésirables possibles : eczéma allergique de contact avec une forte rougeur et démangeaisons, sélection de souches bactériennes résistantes.

Note : prescrit sur ordonnance médicale.

GENTAMICINE

Liste I. Remb. SS 70%.

SPÉCIALITÉS :
Gentamicine (Dakota).
Gentamicine (Panpharma).

Préparations : ampoules à 10 mg, 40 mg, 80 mg ou 160 mg; collyre et pommade ophtalmique.

Emploi : antibiotique du groupe des aminosides ou aminoglycosides utilisé en injections pour traiter des infections graves, souvent en association avec d'autres agents antibactériens; les effets indésirables les plus importants sont les troubles de l'ouïe et de l'équilibre par atteinte de l'oreille interne en cas de surdosage ou d'insuffisance rénale, notamment chez les sujets âgés. La gentamicine est aussi utilisée en applications locales sous forme de collyre, pommade ophtalmique et crème dermique; le développement de souches bactériennes résistantes est fréquent.

Pour les détails → p. 25.

Note : prescrit sur ordonnance médicale.

GENTASONE®
(Schering-Plough)

Introd. en 1983. Liste I. Remb. SS 70%.

PRINCIPES ACTIFS : collyre et pommade ophtalmique contenant de la gentamicine (antibiotique) et bétaméthasone (corticoïde).

Emploi : conjonctivite, infections des paupières (blépharites), et des voies lacrymales comportant une composante inflammatoire importante.

Précautions : ne pas employer en cas d'infections virales, fongiques ou tuberculeuses ou d'antécédents de glaucome.

Surveillance : en cas de traitement prolongé, consultez périodiquement votre médecin.

Sportifs : ce médicament peut donner une réaction positive en cas de tests pour contrôle antidopage.

Effets indésirables possibles : risque de sensibilisation à la gentamicine.

Conservation : à utiliser dans les 15 jours après l'ouverture du flacon.

Note : prescrit sur ordonnance médicale.

GERAM® (Vedim)

Introd. en 1989. Liste II. Remb. SS 40%.

PRINCIPE ACTIF : **Piracétam**.

Préparations : solution buvable à 1 g par dose.

Emploi : stimulant non spécifique proposé par voie orale dans le traitement des troubles du vieillissement cérébral (troubles de l'attention, mémoire, etc.) des infarctus cérébraux constitués (efficacité à confirmer).

Précautions : espacer les prises ou diminuer les doses en cas d'insuffisance rénale; ne pas utiliser en cas de grossesse (innocuité non établie) ou d'insuffisance rénale sévère.

Effets indésirables possibles : excitation chez certains sujets.

Note : prescrit sur ordonnance médicale.

GEREL® (Serono)

Introd. en 1992. Liste I.
PRINCIPE ACTIF : *Sermoréline*.
Préparations : ampoules à 50 µg avec 1 ml de solvant (fragment N-terminal [1-29] du facteur de libération de la somatropine).
Emploi : utilisé pour explorer la sécrétion de l'hormone de croissance; le test est utilisé chez les enfants de petite taille chez qui on suspecte une déficience en hormone de croissance : un résultat négatif (inférieur à 7 ng par ml) confirme une déficience en hormone de croissance.
Note : réservé aux hôpitaux.

GERMOSE® (Besins-Iscovesco)

Introd. en 1930. Non remb. SS.
PRINCIPES ACTIFS : solution buvable contenant du sulfogaïacol, grindélia, aubépine, menthe, thym et benzoate de sodium.
Emploi : proposé dans les troubles des sécrétions bronchiques.
Précautions : ne pas utiliser chez l'enfant de moins de 6 ans.
Note : vendu sans ordonnance; des principes actifs plus efficaces sont actuellement disponibles.

GÉRO® (Urpac)

Introd. en 1988. Liste II. Non remb. SS.
PRINCIPE ACTIF : *Procaïne*.
Préparations : compr. à 100 mg; ampoules injectables à 100 mg dans 5 ml.
Emploi : anesthésique local proposé dans les troubles du vieillissement (efficacité à confirmer).
Précautions : ne pas associer des sulfamides, des antidépresseurs IMAO, la physostigmine ou la néostigmine.
Note : prescrit sur ordonnance médicale.

GÉVATRAN® (Lipha Santé)

Introd. en 1984. Liste II. Remb. SS 40%.
PRINCIPE ACTIF : *Naftidrofuryl*.
Préparations : gélules à 200 mg.
Propriétés : substance qui dilate les vaisseaux sanguins en agissant directement sur les muscles des parois vasculaires (vasodilatateur).
Emploi : vasodilatateur périphérique proposé dans le traitement des artérites oblitérantes des membres inférieurs et du déficit intellectuel chez les sujets âgés; l'efficacité des vasodilatateurs périphériques dans ces affections reste à confirmer.
Précautions : ne pas associer les bêta-bloquants ou les antiarythmiques.
Note : prescrit sur ordonnance médicale.

GINKOGINK® (Biogalénique)

Introd. en 1986. Remb. SS 40%.
PRINCIPE ACTIF : solution buvable (en flacon pressurisé avec valve doseuse) contenant un extrait de *Ginkgo biloba*.
Emploi : proposé dans les déficits intellectuels du sujet âgé et de la claudication intermittente.
Note : vendu sans ordonnance; efficacité du principe actif à confirmer dans l'emploi proposé.

GINKOR® (Beaufour)

Introd. en 1978. Remb. SS 40%.
PRINCIPES ACTIFS : solution buvable et gélules contenant un extrait de *Ginkgo biloba*, heptaminol et troxérutine.
Emploi : proposé dans l'insuffisance veineuse et lymphatique.
Précautions : consultez votre médecin en cas de suspicion de phlébite (jambes rouges et/ou chaudes, douloureuses, surtout si d'un seul côté et avec fièvre).
Note : vendu sans ordonnance; efficacité des principes actifs à confirmer dans l'emploi proposé.

GINKOR® gel (Beaufour)

Introd. en 1977. Non remb. SS.
PRINCIPES ACTIFS : gel contenant un extrait de *Ginkgo biloba* et troxérutine.
Emploi : proposé en application locale dans l'insuffisance veineuse et lymphatique (jambes lourdes, etc.).
Précautions : consultez votre médecin en cas de suspicion de phlébite (jambes rouges et/ou chaudes, douloureuses, surtout si d'un seul côté et avec fièvre).
Note : vendu sans ordonnance; efficacité des principes actifs à confirmer dans l'emploi proposé.

GINKOR® procto (Beaufour)

Introd. en 1987. Remb. SS 40%.
PRINCIPES ACTIFS: comprimés, solution buvable contenant un extrait de

Ginkgo biloba, heptaminol et troxérutine; suppositoires contenant un
extrait de *Ginkgo biloba* et butoforme.
Emploi : proposé dans les le traitement
des signes fonctionnels de la crise
hémorroïdaire.
Précautions : arrêtez le traitement et
consultez votre médecin en cas d'accentuation des douleurs, d'apparition
de sang dans les selles ou de fièvre.
Note : *vendu sans ordonnance; efficacité
des principes actifs à confirmer dans
l'emploi proposé.*

GINSATONIC® (Arkopharma)

Introd. en 1989. Non remb. SS.
PRINCIPE ACTIF : gélules contenant de la
poudre de racine de ginseng *(Panax
ginseng).*
Emploi : proposé dans la fatigue (ou
asthénie fonctionnelle).
Précautions : consultez votre médecin
si la fatigue persiste (il peut s'agir
d'une dépression ou d'une maladie
nécessitant un traitement spécifique)
ou en cas d'amaigrissement.
Note : *vendu sans ordonnance; efficacité
du principe actif à confirmer dans
l'emploi proposé.*

GINSENG ALPHA® (Deglaude)

Introd. en 1977. Non remb. SS.
PRINCIPE ACTIF : gélules contenant de la
poudre de racine de ginseng *(Panax
ginseng).*
Emploi : proposé dans la fatigue (ou
asthénie fonctionnelle).
Précautions : consultez votre médecin
si la fatigue persiste (il peut s'agir
d'une dépression ou d'une maladie
nécessitant un traitement spécifique)
ou en cas d'amaigrissement.
Note : *vendu sans ordonnance; efficacité
du principe actif à confirmer dans
l'emploi proposé.*

GINSENG ARIK® (Arik)

Introd. en 1976. Non remb. SS.
PRINCIPE ACTIF : gélules contenant de la
poudre de racine de ginseng *(Panax
ginseng).*
Emploi : proposé dans la fatigue (ou
asthénie fonctionnelle).
Précautions : consultez votre médecin
si la fatigue persiste (il peut s'agir
d'un état dépressif ou d'une autre
maladie nécessitant un traitement

spécifique) ou en cas d'amaigrissement.
Note : *vendu sans ordonnance; efficacité
du principe actif à confirmer dans
l'emploi proposé.*

GIVALEX® (Norgan)

Introd. en 1977. Remb. SS 40%.
PRINCIPES ACTIFS : solution pour bains
de bouche contenant de l'hexétidine,
choline salicylate et chlorobutanol.
Emploi : infections et inflammations de
la cavité buccale et de la gorge.
Note : *vendu sans ordonnance; ne pas
utiliser pendant plus de 5 jours sans
avis médical.*

GLAUCADRINE®
(M., S. & D.-Chibret)

Introd. en 1969. Liste I. Remb. SS 70%.
PRINCIPES ACTIFS : collyre contenant de
l'acéclidine (cholinergique analogue
de la pilocarpine) et épinéphrine ou
adrénaline (sympathomimétique).
Emploi : proposé dans le glaucome
chronique à angle ouvert.
Précautions : ne pas employer en cas
de glaucome par fermeture de l'angle.
Conduite de véhicules : l'attention des
conducteurs de véhicules est attirée
sur la gêne visuelle après emploi.
Effets indésirables possibles : des instillations répétées peuvent entraîner
un passage du médicament dans la
circulation générale avec salivation,
transpirations, larmoiement, nausées,
vomissements, spasme bronchique,
hypotension artérielle.
Conservation : à utiliser dans les 15
jours après l'ouverture du flacon.
Note : *prescrit sur ordonnance médicale.*

GLAUCOSTAT®
(M., S. & D.-Chibret)

Introd. en 1966. Liste I. Remb. SS 70%.
PRINCIPE ACTIF : ***Acéclidine.***
Préparations : collyre à 2%.
Emploi : cholinergique utilisé en collyre
pour contracter la pupille et diminuer
la tension intraoculaire dans le glaucome et dans d'autres affections.
Conduite de véhicules : l'attention des
conducteurs de véhicules est attirée
sur la gêne visuelle après emploi du
collyre.
Effets indésirables possibles : des instillations répétées peuvent entraîner

un passage du médicament dans la circulation générale avec salivation, transpirations, larmoiement, nausées, vomissements, spasme bronchique, hypotension artérielle.

Conservation : tout flacon entamé doit être utilisé dans les 15 jours après l'ouverture du flacon.

Note : prescrit sur ordonnance médicale.

GLAUPOSINE® (Alcon)

Introd. en 1963. Liste I. Remb. SS 70%.

PRINCIPE ACTIF : **Epinéphrine** ou **adrénaline.**

Préparations : collyre à 2%.

Emploi : sympathomimétique utilisé en collyre dans le glaucome chronique à angle ouvert et pour diminuer la pression intraoculaire élevée et contrôle périodique de la tension intraoculaire.

Précautions : ne pas employer en cas de glaucome par fermeture de l'angle; utilisation prudente en cas de maladie cardiovasculaire, d'hypertension artérielle, d'angine de poitrine ou de diabète.

Effets indésirables possibles : sensations de brûlure et de picotement, maux de tête; rarement accélération du pouls, hypertension artérielle (résorption du médicament dans la circulation générale); dilatation de la pupille (mydriase active); risque de crise de glaucome aigu chez les sujets prédisposés à angle irido-cornéen étroit ou ayant des antécédents de glaucome à angle fermé.

Note : prescrit sur ordonnance médicale.

GLIBÉNÈSE® (Pfizer)

Introd. en 1974. Liste I. Remb. SS 70%.

PRINCIPE ACTIF : **Glipizide** .

Préparations : comprimés à 5 mg.

Emploi : antidiabétique oral utilisé dans le diabète qui se développe chez l'adulte, dont le contrôle ne nécessite pas des injections d'insuline (diabète non insulino-dépendant de type II ou DNID) et qu'un régime seul ne peut pas équilibrer suffisamment; l'injection d'insuline dans cette forme de diabète peut cependant être nécessaire en cas de blessure ou de brûlure, d'infection grave, d'apparition d'un coma acido-cétosique, d'intervention chirurgicale ou de grossesse. L'usage de ce médicament constitue un complément à votre régime et il ne saurait en aucun cas le remplacer.

Durée d'action : 4 à 8 heures.

Pour les détails → p. 42.

Note : prescrit sur ordonnance médicale.

GLOBISINE® (R. Bellon)

Introd. en 1964. Non remb. SS.

PRINCIPES ACTIFS : solution buvable contenant des extraits de foie et de pylore, L-lysine, cyanocobalamine (vitamine B12) et oligo-éléments.

Emploi : proposé dans la fatigue.

Précautions : la présence en faible dose de la vitamine B12 est insuffisante pour traiter une anémie, mais suffisante pour en masquer les manifestations et retarder le diagnostic; consultez votre médecin si la fatigue persiste (il peut s'agir d'une dépression ou d'une autre maladie nécessitant un traitement spécifique).

Note : vendu sans ordonnance; efficacité des principes actifs à confirmer dans l'emploi proposé.

GLOSSITHIASE® (Jolly-Jatel)

Introd. en 1970. Remb. SS 70%.

PRINCIPES ACTIFS : comprimé sublingual contenant du lysozyme et thénoate d'éthanolamine.

Emploi : proposé dans les infections buccales et de la gorge.

Effets indésirables possibles : candidose buccale en cas de traitement prolongé.

Note : vendu sans ordonnance; ne pas utiliser pendant plus de 5 jours sans avis médical.

GLOTTYL®
(Marion Merrell Dow)

Introd. en 1957. Non remb. SS.

PRINCIPES ACTIFS : solution buvable contenant de l'amyléine et des extraits d'aconit, érysimum, belladone (spasmolytique atropinique) et *Euphorbia pilulifera.*

Emploi : proposé dans les laryngites, trachéites et bronchites.

Précautions : ne pas employer en cas de glaucome à angle fermé, hypertrophie de la prostate ou insuffisance cardiaque congestive.

Note : vendu sans ordonnance; des principes actifs plus efficaces sont actuellement disponibles.

GLUCAGON (Novo Nordisk)
Introd. en 1966. Remb. SS 70%.
PRINCIPE ACTIF : *Glucagon.*
Préparations : poudre pour solution injectable en flacons à 1 mg.
Emploi : hormone produite par les îlots de Langerhans du pancréas qui augmente le taux du sucre dans le sang (hyperglycémiant); la préparation est un extrait du pancréas de porc ou de bœuf.

Le glucagon est le médicament d'urgence des accidents hypoglycémiques (diminution du sucre dans le sang) qui peuvent survenir au cours du traitement du diabète par l'insuline à la suite d'une erreur (dose excessive) ou lorsque les besoins diminuent alors que la dose d'insuline n'est pas modifiée (repas retardé ou supprimé, activité physique inhabituelle).

Si le patient est inconscient, une injection intramusculaire d'un mg de glucagon rétablit habituellement la conscience en une quinzaine de minutes, ce qui permet d'administrer une boisson sucrée ou des morceaux de sucre; une deuxième injection est parfois nécessaire 20 minutes après la première si le résultat est insuffisant. Chez le diabétique traité par l'insuline, l'injection de glucagon est recommandée au moindre doute d'hypoglycémie si le sujet est inconscient et ne peut pas absorber du sucre; même s'il ne s'agissait pas d'hypoglycémie, l'injection ne présente aucun risque.

Le glucagon est déconseillé dans les hypoglycémies dues aux antidiabétiques oraux (sulfamides).

Le glucagon a été aussi proposé comme antispasmodique dans la préparation aux explorations radiologiques ou endoscopiques du tube digestif (sauf en cas de diabète) et dans le traitement de l'intoxication aux bêtabloquants.

Durée d'action : 20-30 minutes.
Précautions : ne pas employer en cas d'allergie au produit; les affections suivantes peuvent modifier l'action du médicament :
– insulinome (risque d'aggravation de l'hypoglycémie);
– phéochromocytome;
– traitement par des bêta-bloquants (peuvent masquer les signes prémonitoires de l'hypoglycémie).

Grossesse et allaitement : utilisation possible.
Information de votre entourage : vous devez expliquer à votre entourage les conditions dans lesquelles l'injection de glucagon doit être pratiquée.
Prodromes de l'hypoglycémie : pour éviter tout accident hypoglycémique grave qui peut nécessiter l'injection de glucagon, surveillez l'apparition des signes suivants qui précèdent la perte de conscience : accélération du pouls, palpitations, transpirations, frissons, nausées, faim, maux de tête, tremblements.
Hypoglycémie manifeste : dès que ces signes d'hypoglycémie se manifestent, vous devez boire une boisson sucrée ou avaler des morceaux de sucre (vous devez avoir toujours sur vous des morceaux de sucre); si les symptômes ne s'améliorent pas rapidement ou s'ils s'aggravent ou si des convulsions ou des vomissements apparaissent, un secours médical d'urgence est nécessaire. Chez les sujets traités uniquement par des insulines à action prolongée ou chez les sujets âgés, ces signes manquent souvent; l'hypoglycémie s'installe progressivement et se traduit par une somnolence évoluant progressivement vers le coma.
Patient inconscient : si une injection de glucagon est pratiquée sur un patient inconscient :
– il faut tourner le patient sur un côté;
– si la conscience ne revient pas au bout de 20 minutes, il faut pratiquer une deuxième injection; si l'état d'inconscience se prolonge, il faut transférer le patient dans un service d'urgences;
– si le patient reprend conscience, il faut lui administrer une boisson sucrée ou des morceaux de sucre; dès que possible, un léger repas peut être utile pour prévenir une hypoglycémie avant le prochain repas principal; même si l'état s'améliore, il faut informer le médecin traitant.
Effets indésirables possibles : nausée et vomissements qui peuvent être très graves chez le patient inconscient; réactions allergiques généralisées (urticaire, troubles de la respiration, baisse de la tension artérielle).
Conservation : entre +2°C et +8°C.
Note : *vendu sans ordonnance; efficacité généralement reconnue dans l'emploi proposé.*

GLUCANTIME® (Specia)

Introd. en 1948. Remb. SS 70%.
PRINCIPE ACTIF : **Antimoniate de méglumine**.
Préparations : solution injectable en ampoules à 1,5 g dans 5 ml.
Emploi : composé antimonié pentavalent employé dans le traitement de
– la leishmaniose viscérale;
– la leishmaniose cutanée (à l'exception des infections à L. aethiopica, qui ne répondent pas au traitement);
– la leishmaniose cutanée diffuse due à L. aethiopica et L. amazonensis;
– la leishmaniose cutanée et leishmaniose cutanéomuqueuse dues à L. braziliensis.
Note : efficacité du principe actif généralement reconnue.

GLUCIDORAL® (Servier)

Introd. en 1956. Liste I. Remb. SS 70%.
PRINCIPE ACTIF : **Carbutamide**.
SYNONYME : glybutamide.
Préparations : comprimés à 500 mg.
Emploi : antidiabétique oral utilisé dans le diabète qui se développe chez l'adulte, dont le contrôle ne nécessite pas des injections d'insuline (diabète non insulino-dépendant de type II ou DNID) et qu'un régime seul ne peut pas équilibrer suffisamment.
Durée d'action : 24 à 60 heures.
Pour les détails → p. 42.
Note : prescrit sur ordonnance médicale.

GLUCINAN® (Lipha Santé)

Introd. en 1974. Liste I. Remb. SS 70%.
PRINCIPE ACTIF : **Metformine**.
Préparations : comprimés à 205 mg.
Emploi : antidiabétique oral du groupe des biguanides utilisé dans le diabète qui se développe chez l'adulte, dont le contrôle ne nécessite pas des injections d'insuline (diabète non insulino-dépendant de type II ou DNID) et qu'un régime seul ne peut pas équilibrer suffisamment.
Attention : arrêtez le traitement et informez immédiatement votre médecin en cas de survenue de malaise, nausées, vomissements, crampes, respiration accélérée, douleurs abdominales (risque d'acidose lactique).
Pour les détails → p. 42.
Note : prescrit sur ordonnance médicale.

GLUCONATE DE CALCIUM → Calcium, Sels de.

GLUCONATE DE POTASSIUM → Potassium, Sels de.

GLUCOPHAGE® (Lipha Santé)

Introd. en 1959. Liste I. Remb. SS 70%.
PRINCIPE ACTIF : **Metformine**.
Préparations : comprimés à 390 mg; comprimés à effet retard à 663 mg (Glucophage Retard®).
Emploi : antidiabétique oral du groupe des biguanides utilisé dans le diabète qui se développe chez l'adulte, dont le contrôle ne nécessite pas des injections d'insuline (diabète non insulino-dépendant de type II ou DNID) et qu'un régime seul ne peut pas équilibrer suffisamment la glycémie.
Attention : arrêtez le traitement et informez immédiatement votre médecin en cas de survenue de malaise, nausées, vomissements, crampes, respiration accélérée, douleurs abdominales (risque d'acidose lactique).
Pour les détails → p. 42.
Note : prescrit sur ordonnance médicale.

GLUCOSE (Dextrose)

Solutions injectables à 5%, 10%, 15%, 20%, 30%, 50%.
SOLUTION ISOTONIQUE À 5% :
– Réhydratation parentérale lorsqu'il existe une perte d'eau supérieure à la perte de chlorure de sodium.
– Prévention des déshydratations intra et extra-cellulaires.
– Véhicule de médicaments administrés en perfusion intraveineuse.
– Prévention et traitement de la cétose dans les dénutritions.
SOLUTION HYPERTONIQUE :
– Hypoglycémies sévères, coma hypoglycémique ou diagnostic d'un coma inexpliqué.
– Apport calorique en cas d'alimentation artificielle parentérale; des électrolytes et d'autres substances doivent être ajoutés en cas d'administration prolongée.
SOLUTION DE GLUCOSE À 4% ET CHLORURE DE SODIUM À 0,18% :
– Hypovolémie par déficit combiné d'eau et de sodium.

Si vous utilisez l'une des spécialités suivantes contenant un dérivé de la digitale...

Cédilanide® (Sandoz).
Digitaline Nativelle®
(Procter & Gamble).

Digoxine Nativelle®
(Procter & Gamble).
Ouabaïne (Aguettant).

Emploi : les glucosides cardiotoniques ou *digitaliques* augmentent la force de contraction et la performance du muscle cardiaque, ralentissent la fréquence du pouls, surtout quand celui-ci est très rapide et irrégulier, et améliorent *l'insuffisance cardiaque* (faiblesse du cœur); sous l'effet du traitement, l'irrigation des divers organes est améliorée, la respiration devient plus facile, le rythme cardiaque se ralentit et l'élimination d'eau et de sel par les reins augmente, ce qui fait disparaître l'eau accumulée dans les tissus, par exemple dans les jambes (œdème). Les digitaliques sont utilisés dans le traitement de l'insuffisance cardiaque et de certains troubles du rythme.

Allergie : informez votre médecin si vous avez déjà fait une réaction allergique ou inhabituelle à un digitalique (p. ex. des nausées avec de très faibles doses).

État de santé : vous devez informer votre médecin de toute affection susceptible de modifier les effets du médicament, notamment :
– pouls très lent (au-dessous de 50 battements par minute), avec ou sans vertiges ou pertes de connaissance;
– irrégularités du pouls (extrasystoles);
– infarctus du myocarde récent (de quelques semaines);
– rhumatisme articulaire aigu dans l'enfance ou l'adolescence avec anomalie de l'électrocardiogramme;
– inflammation aiguë du muscle cardiaque ou «myocardite»;
– accès de tachycardie de type ventriculaire (cet accès est en général traité en urgence par un choc électrique);
– accès de tachycardie lié à une anomalie de l'électrocardiogramme appelée maladie de Wolff-Parkinson-White ou syndrome de préexcitation;
– maladie du muscle cardiaque avec rétrécissement de la voie d'éjection

appelée cardiomyopathie obstructive hypertrophique;
– diarrhées chroniques avec pertes de potassium dans les selles et potassium abaissé dans le sang;
– maladies du foie ou des reins (un ajustement des doses peut être nécessaire);
– maladie des poumons;
– cœur pulmonaire chronique;
– fonctionnement excessif de la glande thyroïde (hyperthyroïdie ou maladie de Basedow).

Grossesse et allaitement : il n'existe pas de contre-indication actuellement connue à l'utilisation des digitaliques.

Interactions : il faut informer votre médecin si vous prenez ou avez pris récemment d'autres médicaments, notamment :

MÉDICAMENTS QUI AUGMENTENT LA TOXICITÉ DES DIGITALIQUES :
– médicaments qui abaissent le potassium dans le sang, notamment les corticoïdes, les diurétiques (sauf ceux qui épargnent le potassium) et les laxatifs irritants;
– médicaments qui stimulent le système nerveux sympathique (sympathomimétiques) : les amphétamines, les médicaments coupe-faim, certaines préparations pour l'asthme et la bronchite (notamment celles contenant de l'éphédrine), les gouttes nasales décongestionnantes instillées avec excès;
– certains médicaments contre l'angine de poitrine, l'hypertension artérielle, les troubles du rythme, en particulier quinidine, amiodarone, diltiazem, vérapamil;
– sels de calcium par voie intraveineuse : risque d'effets très graves;
– autres digitaliques (effet cumulatif).

MÉDICAMENTS QUI DIMINUENT L'EFFICACITÉ DES DIGITALIQUES :
– médicaments contre l'acidité gastrique : sels d'aluminium, de magnésium, sucralfate : ceux-ci doivent être pris au moins 2 heures après un digitalique;   →

GLUCOSIDES CARDIOTONIQUES (SUITE)

– phénobarbital et rifampicine;
– salazosulfapyridine, charbon médicinal, colestyramine.

Prise du médicament : prenez la dose exacte, à la même heure de la journée; seul le compte goutte livré avec la bouteille d'origine doit être utilisé; les personnes qui ont mauvaise vue ou qui tremblent ne devraient jamais prendre les digitaliques en gouttes, mais en comprimés.

Prescription : la dose usuelle est indiquée sur la notice explicative accompagnant le médicament : si vous avez des doutes sur la posologie qui vous a été prescrite, prenez contact avec votre médecin ou pharmacien.

Surveillance : la dose optimale peut être difficile à déterminer, la marge entre inefficacité et toxicité étant très faible; dans les cas difficiles, on peut mesurer le taux de digoxine dans le sang, qui doit se trouver dans la «zone d'efficacité», dont les valeurs sont bien connues.

Oubli : si vous oubliez de prendre le médicament pendant 1-2 jours, ne doublez pas la dose pendant les jours suivants; si vous oubliez le médicament plusieurs jours, prenez contact avec votre médecin.

L'arrêt brutal du traitement peut aggraver l'insuffisance cardiaque.

Effets indésirables possibles :

– manque d'appétit, nausées, vomissements, diarrhées (signes avant-coureurs d'un surdosage);
– pouls en permanence plus lent ou plus rapide que d'habitude (par exemple moins de 50 ou plus de 100 pulsations par minute);
– irrégularités du pouls (extrasystoles); maux de tête, dépression;
– vision jaune des objets; éruption cutanée (rare);
– traitement prolongé : on peut observer une grande fatigue, des malaises, des maux de tête, des troubles de la vue, un état dépressif.

Intoxication (nécessitant un examen médical d'urgence) : vomissements, diarrhées, vue trouble, sécheresse de la bouche, pouls très lent ou très rapide, confusion mentale.

GLUTAMAG TRIVIT B®
(Lucien)

Introd. en 1959. Non remb. SS.

PRINCIPES ACTIFS : solution buvable contenant de la vitamine B1, B2 et PP, et du glutamate de magnésium.

Emploi : proposé dans la fatigue (ou asthénie fonctionnelle).

Précautions : consultez votre médecin si la fatigue persiste (il peut s'agir d'une dépression ou d'une maladie nécessitant un traitement spécifique) ou en cas d'amaigrissement.

Note : *vendu sans ordonnance; efficacité des principes actifs à confirmer dans l'emploi proposé.*

GLUTAMINOL B6® (Syntex)

Introd. en 1962. Non remb. SS.

PRINCIPES ACTIFS: comprimés contenant de l'acide glutamique et pyridoxine (vitamine B6).

Emploi : proposé dans la fatigue.

Précautions : consultez votre médecin si la fatigue persiste (il peut s'agir d'une dépression ou d'une autre maladie nécessitant un traitement spécifique) ou en cas d'amaigrissement.

Note : *vendu sans ordonnance; efficacité des principes actifs à confirmer dans l'emploi proposé.*

GLUTRIL® (Roche)

Introd. en 1973. Liste I. Remb. SS 70%.

PRINCIPE ACTIF : *Glibornuride* .

Préparations : comprimés à 25 mg.

Emploi : antidiabétique oral utilisé dans le diabète qui se développe chez l'adulte, dont le contrôle ne nécessite pas des injections d'insuline (diabète non insulino-dépendant de type II ou DNID) et qu'un régime seul ne peut pas équilibrer suffisamment; l'injection d'insuline dans cette forme de diabète peut cependant être nécessaire en cas d'infection grave, de coma acido-cétosique, d'intervention chirurgicale ou de grossesse.

Durée d'action : 12 à 24 heures.

Pour les détails → p. 42.

Note : *prescrit sur ordonnance médicale.*

GLYCÉROTONE® (H. Faure)

Introd. en 1965. Remb. SS 70%.
PRINCIPE ACTIF: solution buvable contenant du glycérol (ou glycérine).
Emploi: proposé par voie buccale dans le traitement des œdèmes cérébraux, des hypertensions intracrâniennes ou intraoculaires (glaucome aigu).
Note : vendu sans ordonnance; à utiliser sous contrôle médical.

GLYCOBYL® (Amido)

PRINCIPES ACTIFS: dragées contenant des extraits de bile et de muqueuse intestinale, méthénamine (antiseptique urinaire), évonymine brune, artichaut, charbon végétal activé.
Emploi: proposé dans la «digestion difficile» (efficacité à confirmer).
Note : vendu sans ordonnance.

GLYCO-THYMOLINE®
(Sterling Midy)

Introd. en 1949. Remb. SS 70%.
PRINCIPES ACTIFS : solution pour application locale contenant benzoate, bicarbonate, borate et salicylate de sodium, glycérol, menthol, thymol, eucalyptol, essence de pin et de bouleau.
Emploi : antiseptique local.
Note : vendu sans ordonnance; des principes actifs plus efficaces sont actuellement disponibles.

GLYMINE® (Monot)

PRINCIPES ACTIFS : crème contenant baume du Pérou, borate de sodium, propylène glycol lauryl ester, urée et camphre.
Emploi : proposé comme «cicatrisant» de la peau.
Note : vendu sans ordonnance; tenir compte de la présence de baume du Pérou qui est allergisant.

GLYPRESSINE® (Ferring)

Introd. en 1988. Liste I.
PRINCIPE ACTIF : **Terlipressine**.
Préparations : poudre pour solution injectable en flacons à 1 mg.
Emploi : analogue de la vasopressine ayant un effet hypotenseur sur la pression portale par vasoconstriction dans le territoire porte; utilisé dans le traitement d'urgence des hémorragies digestives par rupture de varices œsophagiennes, en attendant la mise en œuvre d'un traitement spécifique; la durée du traitement est limité à 5 jours.
Note : réservé aux hôpitaux.

GLYVÉNOL® (Ciba-Geigy)

Introd. en 1968. Remb. SS 40%.
PRINCIPE ACTIF : **Tribénoside**.
Préparations :
– capsules à 400 mg; crème à 5%;
– suppositoires [+ lidocaïne]. Liste II.
Emploi : «vasculoprotecteur» proposé par voie buccale ou en application locale dans le traitement des symptômes liés à l'insuffisance veinolymphatique (jambes lourdes, etc.) ou aux hémorroïdes; les suppositoires sont proposés dans les poussées hémorroïdaires.
Précautions : consultez votre médecin en cas de suspicion de phlébite (jambes rouges et/ou chaudes, douloureuses, surtout si d'un seul côté et avec fièvre); ne pas utiliser en cas de grossesse ou d'allaitement.
Effets indésirables possibles : éruption cutanées (réaction allergique).
Note : vendu sans ordonnance (sauf suppositoires); efficacité du principe actif à confirmer dans l'emploi proposé.

GOMENOL® (Gomenol)

Introd. en 1898. Remb. SS 40%.
PRINCIPE ACTIF : huile pour inhalation, solution aqueuse pour aérosol, suppositoires et sirop contenant une essence obtenue par distillation des feuilles de *Melaleuca viridiflora*.
Emploi : proposé dans les inflammations des voies respiratoires.
Note : vendu sans ordonnance; des principes actifs plus efficaces sont actuellement disponibles.

GOMENOL-SYNER®
pénicilline (Gomenol)

Introd. en 1959. Liste I. Remb. SS 40%.
PRINCIPES ACTIFS : suppositoires contenant de la pénicilline et une essence obtenue par distillation des feuilles de *Melaleuca viridiflora*.
Emploi : proposé dans les infections des voies respiratoires.
Note : prescrit sur ordonnance médicale.

GOMENOLÉO® (Gomenol)

Introd. en 1898. Remb. SS 70%.

PRINCIPE ACTIF : solution huileuse (huile d'olive) injectable contenant une essence obtenue par distillation des feuilles de *Melaleuca viridiflora*.

Emploi : proposé dans les infections des voies respiratoires.

Note : vendu sans ordonnance; des principes actifs plus efficaces sont actuellement disponibles.

GONADOTROPHINE CHORIONIQUE HCG
«ENDO»® (Organon)

Introd. en 1948. Liste I. Remb. SS 70%.

SYNONYME : «Human Chorionic Gonadotrophin» (HCG).

SPÉCIALITÉ À L'ÉTRANGER : Pregnyl®.

Préparations : ampoules injectables par voie intramusculaire à 500 UI, 1500 UI et 5000 UI d'hormone gonadotrope d'origine placentaire extraite de l'urine de femme enceinte.

Emploi : hormone sécrétée par l'hypophyse qui stimule la sécrétion d'estrogènes et de progestérone par l'ovaire, ces hormones étant indispensables pour la conception et le développement initial du fœtus.

La gonadotrophine chorionique humaine est utilisée en injection intramusculaire :
- chez la femme, pour traiter certaines formes de stérilité dues à une absence d'ovulation, en association avec la gonadotrophine ménopausique ou HMG; ce traitement entraîne un risque de grossesse multiple;
- chez l'homme, pour traiter certains troubles dus à la carence en hormones mâles et chez le garçon pour favoriser la descente des testicules dans les bourses (on appelle «cryptorchidie» l'absence de l'un ou des deux testicules dans les bourses).

Précautions : ne pas employer en cas d'allergie au produit; les affections suivantes peuvent modifier l'action du médicament :
- cancer de la prostate;
- kyste de l'ovaire;
- fibrome de l'utérus;
- hémorragies vaginales inhabituelles.

Grossesse : le traitement est arrêté dès l'apparition de signes de grossesse.

Adolescents : ne pas utiliser chez la jeune fille avant l'âge de 18 ans.

Sportifs : ce médicament peut induire une réaction positive en cas de tests pour contrôle antidopage.

Interactions : il faut informer votre médecin si vous prenez ou avez pris récemment d'autres médicaments.

Surveillance : la sélection des patients et la conduite du traitement sont du ressort du spécialiste; des contrôles réguliers, éventuellement des dosages d'hormones dans le sang et l'urine, sont indispensables.

Chez la femme : lorsque le médicament est utilisé pour traiter une stérilité féminine, prenez la température tous les jours pour que votre médecin puisse déterminer le moment de l'ovulation et déterminer la période de fécondité présumée.

Chez le garçon : lorsque le médicament est utilisé chez le garçon pour favoriser la descente des testicules dans les bourses, il faut arrêter le traitement dès l'apparition de signes de maturation sexuelle.

Effets indésirables possibles :
- maux de tête, fatigue, altérations de l'humeur;
- chez la femme : diminution du volume des urines, prise de poids, chevilles enflées (rétention d'eau), douleurs abdominales (augmentation de volume des ovaires);
- chez l'homme : augmentation de volume des seins (gynécomastie);
- chez le garçon : acné, augmentation de volume des organes génitaux et de la pilosité pubienne, augmentation rapide de la taille.

Note : à utiliser sous contrôle médical.

GONADOTROPHINE MÉNOPAUSIQUE HMG

Humégon® (Organon).
Inductor® (Pharmagyne).
Néo-Pergonal® (Serono).

Préparations : ampoules injectables à 75 UI de FSH + 75 UI de LH.

La *gonadotrophine ménopausique humaine* extraite de l'urine de femmes ménopausées contient de la folliculostimuline (FSH) et de la lutéinostimuline (LH) en proportions presque égales; cependant, la demi-vie biologique sensiblement plus longue de la

FSH, par rapport à celle de la LH, confère à la préparation une activité folliculostimulante prédominante.

L'*urofollitropine* est une préparation ayant une action exclusivement folliculostimulante (FSH urinaire purifiée). Spécialités :

Fertiline® (Pharmagyne).
Métrodine® (Serono).

Emploi : médicament utilisé, en injection intramusculaire, en association avec la gonadotrophine chorionique (HCG) :

– chez la femme, pour traiter certaines formes de stérilité dues à une absence d'ovulation ; ce traitement entraîne une grossesse multiple dans 30% des cas environ ;

– chez l'homme, pour stimuler la formation du sperme en cas de carence en hormones mâles, sans lésion du testicule ou des voies excrétrices.

Précautions : ne pas employer en cas d'allergie au produit ; les affections suivantes peuvent modifier l'action du médicament :

– kyste de l'ovaire, fibrome de l'utérus (risque d'aggravation) ;

– hémorragies vaginales inhabituelles.

Grossesse : le traitement est arrêté dès l'apparition de signes de grossesse.

Interactions : il faut informer votre médecin si vous prenez ou avez pris récemment d'autres médicaments.

Surveillance : la sélection des patients et la conduite du traitement sont du ressort du spécialiste ; des contrôles réguliers, éventuellement des dosages d'hormones dans le sang et l'urine, sont indispensables.

Température : en cas de stérilité féminine, prenez la température tous les jours pour que votre médecin puisse déterminer le moment de l'ovulation et déterminer la période de fécondité présumée.

Effets indésirables possibles :

– maux de tête, fatigue, altérations de l'humeur ;

– chez la femme : diminution du volume des urines, prise de poids, chevilles enflées (œdèmes), douleurs abdominales (augmentation de volume des ovaires), fièvre et difficulté à respirer (thrombose ou embolie) ;

– chez l'homme : augmentation de volume des seins (gynécomastie).

Note : *prescrit sur ordonnance médicale.*

GOPTEN® (Knoll)

Introd. en 1993. Liste I. Remb. SS 70%.

PRINCIPE ACTIF : **Trandolapril.**

Préparations : gélules à 2 mg.

Emploi : inhibiteur de l'enzyme de conversion utilisé dans le traitement de l'hypertension artérielle, éventuellement associé à un diurétique.

Durée d'action : environ 24 heures.

Pour les détails → p. 364.

Note : *prescrit sur ordonnance médicale.*

GOSSYPIOL® (Urpac)

PRINCIPES ACTIFS : comprimés contenant aloès (laxatif irritant) piscidia, viburnum, aconit, belladone, quinine, cotonnier, actée, jasmin.

Emploi : proposé dans les troubles des règles (dont l'origine ne peut être précisée que par votre médecin).

Note : *vendu sans ordonnance ; à éviter comme tous les laxatifs irritants.*

GOUTTES AUX ESSENCES
(Plantes et Médecines)

Introd. en 1949. Non remb. SS.

PRINCIPES ACTIFS : solution buvable contenant des essences de menthe, girofle, thym, cannelle, lavande.

Emploi : proposée comme traitement adjuvant des maladies infectieuses.

Note : *vendu sans ordonnance ; des principes actifs plus efficaces sont actuellement disponibles.*

GRAINS DE VALS® (Noguès)

Introd. en 1898. Non remb. SS.

PRINCIPES ACTIFS : pilules contenant :

– extraits d'aloès, cascara, bourdaine : laxatifs irritants contenant des dérivés des anthraquinones ;

– belladone : atropinique ;

– bile.

Emploi : traitement de courte durée de la constipation.

Précautions : consultez votre médecin si la constipation persiste, en cas de sang dans les selles ou de selles noires, de douleurs abdominales avec diarrhée, d'amaigrissement.

L'usage prolongé risque de provoquer la « maladie des laxatifs » avec lésions de la muqueuse intestinale.

Note : *vendu sans ordonnance ; à éviter comme tous les laxatifs irritants.*

GRAMIDIL® (Leurquin)

Introd. en 1981. Liste I. Remb. SS 70%.

PRINCIPE ACTIF : *Amoxicilline*.

Préparations : gélules à 500 mg; poudre pour suspension buvable à 125 mg, 250 mg ou 500 mg par cuillerée mesure.

Emploi : antibiotique du groupe des pénicillines A ayant un large spectre d'action contre les bactéries, mais inefficace contre les staphylocoques producteurs de pénicillinases.

L'amoxicilline est mieux absorbée par voie buccale que l'ampicilline et est éliminée surtout dans les urines (précautions en cas d'insuffisance rénale); signalez à votre médecin l'existence de toute maladie rénale (une réduction des doses peut être nécessaire).

Durée du traitement : elle est déterminée par votre médecin; l'interruption prématurée du traitement peut favoriser une rechute de l'infection.

Pour les détails → p. 520.

Note : prescrit sur ordonnance médicale.

GRANIONS® (Lab. des Granions)

Introd. en 1948-1961. Remb. SS 40%.

Gamme de produits contenant des oligo-éléments sous forme de solutions buvables.

Le traitement par un élément «minéral-trace» ne dispense pas d'un traitement spécifique éventuel.

GRANUDOXY® (P. Fabre)

Introd. en 1985. Liste I. Remb. SS 70%.

PRINCIPE ACTIF : *Doxycycline*.

Préparations : gélules à 100 mg.

Emploi : antibiotique dérivé de la tétracycline, mieux résorbée que celle-ci par voie digestive et diffusant mieux dans les tissus; la doxycycline a l'avantage sur la tétracycline de pouvoir être administrée en cas d'insuffisance rénale. La doxycycline est employée dans le traitement des infections à germes sensibles, notamment des infections uro-génitales et sexuellement transmissibles.

Pour les détails → p. 672.

Note : prescrit sur ordonnance médicale.

GRAVIBINAN® (Schering)

Introd. en 1972. Liste II. Remb. SS 70%.

PRINCIPES ACTIFS : solution huileuse injectable contenant de l'estradiol 17ß-valérate (estrogène) et hydroxyprogestérone caproate (progestatif).

Emploi : proposé dans la stérilité par insuffisance hormonale, le développement insuffisant de l'utérus, la prévention des avortements à répétition et dans d'autres affections déterminées par votre médecin.

Précautions : le traitement doit être conduit sous surveillance médicale stricte.

Note : prescrit sur ordonnance médicale.

GRIPPONYL® (P. Fabre)

Introd. en 1984. Non remb. SS.

PRINCIPES ACTIFS : gélules contenant :
- phénacétine : analgésique à action périphérique;
- caféine, théobromine, acétanilide, quinine, belladone, colchique, poudre de Dover, boldo, kola, quinquina, phosphate de calcium.

Emploi : proposé dans la grippe.

Effets indésirables possibles : l'utilisation prolongée provoque des lésions rénales irréversibles parfois fatales; seul un traitement très court, non répété, peut être envisagé.

Note : vendu sans ordonnance; à éviter à cause de la présence de phénacétine qui est toxique pour le rein; les autres composants ont peu d'intérêt dans l'emploi proposé.

GRISÉFULINE® (Clin Midy)

Introd. en 1964. Liste I. Remb. SS 70%.

PRINCIPE ACTIF : *Griséofulvine*.

Préparations : comprimés à 250 mg ou 500 mg; pommade à 5%.

Emploi : antibiotique appartenant au groupe des antifongiques qui sont employés pour traiter certaines infections causées par des levures et des champignons (mycoses); la griséofulvine est utilisée par voie buccale notamment pour traiter les dermatophytoses de la peau glabre et des orteils (pied d'athlète), les teignes et d'autres affections; elle est peu active en applications locales qui doivent être associées à un traitement par voie buccale; une hygiène générale rigoureuse est essentielle afin de réduire le risque de réinfection.

A été proposée, en l'absence d'activité spécifique actuellement démontrée, dans les algodystrophies réflexes post-traumatiques et comme traitement d'appoint dans le syndrome de Raynaud.

Durée d'action : jusqu'à 24 heures.

Précautions : ne pas employer en cas d'allergie au produit, aux pénicillines ou à la pénicillamine, de maladie du foie, de lupus érythémateux disséminé, de porphyrie (risque de crise aiguë), de grossesse (il a causé des malformations du fœtus au cours de l'expérimentation animale) et d'allaitement.

Interactions : il faut informer votre médecin si vous prenez ou avez pris récemment d'autres médicaments, notamment : kétoconazole, isoniazide, ciclosporine, contraceptifs hormonaux (diminution de l'efficacité des pilules anticonceptionnelles), anticoagulants oraux (diminution de l'effet anticoagulant), barbituriques (diminuent l'efficacité de la griséofulvine).

Délai d'action : dans le traitement de certaines infections, les effets ne se manifestent qu'après un délai de plusieurs mois; pendant cette période, il est très important de continuer le traitement; consultez votre médecin si vous doutez de l'efficacité du traitement.

Surveillance : des contrôles périodiques sont nécessaires pendant le traitement, notamment pour vérifier les fonctions hépatiques et rénales et les globules sanguins.

Alcool : évitez les boissons alcoolisées qui peuvent produire un effet «antabuse» avec malaise, des bouffées de chaleur, une rougeur de la face et du cou, l'injection des conjonctives, des palpitations et des maux de tête.

Conduite de véhicules : chez certains sujets, ce médicament provoque des vertiges, ou diminue la vigilance; la conduite de véhicules ou l'utilisation de machines peut être dangereuse.

Effets indésirables possibles :

– maux de tête, perte du goût, sécheresse de la bouche (sensation de soif), douleurs gastriques, nausées, diarrhées, vertiges, somnolence;
– confusion mentale;
– sensibilité accrue de la peau au soleil (photosensibilisation);
– visage enflé, bouffissure des lèvres et des paupières, voix rauque, difficulté à respirer ou à avaler (œdème de Quincke);
– éruption cutanée (réaction allergique: arrêtez immédiatement le traitement);
– engourdissement, fourmillements aux extrémités;
– articulations douloureuses et enflées;
– fièvre, mal de gorge, angine (diminution des globules blancs du sang;
– toxicité hépatique, jaunisse.

Intoxication : confusion mentale, atteinte hépatique.

Note : *prescrit sur ordonnance médicale.*

GUÉTHURAL® (Elerté)

Introd. en 1953. Remb. SS 40%.

PRINCIPES ACTIFS :

– comprimés à sucer et granulé : guéthol et carbamide;
– suppositoires : glycérylguéthol;
– comprimés pelliculés : glycérylguéthol (Guéthural® 300).

Emploi : proposé dans les troubles des sécrétions bronchiques.

Précautions : ne pas utiliser chez l'enfant; consultez votre médecin si les troubles persistent, en cas de fièvre ou de crachats sanglants.

Note : *vendu sans ordonnance; à éviter sans avis médical.*

GURONSAN® (Lyocentre)

Introd. en 1963. Non remb. SS.

PRINCIPES ACTIFS : comprimés contenant de l'acide ascorbique (vitamine C), caféine (stimulant central) et glucuronamide.

Emploi : proposé dans la fatigue (ou asthénie fonctionnelle).

Précautions : consultez votre médecin si la fatigue persiste (il peut s'agir d'une dépression ou d'une autre maladie nécessitant un traitement spécifique) ou en cas d'amaigrissement.

Sportifs : ce médicament peut donner une réaction positive en cas de tests pour contrôle antidopage.

Note : *vendu sans ordonnance; efficacité des principes actifs à confirmer dans l'emploi proposé.*

GYNÉCRISE® gouttes
(Bouteille)

Introd. en 1943. Non remb. SS.

PRINCIPES ACTIFS : solution buvable contenant des extraits d'ovaires et de testicules.

Emploi : proposé dans les troubles de la sécrétion ovarienne (dont le diagnostic ne peut être posé que par votre médecin).

Note : *vendu sans ordonnance; efficacité des principes actifs à confirmer dans l'emploi proposé.*

GYNERGÈNE CAFÉINÉ®
(Sandoz)

Introd. en 1957. Liste I. Remb. SS 70%.

PRINCIPES ACTIFS : **Ergotamine + Caféine.**

Préparations : comprimés ergotamine 1 mg + caféine 100 mg; suppositoires ergotamine 2 mg + caféine 100 mg.

Emploi : l'ergotamine est un alcaloïde de l'ergot de seigle utilisé pour traiter la crise de migraine débutante; elle doit être administrée aussi tôt que possible après le début de la crise; elle agit en diminuant la lumière de certains vaisseaux de la tête (vasoconstriction); l'ergotamine est associée à la caféine (stimulant central) qui pourrait accélérer son action.

L'ergotamine ne doit en aucun cas être utilisée pour le traitement de fond, continu et prolongé de la migraine, ni pour prévenir les crises de migraine; dans le traitement des crises légères de migraine, d'autres médicaments sont préférables, en particulier l'aspirine ou le paracétamol.

Durée d'action : jusqu'à 48 heures.

Allergie : informez votre médecin si vous avez déjà fait une réaction allergique ou inhabituelle à ce médicament ou à d'autres alcaloïdes de l'ergot de seigle.

Etat de santé : vous devez informer votre médecin de toute affection susceptible de modifier les effets du médicament, notamment
– maladies du cœur (risque d'aggravation);
– angine de poitrine (risque de crise);
– hypertension artérielle mal contrôlée (risque d'aggravation);
– artériosclérose, artérite oblitérante ou phlébite des membres inférieurs;
– maladie du foie (l'insuffisance hépatique augmente les risques d'effets indésirables);

– état infectieux, tabagisme (risque accru d'effets indésirables).

Grossesse : ce médicament ne doit pas être utilisé en cas de grossesse; en effet, il peut provoquer des contractions de l'utérus (action ocytocique) et il a provoqué des malformations du fœtus dans l'expérimentation animale.

Allaitement : l'utilisation de ce médicament est déconseillée, car il réduit la sécrétion de lait, passe dans le lait maternel et peut causer des troubles chez le nourrisson.

Enfants : ne pas utiliser avant l'âge de 10 ans.

Sujets âgés : ils sont très sensibles à la constriction des vaisseaux provoquée par ce médicament (doses réduites).

Sportifs : la caféine se trouve sur la liste des dopants interdits (Ministère de la Jeunesse et des Sports); en cas de test pratiqué lors des contrôles antidopage, l'analyse de l'urine est considérée comme positive si le taux en caféine est supérieur à 12 µg/ml.

Interactions : il faut informer votre médecin si vous prenez ou avez pris récemment d'autres médicaments, notamment :
– antibiotiques macrolides, notamment troléandomycine, érythromycine, josamycine, roxithromycine (risque d'obstructions de vaisseaux);
– bêta-bloquants (risque d'obstructions des vaisseaux);
– sympathomimétiques qui peuvent être contenus dans des spécialités contre le rhume (risque accru d'hypertension).

Prescription : ne dépassez pas la dose prescrite par votre médecin; des doses trop élevées ou des prises trop fréquentes (habituellement toutes les 30 minutes, jusqu'à atteindre la dose maximale de 6 mg par 24 heures et de 10 mg en une semaine) augmentent le risque d'effets indésirables.

Prise du médicament : prenez ce médicament dès les premiers signes de la crise et couchez-vous dans une pièce sombre pour au moins 2 heures.

Alcool : évitez les boissons alcoolisées et le tabac qui peuvent aggraver la migraine.

Conduite de véhicules : ce médicament peut diminuer la vigilance; la conduite de véhicules ou l'utilisation de machines peut être dangereuse.

Exposition au froid : comme l'ergotamine diminue la lumière des vaisseaux et diminue la circulation du sang, évitez l'exposition prolongée au froid.

Effets indésirables possibles :
– somnolence, vertiges, aggravation des nausées et des vomissements qui accompagnent la crise de migraine, diarrhées, prurit;
– vasoconstriction ou «ergotisme vasculaire» : mains, pieds froids; crampes musculaires à la marche puis au repos; fourmillements, sensations de picotement, engourdissement et douleurs au niveau des extrémités; sans traitement, ces troubles peuvent aboutir à l'occlusion des artères et à la gangrène des extrémités; douleurs de type angine de poitrine.

Note : prescrit sur ordonnance médicale.

GYNESCAL® (Lab. CCD)

Introd. en 1980. Non remb. SS.
PRINCIPES ACTIFS : poudre pour solution locale contenant du trioxyméthylène (polymère du formaldéhyde), acide salicylique, acide benzoïque, borate et carbonate de sodium.
Emploi : proposé comme antiseptique pour la toilette gynécologique.
Note : vendu sans ordonnance.

GYN-HYDRALIN®
(Soekami-Lefrancq)

Introd. en 1990. Non remb. SS.
PRINCIPE ACTIF : solution pour application locale en flacon unidose contenant 0,108 g de glycine (glycocolle).
Emploi : solution alcaline proposée pour traiter les prurits génitaux dans l'attente d'instaurer une cure spécifique.
Précautions : ne pas utiliser tant que les prélèvements nécessaires pour établir la cause du prurit n'ont pas été faits, en particulier pour la recherche du gonocoque.
Effets indésirables possibles : irritation locale, réactions allergiques.
Note : vendu sans ordonnance; consultez votre médecin si le prurit persiste.

GYNO-DAKTARIN® (Janssen)

Introd. en 1975. Remb. SS 70%.
PRINCIPE ACTIF : *Miconazole*.
Préparations :
– gel gynécologique à 100 mg/5 g;
– ovules gynécologiques à 100 mg;
– ovules à 400 mg (Liste I).

Emploi : antifongique imidazolé employé dans le traitement local des mycoses vulvovaginales à *Candida albicans*, surinfectées ou non par des bactéries.
Précautions : ne doit pas être utilisé pendant le premier trimestre de la grossesse.
Effets indésirables possibles : irritation locale.
Note : vendu sans ordonnance; à éviter en automédication.

GYNOMYK® (Cassenne)

Introd. en 1988. Liste I. Remb. SS 70%.
PRINCIPE ACTIF : *Butoconazole*.
Préparations : ovules gynécologiques à 100 mg.
Emploi : antifongique imidazolé employé dans le traitement local des mycoses vulvovaginales à *Candida albicans*, surinfectées ou non par des bactéries.
Précautions : ne doit pas être utilisé pendant le premier trimestre de la grossesse.
Effets indésirables possibles : irritation locale.
Note : prescrit sur ordonnance médicale.

GYNO-PÉVARYL® (Cilag)

Introd. en 1977. Remb. SS 70%.
PRINCIPE ACTIF : *Econazole*.
Préparations :
– crème gynécologique à 1%;
– ovules gynécologiques à 150 mg;
– ovules à libération prolongée à 150 mg (*Gyno-Pévaryl LP®*).
Emploi : antifongique imidazolé employé dans le traitement local des mycoses vulvovaginales à *Candida albicans*, surinfectées ou non par des bactéries.
Précautions : ne doit pas être employé pendant le premier trimestre de la grossesse.
Effets indésirables possibles : irritation locale.
Note : vendu sans ordonnance; à éviter en automédication.

GYNOPHASE® → Contraception hormonale.

GYNOPLIX® (Doms-Adrian)

Introd. en 1936. Remb. SS 70%.
PRINCIPE ACTIF : **Acétarsol**.
SYNONYMES : acétarsone, stovarsol.
Préparations : comprimés gynécologiques à 0,25 g [+ acide borique 0,05 g].
Emploi : arsenical pentavalent contenant 27% d'arsenic proposé sous forme de comprimés gynécologiques en traitement d'appoint dans les vaginites à trichomonas (en association avec le traitement oral).
Note : *vendu sans ordonnance; des principes actifs sans arsenic sont actuellement disponibles.*

GYNOSPASMINE SAREIN® (Delalande)

Introd. en 1981. Non remb. SS.
PRINCIPE ACTIF : **Paracétamol**.
Préparations : comprimés à 300 mg.
Emploi : utilisé pour atténuer la douleur modérée (*analgésique*) et pour faire tomber la fièvre (*antipyrétique*).
Posologie (adulte) : 2-3 comprimés 1 à 3 fois par jour dans un grand verre d'eau.
Prise du médicament : ménagez un intervalle minimum de 4 heures entre deux prises.
Durée du traitement : consultez votre médecin si les douleurs persistent après 5 jours ou si la fièvre ou les douleurs ne régressent pas au bout de 3 jours.
Précautions : ce médicament ne doit pas être utilisé en cas d'insuffisance rénale, hépatique ou respiratoire, de déficit congénital en G6PD (glucose-6-phosphate déshydrogénase (enzyme du globule rouge), de grossesse, d'allaitement et chez l'enfant âgé de moins de 7 ans.
Effets indésirables possibles : respiration sifflante, éruption cutanée, jaunisse.
Intoxication : en cas d'ingestion massive, hospitalisation d'urgence.
Pour les détails → Paracétamol.
Note : *vendu sans ordonnance; l'efficacité du paracétamol est généralement reconnue dans l'emploi proposé.*

GYNOTHÉRAX® (Bouchard)

Introd. en 1967. Remb. SS 70%.
PRINCIPE ACTIF : mousse gynécologique contenant 1% de chlorquinaldol.

Emploi : antiseptique externe proposé en injections vaginales pour le traitement d'appoint des vaginites à trichomonas.
Note : *vendu sans ordonnance; à éviter en automédication.*

GYNO-TROSYD® (Pfizer)

Introd. en 1986. Liste I. Remb. SS 70%.
PRINCIPE ACTIF : **Tioconazole**.
Préparations : ovules gynécologiques à 300 mg.
Emploi : antifongique imidazolé employé dans le traitement local des mycoses vulvovaginales, notamment à *Candida albicans*, surinfectées ou non par des bactéries.
Précautions : ne pas utiliser pendant le premier trimestre de la grossesse.
Effets indésirables possibles : irritation locale.
Note : *prescrit sur ordonnance médicale.*

GYNOVLANE® → Contraception hormonale.

H

HAEMACCEL® (Hoechst)

Introd. en 1974. Remb. SS 100%.
PRINCIPE ACTIF : **Polygéline**.
Préparations : flacons de 500 ml contenant un polymérisat de gélatine (poids moléculaire moyen 35.000).
Emploi : succédané du plasma employé pour rétablir la masse sanguine dans l'état de choc; on l'administre en perfusion jusqu'à ce que du sang pour transfusion soit disponible.
Note : *réservé aux hôpitaux.*

HALCION® (Upjohn)

Introd. en 1988. Liste I. Remb. SS 70%.
La durée de prescription ne peut dépasser 2 semaines.
PRINCIPE ACTIF : **Triazolam**.
Préparations : comprimés à 125 µg (0,125 mg).
Emploi : somnifère appartenant au groupe très nombreux des benzodiazépines; le triazolam est proposé par voie buccale pour une brève période dans les insomnies occasionnelles ou transitoires (tous les troubles du sommeil ne nécessitent pas un traite-

ment médicamenteux); il ne doit pas être utilisé pour traiter l'insomnie chronique.

Les comprimés à 250 µg ont été retirés dans certains pays à cause des effets indésirables (notamment amnésie, troubles du comportement, agressivité); dans d'autres pays, toutes les préparations contenant du triazolam ont été retirées du marché.

Parmi les *effets indésirables* possibles et communs à d'autres benzodiazépines on peut noter :
– perte de la mémoire (amnésie rétrograde), notamment lors de l'emploi au coucher et lorsque le sommeil est de courte durée, interrompu par un événement extérieur;
– effet désinhibiteur : les benzodiazépines permettent une facilitation de l'action (comme l'alcool) qui peut être dangereuse chez les sujets impulsifs; cet effet peut être à l'origine de troubles du comportement (allant jusqu'à un comportement agressif et à des actions involontaires dont on ne se rappelle pas plus tard) ou être la cause de tentatives de suicide.

Pour les détails → p. 94 et p. 695.

Note : prescrit sur ordonnance médicale.

HALDOL® (Janssen)

Introd. en 1960. Liste I. Remb. SS 70%.
PRINCIPE ACTIF : *Halopéridol.*

Préparations :
– comprimés à 1 mg, 5 mg ou 20 mg;
– solution buvable à 2 mg/ml et 20 mg/ml; solution buvable à 0,5 mg/ml (*Haldol faible®*);
– solution injectable en ampoules à 5 mg dans 1 ml; solution injectable retard en ampoules à 50 mg (*Haldol decanoas®*).

Emploi : médicament appartenant au groupe des neuroleptiques dérivés de la butyrophénone utilisé pour traiter certaines maladies mentales aiguës, notamment la schizophrénie avec excitation et agressivité; l'halopéridol est aussi utilisé pour traiter le hoquet incoercible et le syndrome de Gilles de la Tourette.

Durée d'action : 6-24 heures; la préparation-retard (décanoate) a une durée d'action de 4 semaines (une injection intramusculaire par mois).

Pour les détails → p. 468.

Note : prescrit sur ordonnance médicale.

HALFAN® (SmithKline Beecham)

Introd. en 1988. Liste I. Non remb. SS.
PRINCIPE ACTIF : *Halofantrine.*

Préparations : comprimés à 250 mg; suspension buvable à 20 mg/ml.

Propriétés : antipaludique dérivé du phénanthrène méthanol efficace sur le *Plasmodium*, y compris les souches de *P. falciparum* chloroquinorésistantes; il agit sur la forme érythrocytaires, mais n'a pas d'effet sur les sporozoïtes et les gamétocytes chez le moustique.

Emploi : utilisé dans le traitement des accès palustres à *P. falciparum* en zone de chloroquinorésistance; n'est pas indiqué dans la prévention du paludisme (risque d'émergence de souches résistante).

Précautions : ne pas employer en cas de grossesse (embryotoxique chez l'animal) ou d'allaitement (passe dans le lait maternel); ne pas associer la quinine (risque d'effets indésirables).

Effets indésirables possibles : diarrhée, nausées, vomissements, élévation transitoire des transaminases, réactions allergiques rares.

Note : prescrit sur ordonnance médicale.

HALIVITE® (Whitehall)

Introd. en 1943. Non remb. SS.
PRINCIPES ACTIFS : crème contenant de l'huile de foie de morue, rétinol (vitamine A) et oxyde de zinc.

Emploi : proposé dans les crevasses, gerçures, engelures, plaies et brûlures superficielles.

Précautions : chez l'enfant, évitez l'utilisation prolongée, l'application sur la peau lésée et les pansements occlusifs (risque d'hypervitaminose A).

Note : vendu sans ordonnance; consultez votre médecin si les lésions persistent.

HALOG® (Bristol-Myers Squibb)

Introd. en 1979. Liste I. Remb. SS 70%.
PRINCIPE ACTIF : *Halcinonide.*

Préparations : crème à 0,1%.

Emploi : corticoïde fluoré d'activité forte (classe II) utilisé en application locale pour soulager la douleur, le prurit et les signes d'inflammation et d'irritation de la peau, notamment dans l'eczéma et la dermatite allergique provoquée par le contact avec des plantes, métaux, produits de nettoyage, cosmétiques, etc. ainsi que dans les processus de lichénification.

Pour les détails → p. 205.

Note : prescrit sur ordonnance médicale.

HALOG-NÉOMYCINE®
(Bristol-Myers Squibb)

Introd. en 1980. Liste I. Remb. SS 70%.

PRINCIPES ACTIFS : crème contenant de la néomycine (antibiotique) et halcinonide (dermocorticoïde classe II).

Emploi : traitement de les eczémas infectés et d'autres affections de la peau.

Application du produit : étaler le produit sur les lésions et le faire pénétrer par un léger massage; éviter tout contact avec les yeux. Ne dépassez pas le nombre d'applications journalières prescrites en général deux par jour au maximum); des applications trop fréquentes et l'occlusion des lésions augmentent le risque d'effets indésirables généralisés.

Durée du traitement : max. 8 jours.

Effets indésirables possibles : prurit, sensation de brûlure; l'application sur de grandes surfaces ou sous un pansement occlusif peut entraîner un passage du principe actif dans la circulation sanguine, d'où l'apparition d'effets indésirables généralisés; possibilité de réactions allergiques à la néomycine; l'utilisation prolongée peut provoquer une atteinte de la peau du visage avec rougeur, amincissement et fragilité des téguments et apparition d'ecchymoses.

Note : prescrit sur ordonnance médicale.

HALOTESTIN® (Upjohn)

Introd. en 1961. Liste II. Non remb. SS.

PRINCIPE ACTIF : *Fluoxymestérone*.

SYNONYME : androfluorène.

Préparations : comprimés à 5 mg.

Emploi : androgène ou hormone mâle synthétique (méthylée en 17α) utilisée lorsque l'organisme est incapable de la sécréter la testostérone en quantité suffisante chez l'homme adulte (hypogonadisme masculin); ce médicament est aussi utilisé pour traiter les proliférations cellulaires anormales au niveau du sein chez la femme (indication exceptionnelle à cause du risque de virilisation) et proposé dans les états de dénutrition chez le sujet âgé, en association avec un régime riche en protéines.

Les androgènes ne conviennent pas pour favoriser le développement de la masse musculaire chez les sujets sains, ni pour augmenter l'efficience physique.

Pour les détails → p. 31.

Note : prescrit sur ordonnance médicale.

HAMAMÉLIDE P® (Upsa)

Introd. en 1956. Remb. SS 40%.

PRINCIPES ACTIFS : solution buvable contenant leucocianidol et hamamélis (extrait).

Emploi : proposé dans l'insuffisance veineuse et lymphatique (jambes lourdes, etc.).

Précautions : consultez votre médecin en cas de suspicion de phlébite (jambes rouges et/ou chaudes, douloureuses, surtout si d'un seul côté et avec fièvre).

Note : vendu sans ordonnance; efficacité des principes actifs à confirmer dans l'emploi proposé.

HARPADOL® (Arkopharma)

Introd. en 1989. Non remb. SS.

PRINCIPE ACTIF : gélules contenant de la poudre de *Harpagophytum procumbens*.

Emploi : proposé dans les manifestations articulaires douloureuses.

Note : vendu sans ordonnance; consultez votre médecin si les douleurs persistent après quelques jours.

HAVLANE® (Diamant)

Introd. en 1984. Liste I. Remb. SS 70%. La durée de prescription ne peut dépasser 4 semaines.

PRINCIPE ACTIF : *Loprazolam*.

Préparations : comprimés à 1 mg.

Emploi : somnifère appartenant au groupe très nombreux des benzodiazépines; le loprazolam est proposé par voie buccale pour une brève période dans les insomnies occasionnelles ou transitoires (tous les troubles du sommeil ne nécessitent pas un traitement médicamenteux); il ne doit pas être utilisé pour traiter l'insomnie chronique.

Pour les détails → p. 94.

Note : prescrit sur ordonnance médicale.

HEALONID® (Kabi Pharmacia)

Introd. en 1983.
PRINCIPE ACTIF : hyaluronate de sodium en solution injectable intra-oculaire (seringue préremplie).
Emploi : mucopolysaccharide acide présent dans l'humeur vitrée; la solution injectable est utilisée comme adjuvant en chirurgie oculaire (opération de la cataracte, du glaucome).

HÉBUCOL® (Logeais)

Introd. en 1957. Remb. SS 40%.
PRINCIPE ACTIF : *Cyclobutyrol*.
Préparations : comprimés à 250 mg.
Emploi : proposé pour stimuler la sécrétion de la bile dans les troubles de la digestion et la constipation.
Précautions : ne pas employer en cas d'occlusion des voies biliaires; consultez votre médecin en cas de douleurs ou crampes abdominales d'origine indéterminée, de selles noires, d'amaigrissement, d'urines foncées, de douleurs de la région du foie, de jaunisse.
Note : vendu sans ordonnance; ne pas utiliser pendant plus de 5 jours sans avis médical.

H.E.C.® (Chauvin)

Introd. en 1956. Non remb. SS.
PRINCIPES ACTIFS : pommade dermique et nasale contenant de la phénazone (antipyrine), tanin, baume du Pérou et hamamélis (extrait).
Emploi : proposé pour arrêter les hémorragies dans les plaies superficielles, les poussées hémorroïdaires et le saignement du nez (pommade nasale).
Effets indésirables possibles : eczéma de contact, réactions allergiques.
Note : vendu sans ordonnance; des principes actifs moins allergisants sont actuellement disponibles.

HÉGOR® antipoux (Lachartre)

Introd. en 1979. Non remb. SS.
PRINCIPES ACTIFS :
– shampooing antiparasite contenant de la phénothrine;
– solution pour application locale contenant des pyrethrines et butoxyde de pipéronyle.

Emploi : insecticide utilisé dans les pédiculoses du cuir chevelu (poux de tête), du pubis et du corps.
Note : vendu sans ordonnance; efficacité généralement reconnue dans l'emploi proposé.

HÉGULÈNE® (Monot)

PRINCIPES ACTIFS : crème contenant du stéarate de glycol, acide undécylénique, lauryl sulfate d'ammonium, propylène glycol
Emploi : proposé pour traiter les infections de la peau causées par des champignons.
Note : vendu sans ordonnance; des principes actifs plus efficaces sont actuellement disponibles.

HELDIS® (Delagrange)

Introd. en 1989. Non remb. SS.
PRINCIPE ACTIF : solution de perméthrine (associée au pipéronyl butoxyde) pour application locale en flacon pressurisé.
Propriétés : élimine les poux, les mites et d'autres arthropodes en perturbant le transport du sodium dans les membranes de leurs cellules nerveuses; chez les mammifères, ce produit est faiblement absorbé par la peau, rapidement inactivé par des estérases et excrété dans l'urine.
Emploi : utilisé dans le traitement des pédiculoses à poux de tête.
L'imprégnation des moustiquaires et des rideaux s'est révélée efficace pour réduire l'incidence du paludisme dans certaines régions d'Afrique.
Note : vendu sans ordonnance; efficacité généralement reconnue dans l'emploi proposé.

HÉLICIDINE® (Lucien)

Introd. en 1959. Remb. SS 40%.
PRINCIPE ACTIF : sirop contenant une solution d'hélicidine (glycoprotéine sécrétée par *Helix pomatia*).
Emploi : proposé pour calmer la toux des affections hivernales, bronchites, asthme, etc.
Précautions : consultez votre médecin si la toux persiste, en cas de fièvre ou de crachats sanglants.
Note : vendu sans ordonnance; efficacité du principe actif à confirmer dans l'emploi proposé.

HELMINTOX® (Innotech)

Introd. en 1989. Réservé DOM-TOM.
Remb. SS 70%.

PRINCIPE ACTIF : **Pyrantel**.

Préparations : comprimés à 125 mg ou
250 mg (sous forme de pamoate);
suspension buvable à 125 mg par
mesure.

Emploi : médicament appartenant au
groupe des anthelminthiques ou vermifuges qui sont utilisés pour traiter
les infestations par des vers intestinaux; le pyrantel est employé pour
traiter l'ascaridiose, l'oxyurose, l'ankylostomiase et l'anguillulose; une
prise unique suffit pour venir à bout
de la plupart de ces infestations;
toutefois, le traitement de l'oxyurose
doit être systématiquement répété au
bout de 2 à 4 semaines et tous les
membres de la famille ou de la
communauté doivent être traités en
même temps.
On a observé qu'il est possible de
réduire sensiblement la prévalence
de l'ascaridiose avec un traitement
de masse par une dose orale unique
administrée 3 ou 4 fois par an dans le
cadre de programmes de lutte contre
la maladie.
Le pyrantel agit en paralysant les vers
qui sont expulsé avec les selles.

Posologie (adulte) : prise unique de 6
comprimés à répéter après 2 à 4
semaines.

Précautions : ne pas employer en cas
d'allergie au produit ou d'insuffisance
hépatique.

Grossesse et allaitement : l'innocuité de
ce médicament n'ayant pas été établie
chez la femme enceinte, ni lors de
l'allaitement, son usage est déconseillé
par mesure de prudence.

Enfants : l'emploi de ce médicament est
déconseillé chez les enfants âgés de
moins de 2 ans.

Interactions : évitez l'association avec
les médicaments suivants : pipérazine,
lévamisole.

Alcool : à éviter pendant le traitement.

Conduite de véhicules : chez certains
sujets, ce médicament peut diminuer
la vigilance; la conduite de véhicules
ou l'utilisation de machines peut être
dangereuse dans ce cas.

Effets indésirables possibles : somnolence, maux de tête, douleurs abdominales, nausées, diarrhée, vertiges,
éruption cutanée (réaction allergique:
arrêtez immédiatement le traitement).

Note : *vendu sans ordonnance; efficacité
généralement reconnue dans l'emploi
proposé.*

HÉMAGÈNE® Tailleur (Elerté)

Introd. en 1901. Non remb. SS.

PRINCIPES ACTIFS : dragées contenant
– phénacétine : analgésique à action
périphérique;
– acide acétylsalicylique (ou aspirine):
analgésique et antipyrétique à action
périphérique.
– menthol, méthylnonylcétone.

Emploi : proposé dans les douleurs qui
accompagnent les règles et de la
ménopause.

Durée du traitement : consultez votre
médecin si les douleurs persistent
après 5 jours.

Précautions : ce médicament ne doit
pas être utilisé en cas d'allergie à
l'aspirine, d'asthme, d'ulcère gastro-
duodénal en évolution, de maladie
hémorragique ou traitement anticoagulant, de grossesse et chez l'enfant.

Effets indésirables possibles :
– liés à la phénacétine : l'utilisation
prolongée de phénacétine provoque
des lésions rénales irréversibles
parfois fatales; seul un traitement
très court, non répété, peut être envisagé;
– liés à l'aspirine : nausées, vomissements, douleurs gastriques, bourdonnements d'oreille, diminution de
l'audition, maux de tête; consultez
votre médecin en cas de douleurs
abdominales, de vomissements sanglants, de selles noires, de prurit, de
crise d'asthme, d'urticaire ou de jaunisse.

Note : *vendu sans ordonnance; à éviter à
cause de la présence de phénacétine qui
est toxique pour le rein.*

HÉMÉDONINE®
(Crème d'Orient)

Introd. en 1949. Non remb. SS.

PRINCIPE ACTIF : solution buvable et
solution injectable contenant de l'hématoporphyrine.

Emploi : proposé dans la fatigue.

Précautions : ne pas employer en cas
de porphyrie; éviter l'exposition au

soleil; ne pas utiliser chez l'enfant de moins de 5 ans; consultez votre médecin si la fatigue persiste (il peut s'agir d'une dépression ou d'une autre maladie nécessitant un traitement spécifique) ou en cas d'amaigrissement.

Effets indésirables possibles : sensibilisation aux rayons solaires (photosensibilisation).

Note : vendu sans ordonnance; efficacité du principe actif à confirmer dans l'emploi proposé.

HÉMI-DAONIL® → Daonil®.

HÉMINEURINE® (Debat)

Introd. en 1975. Remb. SS 70%.
PRINCIPE ACTIF : *Clométhiazole.*

Préparations : poudre pour solution injectable en flacons de 3,75 g.

Emploi : sédatif et anticonvulsivant dérivé de la thiamine (vitamine B1), utilisé en perfusion dans l'état de mal épileptique, le délirium tremens et en anesthésiologie (prémédication, induction de l'anesthésie).

Précautions : une surveillance constante des fonctions respiratoires et circulatoires doit être assurée pendant le traitement.

Effets indésirables possibles : tachycardie, hypotension, collapsus circulatoire, hypersécrétion salivaire et bronchique.

Note : réservé aux hôpitaux.

HÉMIPRALON LP® (Urpac)

Introd. en 1991. Liste I. Remb. SS 70%.
PRINCIPE ACTIF : *Propranolol.*

Préparations : comprimés à libération prolongée à 80 mg.

Emploi : médicament appartenant au groupe très nombreux des bêta-bloquants utilisé :
– pour abaisser la tension artérielle chez les hypertendus (antihypertenseur);
– pour prévenir les crises d'angine de poitrine (antiangoreux);
– pour régulariser le rythme cardiaque (antiarythmique);
– pour atténuer les palpitations, l'accélération du pouls et, tremblement en cas d'augmentation de la fonction thyroïdienne (maladie de Basedow ou hyperthyroïdie);

– pour atténuer les signes fonctionnels de certaines maladies du cœur appelées cardiomyopathies obstructives;
– pour prévenir la récidive des hémorragies digestives chez les cirrhotiques;
– pour prévenir les crises de migraine (traitement de fond).
Il s'agit d'un bêta-bloquant dit «non cardiosélectif».
Pour les détails → p. 96.
Note : prescrit sur ordonnance médicale.

HÉMOCAPROL® (Delagrange)

Introd. en 1963. Liste I. Remb. SS 70%.
PRINCIPE ACTIF : *Acide aminocaproïque.*
SYNONYME : acide epsilon-amino-caproïque.

Préparations : ampoules à 2 g.

Emploi : antifibrinolytique utilisé en injections pour arrêter des hémorragies qui peuvent survenir lors d'intervention chirurgicales ou dentaires ou dans d'autres conditions.

Effets indésirables possibles : nausées, vomissements, diarrhées.

Note : prescrit sur ordonnance médicale.

HÉMOCLAR® (Clin Midy)

Introd. en 1962. Liste I. Remb. SS 70%.
PRINCIPE ACTIF : *Pentosane polysulfate sodique.*

Préparations : comprimés sublinguaux à 50 mg; ampoules injectables contenant 100 mg dans 1 ml.

Emploi : héparinoïde dérivé du bois de hêtre, ayant une action anticoagulante analogue à celle de l'héparine, proposé :
– par voie orale (sublinguale) comme complément au régime au cours des traitements des hyperlipoprotéinémies;
– en injections dans la prévention des complications de la maladie thromboembolique.

Précautions : ne pas employer en cas de tendance aux hémorragies, d'ulcère gastroduodénal en évolution, d'antécédents de thrombopénie due à l'héparine.

Effets indésirables possibles : comme l'héparine (→ ce terme), ce médicament peut provoquer des thrombopénies thrombotiques.

Note : médicament prescrit sur ordonnance médicale.

HÉMOCLAR® pommade
(Clin Midy)

Introd. en 1962. Non remb. SS.

PRINCIPE ACTIF : **Pentosane polysulfate sodique**.

Préparations : pommade à 0,5%.

Emploi : anti-inflammatoire proposé dans les troubles circulatoires superficiels et les petits traumatismes.

Précautions : ne pas appliquer sur des plaies, ulcérations, eczémas.

Note : vendu sans ordonnance; consultez votre médecin si les troubles persistent.

HÉMODEX® (Kabi Pharmacia)

Introd. en 1989.

PRINCIPE ACTIF : **Dextran 60**.

Préparations : flacons de 500 ml contenant 6% d'un polymérisat de glucose (poids moléculaire 60.000).

Emploi : succédané du plasma employé en perfusion pour rétablir la masse sanguine dans l'état de choc.

Note : réservé aux hôpitaux.

HÉMOLUOL® (Parke-Davis)

Introd. en 1939. Remb. SS 40%.

PRINCIPES ACTIFS : solution buvable contenant des extraits d'anémone, achillée, marron d'Inde, cyprès, osier, séneçon, noisetier.

Emploi : proposé dans les symptômes en rapport avec l'insuffisance veinolymphatique (jambes lourdes, etc.).

Précautions : consultez votre médecin en cas de suspicion de phlébite (jambes rouges et/ou chaudes, douloureuses, surtout si d'un seul côté et avec fièvre).

Note : vendu sans ordonnance; efficacité des principes actifs à confirmer dans l'emploi proposé.

HÉMORALGON® (Delalande)

Introd. en 1952. Non remb. SS.

PRINCIPES ACTIFS : pommade et suppositoires contenant anthranilinate de méthyle, parahydroxybenzoate de méthyle, salicylate de bornyle, linoléate d'éthyle, pulégone, bornéol et menthol.

Emploi : proposé pour traiter les symptômes des poussées d'hémorroïdes.

Précautions : arrêtez le traitement et consultez votre médecin en cas de persistance ou d'accentuation des douleurs, d'apparition de sang dans les selles ou de fièvre.

Note : vendu sans ordonnance.

HÉMOSTATIQUE ERCÉ®
(Synthélabo)

Introd. en 1935. Non remb. SS.

PRINCIPE ACTIF: suspension pour application locale contenant de la thromboplastine d'origine équine (coagulant ou hémostatique local).

Emploi : proposé pour arrêter le saignement d'une petite plaie.

Précautions : ne pas employer en cas de traitement anticoagulant (le saignement peut être dû au surdosage).

Note : vendu sans ordonnance; consultez votre médecin si le saignement persiste.

HÉPA B5® (P. Fabre)

Introd. en 1955. Remb. SS 40%.

PRINCIPE ACTIF: solution buvable contenant du pantothénate de choline.

Emploi : proposé dans le traitement des troubles digestifs (dyspepsies).

Note : vendu sans ordonnance; ne pas utiliser pendant plus de 5 jours sans avis médical.

HÉPACHOLINE-SORBITOL® (Synthélabo)

Introd. en 1961. Remb. SS 40%.

PRINCIPES ACTIFS : solution buvable contenant du citrate de choline et du sorbitol (laxatif osmotique).

Emploi : proposé dans les troubles digestifs et dans la constipation.

Précautions : ne pas employer en cas de rectocolite hémorragique, d'occlusion intestinale ou d'obstruction des voies biliaires, de maladie de Crohn et de douleurs abdominales d'origine indéterminée; consultez votre médecin si les troubles persistent et en cas de douleurs de la région du foie, d'urines foncées, de selles noires, d'amaigrissement, de fièvre.

Effets indésirables possibles: douleurs abdominales, diarrhées.

Note : vendu sans ordonnance; ne pas utiliser pendant plus de 5 jours sans avis médical.

HÉPACLEM®
(Clément-Thionville)

Introd. en 1937. Non remb. SS.

PRINCIPES ACTIFS: comprimés contenant des extraits d'artichaut, boldo, combretum, *Curcuma xanthorriza*.

Emploi : proposé traditionnellement pour faciliter les fonctions d'élimination digestives et rénales.

Note : *vendu sans ordonnance; efficacité des principes actifs à confirmer dans l'emploi proposé.*

HÉPADIAL® (Biocodex)

Introd. en 1973. Remb. SS 40%.

PRINCIPE ACTIF : comprimés contenant 50 mg d'acide dimécrotique (sel de magnésium).

Emploi : proposé pour stimuler la sécrétion de la bile dans les troubles de la digestion, ballonnements, éructations, flatulence, nausées.

Précautions : ne pas employer en cas d'obstruction des voies biliaires; consultez votre médecin en cas de douleurs ou crampes abdominales d'origine indéterminée, de selles noires, d'amaigrissement, d'urines foncées, de douleurs de la région du foie, de jaunisse.

Note : *vendu sans ordonnance; ne pas utiliser pendant plus de 5 jours sans avis médical.*

HÉPAGRUME® (Synthélabo)

Introd. en 1962. Remb. SS 40%.

PRINCIPES ACTIFS : solution buvable contenant de l'arginine, bétaïne, citrate diacide de choline, inositol et sorbitol (laxatif osmotique).

Emploi : proposé dans les troubles digestifs et la constipation.

Précautions : ne pas employer en cas d'obstruction des voies biliaires, de rectocolite hémorragique, maladie de Crohn, d'occlusion intestinale, de douleurs abdominales d'origine indéterminée; consultez votre médecin si les troubles persistent et en cas de douleurs de la région du foie, d'urines foncées, de selles noires, d'amaigrissement, de fièvre.

Effets indésirables possibles: douleurs abdominales, diarrhées.

Note : *vendu sans ordonnance; ne pas utiliser pendant plus de 5 jours sans avis médical.*

HÉPANÉPHROL®
(Rosa-Phytopharma)

Introd. en 1966. Remb. SS 40%.

PRINCIPES ACTIFS : solution buvable contenant des citroflavonoïdes et extrait de *Cynara scolymus*.

Emploi : proposé comme stimulant de l'élimination rénale d'eau et dans les troubles digestifs (dyspepsies).

Précautions : ne pas employer en cas d'insuffisance hépatique ou d'obstruction des voies biliaires.

Note : *vendu sans ordonnance; efficacité des principes actifs à confirmer dans l'emploi proposé.*

HÉPAREXINE® (Murat)

Introd. en 1960. Remb. SS 40%.

PRINCIPE ACTIF : granulé contenant du sel de magnésium de phosphorylcholine.

Emploi : proposé dans les troubles digestifs et la constipation.

Précautions : ne pas employer en cas de rectocolite hémorragique, d'occlusion intestinale ou d'obstruction des voies biliaires, de maladie de Crohn, d'insuffisance rénale et de douleurs abdominales d'origine indéterminée; consultez votre médecin si les troubles persistent et en cas de douleurs de la région du foie, d'urines foncées, de selles noires, d'amaigrissement, de fièvre.

En cas de diabète : tenir compte de la teneur en sucre du produit.

Effets indésirables possibles: douleurs abdominales, diarrhées.

Note : *vendu sans ordonnance; ne pas utiliser pendant plus de 5 jours sans avis médical.*

HÉPARGITOL® (Elerté)

Introd. en 1965. Remb. SS 40%.

PRINCIPES ACTIFS : poudre orale contenant de l'arginine, sorbitol (laxatif osmotique), acide citrique, sulfate de sodium (laxatif salin).

Emploi : proposé dans les troubles digestifs (dyspepsies) et la constipation.

Précautions : ne pas employer en cas de rectocolite hémorragique de maladie de Crohn, d'occlusion intestinale, ou d'obstruction des voies biliaires, d'insuffisance rénale et de douleurs abdominales; consultez votre médecin si les troubles persistent et en cas de douleurs de la région du foie, d'urines foncées, de selles noires, d'amaigrissement, de fièvre.

En cas de régime sans sel : tenir compte de la teneur en sodium du produit.

Effets indésirables possibles : douleurs abdominales, diarrhées.

Note : vendu sans ordonnance; ne pas utiliser pendant plus de 5 jours sans avis médical.

HÉPARINE

Héparines standard

Liste I. Remb. SS 70%.

Spécialités :

SEL DE SODIUM OU HÉPARINE SODIQUE :
Héparine (Choay).
Héparine sodique (Dakota).
Héparine sodique (Leo).
Héparine sodique (Panpharma).
Héparine sodique (Roche).
Liquémine® (Roche).

SEL DE CALCIUM :
Calciparine® (Choay).
Héparine calcique (Dakota).
Héparine calcique (Fournier).
Héparine calcique (Leo).
Héparine calcique (Panpharma).

SEL DE MAGNÉSIUM :
Cuthéparine® (Biosedra).

SEL D'ÉTAMIPHYLLINE :
Milhéparine® (Millot-Solac).

Préparations : ampoules à 5.000-25.000 UI pour injection intraveineuse; ampoules à 5.000-25.000 UI pour injection sous-cutanée.

Emploi : médicament qui diminue la tendance du sang à se coaguler et, de ce fait, prévient la formation et l'extension de caillots dans les vaisseaux sanguins (*action anticoagulante*).

L'héparine est utilisée en injections dans la prévention et le traitement des manifestations thromboemboliques en cas d'urgence ainsi que pendant et après chirurgie; l'héparine ne convient pas au traitement anticoagulant prolongé en raison de la nécessité d'injections fréquentes; elle est aussi employée pour empêcher la coagulation du sang dans les circuits de transfusion, la circulation extracorporelle et l'hémodialyse.

Durée d'action : 4-8 heures.

Allergie : informez votre médecin si vous avez déjà fait une réaction allergique ou inhabituelle à l'héparine (diminution du nombre de plaquettes dans le sang appelée «thrombopénie»).

État de santé : vous devez informer votre médecin de toute affection susceptible de modifier les effets du médicament, notamment :
– prédisposition aux hémorragies;
– ulcère gastroduodénal en évolution ou récent, colite ou autres lésions susceptibles de saigner;
– intervention neurochirurgicale ou oculaire récente;
– accident vasculaire cérébral hémorragique («attaque»);
– endocardite bactérienne;
– hypertension artérielle;
– maladies du foie et des reins (risque accru d'effets indésirables en cas d'insuffisance hépatique ou rénale;
– épanchement péricardique;
– maladies allergiques, p. ex. asthme;
– maladie du foie ou du rein;
– diabète sucré;
– augmentation du cholestérol dans le sang;
– insuffisance de la thyroïde (des doses plus élevées d'anticoagulants peuvent être nécessaires);
– pression sanguine trop élevée (hypertension artérielle);
– avortement récent;
– menstruations abondantes.

Grossesse : l'héparine peut être utilisée en cas de nécessité pendant la grossesse sous surveillance pour éviter tout accident hémorragique.

Allaitement : pas de contre-indication connue.

Sujets âgés : prudence particulière chez les femmes qui ont dépassé la soixantaine.

Interactions : il faut informer votre médecin si vous prenez ou avez pris récemment d'autres médicaments, notamment :
– anticoagulants oraux;
– aspirine et autres salicylés;
– anti-inflammatoires non stéroïdiens;
– dipyridamole, ticlopidine;
– corticoïdes;
– antithyroïdiens de synthèse (action anticoagulante renforcée par hypoprothrombinémie causée par les antithyroïdiens);
– dextran 40.

Surveillance : des contrôles réguliers de la coagulabilité du sang sont nécessaires en cas de traitement prolongé (temps de céphaline-kaolin ou le temps de Howell) et numération des plaquettes.

Autres médicaments : ne prenez aucun autre médicament, notamment des préparations contenant de l'aspirine, sans consulter votre médecin.

Risque d'hémorragie : pendant le traitement anticoagulant, vous devez éviter des exercices violents et des sports qui peuvent vous exposer à des traumatismes; en cas de chute, informer votre médecin car le risque d'hémorragie interne est accru; utilisez un rasoir électrique et évitez de blesser les gencives en brossant vos dents; les injections sous-cutanées ou intramusculaires doivent être évitées.

Hémorragies : malgré la surveillance de la coagulabilité du sang, des complications hémorragiques s'observent dans 10% des cas; vous devez surveiller constamment tout signe de saignement qui doit être signalé immédiatement à votre médecin car il indique que la dose d'héparine est excessive :

– *hémorragies externes* : apparition de sang lors du brossage des dents (peut être le premier signe d'un surdosage); saignement du nez, perte de sang excessive en cas de coupure de la peau, taches bleuâtres sur la peau (ecchymoses) apparaissant sans raison apparente;

– *hémorragies internes* : douleurs abdominales, présence de sang dans les urines ou urines foncées, troubles; sang dans les selles ou selles noires; expectorations tachées de sang; maux de tête sévères et persistants; articulations enflées et douloureuses; rejet de sang par la bouche (aspect «marc de café»); vertiges, somnolence, perte de conscience;

– la tendance aux hémorragies peut être due à une diminution du nombre des plaquettes dans le sang (ou thrombopénie); elle peut s'accompagner d'une thrombose dans les vaisseaux des membres inférieurs ou de l'abdomen (*syndrome du caillot blanc*).

Autres effets indésirables à signaler à votre médecin :

– prurit, urticaire, bouffissure des paupières et des lèvres, éruption cutanée (réaction allergique : arrêtez immédiatement le traitement);

– en cas de traitement prolongé : douleurs osseuses (ostéoporose), perte des cheveux (alopécie).

Intoxication : une intervention médicale d'urgence est nécessaire en cas d'hémorragie abondante, maux de tête sévères et perte de conscience; l'antidote à utiliser est le sulfate de protamine (1 mg neutralise 100 UI d'héparine circulante); l'efficacité est immédiate.
Note : prescrit sur ordonnance médicale.

Héparines de faible poids moléculaire

Liste I. Remb. SS 70%.
Spécialités :
DALTÉPARINE SODIQUE
Fragmine® (Kabi Pharmacia).
NADROPARINE CALCIQUE
Fraxiparine® (Choay).
ENOXAPARINE SODIQUE
Lovenox® (Pharmuka).

Emploi : médicaments ayant une action *anticoagulante* (diminution de la tendance du sang à se coaguler) et une action *antithrombotique* (inhibition de la formation et de l'extension des caillots dans les vaisseaux sanguins). Par rapport à l'héparine standard, les héparines de faible poids moléculaire ont, dans les études de laboratoire, une action antithrombotique plus importante que l'action anticoagulante; en outre, leur demi-vie plasmatique prolongée permet l'emploi d'une seule injection par jour.

Ces médicaments sont employés pour traiter les caillots sanguins formés dans les veines profondes (thromboses veineuses profondes constituées); ils sont injectés par voie sous-cutanée à l'aide de seringues de haute précision et d'aiguilles très fines.

En raison du *manque de standardisation des systèmes utilisés par les fabricants pour exprimer l'activité des diverses spécialités*, rendant les comparaisons des essais cliniques impossibles, il faut respecter les doses et le mode d'emploi spécifique de chacune des spécialités.

Grossesse et allaitement : l'innocuité des héparines de faible poids moléculaire n'ayant pas été établie chez la femme enceinte, ni lors de l'allaitement, leur usage est déconseillé.

Précautions, interactions, effets indésirables → ci-dessus Héparines standard.

HÉPARINE hydrocortisone
(Pharmuka)

Introd. en 1960. Liste I. Remb. SS 40%.
PRINCIPES ACTIFS : crème contenant de l'héparinate de sodium et hydrocortisone (dermocorticoïde).

Emploi : traitement local du prurit et des manifestations inflammatoires.

Application du produit : étaler le produit sur les lésions et le faire pénétrer par un léger massage; éviter tout contact avec les yeux. Ne dépassez pas le nombre d'applications journalières prescrites par votre médecin (en général 2 par jour au maximum); des applications trop fréquentes et l'occlusion des lésions augmentent le risque d'effets indésirables.

Durée du traitement : ne pas dépasser 8 jours.

Effets indésirables possibles : prurit, sensation de brûlure; l'application sur de grandes surfaces ou sous un pansement occlusif peut entraîner un passage des principes actifs dans la circulation sanguine, d'où l'apparition d'effets indésirables généralisés notamment chez le nourrisson et l'enfant en bas âge (risque de convulsions); sensibilisation de la peau aux rayons solaires (photosensibilisation).

Note : *prescrit sur ordonnance médicale.*

HÉPATOCYNÉSINE® (Boiron)

Préparation homéopathique (comprimés) proposée comme «stimulant des voies biliaires».

HÉPATO-DRAINOL® (Boiron)

Préparation homéopathique (solution buvable) proposée dans l'insuffisance et la congestion hépatique, les calculs biliaires.

HÉPATOREX® (Lab. CPF)

Introd. en 1949. Non remb. SS.
PRINCIPES ACTIFS : solution buvable contenant du sulfate de sodium (purgatif salin) et citrate de sodium, extrait de *Pneumus boldus, Cynara scolymus*, combretum, chloroforme.

Emploi : laxatif proposé dans les troubles digestifs et la constipation.

Précautions : ne pas employer en cas de rectocolite hémorragique, de maladie de Crohn, d'occlusion intestinale, ou d'obstruction des voies biliaires, d'insuffisance rénale et de douleurs abdominales; consultez votre médecin si les troubles persistent et en cas de douleurs de la région du foie, d'urines foncées, de selles noires, d'amaigrissement, de fièvre.

Effets indésirables possibles : douleurs abdominales, diarrhées.

Note : *vendu sans ordonnance; à éviter à cause de la présence de chloroforme qui peut être toxique pour le foie.*

HEPATOUM®, Solution
(Hepatoum)

Introd. en 1943. Non remb. SS.
PRINCIPES ACTIFS : solution buvable contenant du chloroforme, acétate d'amyle, glycérol, tartrazine, extrait d'anémone, menthe, alcool éthylique et eau de Vichy.

Emploi : proposé pour faciliter la sécrétion de la bile dans les troubles digestifs (dyspepsies).

Précautions : ne pas employer en cas d'obstruction des voies biliaires ou d'allergie à la tartrazine; consultez votre médecin en cas de douleurs ou crampes abdominales, de selles noires, d'amaigrissement, d'urines foncées, de douleurs de la région du foie, de jaunisse.

Effets indésirables possibles : douleurs abdominales, diarrhées.

Note : *vendu sans ordonnance; à éviter à cause de la présence de chloroforme qui peut être toxique pour le foie.*

HÉPATOXANE®
(Pharmaceutique de l'Esplanade)

Introd. en 1957. Remb. SS 40%.
PRINCIPE ACTIF : comprimés contenant du tocamphyl.

Emploi : stimulant de la sécrétion de la bile dans les troubles digestifs.

Précautions : à éviter en cas d'obstruction des voies biliaires ou d'occlusion intestinale; consultez votre médecin en cas de douleurs ou de crampes abdominales d'origine indéterminée, de selles noires, d'amaigrissement.

En cas de diabète : tenir compte de la teneur en sucre du produit.

Note : *vendu sans ordonnance; ne pas utiliser pendant plus de 5 jours sans avis médical.*

HÉPAX® (Upsa)

Introd. en 1941. Remb. SS 40%.
PRINCIPES ACTIFS : solution buvable contenant des extraits de boldo, artichaut, kinkeliba.
Emploi : proposé dans les troubles digestifs (dyspepsies) et la constipation.
Précautions : ne pas employer en cas de rectocolite hémorragique, de maladie de Crohn, d'occlusion intestinale ou d'obstruction des voies biliaires, d'insuffisance rénale et de douleurs abdominales d'origine indéterminée ; consultez votre médecin si les troubles persistent et en cas de douleurs de la région du foie, d'urines foncées, de selles noires.
Effets indésirables possibles : douleurs abdominales, diarrhées.
Note : vendu sans ordonnance ; laxatif à ne pas utiliser pendant plus de 5 jours sans avis médical.

HEPT-A-MYL® (Delalande)

Introd. en 1953. Remb. SS 70%.
PRINCIPE ACTIF : **Heptaminol**.
Préparations (chlorhydrate) : comprimés à 188 mg ; solution buvable à 305 mg/ml ; solution injectable en ampoules à 125 mg dans 2 ml ou 313 mg dans 5 ml.
Emploi : proposé dans la diminution de la tension artérielle (hypotension orthostatique) dont le diagnostic doit être posé par votre médecin.
Précautions : ne pas employer en cas d'épilepsie, d'hypertension artérielle, de fonctionnement excessif de la glande thyroïde (hyperthyroïdie) ; ne pas associer des antidépresseurs IMAO (risque d'hypertension).
Sportifs : ce médicament peut donner une réaction positive en cas de tests pour contrôle antidopage.
Note : vendu sans ordonnance ; à éviter en automédication.

HEPTAN® (Aguettant)

Introd. en 1978.
PRINCIPES ACTIFS : solution injectable contenant des oligo-éléments (gluconate de fer, cuivre, manganèse, zinc ; fluorure et iodure de sodium).
Emploi : proposé pour compenser les déficits en oligo-éléments au cours de la nutrition parentérale.
Note : réservé aux hôpitaux.

HERBESAN® (Phygiène)

Introd. en 1948. Non remb. SS.
PRINCIPES ACTIFS :
– tisane : folioles de séné (laxatif irritant contenant des anthraquinones), anis, menthe, chiendent ;
– poudre pour tisane (*Herbesan® instantané*) : extrait de séné, bourdaine et chiendent.
Emploi : traitement de la constipation.
Précautions : consultez votre médecin si la constipation persiste, en cas de sang dans les selles ou de selles noires, de douleurs abdominales avec diarrhée, d'amaigrissement.
L'usage prolongé risque de provoquer la «maladie des laxatifs» avec lésions de la muqueuse intestinale.
Note : vendu sans ordonnance ; à éviter comme tous les laxatifs irritants.

HÉVAC B® → Vaccin antihépatite B.

HEXACYCLINE® (Diamant)

Introd. en 1966. Liste I. Remb. SS 70%.
PRINCIPE ACTIF : **Tétracycline**.
Préparations : gélules à 250 mg.
Emploi : antibiotique du groupe des tétracyclines employé dans le traitement des infections, notamment infections uro-génitales et sexuellement transmissibles, et dans d'autres affections déterminées par votre médecin.
Pour les détails → p. 672.
Note : prescrit sur ordonnance médicale.

HEXADREPS® (Dynathéra)

Introd. en 1992. Non remb. SS.
PRINCIPE ACTIF : **Biclotymol**.
Préparations : pastilles à sucer.
Emploi : antiseptique proposé dans les affections inflammatoires de la bouche, de la gorge et du pharynx.
Note : vendu sans ordonnance ; ne pas utiliser pendant plus de 5 jours sans avis médical.

HEXAFLUID® (Dynathéra)

Introd. en 1990. Remb. SS 40%.
PRINCIPE ACTIF : **Carbocistéine** .
Préparations : sirop pour adultes ou pour enfants.
Emploi : proposé pour liquéfier les sécrétions bronchiques et en faciliter l'expectoration dans les affections

respiratoires accompagnées de sécrétions bronchiques épaisses en cas de bronchite aiguë, d'emphysème et dans d'autres affections.

Précautions : ne pas employer en cas d'allergie au produit, d'asthme bronchique, d'encombrement des bronches, d'ulcère gastroduodénal évolutif, de grossesse ou d'allaitement (innocuité non établie) ; ne pas utiliser chez l'enfant de moins de 5 ans.

Consultez votre médecin si votre état ne s'améliore pas rapidement ou s'il s'aggrave, en cas de crachats sanglants, d'amaigrissement, de fièvre.

Effets indésirables possibles : brûlures d'estomac, maux de tête, nausées, diarrhées.

Pour les détails → p. 287.

Note : vendu sans ordonnance ; à éviter sans avis médical.

HEXAGRIP® Vitamine C
(Lederle)

Principes actifs : gélules contenant de l'acide acétylsalicylique (ou aspirine), acide ascorbique (vitamine C), sulfate de quinine, quinquina, poudre de Dover (opium), caféine.

Emploi : proposé dans grippe.

Note : vendu sans ordonnance ; l'efficacité de l'aspirine est généralement reconnue, mais les autres composants ont peu d'intérêt dans l'emploi proposé.

HEXALENSE® (Opocalcium)

Introd. en 1989. Liste I. Non remb. SS.

Principes actifs : collyre contenant de l'acide aminocaproïque et benzalkonium chlorure.

Emploi : proposé dans les inflammations de la cornée et de la conjonctive et en cas d'intolérance aux lentilles cornéennes souples.

Note : prescrit sur ordonnance médicale.

HEXALYSE® (Doms-Adrian)

Introd. en 1972. Remb. SS 40 %.

Principes actifs : comprimés à sucer contenant biclotymol, déqualinium, papaïne, lysozyme, acide bêta-glycyrrhétinique.

Emploi : proposé dans les inflammations de la bouche et de la gorge.

Note : vendu sans ordonnance ; ne pas utiliser pendant plus de 5 jours sans avis médical.

HEXAPNEUMINE®
(Doms-Adrian)

Introd. en 1966 et 1972. Remb. SS 40 %.

Principes actifs :
– comprimés : contenant chlorphénamine (antihistaminique, sédatif et atropinique), biclotymol (antiseptique local) et phényléphrine (vasoconstricteur).
– sirops adulte et enfant : pholcodine (antitussif opiacé), chlorphénamine, biclotymol, guaïfénésine ;
– sirop nourrisson : chlorphénamine, biclotymol, guaïfénésine, paracétamol, sirop de tolu ;
– suppositoires adulte et enfant : pholcodine, paracétamol, eucalyptol, biclotymol ;
– suppositoires nourrisson : paracétamol, biclotymol, eucalyptol.

Emploi : utilisé dans les affections respiratoires aiguës et pour calmer la toux irritative, sèche.

Précautions : ne pas employer en cas de :
– asthme, insuffisance respiratoire (la diminution de la toux cause l'accumulation de mucosités dans les voies respiratoires) ;
– maladie du foie (l'élimination de la pholcodine est diminuée en cas d'insuffisance hépatique) ;
– hypertrophie de la prostate ;
– glaucome à angle fermé ;
– grossesse, allaitement ;
– enfants âgés de moins de 15 ans (moins de 3 ans pour la forme pour enfant).

Durée du traitement : si la toux persiste, si des crachats sanglants ou des effets indésirables apparaissent, arrêtez le traitement et consultez votre médecin.

Alcool : à éviter pendant le traitement.

Conduite de véhicules : ce médicament peut diminuer la vigilance ; la conduite de véhicules ou l'utilisation de machines peut être dangereuse.

Effets indésirables possibles :
– somnolence, sécheresse de la bouche, confusion, nausées, vomissements, crises d'asthme (bronchospasme), constipation, excitation (surtout chez l'enfant), éruption cutanée (réaction allergique : arrêtez immédiatement le traitement), difficulté à respirer ou à uriner (chez le sujet âgé) ;
– effets indésirables liés à la phényléphrine (comprimés) : palpitations,

accélération ou irrégularité du pouls, maux de tête, étourdissements, nervosité, transpirations, tremblements.

Note : des spécialités différentes par leur composition sont vendues sans ordonnance sous le même nom; il s'agit d'associations dont les composants ont peu d'intérêt dans l'emploi proposé, sauf la pholcodine (sirop, suppositoires).

HEXAPOCK® (Dynathéra)

Introd. en 1992. Non remb. SS.

PRINCIPE ACTIF : **Biclotymol.**

Préparations : collutoire.

Emploi : antiseptique local proposé dans les affections inflammatoires de la bouche, de la gorge et du pharynx.

Note : vendu sans ordonnance; ne pas utiliser pendant plus de 5 jours sans avis médical.

HEXAQUINE® (Gomenol)

Introd. en 1951. Remb. SS 70%.

PRINCIPES ACTIFS : comprimés et suppositoires contenant de la quinine (benzoate), gomenol et thiamine (vitamine B1).

Emploi : proposé pour traiter les crampes musculaires (crampes nocturnes, crampes des sportifs).

Précautions : ne pas employer en cas d'intolérance à la quinine, de grossesse, de myasthénie (risque d'aggravation de la faiblesse musculaire); consultez le médecin si les crampes persistent.

Effets indésirables possibles : vertiges, bourdonnements d'oreilles, surdité, vision trouble, éruptions (réaction allergique : arrêtez le traitement).

Note : vendu sans ordonnance; l'efficacité de la quinine dans les crampes musculaires est inconstante; les autres composants ont peu d'intérêt dans l'emploi proposé.

HEXASPRAY® (Doms-Adrian)

Introd. en 1985. Remb. SS 40%.

PRINCIPE ACTIF : **Biclotymol.**

Préparations : collutoire.

Emploi : antiseptique proposé dans les affections inflammatoires de la bouche, de la gorge et du pharynx.

Note : vendu sans ordonnance; ne pas utiliser pendant plus de 5 jours sans avis médical.

HEXASTAT® (R. Bellon)

Introd. en 1979. Liste I. Remb. SS 100%.

PRINCIPE ACTIF : **Altrétamine.**

SYNONYMES : hexaméthylmélamine ou HMM.

Préparations : gélules à 100 mg.

Emploi : médicament appartenant au groupe des agents alkylants, l'altrétamine est utilisée par voie buccale dans le traitement des tumeurs du poumon, de l'ovaire ou du sein et dans d'autres affections déterminées par votre médecin. Comme les autres médicaments de ce type, ce médicament détruit non seulement les cellules anormales mais aussi d'autres cellules, ce qui peut entraîner des effets indésirables parfois graves.

Note : le traitement doit être pris en charge par un spécialiste.

HEXATRIONE® LD (Lederle)

Introd. en 1976. Liste I. Remb. SS 70%.

PRINCIPE ACTIF : **Triamcinolone.**

Préparations : suspension injectable en ampoule de 40 mg (hexacétonide).

Emploi : utilisé en injections locales, notamment en

– *Injections intra-articulaires :* arthrites inflammatoires (sauf septiques), arthrose en poussée.

– *Injections péri-articulaires :* périarthrite scapulo-humérale ou de la hanche, bursites, tendinites, ténosynovites, syndrome du canal carpien, épicondylites, talalgies.

– *Injections épidurales :* sciatiques, lumbago.

Sportifs : ce médicament peut donner une réaction positive en cas de tests pour contrôle antidopage.

Pour les détails → p. 178.

Note : prescrit sur ordonnance médicale.

HEXIGEL® (Parke-Davis)

Introd. en 1984. Non remb. SS.

PRINCIPE ACTIF : gel buccal contenant de l'hexétidine (0,5%).

Emploi : antiseptique local utilisé dans le traitement d'appoint des infections de la bouche (gingivites, aphtes).

Précautions : ne pas utiliser chez l'enfant de moins de 30 mois.

Note : vendu sans ordonnance; ne pas utiliser pendant plus de 5 jours sans avis médical.

HEXO-IMOTRYL® (Cassenne)

Introd. en 1970. Remb. SS 40%.
PRINCIPES ACTIFS : collutoire contenant de l'hexamidine et benzydamine.
Emploi : antiseptique et antibactérien utilisé dans le traitement d'appoint des infections de la cavité buccale.
Note : vendu sans ordonnance; ne pas utiliser pendant plus de 5 jours sans avis médical.

HEXOMÉDINE® (Théraplix)

Introd. en 1955. Remb. SS 70%.
PRINCIPE ACTIF : **Hexamidine**
Préparations : solution pour application locale, solution pour voie transcutanée, pommade et collutoire.
Emploi : proposé comme antiseptique de la peau et des muqueuses; le collutoire est proposé dans les affections inflammatoires de la bouche, de la gorge et du pharynx.
Précautions : ne pas appliquer sur les plaies ouvertes.
Effets indésirables possibles : réactions allergiques locales.
Note : vendu sans ordonnance; ne pas utiliser pendant plus de 5 jours sans avis médical.

HEXTRIL® (Parke-Davis)

Introd. en 1961. Remb. SS 40%.
PRINCIPE ACTIF : **Hexétidine**
Préparations : solution pour bain de bouche et gargarismes.
Emploi : antiseptique local utilisé dans le traitement d'appoint des infections de la bouche (gingivites, aphtes).
Précautions : ne pas utiliser chez l'enfant de moins de 30 mois.
Note : vendu sans ordonnance; ne pas utiliser pendant plus de 5 jours sans avis médical.

HIBest® → Vaccin antihæmophilus b.

HIBIDENT® → Chlorhexidine.

HIBIDIL® → Chlorhexidine.

HIBISCRUB® → Chlorhexidine.

HIBISPRINT® → Chlorhexidine.

HIBITANE® → Chlorhexidine.

HICONCIL®
(Bristol-Myers Squibb)

Introd. en 1974. Liste I. Remb. SS 70%.
PRINCIPE ACTIF : **Amoxicilline**.
Préparations : gélules à 500 mg; poudre pour sirop à 125 mg, 250 mg ou 500 mg par cuillerée mesure.
Emploi : antibiotique du groupe des pénicillines A ayant un large spectre d'action contre les bactéries, mais inefficace contre les staphylocoques producteurs de pénicillinases; signalez à votre médecin l'existence de toute maladie rénale (une réduction des doses peut être nécessaire).
Durée du traitement : elle est déterminée par votre médecin; l'interruption prématurée du traitement peut favoriser une rechute de l'infection.
Pour les détails → p. 520.
Note : prescrit sur ordonnance médicale.

HIPPOPHAN® (Weleda)

Introd. en 1951. Non remb. SS.
PRINCIPE ACTIF : sirop contenant du jus de baies d'argousier (*Hippophaë rhamnoides*).
Emploi : proposé dans la fatigue (ou asthénie fonctionnelle).
Précautions : consultez votre médecin si la fatigue persiste (il peut s'agir d'une dépression ou d'une maladie nécessitant un traitement spécifique).
Note : vendu sans ordonnance; efficacité du principe actif à confirmer dans l'emploi proposé.

HIRUCRÈME® (Nicholas)

Introd. en 1963. Remb. SS 40%.
PRINCIPE ACTIF : crème contenant un extrait de sangsue.
Emploi : proposé dans l'insuffisance veineuse chronique et dans les manifestations de la crise hémorroïdaire.
Précautions : arrêtez le traitement et consultez votre médecin en cas d'accentuation des douleurs, d'apparition de sang dans les selles ou de fièvre.
Note : vendu sans ordonnance; efficacité du principe actif à confirmer dans l'emploi proposé.

HISMANAL® (Janssen)

Introd. en 1986. Liste II. Remb. SS 70%.
PRINCIPE ACTIF : **Astémizole**.
Préparations : comprimés à 10 mg; suspension buvable à 2 mg/ml.
Emploi : antihistaminique utilisé pour atténuer ou prévenir les symptômes d'une allergie par exemple dans le rhume des foins, urticaire, conjonctivite allergique; il est aussi utilisé dans les piqûres d'insectes, mais est inefficace dans l'asthme; bien que l'action sédative de l'astémizole soit moindre que celle d'autres antihistaminiques, la prise de fortes doses peut entraîner un effet sédatif.
Intoxication : troubles du rythme cardiaque qui demandent un intervention médicale d'urgence.
Pour les détails → p. 45.
Note : prescrit sur ordonnance médicale.

HISTAGLOBINE® (Promedica)

Introd. en 1959. Remb. SS 70%.
PRINCIPES ACTIFS : poudre pour solution injectable contenant des gammaglobulines humaines d'origine placentaire et du chlorhydrate d'histamine.
Emploi : proposé dans les états allergiques (efficacité à confirmer).
Note : médicament à utiliser sous contrôle médical.

HISTIDINE Lavoisier®
(Chaix & Du Marais)

Introd. en 1940. Remb. SS 40%.
PRINCIPE ACTIF : solution injectable contenant du chlorhydrate d'histidine.
Emploi : utilisé chez l'enfant pour le test de dépistage des déficiences en folate (test au Figlu); proposé dans le traitement d'appoint de la maladie ulcéreuse (efficacité à confirmer).
Note : médicament à utiliser sous contrôle médical.

HISTO-FLUINE P® (Richard)

Introd. en 1973. Remb. SS 40%.
PRINCIPES ACTIFS : solution buvable contenant des extraits placentaires, mammaires, de marron d'Inde, hamamélis, anémone pulsatile, bourse à pasteur et esculoside (vitamine P).
Emploi : proposé dans l'insuffisance veineuse et lymphatique (jambes lourdes, etc.).

Précautions : consultez votre médecin en cas de suspicion de phlébite (jambes rouges, douloureuses, surtout si d'un seul côté et avec fièvre).
Note : vendu sans ordonnance; efficacité des principes actifs à confirmer dans l'emploi proposé.

HOLOXAN® (Sarget)

Introd. en 1976. Liste I. Remb. SS 100%.
PRINCIPE ACTIF : **Ifosfamide**.
Préparations : poudre pour solution injectable en flacons à 1 g.
Emploi : agent alkylant appartenant au groupe des moutardes azotées utilisé en perfusions veineuses pour traiter certaines tumeurs des os, des bronches, des testicules, du sein, de l'ovaire et dans d'autres affections déterminées par votre médecin.
Note : le traitement doit être pris en charge par un spécialiste.

HOMÉODOSE® (Dolisos)

Introd. en 1965. Non remb. SS.
Gamme de produits homéopathiques présentés sous forme de solutions buvables.

HOMÉOGÈNE® (Boiron)

Gamme de produits homéopathiques présentés sous forme de comprimés.

HOMÉOGRIPPE® (Boiron)

Introd. avant 1944. Non remb. SS.
Préparation homéopathique à visée antigrippale présentée sous forme de comprimés à sucer.

HOMÉOPATHIE

Définition : méthode de traitement inventée par Samuel Hahnemann (1755-1843), dans laquelle on administre contre une maladie des remèdes susceptibles de produire des effets semblables à ceux que détermine la maladie elle-même *(similia similibus curantur)*; un autre principe, c'est que l'activité de la substance présumée active s'accroît en proportion de sa dilution; enfin, à chaque dilution, une agitation contrôlée dans son intensité et sa durée est effectuée *(dynamisation)*.

HOMÉOPATHIE Abbé Chaupitre® (Lab. LHC)

Introd. en 1943.
Gamme de produits homéopathiques présentés sous forme de solutions buvables.

HOMÉOPATHIE Boribel® (Monal)

Introd. en 1933. Non remb. SS.
Gamme de produits homéopathiques (Nos 1 à 49) présentés sous forme de granules, comprimés, suppositoires et pommades.

HOMÉOPATHIE Ferrier® (Ferrier)

Remb. SS 70%.
Gamme de produits homéopathiques présentés sous forme de granules, comprimés, suppositoires, ampoules buvables, etc.

HOMÉOPLASMINE® (Boiron)

Introd. avant 1944. Non remb. SS.
PRINCIPES ACTIFS : pommade contenant de l'acide borique (antiseptique) et des composants homéopathiques.
Emploi : crevasses, gerçures, engelures, plaies et brûlures superficielles.
Précautions : ne pas utiliser chez l'enfant âgé de moins de 30 mois.
Effets indésirables possibles : l'acide borique a été responsable d'intoxications graves chez le nourrisson et l'enfant; ce risque est d'autant plus grave que le traitement est prolongé.
Note : vendu sans ordonnance; des antiseptiques locaux plus efficaces sont actuellement disponibles.

HOMÉORHINE® (Boiron)

Préparation homéopathique (pommade) proposée pour traiter des affections des voies respiratoires.

HOMÉOSTHÉNINE® (Boiron)

Préparation homéopathique (gouttes buvables) proposée dans la fatigue.

HOMÉOVOX® (Boiron)

Préparation homéopathique (dragées) proposée pour éclaircir la voix.

HORDÉNOL® (Monal)

Introd. en 1937. Remb. SS 40%.
PRINCIPES ACTIFS : solution buvable contenant de l'hordénine (alcaloïde extrait de l'orge) et caféine (stimulant).
Emploi : proposé dans les diarrhées .
Précautions : ne pas employer en cas de douleurs ou de crampes abdominales d'origine indéterminée, de selles noires, d'amaigrissement, de jaunisse; consultez votre médecin si la diarrhée persiste après 48 heures, si des glaires et du sang apparaissent dans les selles; dans les diarrhées d'origine infectieuse dues à des bactéries ou à des protozoaires, des traitements spécifiques sont parfois indispensables; en outre, surtout chez l'enfant, la déshydratation qui accompagne toute diarrhée aiguë demande avant tout une réhydratation par voie orale ou par injection dans les cas graves.
Note : vendu sans ordonnance; des principes actifs plus efficaces sont actuellement disponibles.

HORMONE DE CROISSANCE

SOMATROPINE
Genotonorm® (Kabi Pharmacia).
Maxomat® (Choay).
Norditropine® (Novo Nordisk).
Saizen® (Serono).
Umatrope® (Lilly).
SYNONYMES : somatotrophine, somatotropine, hormone somatotrope, Human Growth Hormone, GH, hGH, HGH; Recombinant Human Growth Hormone, R-hGH.
Emploi : la somatropine est une substance obtenue par biotechnologie dont la structure est identique à celle de *l'hormone humaine de croissance* sécrétée par l'hypophyse pour stimuler la croissance de l'enfant; le somatrem comporte un acide aminé supplémentaire (méthionine), mais possède les mêmes propriétés.
Ce médicament est utilisé en injections régulières chez l'enfant de petite taille en cas de carence en hormone de croissance (nanisme hypophysaire); le traitement est d'autant plus efficace qu'il est commencé plus tôt et est poursuivi jusqu'à ce que l'enfant ait atteint une taille satisfaisante ou que la période de croissance soit terminée

(fermeture des cartilages de croissance); l'hormone de croissance est aussi utilisée en cas de petite taille due au syndrome de Turner (une affection congénitale rare qui touche les enfants de sexe féminin).

Précautions : ne pas employer en cas d'allergie au produit; les affections suivantes peuvent modifier l'action du médicament :
– diabète sucré (risque d'aggravation);
– insuffisance thyroïdienne (diminue l'action de l'hormone de croissance).

Sportifs : ce médicament se trouve sur la liste des dopants interdits (Ministère de la Jeunesse et des Sports); il donne une réaction positive en cas de tests pratiqués lors des contrôles antidopage. On a pu croire que l'hormone de croissance augmente les performances sportives; en fait, tel n'est pas le cas et l'usage abusif peut provoquer des effets indésirables permanents.

Grossesse : ce médicament n'est pas utilisé pendant la grossesse.

Interactions : les substances suivantes peuvent influencer l'action de l'hormone de croissance :
– corticoïdes et hormones corticosurrénales;
– hormones thyroïdiennes;
– hormones sexuelles.

Surveillance : des contrôles réguliers sont nécessaires pendant toute la durée du traitement, notamment de la taille, de la croissance osseuse, de la fonction thyroïdienne et du taux du sucre dans le sang (glycémie); il peut arriver que les effets du médicament s'estompent; on conseille de suspendre le traitement et de le reprendre après quelques mois.

Arrêt du traitement : un arrêt prématuré du traitement ne permet pas d'atteindre la taille normale.

Effets indésirables possibles :
– élévation du taux du sucre dans le sang (hyperglycémie et développement d'un diabète sucré);
– chevilles enflées, œdèmes (rétention d'eau);
– hypertension artérielle;
– insuffisance thyroïdienne :
– douleurs à la marche;
– rougeur au point d'injection;
– prurit, urticaire, éruption cutanée (réaction allergique);
– chez des enfants traités avant 1985 par des préparations d'hormone de croissance extraite d'hypophyses humaines, on a observé des cas de

maladie de Creutzfeldt-Jacob, qui est une forme d'encéphalite due à un virus lent transmis par ces préparations; l'apparition de la maladie peut être retardée pendant des années.

Surdosage chronique : développement excessif des os et d'autres organes (gigantisme ou acromégalie) en cas d'utilisation trop prolongée et/ou à doses trop élevées.

Note : *conditions particulières de délivrance.*

HUILE GOMENOLÉE®
(Gomenol)

Introd. en 1954. Remb. SS 40%.

PRINCIPE ACTIF : solution nasale huileuse contenant une essence obtenue par distillation de *Melaleuca viridiflora.*

Emploi : infections nasales.

Durée du traitement : limitée à 10 jours.

Note : *vendu sans ordonnance; efficacité du principe actif à confirmer dans l'emploi proposé.*

HUILE DE HAARLEM®
(Lefèvre)

Introd. en 1924. Non remb. SS.

PRINCIPES ACTIFS : solution buvable contenant du soufre, huile de lin, térébenthine.

Emploi : proposé dans les affections broncho-pulmonaires et l'arthrose.

Note : *vendu sans ordonnance; efficacité des principes actifs à confirmer dans l'emploi proposé.*

HUILE DE PARAFFINE
(Gilbert)

Introd. en 1990. Non remb. SS.

Emploi : huile minérale non résorbée par le tube digestif, lubrifiant et ramollissant les selles.

Durée du traitement : ne pas dépasser quelques jours.

Précautions : ne pas employer en cas de traitement anticoagulant, d'occlusion intestinale ou de douleurs abdominales de cause inconnue; consultez votre médecin si la constipation persiste ou en cas de selles noires ou de présence de sang dans les selles.

Effets indésirables possibles : suintement anal, risque de pneumopathie par inhalation en cas de régurgitations
→ p. 347

Si vous utilisez l'une des spécialités suivantes contenant une hormone thyroïdienne...

Cynomel® (Marion Merrell Dow).   *Lévothyrox*® (Merck-Clévenot).
Euthyral® (Merck-Clévenot).   *L-Thyroxine*® (Roche).

Emploi : les hormones thyroïdiennes naturelles ou synthétiques sont utilisées lorsque la thyroïde ne produit pas assez d'hormones (insuffisance thyroïdienne ou hypothyroïdie).

Les affections suivantes peuvent être traitées par ces médicaments: le myxœdème (bouffissure du visage et des mains), le goitre simple (augmentation de volume de la glande thyroïde), l'inflammation de la glande thyroïde (thyroïdite chronique) et les proliférations cellulaires anormales au niveau de la thyroïde.

La forme injectable est réservée à l'usage hospitalier pour traiter le coma myxœdémateux.

Précautions : ne pas utiliser en cas d'allergie au produit et utilisation prudente en cas de maladie du cœur, angine de poitrine, hypertension artérielle, troubles du rythme cardiaque (risque d'aggravation).

Grossesse et allaitement : il n'existe pas de contre-indication actuellement connue à l'utilisation de ces médicaments; cependant, leur innocuité n'a pas été établie chez la femme enceinte, ni lors de l'allaitement.

Enfants : des doses plus élevées sont souvent nécessaires.

Sujets âgés : risque accru d'effets indésirables, augmentation très progressive des doses selon la tolérance individuelle.

Interactions : il faut informer votre médecin si vous prenez ou avez pris récemment d'autres médicaments, notamment :

– anticoagulants oraux (potentialisation de l'action des anticoagulants);

– insuline et antidiabétiques oraux (diminution de l'efficacité);

– digitaliques (diminution de l'action des digitaliques);

– antidépresseurs tricycliques (potentialisation réciproque);

– colestyramine, colestipol (diminution de l'action thyroïdienne).

Prescription : ne dépassez pas la dose prescrite; des doses trop élevées ou des prises trop fréquentes augmentent le risque d'effets indésirables.

Oubli : si vous oubliez de prendre le médicament et si vous le remarquez dans les 2 heures qui suivent, prenez immédiatement la dose oubliée; ne doublez pas la dose suivante; si vous oubliez le médicament plusieurs jours, prenez contact avec votre médecin.

Durée du traitement : en cas d'hypothyroïdie, les effets ne se manifestent qu'après un délai de plusieurs semaines et le traitement doit souvent être poursuivi indéfiniment.

Surveillance : consultez votre médecin à intervalles réguliers pour évaluer les effets du traitement et moduler la dose en fonction des effets indésirables (notamment nervosité, palpitations, insomnie) et des examens de laboratoire (dosage de la TSH et des hormones thyroïdiennes dans le sang).

Autres médicaments : ne prenez aucun autre médicament sans consulter votre médecin.

Arrêt du traitement : n'arrêtez pas le traitement sans demander conseil à votre médecin.

En cas de diabète : il faut renforcer la surveillance de la glycémie (une augmentation des doses de l'insuline ou des antidiabétiques oraux peut être nécessaire).

Chirurgie : informez votre chirurgien que vous êtes traité par une hormone thyroïdienne.

Effets indésirables possibles : agitation, anxiété, insomnie; maux de tête; diarrhées; perte de poids (amaigrissement excessif); bouffées de chaleur, transpirations; accélération ou irrégularité du pouls, palpitations; douleurs précordiales; tremblement; prurit, éruption cutanée (réaction allergique : arrêtez le traitement).

Note : selon les méthodes de fabrication et de contrôle de qualité l'activité de certaines spécialités peut être plus élevée par rapport à d'autres (surdosage possible avec des doses apparemment égales).

chez les sujets inconscients, les patients âgés alités ou les enfants âgés de moins de 3 ans; diminution de l'absorption de certains médicaments, notamment des anticoagulants dérivés de la coumarine, et des vitamines liposolubles (A, D, E, K).

Note : *vendu sans ordonnance; à éviter sans avis médical à cause du risque d'effets indésirables.*

HUMAGEL® (Parke-Davis)

Introd. en 1968. Liste I. Remb. SS 40%.

Principe actif : ***Paromomycine***.

Préparations : granulé pour suspension buvable en sachet-dose à 250 mg (enfants) et à 50 mg par cuillerée à café (nourrissons).

Emploi : antibiotique de la famille des aminosides utilisé chez l'enfant et le nourrisson en complément de la réhydratation dans le traitement des diarrhées aiguës présumées d'origine bactérienne (sans selles sanglantes ou purulentes); en l'absence d'une altération de la muqueuse intestinale, ce médicament n'est que peu résorbé par le tube digestif.

Précautions : durée du traitement limitée à 4 jours; la paromomycine ne doit pas être utilisée en cas d'altérations de la muqueuse digestive ou de syndrome de malabsorption.

Note : *prescrit sur ordonnance médicale.*

HUMÉGON® (Organon)

Introd. en 1967. Liste I. Remb. SS 100%.

Principe actif: ***Gonadotrophine ménopausique***.

Synonymes : ménotrophine.

Préparations : ampoules injectables à 75 UI de FSH + 75 UI de LH.

La gonadotrophine ménopausique humaine extraite de l'urine de femmes ménopausées contient de la follicullostimuline (FSH) et de la lutéinostimuline (LH) en proportions presque égales; cependant, la demi-vie biologique sensiblement plus longue de la FSH confère à la préparation une activité follicullostimulante prédominante.

Emploi : médicament utilisé, en injection intramusculaire, en association avec la gonadotrophine chorionique :
– chez la femme, pour traiter certaines formes de stérilité dues à une absence d'ovulation; ce traitement entraîne une grossesse multiple dans 30% des cas environ,
– chez l'homme, pour stimuler la formation du sperme en cas de carence en hormones mâles, sans lésion du testicule ou des voies excrétrices.

Pour les détails → Gonadotrophine ménopausique.

Note : *prescrit sur ordonnance médicale.*

HUMEX® (Fournier)

Introd. en 1972. Non remb. SS.

Principes actifs :
– collutoire : benzododécinium, acétarsol et amyléine;
– comprimés à sucer (*Humex® Kinaldine*) : déqualinium (antiseptique), acide ascorbique (vitamine C);
– solution nasale : benzododécinium (antiseptique local) et essence de bergamote.

Emploi : proposé dans les infections de la bouche (collutoire et comprimés à sucer) ou du nez (solution nasale).

Note : *médicaments vendus sans ordonnance; ne pas utiliser pendant plus de 5 jours sans avis médical.*

HUMEX® gélules (Fournier)

Introd. en 1975. Non remb. SS.

Principes actifs : gélules contenant
– paracétamol : analgésique à action périphérique et antipyrétique;
– carbinoxamine : antihistaminique;
– phénylpropanolamine : sympathomimétique vasoconstricteur.

Emploi : proposé dans le «rhume de cerveau» et dans le «mal de gorge» de l'adulte sans fièvre.

Précautions : ne pas utiliser chez les enfants âgés de moins de 15 ans, en cas de glaucome par fermeture de l'angle, d'adénome de la prostate, de fonctionnement excessif de la glande thyroïde (hyperthyroïdie), d'insuffisance hépatique, de grossesse, d'allaitement, d'association avec les antidépresseurs IMAO.

Sportifs : ce médicament peut donner une réaction positive en cas de tests pour contrôle antidopage.

Alcool : évitez les boissons alcoolisées pendant le traitement.

Conduite de véhicules : ce médicament peut diminuer la vigilance; la conduite de véhicules ou l'utilisation de machines peut être dangereuse.

Effets indésirables possibles : somnolence, palpitations, accélération ou irrégularité du pouls, maux de tête, sécheresse de la bouche, troubles visuels, difficulté à uriner, crises d'asthme, éruption cutanée, jaunisse, étourdissements, nervosité, insomnie, transpirations et tremblements.

Note : *vendu sans ordonnance; à éviter en automédication à cause des effets indésirables possibles.*

HUMEX® pâte pectorale, sirop
(Fournier)

Introd. en 1963. Non remb. SS.

PRINCIPES ACTIFS :
– pâte pectorale à mâcher : codéthyline (antitussif opiacé), ipéca et belladone (atropinique); scille et ipéca;
– sirop pour adultes : codéthyline (antitussif opiacé), teinture de belladone (atropinique);
– sirop pour enfants : pholcodine (antitussif opiacé), benzoate de sodium, belladone (atropinique), droséra, coquelicot, baume de tolu.

Emploi : proposé pour traiter la toux sèche, non productive.

Précautions : ne pas utiliser en cas de
– asthme, insuffisance respiratoire (la diminution de la toux cause l'accumulation de mucosités dans les voies respiratoires);
– maladie du foie (l'élimination de la codéthyline ou de la pholcodine est diminuée en cas d'insuffisance hépatique);
– hypertrophie de la prostate (risque d'aggravation de la difficulté à uriner);
– glaucome à angle fermé;
– association avec les antidépresseurs IMAO;
– grossesse, allaitement;
– enfants âgés de moins de 15 ans (moins de 30 mois pour la forme pour enfant).

Durée du traitement : doit être limitée à quelques jours;

Alcool : évitez les boissons alcoolisées pendant le traitement (majoration de l'effet sédatif).

Conduite de véhicules : ce médicament peut diminuer la vigilance; la conduite de véhicules ou l'utilisation de machines peut être dangereuse;

Effets indésirables possibles : somnolence, sécheresse de la bouche, confusion mentale, nausées, vomissements, crises d'asthme, constipation, éruption cutanée (réaction allergique: arrêtez immédiatement le traitement), difficulté à respirer ou à uriner (chez le sujet âgé).

Note : *des spécialités différentes par leur composition sont vendues sans ordonnance sous le même nom; l'efficacité des antitussifs opiacés (codéthyline ou pholcodine) est généralement reconnue, mais les autres composants ont peu d'intérêt dans l'emploi proposé.*

HUMORYL® (Delalande)

Introd. en 1985. Liste I. Remb. SS 70%.

PRINCIPE ACTIF : **Toloxatone**.

Préparations : gélules à 200 mg.

Emploi : inhibiteur de la mono-amine-oxydase sélectif de type A, ayant un effet désinhibiteur, utilisé pour traiter les dépressions de l'adulte; par rapport aux inhibiteurs de la mono-amine-oxydase classiques ou IMAO non sélectifs, ce médicament est mieux toléré et ne nécessite pas les mêmes restrictions alimentaires : en effet, l'usage ne nécessite aucune restriction d'ordre diététique chez des patients dont les habitudes alimentaires sont normales; il est toutefois recommandé aux patients hypertendus de renoncer ou de limiter la quantité d'aliments riches en tyramine (fromages fermentés, certains vins, bière, bananes, figues, avocats, viandes et poissons fumés, saucisson, caviar, pâte de crevettes, soja, soupes en sachets, bière, levures, chocolat).

Pour les détails → p. 40.

Note : *prescrit sur ordonnance médicale.*

HYALURECTAL®
(Doms-Adrian)

Introd. en 1962. Non remb. SS.

PRINCIPES ACTIFS : pommade rectale contenant de l'hyaluronidase, phénazone (antipyrine), amyléine et extraits de marron d'Inde, hamamélis, cyprès, baume du Pérou.

Emploi : crise hémorroïdaire.

Précautions : arrêtez le traitement et consultez votre médecin en cas d'accentuation des douleurs, d'apparition de sang dans les selles ou de fièvre.

Effets indésirables possibles: réactions allergiques (présence de phénazone et de baume du Pérou).
Note : vendu sans ordonnance; des principes actifs moins allergisants sont actuellement disponibles.

HYALURONIDASE (Choay)
Introd. en 1952.
Préparations : poudre pour solution injectable en flacons à 250 ou 500 UI.
Emploi : enzyme provoquant la dépolymérisation l'acide hyaluronique (substance intercellulaire du tissu conjonctif) utilisée en injections dans les œdèmes post-traumatiques et post-opératoires et en applications locales dans la chirurgie oculaire.
Note : réservé aux hôpitaux.

HYDERGINE® (Sandoz)
Introd. en 1951. Liste II. Remb. SS 40%.
PRINCIPE ACTIF : **Dihydroergotoxine** (dihydroergocornine, dihydroergocristine, dihydroergocryptine A et B).
SYNONYMES : co-dergocrine, codergocrine, ergoloid.
Préparations : comprimés à 1,5 mg ou 4,5 mg; solution buvable à 1 mg/ml; solution injectable en ampoules à 0,3 mg dans 1 ml.
Emploi : vasodilatateur périphérique dérivé de l'ergot de seigle proposé dans le traitement des troubles vasculaires cérébraux, notamment du déficit intellectuel lié au vieillissement; l'efficacité des vasodilatateurs périphériques dans ces affections reste à confirmer.
Précautions : ne pas employer en cas d'allergie aux dérivés de l'ergot de seigle, de pouls très lent, de tension artérielle très basse (hypotension), de grossesse ou allaitement, de traitement anticoagulant; ne pas associer d'autres dérivés de l'ergot de seigle.
Effets indésirables possibles : congestion nasale, nausées.
Note : prescrit sur ordonnance médicale.

HYDRACORT® (Galderma)
Introd. en 1989. Liste I. Remb. SS 70%.
PRINCIPE ACTIF : **Hydrocortisone.**
Préparations : crème à 0,5%.
Emploi : corticoïde d'activité modérée (classe IV) utilisé en application locale

pour soulager la douleur, le prurit et les signes d'inflammation et d'irritation de la peau, notamment dans l'eczéma et la dermatite allergique provoquée par le contact avec des plantes, métaux, produits de nettoyage, cosmétiques, etc. ainsi que dans les processus de lichénification.
Pour les détails → p. 205.
Note : prescrit sur ordonnance médicale.

HYDRALARM® (Chauvin)
Introd. en 1993. Non remb. SS.
PRINCIPES ACTIFS : solution pour instillation oculaire contenant 0,9% de chlorure de sodium en flacon unidose.
Emploi : traitement de la sécheresse oculaire.

HYDRALIN® (Soekami-Lefrancq)
Introd. en 1916. Non remb. SS.
PRINCIPES ACTIFS : poudre pour solution locale contenant du borate, perborate et carbonate de sodium
Emploi : solution alcaline proposée comme antiseptique pour la toilette gynécologique.

HYDRALIN® savon
(Soekami-Lefrancq)
Introd. en 1951. Non remb. SS.
PRINCIPE ACTIF : savon antiseptique contenant du borate de soude.
Emploi : proposé pour nettoyer la peau et les muqueuses.

HYDRÉA® (Bristol-Myers Squibb)
Introd. en 1969. Liste I. Remb. SS 100%.
PRINCIPE ACTIF : **Hydroxycarbamide.**
SYNONYME : hydroxy-urée.
Préparations : capsules à 500 mg.
Emploi : médicament appartenant au groupe des antimétabolites employé par voie buccale dans le traitement de certaines leucémies, des thrombocythémie (augmentation du nombre des plaquettes dans le sang) et certaines polyglobulies (augmentation du nombre des globules rouges dans le sang).
Note : le traitement doit être pris en charge par un spécialiste.

HYDROCLONAZONE®
(Promedica)

Introd. en 1943. Non remb. SS.

PRINCIPES ACTIFS: comprimés contenant 12,2 g de tosylchloramide sodique (chloramide T) et 36,5 mg de carbonate monosodique.

Emploi : antiseptique destiné à la stérilisation de l'eau de boisson (1 comprimé pour 1 litre d'eau).

HYDROCORTANCYL®
(Roussel)

Introd. en 1957. Liste I. Remb. SS 70%.

PRINCIPE ACTIF : **Prednisolone**.

SYNONYME : deltahydrocortisone.

Préparations : comprimés à 5 mg; suspension injectable en flacons à 25 mg dans 1 ml ou à 125 mg dans 5 ml.

Emploi : médicament apparenté à la cortisone utilisé par voie orale ou en injections pour atténuer les réactions inflammatoires et allergiques, ainsi que dans le traitement de maladies telles que des allergies cutanées graves, des crises d'asthme, ou des polyarthrites évolutives; il s'agit d'un médicament puissant qui, s'il n'est pas utilisé selon la prescription, peut provoquer des effets indésirables graves. La prednisolone est aussi utilisée en injections intra-articulaires.

Durée d'action : 12-72 heures.

Pour les détails → p. 176 et 178.

Note : prescrit sur ordonnance médicale.

HYDROCORTISONE

Introd. en 1954. Liste I. Remb. SS 70%.

PRINCIPE ACTIF : **Hydrocortisone**

SYNONYMES : cortisol, composé F.

SPÉCIALITÉS :
Hydrocortisone (Roussel).
Hydrocortisone (Upjohn).

Préparations : comprimés à 10 mg; suspension injectable en flacons à 25 mg ou 125 mg; flacons de lyophilisat à 100 mg ou 500 mg; poudre pour solution injectable en flacons à 100 mg ou 500 mg (réservés aux hôpitaux).

Emploi : hormone naturelle du cortex surrénal (glucocorticoïde), actuellement produite par synthèse, ayant une action sur l'équilibre des liquides et des sels minéraux dans l'organisme ainsi que sur les réactions inflammatoires et allergiques.

L'hydrocortisone est utilisée :
– par voie buccale, dans le traitement substitutif de l'insuffisance surrénale chronique (maladie d'Addison); les pertes de sodium demandent souvent l'association d'un minéralocorticoïde (désoxycortone);
– en injections, dans le traitement de l'insuffisance surrénale aiguë.

Sportifs : ce médicament, ainsi que les autres corticoïdes administrés par voie générale, se trouve sur la liste des dopants interdits (Ministère de la Jeunesse et des Sports); il donne une réaction positive en cas de tests pratiqués lors des contrôles antidopage.

Surveillance : contrôler la tension artérielle et le poids pendant les 2 premières semaines de traitement; réduire la dose en cas de présence de sucre dans les urines.

Régime : dans le traitement substitutif de l'insuffisance surrénale chronique, un régime ayant un contenu normal en sodium est recommandé.

Alcool : évitez l'usage des boissons alcoolisées qui peuvent aggraver un ulcère gastro-duodénal si le médicament est pris par voie buccale.

Stress : vous devez informer votre médecin de toute situation d'agression (infection, traumatisme, chirurgie, etc.) qui pourrait survenir au cours du traitement; en effet, dans ces cas il peut être nécessaire d'augmenter la dose.

Pour les détails → p. 176.

Note : prescrit sur ordonnance médicale.

HYDROCORTISONE Crème
(Astier)

Introd. en 1959. Liste I. Remb. SS 40%.

Préparations : crème à 1%.

Emploi : corticoïde d'activité modérée (classe IV) utilisé en application locale pour soulager la douleur, le prurit et les signes d'inflammation et d'irritation de la peau, notamment dans l'eczéma et la dermatite allergique provoquée par le contact avec des plantes, métaux, produits de nettoyage, cosmétiques, etc. ainsi que dans les processus de lichénification.

Pour les détails → p. 205.

Note : prescrit sur ordonnance médicale.

HYDROSOL Polyvitaminé B.O.N.® (Doms-Adrian)

Introd. en 1951. Non remb. SS.
PRINCIPES ACTIFS : sirop, solution buvable et capsules contenant une association de vitamines (polyvitaminée). Solution injectable (Liste II).
Emploi : proposé dans les «carences vitaminiques multiples»; ce médicament est inadéquat pour traiter des carences spécifiques en vitamines. L' efficacité dans les états de fatigue reste à confirmer.
Précautions : ne pas administrer chez l'enfant sans avis médical (en raison de la présence de vitamines A et D), en cas de grossesse et allaitement (en raison de la présence de vitamine A).
Note : vendu sans ordonnance; à éviter en automédication (une carence en vitamines ne peut être diagnostiquée que par votre médecin).

HYDROSOL Polyvitaminé (Roche)

Introd. en 1955. Non remb. SS.
PRINCIPES ACTIFS : solution buvable contenant plusieurs vitamines (préparation polyvitaminée). Solution injectable (Liste II)
Emploi : proposé dans les «carences vitaminiques multiples»; ce médicament est inadéquat pour traiter des carences spécifiques en vitamines; il n'y a pas d'arguments convaincants sur son efficacité dans les états de fatigue.
Précautions : ne pas administrer chez l'enfant sans avis médical (en raison de la présence de vitamines A et D), en cas de grossesse et allaitement (en raison de la présence de vitamine A).
Note : vendu sans ordonnance; à éviter en automédication (une carence en vitamines ne peut être diagnostiquée que par votre médecin).

HYDROXO 5000®
(Lipha Santé)

Introd. en 1963. Remb. SS 40%.
PRINCIPE ACTIF : *Hydroxocobalamine*.
SYNONYME : vitamine B12.
Préparations : ampoules injectables à 5 mg (5000 µg).
Emploi : carences en vitamine B12.
Pour les détails → Vitamine B12.
Note : médicament à utiliser sous contrôle médical.

HYDROXYPROGESTÉRONE-RETARD H.O.P.® (Théramex)

Introd. en 1960. Non remb. SS.
PRINCIPE ACTIF : *Hydroxyprogestérone*.
Préparations : solution injectable en ampoules de 175 mg.
Emploi : médicament appartenant au groupe des progestatifs qui sont des hormones femelles apparentées à la progestérone naturelle.
L'hydroxyprogestérone est une hormone synthétique utilisée dans le
– traitement des troubles des règles dus à une carence en progestérone, en particulier menstruations douloureuses (dysménorrhée), absence de menstruations (aménorrhée);
– traitement de l'endométriose, affection caractérisée par la présence anormale de tissu de revêtement de l'utérus à l'extérieur de celui-ci.
– traitement adjuvant des proliférations cellulaires anormales, notamment du sein et de l'utérus;
– traitement d'autres conditions déterminées par votre médecin.
Durée d'action : environ 10 jours.
Pour les détails → p. 560.
Note : médicament à utiliser sous contrôle médical.

HYGROTON-QUART®
(Ciba-Geigy).

Introd. en 1981. Liste II. Remb. SS 70%.
PRINCIPE ACTIF : *Chlortalidone*.
Préparations : comprimés à 25 mg.
Emploi : diurétique de type thiazidique qui favorise la diurèse (production d'urine, élimination de l'eau et du sodium) et a une action antihypertensive (diminution d'une tension artérielle anormalement élevée). Il favorise les pertes de potassium dans les urines et entraîne une diminution du taux de potassium dans le sang (hypokaliémie).
Durée d'action : environ 60 heures.
Sportifs : ce médicament se trouve sur la liste des dopants interdits (Ministère de la Jeunesse et des Sports); il donne une réaction positive en cas de tests pour contrôle antidopage.
Pour les détails → p. 232.
Note : prescrit sur ordonnance médicale.

HYPERAMINE® (Bruneau)

Introd. en 1983.
PRINCIPES ACTIFS : solution injectable hypertonique contenant des acides L-aminés cristallisés.
Emploi : proposé dans l'alimentation artificielle parentérale.
Note : réservé aux hôpitaux.

HYPERIUM® (Biopharma)

Introd. en 1988. Liste I. Remb. SS 70%.
PRINCIPE ACTIF : *Rilmenidine.*
Préparations : comprimés à 1 mg.
Emploi : médicament appartenant au groupe des antihypertenseurs utilisés pour faire baisser la tension artérielle et qui agissent en diminuant les impulsions nerveuses qui vont du cerveau au cœur et aux vaisseaux à travers les nerfs sympathiques; ces médicaments dilatent les vaisseaux, diminuent par conséquent la résistance au passage du sang et réduisent le travail cardiaque; en même temps, le rythme cardiaque est ralenti (bradycardie).
La rilmenidine est utilisée pour le traitement de l'hypertension artérielle, souvent associée à un diurétique.
Pour les détails → p. 47.
Note : prescrit sur ordonnance médicale.

HYPERSTAT®
(Schering-Plough)

Introd. en 1976. Liste I.
PRINCIPE ACTIF : *Diazoxide.*
Préparations : ampoules injectables à 300 mg dans 20 ml.
Emploi : antihypertenseur à action rapide utilisé à l'hôpital en perfusion dans le traitement d'urgence des crises hypertensives; il agit directement sur les artérioles qui sont dilatées.
Note : réservé aux hôpitaux.

HYPNASMINE® (Elerté)

Introd. en 1951. Liste II. Remb. SS 70%.
PRINCIPES ACTIFS : suppositoires contenant
– théophylline : dilatateur des bronches;
– butobarbital : barbiturique;
– caféine : stimulant central.
Emploi : proposé dans la prévention des crises d'asthme; à noter que les barbituriques ne sont pas recommandés en dehors du traitement de l'épilepsie.
Précautions : ne pas employer en cas de porphyries, d'insuffisance respiratoire, de grossesse et chez l'enfant âgé de moins de 15 ans.
Conduite de véhicules : ce médicament peut diminuer la vigilance; la conduite de véhicules ou l'utilisation de machines peut être dangereuse.
Sportifs : ce médicament peut donner une réaction positive en cas de tests pour contrôle antidopage.
Effets indésirables possibles :
– théophylline : nausées et vomissements, maux de tête, excitation, convulsions;
– butobarbital : somnolence, confusion mentale, éruptions cutanées.
Note : prescrit sur ordonnance médicale.

HYPNOMIDATE® (Janssen)

Introd. en 1987. Liste I.
PRINCIPE ACTIF : *Etomidate.*
Préparations : solution pour injection à 2 mg/ml et 125 mg/ml.
Emploi : anesthésique par voie intraveineuse réservé aux anesthésistes en clinique ou en hôpital disposant du matériel nécessaire à la réanimation.
Note : réservé aux hôpitaux.

HYPNOTIQUES → p. 94.

HYPNOVEL® (Roche)

Introd. en 1987. Liste I.
PRINCIPE ACTIF : *Midazolam.*
Préparations : solution injectable ou rectale en ampoules à 5 mg dans 1 ml ou 5 ml.
Emploi : benzodiazépine dont la demi-vie plasmatique est courte, utilisée en anesthésiologie comme prémédication avant anesthésie générale, pour l'induction et l'entretien de l'anesthésie générale.
Note : réservé aux hôpitaux.

HYPOSTAMINE® (Promedica)

Introd. en 1963. Remb. SS 70%.
PRINCIPE ACTIF : *Tritoqualine.*
Préparations : comprimés à 100 mg.
Emploi : antihistaminique utilisé pour prévenir et traiter les affections allergiques → p. 354

Si vous utilisez l'une des spécialités suivantes pour abaisser le cholestérol dans le sang...

FIBRATES :
  Béfizal® (Lipha Santé).
  Bi-Lipanor® (Sterling Winthrop).
  Lipanor® (Sterling Winthrop).
  Lipanthyl® (Fournier).
  Lipavlon® (Zeneca Pharma).
  Lipénan® (Bouchara).
  Lipur® (Parke-Davis).
  Sécalip® (Biothérapie).

INHIBITEURS DE LA HMG-CoA RÉDUCTASE :
  Elisor® (Bristol-Myers Squibb).
  Lodales® (Clin Midy).
  Vasten® (Specia).
  Zocor® (M., S. & D.-Chibret).
AUTRES :
  Fonlipol® (Lafon).
  Lurselle® (Marion Merrell Dow).
  Maxepa® (P. Fabre).
  Mediator® (Servier).

Emploi : les *hypolipidémiants* (ou normolipidémiants) abaissent les taux sanguins du cholestérol total, du cholestérol LDL (qui est déterminant de l'athérogénèse) et/ou des triglycérides; l'élévation du taux de ces substances dans le sang (hyperlipidémie) est associée à l'athérosclérose (dépôts de graisses sur les parois des vaisseaux sanguins) qui peut se compliquer au niveau du cœur par une angine de poitrine ou un infarctus du myocarde et, au niveau de cerveau, par un accident cérébrovasculaire («attaque»); même si ces médicaments réussissent souvent à abaisser les taux sanguins du cholestérol et/ou des triglycérides, il n'est pas toujours évident qu'ils diminuent aussi la mortalité globale due aux complications de l'athérosclérose.

Précautions : ne pas utiliser en cas d'allergie au produit; les affections suivantes peuvent modifier l'action des hypolipidémiants : calculs de la vésicule biliaire, ulcère gastroduodénal, maladies du foie ou des reins, maladies du cœur, alcoolisme chronique, diminution de la fonction thyroïdienne (hypothyroïdie), diabète sucré.

Grossesse : les inhibiteurs de la HMG-CoA réductase ne doivent pas être utilisés chez la femme enceinte ou susceptible de l'être; en effet, des substances analogues ont causé des malformations du fœtus au cours de l'expérimentation animale; il est recommandé d'arrêter le traitement 6 mois avant un souhait de grossesse.

Allaitement : ces médicaments ne sont pas conseillés par prudence.

Enfants : les effets sur le développement n'ayant pas été établis, ces médicaments ne sont utilisés que dans les hyperlipidémies sévères et sensibles au traitement.

Régime : avant de vous prescrire un hypolipidémiant, votre médecin vous aura déjà prescrit un régime pauvre en graisses, hydrates de carbone et/ou en cholestérol, adapté à l'hyperlipidémie dont vous souffrez, et aura constaté, après quelques mois, que le régime seul est insuffisant pour abaisser les taux du cholestérol et/ou des triglycérides dans le sang; en outre, si votre poids est excessif, l'efficacité des hypolipidémiants est diminuée et par conséquent un régime amaigrissant peut être indiqué.

Interactions : il faut informer votre médecin si vous prenez ou avez pris récemment d'autres médicaments, notamment :
– anticoagulants oraux, antidiabétiques oraux (il peut être nécessaire de réduire les doses des anticoagulants);
– kétoconazole, dantrolène, méthyldopa, antidépresseurs IMAO, perhexilline, phénytoïne (risque accru d'effets indésirables hépatiques).

Oubli : si vous oubliez de prendre le médicament et si vous le remarquez dans les 2 heures qui suivent, prenez la dose oubliée; ne doublez pas la dose suivante; si vous oubliez le médicament plusieurs jours, prenez contact avec votre médecin.   →

HYPOLIPIDÉMIANTS (SUITE)

Prise du médicament : on conseille de prendre les capsules au cours d'un repas.

Alcool : à éviter pendant le traitement.

Surveillance : il est essentiel que votre médecin puisse contrôler après 3-6 mois de traitement les taux sanguins du cholestérol et des triglycérides ainsi que la fonction hépatique et les enzymes musculaires; si les résultats ne sont pas satisfaisants, votre médecin pourra vous indiquer d'autres traitements.

Arrêt du traitement : n'arrêtez pas le traitement sans consulter votre médecin.

Effets indésirables possibles :
– nausées, diarrhées, vomissements;
– vertiges, baisse de la libido, faiblesse, fatigue;
– douleurs musculaires (peuvent indiquer la présence d'une myosite);
– fièvre avec mal de gorge (diminution du nombre de globules blancs dans le sang) :
– prurit, éruptions cutanées (réaction allergique : arrêtez immédiatement le traitement);
– perte des cheveux (alopécie);
– troubles de la vue (examen ophtalmologique);
– augmentation de la fréquence des calculs de la vésicule biliaire en cas de traitement prolongé.

Intoxication : douleurs thoraciques, pouls irrégulier, difficulté à respirer (souffle court), douleurs gastriques avec nausées et vomissements.

[suite de la p. 352]

giques, en particulier conjonctivites et rhinites allergiques, urticaire, rhume des foins; la tritoqualine possède des propriétés sédatives et atropiniques; ne pas utiliser chez l'enfant âgé de moins de 12 ans.
Pour les détails → p. 45.
Note : vendu sans ordonnance; efficacité généralement reconnue dans l'emploi proposé; tenir compte de l'effet sédatif.

HYPOSULFÈNE® (Lab. ACT)

Introd. en 1933. Non remb. SS.
PRINCIPE ACTIF : comprimés et solution injectable contenant du thiosulfate de sodium.
Emploi : proposé dans l'allergie digestive, la constipation et les affections chroniques des voies respiratoires.
Précautions : ne pas employer en cas d'intolérance au gluten.
Note : vendu sans ordonnance; efficacité du principe actif à confirmer dans l'emploi proposé.

I

ICACINE® (Bristol-Myers Squibb)

Introd. en 1981. Liste I. Remb. SS 70%.
PRINCIPE ACTIF : *Dibékacine.*
Préparations : ampoules injectables à 25 mg ou 50 mg.
Emploi : antibiotique du groupe des aminosides ou aminoglycosides utilisé en injections pour traiter des infections graves, souvent en association avec d'autres agents antibactériens; les effets indésirables les plus importants sont les troubles de l'ouïe et de l'équilibre par atteinte de l'oreille interne en cas de surdosage ou d'insuffisance rénale.
Pour les détails → p. 25.
Note : prescrit sur ordonnance médicale.

ICAVEX® (Sarget)

Introd. en 1993. Liste I. Non remb. SS.
PRINCIPE ACTIF : *Moxisylyte.*
Préparations : poudre pour solution injectable en flacons à 10 mg ou 20 mg.
Emploi : vasodilatateur périphérique alpha-bloquant proposé en injection dans les corps caverneux du pénis pour induire l'érection; en cas d'auto-injection, un apprentissage dans un centre spécialisé est recommandé.
Précautions : ne pas employer en cas de pression artérielle systolique inférieure à 100 mm de mercure; ne pas associer des bêta-bloquants ou un autre alpha-bloquant.
Conduite de véhicules : les conducteurs de véhicules et les utilisateurs de machines doivent être informés de la possibilité de somnolence aggravée par l'alcool.
Effets indésirables possibles : érection prolongée (téléphonez au médecin si

elle se prolonge plus de 3 heures), hématome au point d'injection, maux de tête, hypotension orthostatique avec malaise (on conseille de rester allongé pendant 30 minutes après l'injection).

Note : prescrit sur ordonnance médicale.

ICAZ LP® (Sandoz)

Introd. en 1992. Liste I. Remb. SS 70%.

Principe actif : *Isradipine*.

Préparations : gélules à libération prolongée à 2,5 mg ou 5 mg.

Emploi : inhibiteur calcique utilisé pour abaisser la tension artérielle en cas d'hypertension.

Pour les détails → p. 363.

Note : prescrit sur ordonnance médicale.

IDARAC® (Diamant)

Introd. en 1976. Liste II. Remb. SS 70%.

Principe actif : *Floctafénine*.

Préparations : comprimés à 200 mg.

Emploi : médicament utilisé pour soulager les douleurs d'intensité modérée; la floctafénine a une action analgésique périphérique sur les tissus, alors que les analgésiques à action centrale (morphiniques ou narcotiques) agissent sur le système nerveux central. La floctafénine ne possède pas de propriétés antipyrétiques (n'abaisse pas la fièvre) et anti-inflammatoires, c'est à dire qu'elle n'améliore pas la rougeur, la chaleur, la raideur et l'enflure des tissus provoqués par les processus rhumatismaux. La survenue possible de réactions allergiques ou hépatiques graves diminue considérablement le rapport entre bénéfices et risques.

Précautions : ne pas employer en cas d'allergie au produit, de myasthénie, de déficit congénital en G6PD (ce médicament peut provoquer une anémie hémolytique), de grossesse ou allaitement; ne pas employer chez l'enfant de moins de 5 ans.

Conduite de véhicules : les conducteurs de véhicules et les utilisateurs de machines doivent être informés de la possibilité de somnolence diurne à la suite de la prise de ce médicament.

Prise du médicament : ménagez un intervalle minimum de 4 heures entre deux prises; évitez la répétition de prises uniques occasionnelles qui favorisent les réactions de type allergique.

Durée du traitement : doit être limitée à 10 jours.

Autres médicaments : l'association de la floctafénine avec des bêta-bloquants augmente le risque d'effets allergiques graves.

Effets indésirables possibles : fourmillements et sensation de cuisson des extrémités et du visage, bouffées de chaleur, picotements laryngés, sensation de malaise, évanouissement (ces signes peuvent précéder une réaction allergique grave et exigent l'arrêt immédiat du traitement); crise d'asthme; fièvre inexpliquée; prurit, urticaire, bouffissure des lèvres et des paupières, voix rauque, difficulté à respirer et à avaler (œdème de Quincke); jaunisse; l'usage prolongé : peut provoquer des lésions des reins (avec diminution du volume des urines, urémie) et une anémie hémolytique (faiblesse, pâleur).

Note : prescrit sur ordonnance médicale.

IDÉOLAXYL® (Sterling Midy)

Introd. en 1975. Non remb. SS.

Principes actifs : comprimés contenant des extraits d'aloès, de bourdaine, de séné (laxatifs irritants contenant des anthraquinones) et de jusquiame (atropinique).

Emploi : traitement de la constipation.

Précautions : consultez votre médecin si la constipation persiste, en cas de sang dans les selles ou de selles noires, de douleurs abdominales avec diarrhée, d'amaigrissement.

L'usage prolongé risque de provoquer la «maladie des laxatifs» avec lésions de la muqueuse intestinale.

Note : vendu sans ordonnance; à éviter comme tous les laxatifs irritants.

IDROCOL® (Lafon)

Introd. en 1959. Non remb. SS.

Principe actif : ampoules buvables contenant 3 g de poloxamère (laxatif osmotique).

Emploi : proposé dans la constipation.

Précautions : ne pas employer en cas de douleurs abdominales d'origine inconnue, de saignement rectal, de maladies du côlon et chez l'enfant de moins de 5 ans; éviter l'usage prolongé.

Effets indésirables possibles : ballonnements, nausées, prurit anal, diarrhées.

Note : vendu sans ordonnance; ne pas utiliser pendant plus de 5 jours sans avis médical.

IDUVIRAN® (Chauvin)

Introd. en 1963. Liste I. Remb. SS 70%.

PRINCIPE ACTIF : *Idoxuridine.*

SYNONYMES : désoxyuridine, IDU ou IUDR.

Préparations : collyre à 0,12%; gel ophtalmique à 0,24%.

Emploi : antiviral utilisé en collyre pour traiter la kératite herpétique aiguë et la kératite qui accompagne le zona.

Précautions : ne pas utiliser pendant la grossesse; on conseille de limiter la durée du traitement à 3 semaines.

Note : prescrit sur ordonnance médicale.

IKARAN® (P. Fabre)

Introd. en 1977. Liste I. Remb. SS 70%.

PRINCIPE ACTIF : *Dihydroergotamine.*

Préparations : gélules à 5 mg; solution buvable à 3 mg par 30 gouttes.

Emploi : traitement de la crise de migraine.

Pour les détails → Dihydroergotamine.

Note : prescrit sur ordonnance médicale.

ILIADINE® (Merck-Clévenot)

Introd. en 1964. Liste II. Remb. SS 40%.

PRINCIPE ACTIF : *Oxymétazoline.*

Préparations : soluté nasal en flacon nébuliseur à 0,25% et 0,50%.

Emploi : médicament stimulant les fibres sympathiques (alpha-sympathomimétique) et provoquant une diminution de la lumière des vaisseaux sanguins (vasoconstriction locale). L'oxymétazoline est employée en solution nasale pour atténuer temporairement la congestion nasale causée par le rhume banal, le rhume des foins et d'autres affections.

Durée du traitement : l'utilisation pendant plus de 5-6 jours consécutifs est déconseillée en raison du risque d'aggravation de la congestion nasale («rebond»), obstruction chronique du nez par hypertrophie des cornets.

Précautions : ne pas utiliser chez les enfants âgés de moins de 15 ans, en cas d'hypertension artérielle, de glaucome par fermeture de l'angle, d'adénome de la prostate, de fonctionnement excessif de la glande thyroïde (hyperthyroïdie), d'insuffisance hépatique, de grossesse ou d'allaitement, d'association avec les antidépresseurs IMAO.

Effets indésirables possibles (dus à l'absorption de l'oxymétazoline dans l'organisme) : palpitations, accélération ou irrégularité du pouls, maux de tête, étourdissements, nervosité, insomnie, tremblements.

Note : prescrit sur ordonnance médicale.

ILOMÉDINE® (Schering)

Introd. en 1992. Liste I.

PRINCIPE ACTIF : *Iloprost.*

Préparations : solution injectable en ampoules à 0,1 mg dans 1 ml.

Emploi : analogue de la prostacycline utilisé en milieu hospitalier pour traiter les manifestations ischémiques graves de la thromboangéite oblitérante (maladie de Buerger) dans les cas où la revascularisation chirurgicale n'est pas indiquée.

Note : réservé aux hôpitaux.

IMIGRANE® (Glaxo).

Non commercialisé.

PRINCIPE ACTIF : *Sumatriptan.*

Préparations : comprimés à 100 mg; seringue préremplie à 6 mg (injecteur automatique).

Propriétés : analogue de la sérotonine ayant une action inhibitrice sur les récepteurs 5-HT$_1$ du réseau artériel carotidien; il contracte les gros vaisseaux intracrâniens et a un effet vasoconstricteur peu marqué sur les artère coronaires.

Emploi : traitement de la crise de migraine (ne doit pas être utilisé pour la prévention des crises); l'injection sous-cutanée par l'auto-injecteur est plus efficace que les comprimés.

Effets indésirables possibles : picotements, brûlures de la peau, nausées, vomissements, malaises ou douleurs thoraciques après injection.

IMMUGRIP® → Vaccin antigrippal.

IMMUNOGLOBULINES POLYVALENTES
(Standard)

Remb. SS 100%.

SYNONYME : gammaglobulines polyvalentes.

PAR VOIE INTRAMUSCULAIRE :
Polygamma® (CNTS) [plasmatiques].
Gamma 16® (Mérieux) [placentaires].

PAR VOIE INTRAVEINEUSE :
Immunoglobulines humaines polyvalentes pour injection veineuse (Bio-Transfusion) [plasmatiques].
Veinoglobuline® (Mérieux) [placentaires].

Emploi : utilisées pour
– la prévention de l'hépatite à virus A chez les sujets particulièrement susceptibles ou les voyageurs qui se rendent dans des régions à risque (administrer avant l'exposition ou dans les 2 semaines qui suivent); il existe une immunoglobuline antihépatite A plus efficace;
– la prévention de la rougeole (dans les 6 jours qui suivent l'exposition); pour la rubéole, les immunoglobulines spécifiques sont préférables;
– le traitement des déficits immunitaires congénitaux (agamma- et hypogammaglobulinémie) ou acquis (immunodépression ou hémopathies malignes, brûlures étendues, prématurité, etc.);
– le traitement de certaines maladies auto-immunes, maladie de Kawasaki et du purpura thrombopénique idiopathique (PTI) avec hémorragies menaçantes;
– le traitement adjuvant des infections sévères, résistantes au traitement par les antibiotiques.

Précautions : ne pas utiliser ces préparations dans les 15 jours qui suivent l'administration d'un vaccin à virus vivant (risque d'inactivation du vaccin) et ne pas vacciner dans les 3 mois qui suivent l'administration des immunoglobulines.

Note : toutes les immunoglobulines doivent être utilisées sous contrôle médical. Bien que toutes les précautions aient été prises, le risque de transmission de maladies infectieuses par les fractions plasmatiques ne peut pas être entièrement exclu.

IMMUNOGLOBULINES SPÉCIFIQUES

Immunoglobulines anticoqueluche

Introd. en 1977. Remb. SS 100%.

SYNONYME : gammaglobulines anticoqueluche
Gamma COQ (A.N.D.F.P.H.).

PRÉPARATIONS : seringues de 2 ml.

EMPLOI : utilisées pour
– prévenir la coqueluche, notamment en cas de contage chez un nourrisson non vacciné; à administrer le plus tôt possible après le contage;
– atténuer la coqueluche dès le début des quintes (efficacité variable).

DURÉE DE PROTECTION : 3 semaines.

Immunoglobulines anticytomégalovirus (Bio-Transfusion)

Remb. SS 100%.

SYNONYMES : gammaglobulines anti-CMV, anti-CMV-IGG.

PRÉPARATIONS : flacon à 5000 U/50 ml.

EMPLOI : utilisées pour
– prévenir les infections à cytomégalovirus en cas de greffe de moelle, transplantation d'organes, immunodépression et chez le nouveau-né de petit poids;
– traiter les infections déclarées chez les sujets à risque.

Immunoglobulines anti-D (Bio-Transfusion)

Remb. SS 100%.

SYNONYMES : gammaglobulines anti-Rhésus ou anti-Rh.

PRÉPARATIONS : flacon à 100 µg (500 UI) dans 2 ml.

EMPLOI :
– pour prévenir l'iso-immunisation de la mère Rh- après une grossesse Rh+;
– en cas de transfusion accidentelle de globules rouges Rh+ à une femme Rh-.

Immunoglobulines antihépatite A (Bio-Transfusion)

Remb. SS 100%.

SYNONYME : gammaglobulines antihépatite A.

PRÉPARATIONS : seringues de 2 ml et 5 ml.

EMPLOI : utilisées pour prévenir l'hépatite A dans les collectivités chez les sujets fragiles (hôpitaux, crèches) et chez les voyageurs non immunisés se rendant dans des zones endémiques.

DURÉE DE PROTECTION : 2 mois.

Immunoglobulines antihépatite B
(Bio-Transfusion)

Remb. SS 100%.

SYNONYME : gammaglobulines anti-hépatite B ou anti HBs.

PRÉPARATIONS : seringues pour injection intramusculaire de 1 ml et 5 ml à 100 UI/ml; préparation injectable par voie intraveineuse en flacons de 10 ml et 100 ml à 50 UI/ml.

EMPLOI :

En injection intramusculaire :
– En cas de contamination accidentelle par du sang ou des produits sanguins HBs positif (piqûre, blessure).
– Prévention systématique chez le nouveau-né de mère HBs positif.
– Protection des sujets non vaccinés; si le risque de contage persiste (unités d'hémodialyse), l'injection est répétée tous les 2 mois.
– Contact sexuel avec un sujet atteint d'hépatite B.

En injection intraveineuse :
– En cas de contamination accidentelle, dans les 24 heures après l'accident.

Immunoglobulines antioreillons
(Bio-Transfusion)

Remb. SS 100%.

SYNONYMES : gammaglobulines anti-oreillons ou antiourliennes.

PRÉPARATIONS : seringue de 5 ml et 10 ml.

EMPLOI : utilisées pour
– prévenir les oreillons chez l'adolescent ou l'adulte, notamment chez la femme enceinte n'ayant pas d'antécédents d'oreillons;
– prévenir les complications méningées, ovariennes ou testiculaires.

Immunoglobulines antirabiques
(Bio-Transfusion)

Remb. SS 100%.

SYNONYME : gammaglobulines anti-rabiques.

PRÉPARATIONS : seringues de 500 UI et 1000 UI.

EMPLOI : utilisées pour prévenir la rage en cas de contact ou suspicion de contact avec un animal enragé; le traitement préventif ne dispense pas d'une vaccination dans un centre antirabique.

Immunoglobulines antirubéole
(Bio-Transfusion)

Remb. SS 100%.

SYNONYME : gammaglobulines anti-rubéole.

PRÉPARATIONS : seringues de 5 et 10 ml.

EMPLOI : utilisées pour le
– traitement préventif de la rubéole et de ses conséquences sur l'embryon chez la femme enceinte (1er trimestre) non-immunisée (à pratiquer dans les 6 jours suivant le contage);
– traitement curatif d'une rubéole déclarée à partir du 2e ou 3e trimestre.

Immunoglobulines antitétaniques

Remb. SS 100%.

SYNONYME : gammaglobulines anti-tétaniques.
Gamma-Tétanos (A.N.D.F.P.H.).

PRÉPARATIONS : seringue de 2 ml (250 UI) et 4 ml (500 UI).

EMPLOI : utilisées pour
– la prévention du tétanos chez le sujet non ou mal vacciné, en association avec le vaccin tétanique;
– le traitement curatif du tétanos dans un centre spécialisé.

DURÉE DE PROTECTION : 3 semaines.

Immunoglobulines antivaricelle-zona
(Bio-Transfusion)

SYNONYME : gammaglobulines anti-varicelle-zona.

PRÉPARATIONS : seringues de 2 ml, 5 ml et 10 ml.

EMPLOI : utilisées pour
– la prévention de la varicelle chez des sujets immunodéprimés, femmes enceintes non immunisées et les nouveau-nés exposés;
– le traitement curatif de la varicelle sévère ou compliquée, chez des sujets immunodéprimés ou sous corticoïdes, chez les femmes enceintes et les nouveau-nés;
– traiter les complications du zona.

Immunoglobulines IgGAM
(Bio-Transfusion)

Remb. SS 100%.

PRÉPARATIONS : lyophilisat d'IgG, IgA et IgM + 10 ml d'eau (solut. à 66 g/l).

EMPLOI : déficits immunitaires congénitaux (agammaglobulinémie) ou acquis (hémopathies lymphoïdes malignes en cas d'infection grave) et dans les septicémies sévères.

Note : *toutes les immunoglobulines doivent être utilisées sous contrôle médical. Bien que toutes les précautions aient été prises, le risque de transmission de maladies infectieuses par les fractions plasmatiques ne peut pas être entièrement exclu.*

IMOCUR® (Fournier)

Introd. en 1989. Remb. SS 40%.

PRINCIPES ACTIFS : gélules contenant des fractions d'origine bactérienne.

Emploi : proposé pour prévenir les infections respiratoires récidivantes (efficacité à confirmer).

Précautions : ne pas utiliser chez les enfants âgés de moins d'un an.

Note : vendu sans ordonnance; à éviter en automédication.

IMODIUM® (Janssen)

Introd. en 1976. Liste II. Remb. SS 40%.

PRINCIPE ACTIF : **Lopéramide**.

Préparations : gélules à 2 mg; solution buvable à 0,2 mg/ml.

Emploi : antidiarrhéique opiacé qui diminue les mouvements de l'intestin par action directe sur la musculature intestinale et réduit l'excrétion de l'eau et des sels (électrolytes) dans l'intestin; il est utilisé pour ralentir le transit intestinal dans la diarrhée aiguë (sans selles sanglantes ou purulentes); ce médicament ne doit pas être employé dans les diarrhées infectieuses ou causées par des antibiotiques ou des substances toxiques, car il peut empêcher l'élimination de substances nuisibles; son utilisation est dangereuse en cas de rectocolite hémorragique (risque de dilatation du côlon ou mégacôlon); enfin, son emploi chez l'enfant demande une surveillance particulière (recourir avant tout à la réhydratation orale).

Durée d'action : 6-18 heures.

Grossesse et allaitement : l'innocuité de ce médicament n'ayant pas été établie chez la femme enceinte, ni lors de l'allaitement, son usage est déconseillé par mesure de prudence.

Enfants : le jeune enfant est très sensible à l'effet déprimant la respiration; ce médicament ne doit pas être utilisé chez l'enfant âgé de moins de 2 ans et en cas de syndrome de Down.

Sujets âgés : utilisation prudente à cause du risque de dépression de la respiration.

Interactions : il faut informer votre médecin si vous prenez ou avez pris récemment d'autres médicaments, notamment antibiotiques (risque accru de colite pseudomembraneuse).

Boissons : compensez les pertes de liquides dues à la diarrhée aiguë par des boissons abondantes et éventuellement des solutions pour réhydratation orale.

Alcool : évitez les boissons alcoolisées (risque d'aggravation de la diarrhée).

Durée du traitement : si aucune amélioration ne se manifeste au bout de 48 heures ou si des glaires et du sang apparaissent dans les selles, consultez votre médecin; des examens de laboratoire peuvent être nécessaires pour préciser la cause de la diarrhée; l'utilisation prolongée ou régulière de ce médicament est déconseillée.

Effets indésirables possibles :

– somnolence, vertiges, sécheresse de la bouche, flatulences;

– constipation opiniâtre, douleurs ou crampes abdominales, distension abdominale, nausées, vomissements, éruption cutanée (réaction allergique : arrêtez immédiatement le traitement).

Intoxication : somnolence, contraction des pupilles (myosis), constipation, vomissements, dépression respiratoire, particulièrement sévère chez l'enfant; surveillance médicale de 48 heures afin de détecter à temps les signes éventuels d'une aggravation.

Note : prescrit sur ordonnance médicale.

IMOSSEL® (Janssen)

Introd. en 1992. Non remb. SS.

PRINCIPE ACTIF : **Lopéramide**.

Préparations : gélules à 2 mg.

Emploi : antidiarrhéique opiacé proposé en automédication dans la diarrhée aiguë chez l'adulte *pour un ou deux jours* de traitement (maximum 6 gélules par jour).

Pour les détails → Imodium®.

Note : vendu sans ordonnance; ne pas utiliser pendant plus de 48 heures sans avis médical.

IMOVANE® (Théraplix)

Introd. en 1987. Liste I. Remb. SS 70%. La durée de prescription ne peut dépasser 4 semaines.

PRINCIPE ACTIF : **Zopiclone**.

Préparations : comprimés à 7,5 mg.

Emploi : somnifère appartenant au groupe des cyclopyrrolones, ayant des effets analogues à ceux de benzodiazépines, proposé par voie buccale *pour une brève période* dans les

insomnies occasionnelles ou transitoires (tous les troubles du sommeil ne nécessitent pas un traitement médicamenteux); il ne doit pas être utilisé pour traiter l'insomnie chronique, sauf avis contraire du spécialiste.
Pour les détails → p. 94.
Note : prescrit sur ordonnance médicale.

IMOVAX OREILLONS® → Vaccin antiourlien.

IMPORTAL® (Zyma)

Introd. en 1990. Remb. SS 40%.
PRINCIPE ACTIF : ***Lactitol***.
Préparations : sachets à 10 g.
Emploi : laxatif osmotique utilisé pour traiter la constipation.
Précautions : ne pas employer en cas de douleurs abdominales, de saignement rectal, d'intolérance au galactose et de grossesse; évitez l'administration prolongée.
Effets indésirables possibles : ballonnements, nausées, prurit anal.
Note : vendu sans ordonnance; ne pas utiliser pendant plus de 5 jours sans avis médical.

IMUDON® (Sarbach)

Introd. en 1974. Remb. SS 40%.
PRINCIPES ACTIFS : comprimés contenant un lysat d'antigènes bactériens correspondant aux germes impliqués le plus souvent dans les infections de la bouche.
Emploi : proposé pour prévenir et traiter les lésions infectieuses de la cavité buccale (gingivites, aphtes).
Note : vendu sans ordonnance; efficacité des principes actifs à confirmer dans l'emploi proposé.

IMUREL® (Wellcome)

Introd. en 1968. Liste I. Remb. SS 100%.
PRINCIPE ACTIF : ***Azathioprine***.
Préparations : comprimés à 50 mg.
Emploi : l'azathioprine est un antimétabolite antagoniste des purines appartenant au groupe des immunodépresseurs qui inhibent les cellules sanguines et tissulaires chargées de la défense de l'organisme; elle est utilisé pour prévenir le rejet d'organes transplantés et pour traiter les maladies dites «auto-immunes», notamment le lupus érythémateux disséminé et la polyarthrite rhumatoïde sévère.
Allergie : informez votre médecin si vous avez déjà fait une réaction allergique ou inhabituelle à ce médicament ou à la mercaptopurine.
Etat de santé : vous devez informer votre médecin de toute affection susceptible de modifier les effets du médicament, notamment :
– une maladie infectieuse, varicelle ou zona récent (risque d'extension);
– maladies du foie ou des reins (l'élimination peut être diminuée en cas d'insuffisance rénale ou hépatique);
– goutte, calculs du rein (le médicament augmente le taux sanguin de l'acide urique et peut aggraver ces affections).
Grossesse : ne doit pas être utilisé chez la femme enceinte et chez les femmes en âge de procréer sans contraception locale efficace; en effet, il a causé des malformations du fœtus au cours de l'expérimentation animale.
Allaitement : utilisation déconseillée.
Interactions : il faut informer votre médecin si vous prenez ou avez pris récemment d'autres médicaments, notamment allopurinol, phénytoïne, phénobarbital, rifampicine (augmentent le risque d'effets toxiques et nécessitent une réduction des doses d'azathioprine) et autres immunodépresseurs.
Prescription : ne dépassez pas la dose prescrite par votre médecin; des doses trop élevées ou des prises trop fréquentes augmentent le risque d'effets indésirables.
Prise du médicament : afin d'éviter l'intolérance digestive, on conseille de prendre le médicament au cours des repas avec un peu de liquide.
Oubli : si vous oubliez de prendre le médicament et si vous le remarquez dans les 2 heures qui suivent, prenez immédiatement la dose oubliée; ne doublez pas la dose suivante; si vous oubliez le médicament plus de deux jours, prenez contact avec votre médecin.
Surveillance : ce médicament peut diminuer le nombre des globules blancs dans le sang (risque accru d'infection) et des plaquettes qui sont nécessaires pour la coagulation du sang en cas de blessure (risque d'hémorragies); cer-

taines précautions peuvent être nécessaires :
- la formule sanguine doit être contrôlée régulièrement;
- pour réduire les risques d'infections, éviter les contacts avec des personnes ayant des infections; contactez votre médecin en cas de fièvre, frissons, mal de gorge, toux;
- pour réduire le risque d'hémorragies, évitez toute blessure même minime (rasoir, cure-dents); contactez votre médecin en cas de saignement du nez, de présence de sang dans les urines ou les selles, petites taches rouges sur la peau.

Autres médicaments : l'administration concomitante d'autres médicaments, notamment l'allopurinol, peut demander une réduction des doses.

Vaccination : pendant le traitement, ou dans les jours qui suivent l'arrêt du traitement, vous devez éviter toute vaccination sans avis médical; il faut aussi éviter les contacts avec des personnes qui ont pris un vaccin oral contre la poliomyélite.

Arrêt du traitement : ne jamais arrêter le traitement sans consulter votre médecin.

Effets indésirables possibles :
- malaise, vertiges, nausées, vomissements, raideur et douleurs musculaires;
- malaises, étourdissements, baisse de la tension artérielle (hypotension);
- saignement au moindre traumatisme, présence de sang dans les urines ou les selles, coloration noire des selles, apparition de petites taches rouges sur la peau (diminution du nombre des plaquettes dans le sang);
- fièvre, frissons, maux de gorge, ulcérations buccales (diminution des globules blancs dans le sang);
- éruption cutanée (réaction allergique: arrêtez le traitement);
- coloration jaune des yeux et de la peau, jaunisse;
- lumbago, douleurs articulaires;
- difficulté à uriner;
- le traitement poursuivi longtemps chez les transplantés peut provoquer une chute des cheveux (alopécie), peut prédisposer aux infections et peut augmenter le risque de tumeurs malignes lymphatiques cutanées (éviter l'exposition au soleil).

Note : prescrit sur ordonnance médicale.

INADROX® (Logeais)

Introd. en 1968. Non remb. SS.
PRINCIPES ACTIFS : poudre pour solution injectable contenant de l'hydroxocobalamine (vitamine B12), thiamine (vitamine B1) et iodure de sodium.
Emploi : proposé dans le traitement des carences en vitamines B1 et B12; en dehors de ces carences, l'emploi de ce médicament n'est pas justifié pour traiter certains syndromes douloureux, en particulier polynévrites.
Note : vendu sans ordonnance; le traitement doit être conduit sous surveillance médicale.

INCITAL® (P. Fabre)

Introd. en 1970. Liste I. Non remb. SS.
PRINCIPE ACTIF : *Méfénorex.*
Préparations : comprimés à 40 mg.
Emploi : excitant du système nerveux central analogue de l'amphétamine utilisé pour diminuer l'appétit dans le traitement à court terme de l'obésité («coupe-faim»); associé à l'exercice physique et à un régime pauvre en hydrate de carbones, graisses et calories, ce médicament peut aider certains patients, mais l'action s'estompe au bout de quelques semaines et s'accompagne d'effets indésirables, notamment de l'apparition d'une dépendance. L'emploi de ce médicament devrait se limiter à des situations particulières où une perte pondérale rapide est souhaitée et ne devrait pas dépasser 6 semaines.
Pour les détails → p. 33.
Note : prescrit sur ordonnance médicale.

INDOCID® et CHRONO-INDOCID® (M., S. & D.-Chibret)

Introd. en 1967. Liste I. Remb. SS 70%.
PRINCIPE ACTIF : *Indométacine.*
Préparations : gélules à 25 mg; suppositoires à 50 mg ou 100 mg; poudre pour solution injectable en flacons à 50 mg; gélules à libération prolongée à 75 mg (*Chrono-Indocid 75®*).
Emploi : anti-inflammatoire non stéroïdien, du groupe des indoles, efficace mais relativement toxique, dont l'utilisation est déconseillée en cas d'affections rhumatismales ou post-traumatiques spontanément régressives ou peu invalidantes.

Les anti-inflammatoires non stéroïdiens sont utilisés dans les inflammations douloureuses des articulations, des capsules articulaires, des muscles ou des tendons et dans d'autres affections déterminées par votre médecin; dans la polyarthrite rhumatoïde, la spondylarthrite ankylosante (maladie de Bechterew) et l'arthrose, l'indométacine atténue la douleur, la tuméfaction et la raideur des articulations, mais ne guérit pas la maladie; l'indométacine est aussi utilisée dans la crise de goutte aiguë.
En injections, l'indométacine est utilisée dans les sciatiques et lombalgies aiguës (sous surveillance médicale).

Pour les détails → p. 50.

Note : prescrit sur ordonnance médicale.

INDOCID® collyre
(M., S. & D.-Chibret)

Introd. en 1986. Liste I. Remb. SS 70%.

PRINCIPES ACTIFS : collyre contenant de l'indométacine en suspension (1%) et du chlorure de benzalkonium.

Emploi : proposé pour prévenir l'inflammation liée aux interventions chirurgicales de la cataracte et du segment antérieur de l'œil.

Conservation : à utiliser dans les 15 jours après l'ouverture du flacon.

Note : prescrit sur ordonnance médicale.

INDOCOLLYRE® (Chauvin)

Introd. en 1987. Liste I. Remb. SS 70%.

PRINCIPE ACTIF : collyre contenant un lyophilisat d'indométacine (0,1%).

Emploi : proposé pour prévenir l'inflammation liée aux interventions chirurgicales de la cataracte et du segment antérieur de l'œil.

Note : prescrit sur ordonnance médicale.

INDUCTOR® (Pharmagyne)

Introd. en 1969. Liste I. Remb. SS 100%.

PRINCIPE ACTIF : **Gonadotrophine ménopausique humaine** (HMG).

SYNONYMES : ménotrophine, urogonadotropine.

Préparations : ampoules injectables à 75 UI de FSH + 75 UI de LH.

La gonadotrophine ménopausique humaine extraite de l'urine de femmes ménopausées contient de la folliculostimuline (FSH) et de la lutéinostimuline (LH) en proportions presque égales; cependant, la demi-vie biologique sensiblement plus longue de la FSH par rapport à celle de la LH, confère à la préparation une activité folliculostimulante prédominante.

Emploi : médicament utilisé, en injection intramusculaire, en association avec la gonadotrophine chorionique (HCG) :
– chez la femme, pour traiter certaines formes de stérilité dues à une absence d'ovulation; ce traitement entraîne une grossesse multiple dans 30% des cas environ;
– chez l'homme, pour stimuler la formation du sperme en cas de carence en hormones mâles, sans lésion du testicule ou des voies excrétrices.

Pour les détails → Gonadotrophine ménopausique.

Note : prescrit sur ordonnance médicale.

INDUSIL T® (Diamant)

Introd. en 1971. Liste II. Remb. SS 40%.

PRINCIPE ACTIF : **Cobamamide**.

SYNONYMES : dibencozide, coenzyme B12

Préparations : gélules à 3 mg; poudre orale à 2 mg par cuillerée-mesure; poudre pour solution injectable en flacons à 10 mg.

Emploi : coenzyme de la vitamine B12 proposé pour activer la croissance et favoriser la nutrition tissulaire; l'efficacité n'a pas été confirmée en dehors des carences en vitamine B12.

Note : prescrit sur ordonnance médicale.

INFIBRAN® (Phygiène)

Introd. en 1983. Non remb. SS.

PRINCIPES ACTIFS : comprimés et granulé contenant du son de blé.

Emploi : laxatif de lest utilisé dans la constipation; toujours boire de l'eau avec chaque prise.

Note : vendu sans ordonnance; le traitement médicamenteux de la constipation n'est qu'un adjuvant au traitement hygiéno-diététique qui comporte :
– *alimentation riche en fibres végétales (légumes, fruits, pain complet), boissons abondantes;*
– *activité physique (sport) et rééducation de l'exonération.*

Si vous utilisez l'une des spécialités suivantes...

SPÉCIALITÉS CONTENANT UN INHIBITEUR CALCIQUE :

Adalate® (Bayer Pharma).
Arpamyl® (Jouveinal).
Baypress® (Bayer Pharma).
Bi-Tildiem® (Synthélabo).
Caldine® (Boehringer Ingelheim).
Cordium® (Riom).
Deltazen LP® (Upjohn).
Diacor LP® (Houdé).
Dilrène LP® (Clin Midy).
Flodil® (Astra).
Icaz® (Sandoz).

Isoptine® (Knoll).
Loxen® (Sandoz).
Nidrel® (Specia).
Nifélate® (Biogalénique).
Nimotop® (Bayer Pharma).
Novapamyl LP® (Lederle).
Pexid® (Marion Merrell Dow).
Tildiem® (Synthélabo).

ASSOCIÉS À UN BÊTA-BLOQUANT
Bêta-Adalate® (Bayer Pharma).
Tenordate® (Zeneca-Pharma).

Propriétés et emploi : ces médicaments sont des *inhibiteurs calciques* (antagonistes calciques ou anticalciques) qui bloquent la pénétration du calcium à l'intérieur des cellules du cœur et des petites artères; la dilatation des vaisseaux qui en résulte entraîne une meilleure oxygénation du cœur dont le travail est allégé. Ils sont utilisés pour prévenir les crises d'angine de poitrine, pour abaisser la tension artérielle en cas d'hypertension et pour régulariser le pouls dans certains troubles du rythme.

Etat de santé : vous devez informer votre médecin de toute affection susceptible de modifier les effets du médicament, notamment maladie du cœur ou des vaisseaux, pouls irrégulier ou très lent (bloc auriculoventriculaire), maladies du foie ou des reins (il peut être nécessaire de diminuer les doses en cas d'insuffisance hépatique ou rénale).

Grossesse : ces médicaments ne doivent pas être utilisés pendant la grossesse; en effet, certains inhibiteurs calciques ont causé des malformations du fœtus au cours de l'expérimentation animale.

Allaitement : l'utilisation de ces médicaments est déconseillée.

Enfants : ces médicaments sont déconseillés avant l'âge de 14 ans.

Interactions : il faut informer votre médecin si vous prenez ou avez pris récemment d'autres médicaments, notamment :
– quinidine, sotalol, amiodarone (risque de troubles du rythme graves);
– bêta-bloquants (risque accru d'effets indésirables);
– digoxine (risque accru de ralentissement du rythme cardiaque);

– dérivés nitrés (majoration de l'effet hypotenseur);
– ciclosporine (augmentation de la toxicité de la ciclosporine);
– carbamazépine, phénytoïne, théophylline, antidépresseurs IMAO, disopyramide, carbamazépine, méfloquine.

Prescription : ne dépassez pas la dose prescrite; des doses trop élevées ou des prises trop fréquentes augmentent le risque d'effets indésirables.

Prise du médicament : les comprimés doivent être avalés sans les croquer avec un peu de liquide en dehors des repas, sauf avis contraire de votre médecin.

Oubli : si vous oubliez de prendre le médicament et si vous le remarquez dans les 2 heures qui suivent, prenez immédiatement la dose oubliée; ne doublez pas la dose suivante.

En cas d'hypertension artérielle : votre médecin vous a probablement recommandé de suivre un régime pauvre en sel; ces restrictions alimentaires sont essentielles pour abaisser la tension artérielle; il faut savoir que le traitement par les inhibiteurs calciques ne guérit pas l'hypertension artérielle, mais atténue ses conséquences en maintenant une tension artérielle à un niveau acceptable; par conséquent, le contrôle régulier de la tension artérielle, que vous pouvez effectuer vous-même, est indispensable; l'arrêt brusque du traitement peut entraîner une élévation importante de la tension artérielle.

En cas d'angine de poitrine : le traitement peut atténuer ou supprimer la douleur à l'effort, ce qui peut vous induire à faire des efforts inhabituels d'où le danger de conséquences défavorables; *n'arrêtez jamais le traitement brusquement* sans consulter votre médecin qui vous indiquera comment réduire les doses.

Surveillance : consultez votre médecin à intervalles réguliers pour évaluer les effets du traitement et surveiller l'électrocardiogramme ainsi que le taux du potassium dans le sang (kaliémie) dont la diminution favorise les troubles du rythme cardiaque.

Conduite de véhicules : chez certains sujets, les inhibiteurs calciques provoquent une somnolence diurne ou diminuent les réflexes; la conduite de véhicules ou l'utilisation de machines peut être dangereuse dans ce cas; l'association avec l'alcool ou les tranquillisants est particulièrement dangereuse car vos réactions peuvent devenir lentes, maladroites et imprécises.

Effets indésirables possibles : maux de tête, bouffées de chaleur, rougeur du visage; brûlures gastriques, constipation; irritabilité, fatigue, vertiges, malaises; étourdissements lors du passage de la position couchée à la position debout (tension trop basse ou hypotension orthostatique); chevilles enflées, œdèmes; saignement des gencives enflées (gingivite); prurit, éruptions cutanées (réaction allergique : arrêtez immédiatement le traitement); pouls accéléré, ralenti ou irrégulier; troubles de la vue; fourmillements dans les bras et les jambes; douleurs thoraciques apparaissant 15-30 minutes après la prise du médicament; hypertrophie des glandes mammaires chez l'homme (gynécomastie); jaunisse.

Intoxication : baisse de la tension artérielle, collapsus, pouls très lent (bradycardie); hospitalisation d'urgence dans les cas graves.

Si vous utilisez l'une des spécialités suivantes...

SPÉCIALITÉS CONTENANT UN INHIBITEUR DE L'ENZYME DE CONVERSION :

Acuitel® (Parke-Davis).
Briem® (P. Fabre).
Captolane® (Théraplix).
Cibacène® (Ciba-Geigy).
Coversyl® (Servier).
Gopten® (Knoll).
Justor® (Lederle).
Korec® (Millot-Solac).
Lopril® (Bristol-Myers Squibb).
Odrik® (Roussel).

Prinivil® (Du Pont).
Renitec® (M., S. & D.-Chibret)
Triatec® (Hoechst).
Zestril® (Zeneca-Pharma).
ASSOCIÉS À UN DIURÉTIQUE
Captea® (Théraplix).
Co-Renitec® (M., S. & D.-Chibret).
Ecazide® (Bristol-Myers Squibb).
Prinzide® (Du Pont).
Zestoretic® (Zeneca-Pharma).

Emploi : ces médicaments sont des *inhibiteurs de l'enzyme de conversion*; cet enzyme est une substance propre de l'organisme qui favorise la constriction des vaisseaux et l'augmentation de la pression artérielle; en inhibant cet enzyme, ces médicaments dilatent les vaisseaux, abaissent la tension artérielle et améliorent la fonction cardiaque.
Ils sont utilisés dans le traitement de l'hypertension artérielle, éventuellement en association avec un diurétique, ainsi que dans le traitement de l'insuffisance cardiaque (faiblesse du cœur), rebelle aux digitaliques et aux diurétiques.

Allergie : informez votre médecin si vous avez déjà fait une réaction allergique ou inhabituelle à un inhibiteur de l'enzyme de conversion.

Etat de santé : vous devez informer votre médecin de toute affection susceptible de modifier les effets du médicament, notamment maladie rénale hypertension rénovasculaire, diabète sucré, maladies du foie ou des coronaires.

Régime : informez votre médecin si vous suivez un régime pauvre en sel; en effet, l'effet hypotenseur est potentialisé par la diminution du sodium.

Grossesse : ces médicaments ne doivent pas être utilisés chez la femme enceinte ou susceptible de l'être; en effet, certains produits ont causé des malformations du fœtus au cours de l'expérimentation animale.

Allaitement : l'utilisation de ces médicaments est déconseillée.

Enfants : ces médicaments ne sont pas utilisés chez l'enfant.

Sujets âgés : il peut être nécessaire de réduire les doses de moitié.

Interactions : il faut informer votre médecin si vous prenez ou avez pris récemment d'autres médicaments, notamment :

– diurétiques thiazidiques (l'effet hypotenseur est potentialisé par les pertes de sodium provoquées par ces diurétiques);

– diurétiques épargnant le potassium, médicaments contenant du potassium, sels de remplacement (l'augmentation du potassium dans le sang favorise les arythmies cardiaques; l'association est déconseillée);

– bêta-bloquants et neuroleptiques (majoration de l'effet hypotenseur);

– anti-inflammatoires non stéroïdiens, corticoïdes (diminution de l'effet hypotenseur);

– insuline, antidiabétiques oraux (majoration de l'effet hypoglycémiant de ces médicaments);

– sels de lithium (majoration de la lithiémie).

Prise du médicament : on conseille de prendre le médicament une heure avant les repas.

Au début du traitement : il peut se produire une baisse importante de la tension artérielle qui peut s'accompagner de vertiges et d'évanouissement, surtout en cas de diminution du sodium provoquée par les diurétiques.

Oubli : si vous oubliez de prendre le médicament et si vous le remarquez dans les 2 heures qui suivent, prenez immédiatement la dose oubliée; ne doublez pas la dose suivante.

Régime : dans le traitement de l'hypertension artérielle, il faut avant tout suivre un régime pauvre en sodium, en évitant des aliments riches en sodium tels que poissons conservés en boîte, en saumure ou séchés, fruits de mer, fruits séchés et oléagineux, lait et laitages, légumes surgelés, soupes en sachets, etc.; il faut cependant éviter un régime trop strict, car une diminution excessive du sodium peut exagérer les effets du médicament.

Alcool : à éviter pendant le traitement.

Conduite de véhicules : ces médicaments peuvent provoquer des vertiges ou des étourdissements, surtout si vous avez pris des diurétiques : la conduite de véhicules ou l'utilisation de machines peut être dangereuse.

Surveillance : consultez votre médecin à intervalles réguliers pour évaluer les effets du traitement et éventuellement rechercher les protéines dans l'urine.

Chirurgie : avant une intervention dentaire ou chirurgicale ou en cas d'hospitalisation d'urgence, informez le médecin que vous prenez un inhibiteur de l'enzyme de conversion.

En cas de diabète : on conseille de renforcer l'autosurveillance glycémique.

Arrêt du traitement : n'arrêtez pas le traitement sans consulter votre médecin.

Effets indésirables possibles :

– toux sèche, maux de tête, nausées, vomissements, diarrhée;

– vertiges et évanouissements (hypotension orthostatique);

– perte ou altération du goût;

– étourdissements, confusion, pouls irrégulier, faiblesse musculaire (signes d'un excès de potassium dans le sang ou hyperkaliémie);

– visage enflé, bouffissure des lèvres et des paupières, voix rauque, difficulté à respirer ou à avaler (œdème de Quincke); éruption cutanée souvent accompagnée de fièvre (réaction allergique : arrêtez immédiatement le traitement);

– sensibilisation de la peau aux rayons solaires (photosensibilisation);

– fièvre, frissons, mal de gorge (diminution du nombre des globules blancs dans le sang);

– saignement au moindre traumatisme, présence de sang dans les urines ou les selles, coloration noire des selles, apparition de petites taches rouges sur la peau (diminution du nombre des plaquettes dans le sang).

INFLUDO® (Weleda)

Introd. en 1949. Non remb. SS.
Préparation homéopathique proposée dans la grippe.

INFUSEX® (Arkopharma)

Non remb. SS.
Gamme de tisanes contenant des plantes médicinales.

INHALANTYL® (Janssen)

PRINCIPES ACTIFS : comprimés inhalateurs contenant des essences de bergamote, orange, citron, thym et baume du Pérou.
Emploi : proposé en inhalations dans les états grippaux.

INIPROL® (Choay)

Introd. en 1960. Remb. SS 100%.
PRINCIPE ACTIF : **Aprotinine**.
Préparations : ampoules à 12,5 Unités Ph Eur.
Propriétés : polypeptide basique extrait du poumon de bœuf ayant une action inhibitrice de certaines enzymes protéolytiques.
Emploi : antifibrinolytique utilisé en injections intraveineuses lentes pour arrêter des hémorragies par fibrinolyse qui peuvent survenir lors d'intervention chirurgicales ou dentaires ou dans d'autres conditions déterminées par votre médecin.
Effets indésirables possibles : nausées, vomissements, diarrhées, éruptions cutanées surtout lors de traitements réitérées.
Note : réservé aux hôpitaux.

INOCOR® (Sterling Winthrop)

Introd. en 1986. Liste I.
PRINCIPE ACTIF : **Amrinone**.
Préparations (lactate): ampoules injectables à 100 mg dans 20 ml.
Emploi : cardiotonique et vasodilatateur utilisé dans le traitement à court terme de l'insuffisance cardiaque aiguë, congestive et résistante au traitement conventionnel, chez des patients hospitalisés dans une unité de soins intensifs.
Note : réservé aux hôpitaux.

INOFER® (Inogyne)

Introd. en 1992. Non remb. SS.
PRINCIPE ACTIF : comprimés à 100 mg de succinate ferreux [33 mg de fer].
Emploi : anémie ferriprive.
Pour les détails → p. 279.
Note : vendu sans ordonnance; à éviter en automédication à cause du risque de masquer un saignement digestif.

INOLAXINE® (Debat)

Introd. en 1934. Non remb. SS.
PRINCIPE ACTIF : **Gomme de sterculia**.
Préparations : granulé.
Emploi : laxatif mécanique qui agit en augmentant le volume des selles.
Précautions : ne pas employer en cas de maladies inflammatoires de l'intestin ou de douleurs abdominales de cause inconnue; éviter une utilisation prolongée; consultez votre médecin si la constipation persiste ou en cas de selles noires ou de présence de sang dans les selles.
Note : vendu sans ordonnance; le traitement médicamenteux de la constipation n'est qu'un adjuvant au traitement hygiéno-diététique que comporte :
– alimentation riche en fibres végétales (légumes, fruits, pain complet), boissons abondantes;
– activité physique et présentation quotidienne à la selle, à la même heure.

INONGAN® (Fumouze)

Introd. en 1959. Remb. SS 40%.
PRINCIPES ACTIFS : pommade contenant acide salicylique, menthol, eucalyptus, salicylate de méthyle, camphre, acétate d'isobornyle.
Emploi : proposé dans le traitement local des douleurs et contusions.
Précautions : ne pas employer en cas d'allergie à l'aspirine et chez l'enfant âgé de moins de 7 ans.
Note : vendu sans ordonnance; consultez votre médecin si les douleurs persistent.

INOTYOL® (Debat)

Introd. en 1924. Non remb. SS.
PRINCIPES ACTIFS :
– pommade: oxyde de zinc et de titane, ichthyolammonium, hamamélis, benjoin;
– poudre pour application locale: oxyde de zinc, ichthyolammonium.

Emploi : proposé dans les crevasses, gerçures, engelures, plaies et brûlures superficielles.
Effets indésirables possibles : eczéma.
Note : vendu sans ordonnance ; consultez votre médecin si les lésions persistent.

INSADOL® (Syntex)

Introd. en 1961. Remb. SS 40%.
PRINCIPES ACTIFS : solution buvable et comprimés contenant des insaponifiables de *Zea mays*.
Emploi : proposé dans les parodontopathies.
Note : vendu sans ordonnance ; efficacité des principes actifs à confirmer dans l'emploi proposé.

INSIDON® (Ciba-Geigy)

Introd. en 1962. Liste II. Remb. SS 70%.
PRINCIPE ACTIF : *Opipramol*.
Préparations : comprimés à 50 mg.
Emploi : antidépresseur du groupe des tricycliques, ayant une action atropinique et une action sédative modérée, utilisé dans la dépression de l'adulte.
Pour les détails → p. 40.
Note : prescrit sur ordonnance médicale.

INSULATARD® → Insuline.

INSULINE.

Remb. SS 70%.

Insulines d'action brève (ordinaires ou cristallines)

A 40 UI/ml pour injection sous-cutanée, intramusculaire ou intraveineuse.
DÉLAI D'ACTION : 15-30 minutes.
DURÉE D'ACTION : 5-8 heures.
EFFET MAXIMUM : 1-3 heures.
Actrapid HM 40® (Novo) [humaine].
Endopancrine 40® (Organon) [porcine].
Insuline Choay® [bovine].
Insuman® (Hoechst) [humaine].
Orgasuline® (Organon) [humaine].
Umuline Rapide® (Lilly [humaine].
Vélosuline Nordisk® [porcine].
Vélosuline Humaine Nordisk®.

Insulines d'action intermédiaire

A 40 UI/ml pour injection sous-cutanée uniquement.
DÉLAI D'ACTION : 30-90 minutes.
DURÉE D'ACTION : 16-24 heures.
EFFET MAXIMUM : 4-12 heures.
Actraphane HM® (Novo) [humaine].
Insulatard® (Nordisk) [porcine].
Insulatard Humaine® (Nordisk).
Insuline NPH HP (Organon) [porcine].
Insuman® (Hoechst) [humaine].
Mixtard® (Nordisk) [porcine].
Mixtard Humaine® (Nordisk).
Mixtard Humaine® (Nordisk) [porcine].
Monotard HM® (Novo) [humaine].
Orgasuline NPH® (Organon) [humaine].
Rapitard MC® (Novo [porcine + bovine].
Semilente MC® (Novo) [porcine].
Semi-Tardum HP® (Organon) [porcine].
Umuline Profil® (Lilly) [humaine].

Insulines d'action prolongée

A 40 UI/ml pour injection sous-cutanée uniquement.
DÉLAI D'ACTION : 60-240 minutes.
DURÉE D'ACTION : 24-36 heures.
EFFET MAXIMUM : 6-24 heures.
Endopancrine Zinc Protamine® (Organon) [porcine].
Insuline Zinc Protamine Choay® [bovine].
Lente MC® (Novo) [porcine + bovine]
Tardum MX® (Organon) [porcine + bovine].
Ultralente MC® (Novo) [bovine].
Ultratard HM® (Novo) [humaine].
Ultratardum HP® (Organon) [bovine].
Umuline Zinc® (Lilly) [humaine].

Insulines pour pompes

A 100 UI/ml en solvant spécial.
Endopancrine® (Organon) [porcine].
Vélosuline® Nordisk [porcine].

Propriétés : hormone naturelle, sécrétée par les îlots de Langerhans du pancréas, qui stimule la mise en réserve et l'utilisation du glucose ainsi que la transformation des graisses et des protéines ; elle est par conséquent essentielle pour transformer les aliments en énergie ; l'insuline diminue le taux du glucose dans le sang (action hypoglycémiante).

L'insuline a été introduite en 1922 dans le traitement du diabète sucré qui est une affection dans laquelle le pancréas ne produit pas assez d'insuline pour les besoins de l'organisme ; l'insuline est habituellement associée à un régime approprié.

Il existe sur le marché des préparations d'insuline différentes par leur structure physique et chimique, leur puissance, leur pureté, leur pH, leur rapidité et durée d'action, leur pouvoir antigénique. Toutes les préparations doivent être injectées par voie sous-cutanée ou intramusculaire; la voie orale est inefficace (l'insuline est détruite par les sucs gastriques). Actuellement les insulines sont toutes «hautement purifiées», monocomposées de porc ou de bœuf ou mixtes (porc-bœuf); les insulines «humaines» ne sont indiquées que dans certaines circonstances, car leur pouvoir antigénique est moindre que celui des insulines monocomposées, hautement purifiées.

Le patient doit apprendre une technique d'injection rigoureuse, car la manière d'injecter l'insuline dans le tissu sous-cutané joue un rôle important dans la régulation de la glycémie.

Emploi :

– diabète insulino-dépendant ou IDD, diabète avec complications, diabète de la femme enceinte; l'insulinothérapie est habituellement mise en route en milieu hospitalier.

– en urgence en cas d'acidocétose et coma diabétique.

Types d'insuline :

– *Insulines d'origine animale (bœuf ou porc)* : les insulines hautement purifiées monocomposées (de porc ou de bœuf) ou mixtes (porc-bœuf) ont remplacé les insulines conventionnelles (dotées d'un certain pouvoir antigénique) qui ne sont plus commercialisées.

– *Insulines humaines* : préparations obtenues par biotechnologie ou semi-synthétiques dont la structure est identique à celle de l'hormone humaine. Elles n'ont aucun avantage sur les insulines d'origine animale, sauf dans de très rares cas d'allergie. On a signalé que l'usage des insulines humaines peut atténuer les signes neurovégétatifs qui précèdent habituellement l'hypoglycémie (transpirations, sensation de faim, tremblements); celle-ci peut évoluer vers la syncope ou le coma de manière imprévue; cet affaiblissement des signes avant-coureurs de l'hypoglycémie est fréquent lors du passage d'une insuline d'origine animale à une insuline humaine qui demande souvent un ajustement de la dose.

Préparations d'insuline :

– *Insuline d'action rapide (insuline ordinaire ou cristalline)* : à cause de son action rapide (commence après 15-30 minutes et dure 5-8 heures) et de la possibilité d'administration intraveineuse, cette forme est indispensable dans le traitement de l'acidocétose aiguë; elle est aussi indiquée dans d'autres situations aiguës (par exemple infections graves, chirurgie) ou lorsque les besoins en insuline changent rapidement.
L'insuline ordinaire peut être mélangée ou associée à des insulines à action prolongée.

– *Insulines d'action intermédiaire* : l'action débute après trois heures et dure 16-24 heures. Ces préparations, administrées une fois par jour après le petit déjeuner, permettent un bon contrôle dans la plupart des cas de diabète stable de type I (insulinodépendant IDD); l'action a un pic 8-12 heures après l'injection dont il faut tenir compte dans l'interprétation de la glycémie. Chez les patients moins stables, surtout dans la forme juvénile, il est souvent nécessaire de mélanger de l'insuline ordinaire et de faire au moins 2 inject. par jour.

– *Insulines d'action lente* : insuline ultra-lente (insuline zinc cristallisée) ou insuline IPZ (insuline protamine zinc) dont l'effet débute après 60-240 minutes et dure 24-36 heures. Ces préparations sont utilisées dans certains cas de diabète insulino-dépendant stable pour obtenir un certain niveau de base d'insuline, mais il faut souvent associer l'insuline ordinaire pour éviter l'hyperglycémie matinale et post-prandiale.

L'insuline est injectée par voie sous-cutanée au moyen de seringues spéciales, à usage unique, ou d'un «stylo-injecteur».

Pompes à insuline : les pompes portatives permettent l'administration selon un programme pré-établi en fonction des variations de la glycémie au cours des 24 h. Cette technique permet une normalisation durable de la glycémie en cas de diabète insulino-dépendant, mais expose les patients à certains risques, en particulier ralentissements ou fuites de la pompe et infections locales induites par le cathéter.

Allergie : informez votre médecin si vous avez déjà fait une réaction allergique à l'insuline ou à un type d'insuline.

Etat de santé : vous devez informer votre médecin de toute affection susceptible de modifier les besoins en insuline, notamment :
– maladies infectieuses;
– maladies du foie ou des reins;
– affections de la thyroïde.

Grossesse : les besoins en insuline évoluent pendant la grossesse; les doses doivent être ajustées et la surveillance de la glycémie renforcée.

Allaitement : il n'y a pas de contre-indication à l'utilisation de l'insuline.

Régime : si vous avez un diabète insulino-dépendant, votre médecin vous indiquera le type de régime que vous devez suivre en même temps que le traitement par l'insuline; ce régime sera établi en fonction du nombre de calories qu'il doit fournir et de la proportion respective des hydrates de carbone, graisses et protéines; le calendrier des repas et des injections d'insuline sont modulés par l'auto-surveillance glycémique; ce régime, accompagné d'exercice physique, est très utile si vous êtes obèse.

Interactions : il faut informer votre médecin si vous prenez ou avez pris récemment d'autres médicaments qui peuvent demander une adaptation des doses d'insuline, notamment :
– corticoïdes, chlorpromazine, danazol, progestatifs, salbutamol, terbutaline (ces médicaments peuvent augmenter la glycémie);
– bêta-bloquants (peuvent masquer les signes d'hypoglycémie et diminuer la glycémie);
– inhibiteurs de l'enzyme de conversion, salicylés, p. ex. aspirine (peuvent diminuer la glycémie);
– laxatifs irritants (l'abus chronique peut favoriser l'hypoglycémie).

Horaire : l'insuline est injectée une ou plusieurs fois par jour, d'habitude 30-45 minutes avant les repas et le soir au coucher; vous pouvez discuter avec votre médecin le nombre d'injections, l'heure de chaque injection, le type d'insuline et les doses à utiliser.

Prescription : suivez le calendrier des repas et des injections d'insuline prescrites par votre médecin, modulées par la surveillance quotidienne personnelle de la glycémie ainsi que du sucre et de l'acétone dans l'urine.

Site d'injection : l'insuline est souvent injectée par voie sous-cutanée (sous la peau) dans la cuisse, derrière le ventre ou à la partie supérieure du bras; il est conseillé de changer le site d'injection chaque fois on respectant des conditions d'asepsie rigoureuse.

Alcool : à éviter, car il augmente le risque d'hypoglycémie.

Autosurveillance : il est très important de s'assurer que votre diabète est bien contrôlé par le régime et par une dose adéquate du médicament; par conséquent, vous devez mesurer périodiquement votre glycémie (à jeun et après un repas) et vérifier l'absence de sucre et d'acétone dans les urines et informer votre médecin de toute anomalie constatée.

Hypoglycémie ou diminution excessive du sucre dans le sang.

CAUSES DE L'HYPOGLYCÉMIE :
– doses excessives d'insuline;
– alimentation insuffisante en hydrates de carbone;
– lorsqu'un repas est retardé ou supprimé;
– effort physique inhabituel;
– vomissements, diarrhées;
– absorption d'alcool;
– association avec certains médicaments (→ ci-dessus interactions).

SIGNES DE L'HYPOGLYCÉMIE :
– sueurs;
– frissons;
– tremblements;
– sensation de faim, fringale;
– palpitations, accélération du pouls;
– maux de tête;
– fatigue, «malaise»;
– nausées;
– agitation, confusion, somnolence.

En l'absence de traitement, l'hypoglycémie évolue vers le coma hypoglycémique.

Pour éviter tout accident hypoglycémique grave, surveillez l'apparition de ces signes qui disparaissent rapidement si vous prenez une boisson sucrée, 3 ou 4 morceaux de sucre ou du glucose (vous devez avoir toujours sur vous des morceaux de sucre); cependant, même si tous les signes régressent, vous devez consulter immédiatement votre médecin et contrôler la glycémie; lorsque l'état de conscience est partiellement préservé, une personne de l'entourage peut glisser les morceaux de sucre entre la joue et l'arcade dentaire.

Lorsqu'il y a perte de conscience, il faut faire immédiatement une injection sous-cutanée de glucagon (→ ce terme) à la dose de 0,5 à 1 mg, suivie d'une réalimentation dès le réveil; en cas d'échec, une hospitalisation d'urgence devient nécessaire.

AFFAIBLISSEMENT DES SIGNES PRÉCURSEURS DE L'HYPOGLYCÉMIE : lors du passage de l'insuline animale à l'insuline humaine, les signes précurseurs de l'hypoglycémie peuvent être atténués, celle-ci risquant alors de survenir inopinément; les ß-bloquants peuvent aussi masquer les symptômes d'hypoglycémie. Chez les sujets traités uniquement par des insulines à action prolongée ou chez les sujets âgés, les signes précurseurs manquent souvent et le *coma hypoglycémique* s'installe sans attirer l'attention de l'entourage.

Hyperglycémie : des doses insuffisantes d'insuline, des écarts de régime ou le stress peuvent entraîner une augmentation excessive du taux du sucre dans le sang (ou hyperglycémie) qui se traduit par une soif intense, une sécheresse de la peau, la perte de l'appétit, des nausées, des vomissements, des urines abondantes, une odeur «fruitée» de l'haleine et des urines; signalez immédiatement ces troubles à votre médecin, car ils peuvent être les signes précurseurs d'un *coma diabétique acido-cétosique* qui nécessite une hospitalisation.

Vous devez informer votre médecin lorsque vous constatez la présence de sucre et d'acétone dans l'urine et des signes d'hyperglycémie; pour prévenir les accidents graves, il faut augmenter les doses d'insuline et compenser les pertes de sel, de liquides et de calories.

Infections : signalez à votre médecin l'apparition de signes de maladie infectieuse qui peut demander une modification des doses d'insuline.

Arrêt du traitement : n'arrêtez jamais une dose d'insuline prescrite, même en cas d'accident hypoglycémique qui demande une réduction des doses d'insuline et non pas leur arrêt.

Carte de diabétique : portez sur vous une carte de diabétique et ayez toujours à portée de la main du sucre.

En cas de voyage : demandez à votre médecin un rapport précisant vos besoins en insuline, en seringues et aiguilles.

Conduite de véhicules : lorsque le diabète est équilibré, la conduite de véhicules ou l'utilisation de machines ne pose pas de problème, sauf si les valeurs de la glycémie oscillent fortement, si vous consommez de l'alcool ou si vous avez des signes prémonitoires d'une hypoglycémie.

Effets indésirables possibles :
– signes d'hypoglycémie ou d'hyperglycémie (→ ci-dessus);
– irritation, rougeur au point d'injection;
– prurit, bouffissure des paupières et des lèvres, voix rauque, difficulté à respirer et/ou à avaler (œdème de Quincke);
– urticaire, éruptions cutanées (réactions allergiques).

Conservation :
– Au réfrigérateur entre +2° et +8° C.
– Ne pas soumettre le flacon à congélation-décongélation.
– Avant l'usage, le flacon doit être porté à la température ambiante (sortir du réfrigérateur une heure au moins avant l'emploi).
– Vérifier la date d'échéance imprimée sur l'emballage; cette date n'est valable que si la préparation a été conservée au réfrigérateur.
– Notez la date du premier prélèvement sur l'étiquette du flacon; un flacon ouvert peut être gardé à la température ambiante, à l'abris de la lumière et de la chaleur, pendant un mois; après ce délai, il doit être détruit.
– Mettre hors de portée des enfants.
– **Note** : *en cas de passage d'une insuline d'origine animale à une insuline humaine, un ajustement des doses peut être nécessaire.*

INSUMAN® → Insuline.

INTERCYTON® (Corbière)

Introd. en 1969. Remb. SS 40%.
PRINCIPE ACTIF : **Acide flavodique.**
Préparations : gélules à 100 mg (sel sodique).
Emploi : «vasculoprotecteur» proposé dans le traitement des symptômes en rapport avec l'insuffisance veineuse et lymphatique (jambes lourdes, etc.).

Précautions : consultez votre médecin en cas de suspicion de phlébite (jambes rouges, douloureuses, surtout si d'un seul côté et avec fièvre).
Note : vendu sans ordonnance; efficacité du principe actif à confirmer dans l'emploi proposé.

INTESTICARBINE® (Goupil)

Introd. en 1952. Non remb. SS.
PRINCIPES ACTIFS : granulé contenant du charbon activé (adsorbant), belladone (atropinique), méthénamine (antiseptique urinaire), oxyde de magnésium, ß-naphtol, mandélate de calcium, hyposulfite de sodium.
Emploi : proposé dans les troubles digestifs (dyspepsies).
Précautions : ne pas employer en cas de glaucome par fermeture de l'angle, d'adénome prostatique, de grossesse, d'allaitement et chez l'enfant de moins de 30 mois; consultez votre médecin si les troubles persistent et en cas de crampes abdominales, de selles noires, d'amaigrissement, de fièvre.
En cas de diabète : tenir compte de la teneur en sucre du produit.
Effets indésirables possibles : sécheresse de la bouche, vision trouble, difficulté à uriner.
Note : vendu sans ordonnance; la plupart des composants ont peu d'intérêt dans l'emploi proposé.

INTÉTRIX® (Beaufour)

Introd. en 1966. Liste I. Remb. SS 40%.
PRINCIPES ACTIFS :
– Gélules contenant du tilbroquinol et tiliquinol (*Intétrix®*).
– Granulé contenant du tilbroquinol (*Intétrix P®*).
Emploi : dérivé de l'hydroxy-8-quinoléine proposé comme antiseptique intestinal dans les diarrhées aiguës présumées d'origine infectieuse en l'absence de suspicion de phénomènes invasifs.
Précautions : ne pas employer en cas de douleurs ou de crampes abdominales d'origine indéterminée, de selles noires, d'amaigrissement, de jaunisse; consultez votre médecin si la diarrhée persiste après 48 heures, si des glaires et du sang apparaissent dans les selles; dans les diarrhées dues à des bactéries ou à des protozoaires, des traitements spécifiques sont parfois indispensables; en outre, surtout chez l'enfant, la déshydratation qui accompagne toute diarrhée aiguë demande avant tout une réhydratation par voie orale ou par injection.
Mise en garde : des troubles neurologiques ont été observés après traitement prolongé à hautes doses par une hydroxy-8-quinoléine (clioquinol), caractérisés par une myélite subaiguë, une névrite optique et une neuropathie périphérique (SMON = Subacute Myelo-Optic Neuropathy). Par prudence, il est conseillé de ne pas prolonger l'administration du tilbroquinol au-delà de 4 semaines.
Note : prescrit sur ordonnance médicale.

INTRAIT® de marron d'Inde «P» (Synthélabo)

Introd. en 1940. Remb. SS 40%.
PRINCIPES ACTIFS : solution buvable contenant esculoside et méthesculétol sodique.
Emploi : proposé dans le traitement des signes de la crise hémorroïdaire.
Précautions : arrêtez le traitement et consultez votre médecin en cas d'accentuation des douleurs, d'apparition de sang dans les selles ou de fièvre.
Note : vendu sans ordonnance; efficacité des principes actifs à confirmer dans l'emploi proposé.

INTRALIPIDE® (Kabi Pharmacia)

Introd. en 1965.
PRINCIPE ACTIF : émulsion injectable pour perfusion contenant de l'huile de soja.
Emploi : alimentation parentérale.

INTRASITE® gel (Fisch)

Introd. en 1992. Remb. SS 40%.
PRINCIPE ACTIF : gel pour application locale contenant du crilanomère.
Emploi : proposé dans le traitement des ulcères de jambe.
Note : vendu sans ordonnance; à éviter sans avis médical.

INTRONA® (Schering-Plough)

Introd. en 1987. Liste I.
PRINCIPE ACTIF : **Interféron alfa-2b**.
Préparations : flacons à 1, 3, 5, 10 et 30 millions d'UI.

Emploi : les interférons alfa-2a et alfa-2b sont identiques sauf pour ce qui concerne un acide aminé; ils sont produits par biotechnologie (rIFN-α) à partir d'une souche de colibacille soumise à une manipulation génétique.

L'interféron alfa-2b est utilisé en injections dans le traitement de diverses affections, notamment leucémie à tricholeucocytes, mélanome multiple, sarcome de Kaposi associé au SIDA, condylomes acuminés *(Papillomavirus)*, hépatite chronique active B, hépatite chronique active C.

Allergie : informez votre médecin si vous avez déjà fait une réaction allergique ou inhabituelle à l'interféron ou à l'albumine humaine.

Grossesse : ce médicament ne doit pas être utilisé pendant la grossesse, car son innocuité n'a pas été établie; si une grossesse survient pendant le traitement, il faut informer immédiatement le médecin traitant.

Allaitement : l'utilisation de ce médicament est déconseillée.

Enfants : l'innocuité n'a été établie ni chez l'enfant, ni chez l'adolescent de moins de 18 ans.

Interactions : il faut informer votre médecin si vous prenez ou avez pris récemment d'autres médicaments, notamment des sédatifs, tranquillisants ou somnifères.

Boissons : pendant le traitement, vous devez boire abondamment (3-4 litres par jour) pour maintenir un état d'hydratation satisfaisant.

Autres médicaments : ne prenez aucun autre médicament sans consulter votre médecin.

Alcool : évitez les boissons alcoolisées pendant le traitement.

Vaccinations : pendant le traitement, ou dans les jours qui suivent l'arrêt de l'administration, vous devez éviter toute vaccination sans avis médical.

Effets indésirables possibles :
- somnolence, maux de tête, troubles digestifs;
- fièvre, douleurs musculaires et articulaires, maux de tête (syndrome pseudogrippal pendant la première semaine de traitement; peut être prévenu ou traité par le paracétamol);
- modifications de la tension artérielle, irrégularité du pouls (arythmies);
- confusion et troubles mentaux;
- saignement au moindre traumatisme, présence de sang dans les urines ou les selles, coloration noire des selles, apparition de petites taches rouges sur la peau (diminution du nombre des plaquettes dans le sang);
- fièvre, frissons, maux de gorge et ulcérations buccales (diminution du nombre des globules blancs dans le sang);
- perte des cheveux (alopécie).

Note : réservé aux hôpitaux.

IODÉINE® (Aérocid)

PRINCIPES ACTIFS : sirop contenant de la codéine (sous forme d'iodhydrate) et benzoate de sodium.

Emploi : proposé pour calmer la toux irritative, sèche.

Pour les détails → p. 59.

Note : vendu sans ordonnance; la présence d'iode a peu d'intérêt dans l'emploi proposé.

IODO-GLUTHIONAL B1®
(Gerda)

Introd. en 1982. Non remb. SS.

PRINCIPES ACTIFS : solution injectable contenant du triméthyliodosulfonium-carbonate de sodium et de la thiamine (vitamine B1).

Emploi : proposé dans le traitement l'arthrose.

Précautions : ne pas employer en cas de grossesse, de tuberculose ou d'intolérance à l'iode.

Note : vendu sans ordonnance; efficacité des principes actifs à confirmer dans l'emploi proposé.

IODOSORB® (Choay)

Introd. en 1984. Remb. SS 40%.

PRINCIPE ACTIF : *Cadexomère iodé* .

Préparations : poudre à 0,9%.

Propriétés : particules de polysaccharide réticulé contenant de l'iode libre.

Emploi : utilisé dans la détersion et l'antisepsie des plaies suintantes d'origine veineuse (ulcères variqueux chroniques) et des escarres de décubitus.

Précautions : ne pas employer en cas d'allergie à l'iode, de fonctionnement ex-cessif de la thyroïde (hyperthyroïdie), de grossesse et d'allaitement.

Note : vendu sans ordonnance; consultez votre médecin si les lésions persistent.

IODUCYL® (Martinet)

Introd. en 1963. Remb. SS 70%.

PRINCIPES ACTIFS : collyre contenant des iodures de potassium et de sodium.

Emploi : proposé dans la sclérose du cristallin (efficacité à confirmer).

Conservation : à utiliser dans les 15 jours après l'ouverture du flacon.

Note : *vendu sans ordonnance; à éviter sans avis médical, comme tous les collyres.*

IODURE DE POTASSIUM

Antithyroïdien

La *solution de Lugol forte* contient 5% d'iode et 10% d'iodure de potassium; elle est utilisée par voie buccale dans le traitement de l'activité excessive de la thyroïde (maladie de Basedow ou hyperthyroïdie) en association avec les antithyroïdiens de synthèse ou lors de la préparation à la chirurgie (thyroïdectomie subtotale).

La dose varie de 10 à 45 gouttes par jour dans un peu de lait 10-20 jours avant l'intervention et le traitement est poursuivi pendant une semaine après l'opération.

La solution de Lugol est aussi utilisée pour protéger la thyroïde lors du traitement par l'iode radioactif et dans le traitement de la crise d'hypothyroïdie aiguë.

Elle est aussi administrée pendant 10 jours pour protéger des radiations, par exemple après un accident d'une centrale nucléaire; dans ce cas suivre les instructions des autorités locales.

Prévention du goitre

L'apport normal d'iode est de 150 µg par jour chez l'adulte; des suppléments de 25-50 µg/jour sont nécessaires durant la grossesse et la lactation. Des zones de carence iodée (apport < 25 µg/jour) existent dans l'Himalaya, en Amérique du Sud et en Afrique; en Europe on peut trouver une carence modéré dans certaines régions (apport 30-100 µg/jour).

L'insuffisance d'apport iodé provoque le *goitre endémique*; si la carence est intense, le goitre peut s'accompagner de crétinisme endémique. Sur le plan individuel, l'usage prolongé d'iode ou d'hormones thyroïdiennes est très efficace pour réduire la taille du goitre.

La prévention du goitre endémique comporte l'addition d'iodure de potassium au sel ou l'iodation de l'eau lorsqu'il existe une source municipale; dans les formes graves, les injections intramusculaire d'huile iodée peuvent couvrir les besoins en iode pendant 3 à 5 ans (injection de 475 à 950 mg d'iode) ou pendant un an (injection de 50 à 100 mg d'iode) : les apports massifs d'iode réalisés par les injection d'huile iodée augmentent transitoirement l'incidence des thyréotoxicoses chez les sujets de plus de 45 ans d'âge.

Note : *prescrit sur ordonnance médicale.*

IONARTHROL® (Picot)

Introd. en 1944. Remb. SS 40%.

PRINCIPES ACTIFS : poudre orale contenant des oligo-éléments (manganèse, magnésium, calcium, nickel, sulfate ferrique, sulfate de sodium, lactose.

Emploi : traitement de l'arthrose.

Note : *vendu sans ordonnance; efficacité des principes actifs à confirmer dans l'emploi proposé.*

IONIMAG® (Byk)

Introd. en 1986. Remb. SS 40%.

PRINCIPE ACTIF : comprimés contenant du lactate de magnésium.

Emploi : proposé dans les carences magnésiennes prouvées.

Précautions : ne pas employer en cas d'insuffisance rénale.

Effets indésirables possibles : diarrhée, douleurs abdominales; retard ou diminution de la résorption d'autres médicaments pris par la bouche (respecter un intervalle d'au moins 2 heures).

Note : *vendu sans ordonnance; à éviter en automédication (une carence en magnésium ne peut être diagnostiquée que par votre médecin).*

IONITAN® (Aguettant)

Introd. en 1977.

PRINCIPES ACTIFS : solution pour perfusion contenant des électrolytes.

Emploi : utilisé pour la rééquilibration électrolytique des malades en alimentation parentérale.

IONYL® (Pharmadéveloppement)

Introd. en 1929. Non remb. SS.

PRINCIPES ACTIFS : solution buvable contenant de l'eau de mer, de l'acide phosphorique et des glycérophosphates de sodium, magnésium et manganèse.

Emploi : proposé dans la fatigue.

Précautions : ne pas employer en cas d'insuffisance rénale et de dialyse chronique; consultez votre médecin si la fatigue persiste (il peut s'agir d'une dépression ou d'une maladie nécessitant un traitement spécifique).

Note : vendu sans ordonnance; efficacité des principes actifs à confirmer dans l'emploi proposé.

IPÉCA

Préparations : sirop d'ipéca.

Emploi : le sirop d'ipéca est préparé à partir d'extrait fluide d'*Uragoga ipecacuanha*; il a une action expectorante à faibles doses et provoque des vomissements à doses plus importantes; il contient notamment l'émétine et la céphéline qui agissent par irritation directe de la muqueuse gastrique et par stimulation des centres du vomissement; le délai d'action est de 10 minutes environ. Le sirop d'ipéca contient 0,14% d'alcaloïdes de l'ipéca (calculés en émétine). Le sirop d'ipéca est utilisé dans certaines intoxications pour induire des vomissements chez des sujets qui ne risquent pas de présenter des troubles de la conscience. L'ipéca n'agit pas après l'administration de charbon activé ou de lait. Il ne doit être employé ni dans les intoxications par ingestion de produits moussants et de dérivés du pétrole (risque d'inhalation bronchique), ni en cas d'ingestion de strychnine, d'acides ou d'alcalis caustiques (risque d'œsophagite et de perforation gastrique). L'emploi de l'ipéca comme expectorant est abandonné.

Effets indésirables possibles : risque d'inhalation bronchique (syndrome de Mendelson), salivation, accélération du pouls, tremblements.

Note : prescrit sur ordonnance médicale.

IPSER® EUROPE → Sérum antivenimeux.

I.R.S. 19® (Sarbach)

Introd. en 1967. Remb. SS 40%.

PRINCIPES ACTIFS: solution nasale contenant des lysats d'antigènes bactériens.

Emploi : proposé dans le traitement curatif et préventif des infections des voies respiratoires supérieures.

Note : vendu sans ordonnance; efficacité des principes actifs à confirmer dans l'emploi proposé.

ISKÉDYL® (P. Fabre)

Introd. en 1970. Liste II. Remb. SS 40%.

PRINCIPES ACTIFS : solution buvable, comprimés, solution injectable contenant de la raubasine et de la dihydroergocristine mésilate.

Emploi : proposé dans les troubles de la sénescence (efficacité à confirmer), les accidents vasculaires cérébraux et dans d'autres conditions.

Note : prescrit sur ordonnance médicale.

ISMÉLINE® (Ciba Vision)

Introd. en 1973. Liste I. Remb. SS 70%.

PRINCIPE ACTIF : collyre contenant de la guanéthidine.

Emploi : sympatholytique utilisé pour traiter le glaucome chronique à angle ouvert, les rétractions palpébrales consécutives à une exophtalmie d'origine thyroïdienne ou autre.

Précautions: ne pas employer en cas de poussée de glaucome par fermeture de l'angle, de glaucome chronique à angle très étroit ou hémorragique.

Conservation : tout flacon entamé doit être utilisé dans les 15 jours.

Note : prescrit sur ordonnance médicale.

ISOBAR® (Logeais)

Introd. en 1988. Liste II. Remb. SS 70%.

PRINCIPES ACTIFS: comprimés contenant
– triamtérène (150 mg) : diurétique épargnant le potassium;
– méthyclothiazide (5 mg) : diurétique thiazidique.

Emploi : médicament est proposé pour traiter l'hypertension artérielle et les œdèmes; l'association d'un diurétique dérivé de la thiazide et d'un diurétique épargnant le potassium a pour but de limiter autant que possible les pertes de potassium.

Pour les détails → p. 233.

Note : prescrit sur ordonnance médicale.

ISOCARD® (Schwarz)

Introd. en 1988. Liste II. Remb. SS 70%.

PRINCIPE ACTIF : **Dinitrate d'isosorbide.**

SYNONYMES : isosorbide dinitrate, ISDN.

Préparations : solution sublinguale en flacon pulvérisateur délivrant 1,25 mg par pulvérisation.

Emploi : médicament appartenant au groupe des dérivés nitrés qui dilatent les vaisseaux sanguins, notamment les vaisseaux du cœur (coronaires) et qui sont utilisés dans le traitement des crises d'angine de poitrine (sensation de constriction douloureuse dans la poitrine pouvant irradier dans le bras gauche). Il est employé :
– pour traiter la crise aiguë d'angine de poitrine en cours, on utilise un comprimé sublingual dès le début de la crise; la dose peut être renouvelée si nécessaire;
– pour prévenir la crise d'angine de poitrine avant toute activité ou événement qui pourrait la déclencher.

Pour les détails → p. 203.

Note : prescrit sur ordonnance médicale.

ISOFRA® (Bouchara)

Introd. en 1979. Remb. SS 40%.

PRINCIPE ACTIF : solution nasale contenant de la framycétine (antibiotique aminoside).

Emploi : infections du nez (rhinites).

Durée du traitement : maximum 10 jours.

Effets indésirables possibles : réactions allergiques.

Note : vendu sans ordonnance; à éviter en automédication comme tous les antibiotiques locaux.

ISOMÉRIDE® (Ardix)

Introd. en 1985. Liste I. Non remb. SS.

PRINCIPE ACTIF : **Dexfenfluramine.**

Préparations : gélules à 15 mg.

Emploi : excitant du système nerveux central analogue de l'amphétamine utilisé pour diminuer l'appétit dans le traitement à court terme de l'obésité («coupe-faim»); associé à l'exercice physique et à un régime pauvre en hydrate de carbones, graisses et calories, ce médicament peut aider certains patients, mais l'action s'estompe au bout de quelques semaines et s'accompagne d'effets indésirables, notamment de l'apparition d'une dé-pendance. L'emploi devrait se limiter à des situations particulières où une perte pondérale rapide est souhaitée, par exemple avant une opération chirurgicale et ne devrait pas dépasser 6 semaines.

Pour les détails → p. 33.

Note : prescrit sur ordonnance médicale.

ISOMYRTINE® (Laphal)

Introd. en 1991. Liste I. Remb. SS 40%.

PRINCIPES ACTIFS : capsules contenant de la pholcodine (antitussif opiacé) et isomyrtol.

Emploi : utilisé pour calmer la toux irritative, sèche.

Précautions : ne pas utiliser en cas de
– asthme, insuffisance respiratoire (la diminution de la toux cause l'accumulation de mucosités dans les voies respiratoires);
– maladie du foie (l'élimination de la pholcodine est diminuée en cas d'insuffisance hépatique);
– grossesse, allaitement;
– enfants âgés de moins de 15 ans.

Durée du traitement : si la toux persiste après une semaine, si des crachats sanglants ou des effets indésirables apparaissent, arrêtez le traitement et consultez votre médecin.

Alcool : évitez les boissons alcoolisées pendant le traitement.

Sportifs : ce médicament peut donner une réaction positive en cas de tests pour contrôle antidopage.

Conduite de véhicules : ce médicament peut diminuer la vigilance; la conduite de véhicules ou l'utilisation de machines peut être dangereuse.

Effets indésirables possibles : somnolence, nausées, vomissements, crises d'asthme, constipation, vertiges, confusion, éruption cutanée (réaction allergique).

Note : prescrit sur ordonnance médicale.

ISOPRINOSINE® (Delalande)

Introd. en 1979. Remb. SS 70%.

PRINCIPE ACTIF : comprimés contenant 500 mg de métisoprinol (inosine + dimépranol + acédobène [1 :3 :3]).

Emploi : immunostimulant proposé dans les leucoencéphalites subaiguës sclérosantes et dans les formes sévères ou compliquées de la rougeole (efficacité à confirmer).

Effets indésirables possibles : élévation du taux sanguin de l'acide urique (uricémie) et de son élimination dans les urines (uraturie).

Note : à utiliser sous contrôle médical.

ISOPTINE® (Knoll)

Introd. en 1968. Liste I. Remb. SS 70%.
PRINCIPE ACTIF : **Vérapamil.**
Préparations : compr. à 40 mg ; gélules à 120 mg ; gélules à libération prolongée à 240 mg (*Isoptine LP®*) ; ampoules injectables à 5 mg dans 2 ml.
Emploi : inhibiteur calcique utilisé pour
– le traitement de fond de l'angine de poitrine (sensation de constriction douloureuse dans la poitrine pouvant irradier dans le bras gauche) ;
– le traitement de l'hypertension artérielle (formes à libération prolongée) ;
– la prévention et le traitement des troubles du rythme cardiaque (crises de tachycardie supraventriculaire).
Pour les détails → p. 363.
Note : prescrit sur ordonnance médicale.

ISOPTO-PILOCARPINE®
(Alcon)

Introd. en 1971. Remb. SS 70%.
PRINCIPE ACTIF : **Pilocarpine.**
Préparations : collyre à 0,5%, 1%, 2%, 3% et 4% (Liste I : 3% et 4%).
Emploi : cholinergique utilisé pour contracter la pupille et diminuer la tension intraoculaire dans le glaucome et dans d'autres affections.
Durée d'action : 6 à 12 heures.
Conduite de véhicules : l'attention des conducteurs de véhicules est attirée sur la gêne visuelle après emploi.
Effets indésirables possibles : les instillation répétées peuvent entraîner un passage du médicament dans la circulation générale avec salivation, transpirations, larmoiement, nausées, vomissements, spasme bronchique, hypotension artérielle.
Conservation : tout flacon entamé doit être utilisé dans les 15 jours.
Note : vendu sans ordonnance (0,5%, 1%, 2%) ; à éviter sans avis médical, comme tous les collyres.

ISORYTHM® (Merck-Clévenot)

Introd. en 1989. Liste I. Remb. SS 70%.
PRINCIPE ACTIF : **Disopyramide.**
Préparations : capsules ou gélules à 100 mg ; gélules à libération prolongée à 125 mg ou 250 mg (*Isorythm LP®*).
Emploi : médicament utilisé pour régulariser le rythme du cœur et pour le ralentir lorsqu'il est trop rapide (tachycardies paroxystiques), ce qui améliore la circulation ; le disopyramide diminue la force des contractions cardiaques et par conséquent peut aggraver l'insuffisance cardiaque (faiblesse du cœur).
Précautions : ne pas employer en cas d'allergie au produit, de pouls très lent (bloc auriculo-ventriculaire non appareillé), de grossesse et allaitement (innocuité non établie) ; utilisation prudente en cas de glaucome par fermeture de l'angle, de difficulté à uriner, de myasthénie (risque d'aggravation de la faiblesse musculaire).
Interactions : il faut informer votre médecin si vous prenez ou avez pris récemment d'autres médicaments, notamment amiodarone, autres antiarythmiques, bépridil, sotalol, lidoflazine, prénylamine, vincamine (risque accru de troubles graves du rythme appelés «torsades de pointe»).
Prise du médicament : on conseille de prendre le médicament tous les jours, à des intervalles réguliers, toujours à la même heure ; les gélules à libération prolongée doivent être avalées telles quelles.
Alcool : évitez la consommation de boissons alcoolisées.
Conduite de véhicules : assurez vous que le médicament n'entraîne ni vertiges, ni troubles de la vue avant de conduire des véhicules ou d'utiliser des machines.
Arrêt du traitement : n'arrêtez pas le traitement sans consulter votre médecin (risque d'aggravation des troubles du rythme).
Effets indésirables possibles :
– difficulté à uriner, troubles de la vue, perception double des objets (diplopie), sécheresse de la bouche (soif), constipation, jaunisse ;
– ce médicament peut provoquer une hypoglycémie, aggraver une insuffi-

sance cardiaque (faiblesse du cœur) préexistante et causer des troubles graves du rythme cardiaque (diagnostic confirmé par l'électrocardiogramme);
– éruptions cutanées (réaction allergique : arrêtez le traitement).
Note : prescrit sur ordonnance médicale.

ISOTONYL BÉTAÏNE®
(Sterling Midy)

Introd. en 1969. Non remb. SS.
PRINCIPES ACTIFS : comprimés effervescents contenant du bromure de bétaïne, sulfate de sodium (purgatif salin) et hydrogénophosphate de sodium.
Emploi : proposé pour stimuler la sécrétion de la bile dans les troubles de la digestion (dyspepsies).
Précautions : ne pas employer en cas d'obstruction des voies biliaires; consultez votre médecin en cas de douleurs ou crampes abdominales d'origine indéterminée, de selles noires, d'amaigrissement, d'urines foncées, de douleurs de la région du foie, de jaunisse.
En cas de régime sans sel : tenir compte de la teneur en sodium du produit.
Effets indésirables possibles : somnolence, diarrhées, troubles psychiques, éruptions cutanées en cas de traitement prolongé.
Note : vendu sans ordonnance; ne pas utiliser pendant plus de 5 jours sans avis médical.

ISOTREX® (Stiefel)

Introd. en 1992. Liste I. Non remb. SS.
PRINCIPE ACTIF : *Isotrétinoïne*.
Préparations : gel pour application locale à 0,05%.
Emploi : rétinoïde apparenté à la vitamine A (rétinol) utilisé en application locale pour traiter l'acné, surtout l'acné juvénile; les premiers signes d'amélioration apparaissent généralement à la fin du premier mois de traitement qui est habituellement poursuivi pendant 3 mois.
Précautions : évitez le contact avec la bouche, les narines, les yeux et les muqueuses; évitez l'exposition au soleil ou aux lampes à rayons ultraviolets.
Effets indésirables possibles : irritation locale.
Note : prescrit sur ordonnance médicale.

ISPAGHUL® (Amido)

Non remb. SS.
PRINCIPES ACTIFS : graines contenant des semences de *Plantago decumbens* et huile de paraffine.
Emploi : laxatif de lest utilisé dans la constipation occasionnelle.
Prise du médicament : toujours boire de l'eau avec chaque prise.
Précautions : utilisation prudente en cas de mégacôlon par altération de la motricité colique; en cas de douleurs ou crampes abdominales d'origine inconnue, de selles noires, d'amaigrissement, de jaunisse.
Note : vendu sans ordonnance; le traitement médicamenteux de la constipation n'est qu'un adjuvant au traitement hygiéno-diététique qui comporte :
– *alimentation riche en fibres végétales (légumes, fruits, pain complet), boissons abondantes;*
– *activité physique et présentation quotidienne à la selle, à la même heure.*

ISTAMYL® (Monot)

Introd. en 1990. Non remb. SS.
PRINCIPE ACTIF : *Isothipendyl*.
Préparations : comprimés à 12 mg; gel pour application locale.
Emploi : dérivé de la phénothiazine ayant des effets antihistaminiques, atropiniques et sédatifs, utilisé par voie buccale dans les affections allergiques et dans le prurit.
Pour les détails → p. 45.
Note : vendu sans ordonnance; efficacité généralement reconnue dans l'emploi proposé; tenir compte de l'effet sédatif.

ISUPREL® (Sterling Winthrop)

Introd. en 1965. Liste I.
PRINCIPE ACTIF : *Isoprénaline*.
SYNONYME : isoprotérénol.
Préparations : ampoules injectables à 0,2 mg dans 1 ml (à diluer).
Emploi : sympathomimétique utilisé en perfusion intraveineuse pour traiter certains états de choc, la syncope par bloc auriculo-ventriculaire (ou syndrome de Stokes-Adams) dans l'attente de la pose d'un stimulateur ou en chirurgie cardiaque.
Note : réservé aux hôpitaux.

ITAX® (P. Fabre)

Introd. en 1988. Non remb. SS.
PRINCIPES ACTIFS :
– shampooing : phénothrine;
– solution spray pour application locale : phénothrine, tétraméthrine, pipéronyl butoxyde.
Emploi : proposé dans le traitement des poux et des lentes.
Note : vendu sans ordonnance; efficacité généralement reconnue dans l'emploi proposé.

ITEM® Antipoux
(Coryne de Bruynes)

Introd. en 1989. Non remb. SS.
PRINCIPE ACTIF : solution et shampooing contenant de la D-phénothrine.
Emploi : proposé dans le traitement des poux.
Note : vendu sans ordonnance; efficacité généralement reconnue dans l'emploi proposé.

IVÉLIP® (Clintec)

Introd. en 1986.
PRINCIPES ACTIFS : émulsion injectable pour perfusion contenant des lipides.
Emploi : utilisée pour fournir un apport de calories lipidiques au cours d'une nutrition parentérale.

J

JAMYLÈNE® (Pharmuka)

Introd. en 1960. Non remb. SS.
PRINCIPE ACTIF : comprimés contenant du docusate sodique (laxatif irritant) à 50 mg ou 100 mg.
Emploi : traitement de la constipation.
Précautions : le docusate sodique appartient au groupe des laxatifs stimulants ou irritants qui contiennent ou libèrent dans l'intestin (surtout dans le côlon) des substances irritantes; ils augmentent la motricité (péristaltisme) du côlon et la sécrétion intestinale d'eau, d'électrolytes et de protéines; ils ne doivent être utilisés que pour des traitements de courte durée de la constipation.
Note : vendu sans ordonnance; à éviter comme tous les laxatifs irritants.

JARCEL® (Sterling Midy)

PRINCIPES ACTIFS : sirop contenant des extraits de séné (laxatif irritant), coquelicot, polygala, serpolet, baume de tolu, sulfogaïacol, benzoate et sulfate de sodium (purgatif salin).
Emploi : proposé pour calmer la toux.
Note : vendu sans ordonnance; à éviter comme tous les laxatifs irritants.

JÉCOBIASE® (Pionneau)

Introd. en 1934. Non remb. SS.
PRINCIPES ACTIFS : solution buvable contenant sulfate de sodium, citrate de sodium et bicarbonate de sodium et chlorure de magnésium.
Emploi : troubles digestifs, constipation.
Précautions : ne pas employer en cas d'insuffisance rénale, de douleurs abdominales d'origine inconnue, de saignement rectal.
Effets indésirables possibles : diarrhées (présence de sulfate de sodium).
Note : vendu sans ordonnance; purgatif salin à ne pas utiliser pendant plus de 5 jours sans avis médical.

JÉCOPEPTOL®
(SmithKline Beecham)

Introd. en 1948. Remb. SS 40%.
PRINCIPES ACTIFS : poudre orale contenant méthénamine (acidifiant et antiseptique urinaire), hydroxydes de magnésium et d'aluminium, carbonate de calcium, bicarbonate de sodium, extraits de boldo, kinkéliba, fusain.
Emploi : proposé pour faciliter les fonctions digestives, biliaires et rénales.
Précautions : ne pas employer en cas d'insuffisance rénale, de calculs calciques ou d'obstruction des voies biliaires.
En cas de régime désodé : tenir compte de la teneur en sodium du produit.
En cas de diabète : tenir compte de la teneur en sucre du produit.
Note : vendu sans ordonnance; ne pas utiliser pendant plus de 5 jours sans avis médical.

JÉNOVÉRINE® (Boiron)

Préparation homéopathique proposée dans la furonculose et l'eczéma.

JONCTUM®
(Marion Merrell Dow)

Introd. en 1970. Remb. SS 40%.
PRINCIPE ACTIF : gélules et crème contenant de l'oxacéprol.
Emploi :
– gélules : proposées dans le traitement de l'arthrose.
– crème : proposée dans le traitement des petites plaies et blessures superficielles.
Note : vendu sans ordonnance; efficacité du principe actif à confirmer dans l'emploi proposé.

JOSACINE® (Pharmuka)

Introd. en 1980. Liste I. Remb. SS 70%.
PRINCIPE ACTIF : *Josamycine.*
Préparations : comprimés à 500 mg; granulés pour suspension buvable à 125 mg, 250 mg ou 500 mg par dose; poudre orale en sachets-dose contenant 250 mg, 500 mg ou 1000 mg.
Emploi : antibiotique du groupe des macrolides utilisé par voie buccale ou en injections pour traiter les infections dues à des bactéries (inefficace dans les infections à virus).
Pour les détails → p. 415.
Note : prescrit sur ordonnance médicale.

JOUVENCE DE L'ABBÉ SOURY® (Ardeval)

Introd. en 1934. Non remb. SS.
PRINCIPES ACTIFS : solution buvable et comprimés contenant des extraits de hamamélis, condurango, viburnum, calamis, piscidia, anis, cannelle.
Emploi : proposé dans le traitement des symptômes en rapport avec l'insuffisance veinolymphatique.
Précautions : consultez votre médecin en cas de suspicion de phlébite (jambes rouges et/ou chaudes, douloureuses, surtout si d'un seul côté et avec fièvre).
Note : vendu sans ordonnance; efficacité des principes actifs à confirmer dans l'emploi proposé.

JUSTOR® (Lederle)

Introd. en 1992. Liste I. Remb. SS 70%.
PRINCIPE ACTIF : *Cilazapril.*
Préparations : comprimés à 2,5 mg.
Emploi : inhibiteur de l'enzyme de conversion utilisé dans le traitement de l'hypertension artérielle, éventuellement associé à un diurétique.
Durée d'action : environ 20 heures.
Pour les détails → p. 364.
Note : prescrit sur ordonnance médicale.

JUVÉPIRINE® (Sarget)

Introd. en 1963. Remb. SS 70.
PRINCIPE ACTIF : *Aspirine.*
Préparations : comprimés à sucer ou à croquer à 100 mg + glycocolle 50 mg.
Emploi : l'aspirine est utilisée pour atténuer la douleur modérée *(analgésique)* et pour faire tomber la fièvre *(antipyrétique)*, par exemple dans les états grippaux; à doses élevées, elle diminue les douleurs rhumatismales ainsi que la raideur et la tuméfaction des articulations *(anti-inflammatoire)*; enfin, à doses faibles, elle peut prévenir la formation de caillots sanguins dans les vaisseaux *(antiagrégant plaquettaire)*.
Durée du traitement : consultez votre médecin si les douleurs persistent après 5 jours ou si la fièvre ne régresse pas au bout de 3 jours.
Précautions : ce médicament ne doit pas être utilisé en cas d'allergie à l'aspirine, d'asthme, d'ulcère gastroduodénal évolutif, de maladie grave du foie ou des reins, de maladie hémorragique ou de traitement anticoagulant, de grossesse et chez l'enfant âgé de moins de 10 ans sans avis médical, notamment lorsqu'on soupçonne une grippe ou une varicelle.
Effets indésirables possibles : nausées, vomissements, brûlures d'estomac, bourdonnements d'oreille, baisse de l'audition, maux de tête.

Consultez votre médecin en cas de douleurs abdominales, de vomissements sanglants, de selles noires, de crise d'asthme, de prurit, d'urticaire ou de jaunisse; l'usage prolongé peut entraîner des lésions aux reins.
Intoxication : conduire le malade d'urgence à l'hôpital en cas de prise massive accidentelle.
Pour les détails → Aspirine.
Note : vendu sans ordonnance; l'efficacité de l'aspirine est généralement reconnue, mais le glycocolle a peu d'intérêt dans l'emploi proposé.

K

KABIKINASE® (Kabi Pharmacia)

Introd. en 1989. Liste I.
PRINCIPE ACTIF : **Streptokinase**.
Préparations : lyophilisat pour solution injectable en flacons à 250.000 UI, 500.000 UI, 750.000 UI et 1 million d'UI.
Emploi : utilisé en milieu hospitalier pour dissoudre les caillots de sang qui se sont formés dans certains vaisseaux, notamment du cœur et des poumons, et qui empêchent la circulation du sang.
Pour les détails → p. 681.
Note : réservé aux hôpitaux.

KABIMIX® (Kabi Pharmacia)

Introd. en 1992.
PRINCIPES ACTIFS : émulsion injectable pour perfusion contenant glucose, lipides, acides aminés.
Emploi : nutrition parentérale.
Note : réservé aux hôpitaux.

KALEORID® → Potassium, Sels de.

KALICITRINE® (Promedica)

Introd. en 1968. Remb. SS 40%.
PRINCIPES ACTIFS : solution buvable contenant des citrates de choline, de magnésium et de potassium.
Emploi : proposé dans les troubles digestifs (ou dyspepsies), les brûlures œsophagiennes et gastriques et pour alcaliniser les urines.
Précautions : ne pas associer des diurétiques épargnant le potassium.
En cas de diabète : tenir compte de la teneur en sucre du produit.
Note : vendu sans ordonnance; à éviter sans avis médical.

KALMINE® (Sterling Midy)

PRINCIPES ACTIFS : gélules contenant de la codéine (analgésique morphinique mineur), éthenzamide (salicylé), quinine (antipaludique) et caféine.
Emploi : proposé pour calmer les douleurs.
Note : vendu sans ordonnance; l'efficacité de la codéine est généralement reconnue, mais les autres composants ont peu d'intérêt dans l'emploi proposé.

KAMOL® baume (Whitehall)

Introd. en 1943. Non remb. SS.
PRINCIPES ACTIFS : liniment contenant de la capsicine, menthol, essence d'eucalyptus, camphre, chloroforme, salicylate de méthyle.
Emploi : douleurs et contusions.
Précautions : ne pas appliquer sur les muqueuses ni sur une lésion de la peau.
Note : vendu sans ordonnance; consultez votre médecin si les troubles persistent.

KAMYCINE®
(Bristol-Myers Squibb)

Introd. en 1959. Liste I.
PRINCIPE ACTIF : **Kanamycine**.
Préparations : soluté injectable en flacons à 1 g.
Emploi : antibiotique du groupe des aminosides dont la toxicité limite l'emploi aux infections graves dues à des germes résistants à d'autres antibactériens.
Pour les détails → p. 25.
Note : prescrit sur ordonnance médicale.

KANA® (Arkopharma)

Introd. en 1989. Non remb. SS.
PRINCIPE ACTIF : gélules contenant de la poudre de feuille d'olivier.
Emploi : proposé pour faciliter l'élimination rénale de l'eau et dans les troubles circulatoires mineurs.
Note : vendu sans ordonnance; efficacité du principe actif à confirmer dans l'emploi proposé.

KANEURON® (L'Arguenon)

Introd. en 1934. Liste II. Remb. SS 70%.
PRINCIPES ACTIFS : solution buvable contenant du phénobarbital (1 mg/goutte ou 54 mg/ml), caféine (stimulant central) et extraits d'aubépine et de passiflore.
Emploi : proposé dans le traitement de l'épilepsie; l'efficacité du phénobarbital dans le traitement de l'épilepsie est généralement reconnue, mais les autres composants ont peu d'intérêt dans l'emploi proposé.
Précautions : ne pas employer chez l'enfant et, en cas de grossesse, d'allaitement, de porphyries et d'insuffisance respiratoire; l'activité des

anticoagulants et des contraceptifs oraux peut être réduite.

Conduite de véhicules : ce médicament peut diminuer la vigilance; la conduite de véhicules ou l'utilisation de machines peut être dangereuse.

Effets indésirables possibles : somnolence, éruptions cutanées, troubles psychiques, notamment confusion mentale chez le sujet âgé.

Pour les détails : → Phénobarbital.

Note : prescrit sur ordonnance médicale.

KAOBROL® (Sterling Midy)

Introd. en 1929. Non remb. SS.

PRINCIPES ACTIFS: comprimés contenant de l'hydrocarbonate de magnésium, carbonate de calcium et kaolin.

Emploi : proposé pour neutraliser l'excès d'acidité et comme pansement gastrique pour calmer les douleurs dans les affections de l'estomac, de l'œsophage et du duodénum; en cas d'ulcère de l'estomac ou du duodénum, ce médicament ne doit être utilisé que sous surveillance médicale.

Posologie (adulte) : 1-2 comprimés à croquer 1-3 heures après les repas.

Précautions : consultez votre médecin si les troubles persistent et en cas de douleurs ou crampes abdominales, de selles noires, d'amaigrissement, de fièvre; ne pas utiliser en cas d'insuffisance rénale sévère; ne pas associer des tétracyclines.

Effets indésirables possibles : retard ou diminution de la résorption d'autres médicaments pris par la bouche (respecter un intervalle d'au moins 2 h).

En cas de diabète : tenir compte de la teneur en sucre du produit.

Note : vendu sans ordonnance; ne pas utiliser pendant plus de 5 jours sans avis médical.

KAOLOGEAIS® (Logeais)

Introd. en 1978. Liste I. Remb. SS 70%.

PRINCIPES ACTIFS: granulé contenant du méprobamate (tranquillisant), oxyde et sulfate de magnésium, kaolin et gomme sterculia (laxatif de lest).

Emploi : proposé dans les maladies du côlon avec constipation.

Précautions : ne pas utiliser chez l'enfant et en cas de grossesse.

Durée du traitement : doit être limitée à quelques jours.

Alcool : évitez les boissons alcoolisées pendant le traitement.

Conduite de véhicules : ce médicament peut diminuer la vigilance; la conduite de véhicules ou l'utilisation de machines peut être dangereuse.

En cas de diabète : tenir compte de la teneur en sucre du produit.

Effets indésirables possibles : somnolence, retard ou diminution de la résorption d'autres médicaments pris par la bouche (respecter un intervalle d'au moins 2 heures).

Note : prescrit sur ordonnance médicale.

KAOMUTH® (Bailly-Speab)

Introd. en 1992. Remb. SS 70%.

PRINCIPES ACTIFS : poudre orale contenant de la magnésie hydratée et kaolin.

Emploi : proposé pour traiter les douleurs dues à des affections de l'œsophage, de l'estomac, du duodénum et du côlon.

Précautions : consultez votre médecin si les troubles persistent et en cas de douleurs ou crampes abdominales, de selles noires, d'amaigrissement, de fièvre; ne pas utiliser en cas d'insuffisance rénale sévère; ne pas associer des tétracyclines.

En cas de diabète : tenir compte de la teneur en sucre du produit.

Effets indésirables possibles : constipation, retard ou diminution de la résorption d'autres médicaments pris par la bouche (respecter un intervalle d'au moins 2 heures).

Note : vendu sans ordonnance; ne pas utiliser pendant plus de 5 jours sans avis médical.

KARAYAL® (Roques)

Introd. en 1982. Remb. SS 70%.

PRINCIPES ACTIFS: granulé contenant de l'oxyde et sulfate de magnésium, kaolin et gomme de sterculia (laxatif mucilagineux).

Emploi : proposé dans les troubles du fonctionnement du côlon.

Précautions : consultez votre médecin si les troubles persistent et en cas de douleurs ou crampes abdominales, de selles noires, d'amaigrissement, de fièvre; ne pas utiliser en cas d'insuffisance rénale sévère; ne pas associer des tétracyclines.

Effets indésirables possibles: diarrhée, retard ou diminution de la résorption d'autres médicaments (respecter un intervalle d'au moins 2 h).

Note : vendu sans ordonnance; ne pas utiliser pendant plus de 5 jours sans avis médical.

KARELYNE® (Urgo)

Introd. en 1988. Non remb. SS.

PRINCIPE ACTIF : gel pour application locale contenant de l'huile d'amande douce peroxydée.

Emploi : proposé pour soulager les douleurs et le prurit anal, notamment au cours des crises hémorroïdaires.

Précautions : arrêtez le traitement et consultez votre médecin en cas d'accentuation des douleurs, d'apparition de sang dans les selles ou de fièvre.

Note : vendu sans ordonnance; consultez votre médecin si les troubles persistent.

KAYEXALATE®
(Sterling Winthrop)

Introd. en 1982. Liste II. Remb. SS 100%.

PRINCIPE ACTIF : **Polystyrène sulfonate sodique.**

Préparations : poudre pour suspension orale ou rectale à 15 g par mesure; un gramme de poudre contient 100 mg de sodium.

Emploi : résine échangeuse d'ions cationiques qui lie le potassium intestinal et forme avec lui des complexes insolubles éliminés dans les selles; elle est utilisée pour traiter la concentration excessive de potassium dans le sang (hyperkaliémies).

Note : prescrit sur ordonnance médicale.

KÉAL® (P. Fabre/Robapharm)

Introd. en 1986. Remb. SS 70%.

PRINCIPE ACTIF : **Sucralfate.**

Préparations : comprimés et poudre orale en sachets à 1 g (correspondant à 190 mg d'aluminium) ou à 2 g.

Emploi : sel complexe d'aluminium ayant un effet local «protecteur» sur la muqueuse gastrique et duodénale; il est utilisé dans le traitement de l'ulcère gastrique et duodénal évolutif et dans la prévention des rechutes de l'ulcère duodénal; en cas d'ulcère gastrique, il faut vérifier le caractère bénin de l'ulcère avant de commencer le traitement.

Le sucralfate diminue l'absorption des graisses, y compris des vitamines liposolubles (A, D et K) dont il faut administrer des suppléments en cas de traitement prolongé.

Durée d'action : jusqu'à 5 heures.

Précautions : ne pas employer en cas d'allergie au produit, de maladie des reins (risque d'accumulation en cas d'insuffisance rénale), d'épilepsie ou de crises convulsives.

Grossesse et allaitement : il n'existe pas de contre-indication actuellement connue à l'utilisation de ce médicament; cependant, son innocuité n'a pas été établie chez la femme enceinte, ni lors de l'allaitement.

Interactions : certains médicaments ne doivent en aucun cas être associés; dans d'autres cas, l'association des médicaments peut demander un ajustement des doses ou d'autres précautions; le sucralfate peut retarder et/ou diminuer l'absorption des médicaments suivants (pour atténuer cet effet, respecter un intervalle d'au moins 2 h) : anticoagulants oraux, digitaliques, phénytoïne, tétracyclines.

Régime : en cas de traitement prolongé, votre médecin pourra vous conseiller un régime riche en vitamines A, D et K et éventuellement vous prescrire de suppléments de ces vitamines dont l'absorption peut être diminuée par le sucralfate.

Autres médicaments : il faut respecter un intervalle de 30 minutes entre la prise de sucralfate et la prise de l'antiacide.

Alcool : à éviter pendant le traitement.

Surveillance : consultez votre médecin à intervalles réguliers pour évaluer les effets du traitement.

Durée du traitement : on conseille en général des traitements qui ne dépassent pas 8 semaines pour éviter des carences en vitamines A, D et K.

Effets indésirables possibles :
– constipation, sécheresse de la bouche, nausées, diarrhées;
– douleurs abdominales;
– prurit, éruption cutanée;
– en cas de traitement prolongé (plusieurs mois), l'aluminium libéré dans l'estomac peut s'accumuler dans le cerveau, surtout en cas d'insuffisance rénale, et causer des troubles psychiques (encéphalopathie).

Note : vendu sans ordonnance; à éviter en automédication.

KÉFANDOL® → Céphalosporines.

KEFLIN® → Céphalosporines.

KÉFORAL® (Lilly)

Introd. en 1971. Liste I. Remb. SS 70%.
PRINCIPE ACTIF : **Céfalexine**.
Préparations : comprimés à 500 mg ou 1000 mg; poudre pour suspension buvable en sachets à 125 mg, 250 mg ou 500 mg.
Emploi : antibiotique du groupe des céphalosporines (→ ce terme) utilisé dans les infections bactériennes.
Précautions : ne pas employer en cas d'allergie à la pénicilline ou aux céphalosporines, de grossesse ou d'allaitement.
Effets indésirables possibles : nausées, vomissements, diarrhées, parfois prurit et éruption cutanée (réaction allergique : arrêtez immédiatement le traitement).
Note : prescrit sur ordonnance médicale.

KEFZOL® → Céphalosporines.

KÉLOCYANOR® (L'Arguenon)

Introd. en 1961. Liste I. Remb. SS 70%.
PRINCIPE ACTIF : **Édétate dicobaltique**.
Préparations : ampoules injectables à 300 mg (+ glucose) dans 20 ml.
Emploi : utilisé comme antidote pour traiter les intoxications par l'acide cyanhydrique et les cyanures.
Note : prescrit sur ordonnance médicale.

KELSEF® (Gallier)

Introd. en 1975. Liste I. Remb. SS 70%.
PRINCIPE ACTIF : **Céfradine**.
Préparations : gélules à 500 mg; poudre orale en sachets à 250 mg.
Emploi : antibiotique du groupe des céphalosporines (→ ce terme) utilisé dans les infections bactériennes.
Précautions : ne pas employer en cas d'allergie à la pénicilline ou aux céphalosporines, de grossesse ou d'allaitement.
Effets indésirables possibles : nausées, vomissements, diarrhées, parfois prurit, éruption cutanée (réaction allergique : arrêtez le traitement).
Note : prescrit sur ordonnance médicale.

KENACORT® RETARD
(Bristol-Myers Squibb)

Introd. en 1969. Liste I. Remb. SS 70%.
PRINCIPE ACTIF : **Triamcinolone**.
Préparations : suspension injectable en ampoule de 40 mg ou 80 mg.
Emploi :
– *Injections intramusculaires profondes* : utilisé pour atténuer les réactions inflammatoires et allergiques, ainsi que dans le traitement de maladies telles que des allergies cutanées graves, des crises d'asthme, ou des polyarthrites évolutives.
– *Injections intra-articulaires :* arthrites inflammatoires (sauf septiques) ou arthrose en poussée.
– *Injections péri-articulaires* : périarthrite scapulo-humérale ou de la hanche, bursites, tendinites, ténosynovites, syndrome du canal carpien, épicondylites, talalgies.
– *Injections épidurales* : lombalgies, sciatiques.
Pour les détails → p. 176 et p. 178.
Note : prescrit sur ordonnance médicale.

KENALCOL®
(Bristol-Myers Squibb)

Introd. en 1979. Liste I. Remb. SS 70%.
PRINCIPES ACTIFS : solution alcoolique pour application locale contenant de la triamcinolone (dermocorticoïde), acide salicylique (kératolytique) et chlorure de benzalkonium (antiseptique).
Emploi : proposé dans le traitement de l'eczéma de contact, la dermatite allergique, les processus de lichénification, la kératodermie palmoplantaire et dans d'autres affections pour amincir la couche cornée de la peau (action kératolytique).
Application du produit : étaler le produit sur les lésions et le faire pénétrer par un léger massage; éviter tout contact avec les yeux. Ne dépassez pas le nombre d'applications journalières prescrites par votre médecin (en général deux par jour au maximum); des applications trop fréquentes et l'occlusion des lésions augmentent le risque d'effets indésirables.
Durée du traitement : ne pas dépasser 8 jours.

Effets indésirables possibles : prurit, sensation de brûlure; l'application sur de grandes surfaces ou sous un pansement occlusif peut entraîner un passage du principe actif dans la circulation sanguine, d'où l'apparition d'effets indésirables parfois généralisés; l'utilisation prolongée peut provoquer une atteinte de la peau du visage avec rougeur, amincissement et fragilité des téguments et apparition d'ecchymoses.
Note : prescrit sur ordonnance médicale.

KÉRA® (Monot)

PRINCIPES ACTIFS : crème contenant de l'acide salicylique et diméticone.
Emploi : utilisé en application locale dans les cors et les durillons.
Précautions : ne pas employer en cas d'allergie à l'aspirine.
Effets indésirables possibles : peut provoquer une irritation locale, une inflammation aiguë et même des ulcérations, surtout chez les diabétiques, lorsque la préparation est trop concentrée; certains patients sont allergiques aux salicylates et l'application locale peut provoquer une urticaire ou même un érythème polymorphe.
Note : vendu sans ordonnance.

KERAFILM® (P. Fabre)

Introd. en 1940. Non remb. SS.
PRINCIPES ACTIFS : solution verrucide et coricide pour application locale contenant de l'acide salicylique, acide lactique, éther éthylique, teinture d'iode, butoforme et collodion.
Emploi : traitement des verrues, cors, durillons.
Précautions : ne pas employer en cas d'allergie aux salicylates.
Effets indésirables possibles: irritation locale, inflammation aiguë, ulcérations (surtout chez les diabétiques ou lorsque la préparation est trop concentrée), urticaire (réaction allergique: arrêtez le traitement).
Note : vendu sans ordonnance.

KÉRATOCYNÉSINE® (Boiron)

Préparation homéopathique (pommade) proposée comme calmant de la peau.

KÉRATOSANE® (Devimy)

Introd. en 1977. Non remb. SS.
PRINCIPES ACTIFS : gel pour application locale contenant de l'urée (carbamide) et pentosane polysulfate.
Emploi : proposé pour amincir la couche cornée de la peau (kératolytique) en cas d'épaississement de la peau, notamment au niveau de la plante des pieds, on conseille 2 applications par jour.
Précautions : ne pas appliquer sur des lésions suintantes ou inflammatoires.
Note : vendu sans ordonnance.

KÉRATYL® (Chauvin)

Introd. en 1973. Liste II. Remb. SS 70%.
PRINCIPE ACTIF : collyre contenant du nandrolone (anabolisant stéroïdien).
Emploi : proposé pour favoriser la cicatrisation des lésions ou ulcères de la cornée.
Précautions : pendant la grossesse et l'allaitement l'utilisation est déconseillée (innocuité non établie).
Sportifs : ce médicament peut passer dans le sang et donner une réaction positive en cas de test antidopage.
Conservation : à utiliser dans les 15 jours après l'ouverture du flacon.
Note : prescrit sur ordonnance médicale.

KERLONE® (Synthélabo)

Introd. en 1983. Liste I. Remb. SS 70%.
PRINCIPE ACTIF : *Bétaxolol.*
Préparations : comprimés à 20 mg.
Emploi : médicament appartenant au groupe très nombreux des bêta-bloquants utilisé par voie buccale pour traiter l'hypertension artérielle; Il s'agit d'un bêta-bloquant de type «cardiosélectif».
Pour les détails → p. 96.
Note : prescrit sur ordonnance médicale.

KESSAR® (Farmitalia C. Erba)

Introd. en 1987. Liste I. Remb. SS 100%.
PRINCIPE ACTIF : *Tamoxifène.*
Préparations : comprimés à 10 mg ou 20 mg.
Emploi : le tamoxifène bloque les effets des estrogènes (hormones femelles) sur la croissance des cellules; il est utilisé pour traiter les proliférations cellulaires anormales au niveau du sein dont la croissance est stimulée

par les estrogènes (tumeurs hormo-nodépendantes); il est aussi employé dans les proliférations cellulaires anormales au niveau de la prostate et de l'utérus et dans d'autres affections.
Durée d'action : les effets persistent pendant 2-4 semaines après l'arrêt du traitement.
Pour les détails → Tamoxifène.
Note : prescrit sur ordonnance médicale.

KÉTALAR® (Parke-Davis) et KÉTAMINE (Panpharma)

Introd. respectivement en 1970 et 1989. Liste I.
PRINCIPE ACTIF : *Kétamine.*
Préparations : solution injectable à 1%, 5% et 10%.
Emploi : anesthésique général par voie intraveineuse dont l'usage est réservé aux anesthésistes en clinique ou en hôpital disposant du matériel de réanimation.
Note : réservé aux hôpitaux.

KÉTODERM® (Janssen)

Introd. en 1987. Liste I. Remb. SS 70%.
PRINCIPE ACTIF : *Kétoconazole.*
Préparations : crème et gel pour application locale à 2%.
Emploi : antifongique utilisé pour traiter les infections de la peau causées par des champignons ou des levures; il est aussi actif contre certaines bactéries, notamment staphylocoques et streptocoques; il est employé pour traiter les dermatophytoses de la peau glabre et des orteils (pied d'athlète), les teignes et d'autres affections.
Précautions : ne pas appliquer sur une grande surface, une peau lésée et chez le nourrisson (risque d'absorption).
Effets indésirables possibles : irritation locale, prurit, brûlures.
Note : prescrit sur ordonnance médicale.

KIDROLASE® (R. Bellon)

Introd. en 1971. Liste I. Remb. SS 100%.
PRINCIPE ACTIF : *Asparaginase.*
Préparations : poudre pour solution injectable en flacons à 10.000 unités.
Emploi : médicament appartenant au groupe des antimétabolites, l'asparaginase est un enzyme obtenu à partir de cultures de colibacilles; elle détruit l'asparagine, un acide aminé essentiel pour certaines cellules tumorales et

est utilisée pour le traitement de certaines leucémies et tumeurs lymphatiques.
Note : le traitement doit être pris en charge par un spécialiste.

KINOCYSTOL® (P. Fabre)

Introd. en 1976. Remb. SS 40%.
PRINCIPES ACTIFS : solution buvable contenant des triglycérides oléiques interestérifiés.
Emploi : proposé pour stimuler la sécrétion de la bile dans les troubles de la digestion (dyspepsie).
Précautions : ne pas employer en cas d'obstruction des voies biliaires; consultez votre médecin en cas de douleurs ou crampes abdominales d'origine indéterminée, de selles noires, d'amaigrissement, d'urines foncées, de douleurs de la région du foie, de jaunisse.
Note : vendu sans ordonnance; ne pas utiliser pendant plus de 5 jours sans avis médical.

KINUPRIL® (Pharmuka)

Introd. en 1980. Liste I. Remb. SS 70%.
PRINCIPE ACTIF : *Quinupramine.*
Préparations : comprimés à 2,5 mg ou 7,5 mg; poudre pour solution injectable en flacons à 2,5 mg (réservé aux hôpitaux).
Emploi : antidépresseur du groupe des tricycliques, ayant une action atropinique et une action psychotonique, utilisé dans le traitement des états dépressifs de l'adulte.
Pour les détails → p. 40.
Note : prescrit sur ordonnance médicale.

KINURÉA H® (Fuca)

Introd. en 1928. Remb. SS 70%.
PRINCIPES ACTIFS : solution injectable contenant du chlorhydrate de quinine et d'urée (carbamide).
Emploi : utilisé comme agent sclérosant dans les hémorroïdes, les fissures anales et dans d'autres affections.
Précautions : ne pas employer en cas de traitement anticoagulant, d'intolérance à la quinine et chez la femme enceinte.
Note : le traitement doit être pris en charge par un spécialiste.

KLEAN-PREP® (Norgan)

Introd. en 1990. Remb. SS 70%.

PRINCIPES ACTIFS : poudre pour solution buvable contenant du polyéthylène-glycol, chlorure de sodium, sulfate de sodium, chlorure de potassium, bicarbonate de sodium.

Emploi : évacuateur colique utilisé avant les explorations endoscopiques ou radiologiques du côlon ou avant la chirurgie colique.

Note : médicament utilisé sous contrôle médical.

KLIOGEST® (Novo Nordisk)

Introd. en 1989. Liste I. Non remb. SS.

PRINCIPES ACTIFS: comprimés contenant de l'estriol, estradiol 17ß, et acétate de noréthistérone.

Emploi : l'estriol et l'estradiol sont des estrogènes naturels utilisés par voie buccale pour corriger la carence estrogénique de la ménopause (troubles du retour d'âge) et atténuer les bouffées de chaleur, transpirations, vertiges et les symptômes de la vaginite atrophique; le noréthistérone est associé pour diminuer les risques de cancer de l'endomètre; interrompre le traitement en cas d'immobilisation prolongée et un mois avant une intervention chirurgicale.

Ce produit est un estroprogestatif non contraceptif.

Pour les détails → p. 266.

Note : prescrit sur ordonnance médicale.

KOLA® (Astier)

Introd. en 1946. Non remb. SS.

PRINCIPES ACTIFS: comprimés contenant un extrait sec de kola et caféine.

Emploi : proposé dans la fatigue (ou asthénie fonctionnelle).

Précautions : consultez votre médecin si la fatigue persiste (il peut s'agir d'une dépression ou d'une maladie nécessitant un traitement spécifique) ou en cas d'amaigrissement.

Note : vendu sans ordonnance; efficacité des principes actifs à confirmer dans l'emploi proposé.

KOREC® (Millot-Solac)

Introd. en 1990. Liste I. Remb. SS 70%.

PRINCIPE ACTIF : **Quinapril**.

Préparations : comprimés à 5 ou 20 mg.

Emploi : inhibiteur de l'enzyme de conversion utilisé pour traiter l'hypertension artérielle, éventuellement associé à un diurétique, ainsi que pour traiter l'insuffisance cardiaque (faiblesse du cœur), rebelle aux digitaliques et aux diurétiques.

Durée d'action : 12-24 heures.

Pour les détails → p. 364.

Note : prescrit sur ordonnance médicale.

KWAI® (Licthwer)

Introd. en 1990. Non remb SS.

PRINCIPE ACTIF : comprimés contenant de la poudre du bulbe d'ail *(Allium sativum)*.

Emploi : proposé dans les troubles circulatoires mineurs.

Note : vendu sans ordonnance; efficacité du principe actif à confirmer dans l'emploi proposé.

KYTRIL® (SmithKline Beecham)

Introd. en 1991. Liste I.

PRINCIPE ACTIF : **Granisétron**.

Préparations : solution injectable pour perfusion en ampoules de 3 mg dans 3 ml.

Emploi : utilisé en milieu hospitalier pour la prévention des vomissements induits par la chimiothérapie anticancéreuse (antiémétique inhibiteur des récepteurs 5 HT3).

Effets indésirables possibles : maux de tête, constipation.

Note : réservé aux hôpitaux.

L

LACCODERME®
(Pharmascience)

Introd. en 1921. Remb. SS 70%.

Préparations : gamme de pommades contenant :

– *Acide salicylique* (remb. SS. 70%.) :
 Principes actifs : acide salicylique, oxydes de zinc et de titane.
 Emploi : proposé dans les dermatoses squameuses;

– *Dalibour* (remb. SS. 70%.) :
 Principes actifs : sulfate de cuivre, sulfate de zinc, oxyde de zinc, camphre, miristalkonium, safran.
 Emploi : proposé comme antiseptique.

– *Goudron de houille 5%* (remb. SS. 70%.) :
Emploi : proposé dans les eczémas chroniques et d'autres affections.

– *Huile de cade* (remb. SS. 70%.) :
Principes actifs : huiles de cade et de jusquiame, acide salicylique.
Emploi : proposé dans le psoriasis et les hyperkératoses pour amincir la couche cornée de la peau (action kératolytique);

– *Oxyde de zinc* (remb. SS. 40%.) :
Principes actifs : oxydes de zinc et de titane.
Emploi : dermites irritatives.

Note : des spécialités différentes par leur composition sont vendues sans ordonnance sous le même nom; à éviter sans avis médical.

LACRIGEL® (Europhta)

Introd. en 1990. Remb. SS 70%.
Principes actifs : gel ophtalmique contenant du carbopol 940 carbomère et cétrimide.
Emploi : proposé dans l'insuffisance de sécrétion des larmes («œil sec»).
Conservation : à utiliser dans les 15 jours après l'ouverture du flacon.
Note : vendu sans ordonnance; à éviter sans avis médical.

LACRISERT®
(M., S. & D.-Chibret)

Introd. en 1987. Non remb. SS.
Principe actif : inserts ophtalmiques contenant de l'hydroxypropylcellulose (hyprolose).
Emploi : proposés dans les formes sévères du syndrome de l'«œil sec» lorsqu'un traitement par les larmes artificielles s'est révélé insuffisant.
Note : vendu sans ordonnance; à utiliser sous le contrôle de l'ophtalmologiste.

LACRYPOS® (Alcon)

Introd. en 1982. Remb. SS 70%.
Principe actif : collyre contenant de l'acide chondroïtine sulfurique (sel de sodium).
Emploi : proposé dans l'insuffisance de sécrétion des larmes («œil sec»).
Conservation : à utiliser dans les 15 jours après l'ouverture du flacon.
Note : vendu sans ordonnance; à éviter sans avis médical, comme tous les collyres.

LACTACYD® (Clin Midy)

Introd. en 1947. Remb. SS 70%.
Principes actifs :
– solution pour application locale contenant un atomisat de lactosérum, acide lactique, hydroxyde de sodium et sodium hydroxy-4 benzoate de méthyle;
– pain dermatologique contenant un atomisat de lactosérum et de l'acide lactique.
Emploi : proposé comme détergent de la peau et pour la toilette vulvaire.
Précautions : rincer soigneusement.
Note : vendu sans ordonnance.

LACTÉOL® (Lab. Lactéol)

Introd. en 1907. Non remb. SS.
Principes actifs : comprimés, gélules, poudre orale et solution buvable contenant des *Lactobacillus acidophilus* tués et lyophilisés.
Emploi : proposé dans les diarrhées non organiques.
Précautions : ne pas employer en cas de douleurs ou de crampes abdominales d'origine indéterminée, de selles noires, d'amaigrissement, de jaunisse.
Consultez votre médecin si la diarrhée persiste après 48 heures, si des glaires et du sang apparaissent dans les selles.
Note : vendu sans ordonnance; efficacité des principes actifs à confirmer dans l'emploi proposé.

LACTOBYL® (Genifar)

Introd. en 1912. Non remb. SS.
Principes actifs : comprimés contenant de la poudre d'aloès (laxatif irritant), extrait de bile, poudre de muqueuse intestinale, charbon activé, poudre du fucus, extrait d'*Hyoscyamus muticus*.
Emploi : proposé dans les troubles digestifs et la constipation.
Précautions : consultez votre médecin si la constipation persiste, en cas de sang dans les selles ou de selles noires, de douleurs abdominales avec diarrhée, d'amaigrissement.
L'usage prolongé risque de provoquer la «maladie des laxatifs» avec lésions de la muqueuse intestinale.
Note : vendu sans ordonnance; à éviter comme tous les laxatifs irritants.

LACTULOSE Biphar®
(Procter & Gamble)

Introd. en 1985. Remb. SS 40%.

PRINCIPE ACTIF : *Lactulose*.

Préparations : soluté buvable à 50%.

Propriétés : laxatif osmotique qui accélère le transit intestinal et diminue l'absorption intestinale de l'ammoniac; dans le gros intestin, le lactulose est transformé en acide lactique (stimule l'activité intestinale) et en acide acétique qui sont éliminés dans les selles.

Emploi : le lactulose est utilisé dans
– la constipation (peut être administré en cas de grossesse);
– l'encéphalopathie hépatique avec hyperammoniémie (par voie buccale, par sonde ou en lavement).

Précautions : ne pas employer en cas de douleurs abdominales d'origine inconnue, de saignement rectal, d'intolérance au lactose ou au galactose; évitez l'usage prolongé.

Note : *vendu sans ordonnance; ne pas utiliser pendant plus de 5 jours sans avis médical.*

LAMALINE® (Sarbach)

Introd. en 1987. Liste II. Remb. SS 70%.

PRINCIPES ACTIFS : gélules et suppositoires contenant :
– poudre d'opium : analgésique à action centrale;
– paracétamol : analgésique à action périphérique et antipyrétique;
– belladone : spasmolytique atropinique;
– caféine : stimulant central.
Une gélule contient 1 mg de morphine et un suppositoire 3 mg.

Emploi : proposé dans les affections douloureuses.

Précautions : ne pas utiliser en cas de
– maladie du foie (l'élimination de la morphine est diminuée en cas d'insuffisance hépatique);
– hypertrophie de la prostate;
– glaucome à angle fermé;
– grossesse (innocuité non établie), allaitement;
– enfants âgés de moins de 15 ans.

Durée du traitement : doit être limitée à quelques jours.

Alcool : évitez les boissons alcoolisées pendant le traitement.

Conduite de véhicules : ce médicament peut diminuer la vigilance; la conduite de véhicules ou l'utilisation de machines peut être dangereuse.

Sportifs : ce médicament peut donner une réaction positive en cas de tests pour contrôle antidopage.

Effets indésirables possibles : somnolence ou insomnies, sécheresse de la bouche, confusion, vertiges, nausées et vomissements, crises d'asthme, constipation, éruption cutanée (réaction allergique : arrêtez immédiatement le traitement), difficulté à respirer ou à uriner (chez le sujet âgé).

Note : *prescrit sur ordonnance médicale.*

LANGORAN LP®
(Marion Merrell Dow).

Introd. en 1981. Liste II. Remb. SS 70%.

PRINCIPE ACTIF : *Dinitrate d'isosorbide*.

Préparations : gélules à libération prolongée à 20 mg, 40 mg ou 80 mg.

Emploi : médicament appartenant au groupe des dérivés nitrés qui dilatent les vaisseaux sanguins, notamment les vaisseaux du cœur (coronaires) et qui sont utilisés dans le traitement des crises d'angine de poitrine (sensation de constriction douloureuse dans la poitrine pouvant irradier dans le bras gauche).

Pour les détails → p. 203.

Note : *prescrit sur ordonnance médicale.*

LANOFÈNE® (Augot)

Introd. en 1943. Non remb. SS.

PRINCIPES ACTIFS : pommade contenant du sous-nitrate de bismuth, oxyde de zinc, talc et essence de géranium.

Emploi : engelures, crevasses, gerçures, brûlures superficielles.

Précautions : ne pas avaler, ne pas appliquer sur des lésions cutanées de l'oreille.

Note : *vendu sans ordonnance; consultez votre médecin si les lésions persistent.*

LANSOŸL® (Jouveinal)

Introd. en 1947. Non remb. SS.

PRINCIPE ACTIF : gelée orale contenant de l'huile de paraffine (huile de vaseline).

Emploi : huile minérale non résorbée par le tube digestif, lubrifiant le contenu colique et ramollissant les selles.

Durée du traitement : ne pas dépasser quelques jours.
Précautions : ne pas employer en cas de traitement anticoagulant, d'occlusion intestinale ou de douleurs abdominales de cause inconnue; consultez votre médecin si la constipation persiste ou en cas de selles noires ou de présence de sang dans les selles.
Effets indésirables possibles : suintement anal, risque de pneumopathie par inhalation en cas de régurgitations chez les sujets inconscients, les patients âgés alités ou les enfants âgés de moins de 3 ans; diminution de l'absorption de certains médicaments, notamment des anticoagulants dérivés de la coumarine, et des vitamines liposolubles (A, D, E, K).
Note : vendu sans ordonnance; à éviter sans avis médical à cause du risque d'effets indésirables.

LANTIGEN B® (Cassenne)

Introd. en 1954. Remb. SS 40%.
PRINCIPES ACTIFS : gouttes sublinguales contenant des antigènes bactériens.
Emploi : proposé dans la prévention des infections des voies respiratoires.
Note : vendu sans ordonnance; efficacité des principes actifs à confirmer dans l'emploi proposé.

LANZOR® (Houdé)

Introd. en 1992. Liste II. Remb. SS 70%.
PRINCIPE ACTIF : *Lansoprazole.*
Préparations : gélules à 30 mg.
Emploi : inhibiteur de la pompe à protons qui diminue la sécrétion acide gastrique et est utilisé pour traiter certaines affections, notamment :
– ulcère duodénal évolutif;
– œsophagite par reflux gastro-œsophagien, affection dans laquelle le contenu acide de l'estomac remonte dans l'œsophage;
Pour les détails → p. 61.
Note : prescrit sur ordonnance médicale.

LAO-DAL® (Goupil)

Introd. en 1952. Non remb. SS.
PRINCIPES ACTIFS : pommade et liniment contenant lidocaïne, chloroforme, salicylate de glycol (pommade) ou de méthyle (liniment), essence de térébenthine, camphre, menthol.

Emploi : proposé dans le traitement local des douleurs et contusions.
Précautions : ne pas utiliser chez l'enfant de moins de 7 ans.
Effets indésirables possibles : réactions allergiques.
Note : vendu sans ordonnance; consultez votre médecin si les douleurs persistent.

LARGACTIL® (Specia)

Introd. en 1952. Liste I. Remb. SS 70%.
PRINCIPE ACTIF : *Chlorpromazine.*
Préparations : comprimés à 25 mg ou 100 mg; solution buvable (1 goutte = 1 mg); ampoules injectables à 25 mg dans 5 ml.
Emploi : protctype des neuroleptiques dérivés de la phénothiazine ayant une action sédative et antiémétique; après 40 ans de son introduction, et malgré les noveaux dérivés, la chlorpromazine est encore largement utilisée.
La chlorpromazine est utilisée :
En psychiatrie : pour calmer l'agitation et l'excitation, réduire l'agressivité et améliorer les troubles du comportement dans les maladies mentales aiguës et chroniques, notamment dans la schizophrénie et la manie; la chlorpromazine atténue les symptômes de la maladie mentale, mais ne la guérit pas.
En médecine générale (à doses faibles) :
– dans l'anxiété grave;
– dans les nausées et les vomissements post-opératoires ou causés par la chimiothérapie ou la radiothérapie anticancéreuse;
– dans le hoquet incoercible;
– dans la préparation à l'anesthésie, anesthésie «potentialisée», analgésie obstétricale;
– dans l'éclampsie et le tétanos.
Pour les détails → p. 468.
Note : prescrit sur ordonnance médicale.

LARIAM® (Roche)

Introd. en 1986. Liste I. Non remb. SS.
PRINCIPE ACTIF : *Méfloquine.*
Préparations : comprimés à 50 mg ou 250 mg de base.
Emploi : médicament apparenté à la quinine efficace dans la prévention et le traitement du paludisme à *Plasmodium falciparum* résistant à la chloroquine; une résistance peut se développer rapidement et des effets

secondaires gênants sur le système nerveux central peuvent apparaître.

La méfloquine est employée dans :

– le traitement des accès aigus de paludisme dus à des souches de *P. falciparum* résistantes à d'autres médicaments (multirésistantes);

– la prévention destinée aux voyageurs se rendant dans des régions de forte prévalence des accès à *P. falciparum* résistants à d'autres médicaments.

On conseille aux voyageurs se rendant dans une zone d'endémie palustre de se munir d'une dose de méfloquine permettant un traitement provisoire d'urgence au cas où il ne leur serait pas possible de recevoir immédiatement des soins médicaux sur place.

Allergie : informez votre médecin si vous avez déjà fait une réaction allergique ou inhabituelle à ce médicament ou à la quinine.

Etat de santé : vous devez informer votre médecin de toute affection susceptible de modifier les effets du médicament, notamment :

– maladies du foie ou des reins;
– troubles du rythme cardiaque;
– antécédents d'épilepsie;
– antécédents de troubles mentaux.

Grossesse : ce médicament ne doit pas être utilisé chez la femme enceinte ou susceptible de l'être, sauf en cas de nécessité absolue; en effet, il a causé des malformations du fœtus au cours de l'expérimentation animale; on conseille à la femme en âge de procréer prenant de la méfloquine de se soumettre à une contraception rigoureuse pendant toute la durée du traitement et pendant 2 mois après la dernière prise.

Allaitement : l'utilisation de ce médicament est déconseillée.

Enfants : ce médicament n'est pas utilisé chez l'enfant d'un poids inférieur à 15 kg.

Interactions : il faut informer votre médecin si vous prenez ou avez pris récemment d'autres médicaments, notamment :

– anticoagulants oraux (renforcez la surveillance du temps de prothrombine);
– antidiabétiques oraux (renforcez la surveillance de la glycémie);
– acide valproïque (risque de convulsions);

– quinine (risque de convulsions);
– quinidine et autres antiarythmiques;
– bêta-bloquants, inhibiteurs calciques.

Prescription : ne dépassez pas la dose prescrite par votre médecin; des doses trop élevées ou des prises trop fréquentes augmentent les risques d'effets indésirables.

Prise du médicament : les comprimés doivent être absorbés avec une grande quantité de liquide, de préférence au cours des repas.

Oubli : si vous oubliez de prendre le médicament, ne doublez pas la dose suivante.

Alcool : à éviter pendant le traitement.

Usage préventif : prenez la première dose une semaine avant l'arrivé dans la zone impaludée et poursuivez le traitement à raison d'une dose par semaine; la dernière dose est prise durant la semaine qui suit le départ de la zone infestée; si le séjour est de courte durée, poursuivez le traitement après le retour jusqu'à un total d'au moins 6 doses hebdomadaires.

Durée du traitement : pour éviter la sélection de souches résistantes, la durée du traitement est limitée à 3 mois.

Conduite de véhicules : chez certains sujets, la méfloquine peut provoquer des vertiges et des troubles de l'équilibre : la conduite de véhicules ou l'utilisation de machines peut être dangereuse dans ce cas; les équipages d'avions et autres personnels dont la profession exige une bonne coordination ne doivent pas prendre de la méfloquine pour prévenir le paludisme et doivent éviter de se livrer à des tâches exigeant une bonne coordination pendant au moins deux semaines après avoir suivi un traitement par la méfloquine; les vertiges et les troubles de l'équilibre peuvent survenir au cours des 3 semaines qui suivent la dernière prise du médicament.

Effets indésirables possibles :

– vertiges, nausées, vomissements, diarrhées ou constipation, douleurs abdominales;
– troubles de l'équilibre;
– maux de tête sévères;
– troubles visuels;
– palpitations, ralentissement ou irrégularité du pouls;
– prurit, éruption cutanée (réaction allergique : arrêtez le traitement);
– anxiété, dépression, convulsions.

Note : prescrit sur ordonnance médicale.

LARMES ARTIFICIELLES
(Martinet)

Introd. en 1948. Remb. SS 70%.

PRINCIPES ACTIFS : collyre contenant du chlorure de sodium et borate de phénylmercure.

Emploi : proposé dans l'insuffisance de sécrétion des larmes («œil sec»).

Note : vendu sans ordonnance; à éviter sans avis médical, comme tous les collyres.

LARODOPA® (Roche)

Introd. en 1970. Liste I. Remb. SS 70%.

PRINCIPE ACTIF : **Lévodopa**.

Préparations : comprimés à 500 mg.

Emploi : précurseur de la dopamine utilisé pour traiter la maladie de Parkinson et le syndrome parkinsonien; la lévodopa est le pratiquement toujours associée à la bensérazide (Modopar®) ou à la carbidopa (Sinemet®) qui empêchent la transformation de la lévodopa en dopamine en dehors du cerveau; ces substances augmentent l'efficacité de la lévodopa et permettent d'en réduire les doses et de diminuer ses effets indésirables.

Pour les détails → Lévodopa.

Note : prescrit sur ordonnance médicale.

LAROSCORBINE® (Roche)

PRINCIPE ACTIF : comprimés et ampoules injectables contenant 0,5 g ou 1 g d'acide ascorbique.

Emploi : carences en vitamine C.

Pour les détails → Vitamine C.

Note : vendu sans ordonnance; à éviter en automédication (une carence en vitamines ne peut être diagnostiquée que par votre médecin).

LAROXYL® (Roche)

Introd. en 1963. Liste I. Remb. SS 70%.

PRINCIPE ACTIF : **Amitriptyline**.

Préparations : comprimés à 25 mg ou 50 mg; solution buvable à 1 mg par goutte; ampoules injectables à 50 mg.

Emploi : antidépresseur du groupe des tricycliques, ayant une action sédative et atropinique, utilisé dans le traitement des états dépressifs de l'adulte et parfois pour traiter les douleurs rebelles aux médicaments contre la douleur habituels.

L'amitriptyline a été proposée chez l'enfant qui «mouille» son lit (énurésie nocturne sans lésion organique).

Pour les détails → p. 40.

Note : prescrit sur ordonnance médicale.

LASILIX® (Hoechst)

Introd. en 1965. Liste II. Remb. SS 70%.

PRINCIPE ACTIF : **Furosémide**.

Préparations : comprimés à 20 mg ou 40 mg; gélules retard à 60 mg (*Lasilix retard®*); ampoules injectables à 20 mg (*Lasilix faible®*) dans 2 ml; solution injectable en ampoules à 250 mg (réservées à l'hôpital).

Emploi : diurétique utilisé
– pour favoriser l'élimination de l'excès d'eau accumulée dans l'organisme (œdèmes) dans l'insuffisance cardiaque, hépatique ou rénale;
– pour traiter l'hypertension artérielle.

Le furosémide a une action puissante et de courte durée; il agit au niveau de l'anse de Henle du rein (*diurétique de l'anse*); il a l'avantage, par rapport aux diurétiques thiazidiques, de pouvoir agir en cas d'insuffisance rénale; il provoque des pertes de potassium qui peuvent aboutir à une diminution du taux sanguin du potassium (hypokaliémie) et nécessiter des supplément de potassium ou l'association avec un diurétique épargnant le potassium.

Le furosémide est aussi utilisé en injection en milieu hospitalier pour traiter l'œdème aigu du poumon, les crises hypertensives et certaines intoxications.

Durée d'action : 6 à 8 heures.

Sportifs : ce médicament se trouve sur la liste des dopants interdits (Ministère de la Jeunesse et des Sports); il donne une réaction positive en cas de tests lors des contrôles antidopage.

Pour les détails → p. 232.

Note : prescrit sur ordonnance médicale.

LASONIL® (Bayer Pharma)

Introd. en 1967. Remb. SS 40%.

PRINCIPES ACTIFS : pommade contenant des héparinoïdes et hyaluronidase.

Emploi : proposé dans les phlébites superficielles et dans les œdèmes post-traumatiques.

Note : vendu sans ordonnance; efficacité des principes actifs à confirmer dans l'emploi proposé.

LATÉPYRINE® (Aérocid)

Introd. en 1982. Non remb. SS.

PRINCIPES ACTIFS : dragées et supposi-toires contenant du paracétamol (analgésique et antipyrétique), car-bosalicylate d'éthyle, camphosulfo-nate de quinine (antipaludique).

Emploi: proposé pour atténuer la dou-leur modérée (analgésique) et pour faire tomber la fièvre (antipyrétique).

Note : vendu sans ordonnance; l'efficacité du paracétamol est généralement reconnue, mais les autres composants ont peu d'intérêt dans l'emploi proposé.

LAXAMALT® (Licardy)

Introd. en 1925. Remb. SS 40%.

PRINCIPE ACTIF : huile de paraffine.

Emploi : huile minérale non résorbée par le tube digestif, lubrifiant le contenu colique et ramollissant les selles.

Durée du traitement : quelques jours.

Précautions : ne pas employer en cas de traitement anticoagulant, d'occlu-sion intestinale ou de douleurs ab-minales de cause inconnue; consultez votre médecin si la constipation persiste ou en cas de selles noires ou de présence de sang dans les selles.

Effets indésirables possibles : suinte-ment anal, risque de pneumopathie par inhalation en cas de régurgitations chez les sujets inconscients, les patients âgés alités ou les enfants âgés de moins de 3 ans; diminution de l'absorption de certains médicaments, notamment des anticoagulants déri-vés de la coumarine, et des vitamines liposolubles (A, D, E, K).

Note : vendu sans ordonnance; à éviter sans avis médical à cause du risque d'effets indésirables.

LAXATIF RICHELET®
(Richelet)

PRINCIPES ACTIFS : comprimés contenant du docusate sodique (laxatif irritant), extraits de bourdaine, boldo et bella-done, pancréatine, entérokinase, bile dépigmentée, magnésie, aloïne.

Emploi : constipation.

Précautions : consultez votre médecin si la constipation persiste, en cas de sang dans les selles ou de selles noires, de douleurs abdominales avec diar-rhée, d'amaigrissement. L'usage

prolongé risque de provoquer la «maladie des laxatifs» avec lésions de la muqueuse intestinale.

Note : vendu sans ordonnance; à éviter comme tous les laxatifs irritants.

LAXILO® (Amido)

PRINCIPES ACTIFS : comprimés contenant de l'aloès (laxatif irritant), extrait de bile, belladone, jusquiame et gomme sterculia.

Emploi : proposé dans les troubles digestifs et la constipation.

Précautions : consultez votre médecin si la constipation persiste, en cas de sang dans les selles ou de selles noires, de douleurs abdominales avec diar-rhée, d'amaigrissement.

L'usage prolongé risque de provo-quer la «maladie des laxatifs».

Note : vendu sans ordonnance; à éviter comme tous les laxatifs irritants.

LEDERFOLINE® (Lederle)

Introd. en 1973. Non remb. SS. (sauf prescription hospitalière).

PRINCIPE ACTIF : **Folinate de calcium.**

SYNONYMES : acide folinique, leucovo-rine, citrovorum factor.

Préparations (exprimées en acide foli-nique) : comprimés à 5 mg, 15 mg ou 25 mg; poudre pour solution buvable en flacons à 50 mg; ampoules injecta-bles à 5 mg dans 2 ml; poudre pour solution injectable en flacons à 50 mg, 100 mg, 200 mg ou 350 mg.

Pour la forme lévogyre → Elvorine®.

Emploi : le folinate de calcium est un dérivé de l'acide folique utilisé :
– comme antidote dans le surdosage accidentel des médicaments antago-nistes de l'acide folique (antifoliques), notamment méthotrexate, trimétho-prime, pyriméthamine, pentamidine, triamtérène, phénytoïne;
– dans le traitement de certaines anémies dites «mégaloblastiques» dues à une carence en acide folique ou aux médicaments antifoliques.

Précautions : ce médicament ne doit pas être utilisé pour traiter l'anémie pernicieuse car il améliore les symp-tômes de l'anémie, mais ne protège pas le patient de la progression du syndrome neurologique.

Effets indésirables possibles : troubles digestifs, réactions allergiques rares.

Note : à utiliser sous contrôle médical.

LEDERTREXATE® (Lederle)

Introd. en 1974. Liste I. Remb. 100%.

PRINCIPE ACTIF : *Méthotrexate*.

SYNONYMES : améthoptérine, MTX.

Préparations : comprimés à 2,5 mg; ampoules injectables à 5 mg, 25 mg, 50 mg, 100 mg; flacon à 5.000 mg (réservé aux hôpitaux).

Emploi : médicament appartenant au groupe des antimétabolites antagonistes de l'acide folique employé pour traiter
- les proliférations cellulaires anormales des ganglions lymphatiques, en particulier lymphomes non hodgkiniens, lymphome de Burkitt et mycosis fongoïde;
- les proliférations cellulaires anormales au niveau de l'utérus (choriocarcinome), du testicule, du poumon et des os;
- les leucémies aiguës (traitement d'entretien);
- psoriasis sévère et maladies dites «auto-immunes», notamment le lupus érythémateux disséminé et la polyarthrite rhumatoïde résistant à d'autres médicaments;
- d'autres affections déterminées par votre médecin.

Antidote : l'antidote du méthotrexate, le folinate de calcium, doit être toujours disponible pour l'utilisation en cas de surdosage. Un supplément journalier de folinate de calcium peut atténuer les ulcérations des muqueuses et la diminution du nombre des globules sanguins provoquées par le méthotrexate, sans interférer avec les effets thérapeutiques.

Note : le traitement doit être pris en charge par un spécialiste.

LENICALM® (Dolisos)

Introd. en 1990. Non remb. SS.

PRINCIPES ACTIFS: comprimés contenant des extraits d'aubépine, aspérule, tilleul.

Emploi : proposé dans les états «neurotoniques» et les troubles du sommeil.

Note : vendu sans ordonnance; consultez votre médecin si les troubles persistent.

LÉNIDERMYL® (Sterling Midy)

Introd. en 1979. Non remb. SS.

PRINCIPE ACTIF : crème contenant de l'acide palmitoyl-collagénique.

Emploi : proposé dans les gerçures, engelures, plaies et brûlures superficielles.

Note : vendu sans ordonnance; consultez votre médecin si les lésions persistent.

LÉNITRAL® (Besins-Iscovesco)

Introd. en 1971. Liste II. Remb. SS 70%.

PRINCIPE ACTIF : *Trinitrine* .

SYNONYMES : trinitrate de glycéryle, nitroglycérine, trinitroglycérine.

Préparations : gélules à 2,5 mg ou 7,5 mg; ampoules injectables à 3 mg dans 2 ml ou 15 mg dans 10 ml; pommade à 2%; solution sublinguale (spray) délivrant 0,4 mg par pulvérisation buccale.

Emploi : médicament appartenant au groupe des dérivés nitrés qui dilatent les vaisseaux sanguins, notamment les vaisseaux du cœur (coronaires) et qui sont utilisés dans le traitement des crises d'angine de poitrine (sensation de constriction douloureuse dans la poitrine pouvant irradier dans le bras gauche).

Pour les détails → p. 203.

Note : prescrit sur ordonnance médicale.

LENTE MC® → Insuline.

LEPONEX® (Sandoz)

Introd. en 1991. Liste I.

PRINCIPE ACTIF : *Clozapine*.

Préparations : comprimés à 25 mg.

Emploi : médicament appartenant au groupe des neuroleptiques qui sont utilisés pour traiter certaines maladies psychiatriques; la clozapine est utilisée pour traiter la schizophrénie chronique rebelle à toutes autres formes de traitement; elle est administrée sous surveillance hebdomadaire du nombre des globules blancs dans le sang (formule sanguine); en effet, la clozapine peut provoquer dans 1% à 2% des cas la diminution ou l'absence des globules blancs dans le sang (respectivement granulocytopénie ou agranulocytose).

Surveillance : ce médicament est administré sous contrôle médical strict et surveillance régulière de la formule sanguine.

Signes d'infection: vous devez contacter immédiatement votre médecin dès

les premier symptômes d'une infection; une fièvre, des frissons et un mal de gorge peuvent indiquer une diminution du nombre des globules blancs (faire une formule sanguine).
Pour les détails → p. 468.
Note : réservé aux hôpitaux.

LEPTICUR® (Diamant)

Introd. en 1975. Liste I. Remb. SS 70%.
PRINCIPE ACTIF : **Tropatépine**.
Préparations : comprimés à 5 mg (*Lepticur Park®*) et 10 mg; ampoules injectables à 10 mg dans 2 ml.
Emploi : atropinique utilisé dans le traitement de la maladie de Parkinson (paralysie agitante) pour réduire le tremblement et la rigidité musculaire; il est employé seul dans les formes débutantes de la maladie ou en association avec la lévodopa dans les formes plus avancées; il est aussi utilisé pour contrôler le torticolis spasmodique, les mouvements involontaires des yeux et les symptômes de maladie de Parkinson observés au début du traitement par les neuroleptiques (dyskinésies «précoces»).
Pour les détails → p. 52.
Note : prescrit sur ordonnance médicale.

LESPÉNÉPHRYL® (Darcy).

Introd. en 1956. Non remb. SS.
PRINCIPE ACTIF : **solution alcoolique buvable contenant un extrait de *Lespedeza capitata*.**
Emploi : proposé pour stimuler l'élimination rénale de l'eau.
Note : vendu sans ordonnance; efficacité du principe actif à confirmer dans l'emploi proposé.

LESPORÈNE® (Creapharm)

Introd. en 1992. Liste I. Remb. SS 100%.
PRINCIPE ACTIF : **Tamoxifène**.
Préparations : compr. à 10 mg ou 20 mg.
Emploi : le tamoxifène bloque les effets des œstrogènes (hormones femelles) sur la croissance des cellules; il est utilisé pour traiter les proliférations cellulaires anormales au niveau du sein dont la croissance est stimulée par les œstrogènes (tumeurs hormonodépendantes); il est aussi employé dans les proliférations cellulaires anormales au niveau de la prostate et

de l'utérus et dans d'autres affections déterminées par votre médecin.
Durée d'action : les effets persistent pendant 2-4 semaines après l'arrêt du traitement.
Pour les détails → Tamoxifène.
Note : prescrit sur ordonnance médicale.

LEUCO-4® (Pharmascience)

Introd. en 1957. Non remb. SS.
PRINCIPE ACTIF: comprimés et préparation injectable contenant de l'adénine («vitamine B4»).
Emploi : proposé dans la diminution du nombre des globules blancs dans le sang (leucopénies mineures).
Note : vendu sans ordonnance; efficacité du principe actif à confirmer dans l'emploi proposé.

LEUCODININE B® (Promedica)

Introd. en 1963. Remb. SS 70%.
PRINCIPE ACTIF : **Méquinol**.
Préparations : crème à 10%.
Emploi : agent de dépigmentation proposé en applications locales dans les pigmentations circonscrites de la peau, notamment éphélides, chloasma (taches sur le visage après la grossesse ou traitement par les estroprogestatifs), taches de sénescence, pigmentations dues aux cosmétiques, aux parfums ou cicatricielles.
Précautions : appliquer uniquement sur les zones à décolorer; ne pas utiliser chez l'enfant de moins de 12 ans; protéger la peau du soleil (chapeau, vêtements longs, crèmes écran total).
Effets indésirables possibles: irritation locale; dépigmentation inesthétique en cas de débordement sur des zones cutanées saines, notamment pendant le sommeil
Note : vendu sans ordonnance; à éviter en automédication.

LÉVOCARNIL® (Sigma-Tau)

Introd. en 1988.
PRINCIPE ACTIF : **Lévocarnitine**.
Préparations : solution buvable en flacons à 1 g; ampoules injectables à 1 g dans 5 ml.
Emploi : utilisé pour traiter les
– déficits héréditaires rarissimes caractérisés par une dystrophie musculaire avec accumulation de lipides

dans les muscles et déficits primaires systémiques;
- déficits secondaires aux aciduries organiques;
- déficits de la bêta-oxydation des acides gras.

Note : *réservé aux hôpitaux.*

LÉVODOPA

Liste I. Remb. SS 70%.
LÉVODOPA
    Larodopa® (Roche).
LÉVODOPA + BENSÉRAZIDE
    Modopar® (Roche).
LÉVODOPA + CARBIDOPA.
    Sinemet® (Du Pont).

Emploi : la lévodopa est un précurseur de la dopamine et est utilisée pour le traitement de la maladie de Parkinson et du syndrome parkinsonien; l'effet antiparkinsonien est attribué à la stimulation par la dopamine des récepteurs dopaminergiques dans les ganglions de la base du cerveau; cet effet est plus marqué sur la rigidité et la lenteur des gestes (akinésie) que sur le tremblement; la lévodopa est associée à des inhibiteurs de la décarboxylase (bensérazide ou carbidopa) qui empêchent la transformation de la lévodopa en dopamine en dehors du cerveau; elles augmentent l'efficacité de la lévodopa et permettent d'en réduire les doses et de diminuer ses effets indésirables.

Allergie : informez votre médecin si vous avez déjà fait une réaction allergique ou inhabituelle à la lévodopa, à la bensérazide ou à la carbidopa.

Etat de santé : vous devez informer votre médecin de toute affection susceptible de modifier les effets du médicament, notamment :
- maladies du foie ou des reins (l'élimination de la lévodopa peut être diminuée en cas d'insuffisance hépatique ou rénale);
- asthme, emphysème pulmonaire, bronchite chronique;
- maladie du cœur, angine de poitrine, infarctus du myocarde récent;
- dépression, maladie mentale (risque d'aggravation);
- mélanome confirmé ou soupçonné;
- glaucome à angle fermé.

Grossesse : ce médicament ne doit pas être utilisé chez la femme enceinte ou susceptible de l'être; en effet, il a causé des malformations du fœtus au cours de l'expérimentation animale.

Allaitement : l'utilisation de ce médicament est déconseillée, car il passe dans le lait maternel.

Sujets âgés : doses réduites des 2/3 environ.

Interactions : il faut informer votre médecin si vous prenez ou avez pris récemment d'autres médicaments, notamment : antidépresseurs IMAO non sélectifs (crises hypertensives graves), antidépresseurs tricycliques (potentialisation des effets atropiniques), antihypertenseurs, phénytoïne, neuroleptiques, sympathomimétiques, méthyldopa, métoclopramide et autres gastrocinétiques.

Prescription : ne dépassez pas la dose prescrite par votre médecin; des doses trop élevées ou des prises trop fréquentes augmentent le risque d'effets indésirables; lorsque vous êtes déjà traité par un autre antiparkinsonien, le passage à la lévodopa doit être progressif; consultez votre médecin à ce sujet.

Prise du médicament : on conseille de prendre le médicament au cours des repas ou avec un peu de nourriture et avec un boisson non alcoolisée; la dose journalière doit être répartie au cours de la journée.

Au début du traitement : les nausées et les vomissements sont parfois gênants au début du traitement, surtout lorsque les doses sont augmentées trop rapidement; ils sont atténués par la prise du médicament à la fin des repas ou avec un peu de nourriture.

Oubli : si vous oubliez de prendre le médicament et si vous le remarquez dans les 2 heures qui suivent, prenez immédiatement la dose oubliée; ne doublez pas la dose suivante; si vous oubliez le médicament plusieurs jours, prenez contact avec votre médecin.

Délai d'action : les effets du traitement ne se manifestent parfois qu'après quelques semaines ou mois; l'arrêt brusque du traitement peut aggraver les symptômes.

Activités physiques : lorsque les effets du traitement se manifestent et les mouvements deviennent plus faciles, l'augmentation des activités physiques doit être très progressive.

Surveillance : des contrôles réguliers sont nécessaires pour permettre à votre médecin de moduler les doses selon les résultats et de contrôler éventuellement vos fonctions hépatiques.

En cas de diabète : il faut savoir que les résultats de certains tests pour déceler le sucre dans l'urine peuvent être faussés pendant le traitement.

Conduite de véhicules : la maladie de Parkinson elle-même et les effets sédatifs du médicament peuvent rendre dangereuse la conduite de véhicules ou l'utilisation de machines.

Durée du traitement : l'efficacité du médicament tend à diminuer avec la poursuite du traitement; l'augmentation des doses entraîne l'aggravation des effets indésirables; consultez votre médecin sur l'opportunité de continuer le traitement ou de changer de médicament.

Antidépresseurs : ne pas utiliser des antidépresseurs de la mono-amine oxydase (IMAO) pendant le traitement ou dans les 2 semaines précédentes ou suivantes (risque de crise hypertensive grave).

Chirurgie : informez votre chirurgien ou dentiste que vous êtes traité par ce médicament dont la prise est normalement interrompue 12 à 48 heures avant une anesthésie générale.

Effets indésirables possibles :
– les effets indésirables de la lévodopa sont proportionnels à la dose utilisée; à doses relativement faibles, ils sont peu importants; par la suite, avec l'augmentation des doses, les effets secondaires deviennent de plus en plus gênants;
– perte de l'appétit, nausées, vomissements; nervosité, agitation; dilatation des pupilles (mydriase), difficulté à uriner;
– vertiges, étourdissement, malaise quand vous vous levez (tension trop basse ou hypotension orthostatique);
– mouvements involontaires inhabituels (dyskinésies) des membres, des muscles du visage, de la langue; spasmes douloureux;
– confusion mentale, rêves réalistes, hallucinations, illusions, idéations paranoïdes;
– palpitations, irrégularité du pouls;
– état dépressif.

Intoxication : augmentation puis baisse de la tension artérielle, accélération du pouls (tachycardie), confusion mentale; dans les heures qui suivent l'ingestion, il peut être utile de faire vomir le patient ou de pratiquer un lavage gastrique; les effets durent environ une semaine.

Note : prescrit sur ordonnance médicale.

LÉVOTHYROX®
(Merck-Clévenot)

Introd. en 1980. Liste II. Remb. SS 70%.

PRINCIPE ACTIF : *Lévothyroxine sodique.*

SYNONYMES : thyroxine, tétra-iodothyronine, LT4 ou T4 lévogyre.

Préparations : compr. à 25 µg, 50 µg, 75 µg, 100 µg et 150 µg.

Emploi : médicament utilisé par voie buccale lorsque la glande thyroïde ne produit pas assez d'hormones thyroïdiennes dans l'hypothyroïdie, le myxœdème (bouffissure du visage et des mains), le goitre simple (augmentation de volume de la glande thyroïde), l'inflammation de la glande thyroïde (thyroïdite chronique) et les proliférations cellulaires anormales au niveau de la thyroïde.

La forme injectable est réservée à l'usage hospitalier pour traiter le coma myxœdémateux.

Durée d'action : 1 à 3 semaines.

Pour les détails → p. 346.

Note : prescrit sur ordonnance médicale.

LÉVOTONINE® (Panmedica)

Introd. en 1983. Liste I. Remb. SS 70%.

PRINCIPE ACTIF : *Oxitriptan.*

Préparations : gélules à 100 mg.

Emploi : acide aminé précurseur de la sérotonine utilisé dans le traitement d'une affection rare, le syndrome des myoclonies post-anoxiques de Lance et Adams; l'emploi dans les troubles du sommeil, les dépressions et la migraine est déconseillé.

Précautions : ne pas employer en cas de grossesse, d'insuffisance cardiaque ou rénale; ne pas associer aux antidépresseurs IMAO ou tricycliques.

Effets indésirables possibles : troubles gastro-intestinaux; syndrome d'éosinophilie-myalgie.

Note : prescrit sur ordonnance médicale.

LÉVULOSE (Aguettant)

Introd. en 1976.

Préparations : solution injectable en flacons à 5 g/100 ml pour perfusion intraveineuse.

Emploi : utilisé dans la réhydratation lorsqu'il y a perte d'eau supérieure à la perte en chlorure de sodium et autres osmoles, pour apport calorique et dans le traitement de la cétose dans la dénutrition.
Note : réservé aux hôpitaux.

LEXOMIL® (Roche)

Introd. en 1981. Liste I. Remb. SS 70%.
La durée de prescription ne peut dépasser 12 semaines.
PRINCIPE ACTIF : **Bromazépam**.
Préparation : comprimé-baguette quadrisécable à 6 mg.
Emploi : tranquillisant appartenant au groupe très nombreux des benzodiazépines; le bromazépam est proposé dans l'anxiété, l'angoisse et le sevrage alcoolique.
Durée d'action : environ 24 heures.
Pour les détails → p. 94.
Note : prescrit sur ordonnance médicale.

LIBRAX® (Roche)

Introd. en 1965. Liste I. Remb. SS 40%.
La durée de prescription ne peut dépasser 12 semaines.
PRINCIPES ACTIFS: comprimés contenant
– chlordiazépoxide (5 mg) : benzodiazépine (Librium®);
– clidinium bromure (2,5 mg) : antispasmodique atropinique.
Emploi : association d'un tranquillisant dérivé de la benzodiazépine (chlordiazépoxide) et d'un spasmolytique atropinique (clidinium) proposée dans le traitement des spasmes douloureux d'origine gastrique, intestinale, biliaire ou urinaire. La durée du traitement doit être aussi brève que possible (risque de dépendance).
Pour les détails → p. 56 et p. 94.
Note : prescrit sur ordonnance médicale.

LIBRIUM® (Roche)

Introd. en 1961. Liste I. Remb. SS 70%.
La durée de prescription ne peut dépasser 12 semaines.
PRINCIPE ACTIF : **Chlordiazépoxide**.
Préparations : compr. à 5 mg ou 10 mg.
Emploi : tranquillisant appartenant au groupe très nombreux des benzodiazépines; le chlordiazépoxide est proposé dans l'anxiété, l'angoisse et le sevrage alcoolique.

Durée d'action : 12-24 heures (certains effets peuvent durer plus longtemps).
Pour les détails → p. 94.
Note : prescrit sur ordonnance médicale.

LINCOCINE® (Upjohn)

Introd. en 1966. Liste I. Remb. SS 70%.
PRINCIPE ACTIF : **Lincomycine** .
Préparations : gélules à 500 mg; ampoules injectables à 600 mg dans 2 ml.
Emploi : antibiotique du groupe des lincosanides utilisé par voie orale et en injections dans le traitement d'infections graves dues à des germes résistants à d'autres antibactériens, en particulier certaines péritonites et infections des poumons, des os et des articulations; son utilité est limitée par le risque d'une complication grave, la «colite pseudomembraneuse», due à la prolifération dans l'intestin de germes résistants et se manifestant par des crampes abdominales, une fièvre, des diarrhées persistantes et des selles contenant du sang.
Précautions : ne pas employer en cas d'allergie au produit, de maladies intestinale, notamment colite, d'asthme, rhume des foins ou autres allergies, de myasthénie, de grossesse et allaitement (innocuité non établie).
Durée du traitement : respectez la durée de prescription de votre médecin; en effet, même si les fièvre et les autres signes d'infection disparaissent, l'arrêt du traitement vous expose à des complications ou à une rechute; en cas d'infection à streptocoques, vous devez continuer à prendre le médicament pendant au moins 10 jours sous peine de vous exposer à des lésions du cœur ou des reins.
Effets indésirables possibles : en cas de diarrhées, arrêtez immédiatement le traitement et consultez votre médecin, car il pourrait s'agir d'une colite pseudomembraneuse; celle-ci peut se manifester quelques semaines après l'arrêt du traitement.
Note : prescrit sur ordonnance médicale.

LINDILANE® (Cassenne)

Introd. en 1989. Liste I. Remb. SS 70%.
PRINCIPES ACTIFS: comprimés contenant
– paracétamol : analgésique à action périphérique et antipyrétique;
– codéine : analgésique morphinique.

Emploi : proposé pour atténuer la douleur modérée (*analgésique*) et pour faire tomber la fièvre (*antipyrétique*).

Posologie (adulte) : 1-2 comprimés 1-3 fois par jour.

Durée du traitement : consultez votre médecin si les douleurs persistent après 5 jours ou si la fièvre ou le mal de gorge ne régressent pas au bout de 3 jours.

Précautions : ce médicament ne doit pas être utilisé en cas d'insuffisance hépatique, d'insuffisance respiratoire, de grossesse, d'allaitement et chez l'enfant âgé de moins de 15 ans; évitez d'associer l'alcool, les tranquillisants et les somnifères.

Conduite de véhicules : ce produit peut diminuer la vigilance; la conduite de véhicules ou l'utilisation de machines peut être dangereuse.

Sportifs : ce médicament peut donner une réaction positive lors des tests pour contrôle antidopage.

Effets indésirables possibles : somnolence, vertiges, constipation, nausées, éruptions cutanées.

Note : prescrit sur ordonnance médicale.

LINI-BOMBE® (Thépénier)

Introd. en 1963. Non remb. SS.

PRINCIPES ACTIFS : solution pour application locale en flacon pressurisé contenant de la phénazone (antipyrine), menthol et chloral.

Emploi : douleurs et contusions.

Effets indésirables possibles : réactions allergiques à l'antipyrine.

Note : vendu sans ordonnance; des principes actifs moins allergisants sont actuellement disponibles.

LIORÉSAL® (Ciba-Geigy)

Introd. en 1974. Liste I. Remb. SS 70%.

PRINCIPE ACTIF : *Baclofène*.

Préparations : comprimés à 10 mg.

Emploi : médicament appartenant au groupe des relaxants musculaires ou myorelaxants; il est utilisé dans les contractures et spasmes musculaires douloureux de la sclérose en plaques, de certaines lésions de la moelle épinière et dans d'autres affections; son action relaxante sur les muscles s'exerce par l'intermédiaire du système nerveux central.

Pour les détails → p. 585.

Note : prescrit sur ordonnance médicale.

LIPANOR® et BI-LIPANOR® (Sterling Winthrop)

Introd. respectivement en 1985 et 1992. Liste II. Remb. SS 70%.

PRINCIPE ACTIF : *Ciprofibrate*.

Préparations : gélules à 100 mg (*Lipanor*®) ou 200 mg (*Bi-Lipanor*®).

Emploi : médicament appartenant au groupe des hypolipidémiants qui sont utilisés pour abaisser les taux du cholestérol et des triglycérides dans le sang (graisses ou lipides sanguins). Le ciprofibrate appartient à la famille des fibrates et est utilisé lorsque les taux du cholestérol et des triglycérides dans le sang restent trop élevés malgré un régime adapté, poursuivi correctement pendant 3-6 mois. La poursuite du régime est indispensable.

Pour les détails → p. 353.

Note : prescrit sur ordonnance médicale.

LIPANTHYL® (Fournier)

Introd. en 1975. Liste II. Remb. SS 70%.

PRINCIPE ACTIF : *Fénofibrate*.

Préparations : gélules à 100 mg, 200 mg ou 300 mg.

Emploi : médicament appartenant au groupe des hypolipidémiants qui sont utilisés pour abaisser les taux du cholestérol et des triglycérides dans le sang (graisses ou lipides sanguins). Le fénofibrate appartient à la famille des fibrates et est utilisé lorsque les taux du cholestérol et des triglycérides dans le sang restent trop élevés malgré un régime adapté, poursuivi correctement pendant 3-6 mois. La poursuite du régime est dans tous les cas indispensable.

Pour les détails → p. 353.

Note : prescrit sur ordonnance médicale.

LIPAVLON® (Zeneca-Pharma)

Introd. en 1965. Liste II. Remb. SS 70%.

PRINCIPE ACTIF : *Clofibrate*.

Préparations : capsules à 500 mg.

Emploi : médicament appartenant au groupe des hypolipidémiants qui sont utilisés pour abaisser les taux du cholestérol et des triglycérides dans le sang (graisses ou lipides sanguins). Le clofibrate appartient à la famille des fibrates et est utilisé lorsque les taux du cholestérol et des triglycérides dans le sang restent trop élevés malgré un régime adapté, poursuivi correctement pendant 3-6 mois; la poursuite du régime est dans tous les cas indispensable.

Pour les détails → p. 353.

Note : prescrit sur ordonnance médicale.

LIPÉNAN® (Bouchara)

Introd. en 1974. Liste II. Remb. SS 70%.

PRINCIPE ACTIF : *Clofibride* .

Préparations : capsules à 450 mg.

Emploi : médicament appartenant au groupe des hypolipidémiants qui sont utilisés pour abaisser les taux du cholestérol et des triglycérides dans le sang (graisses ou lipides sanguins). Le clofibride appartient à la famille des fibrates et est utilisé lorsque les taux du cholestérol et des triglycérides dans le sang restent trop élevés malgré un régime adapté, poursuivi correctement pendant 3-6 mois.

Pour les détails → p. 353.

Note : prescrit sur ordonnance médicale.

LIPOREX® (Synthélabo)

Introd. en 1966. Remb. SS 40%.

PRINCIPES ACTIFS : solution buvable contenant de la choline, bétaïne, inositol, sorbitol (laxatif osmotique), arginine, pyridoxine, nicotinamide et acide citrique.

Emploi : proposé pour stimuler la sécrétion de la bile dans les troubles de la digestion (dyspepsie) et dans la constipation.

Précautions : ne pas employer en cas d'obstruction des voies biliaires; consultez votre médecin en cas de douleurs ou crampes abdominales d'origine indéterminée, de selles noires, d'amaigrissement, d'urines foncées, de douleurs de la région du foie, de jaunisse.

Note : vendu sans ordonnance; ne pas utiliser pendant plus de 5 jours sans avis médical.

LIPUR® (Parke-Davis)

Introd. en 1985. Liste II. Remb. SS 70%.
PRINCIPE ACTIF : *Gemfibrozil.*
Préparations : gélules à 450 mg.

Emploi : médicament appartenant au groupe des hypolipidémiants qui sont utilisés pour abaisser les taux du cholestérol et des triglycérides dans le sang (graisses ou lipides sanguins).

Le gemfibrozil appartient à la famille des fibrates et est utilisé lorsque les taux du cholestérol et des triglycérides dans le sang restent trop élevés malgré un régime adapté, poursuivi correctement pendant 3-6 mois; la poursuite du régime est dans tous les cas essentielle; certains effets peuvent persister jusqu'à 6 semaines après l'arrêt du traitement.

Pour les détails → p. 353.

Note : prescrit sur ordonnance médicale.

LIQUÉMINE® → Héparine.

LIQUIFILM® (Allergan)

Introd. en 1981. Non remb. SS.

PRINCIPES ACTIFS : collyre contenant de l'alcool polyvinylique, chlorobutanol et chlorure de sodium.

Emploi : proposé dans l'insuffisance de sécrétion des larmes («œil sec»).

Conservation : à utiliser dans les 15 jours après l'ouverture du flacon.

Note : vendu sans ordonnance; à éviter sans avis médical, comme tous les collyres.

LITHIABYL®
(Plantes et Médecines)

Introd. en 1954. Non remb. SS.

PRINCIPES ACTIFS : solution buvable contenant un extrait de berberis, méthénamine (acidifiant et antiseptique urinaire), extraits d'urtica et taraxacum et benzoate de sodium.

Emploi : proposé dans les troubles digestifs (dyspepsies), les ballonnements (météorisme) et les brûlures gastriques.

Précautions : ne pas employer en cas d'insuffisance rénale, d'obstruction des voies biliaires, de grossesse, ou d'allaitement; ne pas associer des sulfamides (risque de précipitations urinaires) ou des alcalinisants.

Note : vendu sans ordonnance; la méthénamine et les autres composants ont peu d'intérêt dans l'emploi proposé.

Si vous utilisez l'une des spécialités suivantes contenant un sel de lithium...

CARBONATE DE LITHIUM *Téralithe*® (Théraplix).	GLUCONATE DE LITHIUM *Neurolithium*® (Labcatal).

Emploi : les sels de lithium font partie du groupe des *normothymiques* et sont utilisés pour
- prévenir les rechutes de la psychose maniaco-dépressive; les résultats sont meilleurs dans la prévention des rechutes maniaques que dans celle des rechutes dépressives;
- traiter les accès aigus de manie (exaltation, précipitation des idées, irritabilité, euphorie); étant donné que les effets des sels de lithium ne se manifestent qu'au bout de 2-3 semaines, on associe un neuroleptique au début du traitement pour une action immédiate.

Le maniement des sels de lithium est délicat et exige le contrôle régulier de la concentration du lithium dans le sang (lithiémie); dans les formes graves, on conseille de commencer le traitement en milieu hospitalier.

Allergie : informez votre médecin si vous avez déjà fait une réaction allergique ou inhabituelle au lithium.

Etat de santé : vous devez informer votre médecin de toute affection susceptible de modifier les effets du médicament, notamment maladies du foie ou des reins, insuffisance cardiaque, hypertension artérielle, angine de poitrine, épilepsie, maladie de Parkinson, activité insuffisante de la thyroïde (hypothyroïdie), diabète sucré (le lithium peut augmenter la glycémie).

Grossesse : les sels de lithium ne doivent pas être utilisés pendant la grossesse; en effet, ils ont causé des malformations du fœtus; si une grossesse survient pendant le traitement, il faut informer immédiatement le médecin traitant.

Allaitement : les sels de lithium ne doivent pas être utilisé pendant l'allaitement, car ils passent dans le lait maternel et peuvent provoquer des effets indésirables chez l'enfant (faiblesse musculaire, difficulté à respirer, etc.).

Enfants : l'utilisation est déconseillée chez les enfants âgés de moins de 12 ans.

Sujets âgés : ils sont très sensibles aux effets du lithium; réduire les doses.

Interactions : il faut informer votre médecin si vous prenez ou avez pris récemment d'autres médicaments, notamment des diurétiques (diminution de l'élimination rénale du lithium favorisant les effets toxiques du lithium), antithyroïdiens, anti-inflammatoires non stéroïdiens, théophylline et ses dérivés, dérivés de la phénothiazine (par leur action antivomitive, ils peuvent masquer les signes de toxicité du lithium), halopéridol, carbamazépine.

Prescription : ne dépassez pas la dose prescrite; si vous oubliez de prendre le médicament, ne doublez pas la dose suivante.

Régime : on conseille pendant le traitement de boire suffisamment, surtout par temps chaud, et d'utiliser la quantité habituelle de sel dans les aliments (les restrictions de sel augmentent le taux du lithium dans le sang et le risque d'effets indésirables du lithium); ne changez pas de régime alimentaire sans consulter votre médecin.

Délai d'action : de 2 à 3 semaines; il faut attendre ce délai avant de pouvoir évaluer l'efficacité du traitement.

Surveillance : des contrôles réguliers du taux du lithium dans le sang (lithiémie) sont nécessaires au début du traitement pour permettre à votre médecin de déterminer la dose optimale de lithium ou d'éliminer des effets indésirables éventuels.

Alcool : évitez les boissons alcoolisées pendant le traitement.

Conduite de véhicules : assurez vous que le médicament n'entraîne pas de somnolence avant de conduire des véhicules ou d'utiliser des machines.

Par temps chaud : évitez les efforts physiques intenses qui peuvent causer de transpirations profuses; les pertes excessives d'eau et de sels qu'elles entraînent augmentent le taux sanguin du lithium et provoquent des effets indésirables; des pertes d'eau et de sels peuvent aussi se produire en cas de fièvre, de vomissements ou de diarrhée.

Taux du lithium dans le sang : la plupart des effets indésirables sont en relation avec un taux excessif de lithium dans le sang (*lithiémie*) et disparaissent ou régressent avec la diminution des doses ou l'arrêt du traitement.

Effets indésirables possibles :

– somnolence, soif, troubles gastro-intestinaux, tremblement fin des mains, prise de poids; perte de l'appétit, nausées, vomissements, diarrhées, douleurs abdominales;

– faiblesse musculaire, troubles de l'équilibre; difficulté d'élocution, troubles de la mémoire; éruption cutanée ressemblant à l'acné.

– *liés à un surdosage* : troubles de la vue, bourdonnements d'oreilles, confusion, convulsions;

– *liés à une diminution de la fonction thyroïdienne* : intolérance au froid, sécheresse de la peau, diminution de la pilosité, voix rauque, torpeur intellectuelle et physique, goitre;

– *traitement prolongé* : peut entraîner une augmentation du nombre des globules blancs dans le sang (hyperleucocytose), habituellement réversible; parfois soif intense et augmentation du volume des urines (diabète insipide ou néphrose).

Intoxication aiguë : réflexes exagérés, tremblement ample et irrégulier, vertiges, mouvements involontaires des yeux, mouvements d'extension des jambes et des bras, convulsions, diminution du volume des urines et évolution vers le coma.

L'hospitalisation d'urgence est nécessaire dans les cas graves.

LITHIAGEL® (Marx)

Introd. en 1967. Remb. SS 70%.

PRINCIPES ACTIFS : suspension aqueuse contenant du carbonate d'alumine et carraghenate.

Emploi : chélateur du phosphore formant dans l'intestin du phosphate d'aluminium insoluble, qui est éliminé dans les selles.

Ce produit est employé en cas d'augmentation du taux du phosphore dans le sang (hyperphosphorémie), en particulier dans l'insuffisance rénale chronique dont le diagnostic ne peut être posé que par votre médecin.

Note : vendu sans ordonnance; à utiliser sous contrôle médical.

LITHIUM MICROSOL® (Herbaxt)

Introd. en 1990. Non remb. SS.

PRINCIPE ACTIF: solution buvable contenant des traces de bromure de lithium (élément «minéral-trace»).

Emploi : proposé dans les troubles légers du sommeil, irritabilité.

Note : vendu sans ordonnance; efficacité à confirmer dans l'emploi proposé.

LITOSMIL® (Corbière)

Introd. en 1992. Non remb. SS.

PRINCIPE ACTIF: poudre orale en sachets contenant 300 mg de diosmine.

Emploi : proposé dans le traitement des symptômes en rapport avec l'insuffisance veineuse et lymphatique (jambes lourdes, etc.) ou la fragilité capillaire.

Précautions : ne pas utiliser pendant la grossesse et l'allaitement; consultez votre médecin en cas de suspicion de phlébite (jambes rouges et/ou chaudes, douloureuses, surtout si d'un seul côté et avec fièvre).

Note : vendu sans ordonnance; efficacité du principe actif à confirmer dans l'emploi proposé.

LITOXOL® (Sterling Midy)

Introd. en 1980. Non remb. SS.

PRINCIPES ACTIFS: comprimés contenant de la sulfaguanidine (sulfamide) et salicylate d'aluminium.

Emploi : proposé dans les diarrhées présumées d'origine bactérienne, non invasives, sans selles sanglantes ou purulentes.

Précautions : ne pas employer en cas d'antécédents d'hypersensibilité aux sulfamides, de déficit en glucose-6-phosphate déshydrogénase ou G6PD, d'insuffisance rénale ou hépatique, de grossesse et d'allaitement, d'insuffisance rénale, de douleurs ou de crampes abdominales, de selles noires, d'amaigrissement, de jaunisse; consultez votre médecin si la diarrhée persiste plus de 48 heures ou si elle s'aggrave. Dans les diarrhées d'origine infectieuse, dues à des bactéries ou à des protozoaires, des traitements spécifiques sont parfois indispensables; en outre, surtout chez l'enfant, la déshydratation qui accompagne la diarrhée aiguë demande avant tout une réhydratation par voie orale ou par injection dans les cas graves.

Effets indésirables possibles : risque d'éruptions cutanées.

Note : *vendu sans ordonnance; les sulfamides intestinaux sont actuellement peu utilisés.*

LOBAMINE-CYSTÉINE®
(P. Fabre)

Introd. en 1951. Remb. SS 40%.

PRINCIPES ACTIFS : gélules contenant de la méthionine et de la cystéine.

Emploi : proposé dans les pertes des cheveux (alopécies) et en cas de «cheveux gras» (séborrhée).

Précautions : ne pas employer en cas de cystinurie (maladie congénitale rare).

Note : *vendu sans ordonnance; efficacité des principes actifs à confirmer dans l'emploi proposé.*

LOCABIOTAL®
(Servier/Therval)

Introd. en 1963. Remb. SS 40%.

PRINCIPE ACTIF : *Fusafungine.*

Préparations : flacon doseur pressurisé de 20 ml contenant 1,18 g de fusafungine, délivrant environ 400 doses.

Emploi : antibiotique proposé en inhalations par la bouche et/ou les narines dans le traitement des infections rhinopharyngées (du nez et de la gorge) et des voies respiratoires (rhinites, sinusites, pharyngites, laryngites, etc.).

Précautions : ne pas employer en cas d'allergie au produit, de fièvre ou chez l'enfant âgé de moins de 30 mois; lire attentivement le mode d'emploi de l'embout nasal et buccal.

Effets indésirables possibles : irritation de la bouche et de la gorge, prurit, urticaire, éruptions cutanées, bouffissure des paupières et des lèvres, voix rauque, difficulté à respirer ou à avaler (réaction allergique : arrêtez immédiatement le traitement et informez votre médecin).

Note : *vendu sans ordonnance; à éviter en automédication comme tous les antibiotiques locaux.*

LOCACID® (P. Fabre)

Introd. en 1984. Liste I. Non remb. SS.

PRINCIPE ACTIF : *Trétinoïne.*

Préparations : crème et solution pour application locale.

Emploi : rétinoïde apparenté à la vitamine A (rétinol), la trétinoïne est utilisée en applications locales dans le traitement de certaines formes d'acné et dans d'autres affections de la peau (troubles de la kératinisation); elle a été proposée pour améliorer l'aspect de la peau lésée par une exposition chronique au soleil (sécurité à long terme non établie).

Pour les détails → Trétinoïne.

Note : *prescrit sur ordonnance médicale.*

LOCACORTÈNE® (Ciba-Geigy)

Introd. en 1967. Liste I. Remb. SS 70%.

PRINCIPES ACTIFS : crème contenant flumétasone (dermocorticoïde) et néomycine (antibiotique).

Emploi : traitement de les eczémas infectés et d'autres affections de la peau.

Application du produit : étaler le produit sur les lésions et le faire pénétrer par un léger massage; éviter tout contact avec les yeux. Ne dépassez pas le nombre d'applications journalières prescrites par votre médecin (en général 2 par jour au maximum); des applications trop fréquentes et l'occlusion des lésions augmentent le risque d'effets indésirables.

Durée du traitement : ne pas dépasser 8 jours.

Effets indésirables possibles : prurit, sensation de brûlure; l'application sur de grandes surfaces ou sous un pansement occlusif peut entraîner un passage du principe actif dans la circulation sanguine, d'où l'apparition d'effets indésirables généralisés; possibilité de réactions allergiques à la

néomycine; l'utilisation prolongée peut provoquer une atteinte de la peau du visage avec rougeur, amincissement et fragilité des téguments et apparition d'ecchymoses.
Note : *prescrit sur ordonnance médicale.*

LOCACORTÈNE-VIOFORME® (Ciba-Geigy)

Introd. en 1968. Liste I. Remb. SS 70%.
PRINCIPES ACTIFS : crème contenant flumétasone (dermocorticoïde) et clioquinol (antiseptique local).
Emploi : traitement de certaines affections de la peau avec surinfection modérée.
Application du produit: étaler le produit sur les lésions et le faire pénétrer par un léger massage; éviter tout contact avec les yeux. Ne dépassez pas le nombre d'applications journalières prescrites par votre médecin (en général deux par jour au maximum); des applications trop fréquentes et l'occlusion des lésions augmentent le risque d'effets indésirables.
Durée du traitement : ne pas dépasser 8 jours.
Effets indésirables possibles : prurit, sensation de brûlure; l'application sur de grandes surfaces ou sous un pansement occlusif peut entraîner un passage du principe actif dans la circulation sanguine, d'où l'apparition d'effets indésirables généralisés; possibilité de réactions allergiques au clioquinol; l'utilisation prolongée peut provoquer une atteinte de la peau du visage avec rougeur, amincissement et fragilité des téguments et apparition d'ecchymoses.
Note : *prescrit sur ordonnance médicale.*

LOCALONE® (P. Fabre)

Introd. en 1981. Liste I. Non remb. SS.
PRINCIPES ACTIFS : lotion alcoolique contenant triamcinolone acétonide (dermocorticoïde classe III) et acide salicylique (kératolytique).
Emploi : traitement de certaines affections de la peau à composante squameuse et pour amincir la couche cornée de la peau (action kératolytique).
Application du produit: étaler le produit sur les lésions et le faire pénétrer par un léger massage; éviter tout contact avec les yeux. Ne dépassez pas le nombre d'applications journalières prescrites par votre médecin (en général deux par jour au maximum); des applications trop fréquentes et l'occlusion des lésions augmentent le risque d'effets indésirables.
Effets indésirables possibles : prurit, sensation de brûlure; l'application sur de grandes surfaces ou sous un pansement occlusif peut entraîner un passage du principe actif dans la circulation sanguine et provoquer des effets indésirables généralisés; l'utilisation prolongée peut provoquer une atteinte de la peau du visage avec rougeur, amincissement et fragilité des téguments et ecchymoses.
Note : *prescrit sur ordonnance médicale.*

LOCAPRED® (P. Fabre)

Introd. en 1978. Liste I. Remb. SS 70%.
PRINCIPE ACTIF : **Désonide.**
Préparations : crème à 0,10%.
Emploi : dermocorticoïde d'activité assez forte (classe III) utilisé en application locale pour soulager la douleur, le prurit et les signes d'inflammation et d'irritation de la peau, notamment dans l'eczéma et la dermatite allergique provoquée par le contact avec des plantes, métaux, produits de nettoyage, cosmétiques, etc. ainsi que dans les processus de lichénification.
Pour les détails → p. 205.
Note : *prescrit sur ordonnance médicale.*

LOCASALÈNE® (Ciba-Geigy)

Introd. en 1969. Liste I. Remb. SS 70%.
PRINCIPES ACTIFS : pommade contenant flumétasone (dermocorticoïde) et acide salicylique (kératolytique).
Emploi : proposé dans le traitement de certaines affections de la peau à composante squameuse et pour amincir la couche cornée de la peau (action kératolytique), par exemple eczémas prolongés, psoriasis.
Application du produit: étaler le produit sur les lésions et le faire pénétrer par un léger massage; éviter tout contact avec les yeux. Ne dépassez pas le nombre d'applications journalières prescrites par votre médecin (en général deux par jour); des applications trop fréquentes et l'occlusion des lésions augmentent le risque d'effets indésirables généralisés.

Précautions : ne pas employer en cas d'allergie aux corticoïdes, à l'aspirine ou d'infections de la peau.

Effets indésirables possibles : prurit, sensation de brûlure; l'application sur de grandes surfaces ou sous un pansement occlusif peut entraîner un passage du principe actif dans la circulation sanguine, d'où l'apparition d'effets indésirables parfois généralisés; l'utilisation prolongée peut provoquer une atteinte de la peau du visage avec rougeur, amincissement et fragilité des téguments et apparition d'ecchymoses.

Note : prescrit sur ordonnance médicale.

LOCÉRYL® (Roche)

Introd. en 1992. Liste I. Non remb. SS.
PRINCIPE ACTIF : *Amorolfine.*

Préparations : solution pour application locale (vernis unguéal).

Emploi : vernis utilisé en application sur les ongles infectés par des levures ou des moisissures (mycose des ongles); le produit est appliqué sur les ongles atteints une à deux fois par semaine; le traitement doit être poursuivi sans interruption jusqu'à régénération complète de l'ongle et guérison des surfaces atteintes; la durée du traitement est en moyenne de 6 à 9 mois.

Précautions : ne pas utiliser chez la femme enceinte ou susceptible de l'être (il a causé des malformations du fœtus au cours de l'expérimentation animale) ou pendant l'allaitement (par mesure de prudence).

Note : prescrit sur ordonnance médicale.

LOCOÏD® (Brocades Pharma)

Introd. en 1981. Liste I. Remb. SS 70%.
PRINCIPE ACTIF : *Hydrocortisone.*

Préparations : crème, pommade, lotion à 0,10% (sous forme de butyrate).

Emploi : dermocorticoïde d'activité forte (classe II) utilisé en application locale pour soulager la douleur, le prurit et les signes d'inflammation et d'irritation de la peau, notamment dans l'eczéma et la dermatite allergique provoquée par le contact avec des plantes, métaux, produits de nettoyage, cosmétiques, etc. ainsi que dans les processus de lichénification.

Pour les détails → p. 205.

Note : prescrit sur ordonnance médicale.

LODALES® (Clin Midy)

Introd. en 1989. Liste I. Remb. SS 70%.
PRINCIPE ACTIF : *Simvastatine.*
SYNONYME : synvinoline.

Préparations : compr. à 5 mg ou 20 mg.

Emploi : médicament appartenant au groupe des hypolipidémiants qui sont utilisés pour abaisser les taux du cholestérol et des triglycérides dans le sang (graisses ou lipides sanguins).

La simvastatine appartient au goupe des inhibiteurs de la HMG-CoA réductase et est utilisée lorsque les taux du cholestérol et des triglycérides dans le sang restent trop élevés malgré un régime adapté, suivi correctement pendant 3-6 mois; la poursuite du régime est dans tous les cas indispensable.

Pour les détails → p. 353.

Note : prescrit sur ordonnance médicale.

LODINE® (Wyeth)

Introd. en 1988. Liste I. Remb. SS 70%.
PRINCIPE ACTIF : *Etodolac.*

Préparations : comprimés à 100 mg, 200 mg ou 300 mg.

Comprimés à libération prolongée à 400 mg *(Lodine LP®).*

Emploi : anti-inflammatoire non stéroïdien utilisé dans les inflammations douloureuses des articulations, des capsules articulaires, des muscles ou des tendons et dans d'autres affections déterminées par votre médecin.

Dans la polyarthrite rhumatoïde et l'arthrose, il atténue la douleur, la tuméfaction et la raideur des articulations, mais ne guérit pas la maladie.

Pour les détails → p. 50.

Note : prescrit sur ordonnance médicale.

LOFENALAC® Mead Johnson
(Bristol-Myers Squibb)

Introd. en 1964. Remb. SS 70%.
PRINCIPES ACTIFS : poudre orale contenant des protéines, lipides, glucides, vitamines et minéraux qui fournit 450 kcal pour 100 g avec une faible teneur en phénylalanine (0,08%).

Emploi : traitement de la phénylcétonurie; ne pas associer l'aspartam.

Note : à utiliser sous contrôle médical.

LOFTYL® (Abbott)

Introd. en 1989. Liste II. Remb. SS 40%.
PRINCIPE ACTIF : **Buflomédil.**
Préparations : comprimés à 150 mg;
ampoules injectables à 50 mg/5 ml.
Emploi : vasodilatateur périphérique
utilisé pour traiter les artériopathies
des membres inférieurs, notamment
la claudication intermittente ou le
syndrome de Raynaud; l'efficacité
des vasodilatateurs périphériques
dans ces affections est à confirmer.
Précautions : ne pas employer en cas
de grossesse ou d'allaitement (innocuité non établie), d'hypertension
intracrânienne, de troubles du rythme
cardiaque, de diminution du taux du
potassium dans le sang (hypokaliémie); ce médicament ne doit pas être
associé aux antiarythmiques.
Effets indésirables possibles : nausées,
vomissements, ralentissement du
rythme cardiaque (bradycardie),
hypotension artérielle, éruptions
cutanées (réaction allergique).
Note : prescrit sur ordonnance médicale.

LOGIRÈNE® (Upjohn)

Introd. en 1989. Liste I. Remb. SS 70%.
PRINCIPES ACTIFS: comprimés contenant
– amiloride chlorhydrate (5 mg) :
diurétique distal (Modamide®);
– furosémide (40 mg) : diurétique de
l'anse (Furosémix®).
Emploi : association d'un diurétique de
l'anse (furosémide) et d'un diurétique
distal (amiloride) épargnant le potassium dans le but de limiter autant
que possible les pertes potassiques
indésirables. Ce médicament est
utilisé pour favoriser l'élimination de
l'excès d'eau accumulée dans l'organisme (œdème) dans l'insuffisance
cardiaque (faiblesse du cœur).
Pour les détails → p. 232 et p. 233.
Note : prescrit sur ordonnance médicale.

LOGROTON® (Ciba-Geigy)

Introd. en 1984. Liste I. Remb. SS 70%.
PRINCIPES ACTIFS : comprimés à libération prolongée contenant
– métoprolol (200 mg) : bêta-bloquant
cardiosélectif (Lopressor®);
– chlortalidone (25 mg) : diurétique de
type thiazidique à action prolongée
(Hygroton®).

Emploi : association proposée pour
traiter l'hypertension artérielle.
Pour les détails : → p. 96 et p. 232.
Note : prescrit sur ordonnance médicale.

LOMOL® (Du Pont)

Introd. en 1991.
PRINCIPE ACTIF : **Hydroxyéthylamidon.**
Préparations : solution injectable pour
perfusion en flacons à 10 g.
Emploi : succédané du plasma utilisé
dans le défaillances circulatoires
aiguës (états de choc, brûlures étendues.
Note : réservé aux hôpitaux.

LOMUDAL® (Fisons)

Introd. en 1972. Liste II. Remb 70%.
PRINCIPE ACTIF : **Acide cromoglicique.**
Préparations : poudre pour aérosol à
5 mg par bouffée; solution pour aérosol en ampoules à 20 mg (sel disodique); poudre pour inhalation en
capsules à 22,2 mg (Spinhaler®).
Emploi : médicament ayant une action
antiallergique utilisé en inhalation
dans la prévention des crises d'asthme
lorsque l'asthme a une composante
allergique ou est déclenché par le froid
ou l'effort physique; ce médicament
n'a pas d'action sur la crise d'asthme
déclarée. L'acide cromoglicique agit
sur certaines cellules des muqueuses
(mastocytes) en empêchant la libération des médiateurs chimiques de
l'allergie.
Précautions : ne pas employer en cas
d'allergie au produit, de maladie
cardiaque, de bronchite chronique,
d'hypersensibilité au lait et aux produits laitiers (la préparation contient
du lactose), de grossesse et allaitement
(innocuité non établie) ou chez les
enfants âgés de moins de 5 ans.
Inhalation buccale (aérosol) pour prévenir les crises d'asthme :
– votre médecin devrait vous expliquer
le bon usage de l'appareil pour
inhalation; en effet l'utilisation correcte de l'inhalateur est très importante pour le succès du traitement;
– l'inhalation du médicament doit être
faite au cours d'une inspiration profonde et doit être suivie d'un arrêt de
la respiration pendant quelques se-

condes : si nécessaire, demandez des explications détaillées;

– si vous oubliez une dose et si vous le remarquez dans les 2 heures qui suivent, prenez la dose oubliée; ne doublez pas la dose suivante;
– les effets du traitement ne se manifestent pleinement qu'après quelques jours;
– si l'efficacité du traitement diminue ou si l'asthme s'aggrave, n'augmentez pas la fréquence des inhalations, mais consultez votre médecin;
– des inhalations trop fréquentes vous exposent à des risques d'effets indésirables;
– rincez la bouche après chaque inhalation pour éviter la sécheresse de la bouche et de la gorge;
– en cas d'infection au cours du traitement, consultez votre médecin pour une couverture antibiotique;
– n'arrêtez pas le traitement sans prendre contact avec votre médecin.

Effets indésirables possibles :
– inhalations : toux, sécheresse de la gorge, irritation trachéo-bronchique;
– vomissements, maux de tête, difficulté à respirer (spasmes des bronches), urticaire, éruption cutanée (réaction allergique).

Note : *prescrit sur ordonnance médicale.*

LOMUSOL® (Fisons)

Introd. en 1978. Liste II. Remb. SS 40%.
PRINCIPE ACTIF : **Acide cromoglicique**.
Préparations : solution nasale en flacon pulvérisateur (sel sodique).
Propriétés : l'acide cromoglicique agit sur certaines cellules appelées «mastocytes» en empêchant la libération des médiateurs de l'allergie.
Emploi : utilisé en pulvérisations nasales dans le traitement des rhinites allergiques (rhume des foins).
Grossesse : l'innocuité de ce médicament n'ayant pas été établie chez la femme enceinte, on déconseille l'usage par prudence.

Note : *prescrit sur ordonnance médicale.*

LONCALM® (Sterling Midy)

Non remb. SS.
PRINCIPES ACTIFS : comprimés contenant du carbonate de magnésium, silicate d'alumine, carbonate de calcium.
Emploi : proposé comme pansement gastrique dans les brûlures gastriques;

en cas d'ulcère de l'estomac ou du duodénum, ce médicament ne doit être utilisé que sous surveillance médicale.
Précautions : consultez votre médecin si les troubles persistent et en cas de douleurs ou crampes abdominales, de selles noires, d'amaigrissement, de fièvre; ne pas utiliser en cas d'insuffisance rénale sévère; ne pas associer des tétracyclines.
Effets indésirables possibles : retard ou diminution de la résorption d'autres médicaments pris par la bouche (respecter un intervalle d'au moins 2 heures), diarrhée.

Note : *vendu sans ordonnance; ne pas utiliser pendant plus de 5 jours sans avis médical.*

LONGACOR® (Procter & Gamble)

Introd. en 1971. Liste I. Remb. SS 70%.
PRINCIPE ACTIF : **Quinidine**.
Préparations : comprimés ou gélules à 165 mg (base).
Emploi : la quinidine, un alcaloïde du quinquina (*Cinchona*), appartient au groupe des médicaments antiarythmiques et est utilisée pour régulariser et ralentir le rythme cardiaque trop rapide. Comme les autres antiarythmiques, la quinidine et l'hydroquinidine peuvent aggraver une arythmie préexistante ou provoquer l'apparition d'arythmies nouvelles (effet arythmogène).
Durée d'action : 6-8 heures (plus de 12 heures pour les préparations à libération prolongée).
Allergie : informez votre médecin si vous avez déjà fait une réaction allergique ou inhabituelle à la quinidine ou à la quinine.
Surveillance : des contrôles réguliers et fréquents sont nécessaires pour moduler les doses en fonction des effets du traitement et d'effets indésirables éventuels.
Conduite de véhicules : chez certains sujets, ce médicament provoque des vertiges ou diminue la vigilance; la conduite de véhicules ou l'utilisation de machines peut être dangereuse.
Arrêt du traitement : n'arrêtez pas brusquement le traitement sans demander conseil à votre médecin.
Intoxication : troubles sensoriels (visuels, auditifs), agitation, troubles

respiratoires, chute de la tension artérielle, irrégularité et accélération du pouls, perte de conscience (hospitalisation d'urgence).

Note : prescrit sur ordonnance médicale.

LONOTEN® (Upjohn)

Introd. en 1984. Liste I. Remb. SS 70%.
PRINCIPE ACTIF : *Minoxidil.*
Préparations : compr. à 5 mg ou 10 mg.
Emploi : médicament appartenant au groupe des antihypertenseurs utilisés pour faire baisser la tension artérielle et qui agissent directement sur les muscles lisses de la paroi des artérioles (vasodilatateurs directs); ces médicaments dilatent les vaisseaux, diminuent par conséquent la résistance au passage du sang et réduisent le travail cardiaque.

Le minoxidil est utilisé par voie orale dans le traitement à long terme de l'hypertension artérielle modérée ou sévère en association avec un bêta-bloquant (pour ralentir le pouls) ou un diurétique (pour favoriser l'élimination de l'eau).

Il n'est pas recommandé pour traiter les formes labiles ou légères d'hypertension et n'est pas utilisé seul à cause des effets indésirables importants aux doses efficaces (accélération du rythme cardiaque, rétention d'eau et de sodium, prise de poids rapide, augmentation de la pilosité).

Pour les détails → p. 48.
Note : prescrit sur ordonnance médicale.

LOPRESSOR® (Ciba-Geigy)

Introd. en 1980. Liste I. Remb. SS 70%.
PRINCIPE ACTIF : *Métoprolol.*
Préparations : comprimés à 100 mg; comprimés à libération prolongée à 200 mg; ampoules injectables à 5 mg dans 5 ml (réservées aux hôpitaux).
Emploi : médicament appartenant au groupe très nombreux des bêta-bloquants utilisé
– pour abaisser la tension artérielle chez les hypertendus (antihypertenseur);
– pour prévenir les crises d'angine de poitrine (antiangoreux);
– pour régulariser le rythme cardiaque (antiarythmique).
– pour atténuer les palpitations et le tremblement dans l'activité excessive

de la glande thyroïde (hyperthyroïdie ou maladie de Basedow);
– pour le traitement de fond de la migraine.

Il s'agit d'un bêta-bloquant de type «cardiosélectif».

Pour les détails → p. 96.
Note : prescrit sur ordonnance médicale.

LOPRIL® (Bristol-Myers Squibb)

Introd. en 1982. Liste I. Remb. SS 70%.
PRINCIPE ACTIF : *Captopril.*
Préparations : compr. à 25 mg ou 50 mg.
Emploi : inhibiteur de l'enzyme de conversion utilisé dans le traitement de l'hypertension artérielle, éventuellement associé à un diurétique, ainsi que pour le traitement de l'insuffisance cardiaque (faiblesse du cœur), rebelle aux digitaliques et aux diurétiques.
Durée d'action : 6-8 h.
Pour les détails → p. 364.
Note : prescrit sur ordonnance médicale.

LOVENOX® (Pharmuka)

Introd. en 1987. Liste I. Remb. SS 70%.
PRINCIPE ACTIF : *Enoxaparine sodique.*
Préparations (sel sodique) : fragments de glycosaminoglycane héparine d'origine porcine (poids moléculaire 4000-6000) en seringues préremplies de 20 mg/0,2 ml et 40 mg/0,4 ml; solution injectable en ampoules à 60 mg/0,6 ml, 80 mg/0,8 ml ou 100 mg/1 ml.
Emploi : médicament appartenant au groupe des *héparines de faible poids moléculaire* ayant une action anticoagulante (diminution de la tendance du sang à se coaguler) et une action antithrombotique (inhibition de la formation et de l'extension des caillots dans les vaisseaux sanguins).

Par rapport à l'héparine standard, les héparines de faible poids moléculaire ont expérimentalement une action antithrombotique plus importante que l'action anticoagulante; en outre, leur vie plasmatique prolongée permet une seule injection par jour.

Ce médicament est employé pour traiter les caillots sanguins formés dans les veines profondes (thromboses veineuse profondes constituées).

Pour les détails → p. 337.
Note : prescrit sur ordonnance médicale.

LOXAPAC® (Lederle)

Introd. en 1980. Liste I. Remb. SS 70%.
PRINCIPE ACTIF : **Loxapine.**
Préparations : comprimés à 25 mg ou 50 mg; solution buvable à 1 mg par goutte; ampoules injectables à 50 mg (réservées aux hôpitaux).
Emploi : médicament appartenant au groupe des neuroleptiques utilisé chez l'adulte pour traiter
– les maladies mentales, notamment schizophrénies, avec hallucinations et délire;
– les états d'agitation, d'agressivité et d'anxiété;
En injections intramusculaires, la loxapine est utilisée comme adjuvant lors du sevrage des toxicomanes.
Pour les détails → p. 468.
Note : prescrit sur ordonnance médicale.

LOXEN® (Sandoz)

Introd. en 1986. Liste I. Remb. SS 70%.
PRINCIPE ACTIF : **Nicardipine.**
Préparations : comprimés à 20 mg; gélules à libération prolongée à 50 mg (*Loxen LP®*); ampoules injectables à 5 mg dans 5 ml et 10 mg dans 10 ml (réservées aux hôpitaux).
Emploi : inhibiteur calcique utilisé pour abaisser la tension artérielle en cas d'hypertension; la forme injectable est réservée au traitement des poussées hypertensives.
Pour les détails → p. 363.
Note : prescrit sur ordonnance médicale.

L-THYROXINE® → Thyroxine.

LUBENTYL® (Delalande)

Introd. en 1957. Remb. SS 40%.
PRINCIPE ACTIF : gelée orale de l'huile de paraffine.
Emploi : huile minérale non résorbée par le tube digestif, lubrifiant le contenu colique, ramollissant les selles.
Durée du traitement : ne pas dépasser quelques jours.
Précautions : ne pas employer en cas de traitement anticoagulant, d'occlusion intestinale ou de douleurs abdominales de cause inconnue; consultez votre médecin si la constipation persiste ou en cas de selles noires ou de présence de sang dans les selles.

Effets indésirables possibles : suintement anal, risque de pneumopathie par inhalation en cas de régurgitations chez les sujets inconscients, les patients âgés alités ou les enfants âgés de moins de 3 ans; diminution de l'absorption de certains médicaments, notamment des anticoagulants dérivés de la coumarine, et des vitamines liposolubles (A, D, E, K).
Note : vendu sans ordonnance; à éviter sans avis médical à cause du risque d'effets indésirables.

LUBENTYL® à la magnésie
(Delalande)

Introd. en 1957. Remb. SS 40%.
PRINCIPES ACTIFS : gelée orale contenant de l'huile de paraffine (laxatif lubrifiant) et hydroxyde de magnésium.
Emploi : proposé dans la constipation.
Durée du traitement : quelques jours.
Précautions : ne pas employer en cas de traitement anticoagulant, d'insuffisance rénale chronique, d'occlusion intestinale ou de douleurs abdominales de cause inconnue; consultez votre médecin si la constipation persiste ou en cas de selles noires ou de présence de sang dans les selles.
Effets indésirables possibles : suintement anal, risque de pneumopathie par inhalation en cas de régurgitations chez les sujets inconscients, les patients âgés alités ou les enfants âgés de moins de 3 ans; diminution de l'absorption de certains médicaments, notamment des anticoagulants dérivés de la coumarine, et des vitamines liposolubles (A, D, E, K).
Note : vendu sans ordonnance; à éviter sans avis médical à cause du risque d'effets indésirables.

LUCIDRIL® (Lipha Santé)

Introd. en 1960. Remb. SS 40%.
PRINCIPE ACTIF : **Méclofénoxate.**
Préparations : comprimés à 250 mg; poudre pour solution injectable en flacons à 250 mg ou 1000 mg (*Lucidril® Mille*).
Emploi : stimulant non spécifique proposé par voie orale dans le traitement des troubles de la sénescence cérébrale (efficacité à confirmer) et en injections dans les troubles de la vigilance après une commotion cérébrale.

Précautions : l'emploi est déconseillé en cas de grossesse (innocuité non établie) et d'allaitement.

Sportifs : ce médicament peut donner une réaction positive en cas de tests pour contrôle antidopage.

Note : vendu sans ordonnance; à éviter en automédication.

LUCRIN® (Abbott)

Introd. en 1986. Liste L Remb. SS 100%.
PRINCIPE ACTIF : **Leuproréline**.
SYNONYME : leuprolide.

Préparations : solution injectable en flacons à 14 mg/2,8 ml (5 mg/ml).

Emploi : analogue de la gonadoréline (LH-RH) entraînant une stimulation initiale de la sécrétion des hormones gonadotropes (FSH, LH) suivie après 2-4 semaines d'une inhibition de cette sécrétion aboutissant à une diminution des taux de la testostérone chez l'homme et de l'estradiol chez la femme («castration pharmacologique» réversible en 4 semaines après l'arrêt du traitement).

La leuproréline est utilisées en injections dans le traitement :
– des proliférations cellulaires anormales au niveau de la prostate avec métastases;
– de l'endométriose à localisation génitale ou extragénitale.

La préparation à libération prolongée est injectée toutes les 4 semaines.

Effets indésirables possibles :
– *Chez l'homme* : impuissance, sueurs froides, bouffées de chaleur, fourmillements ou picotements aux extrémités, difficulté à uriner, faiblesse des jambes, éruption cutanée.
– *Chez la femme* : bouffées de chaleur, maux de tête, modification de la libido, sécheresse vaginale; déminéralisation des os (ostéoporose) en cas d'administration prolongée; si des règles trop abondantes surviennent au cours du traitement de l'endométriose, il faut consulter votre médecin pour en rechercher la cause.

Note : prescrit sur ordonnance médicale.

LUDIOMIL® (Ciba-Geigy)

Introd. en 1974. Liste I. Remb. SS 70%.
PRINCIPE ACTIF : **Maprotiline**.
Préparations : compr. à 25 mg ou 75 mg; suspension buvable à 1 mg/goutte; ampoules injectables à 25 mg.

Emploi : antidépresseur du groupe des tétracycliques (de type imipraminique) utilisé dans le traitement des états dépressifs de l'adulte; les formes sévères doivent être traitées en milieu spécialisé.

Durée d'action : 2-3 jours.
Pour les détails → p. 40.
Note : prescrit sur ordonnance médicale.

LUMBALGINE® (Lab. CPF)

Introd. en 1973. Non remb. SS.
PRINCIPES ACTIFS : pommade contenant du menthol, camphre, salicylate de glycol, nicotinate de benzyle et essence de térébenthine.

Emploi : contractures douloureuses et comme baume «antirhumatismal».

Précautions : ne pas employer en cas d'allergie à l'aspirine.

Note : vendu sans ordonnance; consultez votre médecin si les douleurs persistent.

LUMIFUREX® (Gallier)

Introd. en 1992. Liste II. Remb. SS 40%.
PRINCIPE ACTIF : **Nifuroxazide**.
Préparations : gélules à 200 mg.

Emploi : dérivé du nitrofurane proposé, en complément de la réhydratation, dans le traitement des diarrhées aiguës présumées d'origine bactérienne (sans selles sanglantes ou purulentes); en l'absence d'une altération de la muqueuse intestinale, ce médicament n'est pratiquement pas résorbé par le tube digestif.

Dans les diarrhées dues à des bactéries ou à des protozoaires, des traitements spécifiques sont parfois indispensables; en outre, surtout chez l'enfant, la déshydratation qui accompagne toute diarrhée aiguë demande avant tout une réhydratation par voie orale ou par injection.

Précautions : ne pas employer en cas d'allergie au produit ou à un autre dérivé du nitrofurane, de maladies intestinales chroniques, grossesse et allaitement (innocuité non établie).

Alcool : l'alcool peut provoquer un malaise, des bouffées de chaleur, une rougeur de la face et du cou, une accélération du pouls et d'autres troubles (effet «antabuse»).

Durée du traitement : la durée du traitement ne doit pas dépasser 7 jours; si aucune amélioration ne se manifeste, on arrête le traitement après 3 jours.

Effets indésirables possibles prurit, éruption cutanée (réaction allergique).
Note : prescrit sur ordonnance médicale.

LUMIRELAX® (Gallier)

Introd. en 1968.
PRINCIPE ACTIF : **Méthocarbamol.**
Préparations :
– Comprimés à 0,5 g. Liste II. Remb. SS 70%.
– Baume à 10% [+ nicotinate de méthyle]. Non remb. SS.
Emploi : médicament appartenant au groupe des relaxants musculaires ou myorelaxants qui agissent sur le système nerveux central. Il est utilisé:
– par voie buccale dans le traitement des contractures et des spasmes musculaires douloureux (torticolis, lumbago, etc), en association avec le repos et la physiothérapie;
– en application locale (baume), proposé comme adjuvant des massages dans le traitement des contractures.
Pour les détails → p. 585.
Note : vendu sans ordonnance (baume) ou prescrit sur ordonnance médicale (comprimés).

LUMITENS® (Sarbach)

Introd. en 1988. Liste II. Remb. SS 70%.
PRINCIPE ACTIF : **Xipamide.**
Préparations : comprimés à 20 mg.
Emploi : diurétique thiazidique qui favorise la diurèse (production d'urine, élimination de l'eau et du sodium) et a une action antihypertensive. Il favorise les pertes de potassium dans les urines et entraîne une diminution du taux de potassium dans le sang.
Durée d'action : 6 à 8 heures.
Sportifs : ce médicament se trouve sur la liste des dopants interdits (Ministère de la Jeunesse et des Sports); il donne une réaction positive en cas de contrôles antidopage.
Pour les détails → p. 232.
Note : prescrit sur ordonnance médicale.

LUOSTYL® (Upsa)

Introd. en 1967. Liste II. Remb. SS 40%.
PRINCIPE ACTIF : **Difémérine.**
Préparations : gélules à 2,5 mg; ampoules injectables à 1 mg.

Emploi : atropinique de synthèse provoquant un relâchement des fibres musculaires lisses du tube digestif et des voies urinaires et une diminution des sécrétions gastriques, salivaires, lacrymales et de la sudation.
La difémérine est utilisée dans les spasmes douloureux des voies digestives, biliaires et urinaires.
Pour les détails → p. 56.
Note : prescrit sur ordonnance médicale.

LURSELLE®
(Marion Merrell Dow)

Introd. en 1980. Liste II. Remb. SS 70%.
PRINCIPE ACTIF : **Probucol.**
Préparations : comprimés à 250 mg.
Emploi : médicament appartenant au groupe des hypolipidémiants qui sont utilisés pour abaisser les taux du cholestérol et des triglycérides dans le sang (graisses ou lipides sanguins).
Le probucol inhibe la synthèse du cholestérol, mais l'abaissement de la cholestérolémie totale est modeste; il est utilisé dans les hypercholestérolémie lorsqu'un régime adapté et assidu s'est avéré insuffisant.
Le probucol s'accumule dans le tissu adipeux et peut persister dans le plasma pendant jusqu'à 6 mois après l'arrêt du traitement.
Pour les détails → p. 353.
Note : prescrit sur ordonnance médicale.

LUTÉNYL® (Théramex)

Introd. en 1985. Liste I. Remb. SS 70%.
PRINCIPE ACTIF : **Nomégestrol.**
Préparations (acétate) : comprimés à 5 mg.
Emploi : médicament appartenant au groupe des progestatifs qui sont des hormones femelles apparentées à la progestérone naturelle. Le nomégestrol est une hormone synthétique, dérivée de la 19 nor-progestérone, utilisé pour traiter
– les troubles des règles dus à une carence en progestérone, notamment menstruations douloureuses, irrégularités des menstruations;
– les hémorragies fonctionnelles;
– l'endométriose.
Pour les détails → p. 560.
Note : prescrit sur ordonnance médicale.

LUTÉRAN® (Solymès)

Introd. en 1965. Liste I. Remb. SS 70%.
PRINCIPE ACTIF : *Chlormadinone*.
Préparations (acétate) : comprimés à
2 mg ou 5 mg.
Emploi : médicament appartenant au
groupe des progestatifs qui sont des
hormones femelles apparentées à la
progestérone naturelle. La chlormadinone est une hormone synthétique,
dérivée de la 17-OH-progestérone,
utilisée pour traiter
– les troubles des règles dus à une
carence en progestérone, notamment
menstruations douloureuses, irrégularités des menstruations;
– les hémorragies fonctionnelles;
– l'endométriose.
Pour les détails → p. 560.
Note : prescrit sur ordonnance médicale.

LUTESTRAL® (Cassenne)

Introd. en 1965. Liste I. Non remb. SS.
PRINCIPES ACTIFS: comprimés contenant
0,05 mg de l'éthinylestradiol (estrogène) et 2 mg de chlormadinone acétate (progestatif).
Emploi : association estroprogestative
séquentielle non contraceptive.
Cette association est proposé dans les
troubles des règles, notamment dans
l'aménorrhée fonctionnelle, le syndrome prémenstruel et intermens-
truel; interrompre l'administration
en cas d'immobilisation prolongée.
Pour les détails → p. 266.
Note : prescrit sur ordonnance médicale.

LUTIONEX® (Roussel)

Introd. en 1974. Liste I. Remb. SS 70%.
PRINCIPE ACTIF : *Démégestone*.
Préparations : comprimés à 0,5 mg.
Emploi : médicament appartenant au
groupe des progestatifs qui sont des
hormones femelles apparentées à la
progestérone naturelle. La démégés-
tone est une hormone synthétique,
dérivée de la 17-méthyl-progestérone,
utilisée pour traiter
– les troubles des règles dus à la carence
en progestérone, notamment menstruations douloureuses, irrégularités
des menstruations;
– les hémorragies fonctionnelles;
– l'endométriose.
Pour les détails → p. 560.
Note : prescrit sur ordonnance médicale.

LUTOMÉTRODIOL® (Searle)

Introd. en 1965. Liste I. Remb. SS 70%.
PRINCIPE ACTIF : *Etynodiol*.
Préparations :
Comprimés à 2 mg.
Comprimés à 20 mg *(Lutométrodiol
Fort®)*.
Emploi : médicament appartenant au
groupe des progestatifs qui sont des
hormones femelles apparentées à la
progestérone naturelle. L'étynodiol
est un progestatif synthétique du
groupe des norstéroïdes utilisé pour
traiter
– les troubles des règles dus à la carence
en progestérone, notamment menstruations douloureuses, irrégularités
des menstruations;
– les hémorragies fonctionnelles;
– l'endométriose.
Pour les détails → p. 560.
Note : prescrit sur ordonnance médicale.

LUTRELEF® (Ferring)

Introd. en 1985. Liste I.
PRINCIPE ACTIF : *Gonadoréline*.
SYNONYMES :
Luteinizing Hormone Releasing
Hormone (LH-RH).
Facteur de libération de l'hormone lu-
téinisante.
Gonadotropin Releasing Hormone or
Factor (GnRH ou GnRF).
Gonadolibérine.
Préparations : poudre pour solution
injectable en flacons à 0,8 mg ou
3,2 mg (pour pompe à hormones).
Emploi : analogue de synthèse de la
LH-RH naturelle sécrétée normale-
ment par l'hypothalamus utilisée en
administration pulsatile pour le trai-
tement de la stérilité féminine par
manque d'ovulation due à une caren-
ce en gonadoréline.
*Note : le traitement doit être pris en
charge par un spécialiste.*

LYCAON® (Boehringer Ingelheim)

Introd. en 1984. Remb. SS 70%.
PRINCIPES ACTIFS: gelée orale contenant
du phosphate d'aluminium et mannitol.
Emploi : proposé comme antiacide et
pansement gastrique en cas de brûlures de l'estomac; en cas d'ulcère de

l'estomac ou du duodénum, ce médicament ne doit être utilisé que sous surveillance médicale.

Prise du médicament : après les repas et éventuellement au coucher.

Précautions : consultez votre médecin si les troubles persistent et en cas de douleurs ou crampes abdominales, de selles noires, d'amaigrissement, de fièvre; ne pas utiliser en cas d'insuffisance rénale sévère; ne pas associer de tétracyclines).

Effets indésirables possibles : retard ou diminution de la résorption d'autres médicaments pris par la bouche (respecter un intervalle d'au moins 2 heures), diarrhées.

Note : vendu sans ordonnance; ne pas utiliser pendant plus de 5 jours sans avis médical.

LYMPHOGLOBULINE®
(Mérieux)

Introd. en 1969.

PRINCIPE ACTIF : *Immunoglobulines antilymphocytes*.

SYNONYMES : sérum antilymphocytaire ou SAL.

Préparations : flacons à 4250 unités lymphocytotoxiques (100 mg d'immunoglobulines de cheval purifiées).

Emploi : immunodépresseur utilisé pour prévenir et traiter les réactions de rejet au cours des transplantations d'organes, notamment greffe de rein et greffe de moelle osseuse.

Note : réservé aux hôpitaux.

LYO-BIFIDUS® (Gallier)

Introd. en 1975. Remb. SS 40%.

PRINCIPES ACTIFS : poudre orale contenant des *Bacillus bifidus* lyophilisés.

Emploi : proposé dans les diarrhées non organiques.

Précautions : ne pas employer en cas de douleurs ou de crampes abdominales d'origine indéterminée, de selles noires, d'amaigrissement, de jaunisse; consultez votre médecin si la diarrhée persiste après 48 heures, si des glaires et du sang apparaissent dans les selles.

Note : vendu sans ordonnance; efficacité des principes actifs à confirmer dans l'emploi proposé.

LYPTOCODINE® (Monot)

Introd. en 1963. Non remb. SS.

PRINCIPES ACTIFS :
- sirop adulte : pholcodine et codéine (antitussifs opiacés), sulfogaïacol, sulfate de magnésium;
- sirop enfant : pholcodine et codéine, sulfogaïacol, eucalyptol;
- suppositoires : pholcodine et codéine, eucalyptol;
- pâte à sucer contenant pholcodine et codéine, terpine et eucalyptol.

Emploi : utilisé pour calmer la toux.

Précautions : ne pas utiliser en cas de
- asthme, insuffisance respiratoire (la diminution de la toux cause l'accumulation de mucosités dans les voies respiratoires);
- maladie du foie;
- grossesse, allaitement;
- enfants âgés de moins de 15 ans (moins de 3 ans pour la forme pour enfant).

Durée du traitement : si la toux persiste après une semaine, si des crachats sanglants ou des effets indésirables apparaissent, arrêtez le traitement et consultez votre médecin.

Alcool : à éviter pendant le traitement.

Conduite de véhicules : ce médicament peut diminuer la vigilance; la conduite de véhicules ou l'utilisation de machines peut être dangereuse.

Effets indésirables possibles : somnolence, nausées, vomissements, crises d'asthme, constipation, dépression respiratoire (surtout chez l'enfant), éruption cutanée (réaction allergique : arrêtez immédiatement le traitement).

Note : des spécialités différentes par leur composition sont vendues sans ordonnance sous le même nom; l'efficacité des antitussifs opiacés (codéine ou pholcodine) est généralement reconnue, mais les autres composants ont peu d'intérêt dans l'emploi proposé.

LYSANXIA® (Parke-Davis)

Introd. en 1979. Liste I. Remb. SS 70%. La durée de prescription ne peut dépasser 12 semaines.

PRINCIPE ACTIF : *Prazépam*.

Préparations : comprimés à 10 mg ou 40 mg; solution buvable à 15 mg/ml (= 30 gouttes).

Emploi : tranquillisant appartenant au groupe très nombreux des benzodiazépines ; le prazépam est proposé dans l'anxiété, l'angoisse et le sevrage alcoolique.
Pour les détails → p. 94.
Note : *prescrit sur ordonnance médicale.*

LYSEDEM® (Boots Pharma)

Introd. en 1988. Remb. SS 70%.
PRINCIPES ACTIFS: comprimés contenant 15 mg de coumarine et troxérutine.
Emploi : proposé comme traitement adjuvant du lymphœdème après ablation chirurgicale du sein (postmastectomie), en complément des méthodes physiques.
Précautions : ne pas employer en cas de grossesse.
Note : *vendu sans ordonnance ; à éviter sans avis médical.*

LYSINE Vitamine B12 Egic®
(Synthélabo)

Introd. en 1956. Non remb. SS.
PRINCIPES ACTIFS : sirop contenant de la lysine, cyanocobalamine (vitamine B12), sorbitol et inositol.
Emploi : proposé dans la fatigue.
Précautions : la présence en faible dose de la vitamine B12 est insuffisante pour traiter une anémie, mais suffisante pour en masquer les manifestations et retarder le diagnostic ; consultez votre médecin si la fatigue persiste (il peut s'agir d'une dépression ou d'une maladie nécessitant un traitement spécifique) ou en cas d'amaigrissement.
Note : *vendu sans ordonnance ; efficacité des principes actifs à confirmer dans l'emploi proposé.*

LYSIVIT B12® (Plantier)

Introd. en 1957. Non remb. SS.
PRINCIPES ACTIFS : solution buvable contenant de la lysine, cyanocobalamine (vitamine B12), méso-inositol.
Emploi : proposé dans la fatigue.
Précautions : la présence en faible dose de la vitamine B12 est insuffisante pour traiter une anémie, mais suffisante pour en masquer les manifestations et retarder le diagnostic ; consultez votre médecin si la fatigue persiste (il peut s'agir d'une dépression ou d'une maladie nécessitant un traitement spécifique).
Note : *vendu sans ordonnance ; efficacité des principes actifs à confirmer dans l'emploi proposé.*

LYSO-6® (Darcy)

Introd. en 1967. Non remb. SS.
PRINCIPES ACTIFS : comprimés sublinguaux contenant de la pyridoxine (vitamine B6) et lysozyme.
Emploi : proposé dans les stomatites, gingivites et aphtes.
Note : *vendu sans ordonnance ; ne pas utiliser pendant plus de 5 jours sans avis médical.*

LYSOCLINE® (Parke-Davis)

Introd. en 1975. Liste I. Remb. SS 70%.
PRINCIPE ACTIF : **Métacycline**.
SYNONYME : méthylènecycline.
Préparations : gélules à 300 mg [+ lysozyme].
Emploi : antibiotique du groupe des tétracyclines employé dans le traitement des infections, notamment les infections uro-génitales et sexuellement transmissibles, et dans d'autres affections déterminées par votre médecin.
Pour les détails → p. 672.
Note : *prescrit sur ordonnance médicale.*

LYSOFON® (Lafon)

Introd. en 1971. Remb. SS 40%.
PRINCIPES ACTIFS :
– collutoire : solution d'aurine tricarboxylate d'ammonium ;
– comprimés sublinguaux : aurine tricarboxylate d'ammonium (antiseptique) et tétracaïne (anesthésique).
Emploi : proposé dans le «mal de gorge» de l'adulte sans fièvre.
Note : *vendu sans ordonnance ; ne pas utiliser pendant plus de 5 jours sans avis médical.*

LYSOPAÏNE ORL®
(Boehringer Ingelheim)

Introd. en 1965. Remb. SS 40%.
PRINCIPES ACTIFS : comprimés sublinguaux contenant de la bacitracine (antibiotique local), lysozyme et suc de papayer.

Emploi : antiseptique buccal proposé dans le «mal de gorge» de l'adulte sans fièvre.

Précautions : ne pas utiliser chez l'enfant de moins de 30 mois (risque de spasmes du larynx liés à la présence d'essence de menthe).

Effets indésirables possibles : candidose buccale (usage prolongé).

Note : *vendu sans ordonnance; ne pas utiliser pendant plus de 5 jours sans avis médical.*

M

MAALOX® (Rorer)

Introd. en 1972. Remb. SS 70%.

PRINCIPES ACTIFS : comprimés et suspension contenant de l'hydroxyde d'aluminium et de l'hydroxyde de magnésium.

Emploi : proposé pour neutraliser l'excès d'acidité et comme pansement gastrique dans les douleurs liées aux affections de l'œsophage, de l'estomac et du duodénum; en cas d'ulcère de l'estomac ou du duodénum, ce médicament ne doit être utilisé que sous surveillance médicale.

Précautions : consultez votre médecin si les troubles persistent et en cas de douleurs ou de crampes abdominales, de selles noires, d'amaigrissement, de fièvre; ne pas utiliser en cas d'insuffisance rénale sévère; ne pas associer certains antibiotiques (tétracyclines); évitez les boissons alcooliques, le tabac et la consommation excessive de café.

Effets indésirables possibles : retard ou diminution de la résorption d'autres médicaments pris par la bouche (respecter un intervalle d'au moins 2 heures), constipation.

Note : *vendu sans ordonnance; ne pas utiliser pendant plus de 5 jours sans avis médical.*

MADÉCASSOL® (Syntex)

Introd. en 1959. Remb. SS 40%.

PRINCIPE ACTIF : comprimés, poudre pour application locale et onguent contenant un extrait de *Centenella asiatica*.

Emploi : proposé dans l'insuffisance veineuse et lymphatique.

Précautions : consultez votre médecin en cas de suspicion de phlébite (jambes rouges et/ou chaudes, douloureuses, surtout si d'un seul côté et avec fièvre).

Note : *vendu sans ordonnance; efficacité du principe actif à confirmer dans l'emploi proposé.*

MADÉCASSOL® néomycine, hydrocortisone (Syntex)

Introd. en 1970. Liste I. Remb. SS 40%.

PRINCIPES ACTIFS : pommade contenant un extrait de *Centenella asiatica*, néomycine (antibiotique local) et hydrocortisone (dermocorticoïde).

Emploi : traitement de les eczémas infectés et d'autres affections de la peau.

Application du produit: étaler le produit sur les lésions et le faire pénétrer par un léger massage; éviter tout contact avec les yeux. Ne dépassez pas le nombre d'applications journalières prescrites par votre médecin (en général deux par jour au maximum); des applications trop fréquentes et l'occlusion des lésions augmentent le risque d'effets indésirables.

Durée du traitement: maximum 8 jours.

Effets indésirables possibles : prurit, sensation de brûlure; l'application sur de grandes surfaces ou sous un pansement occlusif peut entraîner un passage du principe actif dans la circulation sanguine, d'où l'apparition d'effets indésirables généralisés; possibilité de réactions allergiques à la néomycine; l'utilisation prolongée peut provoquer une atteinte de la peau du visage avec rougeur, amincissement et fragilité des téguments et apparition d'ecchymoses.

Note : *prescrit sur ordonnance médicale.*

MAG 2® (Meram).

Introd. en 1974. Remb. SS 40%.

PRINCIPE ACTIF : poudre orale, solution buvable et injectable contenant du pidolate de magnésium.

Emploi : utilisé dans les carences magnésiennes et proposé, en l'absence de carence, dans la «spasmophilie» ou «tétanie constitutionnelle» avec anxiété et respiration accélérée (efficacité à confirmer).

Précautions : ne pas employer en cas d'insuffisance rénale. → p. 416

Si vous utilisez l'une des spécialités suivantes contenant un antibiotique...

SPÉCIALITÉS CONTENANT UN ANTIBIOTIQUE DU GROUPE DES MACROLIDES :

Abboticine® (Abbott).
Biolid® (Belmac).
Claramid® (Jouveinal).
Ery® (Bouchara).
Erycocci® (Pharmafarm).
Eryfluid® (P. Fabre) [solution pour application cutanée].
Eryphar® (Diophar).
Erythrocine® (Abbott).

Erythrogel® (Biorga) [gel].
Erythrogram® (Negma).
Erythromycine (Bailleul) [solution]
Josacine® (Pharmuka).
Propiocine® (Roussel).
Rovamycine® (Specia).
Rulid® (Roussel).
Spiramycine Coquelusédal® (Elerté).
Stimycine® (Stiefel)[gel].

Emploi : les *macrolides* sont des antibiotiques largement utilisés par voie buccale ou en injections pour traiter les infections dues à des bactéries (inefficaces dans les infections à virus); parmi les infections traitées par les macrolides on peut citer :
- pneumonies, bronchopneumonies aiguës, maladie des légionnaires et pneumonies à mycoplasmes;
- sinusites, angines, otites, laryngites, stomatites;
- urétrites, prostatites, certaines maladies sexuellement transmissibles;
- infections de la peau, notamment impétigo, furoncle et anthrax, érysipèle;
- prévention de la méningite à méningocoques chez les sujets contacts;
- prévention des rechutes de rhumatisme articulaire aigu en cas d'allergie à la pénicilline.

Allergie : informez votre médecin si vous avez déjà fait une réaction allergique ou inhabituelle à un macrolide.

État de santé : vous devez informer votre médecin de toute affection susceptible de modifier les effets du médicament, notamment maladies du foie (diminution de l'élimination du médicament, doses réduites).

Grossesse : il n'existe pas de contre-indication actuellement connue à l'utilisation, mais l'innocuité des macrolides pendant la grossesse et l'allaitement n'a pas été établie.

Interactions : il faut informer votre médecin si vous prenez ou avez pris récemment d'autres médicaments, notamment ergotamine, dihydro-ergotamine (risque de spasmes des vaisseaux ou «ergotisme vasculaire»), triazolam (risque de troubles du comportement), bromocriptine, carbamazépine, anticoagulants oraux, digitaliques, ciclosporine, estroprogestatifs, estrogènes, pénicillines (diminution de l'action antibactérienne des pénicillines).

Prise du médicament : la prise immédiatement avant les repas assure la meilleure résorption; ne dépassez pas la dose prescrite; si vous oubliez de prendre le médicament et si vous le remarquez dans les 2 heures qui suivent, prenez immédiatement la dose oubliée; ne doublez pas la dose suivante; si vous oubliez le médicament plusieurs jours, prenez contact avec votre médecin.

Durée du traitement : respectez la durée de prescription de votre médecin, même si les fièvre et les autres signes d'infection disparaissent; en effet, un arrêt prématuré du traitement peut favoriser une rechute; si les symptômes ne sont pas améliorés en quelques jours par le traitement, ou s'ils s'aggravent, consultez votre médecin.

Surveillance : si la durée du traitement dépasse 10 jours, consultez votre médecin car certains contrôles sont nécessaires, notamment des tests de la fonction hépatique.

Effets indésirables possibles :
- nausées, vomissements, douleurs gastriques, selles molles, diarrhée;
- prurit, éruption cutanée (réaction allergique) : arrêtez le traitement);
- diminution de l'ouïe ou surdité;
- coloration jaune des yeux et de la peau, jaunisse;
- fièvre inexpliquée; diarrhées persistantes et sévères.

Effets indésirables possibles: diarrhée, douleurs abdominales; retard ou diminution de la résorption d'autres médicaments pris par la bouche (respecter un intervalle d'au moins deux heures), diarrhée.

Note : vendu sans ordonnance; à éviter en automédication (une carence en magnésium ne peut être diagnostiquée que par votre médecin).

MAGNÉ-B6® (Millot-Solac)

Introd. en 1972. Remb. SS 40%.

PRINCIPES ACTIFS : comprimés et solution buvable contenant du lactate de magnésium et pyridoxine (vitamine B6).

Emploi : utilisé dans les carences magnésiennes et proposé, en l'absence de carence, dans la «spasmophilie» ou «tétanie constitutionnelle» avec crises d'anxiété et respiration accélérée (efficacité à confirmer).

Précautions : ne pas employer en cas d'insuffisance rénale.

Effets indésirables possibles: diarrhée, douleurs abdominales; retard ou diminution de la résorption d'autres médicaments pris par la bouche (respecter un intervalle d'au moins deux heures), diarrhée.

Note : vendu sans ordonnance; à éviter en automédication (une carence en magnésium et en vitamines ne peut être diagnostiquée que par votre médecin).

MAGNÉSIE ABISMURÉE® (Whitehall)

Introd. en 1975. Non remb. SS.

PRINCIPES ACTIFS : pastilles contenant des carbonates de magnésium, de calcium et de sodium.

Emploi : proposé pour neutraliser l'excès d'acidité et comme pansement gastrique dans les douleurs liées aux affections de l'œsophage, de l'estomac et du duodénum; en cas d'ulcère de l'estomac ou du duodénum, ce médicament ne doit être utilisé que sous surveillance médicale.

Prise du médicament : après les repas et éventuellement au coucher.

Précautions : consultez votre médecin si les troubles persistent et en cas de douleurs ou crampes abdominales, de selles noires, d'amaigrissement, de fièvre; ne pas utiliser en cas d'insuffisance rénale sévère; ne pas

associer certains antibiotiques (tétracyclines).

Effets indésirables possibles : risque d'augmentation du taux du calcium dans le sang (hypercalcémie) et de calculs urinaires en cas de traitement prolongé; retard ou diminution de la résorption d'autres médicaments pris par la bouche.

Note : vendu sans ordonnance; ne pas utiliser pendant plus de 5 jours sans avis médical.

MAGNÉSIUM (Sels de)

CHLORURE DE MAGNÉSIUM.
  Magnogène® (Monal).
LACTATE DE MAGNÉSIUM.
  Ionimag® (Byk).
  Magnéspasmyl® (Gerbiol).
PIDOLATE DE MAGNÉSIUM.
  Efimag® (Rosa-Phytopharma).
  Mag 2® (Meram).
  Solumag® (Boehringer Ingelheim).
  Top Mag® (Génévrier).
SULFATE DE MAGNÉSIUM.
  Spasmag® (Serozym).
  Magnésium Lavoisier® (Chaix & Du Marais) [solution injectable].

Besoins quotidiens: les besoins quotidiens en magnésium sont estimés à 200-400 mg; les fruits secs, les légumineuses, les céréales, le cacao sont riches en magnésium.

Emploi : les sels de magnésium sont
– utilisés dans les carences prouvées en magnésium, notamment par apport alimentaire insuffisant (jeûne prolongé, régimes trop stricts, alimentation artificielle parentérale, malnutrition) ou par absorption intestinale diminuée (malabsorption, stéatorrhée, diarrhées chroniques, fistules biliaires et digestives); la carence en magnésium se manifeste par des tremblements, des crampes musculaires, une accélération du pouls avec palpitations, un irritabilité et des convulsions dans les formes graves;
– proposés, en l'absence de carence magnésienne, dans la «spasmophilie» ou «tétanie constitutionnelle» avec crises d'anxiété et respiration accélérée (efficacité à confirmer).

Précautions : ne pas employer en cas d'insuffisance rénale, de déshydratation ou d'infections urinaires aiguës.

Effets indésirables possibles : retard ou diminution de la résorption d'autres médicaments pris par la bouche (respecter un intervalle d'au moins deux heures), diarrhée.
Note : médicaments à éviter en automédication (une carence en magnésium ne peut être diagnostiquée que par votre médecin).

MAGNÉSIUM glycocolle
Lafarge® (Sterling Midy)

Introd. en 1923. Non remb. SS.
PRINCIPES ACTIFS: comprimés contenant du chlorure de magnésium et glycocolle.
Emploi : utilisé dans les carences magnésiennes et proposé, en l'absence de carence, dans la «spasmophilie» ou «tétanie constitutionnelle» avec crises d'anxiété et respiration accélérée (efficacité à confirmer).
Précautions : ne pas employer en cas d'insuffisance rénale.
Effets indésirables possibles: diarrhée, douleurs abdominales; retard ou diminution de la résorption d'autres médicaments pris par la bouche (respecter un intervalle d'au moins deux heures).
Note : vendu sans ordonnance; à éviter en automédication (une carence en magnésium ne peut être diagnostiquée que par votre médecin).

MAGNÉSIUM MICROSOL®
(Herbaxt)

Introd. en 1992. Non remb. SS.
PRINCIPE ACTIF: solution buvable contenant des traces de magnésium (élément «minéral-trace»).
Emploi : troubles neurovégétatifs.
Note : vendu sans ordonnance; efficacité à confirmer dans l'emploi proposé.

MAGNÉSPASMYL® (Gerbiol)

Introd. en 1969. Non remb. SS.
PRINCIPE ACTIF : comprimés et granulé contenant du lactate de magnésium.
Emploi : utilisé dans les carences magnésiennes et proposé, en l'absence de carence magnésienne, dans la «spasmophilie» ou «tétanie constitutionnelle» accompagnée de crises d'anxiété et de respiration accélérée (efficacité à confirmer).

Précautions : ne pas employer en cas d'insuffisance rénale.
Effets indésirables possibles: diarrhée, douleurs abdominales; retard ou diminution de la résorption d'autres médicaments pris par la bouche (respecter un intervalle d'au moins deux heures).
Note : vendu sans ordonnance; à éviter en automédication (une carence en magnésium ne peut être diagnostiquée que par votre médecin).

MAGNOGÈNE® (Monal)

Introd. en 1928. Remb. SS 40%.
PRINCIPE ACTIF : comprimés et solution buvable contenant du chlorure de magnésium.
Emploi : utilisé dans les carences magnésiennes et proposé, en l'absence de carence, dans la «spasmophilie» ou «tétanie constitutionnelle» avec crises d'anxiété et respiration accélérée (efficacité à confirmer).
Précautions : ne pas employer en cas d'insuffisance rénale.
Effets indésirables possibles: diarrhée, douleurs abdominales; retard ou diminution de la résorption d'autres médicaments pris par la bouche (respecter un intervalle d'au moins deux heures).
Note : vendu sans ordonnance; à éviter en automédication (une carence en magnésium ne peut être diagnostiquée que par votre médecin).

MAGNOSCORBIOL®
(Soekami-Lefrancq)

Introd. en 1959. Non remb. SS.
PRINCIPES ACTIFS: comprimés contenant du chlorure de magnésium et acide ascorbique (vitamine C).
Emploi : utilisé dans les carences magnésiennes et proposé, en l'absence de carence, dans la «spasmophilie» ou «tétanie constitutionnelle» avec crises d'anxiété et respiration accélérée (efficacité à confirmer).
Précautions : ne pas employer en cas d'insuffisance rénale.
Effets indésirables possibles: diarrhée et douleurs abdominales.
Note : vendu sans ordonnance; à éviter en automédication (une carence en magnésium ne peut être diagnostiquée que par votre médecin).

MAJEPTIL® (Specia)

Introd. en 1960. Liste I. Remb. SS 70%.

PRINCIPE ACTIF : **Thiopropérazine**.

SYNONYME : thiopérazine.

Préparations : comprimés à 10 mg; soluté buvable (1 goutte = 1 mg).

Emploi : médicament appartenant au groupe des neuroleptiques dérivés de la phénothiazine qui sont utilisées dans le traitement des maladies mentales. La thiopropérazine est utilisée par voie orale pour calmer l'agitation et l'excitation, réduire l'agressivité et améliorer les troubles du comportement dans les maladies mentales; ce médicament atténue les symptômes de la maladie mentale, mais ne guérit pas la maladie.

Pour les détails → p. 468.

Note : prescrit sur ordonnance médicale.

MALGIS® (SmithKline Beecham)

Introd. en 1985. Non remb. SS.

PRINCIPE ACTIF : **Paracétamol**.

Préparations : comprimés et gélules à 500 mg.

Emploi : utilisé pour atténuer la douleur modérée (*analgésique*) et pour faire tomber la fièvre (*antipyrétique*).

Posologie (adulte) : 1 ou 2 comprimés ou gélules 1 à 3 fois par jour.

Prise du médicament : ménagez un intervalle minimum de 4 heures entre deux prises.

Durée du traitement : consultez votre médecin si les douleurs persistent après 5 jours ou si la fièvre ou les douleurs ne régressent pas au bout de 3 jours.

Précautions : ce médicament ne doit pas être utilisé en cas d'insuffisance rénale, hépatique ou respiratoire, de déficit congénital en glucose-6-phosphate déhydrogénase ou G6PD (enzyme du globule rouge), de grossesse, d'allaitement et chez l'enfant âgé de moins de 7 ans.

Effets indésirables possibles : respiration sifflante, éruption cutanée, jaunisse.

Intoxication : en cas d'ingestion massive, hospitalisation d'urgence.

Pour les détails → Paracétamol.

Note : vendu sans ordonnance; l'efficacité du paracétamol est généralement reconnue dans l'emploi proposé.

MALOCIDE® (Specia)

Introd. en 1988. Remb. SS 70%.

PRINCIPE ACTIF : **Pyriméthamine**.

Préparations : comprimés à 50 mg.

Emploi : médicament appartenant au groupe des antiprotozaires qui sont utilisés pour combattre les infections par des protozoaires (animaux formés d'une seule cellule).

La pyriméthamine est un antagoniste de l'acide folique (antifolique). La pyriméthamine est employée dans le traitement des formes graves de la toxoplasmose, notamment les formes cérébrales chez des sidéens et, en association avec la sulfadoxine, dans le paludisme (→ Fansidar®).

Durée d'action : jusqu'à une semaine.

Précautions : ne pas employer en cas d'allergie au produit; les affections suivantes peuvent modifier l'action du médicament :

– anémie ou autres maladies du sang (risque d'aggravation);

– épilepsie (des doses élevées peuvent favoriser les crises);

– maladies du foie (risque accru d'effets indésirables en cas d'insuffisance hépatique);

– carence en acide folique due à la malnutrition ou à un autre médicament antifolique (risque d'aggravation de la carence en acide folique);

– déficit en G6PD (chez les sujets atteints de cette anomalie congénitale rare d'un enzyme du globule rouge, la pyriméthamine peut provoquer une anémie hémolytique).

Grossesse : ce médicament ne doit pas être utilisé chez la femme enceinte ou susceptible de l'être; en effet, il a causé des malformations du fœtus au cours de l'expérimentation animale.

Allaitement : l'utilisation de ce médicament est déconseillée, car il passe dans le lait maternel.

Interactions : il faut informer votre médecin si vous prenez ou avez pris récemment d'autres médicaments, notamment :

– zidovudine (risque accru de toxicité hématologique);

– autres antifoliques, notamment méthotrexate, triméthoprime (risque accru de carence en acide folique et de troubles hématologiques);

– antinéoplasiques, chloramphénicol, phénylbutazone (risque accru de toxicité hématologique).

Prescription : ne dépassez pas la dose prescrite par votre médecin; des doses trop élevées ou des prises trop fréquentes augmentent le risque d'effets indésirables.

Prise du médicament : on conseille de prendre les comprimés au cours des repas.

Oubli : si vous oubliez de prendre le médicament, ne doublez pas la dose suivante.

En cas de traitement prolongé : votre médecin pourra vous conseiller de prendre du folinate de calcium pour traiter ou éviter une carence en acide folique.

Surveillance : le traitement à doses élevées de la toxoplasmose exige des contrôles périodiques de la formule sanguine pour que votre médecin puisse arrêter le traitement en cas de diminution des globules sanguins.

Effets indésirables possibles :
– perte de l'appétit, nausées, vomissements;
– faiblesse, pâleur (anémie par carence en acide folique);
– saignement au moindre traumatisme, présence de sang dans les urines ou les selles, coloration noire des selles, apparition de petites taches rouges sur la peau (diminution du nombre des plaquettes dans le sang);
– fièvre, frissons, maux de gorge, ulcérations buccales (diminution du nombre des globules blancs dans le sang);
– éruption cutanée (réaction allergique: arrêtez le traitement);
– toux, douleurs au thorax, difficulté à respirer.

Intoxication : de fortes doses de pyriméthamine peuvent être mortelles chez l'enfant; les principaux symptômes d'un surdosage sont des douleurs abdominales, excitation, vomissements, tremblements, vertiges et convulsions (l'hospitalisation d'urgence est nécessaire).

Note : à utiliser sous contrôle médical.

MANDOCARBINE® (Monal)

Introd. en 1953. Remb. SS 40%.
PRINCIPES ACTIFS : granulé contenant du mandélate de calcium, charbon végétal et magnésie hydratée.
Emploi : proposé dans les troubles fonctionnels du côlon et dans certaines infections urinaires.

Précautions : ne pas employer en cas d'insuffisance rénale, de grossesse, ou d'allaitement; ne pas associer des sulfamides (risque de précipitations urinaires) ou des alcalinisants.

Effets indésirables possibles: diarrhée, douleurs abdominales; retard de la résorption d'autres médicaments pris par voie buccale.

Note : vendu sans ordonnance; des principes actifs plus efficaces sont actuellement disponibles; à éviter en automédication.

MANGANÈSE-COBALT
Microsol® (Herbaxt)

Introd. en 1992. Non remb. SS.
PRINCIPE ACTIF : solution buvable contenant des traces de manganèse et de cobalt (éléments «minéral-trace»).
Emploi : proposé dans les troubles neurovégétatifs.

Note : vendu sans ordonnance; efficacité à confirmer dans l'emploi proposé.

MANGANÈSE-CUIVRE
Microsol® (Herbaxt)

Introd. en 1992. Non remb. SS.
PRINCIPE ACTIF : solution buvable contenant des traces de manganèse et de cuivre (éléments «minéral-trace»).
Emploi : proposé dans les états infectieux et allergiques.

Note : vendu sans ordonnance; efficacité à confirmer dans l'emploi proposé.

MANICOL® (J.-P. Martin)

Introd. en 1964. Remb. SS 40%.
PRINCIPE ACTIF : poudre orale contenant du mannitol en sachets à 5 g.
Emploi : proposé dans les troubles digestifs, ballonnements, constipation.
Précautions : ne pas employer en cas d'obstruction des voies biliaires, de maladies du côlon, d'insuffisance rénale; consultez votre médecin en cas de douleurs ou crampes abdominales d'origine indéterminée, de selles noires, d'amaigrissement, d'urines foncées, de douleurs de la région du foie, de jaunisse.
Effets indésirables possibles: douleurs abdominales, diarrhées, pertes en potassium.

Note : vendu sans ordonnance; ne pas utiliser pendant plus de 5 jours sans avis médical.

MANIR® (Byk)

Introd. en 1975. Liste II. Remb. SS 70%.

PRINCIPE ACTIF : **Oxyphencyclimine**.

Préparations : comprimés à 10 mg.

Emploi : atropinique de synthèse provoquant un relâchement des fibres musculaires lisses du tube digestif et des voies urinaires et une diminution des sécrétions gastriques, salivaires, lacrymales et de la sudation; utilisé dans les spasmes douloureux d'origine gastro-duodénale, biliaire et colique.

Pour les détails → p. 56.

Note : prescrit sur ordonnance médicale.

MANNITOL

Non remb. SS.

SPÉCIALITÉS :

Mannitol Aguettant®.

Mannitol Lavoisier®

(Chaix & Du Marais).

Préparations : solutions injectables à 10%, 20% et 25%.

Emploi : diurétique osmotique utilisé en perfusion intraveineuse dans

– la prévention et le traitement de la diminution du volume des urines après chirurgie cardiaque, dans l'état de choc, en cas de brûlures étendues ou de transfusions incompatibles; le succès du traitement dépend surtout de sa précocité.

– la prévention de l'œdème cérébral et pour réduire l'hypertension intra-crânienne ou intraoculaire (glaucome aigu; associer des instillations de pilocarpine).

– la diurèse forcée (en association avec le furosémide) dans les intoxications, en particulier aux barbituriques et aux salicylates.

Note : prescrit sur ordonnance médicale.

MANTADIX® (Du Pont)

Introd. en 1973. Liste I. Remb. SS 70%.

PRINCIPE ACTIF : **Amantadine**.

Préparations : comprimés à 100 mg.

Emploi :

– PRÉVENTION DE LA GRIPPE A : ce médicament est utilisé avant l'apparition des symptômes de grippe chez les sujets à haut risque (collectivités, sujets âgés, insuffisants cardiaques, etc.) lorsqu'un foyer grippal est supposé de type A; la protection cesse dès que l'on arrête le médicament; pour cette raison, l'amantadine ne peut remplacer le vaccin antigrippal dont les effets se prolongent pendant des mois après la vaccination.

– TRAITEMENT DE LA MALADIE DE PARKINSON : l'amantadine est utilisée surtout dans les formes débutantes, souvent en association avec d'autres médicaments; les effets se manifestent après quelques jours et s'estompent habituellement après quelques mois; l'arrêt brusque du traitement peut aggraver les symptômes; consultez votre médecin sur la réduction progressive des doses.

Précautions : ne pas employer en cas d'allergie au produit; les affections suivantes peuvent modifier l'action du médicament :

– eczéma;

– épilepsie;

– maladie rénale;

– glaucome;

– insuffisance cardiaque;

– troubles de la circulation;

– ulcère gastroduodénal.

Grossesse : ce médicament ne doit pas être utilisé chez la femme enceinte ou susceptible de l'être; en effet, il a causé des malformations du fœtus au cours de l'expérimentation animale; si vous devenez enceinte au cours du traitement, consultez votre médecin.

Allaitement : l'utilisation est déconseillée car l'amantadine passe dans le lait maternel.

Enfants : n'est pas utilisé chez l'enfant.

Sujets âgés : ils sont particulièrement sensibles à l'amantadine chez lesquels les effets indésirables sont fréquents.

Interactions : il faut informer votre médecin si vous prenez ou avez pris récemment d'autres médicaments, notamment stimulants, anorexigènes ou «coupe-faim», lévodopa, atropiniques, notamment spasmolytiques (majoration des effets atropiniques).

Prescription : ne dépassez pas la dose prescrite par votre médecin; des doses trop élevées ou des prises trop fréquentes augmentent le risque d'effets indésirables.

Prise du médicament : on conseille de prendre le médicament avant 17 heures pour éviter des insomnies; si vous estimez que le médicament ne produit pas, ou ne produit plus l'effet désiré, n'augmentez pas la dose, mais consultez votre médecin.

Conduite de véhicules : les conducteurs de véhicules et les utilisateurs de machines doivent être informés de la possibilité de vertiges, de troubles de la vue et de ralentissement des réflexes dus au médicament.

Alcool : à éviter pendant le traitement.

Effets indésirables possibles :
– vertiges;
– maux de tête, irritabilité;
– insomnie, cauchemars;
– difficulté à se concentrer;
– sécheresse de la bouche;
– perte de l'appétit, nausées;
– vomissements;
– diarrhées;
– marbrures de la peau;
– tendance à l'évanouissement, en particulier lorsque vous vous levez (hypotension orthostatique);
– difficulté à uriner (sujets âgés);
– éruptions cutanées (réaction allergique : arrêtez le traitement).
Note : *prescrit sur ordonnance médicale.*

MARCAÏNE® (Astra)

Introd. en 1980. Non remb. SS.

PRINCIPE ACTIF : **Bupivacaïne**.

Préparations : solutions à 0,25% et 0,50% avec adrénaline (Liste I) ou sans adrénaline (Liste II); préparation pour rachianesthésie (réservée aux hôpitaux).

Emploi : anesthésique local injectable à longue durée d'action (environ 3 h) utilisé dans les anesthésies régionales, péridurales et rachidiennes.

Note : *médicament utilisé sous contrôle médical.*

MARIE-ROSE® Suractivée
(Sterling Midy)

Introd. en 1977. Non remb. SS.

PRINCIPES ACTIFS :
– lotion contenant des pyréthrines et du butoxyde de pipéronyle;
– solution pour application locale contenant des pyréthrines et acide acétique;
– shampooing contenant des pyréthrines et de l'acide acétique.

Emploi : insecticide utilisé dans les pédiculoses du cuir chevelu (poux de tête), du pubis (phtiriase inguinale) et du corps.

Note : *vendu sans ordonnance; efficacité généralement reconnue dans l'emploi proposé.*

MARINOL®
(Pharmadéveloppement)

Introd. en 1912. Non remb. SS.

PRINCIPES ACTIFS : sirop contenant de l'eau de mer, algues marines, eau de mer, iode, tanin, phosphate calcique, arrhénal (dérivé de l'arsenic), acide phosphorique.

Emploi : proposé dans la fatigue (ou asthénie fonctionnelle).

Précautions : ne pas employer en cas de grossesse (à cause de la présence d'iode); utiliser pendant 4 jours par semaine avec arrêt de 3 jours (pour éviter l'accumulation d'arsenic); consultez votre médecin si la fatigue persiste.

Note : *vendu sans ordonnance; efficacité des principes actifs à confirmer dans l'emploi proposé.*

MARRUBÈNE® (Lemoine)

Introd. en 1946. Remb. SS 40%.

PRINCIPES ACTIFS : sirop contenant de la codéthyline (antitussif opiacé), terpine, benzoate de sodium, extraits de aunée et marrube.

Emploi : proposé pour calmer la toux.

Précautions : ne pas utiliser en cas de
– asthme, insuffisance respiratoire (la diminution de la toux cause l'accumulation de mucosités dans les voies respiratoires);
– maladie du foie (l'élimination de la codéthyline est diminuée en cas d'insuffisance hépatique);
– ulcère gastroduodénal évolutif;
– grossesse (innocuité non établie), allaitement;
– enfants âgés de moins de 5 ans.

Durée du traitement : si la toux persiste après une semaine, si des crachats sanglants ou des effets indésirables apparaissent, arrêtez le traitement et consultez votre médecin.

Alcool : à éviter pendant le traitement.

Sujets âgés : risque accru d'effets indésirables; doses réduites de moitié.

Conduite de véhicules : ce médicament peut diminuer la vigilance; la conduite de véhicules ou l'utilisation de machines peut être dangereuse.

Effets indésirables possibles : somnolence, sécheresse de la bouche, confusion, nausées, vomissements, crises d'asthme, constipation, excitation (surtout chez l'enfant), éruption cutanée (réaction allergique : arrêtez le traitement).

Note : vendu sans ordonnance; l'efficacité de la codéthyline est généralement reconnue, mais les autres composants ont peu d'intérêt dans l'emploi proposé.

MARSILID® (Roche)

Introd. en 1960. Liste I. Remb. SS 70%.

PRINCIPE ACTIF : **Iproniazide.**

SYNONYME : iprazide.

Préparations : comprimés à 50 mg.

Emploi : médicament appartement au groupe des inhibiteurs de la monoamine oxydase (IMAO) qui est un enzyme présent dans le système nerveux. L'iproniazide est utilisé pour traiter les états dépressifs de l'adulte.

Le traitement doit s'accompagner de certaines précautions, notamment en ce qui concerne les aliments et les médicaments qu'il faut absolument éviter pendant toute la durée du traitement et dans les deux semaines qui suivent son arrêt sous peine de provoquer une crise d'hypertension artérielle avec maux de tête sévères, rigidité de la nuque, vives douleurs dans la poitrine, sensibilité augmentée à la lumière, transpirations profuses, accélération du pouls, nausées et vomissements.

Précautions :

– il faut respecter un intervalle de 15 jours pour substituer un antidépresseur tricyclique à un dérivé IMAO; à l'inverse, un antidépresseur IMAO peut être substitué à un dérivé tricyclique en observant un délai de trois jours;

– aliments à éviter (riches en tyramine et tryptophane) : fromages fermentés, certains vins, bière, bananes, figues, avocats, viandes et poissons fumés, saucisson, caviar, pâte de crevettes, soja, soupes en sachets, bière, levures, chocolat;

– signes de crise d'hypertension artérielle qui demandent une aide d'urgence : maux de tête sévères, rigidité de la nuque, vives douleurs dans la poitrine, sensibilité augmentée à la lumière, transpirations profuses, accélération du pouls, nausées et vomissements.

Pour les détails → p. 40.

Note : prescrit sur ordonnance médicale.

MARTICASSOL® (Martinet)

Introd. en 1977. Remb. SS 70%.

PRINCIPE ACTIF : collyre contenant un extrait de *Centenella asiatica* (madécassol).

Emploi : proposé comme cicatrisant oculaire (efficacité à confirmer).

Note : vendu sans ordonnance; à éviter sans avis médical, comme tous les collyres.

MARTI-CONTACT® (Martinet)

Introd. en 1981. Non remb. SS.

PRINCIPES ACTIFS : solution de contactologie stérile contenant de l'édétate de sodium, chlorhexidine, polysorbate 80 et mercurothiolate sodique.

Emploi : utilisée pour le nettoyage quotidien des lentilles cornéennes et des prothèses oculaires.

MARTIGÈNE® (Martinet)

Introd. en 1970. Liste II. Remb. SS 70%.

PRINCIPES ACTIFS : collyre contenant :

– phényléphrine; vasoconstricteur;

– bromphéniramine : antihistaminique, sédatif et atropinique.

Emploi : proposé dans les conjonctivites allergiques.

Précautions : ne pas employer en cas de glaucome par fermeture de l'angle.

Sportifs : ce médicament peut donner une réaction positive en cas de tests pour contrôle antidopage.

Effets indésirables possibles : dilatation gênante des pupilles en cas d'instillations répétées.

Conservation : à utiliser dans les 15 jours après l'ouverture du flacon.

Note : prescrit sur ordonnance médicale.

MARTIGENTA® (Martinet).

Introd. en 1984. Liste I. Remb. SS 70%.

PRINCIPE ACTIF : **Gentamicine**.

Préparations : collyre à 3 mg/ml.

Emploi : infections bactériennes sévères du segment antérieur de l'œil et de ses annexes, notamment conjonctivites, kératite, ulcères de la cornée, orgelet.

Précautions : ne pas employer en cas d'allergie à la gentamicine.

Durée du traitement : 5 à 12 jours.

Effets indésirables possibles : irritation locale, réactions allergiques croisées à la néomycine.

Conservation : à utiliser dans les 15 jours après l'ouverture du flacon.

Note : prescrit sur ordonnance médicale.

MARTISOL® (Martinet)

Introd. en 1964. Liste I. Remb. SS 70%.

PRINCIPES ACTIFS : collyre contenant de la néomycine (antibiotique) et prednisolone (corticoïde).

Emploi : infections microbiennes aiguës du segment antérieur de l'œil et de ses annexes.

Précautions : ne pas employer en cas d'infections virales, fongiques ou tuberculeuses ou d'antécédents de glaucome.

Durée du traitement : ne doit pas dépasser 10 jours sans contrôle médical; surveillance de la tension oculaire.

Sportifs : ce médicament peut donner une réaction positive en cas de tests pratiqués lors des contrôles antidopage.

Conservation : à utiliser dans les 15 jours après l'ouverture du flacon.

Note : prescrit sur ordonnance médicale.

MARZINE® (Wellcome)

Introd. en 1957. Liste II. Non remb. SS.

PRINCIPE ACTIF : *Cyclizine*.

Préparations : comprimés à 50 mg; suppositoires à 100 mg.

Emploi : antihistaminique utilisé pour prévenir et traiter le mal des transports, notamment pour atténuer les nausées, les vertiges et les vomissements dus à l'excitation de l'oreille interne par des accélérations et décélérations répétées; la cyclizine possède des propriétés légèrement sédatives et atropiniques; ce médicament est déconseillé chez l'enfant âgé de moins de 5 ans.

Pour les détails → p. 45.

Note : prescrit sur ordonnance médicale.

MASTODANATROL® (Sterling Winthrop)

Introd. en 1988. Liste I. Remb. SS 70%.

PRINCIPE ACTIF : *Danazol*.

Préparations : gélules à 100 mg.

Emploi : hormone antigonadotrope synthétique utilisée pour le traitement des affections suivantes :
– endométriose accompagnée ou non de stérilité;
– nodules ou kystes bénins du sein;
– œdème angioneurotique héréditaire (affection congénitale rare caractérisée par des crises récidivantes avec œdème du visage, des bras et des jambes, souvent accompagnées de douleurs abdominales et diarrhée).
Le danazol conserve une activité modérée du même type que la testostérone et peut provoquer chez la femme des effets androgéniques irréversibles.

Pour les détails → Danazol.

Note : prescrit sur ordonnance médicale.

MATIGA® (P. Fabre)

Introd. en 1987. Non remb. SS.

PRINCIPES ACTIFS : huile pour application locale contenant de l'huile d'arachide et du parfum romarin-oranger.

Emploi : douleurs d'origine musculaire, tendineuse ou ligamentaire et dans les contractures douloureuses.

Note : vendu sans ordonnance; efficacité des principes actifs à confirmer dans l'emploi proposé.

MAXAIR® (3M Santé)

Introd. en 1990. Liste I. Remb. SS 70%.

PRINCIPE ACTIF : *Pirbutérol*.

Préparations : flacon pressurisé délivrant 0,2 mg par bouffée (*Autohaler®*).

Emploi : bétamimétique utilisé en inhalation pour traiter les crises d'asthme ainsi que dans le traitement de fond de l'asthme.

Pour les détails → p. 37.

Note : prescrit sur ordonnance médicale.

MAXEPA® (P. Fabre)

Introd. en 1987. Remb. SS 70%.

PRINCIPE ACTIF : *Icosapent*.

SYNONYME : acides oméga-3 polyinsaturés.

COMPOSITION : huile naturelle de chair de poisson titrée en
– acide eicosa-penta-énoïque (EPA);
– acide docosa-hexa-énoïque (DHA).

Préparations : capsules à 1 g [+ tocophérol 2 UI].

Propriétés : médicament appartenant au groupe des hypolipidémiants qui sont utilisés pour abaisser le taux des lipides sanguins.

Emploi : concentré d'huile de poisson diminuant la synthèse des triglycérides utilisé dans les hypertriglycéridémies lorsque le régime adapté et assidu seul n'est pas suffisant.

Précautions : ne pas employer en cas de troubles de la digestion des graisses dus notamment à des affections de la vésicule biliaire ou du pancréas ou de grossesse (innocuité non établie).

Pour les détails : → p. 353.

Note : vendu sans ordonnance; à éviter en automédication.

MAXICAÏNE® (Delagrange)

Introd. en 1949. Non remb. SS.

PRINCIPE ACTIF : pastilles contenant 0,75 mg de paréthoxycaïne (anesthésique local).

Emploi : utilisé dans le traitement local symptomatique des affections douloureuses de la bouche et du pharynx.

Précautions : ne pas utiliser chez l'enfant de moins de 30 mois.

Sportifs : ce médicament peut donner une réaction positive en cas de tests pour contrôle antidopage.

Effets indésirables possibles : réactions allergiques.

Note : vendu sans ordonnance; ne pas utiliser pendant plus de 5 jours sans avis médical.

MAXIDEX® (Alcon)

Introd. en 1965. Liste I. Remb. SS 70%.

PRINCIPE ACTIF : collyre contenant de la dexaméthasone (corticoïde).

Emploi : affections inflammatoires et allergiques du segment antérieur de l'œil et de ses annexes.

Conservation : à utiliser dans les 15 jours après l'ouverture du flacon.

Pour les détails → p. 178.

Note : prescrit sur ordonnance médicale.

MAXIDROL® (Alcon)

Introd. en 1967. Liste I. Remb. SS 70%.

PRINCIPES ACTIFS : collyre et pommade ophtalmique contenant de la néomycine (antibiotique), de la polymyxine B (antibiotique) et dexaméthasone (corticoïde).

Emploi : infections microbiennes aiguës du segment antérieur de l'œil et de ses annexes.

Précautions : ne pas employer en cas d'infections virales, fongiques ou tuberculeuses ou d'antécédents de glaucome.

Durée du traitement : ne pas dépasser 10 jours sans contrôle médical; surveillance de la tension oculaire.

Sportifs : ce médicament peut donner une réaction positive lors des tests pour contrôle antidopage.

Note : prescrit sur ordonnance médicale.

MAXILASE® (Millot-Solac)

Introd. en 1970. Remb. SS 40%.

PRINCIPE ACTIF : comprimés et sirop contenant de l'alpha-amylase.

Emploi : enzyme proposé dans les états congestifs de la bouche et de la gorge.

Effets indésirables possibles : éruption cutanée (réaction allergique).

Note : vendu sans ordonnance; ne pas utiliser pendant plus de 5 jours sans avis médical.

MAXILASE® bacitracine
(Millot-Solac)

Introd. en 1969. Remb. SS 40%.

PRINCIPES ACTIFS : comprimés à sucer contenant de la bacitracine (antibiotique local) et alpha-amylase (enzyme).

Emploi : proposé dans le « mal de gorge » de l'adulte sans fièvre.

Effets indésirables possibles : éruption cutanée (urticaire), glossite.

Note : vendu sans ordonnance; à éviter en automédication comme tous les antibiotiques locaux.

MAXI-TYRO® (Delagrange)

Introd. en 1952. Non remb. SS.

PRINCIPES ACTIFS : pastilles à sucer contenant de la tyrothricine (antibiotique local) et paréthoxycaïne (anesthésique local).

Emploi : anesthésique et antiseptique buccal proposé dans le «mal de gorge» de l'adulte sans fièvre.

Sportifs : ce médicament peut donner une réaction positive en cas de tests pour contrôle antidopage.

Note : vendu sans ordonnance; à éviter en automédication comme tous les antibiotiques locaux.

MAXOMAT® (Choay)

Introd. en 1988. Liste I.

PRINCIPE ACTIF : **Somatropine** .

SYNONYMES : somatrophine, somatotropine, hormone somatotrope, Human Growth Hormone, GH, hGH, HGH; Recombinant Human Growth Hormone, R-hGH.

Préparations : poudre pour solution injectable en flacons à 2 UI, 4 UI.

Emploi : la somatropine est une substance obtenue par biotechnologie dont la structure est identique à celle de l'*hormone humaine de croissance* sécrétée par l'hypophyse pour stimuler la croissance de l'enfant.

Ce médicament est utilisé en injections régulières chez l'enfant de petite taille en cas de carence en hormone de croissance (nanisme hypophysaire); le traitement d'autant plus efficace qu'il est précoce et est poursuivi jusqu'à ce que l'enfant ait atteint une taille satisfaisante ou que la période de croissance soit terminée (fermeture des cartilages de croissance).

L'hormone de croissance est aussi utilisée en cas de petite taille due à un syndrome de Turner (affection congénitale rare qui touche les enfants de sexe féminin).

Pour les détails → Hormone de croissance.

Note : conditions particulières de délivrance.

MECTIZAN®
(M., S. & D.-Chibret)

Introd. en 1988. Liste II.

N'est pas commercialisé en France.

PRINCIPE ACTIF : **Ivermectine**.

Préparations : comprimés à 6 mg.

Emploi : utilisé dans le traitement de l'onchocercose ou «cécité des rivières», maladie tropicale qui atteint 30 millions d'individus en Afrique au Sud du Sahara; la maladie est causée par une espèce de filaire, ver dont la longueur le fait comparer à un fil, appelé *Onchocerca volvulus*.

Précautions : ne doit pas être utilisé chez les enfants âgés de moins de 5 ans, en cas de grossesse (a provoqué des malformations du fœtus dans l'expérimentation animale) et d'allaitement (passe dans le lait maternel).

Effets indésirables possibles :

– réaction de *Mazzotti* : prurit, éruption cutanée, douleurs musculaires et articulaires, fièvre, maux de tête, ganglions lymphatiques augmentés de volume et douloureux, parfois baisse de la tension artérielle (étourdissements, malaises); cette réaction allergique résulte de la mort des microfilaires dans l'organisme après le traitement;

– sensations anormales dans les yeux, bouffissure de la paupière, conjonctivite.

Note : médicament délivré par le fabricant sur demande.

MÉDIALIPIDE® (Bruneau)

Introd. en 1969.

PRINCIPES ACTIFS : émulsion injectable pour perfusion contenant huile soja, triglycérides à chaîne moyenne et lécithine d'œuf.

Emploi : alimentation parentérale.

Note : réservé aux hôpitaux.

MÉDIATENSYL® (Inergie)

Introd. en 1989. Liste I. Remb. SS 70%.

PRINCIPE ACTIF : **Urapidil**.

Préparations : gélules à 30 mg ou 60 mg; solution injectable en ampoules à 25 mg ou 50 mg.

Emploi : médicament appartenant au groupe des antihypertenseurs utilisés pour faire baisser la tension artérielle; ces médicaments dilatent les vaisseaux sanguins, la résistance au passage du sang et réduisent ainsi le travail du cœur.

Contrairement à d'autres antihypertenseurs, l'urapidil ne ralentit pas le rythme du cœur.

L'urapidil est utilisé dans le traitement de l'hypertension artérielle, associé éventuellement à un diurétique ou un bêta-bloquant.

Pour les détails → p. 48.

Note : prescrit sur ordonnance médicale.

MEDIATOR® (Servier)

Introd. en 1976. Liste I. Remb. SS 70%.
PRINCIPE ACTIF : **Benfluorex**.
Préparations : comprimés à 150 mg.
Emploi : hypolipidémiant «mineur» proposé lorsque les taux du cholestérol et des triglycérides dans le sang restent trop élevés malgré un régime adapté, poursuivi correctement pendant 3-6 mois; il est aussi proposé comme adjuvant du régime dans le diabète asymptomatique avec surcharge pondérale.
Précautions : ne pas employer en cas de pancréatite; l'innocuité de ce médicament n'ayant pas été établie chez la femme enceinte, ni lors de l'allaitement, son usage est déconseillé par mesure de prudence.
Effets indésirables possibles : nausées, vomissements, diarrhées.
Note : prescrit sur ordonnance médicale.

MÉDIFLOR® (Monot)

Introd. en 1972. Non remb. SS.
Gamme de tisanes contenant des plantes médicinales.

MÉDOCOCCINE® (Boiron)

Introd. en 1971. Non remb. SS.
PRINCIPES ACTIFS : pommade contenant de l'acide borique, teinture douceamère, hydrastis, souci des champs.
Emploi : proposé dans les démangeaisons et brûlures légères.
Note : vendu sans ordonnance.

MÉDROL®, **DÉPO-MÉDROL®**, **SOLU-MÉDROL®** (Upjohn)

Introd. en 1959. Liste I. Remb. SS 70%.
PRINCIPE ACTIF : **Méthylprednisolone**.
SYNONYME : médrocortisone.
Préparations :
– Compr. à 4 mg ou 16 mg (*Médrol®*).
– Préparation retard injectable en flacons à 40 ou 80 mg (*Dépo-Médrol®*).
– Poudre pour solution injectable en flacons à 20 mg, 40 mg, 120 mg ou 500 mg (*Solu-Médrol®*).
Emploi : médicament apparenté à la cortisone utilisé par voie orale ou en injections pour atténuer les réactions inflammatoires et allergiques, ainsi que dans le traitement de maladies telles que des allergies cutanées graves, des crises d'asthme, ou des polyarthrites évolutives; il s'agit d'un médicament puissant qui, s'il n'est pas utilisé selon la prescription, peut provoquer des effets indésirables graves.
Pour les détails → p. 176.
Note : prescrit sur ordonnance médicale.

MÉDRYSONE (Faure)

Introd. en 1976. Liste I. Remb. SS 70%.
PRINCIPE ACTIF : collyre contenant de la médrysone (corticoïde).
Emploi : affections inflammatoires et allergiques du segment antérieur de l'œil et de ses annexes.
Conservation : à utiliser dans les 15 jours après l'ouverture du flacon.
Pour les détails → p. 178.
Note : prescrit sur ordonnance médicale.

MÉFOXIN® → Céphalosporines.

MÉGABYL® (Janssen)

Introd. en 1961. Non remb. SS.
PRINCIPES ACTIFS : solution buvable et granulé contenant de la diisopromine (spasmolytique musculotrope) et du sorbitol (laxatif osmotique).
Emploi : proposé pour stimuler la sécrétion de la bile dans les troubles de la digestion (dyspepsie) et dans la constipation.
Précautions : ne pas employer en cas d'obstruction des voies biliaires; consultez votre médecin en cas de douleurs ou crampes abdominales d'origine indéterminée, de selles noires, d'amaigrissement, d'urines foncées, de douleurs de la région du foie, de jaunisse.
En cas de régime sans sel : tenir compte de la teneur en sodium du produit.
Effets indésirables possibles : douleurs abdominales, diarrhées.
Note : vendu sans ordonnance; ne pas utiliser pendant plus de 5 jours sans avis médical.

MÉGAMAG® (Mayoly-Spindler)

Introd. en 1980. Remb. SS 40%.
PRINCIPES ACTIFS : gélules contenant de l'ascorbo-aspartate et stéarate de magnésium.

Emploi : utilisé dans les carences magnésiennes et proposé, en l'absence de carence, dans la «spasmophilie» ou «tétanie constitutionnelle» avec crises d'anxiété et respiration accélérée (efficacité à confirmer).

Précautions : ne pas employer en cas d'insuffisance rénale.

Effets indésirables possibles: diarrhée, douleurs abdominales.

Note : vendu sans ordonnance; à éviter en automédication (une carence en magnésium ne peut être diagnostiquée que par votre médecin).

MÉGASTHÉNYL® (Byk)

Introd. en 1964. Non remb. SS.

PRINCIPES ACTIFS : solution buvable contenant des extraits de foie, rate, moelle, surrénale et hypophyse, nucléinate de manganèse et de fer, fibrine.

Emploi : proposé dans la fatigue.

Précautions : consultez votre médecin si la fatigue persiste (il peut s'agir d'une dépression ou d'une maladie nécessitant un traitement spécifique) ou en cas d'amaigrissement.

Note : vendu sans ordonnance; efficacité des principes actifs à confirmer dans l'emploi proposé.

MÉLADININE® (Promedica)

Introd. en 1956. Liste I. Remb. SS 70%.

PRINCIPE ACTIF : **8-Méthoxypsoralène.**

SYNONYMES : méthoxsalène, méthoxalène, 8-MOP, ammoïdine (extraite de l'*Ammi majus*).

MÉDICAMENT ANALOGUE : *Psoraderm-5®*

Préparations : comprimés à 10 mg; solution alcoolique à 0,1% et à 0,75%.

Emploi : agent de pigmentation appartenant au groupe des psoralènes, substances extraite de certaines plantes utilisées en médecine traditionnelle pour traiter le vitiligo (zones de la peau blanches, décolorées ou dépigmentées). Le méthoxypsoralène, après absorption par voie buccale, sensibilise la peau à l'action des rayons ultraviolets et cette action photosensibilisante dure 48 heures avec un maximum après 2-4 heures. Les psoralènes stimulent la production de peau pigmentée et sont utilisés par voie buccale, en association à l'exposition aux rayons solaires ou à une lampe à rayons ultraviolets (PUVA), pour traiter le vitiligo et le psoriasis; en application locale, ils sont utilisés pour traiter le vitiligo localisé. Les psoralènes augmentent la sensibilité de la peau aux rayons du soleil; ils ne doivent en aucun cas être utilisés pour bronzer (risque de brûlures); le traitement doit être conduit par un médecin spécialisé.

Précautions : ne pas employer en cas d'allergie au produit; les affections suivantes peuvent modifier l'action du médicament :
– allergie aux rayons du soleil (ne pas utiliser ce traitement);
– maladies du foie ou des reins (le taux sanguin et la toxicité du médicament peuvent être augmentés en cas d'insuffisance hépatique ou rénale);
– lupus érythémateux disséminé aigu (risque d'aggravation);
– porphyrie cutanée tardive, porphyrie érythropoïétique;
– hypertension artérielle, insuffisance cardiaque (risque d'aggravation par l'exposition aux rayons ultraviolets);
– états précancéreux de la peau, mélanomes, épithéliomas (ne pas utiliser ce traitement);
– affections oculaires, p. ex. choriorétinite, glaucome (un examen des yeux est conseillé avant de commencer le traitement).

Grossesse : ce médicament ne doit pas être utilisé chez la femme enceinte ou susceptible de l'être; en effet, il a causé des malformations du fœtus au cours de l'expérimentation animale; si une grossesse intervient pendant le traitement, informez immédiatement votre médecin.

Allaitement : l'utilisation de ce médicament est déconseillée, car il passe dans le lait maternel.

Enfants : ne doit pas être utilisé chez les enfants de moins de 12 ans.

Régime : pendant le traitement, certains aliments, notamment figues, carottes, céleris et la moutarde, peuvent augmenter la sensibilité de la peau aux rayons ultraviolets.

Interactions : il faut informer votre médecin si vous prenez ou avez pris récemment des médicaments, notamment :
– phénothiazines, sulfamides, diurétiques thiazidiques, tétracyclines,

griséofulvine, quinolones, amiodarone (potentialisation de l'action photosensibilisante);

– composés arsenicaux;

– médicaments anticancéreux ou traitement par des rayons X (radiothérapie).

Surveillance : le traitement doit être conduit par un médecin spécialisé et vous devez suivre scrupuleusement ses prescriptions; en effet, des doses trop élevées du médicament ou une exposition aux rayons solaire ou ultraviolets peut entraîner des brûlures graves; des examens périodiques du sang, des urines et des yeux sont conseillés.

Oubli : si vous oubliez de prendre le médicament, la séance d'exposition aux rayons solaires ou ultraviolets doit être renvoyée; en effet, celle-ci doit commencer 2 heures après la prise.

Délai d'action : de 6 à 8 semaines; il faut donc attendre ce délai avant de pouvoir évaluer l'efficacité du traitement.

Exposition au soleil : ce médicament rend votre peau très sensible aux rayons solaires et ultraviolets (photosensibilisation), ce qui demande quelques précautions :

– dans les 24 heures qui précèdent chaque séance, évitez l'exposition directe au soleil et portez des vêtements qui couvrent les bras et les jambes, un chapeau et des lunettes de soleil; consultez votre médecin sur l'opportunité d'utiliser une crème écran total antisolaire sur le zones non traitées;

– après chaque séance, couvrez les parties exposées du corps pendant au moins 8 heures.

– la sensibilisation de la peau aux rayons du soleil persiste 48 heures après la prise du médicament;

– arrêtez le traitement au moins 8 jours avant un voyage de vacances, en particulier en cas de vacances en montagne ou à la mer.

Effets indésirables possibles :

– rougeur de la peau, prurit, nausées, troubles intestinaux, vertiges, maux de tête;

– douleurs, éruptions cutanées, chevilles enflées (œdème), dépression, insomnie.

– l'usage prolongé peut entraîner un vieillissement prématuré de la peau et un cancer de la peau.

Note : prescrit sur ordonnance médicale.

MELLERIL® (Sandoz)

Introd. en 1960. Liste I. Remb. SS 70%.
PRINCIPE ACTIF : ***Thioridazine.***
Préparations : comprimés à 10 mg, 50 mg ou 100 mg; soluté buvable en gouttes à 40 mg/ml; suspension buvable à 2 mg/ml.
Emploi : neuroleptiques dérivé de la phénothiazine utilisé dans le traitement des maladies mentales.

La thioridazine est utilisée par voie orale pour calmer l'anxiété (à faibles doses) et réduire l'agitation, l'agressivité et améliorer les troubles du comportement dans les maladies mentales. La thioridazine atténue les symptômes de la maladie mentale, mais ne la guérit pas.
Pour les détails → p. 468.
Note : prescrit sur ordonnance médicale.

MENSUOSEDYL®
(Plantes et Médecines)

Introd. en 1974. Non remb. SS.
PRINCIPES ACTIFS: comprimés contenant du paracétamol, des extraits d'aubépine et des extraits d'anémone.
Emploi : proposé dans les règles douloureuses et les migraines en rapport avec les règles.
Note : vendu sans ordonnance; l'efficacité du paracétamol est généralement reconnue, mais les autres composants ont peu d'intérêt dans l'emploi proposé.

MÉPROBAMATE (Richard)

Introd. en 1963. Liste I. Remb. SS 70%.
La durée de prescription ne peut dépasser 12 semaines.
MÉDICAMENT ANALOGUE → Equanil®.
SYNONYME : procalmadiol.
Préparations : comprimés à 200 mg.
Emploi : tranquillisant utilisé dans l'anxiété et les contractures douloureuses (→ p. 695).
Précautions : ne pas employer en cas d'allergie au produit, d'insuffisance respiratoire, de porphyrie, de myasthénie, de tendance à l'alcoolisme ou à la toxicomanie, de dépression; ne doit pas être utilisé chez la femme enceinte ou susceptible de l'être; en effet, il a causé des malformations du fœtus au cours de l'expérimentation animale.

Utilisation prudente chez le sujet âgé; ne pas employer chez l'enfant.

Alcool : à éviter pendant le traitement.

Risque de dépendance : évitez tout traitement prolongé à doses élevées qui peut provoquer une dépendance et un syndrome de sevrage lors de l'arrêt brusque (avec tremblements, troubles du sommeil, transpirations, tension musculaire, nausées, crampes d'estomac, vomissements, tremblements, convulsions et confusion mentale); si vous avez développé une dépendance, consultez votre médecin qui pourra vous conseiller une diminution progressive des doses sur plusieurs semaines avant l'arrêt complet du traitement.

Conduite de véhicules : il faut éviter la conduite de véhicules ou l'utilisation de machines pendant le traitement à cause de sensations d'ébriété ou vertigineuses causées par le médicament.

Effets indésirables possibles : somnolence diurne, sensations d'ébriété, vertiges, troubles de l'équilibre, marche hésitante par action relaxante sur les muscles; parfois réactions paradoxales avec excitation et irritabilité, euphorie; urticaire, éruption cutanée (réaction allergique : arrêtez immédiatement le traitement).

Intoxication : sommeil très profond, respiration superficielle, évolution vers le coma; un traitement d'urgence à l'hôpital peut être nécessaire.

Note : prescrit sur ordonnance médicale.

MÉPRONIZINE® (Clin Midy)

Introd. en 1964. Liste I. Remb. SS 70%. La prescription ne peut dépasser 4 semaines.

PRINCIPES ACTIFS: comprimés contenant
– méprobamate (400 mg) : tranquillisant (Equanil®);
– acéprométazine (10 mg) : neuroleptique dérivé de la phénothiazine.

Emploi : association d'un tranquillisant (méprobamate) et d'un neuroleptique dérivé de la phénothiazine (acéprométazine) proposé comme somnifère pour une brève période dans les insomnies occasionnelles ou transitoires; il ne doit pas être utilisé pour traiter l'insomnie chronique. Arrêtez le traitement et consultez votre médecin en cas de fièvre.

Pour les détails → Méprobamate ci-dessus et Neuroleptiques p. 468.

Note : prescrit sur ordonnance médicale.

MÉRALOPS® (Allergan)

Introd. en 1983. Non remb. SS.

PRINCIPES ACTIFS: comprimés contenant du chlorure de cyaninosides.

Emploi : proposé dans la myopie (efficacité à confirmer).

Note : vendu sans ordonnance; à éviter en automédication.

MERCALM® (Phygiène)

Introd. en 1956. Non remb. SS.

PRINCIPE ACTIF : **Dimenhydrinate** .

Préparations : comprimés contenant 50 mg [+ caféine 10 mg].

Emploi : antihistaminique ayant des propriétés sédatives et atropiniques, le dimenhydrinate est utilisé pour prévenir et traiter le «mal des transports», notamment pour atténuer les nausées, les vertiges et les vomissements dus à l'excitation de l'oreille interne par des accélérations et décélérations répétées. Pour prévenir le mal des transports, on conseille de prendre le médicament au moins 30 minutes avant le départ.

Ce médicament est aussi proposé pour prévenir les nausées et les vomissements dus à d'autres causes.

Pour les détails → p. 45.

Note : vendu sans ordonnance; l'action antihistaminique du principe actif est généralement reconnue; la présence de caféine a peu d'intérêt dans l'emploi proposé.

MERCILON® → Contraception hormonale.

MERCRYL LAURYLÉ®
(Menarini)

Introd. en 1956. Remb. SS 70%.

PRINCIPES ACTIFS : solution pour application locale contenant du mercurobutol (antiseptique) et sulfate de lauryle et de sodium.

Emploi : antiseptique bactéricide organomercuriel proposé pour le nettoyage et l'antisepsie de la peau et des muqueuses.

Note : vendu sans ordonnance; des antiseptiques efficaces ne contenant pas de mercure sont actuellement disponibles.

MERCURESCÉINE
(Gifrer Barbezat)

PRINCIPE ACTIF : solution pour application locale contenant de la merbromine sodique.

Emploi : antisepsie de la peau et des plaies superficielles.

Note : vendu sans ordonnance; des antiseptiques efficaces ne contenant pas de mercure sont actuellement disponibles.

MERCUROCHROME®
(Mercurochrome)

PRINCIPE ACTIF : solution contenant de la merbromine sodique.

Emploi : antisepsie de la peau et des plaies superficielles.

Note : vendu sans ordonnance; des antiseptiques efficaces ne contenant pas de mercure sont actuellement disponibles.

MÉRÉPRINE®
(Marion Merrell Dow)

Introd. en 1959. Non remb. SS.

PRINCIPE ACTIF : **Doxylamine**.

Préparations : sirop contenant 6,25 mg par cuillerée à café.

Emploi : antihistaminique ayant des propriétés sédatives et atropiniques. La doxylamine est employée pour prévenir et traiter les affections allergiques (rhinites, conjonctivites, urticaire, rhume des foins); elle est aussi proposée pour traiter l'inappétence chez l'enfant et les troubles du sommeil chez l'adulte.

Pour les détails → p. 45.

Note : vendu sans ordonnance; l'action antihistaminique du principe actif est généralement reconnue; tenir compte de l'effet sédatif.

MERFÈNE® Teinture (Zyma)

Introd. en 1943. Remb. SS 70%.

PRINCIPE ACTIF : solution alcoolique (45°) colorée ou incolore de borate de phénylmercure.

Emploi : antiseptique organomercuriel (contenant 60% de Hg), antifongique (antichampignons) et antibactérien.

Précautions : ne pas employer en cas d'allergie au mercure, ne pas associer des antiseptiques iodés, ne pas avaler, ne pas appliquer sur des muqueuses.

Effets indésirables possibles : bien que la résorption cutanée soit faible, on ne peut exclure le risque de toxicité rénale.

Note : vendu sans ordonnance; des antiseptiques efficaces ne contenant pas de mercure sont actuellement disponibles.

MEROL® (Médecine végétale)

Introd. en 1913. Non remb. SS.

PRINCIPES ACTIFS : sirop contenant de la codéine (antitussif opiacé), du sulfogaïacol et des extraits d'eucalyptus et d'orange amère.

Emploi : proposé pour calmer la toux irritative, sèche.

Précautions : ne pas utiliser en cas de
– asthme, insuffisance respiratoire (la diminution de la toux cause l'accumulation de mucosités dans les voies respiratoires);
– maladie du foie (l'élimination de la codéine est diminuée en cas d'insuffisance hépatique);
– ulcère gastro-duodénal évolutif;
– grossesse (innocuité non établie), allaitement;
– enfants âgés de moins de 30 mois.

Durée du traitement : si la toux persiste après une semaine, si des crachats sanglants ou des effets indésirables apparaissent, arrêtez le traitement et consultez votre médecin.

Alcool : évitez les boissons alcoolisées pendant le traitement (majoration de l'effet sédatif).

Sujets âgés : risque accru d'effets indésirables; doses réduites de moitié.

Conduite de véhicules : ce médicament peut diminuer la vigilance; la conduite de véhicules ou l'utilisation de machines peut être dangereuse.

Sportifs : ce médicament peut donner une réaction positive en cas de tests pour contrôle antidopage.

En cas de diabète : tenir compte de la teneur en sucre du produit.

Effets indésirables possibles : somnolence, sécheresse de la bouche, confusion, nausées, vomissements, crises d'asthme (bronchospasme), constipation, éruption cutanée (réaction allergique) : arrêtez immédiatement le traitement).

Note : vendu sans ordonnance; l'efficacité de la codéine est généralement reconnue, mais les autres composants ont peu d'intérêt dans l'emploi proposé.

MÉSOCAÏNE®
(Biostabilex-Urap)

Introd. en 1989. Liste II. Remb. SS 70%.
PRINCIPE ACTIF : **Lidocaïne**.
SYNONYME : lignocaïne.
Préparations : solutions à 0,5%, 1% et 2% avec ou sans épinéphrine (adrénaline); ampoules pour rachianesthésie à 5% (100 mg dans 2 ml); gel pour anesthésie de contact en urologie; gel aromatisé pour anesthésie de contact des voies digestives supérieures; solution à 5% en nébuliseur.
Emploi : anesthésique local injectable du groupe amidique à longue durée d'action (60-90 minutes).
Note : utilisé sous contrôle médical.

MESTACINE® (Lederle/Novalis)

Introd. en 1988. Liste I. Remb. SS 70%.
PRINCIPE ACTIF : **Minocycline**.
Préparations : comprimés à 100 mg.
Emploi : antibiotique du groupe des tétracyclines employé dans le traitement des infections, notamment les infections uro-génitales et sexuellement transmissibles, et dans d'autres affections.
Pour les détails → p. 672.
Note : prescrit sur ordonnance médicale.

MESTINON® (Roche)

Introd. en 1955. Remb. SS 70%.
PRINCIPE ACTIF : **Pyridostigmine**.
Préparations : comprimés à 60 mg.
Emploi : la pyridostigmine est un anticholinestérasique qui empêche la dégradation de l'acétylcholine dont l'action est renforcée; elle est utilisée pour traiter les manifestations de la *myasthénie* (faiblesse musculaire) et l'atonie intestinale (paralysie de l'intestin avec constipation).
Durée d'action : 3-4 heures.
Précautions : ne pas employer en cas d'allergie au produit ou à d'autres anticholinestérasiques, d'infections urinaires, d'asthme ou de bronchite asthmatique; ce médicament n'est pas conseillé en cas de grossesse, car d'autres anticholinestérasiques ont causé une faiblesse musculaire et une détresse respiratoire chez le nouveau-né de mère traitée au long cours. Vous devez signaler à votre médecin tout contact récent avec des insecticides ou des pesticides.

Prise du médicament : vous devez noter au début du traitement l'heure à laquelle vous prenez chaque dose et les effets bénéfiques ou indésirables constatés et discuter avec votre médecin toute modification qui pourrait être nécessaire pour améliorer les résultats.
Autres médicaments : l'usage concomitant de morphine ou d'analgésiques morphinique augmente le risque de paralysie respiratoire.
Effets indésirables possibles : nausées, vomissements, crampes abdominales (activité intestinale accrue), diarrhée, salivation abondante, transpirations profuses, ralentissement du pouls, confusion, soubresauts musculaires, troubles de la vue; ces effets cholinergiques sont atténués par l'administration d'atropine.
Intoxication : il faut une intervention médicale immédiate car il a un risque d'arrêt de la respiration.
Note : vendu sans ordonnance; le traitement de la myasthénie doit être conduit sous surveillance médicale.

MÉTACUPROL® (Lemoine)

Introd. en 1970. Non remb. SS.
PRINCIPES ACTIFS : comprimés pour solution locale contenant du sulfate de cuivre, acide citrique, acide borique et carbonate monosodique.
Emploi : proposé comme antiseptique de la peau et des muqueuses.
Note : vendu sans ordonnance; des principes actifs plus efficaces sont actuellement disponibles.

MÉTASPIRINE® (Sterling Midy)

Introd. en 1939. Non remb. SS.
PRINCIPES ACTIFS : comprimés contenant
– acide acétylsalicylique (ou aspirine): analgésique et antipyrétique;
– caféine : stimulant central.
Emploi : proposé pour atténuer la douleur modérée (*analgésique*) et pour faire tomber la fièvre (*antipyrétique*).
Durée du traitement : consultez votre médecin si les douleurs persistent après 5 jours ou si la fièvre ou le mal de gorge ne régressent pas au bout de 3 jours.
Précautions : ce médicament ne doit pas être utilisé en cas d'allergie à l'aspirine, d'asthme, d'ulcère gastroduodénal en évolution, de maladie

hémorragique ou traitement anticoagulant, de grossesse et chez l'enfant.

Sportifs : ce médicament peut donner une réaction positive lors des tests pour contrôle antidopage.

Effets indésirables possibles : nausées, vomissements, douleurs gastriques, bourdonnements d'oreille, baisse de l'audition, maux de tête; consultez votre médecin en cas de douleurs abdominales, de vomissements sanglants, de selles noires, de prurit, de crise d'asthme, d'urticaire ou de jaunisse.

Note: *vendu sans ordonnance; l'efficacité de l'aspirine est généralement reconnue, mais la caféine a peu d'intérêt dans l'emploi proposé.*

MÉTÉOSPASMYL®
(Mayoly-Spindler)

Introd. en 1991. Remb. SS 40%.

PRINCIPES ACTIFS: comprimés contenant de l'alvérine (spasmolytique musculotrope) et diméticone additionné de silice (siméticone).

Emploi : proposé dans le traitement des troubles digestifs (dyspepsies), ballonnements (météorisme).

Précautions : consultez votre médecin en cas de douleurs ou crampes abdominales d'origine indéterminée, de selles noires, d'amaigrissement; ne pas utiliser en cas de grossesse ou d'allaitement.

Pour les détails : → p. 56.

Note : *vendu sans ordonnance; ne pas utiliser pendant plus de 5 jours sans avis médical.*

MÉTÉOXANE® (Sarbach)

Introd. en 1971. Liste I. Remb. SS 70%.

PRINCIPES ACTIFS : gélules contenant de l'atropine (atropinique), hyoscyamine (atropinique), amobarbital (barbiturique) et diméticone.

Emploi : proposé dans le traitement des troubles digestifs (dyspepsies) et ballonnements (météorisme); l'utilisation est limitée du fait de la présence d'amobarbital (les barbituriques ne sont pas recommandés en dehors du traitement de l'épilepsie).

Précautions : ne pas employer en cas de glaucome par fermeture de l'angle, d'hypertrophie prostatique, de porphyries, d'insuffisance respiratoire,

de grossesse, d'allaitement et chez l'enfant de moins de 10 ans.

Alcool : évitez les boissons alcoolisées pendant le traitement.

Conduite de véhicules : ce médicament peut diminuer la vigilance; la conduite de véhicules ou l'utilisation de machines peut être dangereuse.

Effets indésirables possibles :
– liés à l'amobarbital : confusion, somnolence, éruptions cutanées;
– liés à l'atropine : sécheresse de la bouche, du nez et de la gorge, vision trouble, accélération du pouls, palpitations, bouffées de chaleur, nausées, constipation, difficulté à uriner (chez les sujets prostatiques), confusion mentale ou agitation (chez les sujets âgés).

Note : *prescrit sur ordonnance médicale.*

MÉTHERGIN® (Sandoz)

Introd. en 1953. Liste I. Remb. SS 70%.

PRINCIPE ACTIF : *Méthylergométrine*.

SYNONYMES : méthylergonovine, méthylergobasine.

Préparations : ampoules à 0,2 mg dans 1 ml; soluté buvable à 0,25 mg par ml.

Emploi : dérivé de l'ergométrine (alcaloïde de l'ergot de seigle) la méthylergométrine contracte les muscles de l'utérus et comprime les vaisseaux sanguins (action utérotonique et hémostatique).

Ce médicament est utilisée pour traiter les hémorragies de a délivrance et après l'accouchement (post-partum), après césarienne, après curetage et interruption de grossesse et pour traiter l'atonie de l'utérus après l'expulsion de l'enfant; elle est administrée par voie buccale et, en cas d'urgence, en injection.

Durée d'action : jusqu'à 3 heures.

Allergie : informez votre médecin si vous avez déjà fait une réaction allergique ou inhabituelle au produit ou à d'autres alcaloïdes de l'ergot de seigle.

Allaitement : l'utilisation de ce médicament est déconseillée, car il réduit la sécrétion de lait, passe dans le lait maternel et peut causer des troubles chez le nourrisson.

Interactions : il faut informer votre médecin si vous prenez ou avez pris récemment d'autres médicaments, notamment des sympathomimétiques (risque d'hypertension artérielle).

Surveillance : contrôle fréquent de la tension artérielle.

Tabac : ne pas fumer pendant le traitement.

Effets indésirables possibles : nausées, vomissements, troubles de la vue, maux de tête, mains et pieds froids, fourmillements, douleurs angineuses, convulsions, éruption cutanée (réaction allergique : arrêtez immédiatement le traitement).

Note : prescrit sur ordonnance médicale.

MÉTHOTREXATE (R. Bellon)

Introd. en 1963. Liste I. Remb. 100%.

Principe actif : **Méthotrexate**.

Synonymes : améthoptérine, MTX.

Préparations : comprimés à 2,5 mg; poudre pour préparation injectable en flacons à 5 mg, 20 mg, ou 50 mg; lyophilisat en flacons à 500 mg (réservés aux hôpitaux).

Emploi : médicament appartenant au groupe des antimétabolites antagonistes de l'acide folique employé pour traiter
– les proliférations cellulaires anormales des ganglions lymphatiques, en particulier lymphomes non hodgkiniens, lymphome de Burkitt et mycosis fongoïde;
– les proliférations cellulaires anormales au niveau de l'utérus (choriocarcinome), du testicule, du poumon et des os;
– les leucémies aiguës (traitement d'entretien);
– psoriasis sévère et maladies dites «auto-immunes», notamment le lupus érythémateux disséminé et la polyarthrite rhumatoïde résistant à d'autres médicaments;
– d'autres affections déterminées par votre médecin.

Antidote : l'antidote du méthotrexate, le folinate de calcium, doit être toujours disponible pour l'utilisation en cas de surdosage. Un supplément journalier de folinate de calcium peut atténuer les ulcérations des muqueuses et la diminution du nombre des globules sanguins provoquées par le méthotrexate, sans interférer avec les effets thérapeutiques.

Note : le traitement doit être pris en charge par un spécialiste.

MÉTHYLCELLULOSE 1%
(M., S. & D.-Chibret)

Introd. en 1959. Non remb. SS.

Principe actif : collyre contenant 1% de méthylcellulose.

Emploi : proposé dans l'insuffisance de sécrétion des larmes («œil sec»).

Conservation : à utiliser dans les 15 jours après l'ouverture du flacon.

Note : vendu sans ordonnance; à éviter sans avis médical, comme tous les collyres.

MÉTHYL-GAG® (Riom)

Introd. en 1968. Liste I. Remb. SS 100%.

Principe actif : **Mitoguazone**.

Préparations : poudre pour solution injectable en flacons à 100 mg.

Emploi : médicament appartenant au groupe des antinéoplasiques, utilisé en injections dans le traitement de certaines leucémies aiguës et de la transformation aiguë des leucémies myéloïdes chroniques; comme les autres médicaments de ce type, il agit non seulement sur les cellules anormales, mais aussi sur les cellules normales, ce qui entraîne des effets indésirables parfois graves.

Note : le traitement doit être pris en charge par un spécialiste.

MÉTRODINE® (Serono)

Introd. en 1988. Liste I. Remb. SS 100%.

Principe actif : **Urofollitropine** .

Synonymes : FSH urinaire purifiée, hormone folliculo-stimulante.

Préparations : ampoules injectables ayant une action *exclusivement* folliculostimulante (75 UI de FSH par ampoule), avec une activité lutéinostimulante résiduelle pratiquement nulle (< 1 UI de LH par ampoule).

Propriétés et emploi : hormone gonadotrope utilisée en injections intramusculaires pour traiter certaines formes de stérilité féminine (risque de grossesse multiple) ou pour préparer à la fécondation *in vitro*, en association avec la gonadotrophine chorionique (HCG).

Précautions : ne pas employer en cas d'allergie au produit; les affections suivantes peuvent modifier les effets
– kyste de l'ovaire, fibrome de l'utérus (risque d'aggravation);
– hémorragies vaginales inhabituelles;

– maladies des glandes surrénales, de l'hypophyse ou de la thyroïde.

Grossesse : le traitement est arrêté dès l'apparition de signes de grossesse.

Interactions : il faut informer votre médecin si vous prenez ou avez pris récemment d'autres médicaments.

Surveillance : la sélection des patients et la conduite du traitement sont du ressort du spécialiste; contrôles réguliers et dosages d'hormones dans le sang et l'urine.

Autres médicaments : ne prenez aucun autre médicament sans consulter votre médecin.

Température : prenez et notez la température tous les jours pour que votre médecin puisse déterminer le moment de l'ovulation et déterminer la période de fécondité présumée.

Effets indésirables possibles :
– douleurs abdominales (augmentation de volume des ovaires, rupture d'un kyste ovarien);
– fièvre et difficulté à respirer (thrombose ou embolie pulmonaire).

Note : prescrit sur ordonnance médicale.

MÉTRONIDAZOLE (Fandre)

Introd. en 1987. Liste I.

PRINCIPE ACTIF : *Métronidazole* .

Préparations : solution injectable pour perfusion en flacons à 500 mg dans 100 ml.

Emploi : dérivé nitro-imidazolé actif contre les protozoaires (organismes vivants unicellulaires) intestinaux et certaines bactéries anaérobies (germes capables de prospérer sans oxygène); le métronidazole est utilisé en perfusion pour traiter les amibiases sévères et pour traiter ou prévenir les infections à germes anaérobies.

Pour les détails → p. 53.

Note : réservé aux hôpitaux.

MEXITIL®
(Boehringer Ingelheim)

Introd. en 1981. Liste I. Remb. SS 70%.

PRINCIPE ACTIF : *Mexilétine.*

Préparations : gélules à 200 mg; ampoules injectables à 250 mg/10 ml.

Propriétés : médicament appartenant au groupe des antiarythmiques qui sont employés pour régulariser et ralentir le rythme cardiaque.

Emploi : utilisé par voie buccale ou en injections intraveïneuses pour traiter

les extrasystoles ventriculaires lorsqu'elles se traduisent par des symptômes gênants et pour prévenir les tachycardies ventriculaires, y compris au stade aigu de l'infarctus du myocarde.

Précautions : ne pas employer en cas d'insuffisance cardiaque (faiblesse du cœur), cirrhose du foie, insuffisance rénale, maladie de Parkinson (aggravation du tremblement), pendant la grossesse et l'allaitement.

Effets indésirables possibles : somnolence, vertiges, nausées, vomissements, hoquet, troubles du goût, douleurs articulaires, troubles de la vue, tremblements, palpitations et éruption cutanée (réaction allergique: arrêtez le traitement).

Note : prescrit sur ordonnance médicale.

MIACALCIC® (Sandoz)

Introd. en 1981. Liste II. Remb. SS 70%.

PRINCIPE ACTIF : *Calcitonine.*

SYNONYME : thyrocalcitonine.

Préparations (*calcitonine de saumon synthétique ou salcatonin*) : poudre pour solution injectable en ampoules à 50 UI et 80 UI.

Emploi : hormone sécrétée par la glande thyroïde qui inhibe la libération du calcium osseux et est utilisée dans le traitement de la maladie de Paget; chez la femme après la ménopause la calcitonine est proposée en cas d'ostéoporose (diminution de la masse de tissu osseux) avec tassement des vertèbres, lorsque d'autres traitements sont mal tolérés ou inefficaces.

Pour les détails → Calcitonine.

Note : prescrit sur ordonnance médicale.

MICRODOÏNE® (Gomenol)

Introd. en 1980. Liste I. Remb. SS 70%.

PRINCIPE ACTIF : *Nitrofurantoïne.*

Préparations : gélules à 50 mg.

Emploi : médicament appartenant aux groupe des nitrofuranes utilisé pour traiter les infections bactériennes des voies urinaires basses non compliquées, notamment l'infection de la vessie (cystite); la nitrofurantoïne est inefficace dans l'urétrite à gonocoques et dans les infections du rein ou de la prostate.

Durée d'action : jusqu'à 6-8 heures.

Précautions : ne pas employer en cas d'allergie au produit ou à un autre nitrofurane, de maladies des reins, de déficit en glucose-6-phosphate déshydrogénase ou G6PD (chez les sujets atteints de cette anomalie congénitale rare, ce médicament peut provoquer une anémie hémolytique).

L'innocuité de ce médicament n'ayant pas été établie chez la femme enceinte, ni lors de l'allaitement, son usage est déconseillé par mesure de prudence.

Ce médicament est déconseillé chez l'enfant âgé de moins de trois mois (risque d'hémolyse).

En cas de diabète : les résultats des tests pour déceler le sucre dans l'urine peuvent être faussés.

Effets indésirables possibles : nausées et vomissements, diarrhée, maux de tête, vertiges; prurit, urticaire, éruption cutanée, douleurs articulaires (réaction allergique : arrêtez immédiatement le traitement); fourmillements et perte de sensibilité aux mains et aux pieds, douleurs aux membres (polynévrite); fièvre, frissons, maux de gorge, ulcérations buccales (diminution du nombre des globules blancs dans le sang); une coloration brunâtre des urines peut être due à la présence du médicament.

Intoxication : nausées, vomissements, diarrhées, hémolyse, somnolence, troubles mentaux, convulsions.

Note : prescrit sur ordonnance médicale.

MICROLAX® (Labaz)

Introd. en 1964. Non remb. SS.

PRINCIPES ACTIFS : gel rectal en tubes-canules contenant du polyéthylène-glycol, laurylsulfoacétate de sodium, acide sorbique, sorbitol et citrate trisodique.

Emploi : microlavement irritant proposé dans la constipation basse occasionnelle résistante au traitement hygiéno-diététique et aux laxatifs non irritants.

Précautions : consultez votre médecin en cas de douleurs ou crampes abdominales d'origine indéterminée, de selles noires, d'amaigrissement, d'urines foncées, de douleurs de la région du foie, de jaunisse; évitez l'utilisation prolongée (risque d'inflammation du rectum).

Note : vendu sans ordonnance; ne pas utiliser pendant plus de 3 jours sans avis médical.

MICROPHTA® (Europhta)

Introd. en 1992. Liste I. Remb. SS 70%.
PRINCIPE ACTIF : *Micronomicine.*
Préparations : collyre à 3 mg/ml.
Emploi : antibiotique proche de la gentamicine utilisé pour traiter les infections bactériennes sévères du segment antérieur de l'œil et de ses annexes, notamment conjonctivites, kératite, ulcères de la cornée, orgelet.
Précautions : ne pas employer en cas d'allergie à la gentamicine.
Durée du traitement : 5 à 12 jours.
Effets indésirables possibles : irritation locale, réactions allergiques croisées à la néomycine ou à la gentamicine.
Conservation : à utiliser dans les 15 jours après l'ouverture du flacon.
Note : prescrit sur ordonnance médicale.

MICROVAL® (Wyeth)

Introd. en 1978. Liste I. Remb. SS 70%.
PRINCIPE ACTIF : *Lévonorgestrel.*
Préparations : comprimés à 0,03 mg.
Emploi : utilisé dans la contraception progestative microdosée en administration continue de 0,03 mg par jour à partir du premier jour du cycle, sans interruption même pendant les règles ultérieures. En cas d'oubli avec espacement des prises de plus de 36 heures, associer une contraception locale dans les 2 semaines suivantes.

Dans certains pays, le lévonorgestrel est commercialisé sous forme d'implants dont l'action contraceptive dure jusqu'à 5 ans (Norplant® System, Wyeth-Ayerst); six capsules contenant chacune 36 mg de lévonorgestrel sont implantées sous le derme à la face interne du bras par une incision de 2 mm; le médicament diffuse lentement à travers la paroi des capsules dans la circulation.

Pour les détails : → p. 560.
Note : prescrit sur ordonnance médicale.

MICTASOL® (Janssen)

Introd. en 1930. Non remb. SS.
PRINCIPES ACTIFS : comprimés contenant de la méthénamine (acidifiant et antiseptique urinaire), camphre et mauve *(Malva purpurea).*
Emploi : proposé dans les infections urinaires basses non compliquées dont le diagnostic ne peut être posé que par votre médecin.

Précautions : ne pas employer chez l'enfant de moins de 15 ans, en cas d'insuffisance rénale ou de goutte, de grossesse; ne pas associer des sulfamides ou des alcalinisants.
Note: vendu sans ordonnance; à éviter en automédication; des principes actifs plus efficaces sont actuellement disponibles.

MICTASOL® BLEU (Janssen)

Introd. en 1930. Non remb. SS.
PRINCIPES ACTIFS: comprimés contenant du méthylthioninium (bleu de méthylène), camphre et *Malva purpurea*.
Emploi : proposé dans les douleurs des infections urinaires basses dont le diagnostic ne peut être posé que par votre médecin.
Précautions : ne pas employer chez l'enfant de moins de 15 ans ou en cas d'insuffisance rénale.
Note: vendu sans ordonnance à éviter en automédication; des principes actifs plus efficaces sont actuellement disponibles.

MIDY VITAMINE C ® → Vitamine C.

MIFÉGYNE® (Roussel)

Introd. en 1990. Conditions particulières de délivrance.
PRINCIPE ACTIF : *Mifépristone.*
SYNONYME : RU 486 (Roussel).
Préparations : comprimés à 200 mg.
Emploi : antiprogestatif employé pour l'interruption médicale de grossesse jusqu'au 50e jour d'aménorrhée; 36-48 heures après la prise, administration d'un analogue d'une prostaglandine, soit un ovule vaginal de géméprost, soit une injection intramusculaire de sulprostone.
Précautions : la patiente ne doit pas s'éloigner du centre prescripteur tant que l'expulsion complète n'aura pas été constatée. Une consultation de contrôle doit avoir lieu 8-12 jours après la prise du médicament; en cas d'échec, nécessité d'une IVG instrumentale endo-utérine (effet tératogène de la mifépristone sur l'animal). Ce médicament est déconseillé chez les femmes de plus de 35 ans et chez les femmes qui fument régulièrement depuis plus de 2 ans.
Note : le traitement doit être pris en charge par un spécialiste.

MIGLUCAN® → Euglucan®.

MIGRALGINE® (J.-P. Martin)

Introd. en 1977. Non remb. SS.
PRINCIPES ACTIFS : gélules et solution buvable contenant
– phénazone (antipyrine) : analgésique et antipyrétique potentiellement toxique pour la moelle osseuse;
– codéine : analgésique opiacé;
– caféine : stimulant central;
– améyléine : anesthésique local.
Emploi : proposé pour atténuer la douleur modérée (analgésique) et pour faire tomber la fièvre (antipyrétique).
Précautions : ne doit pas être utilisé en cas d'insuffisance hépatique, d'insuffisance respiratoire, de déficit en G6PD ou glucose-6-phosphate déshydrogénase (risque d'hémolyse), de grossesse, d'allaitement et chez l'enfant âgé de moins de 15 ans.
Mise en garde : l'apparition de fièvre, d'angine ou d'ulcérations buccales impose l'arrêt immédiat du traitement; consultez votre médecin qui pourra juger nécessaire une numération globulaire d'urgence.
Sportifs : ce médicament peut donner une réaction positive en cas de tests pour contrôle antidopage.
Conduite de véhicules : ce médicament peut diminuer la vigilance; la conduite de véhicules ou l'utilisation de machines peut être dangereuse.
Note : vendu sans ordonnance; à éviter à cause de la présence de phénazone (antipyrine) qui est un produit dangereux (risque de diminution des globules blancs dans le sang).

MIGWELL® (Wellcome)

Introd. en 1966. Liste I. Remb. SS 70%.
PRINCIPES ACTIFS: comprimés contenant de l'ergotamine tartrate, cyclizine et caféine.
Emploi : l'ergotamine est un alcaloïde de l'ergot de seigle utilisé pour traiter la crise de migraine (administrer aussi tôt que possible après le début de la crise); l'ergotamine agit en diminuant la lumière de certains vaisseaux de la tête (vasoconstriction).
La cyclizine est un antihistaminique utilisé pour prévenir et traiter le mal

des transports; elle possède des propriétés légèrement sédatives et atropiniques.

La caféine a une faible action stimulante du système nerveux central.

Dans le traitement des crises légères de migraine, d'autres médicaments sont préférables, p. ex. l'aspirine ou le paracétamol.

Allergie : informez votre médecin si vous avez déjà fait une réaction allergique ou inhabituelle à ce médicament ou à des médicaments contenant d'autres alcaloïdes de l'ergot de seigle.

Etat de santé : vous devez informer votre médecin de toute affection susceptible de modifier les effets du médicament, notamment : maladies du cœur, angine de poitrine, hypertension artérielle mal contrôlée, artériosclérose, artérite oblitérante ou phlébite des membres inférieurs, maladie du foie, état infectieux, tabagisme.

Grossesse : ce médicament ne doit pas être utilisé en cas de grossesse; en effet, il peut provoquer des contractions de l'utérus; en outre, il a provoqué des malformations du fœtus dans l'expérimentation animale.

Allaitement : l'utilisation de ce médicament est déconseillée, car il réduit la sécrétion de lait, passe dans le lait maternel et peut causer des troubles chez le nourrisson.

Enfants : ne pas utiliser avant 10 ans.

Sujets âgés : ils sont très sensibles à la constriction des vaisseaux provoquée par ce médicament (doses réduites).

Sportifs : la caféine se trouve sur la liste des dopants interdits (Ministère de la Jeunesse et des Sports); en cas de test pratiqué lors des contrôles antidopage, l'analyse de l'urine est considérée comme positive si le taux en caféine est supérieur à 12 µg/ml.

Interactions : il faut informer votre médecin si vous prenez ou avez pris récemment d'autres médicaments, notamment : antibiotiques macrolides (troléandomycine, érythromycine, josamycine, roxithromycine), bêtabloquants, sympathomimétiques qui peuvent être contenus dans des spécialités contre le rhume.

Prescription : ne dépassez pas la dose prescrite par votre médecin pour la crise; des doses trop élevées ou des prises trop fréquentes (habituellement toutes les 30 minutes, jusqu'à atteindre la dose maximale de 6 mg par 24 heures et de 10 mg en une semaine) augmentent le risque d'effets indésirables.

Prise du médicament : prenez le médicament dès les premiers signes de la crise de migraine et couchez-vous dans une chambre sombre pour au moins deux heures.

Alcool : évitez les boissons alcoolisées et le tabac qui aggravent la migraine.

Conduite de véhicules : ce médicament peut diminuer la vigilance; la conduite de véhicules ou l'utilisation de machines peut être dangereuse.

Exposition au froid : comme l'ergotamine diminue la lumière des vaisseaux (vasoconstriction) et la circulation du sang, évitez l'exposition prolongée au froid.

Effets indésirables possibles :
– somnolence, vertiges, aggravation des nausées et des vomissements qui accompagnent la crise de migraine, diarrhées, prurit;
– vasoconstriction ou «ergotisme vasculaire» : fourmillements, mains et pieds froids; crampes musculaires à la marche puis au repos; sensations de picotement, engourdissement et douleurs au niveau des extrémités; sans traitement, ces troubles peuvent aboutir à l'occlusion des artères et à la gangrène des extrémités; douleurs précordiales de type angine de poitrine.

Note : prescrit sur ordonnance médicale.

MIKÉLAN® (Lipha Santé)

Introd. en 1988. Liste I. Remb. SS 70%.
PRINCIPE ACTIF : *Cartéolol*.

Préparations : comprimés à 20 mg.

Emploi : médicament appartenant au groupe très nombreux des bêtabloquants utilisé par voie orale dans l'hypertension artérielle.

Il s'agit d'un bêta-bloquant de type «non cardiosélectif».

Pour les détails → p. 96.

Note : prescrit sur ordonnance médicale.

MILLI ANOVLAR® → Contraception hormonale.

MILLIGYNON® → Contraception hormonale.

MINALFÈNE® (Bouchara)

Introd. en 1983. Liste II. Remb. SS 70%.
PRINCIPE ACTIF : **Alminoprofène**.

Préparations : comprimés à 300 mg.

Emploi : anti-inflammatoire non sté-roïdien utilisé dans les inflammations douloureuses des articulations, des capsules articulaires, des muscles ou des tendons et dans d'autres affec-tions déterminées par votre méde-cin. Dans la polyarthrite rhumatoïde et l'arthrose, ce médicament atténue la douleur, la tuméfaction et la rai-deur des articulations, mais ne guérit pas la maladie.

Pour les détails → p. 50.

Note : prescrit sur ordonnance médicale.

MINIDIAB® (Farmitalia C. Erba)

Introd. en 1974. Liste I. Remb. SS 70%.
PRINCIPE ACTIF : **Glipizide** .

Préparations : comprimés à 5 mg.

Emploi : antidiabétique oral utilisé dans le diabète qui se développe chez l'adulte, dont le contrôle ne nécessite pas des injections d'insuline (diabète non insulino-dépendant de type II ou DNID) et qu'un régime seul ne peut pas équilibrer suffisamment ; l'injec-tion d'insuline dans cette forme de diabète peut cependant être nécessai-re en cas de blessure ou de brûlure, d'infection grave, d'apparition d'un coma acido-cétosique, d'intervention chirurgicale ou de grossesse.

L'usage de ce médicament constitue un complément à votre régime et il ne saurait en aucun cas le remplacer.

Durée d'action : 4 à 8 heures.

Pour les détails → p. 42.

Note : prescrit sur ordonnance médicale.

MINIDRIL® → Contraception hormo-nale.

MINI-OVULE PHARMATEX® → Contraception locale.

MINIPHASE® → Contraception hor-monale.

MINIPRESS® et ALPRESS® (Pfizer)

Introd. respectivement en 1979 et 1989.
Liste I. Remb. SS 70%.
PRINCIPE ACTIF : **Prazosine**.

Préparations :
Comprimés à 1 ou 5 mg (*Minipress®*).
Comprimés à libération prolongée à 2,5 mg ou 5 mg (*Alpress® LP*).

Emploi : médicament appartenant au groupe des antihypertenseurs utilisés pour faire baisser la tension artérielle ; ces médicaments dilatent les vais-seaux, diminuent par conséquent la résistance au passage du sang et ré-duisent le travail cardiaque ; la prazo-sine ne ralentit pas le rythme du cœur, contrairement à d'autres antihyper-tenseurs.

La prazosine est utilisée pour le traitement de l'hypertension, souvent en association avec un diurétique ou un bêta-bloquant ; elle est aussi utilisée pour dilater les vaisseaux et améliorer la circulation dans la maladie de Raynaud (mauvaise circulation au niveau des mains et des pieds) et dans certaines formes d'insuffisance cardiaque (faiblesse du cœur).

La prazosine a été proposée dans l'hypertrophie prostatique bénigne (efficacité à confirmer).

Pour les détails → p. 48.

Note : prescrit sur ordonnance médicale.

MINIRIN® (Ferring)

Introd. en 1982. Liste II. Remb. SS 70%.
PRINCIPE ACTIF : **Desmopressine**.
SYNONYMES : DDAVP, DAV, DAVP.

Préparations :
– solution à 0,1 mg/ml pour adminis-tration endonasale à l'aide d'un cathéter gradué ;
– spray pour administration endona-sale à 0,01 mg par pulvérisation ;
– ampoules injectables à 4 µg dans 1 ml.

Emploi : hormone synthétique, analo-gue de l'hormone antidiurétique na-turelle, utilisée par voie nasale ou en injection pour diminuer le volume des urines (effet antidiurétique) dans le *diabète insipide* et, en perfusion intraveineuse, pour traiter les acci-dents hémorragiques (effet hémosta-tique) dans l'hémophilie A et la maladie de von Willebrand.

La desmopressine a été proposée pour traiter les enfants au-dessus de 5 ans qui «mouillent» (énurésie nocturne), mais il faut noter que l'énurésie nocturne guérit très souvent spontanément et que ce médicament peut entraîner une intoxication par l'eau.

Durée d'action : 10 à 18 heures.

Précautions : ne pas employer en cas d'allergie au produit, de grossesse ou allaitement; emploi prudent en cas d'hypertension artérielle ou de maladie des coronaires.

Interactions : il faut informer votre médecin si vous prenez ou avez pris récemment d'autres médicaments, notamment chlorpropamide, glibenclamide, carbamazépine, clofibrate, sels de lithium (diminution de l'effet antidiurétique).

Effets indésirables possibles : confusion, convulsions, somnolence, maux de tête, prise de poids rapide (rétention d'eau), écoulement du nez (voie nasale); bouffées de chaleur, rougeur de la face et du cou, frissons, crampes abdominales, saignement du nez (épistaxis), conjonctivite, rhinite; toux et difficulté à respirer en cas d'inhalation accidentelle du produit.

Intoxication («intoxication par l'eau») : somnolence, maux de tête persistants, crampes abdominales, confusion mentale, convulsions, évolution vers le coma; demander une aide d'urgence dans les formes graves.

Note : prescrit sur ordonnance médicale.

MINOXIDIL (Gerbiol)

Introd. en 1988. Liste II. Non remb. SS.

PRINCIPE ACTIF : solution à 2% de minoxidil pour application locale.

Emploi : traitement de la calvitie chez l'homme jeune (alopécie androgénique) d'intensité modérée en application locale deux fois par jour.

Effets indésirables possibles : irritation locale, eczéma de contact, urticaire et absorption du principe actif (accélération du pouls, palpitations, vertiges, picotements, maux de tête, faiblesse, étourdissements, altération du goût, troubles de la vision).

Note : prescrit sur ordonnance médicale.

MINULET® → Contraception hormonale.

MISULBAN® (Techni-Pharma)

Introd. en 1955. Liste I. Remb. SS 100%.

PRINCIPE ACTIF : *Busulfan*.

Préparations : dragées à 2 mg.

Emploi : médicament appartenant au groupe des agents alkylants, le busulfan agit sur la moelle osseuse est utilisé pour traiter certaines maladies caractérisées par une prolifération excessive des globules blancs (leucémies myéloïdes), des globules rouges (maladie de Vaquez) ou des plaquettes (thrombocythémie essentielle).

Note : le traitement doit être pris en charge par un spécialiste.

MITHRACINE® (Pfizer)

Introd. en 1975. Liste I. Remb. SS 100%.

PRINCIPE ACTIF : *Plicamycine*.

SYNONYME : mithramycine.

Préparations : poudre pour solution injectable en flacons à 2.500 µg.

Emploi : médicament appartenant au groupe des antinéoplasiques, utilisé pour traiter les proliférations cellulaires anormales, notamment au niveau du testicule, ainsi que de l'hypercalcémie (taux excessif de calcium dans le sang) consécutive à certaines tumeurs osseuses. Comme les autres médicaments de ce type, il agit non seulement sur les cellules anormales, mais aussi sur les cellules normales, ce qui entraîne des effets indésirables qui se manifestent parfois longtemps après l'arrêt du traitement.

Note : le traitement doit être pris en charge par un spécialiste.

MITOSYL® (Delagrange)

Introd. en 1942. Non remb. SS.

PRINCIPES ACTIFS : pommade contenant de l'huile foie de poisson et oxyde de zinc.

Emploi : proposé dans les irritation de la peau, notamment l'érythème fessier (fesses rouges) du nourrisson.

Précautions : ne pas appliquer sur des surfaces étendues à cause du risque d'hypervitaminose A.

Note : vendu sans ordonnance; consultez votre médecin si les lésions persistent.

MIXTARD® → Insuline.

MODAMIDE®
(M., S. & D.-Chibret)

Introd. en 1973. Liste I. Remb. SS 70%.

PRINCIPE ACTIF : *Amiloride*.

Préparations : comprimés à 5 mg.

Emploi : médicament appartenant au groupe des diurétiques qui sont utilisés pour favoriser l'élimination de l'excès d'eau accumulée dans l'organisme (œdèmes); contrairement à d'autres diurétiques, l'amiloride ne provoque pas de pertes de potassium (il s'agit d'un diurétique «épargnant» le potassium).

L'amiloride est utilisée pour le traitement des œdèmes cardiaques ou cirrhotiques, ainsi que dans le traitement de l'hypertension artérielle; elle est souvent associée à un dérivé de la thiazide ou au furosémide pour diminuer les pertes potassiques causées par ces diurétiques.

En cas d'insuffisance rénale, les diurétiques épargnant le potassium peuvent causer une élévation dangereuse du taux de potassium dans le sang (hyperkaliémie).

Durée d'action : 12-24 heures.

Sportifs : ce médicament (ainsi que les autres diurétiques) se trouve sur la liste des dopants interdits (Ministère de la Jeunesse et des Sports); il donne une réaction positive en cas de contrôles antidopage.

Pour les détails → p. 233.

Note : prescrit sur ordonnance médicale.

MODANE® (Meram)

Introd. en 1964. Remb. SS 40%.

PRINCIPES ACTIFS: comprimés contenant du dantrone (laxatif irritant contenant des anthraquinones) et pantothénate de calcium.

Emploi : proposé dans les troubles digestifs et la constipation.

Précautions : consultez votre médecin si la constipation persiste, en cas de sang dans les selles ou de selles noires, de douleurs abdominales avec diarrhée, d'amaigrissement.

L'usage prolongé risque de provoquer la «maladie des laxatifs» avec lésions de la muqueuse intestinale.

Note : vendu sans ordonnance; à éviter comme tous les laxatifs irritants.

MODÉCATE® et MODITEN®
(Bristol-Myers Squibb)

Introd. en 1971 et 1966.

Liste I. Remb. SS 70%.

PRINCIPE ACTIF : *Fluphénazine*.

Préparations :

Modécate® : solution huileuse à action prolongée (3-4 semaines) en ampoules injectables à 25 mg dans 1 ml et flacons multidose à 125 mg.

Moditen® : compr. à 25 mg ou 100 mg.

Moditen® Fort : solution buvable à 1 mg par goutte.

Moditen Retard® : solution huileuse à action prolongée (2 semaines) ampoules injectables à 25 mg dans 1 ml ou 100 mg dans 4 ml.

Emploi : médicament appartenant au groupe des neuroleptiques dérivés de la phénothiazine qui sont utilisées dans le traitement des maladies mentales. La fluphénazine est utilisée par voie orale pour calmer l'agitation et l'excitation, réduire l'agressivité et améliorer les troubles du comportement dans les maladies mentales aiguës.

Les formes retard (décanoate, énanthate) ont une durée d'action moyenne de 24 heures; elles sont employées pour traiter les maladies mentales chroniques, notamment la schizophrénie et la manie. La fluphénazine atténue les symptômes de la maladie mentale, mais ne la guérit pas.

Pour les détails → p. 468.

Note : prescrit sur ordonnance médicale.

MODÉRATAN® Diffucap
(Théranol)

Introd. en 1975. Liste I. Non remb. SS.

PRINCIPE ACTIF : *Amfépramone*.

SYNONYME : diéthylpropion.

Préparations : gélules à 75 mg.

Emploi : excitant du système nerveux central analogue de l'amphétamine utilisé pour diminuer l'appétit dans le traitement à court terme de l'obésité («coupe-faim»); associé à l'exercice physique et à un régime pauvre en hydrate de carbones, graisses et calories, ce médicament peut aider certains patients, mais l'action s'atténue au bout de quelques semaines et s'accompagne d'effets indésirables, notamment de l'apparition d'une dépendance. L'emploi de ce médica-

ment devrait se limiter à des situations particulières où une perte de poids rapide est souhaitée; la durée du traitement ne devrait pas dépasser 6 semaines.
Pour les détails → p. 33.
Note : prescrit sur ordonnance médicale.

MODITEN® → Modécate®.

MODOPAR® (Roche)

Introd. en 1974. Liste I. Remb. SS 70%.
PRINCIPES ACTIFS : *Lévodopa + Bensérazide.*
Préparations :
Modopar® : gélules à 50 mg, 100 mg ou 200 mg de lévodopa (+ respectivement 12,5 mg, 25 mg ou 50 mg de bensérazide).
Modopar LP® : gélules à libération prolongée à 100 mg de lévodopa (+ 25 mg de bensérazide).
Modopar dispersible® : comprimés pour suspension buvable à 100 mg de lévodopa (+ 25 mg de bensérazide).
Emploi : la lévodopa est un précurseur de la dopamine et est utilisée pour le traitement de la maladie de Parkinson et du syndrome parkinsonien; l'effet antiparkinsonien est attribué à la stimulation par la dopamine des récepteurs dopaminergiques dans les ganglions de la base du cerveau; cet effet est plus marqué sur la rigidité et la lenteur des gestes (akinésie) que sur le tremblement; la lévodopa est associée à la bensérazide qui empêche la transformation de la lévodopa en dopamine en dehors du cerveau; elle augmente l'efficacité de la lévodopa et permet d'en réduire les doses et de diminuer ses effets indésirables.
Pour les détails → Lévodopa.
Note : prescrit sur ordonnance médicale.

MODUCREN®
(M., S. & D.-Chibret)

Introd. en 1979. Liste I. Remb. SS 70%.
PRINCIPES ACTIFS: comprimés contenant
– 10 mg de timolol maléate : bêta-bloquant de type non cardiosélectif (Gaoptol®, Timacor®, Timoptol®);
– 25 mg d'hydrochlorothiazide : diurétique thiazidique (Esidrex®);
– 2,5 mg de amiloride : diurétique distal (Modamide®) destiné à prévenir les pertes de potassium.

Emploi : association proposée pour traiter l'hypertension artérielle.
Pour les détails → p. 96 et p. 232.
Note : prescrit sur ordonnance médicale.

MODULITE® (Eurorga)

Introd. en 1981. Liste II. Remb. SS 40%.
PRINCIPES ACTIFS: granulé pour suspension buvable contenant de la trimébutine (antispasmodique musculotrope), sorbitol (laxatif osmotique).
Emploi : troubles fonctionnels du côlon avec constipation.
Précautions : ne pas employer en cas d'obstruction des voies biliaires; consultez votre médecin en cas de douleurs ou crampes abdominales d'origine indéterminée, de selles noires, d'amaigrissement, d'urines foncées, de douleurs de la région du foie, de jaunisse.
Effets indésirables possibles: douleurs abdominales, diarrhées.
Note : prescrit sur ordonnance médicale.

MODURÉTIC® (Du Pont)

Introd. en 1973. Liste I. Remb. SS 70%.
PRINCIPES ACTIFS: comprimés contenant
– amiloride (5 mg) : diurétique épargnant le potassium (Modamide®);
– hydrochlorothiazide (50 mg) : diurétique thiazidique (Esidrex®).
Emploi : association d'un diurétique dérivé de la thiazide (hydrochlorothiazide) et d'un diurétique distal (amiloride) épargnant le potassium dans le but de limiter autant que possible les pertes indésirables de potassium. Ce médicament est utilisé pour traiter l'hypertension artérielle et l'accumulation excessive de liquide dans l'abdomen (ascite ou hydropisie) et dans d'autres tissus (œdèmes) d'origine cardiaque ou cirrhotique.
Pour les détails → p. 232 et p. 233.
Note : prescrit sur ordonnance médicale.

MODUSTATINE® (Clin Midy)

Introd. en 1988. Liste I.
PRINCIPE ACTIF : *Somatostatine.*
SYNONYMES: Growth Hormone Release Inhibiting Factor (GH-RIF); Somatropin Release Inhibiting Factor; facteur d'inhibition de la libération de l'hormone de croissance.

Préparations : poudre pour solution injectable en flacons à 2 mg.
Emploi : substance produite par synthèse, ayant les mêmes effets que la somatostatine naturelle, utilisée dans
– le traitement d'urgence des hémorragies digestives aiguës d'origine ulcéreuse ou par rupture de varices œsophagiennes; ce traitement peut être poursuivi pendant 48 heures en attendant des mesures hémostatique spécifiques;
– le traitement adjuvant des fistules digestives post-opératoires.
Note : réservé aux hôpitaux.

MOGADON® (Roche)

Introd. en 1965. Liste I. Remb. SS 70%.
La durée de prescription ne peut dépasser 4 semaines.
PRINCIPE ACTIF : *Nitrazépam.*
Préparations : comprimés à 5 mg.
Emploi : somnifère (ou hypnotique) appartenant au groupe très nombreux des benzodiazépines; le nitrazépam est proposé par voie buccale pour une brève période dans les insomnies occasionnelles ou transitoires (tous les troubles du sommeil ne nécessitent pas un traitement médicamenteux); il ne doit pas être utilisé pour traiter l'insomnie chronique.
Pour les détails → p. 94.
Note : prescrit sur ordonnance médicale.

MOLAGAR® (Parke-Davis)

Introd. en 1937. Remb. SS 40%.
PRINCIPES ACTIFS : émulsion buvable contenant de l'huile de paraffine et gélose.
Emploi : proposé dans la constipation.
Durée du traitement : ne pas dépasser quelques jours.
Précautions : ne pas employer en cas de traitement anticoagulant, d'occlusion intestinale ou de douleurs abdominales de cause inconnue; consultez votre médecin si la constipation persiste ou en cas de selles noires ou de présence de sang dans les selles.
Effets indésirables possibles : suintement anal, risque de pneumopathie par inhalation en cas de régurgitations chez les sujets inconscients, les patients âgés alités ou les enfants âgés de moins de 3 ans; diminution de l'absorption de certains médicaments,

notamment des anticoagulants dérivés de la coumarine, et des vitamines liposolubles (A, D, E, K).
Note : vendu sans ordonnance; à éviter sans avis médical à cause du risque d'effets indésirables.

MOLYBDÈNE (Aguettant)

Introd. en 1986.
Préparations : solution injectable pour perfusion à 20 μg/ml.
Emploi : utilisé en perfusion pour supplémentation des solutions de nutrition parentérale totale prolongée.

MONEVA® → Contraception hormonale.

MONICOR LP® (P. Fabre)

Introd. en 1986. Liste II. Remb. SS 70%.
PRINCIPE ACTIF : *Mononitrate d'isosorbide.*
Préparations : gélules retard à 20 mg, 40 mg ou 60 mg.
Emploi : médicament appartenant au groupe des dérivés nitrés qui dilatent les vaisseaux sanguins, notamment les vaisseaux du cœur (coronaires) et qui sont utilisés dans le traitement de l'angine de poitrine. Le mononitrate d'isosorbide est employé :
– pour la prévention à long terme des crises l'angine de poitrine graves et invalidantes;
– pour traiter l'insuffisance cardiaque gauche sévère (faiblesse du cœur), en complément des autres thérapeutiques (l'efficacité à long terme reste à confirmer).
Ce médicament ne convient pas au traitement de la crise aiguë d'angine de poitrine (sensation de constriction douloureuse dans la poitrine pouvant irradier dans le bras gauche).
Pour les détails → p. 203.
Note : prescrit sur ordonnance médicale.

MONOCLINE® (Doms-Adrian)

Introd. en 1986. Liste I. Remb. SS. 70%.
PRINCIPE ACTIF : *Doxycycline.*
Préparations : comprimés à 100 mg.
Emploi : antibiotique dérivé de la tétracycline, mieux résorbée que celle-ci par voie digestive et diffusant mieux dans les tissus; la doxycycline est

employée dans le traitement des infections à germes sensibles, notamment les infections uro-génitales et sexuellement transmissibles.
Pour les détails → p. 672.
Note : prescrit sur ordonnance médicale.

MONOTARD HM® → Insuline.

MONOTEST® → Tuberculine.

MONOVAX® → Vaccin antituberculeux.

MONTANA P® (Aérocid)

PRINCIPES ACTIFS : solution buvable contenant méthesculétol, teinture d'anémone, hamamélis, passiflore, marron d'Inde.
Emploi : proposé dans le traitement des symptômes en rapport avec l'insuffisance veinolymphatique
Précautions : consultez votre médecin en cas de suspicion de phlébite (jambes rouges et/ou chaudes, douloureuses, surtout si d'un seul côté et avec fièvre).
Note : vendu sans ordonnance; efficacité des principes actifs à confirmer dans l'emploi proposé.

MONTAVON® (Monal)

Introd. en 1976. Non remb. SS.
PRINCIPES ACTIFS : poudre orale en sachets contenant 0,1 mg de pilocarpine (cholinergique) et 25 mg d'antimoniotartrate de potassium.
Emploi : proposé pour traiter l'alcoolisme chronique.
Posologie (adulte) : 1-3 sachets par jour; introduire un sachet dans le verre de boisson alcoolisée.
Note : à éviter en automédication; efficacité des principes actifs à confirmer dans l'emploi proposé.

MONURIL® (Zambon)

Introd. en 1990. Liste I. Remb. SS 70%.
PRINCIPE ACTIF : **Fosfomycine.**
Préparations : granulé pour solution buvable en sachets à 3 g (sous forme de sel de trométamol).
Emploi : antibiotique utilisé par voie orale, en une prise unique, pour traiter la cystite (inflammation de la vessie)

aiguë non compliquée de la femme jeune.
Prise du médicament : on conseille de prendre le médicament 2-3 heures avant ou après les repas, de préférence après avoir vidé la vessie.
Précautions : ne pas employer en cas d'insuffisance rénale, au cours de la grossesse et pendant l'allaitement; ne pas associer le métoclopramide.
Effets indésirables possibles : nausées, diarrhées, éruption cutanée.
Note : prescrit sur ordonnance médicale.

MOPRAL® (Astra)

Introd. en 1989. Liste II. Remb. SS 70%.
PRINCIPE ACTIF : **Oméprazole.**
Préparations : gélules à 20 mg; poudre pour solution injectable en flacons à 40 mg.
Emploi : l'oméprazole est un inhibiteur de la pompe à protons qui diminue la sécrétion d'acide gastrique et est utilisé pour traiter
– l'ulcère gastroduodénal évolutif;
– l'œsophagite par reflux gastro-œsophagien : le contenu acide de l'estomac remonte dans l'œsophage;
– le syndrome de Zollinger-Ellison : la sécrétion excessive d'acide gastrique est d'origine hormonale.
Pour les détails → p. 61.
Note : prescrit sur ordonnance médicale.

MORRHUOL® (Promedica)

PRINCIPES ACTIFS : huile de foie de morue enrichie de vitamines A et D.
Emploi : proposé comme reconstituant et tonique.
Note : vendu sans ordonnance; efficacité des principes actifs à confirmer dans l'emploi proposé.

MOSCONTIN® (Sarget)

Introd. en 1987. Remb. SS 70%.
Stupéfiants (règle des 7 jours).
PRINCIPE ACTIF : **Morphine.**
Préparations : comprimés à libération prolongée à 10 mg, 30 mg, 60 mg ou 100 mg.
Emploi : préparation de morphine utilisée par voie buccale dans les douleurs chroniques intenses ou rebelles aux autres analgésiques.
Pour les détails → Morphine, p. suiv.
Note : prescrit sur ordonnance médicale.

Si vous utilisez la morphine ou un autre médicament du groupe des analgésiques morphiniques...

MORPHINE

PRÉPARATIONS INJECTABLES :
Morphine Aguettant®.
Morphine Lavoisier®.
Morphine Meram®.
Ampoules injectables (chlorhydrate) à 10 mg ou 20 mg dans 1 ml.

PRÉPARATIONS PAR VOIE ORALE :
Moscontin® (Sarget).
Skenan LP® (Upsa).
Comprimés à libération prolongée (sulfate) à 10 mg, 30 mg, 60 mg ou 100 mg.

Stupéfiants (règle des 7 jours). Remb. SS. 70%

Emploi : la morphine est un analgésique (= médicament contre la douleur) extrait de l'opium qui est le suc desséché obtenu en incisant les capsules du pavot ; elle appartient au groupe des analgésiques à action centrale, appelés aussi *morphiniques, narcotiques* ou *opioïdes* ; ces médicaments agissent au niveau du système nerveux central.

À la suite d'injections répétées à doses élevées, ils peuvent provoquer une *dépendance* physique et psychique qui s'accompagne, à l'arrêt de l'administration, d'un *syndrome de sevrage* ; dans la plupart des cas, leur emploi pendant une courte période pour soulager la douleur ne provoque pas de dépendance et l'arrêt ne pose aucun problème.

Malgré l'apparition des succédanés synthétiques, la morphine est encore largement utilisée.

– *En injections sous-cutanées* : en raison du danger de dépendance, la morphine est utilisée uniquement dans les douleurs intenses et rebelles aux analgésiques périphériques, notamment les douleurs postopératoires ou post-traumatiques, les douleurs de l'infarctus du myocarde, celles d'origine tumorale et dans la colique néphrétique ou biliaire (associée à un spasmolytique).

– *Par voie buccale* : dans les douleurs chroniques des cancers à un stade avancé, il est possible d'obtenir une analgésie satisfaisante avec une préparation galénique de morphine par voie orale ; une dose suffisante de morphine est administrée selon un horaire régulier, que le malade ait mal ou non (les comprimés à libération prolongée sont administrés 2 fois par jour) ; la prise de doses élevées de morphine exige parfois l'association de laxatifs et de médicaments contre les vomissements.

Allergie : informez votre médecin si vous avez déjà fait une réaction allergique ou inhabituelle à un analgésique morphinique.

Etat de santé : vous devez informer votre médecin de toute affection susceptible de modifier les effets du médicament, notamment :

– maladies du foie ou des reins (risque accru d'effets indésirables en cas d'insuffisance hépatique ou rénale)

– antécédents d'abus d'alcool, de drogues ou de médicaments (risque accru de dépendance) ;

– asthme, emphysème, difficulté à uriner, affection prostatique (risque d'aggravation) ;

– activité diminuée de la thyroïde (risque accru d'effets indésirables) ;

– épilepsie, états convulsifs (risque de crises) ;

– douleurs abdominales d'origine inconnue (ne pas utiliser un analgésique morphinique).

Grossesse : les analgésiques morphiniques, utilisés à doses élevées par la mère pendant la grossesse, peuvent provoquer une dépendance et un syndrome de sevrage chez le nouveau-né (convulsions, irritabilité, vomissements) ; en outre, l'emploi en obstétrique durant la 2e partie du travail peut provoquer une dépression respiratoire secondaire chez le nouveau-né.

Allaitement : déconseillée à cause du passage dans le lait maternel.

Enfants : l'utilisation est déconseillée chez les enfants âgés de moins de 18 mois.

Sujets âgés : ils sont très sensibles aux analgésiques morphiniques et le risque d'effets indésirables est accru; utiliser des doses réduites.

Sportifs : les analgésiques morphiniques se trouvent sur la liste des dopants interdits (Ministère de la Jeunesse et des Sports); ils donnent une réaction positive en cas de tests pratiqués lors des contrôles antidopage.

Interactions : il faut informer votre médecin si vous prenez ou avez pris récemment d'autres médicaments, notamment :

– antidépresseurs inhibiteurs de la mono-amine oxydase ou IMAO non sélectifs (risque d'hypertension artérielle, de convulsions et de dépression respiratoire);

– antidépresseurs tricycliques (potentialisation réciproque);

– sédatifs, tranquillisants, somnifères (majoration de l'effet sédatif);

– antihistaminiques et dérivés de la phénothiazine (potentialisation de l'effet dépresseur sur le système nerveux de la morphine);

– atropiniques (risque d'occlusion intestinale paralytique);

– naltrexone (action antagoniste).

Prescription : ne dépassez pas la dose prescrite; des doses trop élevées ou des prises trop fréquentes augmentent le risque d'effets indésirables, en particulier le risque de dépendance.

Au début du traitement : surtout au début du traitement par voie orale, des nausées et des vomissements peuvent survenir; s'ils persistent, consultez votre médecin.

Dépendance : en cas d'administration prolongée, une dépendance physique se développe à partir de 1-2 semaines (exceptionnellement après 2 ou 3 jours); l'arrêt brusque du traitement provoque une syndrome de sevrage; consultez votre médecin sur la diminution progressive des doses; une diminution des doses de 25% par paliers de 3-4 jours permet généralement d'éviter le syndrome de sevrage.

Syndrome de privation ou de sevrage : bâillements, maux de tête, asthénie, anxiété, agitation, sudation, accélération du pouls (tachycardie), pupilles dilatées (mydriase), larmoiement, écoulement nasal, nausées, vomissements, crampes abdominales, diarrhées, hypertension artérielle, fièvre, contractions musculaires, respiration accélérée.

Ces troubles apparaissent quelques heures après l'arrêt d'un usage prolongé à doses élevées et atteignent un maximum après 36 à 72 heures.

Alcool : évitez les boissons alcoolisées pendant le traitement (majoration de l'effet sédatif).

Conduite de véhicules : l'aptitude à conduire des véhicules ou à utiliser des machines est diminuée pendant le traitement en raison de somnolence, sensation exagérée de bien-être et baisse de la vigilance.

Effets indésirables possibles :

– somnolence, parfois excitation chez le sujet âgé;

– sueurs, sécheresse de la bouche, bouffées de chaleur;

– nausées, vomissements, crampes abdominales;

– constipation, pouvant évoluer vers l'occlusion intestinale paralytique;

– étourdissements, évanouissements quand vous vous levez (tension trop basse ou hypotension orthostatique);

– difficulté à uriner chez les prostatiques;

– vertiges, ralentissement du pouls, confusion mentale.

Intoxication : respiration ralentie et superficielle (dépression respiratoire), convulsions, confusion mentale, pupilles contractées (myosis), baisse de la tension artérielle (hypotension), ralentissement du pouls (bradycardie), baisse de la température (hypothermie), somnolence, coma de plus en plus profond. L'hospitalisation d'urgence peut être nécessaire dans les formes graves.

Autres analgésiques morphiniques

ANALGÉSIQUES MORPHINIQUES «MAJEURS»
ALFENTANIL.
  Rapifen® (Janssen).
BUPRÉNORPHINE.
  Temgésic® (Schering-Plough).
DEXTROMORAMIDE.
  Palfium® (Delalande).
FENTANYL
  Fentanyl (Janssen).
NALBUPHINE.
  Nubain® (Du Pont).
PENTAZOCINE.
  Fortal® (Sterling Winthrop).
PÉTHIDINE.
  Dolosal® (Specia).
SUFENTANIL.
  Sufenta® (Janssen).

ANALGÉSIQUES MORPHINIQUES «MINEURS»
CODÉINE
  Quintopan® (Sterling Midy).
DEXTROPROPOXYPHÈNE.
  Antalvic® (Houdé).

Analgésiques morphiniques «majeurs» : ils ont, à doses équivalentes, les mêmes effets que la morphine; les «agonistes partiels» ont une action à la fois agoniste et antagoniste et, de ce fait, comportent un risque d'abus relativement faible, mais ils ne doivent en aucun cas être utilisés chez des sujets toxicomanes, car ils risquent de précipiter un syndrome d'abstinence.

Analgésiques morphiniques «mineurs» : ils ont un effet analgésique 5 à 10 fois plus faible que celui de la morphine; ils sont utilisés pour soulager des douleurs d'intensité modérée qui résistent aux analgésiques à action périphérique; le risque de dépendance n'apparaît que pour des doses supérieures à celles recommandées et pour des traitements prolongés; l'abus est possible chez des sujets déjà toxicomanes.

MOTILIUM® (Janssen)

Introd. en 1983. Liste II. Remb. SS 40%.
PRINCIPE ACTIF : **Dompéridone**.
Préparations : comprimés à 10 mg; suspension buvable à 1 mg/ml; granulé effervescent à 10 mg par sachet.
Emploi : neuroleptique dérivé de la butyrophénone stimulant les mouvements et les contractions du tube digestif de l'estomac à l'intestin; le dompéridone est utilisé par voie buccale pour traiter les nausées, les vomissements (sauf les vomissements gravidiques), les troubles de la motricité digestive, notamment le reflux gastro-œsophagien (liquide acide remontant dans la bouche), et le retard de l'évacuation gastrique.
Pour les détails → p. 306.
Note : prescrit sur ordonnance médicale.

MOTIVAL®
(Bristol-Myers Squibb)

Introd. en 1977. Liste I. Remb. SS 70%.
PRINCIPES ACTIFS: comprimés contenant
– nortriptyline (10 mg) : antidépresseur tricyclique;
– fluphénazine (0,5 mg) : neuroleptique (Modécate®, Moditen®).

Emploi : la nortriptyline est un antidépresseur du groupe des tricycliques, ayant un effet psychotonique et une action atropinique; la fluphénazine est un neuroleptique dérivé de la phénothiazine; elle est utilisée dans le traitement des maladies mentales aiguës, en particulier pour calmer l'agitation et l'excitation, réduire l'agressivité et améliorer les troubles du comportement.
Cette association est proposée dans les dépressions d'intensité moyenne avec une composante anxieuse importante et dans le sevrage des sujets alcooliques.
Pour les détails → p. 40 et p. 468.
Note : prescrit sur ordonnance médicale.

MOUSTICRÈME®
(Sterling Midy).

Introd. en 1948. Non remb. SS.
PRINCIPES ACTIFS : crème contenant du phtalate de méthyle (répulsif) et paréthoxycaïne (anesthésique local).
Emploi : proposé pour éloigner les insectes piqueurs et soulager les réactions cutanées provoquées par les piqûres de moustiques.

Durée d'action : 4-5 heures.

Précautions : ne pas appliquer sur les yeux ou les muqueuses.

Sportifs : ce médicament peut donner une réaction positive en cas de tests pour contrôle antidopage.

Effets indésirables possibles : éruption cutanée.

Note : vendu sans ordonnance.

MOXALACTAM® → Céphalosporines.

MOXYDAR® (Serozym)

Introd. en 1990. Remb. SS 70%.

PRINCIPES ACTIFS : comprimés pour suspension buvable contenant des hydroxydes d'aluminium et de magnésium, phosphate d'aluminium, gomme guar.

Emploi : proposé dans les douleurs liées aux affections de l'œsophage, de l'estomac et du duodénum.

Précautions : consultez votre médecin si les troubles persistent et en cas de douleurs ou crampes abdominales, de selles noires, d'amaigrissement, de fièvre; ne pas utiliser en cas d'insuffisance rénale sévère; ne pas associer des tétracyclines.

Effets indésirables possibles : retard ou diminution de la résorption d'autres médicaments pris par la bouche (respecter un intervalle d'au moins 2 heures).

Note : vendu sans ordonnance; ne pas utiliser pendant plus de 5 jours sans avis médical.

MUCAL® (Irex)

Introd. en 1982. Remb. SS 70%.

PRINCIPES ACTIFS : poudre orale contenant de l'aluminosilicate de magnésium, de sodium et de calcium.

Emploi : proposé pour neutraliser l'excès d'acidité et comme pansement gastrique dans les douleurs liées aux affections de l'œsophage, de l'estomac et du duodénum; en cas d'ulcère de l'estomac ou du duodénum, ce médicament ne doit être utilisé que sous surveillance médicale.

Précautions : consultez votre médecin si les troubles persistent et en cas de douleurs ou crampes abdominales, de selles noires, d'amaigrissement,

de fièvre; ne pas utiliser en cas d'insuffisance rénale sévère; ne pas associer des tétracyclines.

Effets indésirables possibles : retard ou diminution de la résorption d'autres médicaments pris par la bouche (respecter un intervalle d'au moins 2 heures), constipation.

Note : vendu sans ordonnance; ne pas utiliser pendant plus de 5 jours sans avis médical.

MUCICLAR® (Parke-Davis)

Introd. en 1980. Remb. SS 40%.

PRINCIPE ACTIF : *Carbocistéine* .

Préparations : sirop et granulé pour adultes.

Emploi : proposé pour liquéfier les sécrétions bronchiques et en faciliter l'expectoration dans les affections respiratoires accompagnées de sécrétions bronchiques épaisses, notamment en cas de bronchite aiguë, d'emphysème et d'autres affections.

Précautions : ne pas employer en cas d'allergie au produit, d'asthme, d'encombrement des bronches, d'ulcère gastroduodénal évolutif, de grossesse ou d'allaitement (innocuité à confirmer); ne pas utiliser chez l'enfant de moins de 5 ans.

Consultez votre médecin si votre état ne s'améliore pas rapidement ou s'il s'aggrave, en cas de crachats sanglants, d'amaigrissement, de fièvre.

Effets indésirables possibles : brûlures d'estomac, maux de tête, nausées, diarrhées.

Pour les détails → p. 287.

Note : vendu sans ordonnance; à éviter sans avis médical.

MUCINUM® (Innothéra)

Introd. en 1920. Liste II. Non remb. SS.

PRINCIPES ACTIFS: comprimés contenant
– phénolphtaléine, séné, bourdaine : laxatifs irritants;
– belladone : atropinique;
– résine scammonée, boldo, anis vert et bile.

Emploi : traitement de courte durée de la constipation.

Précautions : consultez votre médecin si la constipation persiste, en cas de sang dans les selles ou de selles noires, de douleurs abdominales avec diarrhée, d'amaigrissement. L'usage

prolongé risque de provoquer la «maladie des laxatifs» avec lésions de la muqueuse intestinale.
Note : prescrit sur ordonnance médicale.

MUCINUM® à l'extrait de cascara (Innothéra)

Introd. en 1976. Non remb. SS.
PRINCIPES ACTIFS: comprimés contenant
– séné, bourdaine, cascara : laxatifs irritants;
– belladone : atropinique;
– résine scammonée, boldo, anis vert et bile.
Emploi : traitement de courte durée de la constipation.
Précautions : consultez votre médecin si la constipation persiste, en cas de sang dans les selles ou de selles noires, de douleurs abdominales avec diarrhée, d'amaigrissement.
L'usage prolongé risque de provoquer la «maladie des laxatifs» avec lésions de la muqueuse intestinale.
Note : vendu sans ordonnance; à éviter comme tous les laxatifs irritants.

MUCIPULGITE® (Beaufour)

Introd. en 1965. Remb. SS 70%.
PRINCIPES ACTIFS : granulé contenant de l'attapulgite de Mormoiron (silicate d'aluminium et de magnésium naturel extrait d'un gisement situé dans le Vaucluse), gomme guar (mucilage).
Emploi : proposé dans les troubles fonctionnels du côlon et constipation.
Précautions : consultez votre médecin si les troubles persistent et en cas de douleurs ou crampes abdominales, de selles noires, d'amaigrissement, de fièvre; ne pas utiliser en cas d'insuffisance rénale sévère; ne pas associer des tétracyclines.
Effets indésirables possibles : retard ou diminution de la résorption d'autres médicaments pris par la bouche (respecter un intervalle d'au moins deux heures).
Note : vendu sans ordonnance; ne pas utiliser pendant plus de 5 jours sans avis médical.

MUCITUX® (Riom)

Introd. en 1969. Non remb. SS.
PRINCIPE ACTIF : *Eprazinone.*
Préparations : comprimés à 50 mg.

Emploi : proposé pour liquéfier les sécrétions bronchiques et en faciliter l'expectoration dans les affections respiratoires accompagnées de sécrétions bronchiques épaisses, notamment en cas de bronchite aiguë, d'emphysème et d'autres affections.
Précautions : ne pas employer en cas d'allergie au produit, d'asthme, d'encombrement des bronches, d'ulcère gastroduodénal évolutif, de grossesse ou d'allaitement (innocuité non établie); ne pas utiliser chez l'enfant de moins de 5 ans.
Consultez votre médecin si votre état ne s'améliore pas rapidement ou s'il s'aggrave, en cas de crachats sanglants, d'amaigrissement, de fièvre.
Effets indésirables possibles : brûlures d'estomac, maux de tête, nausées, diarrhées.
Pour les détails → p. 287.
Note : vendu sans ordonnance; à éviter sans avis médical, surtout chez l'enfant.

MUCIVITAL® (Arkopharma)

Introd. en 1989. Remb. SS 40%.
PRINCIPE ACTIF : *Ispaghule.*
Préparations : gélules à 350 mg; poudre orale en sachets à 5 g.
Emploi : semences de *Plantago decumbens* utilisées comme laxatif de lest dans la constipation occasionnelle.
Prise du médicament : toujours boire de l'eau avec chaque prise.
Précautions : utilisation prudente en cas de mégacôlon par altération de la motricité colique; en cas de douleurs ou crampes abdominales d'origine indéterminée, de selles noires de perte de poids, de jaunisse.
Note : vendu sans ordonnance; le traitement médicamenteux de la constipation n'est qu'un adjuvant au traitement hygiéno-diététique qui comporte:
– alimentation riche en fibres végétales (légumes, fruits, pain complet), boissons abondantes;
– activité physique et présentation quotidienne à la selle, à la même heure.

MUCOFLUID® (UCB Pharma)

Introd. en 1978. Liste II. Remb. SS 70%.
PRINCIPE ACTIF : *Mesna.*
Préparations : solution pour aérosol et instillations locales en ampoules à 600 mg (réservé à l'usage hospitalier).

Emploi : proposé pour liquéfier les sécrétions bronchiques et en faciliter l'expectoration dans les affections respiratoires accompagnées de sécrétions bronchiques épaisses, en particulier en cas de bronchite aiguë, d'emphysème et d'autres affections pulmonaires.

Précautions : ne pas employer en cas d'allergie au produit, d'asthme, d'encombrement des bronches, d'ulcère gastroduodénal évolutif, de grossesse ou d'allaitement (innocuité non établie); ne pas employer chez l'enfant de moins de 5 ans.

Consultez votre médecin si votre état ne s'améliore pas rapidement ou s'il s'aggrave, en cas de crachats sanglants, d'amaigrissement, de fièvre.

Effets indésirables possibles : brûlures d'estomac, maux de tête, nausées, diarrhées.

Pour les détails → p. 287.

Note : prescrit sur ordonnance médicale.

MUCOLATOR® (Abbott)

Introd. en 1987. Remb. SS 40%.
PRINCIPE ACTIF : *Acétylcystéine.*
Préparations : granulé pour solution buvable en sachets à 200 mg.
Emploi : proposé pour liquéfier les sécrétions bronchiques et en faciliter l'expectoration dans les affections respiratoires accompagnées de sécrétions bronchiques épaisses, en particulier en cas de bronchite aiguë, d'emphysème et d'autres affections pulmonaires.
Précautions : ne pas employer en cas d'allergie au produit, d'asthme, d'encombrement des bronches, d'ulcère gastroduodénal évolutif, de grossesse ou d'allaitement (innocuité non établie); ne pas utiliser chez l'enfant de moins de 5 ans.
Consultez votre médecin si votre état ne s'améliore pas rapidement ou s'il s'aggrave, en cas de crachats sanglants, d'amaigrissement, de fièvre.
Effets indésirables possibles : brûlures d'estomac, maux de tête, nausées, diarrhées.
Pour les détails → p. 287.
Note : vendu sans ordonnance; à éviter sans avis médical, en particulier chez l'enfant.

MUCOMYST®
(Bristol-Myers Squibb)

Introd. en 1965. Remb. SS 40%.
PRINCIPE ACTIF : *Acétylcystéine.*
Préparations :
- Poudre orale à 200 mg/sachet; poudre pour suspension buvable à 100 mg ou 200 mg par cuillerée mesure.
- Solution pour aérosol ou instillations locales en ampoules à 1 g dans 5 ml. Liste II. Remb. SS 70%.
Emploi : proposé pour liquéfier les sécrétions bronchiques et en faciliter l'expectoration dans les affections respiratoires accompagnées de sécrétions bronchiques épaisses, en particulier en cas de bronchite aiguë, d'emphysème et d'autres affections pulmonaires.
Précautions : ne pas employer en cas d'allergie au produit, d'asthme bronchique, d'encombrement des bronches, d'ulcère gastroduodénal évolutif, de grossesse ou d'allaitement (innocuité non établie); ne pas utiliser chez l'enfant de moins de 5 ans.
Consultez votre médecin si votre état ne s'améliore pas rapidement ou s'il s'aggrave, en cas de crachats sanglants, d'amaigrissement, de fièvre.
Effets indésirables possibles : brûlures d'estomac, maux de tête, nausées, diarrhées.
Pour les détails → p. 287.
Note : vendu sans ordonnance; à éviter sans avis médical, surtout chez l'enfant.

MUCOPLEXIL® (RP Labo)

Introd. en 1981. Non remb. SS.
PRINCIPE ACTIF : *Carbocistéine* .
Préparations : sirop pour adultes ou pour enfants.
Emploi : proposé pour liquéfier les sécrétions bronchiques et en faciliter l'expectoration dans les affections respiratoires accompagnées de sécrétions bronchiques épaisses, en particulier en cas de bronchite aiguë, d'emphysème et d'autres affections.
Précautions : ne pas employer en cas d'allergie au produit, d'asthme bronchique, d'encombrement des bronches, d'ulcère gastroduodénal évolutif, de grossesse ou d'allaitement (innocuité non établie); ne pas utiliser chez l'enfant de moins de 5 ans.

Consultez votre médecin si votre état ne s'améliore pas rapidement ou s'il s'aggrave, en cas de crachats sanglants, d'amaigrissement, de fièvre.

Effets indésirables possibles : brûlures d'estomac, maux de tête, nausées, diarrhées.

Pour les détails → p. 287.

Note : vendu sans ordonnance; à éviter sans avis médical, surtout chez l'enfant.

MUCOSODINE®
(Soekami-Lefrancq)

Introd. en 1916. Non remb. SS.

PRINCIPES ACTIFS : poudre pour bain de bouche contenant du perborate, borate et bicarbonate de soude et chlorure sodium.

Emploi : infections de la cavité buccale.

Durée du traitement : ne pas dépasser 10 jours.

Note : vendu sans ordonnance; des principes actifs plus efficaces sont actuellement disponibles.

MUCOTHIOL® (S.C.A.T.)

Introd. en 1974. Remb. SS 40%.

PRINCIPE ACTIF : comprimés et poudre orale contenant la diacétylcystéine.

Emploi : proposé pour liquéfier les sécrétions bronchiques et en faciliter l'expectoration dans les affections respiratoires accompagnées de sécrétions bronchiques épaisses, en particulier en cas de bronchite aiguë, d'emphysème et d'autres affections.

Précautions : ne pas employer en cas d'allergie au produit, d'asthme, d'encombrement des bronches, d'ulcère gastroduodénal évolutif, de grossesse ou d'allaitement (innocuité non établie); ne pas utiliser chez l'enfant de moins de 5 ans.

Consultez votre médecin si votre état ne s'améliore pas rapidement ou s'il s'aggrave, en cas de crachats sanglants, d'amaigrissement, de fièvre.

Effets indésirables possibles : brûlures d'estomac, maux de tête, nausées, diarrhées.

Pour les détails → p. 287.

Note : vendu sans ordonnance; à éviter sans avis médical, surtout chez l'enfant.

MULKINE® (Beaufour)

Introd. en 1985. Remb. SS 70%.

PRINCIPES ACTIFS : granulé contenant de la montmorillonite beidellitique et de la gomme guar (mucilage).

Emploi : proposé dans les troubles fonctionnels du côlon avec constipation.

Précautions : consultez votre médecin si les troubles persistent et en cas de douleurs ou crampes abdominales, de selles noires, d'amaigrissement, de fièvre; ne pas utiliser en cas d'insuffisance rénale sévère; ne pas associer des tétracyclines.

Effets indésirables possibles : retard ou diminution de la résorption d'autres médicaments pris par la bouche (respecter un intervalle d'au moins deux heures), diarrhées.

Note : vendu sans ordonnance; ne pas utiliser pendant plus de 5 jours sans avis médical.

MULTÈNE® (Clintec)

Introd. en 1971.

PRINCIPES ACTIFS : solution injectable d'acides aminés.

Emploi : nutrition parentérale.

MULTITEST IMC® (Mérieux)

Introd. en 1981. Remb. SS 70%.

Préparations : applicateur pour multipuncture préchargé de 7 antigènes (tétanos, diphtérie, streptocoques, tuberculine, protéus, trichophyton, candida) et d'un témoin (glycérine).

Emploi : proposé pour évaluer l'immunité à médiation cellulaire (hypersensibilité retardée).

MUPHORAN® (Servier)

Introd. en 1989. Liste I. Remb. SS 100%.

PRINCIPE ACTIF : **Fotémustine**.

Préparations : poudre pour solution injectable en flacons à 200 mg.

Emploi : médicament appartenant au groupe des nitroso-urées, utilisé en perfusions dans le traitement du mélanome malin disséminé et dans d'autres affections déterminées par votre médecin.

Note : médicament utilisé sous surveillance médicale stricte.

MUTAGRIP® → Vaccin antigrippal.

MUTÉSA® (Wyeth)

Introd. en 1966. Remb. SS 70%.
PRINCIPES ACTIFS : suspension buvable
contenant des oxydes d'aluminium
et de magnésium et oxétacaïne (anesthésique local).
Emploi : douleurs au cours des affections œsophagiennes et gastriques.
Prise du médicament : après les repas et
éventuellement au coucher.
Précautions : consultez votre médecin
si les troubles persistent et en cas de
douleurs ou crampes abdominales,
de selles noires, d'amaigrissement,
de fièvre ; ne pas utiliser en cas d'insuffisance rénale sévère ; ne pas associer des tétracyclines.
Effets indésirables possibles : retard ou
diminution de la résorption d'autres
médicaments pris par la bouche
(respecter un intervalle d'au moins
deux heures), diarrhées.
*Note : vendu sans ordonnance ; ne pas
utiliser pendant plus de 5 jours sans
avis médical.*

MUXOL® (Leurquin)

Introd. en 1989. Liste II. Remb. SS 40%.
PRINCIPE ACTIF : *Ambroxol*.
Préparations : comprimés à 30 mg ;
solution buvable à 30 mg par cuillère
à café.
Emploi : proposé pour liquéfier les
sécrétions bronchiques et faciliter
l'expectoration dans les affections
respiratoires accompagnées de sécrétions bronchiques épaisses, notamment en cas de bronchite aiguë,
d'emphysème et d'autres affections.
Précautions : ne pas employer en cas
d'allergie au produit, d'asthme, d'encombrement des bronches, d'ulcère
gastroduodénal évolutif, de grossesse
ou d'allaitement (innocuité non établie) ; ne pas utiliser chez l'enfant de
moins de 5 ans.
Consultez votre médecin si votre état
ne s'améliore pas rapidement ou s'il
s'aggrave, en cas de crachats sanglants, d'amaigrissement, de fièvre.
Effets indésirables possibles : brûlures
d'estomac, maux de tête, nausées,
diarrhées.
Pour les détails → p. 287.
Note : prescrit sur ordonnance médicale.

MYAMBUTOL® (Lederle)

Introd. en 1970. Liste I. Remb. SS 70%.
PRINCIPE ACTIF : *Ethambutol*.
Préparations : comprimés à 400 mg.
Emploi : utilisé dans le traitement de la
tuberculose, en association avec
d'autres antituberculeux, en particulier l'isoniazide et la rifampicine, ainsi
que dans les infections par certaines
mycobactéries non tuberculeuses ou
atypiques. L'effet indésirable le plus
important est une névrite optique
entraînant des troubles oculaires.
Durée d'action : jusqu'à 4 jours.
Précautions : ne pas employer en cas
d'allergie au produit ; les affections
suivantes peuvent modifier l'action
du médicament :
– névrite optique ou autres troubles
  oculaires ;
– maladies du rein, goutte.
Grossesse : ce médicament ne doit pas
être utilisé chez la femme enceinte ou
susceptible de l'être ; en effet, il a causé
des malformations du fœtus au cours
de l'expérimentation animale. En cas
de grossesse, on adoptera le traitement
de six mois à base d'isoniazide, de
rifampicine et de pyrazinamide.
Allaitement : l'utilisation de ce médicament est déconseillée, car il passe dans
le lait maternel.
Enfants : l'utilisation est déconseillée
chez les enfants trop jeunes pour
signaler d'éventuels troubles de la
vision.
Sujets âgés : risque accru d'effets indésirables ; réduire les doses.
Interactions : il faut informer votre médecin si vous prenez ou avez pris
récemment d'autres médicaments.
Prise du médicament : on conseille de
prendre les comprimés de préférence
le matin à jeun.
Durée du traitement : dans le traitement
de la tuberculose, il est essentiel que
vous continuez à prendre l'éthambutol
et les autres médicaments associés aussi
longtemps que votre médecin estime
le traitement nécessaire, d'habitude
pendant 9 mois ; l'arrêt prématuré du
traitement pourrait provoquer une
rechute.
Surveillance : des visites de contrôle
périodiques sont indispensables pour
vérifier l'absence de répercussions du
traitement sur la vue (examen ophtalmologique) ou sur la fonction hépatique.

Conduite de véhicules : des troubles visuels éventuels pourraient rendre dangereuse la conduite de véhicules ou l'utilisation de machines.

Effets indésirables possibles :
- perte de l'appétit, nausées, vomissements;
- douleurs dans les yeux, baisse de l'acuité visuelle, altération de la perception des couleurs (surtout rouge et vert), cécité au centre du champ (scotome central) visuel; le surdosage et l'insuffisance rénale sont souvent à l'origine de ces troubles;
- fourmillements, douleurs, brûlures, faiblesse des mains ou des pieds (névrite périphérique)
- crise de goutte aiguë (augmentation du taux de l'acide urique dans le sang);
- prurit, éruption cutanée (réaction allergique : arrêtez le traitement.

Note : prescrit sur ordonnance médicale.

MYCODÉCYL® (Doms-Adrian)

Introd. en 1948. Remb. SS 70%.

PRINCIPE ACTIF : *Acide undécylénique.*

Préparations : pommade, poudre et solution pour application locale.

Emploi : médicament appartenant au groupe des antifongiques locaux qui sont utilisés pour traiter les infections de la peau causées par des champignons ou des levures; il est utilisé pour traiter les dermatophytoses de la peau glabre et des orteils (pied d'athlète) et d'autres affections.

Précautions : ne pas appliquer sur une grande surface, une peau lésée et chez le nourrisson (risque d'absorption du produit).

Effets indésirables possibles : irritation locale, prurit, sensation de brûlure.

Note : vendu sans ordonnance; à éviter sans avis médical, sauf en cas de rechutes d'affections diagnostiquées antérieurement par votre médecin; des principes actifs plus efficaces sont actuellement disponibles.

MYCOLOG®
(Bristol-Myers Squibb)

Introd. en 1962. Liste I. Remb. SS 70%.

PRINCIPES ACTIFS : pommade contenant de la nystatine (antifongique), néomycine (antibiotique) et triamcinolone (dermocorticoïde).

Emploi : traitement des eczémas infectés par des bactéries ou des champignons (candida et levures apparentée) et d'autres affections de la peau.

Application du produit : étaler le produit sur les lésions et le faire pénétrer par un léger massage; éviter tout contact avec les yeux. Ne dépassez pas le nombre d'applications journalières prescrites par votre médecin (en général deux par jour au maximum); des applications trop fréquentes et l'occlusion des lésions augmentent le risque d'effets indésirables.

Précautions : ne pas employer en cas d'allergie aux composants, d'herpès, de varicelle, de tuberculose cutanée, pendant la grossesse et l'allaitement.

Durée du traitement : ne pas dépasser 8 jours.

Effets indésirables possibles : prurit, sensation de brûlure; l'application sur de grandes surfaces ou sous un pansement occlusif peut entraîner un passage du principe actif dans la circulation sanguine, d'où l'apparition d'effets indésirables généralisés; possibilité de réactions allergiques à la néomycine; l'utilisation prolongée peut provoquer une atteinte de la peau du visage avec rougeur, amincissement et fragilité des téguments et apparition d'ecchymoses.

Note : prescrit sur ordonnance médicale.

MYCOMNES® (Fumouze)

Introd. en 1978. Liste I.

PRINCIPES ACTIFS : nystatine (antifongique) et nifuratel (trichomonacide);
- capsules vaginales : remb. SS. 70%.;
- pommade : non remb. SS.

Emploi : proposé comme antiseptique gynécologique dans les infections vaginales, notamment à candida et trichomonas.

Note : prescrit sur ordonnance médicale.

MYCOSTATINE®
(Bristol-Myers Squibb)

Introd. en 1956. Liste I. Remb. SS 70%.

PRINCIPE ACTIF : *Nystatine.*

Préparations : compr. à 500.000 UI; suspension buvable à 100.000 UI par dose; comprimés vaginaux à 100.000 UI.

Propriétés : médicament appartenant au groupe des antifongiques qui sont employés pour traiter certaines infections causées par des levures et des champignons (mycoses); la nystatine est un antibiotique de la famille des polyènes qui agit par contact et n'est pas absorbée par la muqueuse digestive.

Emploi : la nystatine est employée
– par voie buccale dans le traitement des candidoses buccales (muguets, stomatites, langue dépapillée, langue noire, angines), des candidoses œsophago-gastriques et des candidoses intestinales;
– la forme vaginale est employée dans le traitement des candidoses vulvaires et vulvo-vaginales.

Précautions : ne pas employer en cas d'allergie à la nystatine.

Effets indésirables possibles (par voie buccale) : nausées et vomissements, diarrhée, crampes abdominales.

Note : prescrit sur ordonnance médicale.

MYCOSTER® (Sinbio)

Introd. en 1986. Remb. SS 70%.
PRINCIPE ACTIF : *Ciclopirox.*
Préparations : crème et solution pour application locale à 1%;
– solution pour application locale à 8% (filmogène : ciclopiroxolamine).
Emploi : médicament appartenant au groupe des antifongiques locaux qui sont utilisés pour traiter les infections de la peau causées par des champignons ou des levures; la solution à 8% est proposée pour traiter les infections de ongles (onychomycoses sans atteinte matricielle).
Précautions : n'est pas recommandé chez la femme enceinte et chez les enfants âgés de moins de 6 ans.
Note : vendu sans ordonnance; à éviter sans avis médical, sauf en cas de rechutes d'affections diagnostiquées antérieurement par votre médecin.

MYCO-ULTRALAN® (Schering)

Introd. en 1977. Liste I. Remb. SS 70%.
PRINCIPES ACTIFS : pommade contenant de la nystatine (antifongique), néomycine (antibiotique) et fluocortolone (dermocorticoïde).
Emploi : traitement de les eczémas infectés et d'autres affections de la peau.
Application du produit : étaler le produit sur les lésions et le faire pénétrer par

un léger massage; éviter tout contact avec les yeux. Ne dépassez pas le nombre d'applications journalières prescrites par votre médecin (en général 2 par jour au maximum); des applications trop fréquentes et l'occlusion des lésions augmentent le risque d'effets indésirables généralisés.

Durée du traitement : ne pas dépasser 8 jours.

Effets indésirables possibles : prurit, sensation de brûlure; l'application sur de grandes surfaces ou sous un pansement occlusif peut entraîner un passage du principe actif dans la circulation sanguine, d'où l'apparition d'effets indésirables généralisés; possibilité de réactions allergiques à la néomycine; l'utilisation prolongée peut provoquer une atteinte de la peau du visage avec rougeur, amincissement et fragilité des téguments et apparition d'ecchymoses.

Note : prescrit sur ordonnance médicale.

MYDRIATICUM®
(M. S. & D.-Chibret)

Introd. en 1960. Liste I. Remb. SS 70%.
PRINCIPE ACTIF : *Tropicamide.*
Préparations : collyre à 0,5%.
Emploi : collyre atropinique d'action brève utilisé pour dilater la pupille (mydriatique) et paralyser les muscles de l'accommodation lors de certains examens et interventions sur l'œil.
Précautions : ce collyre ne doit pas être utilisé en cas de risque de glaucome par fermeture de l'angle.
Note : prescrit sur ordonnance médicale.

MYK 1%® (Cassenne)

Introd. en 1990. Liste I. Remb. SS 70%.
PRINCIPE ACTIF : *Sulconazole.*
Préparations : crème et solution à 1%.
Emploi : antifongique imidazolé utilisé en application locale dans le traitement de affections suivantes :
– candidoses cutanéo-muqueuses;
– dermatophytoses de la peau glabre (herpès circiné), intertrigo des grands plis (eczéma marginé de Hébra) et des orteils (pied d'athlète);
– teignes et sycosis dermatophytiques (traitement d'appoint);
– onyxis dermatophytique;
– pityriasis versicolor.
Précautions : ne pas employer en cas d'hypersensibilité aux antifongiques

du groupe des imidazolés, de maladies de la peau causées par des virus ou les germes de la tuberculose ou de la syphilis; ne pas appliquer sur une grande surface ou une peau lésée (risque accru d'absorption du produit).
Effets indésirables possibles: irritation et sensation de brûlure; éruption cutanée (réaction allergique: arrêtez immédiatement le traitement).
Note: prescrit sur ordonnance médicale.

MYNOCINE® (Lederle)

Introd. en 1973. Liste I. Remb. SS 70%.
PRINCIPE ACTIF: **Minocycline**.
Préparations:
– gélules à 100 mg;
– poudre pour solution injectable par voie intraveineuse en flacons à 100 mg ou par voie intramusculaire en flacons à 100 mg (+ lidocaïne).
Emploi: antibiotique du groupe des tétracyclines employé dans le traitement des infections, notamment les infections uro-génitales et sexuellement transmissibles, et dans d'autres affections.
Pour les détails → p. 672.
Note: prescrit sur ordonnance médicale.

MYOLASTAN® (Clin-Midy)

Introd. en 1969. Liste I. Remb. SS 70%.
PRINCIPE ACTIF: **Tétrazépam**.
Préparations: comprimés à 50 mg.
Emploi: relaxant musculaire appartenant au groupe très nombreux des benzodiazépines; le tétrazépam est employé dans les contractures musculaires douloureuses (myorelaxant).
Pour les détails → p. 94.
Note: prescrit sur ordonnance médicale.

MYOVITON® (Lucien)

Introd. en 1964. Non remb. SS.
PRINCIPES ACTIFS: comprimés contenant de la pyridoxine (vitamine B6) et triphosadénine.
Emploi: proposé dans la fatigue.
Précautions: consultez votre médecin si la fatigue persiste (il peut s'agir d'une dépression ou d'une autre maladie nécessitant un traitement spécifique) ou en cas d'amaigrissement.
Note: vendu sans ordonnance; efficacité des principes actifs à confirmer dans l'emploi proposé.

MYRTINE® (Aérocid)

PRINCIPES ACTIFS: sirop et suppositoires contenant de la pholcodine (antitussif opiacé), essence de myrte, terpinol et ipéca.
Emploi: proposé pour calmer la toux irritative, sèche.
Précautions: ne pas utiliser en cas de
– asthme, insuffisance respiratoire (la diminution de la toux cause l'accumulation de mucosités dans les voies respiratoires);
– maladie du foie;
– grossesse, allaitement;
– enfants âgés de moins de 15 ans (sauf la forme pour enfant).
Durée du traitement: si la toux persiste après une semaine, si des crachats sanglants ou des effets indésirables apparaissent, arrêtez le traitement et consultez votre médecin.
Alcool: à éviter pendant le traitement.
Sportifs: ce médicament peut donner une réaction positive en cas de tests pour contrôle antidopage.
Conduite de véhicules: ce médicament peut diminuer la vigilance; là conduite de véhicules ou l'utilisation de machines peut être dangereuse.
Effets indésirables possibles: somnolence, nausées, vomissements, crises d'asthme bronchique, constipation, vertiges, éruption cutanée (réaction allergique).
Note: vendu sans ordonnance; l'efficacité de la pholcodine est généralement reconnue, mais les autres composants ont peu d'intérêt dans l'emploi proposé.

MYSCA® (J.-P. Martin)

Introd. en 1907. Non remb. SS.
PRINCIPES ACTIFS: pommade contenant de l'oxyde de zinc, menthol, camphre, huile de juniperus et résorcine.
Emploi: proposé dans les gerçures, engelures, plaies et brûlures superficielles.
Précautions: des applications trop fréquentes et l'occlusion des lésions augmentent le risque d'effets indésirables généralisés, notamment chez l'enfant (vomissements, spasme du larynx, détresse respiratoire, convulsions).
Note: vendu sans ordonnance; des principes actifs plus efficaces sont actuellement disponibles.

MYSOLINE® (Zeneca-Pharma)

Introd. en 1953. Liste II. Remb. SS 70%.
PRINCIPE ACTIF : **Primidone**.
SYNONYME : primaclone.
Préparations : comprimés à 250 mg.
Emploi : médicament partiellement transformé dans l'organisme en phénobarbital et ayant les mêmes effets que celui-ci; comme le phénobarbital, la primidone est utilisée pour traiter toutes les formes d'épilepsie, sauf le petit mal (absences).
Pour les détails → Phénobarbital.
Note : prescrit sur ordonnance médicale.

MYTELASE® (Sterling Winthrop)

Introd. en 1958. Liste I. Remb. SS 70%.
PRINCIPE ACTIF : **Ambénonium**.
Préparations : comprimés à 10 mg.
Emploi : anticholinestérasique utilisé pour traiter les symptômes de la myasthénie (faiblesse musculaire).
Durée d'action : 4-8 heures.
Précautions : ne pas employer en cas d'allergie au produit ou à d'autres anticholinestérasiques, d'infections urinaires, d'asthme ou de bronchite asthmatique; ce médicament n'est pas conseillé en cas de grossesse, car d'autres anticholinestérasiques ont causé des faiblesses musculaires et des détresses respiratoires chez les nouveau-né de mères traitées au long cours. Vous devez signaler à votre médecin tout contact récent avec des insecticides ou pesticides.
Prise du médicament : notez au début du traitement l'heure à laquelle vous prenez chaque dose et discutez avec votre médecin toute modification qui peut être nécessaire.
Autres médicaments : l'association avec la morphine ou avec un 'analgésique morphinique augmente le risque de paralysie respiratoire.
Effets indésirables possibles : nausées, vomissements, crampes abdominales (activité intestinale accrue), diarrhée, salivation abondante, transpirations profuses, ralentissement du pouls, confusion, soubresauts musculaires, troubles de la vue; ces effets indésirables cholinergiques sont atténués par l'administration d'atropine.
Intoxication : il faut une intervention médicale immédiate car il a un risque d'arrêt de la respiration.
Note : prescrit sur ordonnance médicale.

N

NAAXIA® (Allergan)

Introd. en 1984. Remb. SS 70%.
PRINCIPE ACTIF : **Acide spaglumique**.
Préparations : collyre à 4,9%.
Emploi : conjonctivites allergiques.
Précautions : ne pas utiliser si vous portez des lentilles de contact.
Conservation : à utiliser dans les 15 jours après l'ouverture du flacon.
Note : vendu sans ordonnance; à éviter sans avis médical, comme tous les collyres.

NaF CRINEX® (Crinex)

Introd. en 1984. Remb. SS 70%.
PRINCIPES ACTIFS: comprimés contenant 0,533 mg de fluorure de sodium.
Emploi : proposé pour prévenir les caries dentaires.
Pour les détails → Fluorure de sodium.
Note : vendu sans ordonnance; à éviter sans avis médical.

NAFTILUX® (Lucien)

Introd. en 1984. Liste II. Remb. SS 40%.
PRINCIPE ACTIF : **Naftidrofuryl**.
Préparations : gélules à 200 mg.
Propriétés : substance qui dilate les vaisseaux sanguins en agissant directement sur les muscles des parois vasculaires (vasodilatateur musculotrope).
Emploi: proposé dans le traitement des artérites oblitérantes des membres inférieurs et du déficit intellectuel chez les sujets âgés; l'efficacité des vasodilatateurs périphériques dans ces affections reste à confirmer.
Précautions : ne pas associer les bêta-bloquants ou les antiarythmiques.
Note : prescrit sur ordonnance médicale.

NALADOR® (Schering)

Introd. en 1986. Liste I.
PRINCIPE ACTIF : **Sulprostone**.
Préparations : poudre pour solution injectable en flacons à 500 µg.
Emploi : dérivé de la prostaglandine E2 utilisé en milieu hospitalier pour
– dilater le col utérin avant une interruption de grossesse au premier trimestre;

– provoquer un avortement thérapeutique au 2e trimestre et l'expulsion du contenu de l'utérus en cas avortement incomplet, mort du fœtus *in utero*, môle hydatiforme;
Ce médicament est utilisé en association avec la mifépristone dans l'interruption médicale de grossesse.

Allergie : informez votre médecin si vous avez déjà fait une réaction allergique ou inhabituelle à ce médicament ou à d'autres prostaglandines.

Etat de santé : vous devez informer votre médecin de toute affection susceptible de modifier les effets du médicament, notamment : anémie, asthme, maladies du foie ou du rein, glaucome hypertension oculaire, intervention chirurgicale antérieure sur l'utérus.

Interactions : il faut informer votre médecin si vous prenez ou avez pris récemment d'autres médicaments.

Effets indésirables possibles : nausées, vomissements, maux de tête, bouffées de chaleur, crise d'asthme, irritation au point d'injection.

Note : réservé aux hôpitaux.

NALCRON® (Fisons)

Introd. en 1983. Liste II. Remb. SS 40%.
PRINCIPE ACTIF : **Acide cromoglicique.**

Préparations : solution buvable en ampoules de 100 mg (sel sodique).

Propriétés : l'acide cromoglicique agit sur certaines cellules appelées «mastocytes» en empêchant la libération des médiateurs de l'allergie.

Emploi : proposé par voie orale dans l'allergie d'origine alimentaire, lorsqu'il est impossible d'éliminer du régime l'allergène responsable.

Grossesse et allaitement : l'innocuité de ce médicament n'ayant pas été établie, l'usage est déconseillé par prudence.

Effets indésirables possibles : nausées, diarrhées.

Note : prescrit sur ordonnance médicale.

NALGÉSIC® (Lilly)

Introd. en 1979. Liste II. Remb. SS 70%.
PRINCIPE ACTIF : **Fénoprofène.**

Préparations : comprimés à 300 mg.

Emploi : anti-inflammatoire non stéroïdien utilisé dans les inflammations douloureuses des articulations, des capsules articulaires, des muscles ou des tendons et dans d'autres affections déterminées par votre médecin; dans la polyarthrite rhumatoïde et dans l'arthrose, il atténue la douleur, la tuméfaction et la raideur des articulations, mais ne guérit pas la maladie. Il est aussi utilisé à faibles doses pour soulager la douleur modérée (action analgésique périphérique) par exemple maux de tête, douleurs dentaires, douleurs menstruelles (dysménorrhées) et pour faire baisser la fièvre (action antipyrétique).

Pour les détails → p. 50.

Note : prescrit sur ordonnance médicale.

NALOREX® (Du Pont)

Introd. en 1986. Liste I. Non remb. SS.
PRINCIPE ACTIF : **Naltrexone.**

Préparations : comprimés à 50 mg.

Emploi : antagoniste «pur» de la morphine utilisé comme traitement de soutien dans la prise en charge des toxicomanes aux opiacés, associé à d'autres mesures (psychothérapie individuelle ou/et de groupe, assistance sociale, etc.). La naltrexone est active par voie buccale et ne provoque pas de dépendance; si elle est administrée à un sujet pharmacodépendant, elle peut précipiter un syndrome d'abstinence; c'est pour cette raison qu'elle n'est utilisée qu'après une cure de sevrage de 5 à 7 jours pour l'héroïne et d'au moins 10 jours pour la méthadone.

Précautions : ne pas employer en cas d'allergie au produit ou d'état de dépendance aux opiacés (déclenchement d'un syndrome de sevrage grave); l'usage est déconseillé en cas de grossesse.

Avant de commencer le traitement : un test de dépendance par injection de naloxone peut être utile car, chez les sujets en état de dépendance aux opiacés, ce médicament peut déclencher un syndrome de sevrage grave.

Surveillance : le traitement devrait être conduit par une équipe spécialisée, sous surveillance médicale en particulier des fonctions hépatiques (souvent altérées chez les toxicomanes).

En cas de douleurs : si vous avez des douleurs, consultez votre médecin sur le type d'analgésique qui peut les calmer; n'utilisez pas des analgésiques à action centrale (morphiniques), dont les effets sont bloqués par ce médicament.

Alcool : à éviter pendant le traitement.
Carte : portez sur vous une carte indiquant que vous êtes traité par la naltrexone.
Effets indésirables possibles : insomnie, anxiété, nausées, vomissements, nervosité, éruption cutanée (réaction allergique : arrêtez le traitement).
Note : la prise de narcotiques à hautes doses, dans le but de neutraliser les effets de la naltrexone, est très dangereuse et peut être fatale.
Note : prescrit sur ordonnance médicale.

NALORPHINE (L'Arguenon)

Introd. en 1958. Liste I. Non remb. SS.
PRINCIPE ACTIF : *Nalorphine.*
SYNONYME : allylmorphine.
Préparations : ampoules injectables à 10 mg dans 2 ml.
Emploi : antagoniste «partiel» de la morphine utilisé pour traiter la dépression respiratoire due aux opiacés. La nalorphine possède aussi une certaine action morphinique.
Précautions : ne pas employer en cas de toxicomanie aux opiacés (risque de déclencher un syndrome de sevrage), de grossesse et allaitement.
Note : prescrit sur ordonnance médicale.

NANBACINE® (Pharmuka)

Introd. en 1976. Liste II.
PRINCIPE ACTIF : *Xibornol.*
Préparations :
– Collutoire en flacon pressurisé; remb. SS. 40%.
– Gélules à 250 mg; suppositoires à 100 mg (nourrissons) et 200 mg (enfants); poudre pour suspension buvable à 100 mg par cuillerée à café; remb. SS. 70%.
Emploi : antiseptique proposé dans les infections de la muqueuse buccale (collutoire) et comme traitement d'appoint des infections respiratoires hautes bénignes (gélules ou suppositoires).
Note : prescrit sur ordonnance médicale.

NAPROSYNE® (Cassenne)

Introd. en 1975. Liste II. Remb. SS 70%.
PRINCIPE ACTIF : *Naproxène.*
Préparations : comprimés à 250 mg, 500 mg ou 1000 mg; suppositoires à 250 mg ou 500 mg.

Emploi : anti-inflammatoire non stéroïdien utilisé dans les inflammations douloureuses des articulations, des capsules articulaires, des muscles ou des tendons et dans d'autres affections déterminées par votre médecin; dans la polyarthrite rhumatoïde et dans l'arthrose, il atténue la douleur, la tuméfaction et la raideur des articulations, mais ne guérit pas la maladie.
Pour les détails → p. 50.
Note : prescrit sur ordonnance médicale.

NARBALEK® (Soekami-Lefrancq)

Introd. en 1985. Non remb. SS.
PRINCIPES ACTIFS: comprimés contenant du fumarate ferreux, aspartate de molybdate de magnésium et vitamines (B2, B5, B6, PP).
Emploi : proposé dans la fatigue (efficacité à confirmer).
Durée du traitement : limitée à quelques jours; consultez votre médecin si la fatigue persiste (il peut s'agir d'une dépression ou d'une autre maladie nécessitant un traitement spécifique).
Note : vendu sans ordonnance; à éviter en automédication (une carence en vitamines et en fer ne peut être diagnostiquée que par votre médecin).

NARCAN® (Du Pont)

Introd. en 1979. Liste I. Non remb. SS.
PRINCIPE ACTIF : *Naloxone.*
Préparations : ampoules injectables à 0,4 mg dans 1 ml.
Emploi : antagoniste «pur» de la morphine utilisé pour traiter la dépression respiratoire due aux opiacés, pour le diagnostic différentiel des comas toxiques et pour tester la dépendance aux opiacés.
Précautions : ne pas utiliser en cas de dépendance aux opiacés (risque de déclencher un syndrome de sevrage).
Note : prescrit sur ordonnance médicale.

NARCOZEP® (Roche)

Introd. en 1978. Liste I. Remb. SS 70%.
PRINCIPE ACTIF : *Flunitrazépam.*
Préparations : ampoules injectables à 1 mg dans 1 ml.
Emploi : benzodiazépine utilisée en injections pour préparer ou pour induire l'anesthésie.
Note : prescrit sur ordonnance médicale.

NATI-K® (Synlab)

Introd. en 1964. Remb. SS 70%.
PRINCIPE ACTIF : comprimés contenant du tartrate neutre de potassium.
Emploi : taux du potassium sanguin trop bas (hypokaliémie).
Pour les détails : → p. 549.
Note : *vendu sans ordonnance; à éviter en automédication.*

NATIROSE® (Procter & Gamble)

Introd. en 1930. Liste II. Remb. SS 70%.
PRINCIPE ACTIF : *Trinitrine* .
Préparations : comprimés à 0,75 mg.
Natispray® : solution sublinguale en flacon pressurisé délivrant 0,15 mg par dose ou 0,40 mg («Fort»).
Emploi : médicament appartenant au groupe des dérivés nitrés qui dilatent les vaisseaux sanguins, notamment les vaisseaux du cœur (coronaires) et qui sont utilisés dans le traitement des crises d'angine de poitrine (sensation de constriction doulou- reuse dans la poitrine pouvant irradier dans le bras gauche).
Pour les détails → p. 203.
Note : *prescrit sur ordonnance médicale.*

NATISÉDINE®
(Procter & Gamble)

Introd. en 1951. Liste II. Remb. SS 70%.
PRINCIPES ACTIFS: comprimés contenant une combinaison de quinidine avec un barbiturique (phényl-éthyl-barbi- turate de quinidine).
Emploi : proposé dans l'éréthisme cardiaque, palpitations, extrasystoles; à noter que les barbituriques ne sont pas recommandés en dehors du traitement de l'épilepsie.
Précautions : le traitement doit être conduit sous surveillance médicale stricte; ne pas utiliser en cas d'into- lérance à la quinidine ou aux barbi- turiques, d'insuffisance respiratoire, de porphyries.
Alcool : à éviter pendant le traitement.
Conduite de véhicules : ce médicament peut diminuer la vigilance; la conduite de véhicules ou l'utilisation de ma- chines peut être dangereuse.
Effets indésirables possibles : somno- lence, confusion mentale (sujet âgé), éruption cutanée, bourdonnements d'oreille, troubles de la vue, vertiges.
Note : *prescrit sur ordonnance médicale.*

NATISPRAY® → Natirose®.

NATULAN® (Roche)

Introd. en 1965. Liste I. Remb. SS 100%.
PRINCIPE ACTIF : *Procarbazine*.
Préparations : gélules à 50 mg.
Emploi : médicament appartenant au groupe des agents alkylants utilisé pour traiter la prolifération excessive des lymphocytes, notamment dans la maladie de Hodgkin et dans d'autres affections des ganglions lymphati- ques; la procarbazine est aussi utilisée dans les proliférations cellulaires anormales du cerveau, des poumons et dans d'autres affections; elle est apparentée aux antidépresseurs inhi- biteurs de la mono-amine oxydase ou IMAO et, comme pour ces derniers, il faut éviter certains aliments qui peuvent causer une augmentation de la tension artérielle.
Note : *le traitement doit être pris en charge par un spécialiste.*

NATURINE® (Leo)

Introd. en 1961. Liste II. Remb. SS 70%.
PRINCIPE ACTIF : *Bendrofluméthiazide*.
Préparations : comprimés à 5 mg.
Emploi : diurétique thiazidique qui favorise la diurèse (production d'uri- ne, élimination de l'eau et du sodium) et a une action antihypertensive (diminution d'une tension artérielle anormalement élevée). Il favorise les pertes de potassium dans les urines et entraîne une diminution du taux de potassium dans le sang (hypoka- liémie).
Durée d'action : 18-24 heures.
Sportifs : ce médicament se trouve sur la liste des dopants interdits (Ministère de la Jeunesse et des Sports); il donne une réaction positive en cas de contrôles antidopage.
Pour les détails → p. 232.
Note : *prescrit sur ordonnance médicale.*

NAUSICALM® (Brothier)

Introd. en 1986. Non remb. SS.
PRINCIPE ACTIF : *Dimenhydrinate* .
Préparations : gélules à 50 mg; sirop à 16 mg par cuillerée à café.
Emploi: antihistaminique, atropinique et sédatif, le dimenhydrinate est utilisé pour prévenir et traiter le «mal des

transports», notamment pour atténuer les nausées, les vertiges et les vomissements dus à l'excitation de l'oreille interne par des accélérations et décélérations répétées; pour la prévention du mal des transports, on conseille de prendre le médicament au moins 30 minutes avant le départ. Ce médicament est aussi proposé pour prévenir les nausées et les vomissements dus à d'autres causes.

Pour les détails → p. 45.

Note : vendu sans ordonnance; l'action antihistaminique et sédative du dimenhydrinate est généralement reconnue.

NAUTAMINE® (Delagrange)

Introd. en 1951. Non remb. SS.

PRINCIPE ACTIF : **Diphénhydramine.**

Préparations : comprimés à 90 mg.

Emploi : la diphénhydramine est un antihistaminique ayant des propriétés sédatives introduit il y a plus de 50 ans comme antiallergique et somnifère; par la suite, en raison de ses propriétés atropiniques, il a été commercialisé pour traiter le «mal des transports».
Ne pas utiliser chez l'enfant âgé de moins de 12 ans. Pour prévenir le mal des transports, on conseille de prendre le médicament environ 30 minutes avant le départ.

Durée d'action : 4-6 heures.

Pour les détails → p. 45.

Note : vendu sans ordonnance; l'action antihistaminique et sédative de la diphénhydramine est généralement reconnue.

NAVELBINE® (P. Fabre)

Introd. en 1989. Liste I.

PRINCIPE ACTIF : **Vinorelbine.**

Préparations : solution injectable en flacons à 10 mg dans 1 ml et 50 mg dans 5 ml.

Emploi : alcaloïde obtenu à partir de *Vinca rosea*, la vinorelbine appartient au groupe des «poisons du fuseau»; elle est utilisée par voie intraveineuse pour traiter les proliférations cellulaires anormales, notamment au niveau du poumon et du sein, et dans d'autres affections déterminées par votre médecin.

Note : réservé aux hôpitaux.

NAXOGYN® (Farmitalia C. Erba)

Introd. en 1979. Non remb. SS.

PRINCIPE ACTIF : **Nimorazole.**

Préparations : comprimés à 1 g.

Emploi : antiprotozoaire dérivé nitroimidazolé utilisé par voie buccale pour traiter les affections à trichomonas (urétrites, vaginites); il faut traiter simultanément le partenaire sexuel. On conseille de prendre 2 comprimés en prise unique au cours du repas du soir et de renouveler la prise après 25-35 jours.

Précautions : les boissons alcoolisées sont déconseillées pendant les 2-3 jours qui suivent la prise du médicament; déconseillé pendant la grossesse et l'allaitement.

Pour les détails → p. 53.

Note : vendu sans ordonnance; le traitement doit être conduit sous surveillance médicale.

NAZINETTE® (P.P.D.H.)

PRINCIPES ACTIFS : inhalateur de poche contenant serpolet, romarin, eucalyptus, palmarosa, girofle, aspic, thym, myrte, niaouli, acétate de bornyle et salicylate de méthyle.

Emploi : rhume de cerveau.

Note : vendu sans ordonnance.

NAZOPHYL® (Médecine Végétale)

Introd. en 1945. Non remb. SS.

PRINCIPES ACTIFS : solution nasale contenant du chlorobutanol, camphre, huiles essentielles de pin, niaouli, eucalyptus.

Emploi : infections du nez et du pharynx.

Précautions : ne pas employer chez l'enfant de moins de 30 mois.

Durée du traitement : maximum 10 jours.

Note : vendu sans ordonnance; des principes actifs plus efficaces sont actuellement disponibles.

NEBCINE® (Lilly)

Introd. en 1974 . Liste I. Remb. SS 70%.

PRINCIPE ACTIF : **Tobramycine.**

Préparations : soluté injectable en flacons à 25 mg ou 75 mg.

Emploi : antibiotique du groupe des aminosides ou aminoglycosides utilisé en injections pour traiter des infections graves, souvent en association avec d'autres agents antibactériens; les effets indésirables les plus importants sont les troubles de l'ouïe et de l'équilibre par atteinte de l'oreille interne en cas de surdosage ou d'insuffisance rénale; utilisé en application locale sous forme de collyre et de pommade ophtalmique.

Pour les détails → p. 25.

Note : prescrit sur ordonnance médicale.

NÉCYRANE® (Fisons)

Introd. en 1967. Remb. SS 40%.

PRINCIPE ACTIF : solution nasale en flacon pressurisé contenant du ritiométan (antiseptique local).

Emploi : traitement d'appoint des infections rhinopharyngées.

Note : vendu sans ordonnance; ne pas utiliser pendant plus de 5 jours sans avis médical.

NÉGATOL® (Byk)

Introd. en 1941. Remb. SS 70%.

PRINCIPES ACTIFS : ovules et solution vaginale contenant du polycondensat d'acide méta-crésol sulfonique et de formaldéhyde (polycrésolsulfonate).

Emploi : proposé comme antiseptique local dans les cervicites et vaginites.

Note : vendu sans ordonnance; à éviter sans avis médical; des principes actifs plus efficaces sont actuellement disponibles.

NÉGRAM® (Sterling Winthrop)

Introd. en 1968. Liste I. Remb. SS 70%.

PRINCIPE ACTIF : **Acide nalidixique**.

Préparations : suspension buvable à 75 mg par cuillerée mesure; comprimés à 1 g (*Négram Forte®*).

Emploi : médicament appartenant aux groupe des quinolones utilisés pour traiter les infections des voies urinaires basses non compliquées, notamment l'infection de la vessie (cystite).

Durée d'action : jusqu'à 12 heures.

Pour les détails → p. 579.

Note : prescrit sur ordonnance médicale.

NÉMATORAZINE® (Millot-Solac)

Introd. en 1952. Remb. SS 70%.

PRINCIPE ACTIF : **Pipérazine**.

Préparations : comprimés à 250 mg; suppositoires à 200 mg.

Emploi : médicament appartenant au groupe des anthelminthiques qui sont utilisés pour traiter les infestations par des vers; la pipérazine est employée pour traiter l'ascaridiose et l'oxyurose.

Posologie (adulte) : 6 comprimés ou 1 suppositoire matin et soir pendant 2 jours; dans l'oxyurose, la cure est répétée après 2-3 semaines et doit être accompagnée de mesures d'hygiène et du traitement de tous les membres de la famille pour éviter les réinfestations.

Précautions : ne pas employer en cas de maladies du foie ou des reins ou en cas d'épilepsie; déconseillé pendant la grossesse (innocuité non établie); ne pas associer le pyrantel ou les dérivés de la phénothiazine.

Effets indésirables possibles : nausées, vomissements, diarrhées; très rarement troubles visuels, contractions musculaires, convulsions, éruptions cutanées.

Note : vendu sans ordonnance; l'efficacité de la pipérazine est généralement reconnue, mais des médicaments plus modernes ont l'avantage d'êtres efficaces en une prise unique.

NÉO-ANTIGRÈS® (Saunier-Daguin)

PRINCIPES ACTIFS : comprimés contenant un extrait de boldo, bugrane, caséine iodée, théophylline, citrate de sodium.

Emploi : proposé pour traiter l'obésité.

Note : vendu sans ordonnance : les composants ont peu d'intérêt dans l'emploi proposé.

NÉOCITRAN® (Sandoz)

Introd. en 1991. Non remb. SS.

PRINCIPES ACTIFS : poudre orale en sachets contenant
– pseudoéphédrine : vasoconstricteur;
– paracétamol : analgésique périphérique et antipyrétique.

Emploi : proposé dans l'obstruction et l'hypersécrétion nasales.

Posologie (adulte) : 1 sachet 2-3 fois par jour.

Précautions : ne pas employer en cas d'insuffisance respiratoire, de fonctionnement excessif de la thyroïde (hyperthyroïdie), d'hypertension artérielle, d'angine de poitrine, de grossesse, d'allaitement, d'association avec les antidépresseurs IMAO; ne pas utiliser chez les enfants âgés de moins de 15 ans.

Sportifs : ce médicament peut donner une réaction positive en cas de contrôles antidopage.

Effets indésirables possibles :
– liés à la pseudoéphédrine : palpitations, accélération ou irrégularité du pouls, maux de tête, étourdissements, nervosité, insomnie, transpirations, tremblements;
– liés au paracétamol : respiration sifflante, éruption cutanée, urines orangées, jaunisse.

Intoxication : nausées, vomissements, pâleur, douleurs abdominales; hospitalisation dans les formes graves.

Note : vendu sans ordonnance; à éviter en automédication à cause des effets indésirables possibles.

NÉO-CODION® (Bouchara)

Introd. en 1960. Remb. SS 40%.

Principes actifs :
– comprimés contenant de la codéine (antitussif opiacé), sulfogaïacol et extrait de grindélia;
– suppositoires : codéine, eucalyptol;
– sirop adulte : codéine, acide ascorbique (vitamine C), bromoforme;
– sirop enfant : codéine, acide ascorbique, bromure de sodium, benzoate de sodium;
– sirop nourrissons : acide ascorbique, bromure de sodium, benzoate de sodium, sulfate de magnésium, droséra, grindélia, polygala, capillaire, séné (laxatif irritant), serpolet, coquelicot.

Emploi : proposé dans la toux sèche.

Précautions : ne pas utiliser en cas de
– asthme, insuffisance respiratoire (la diminution de la toux cause l'accumulation de mucosités dans les voies respiratoires);
– maladie du foie (l'élimination de la codéine est diminuée en cas d'insuffisance hépatique);
– ulcère gastro-duodénal évolutif;
– grossesse, allaitement;
– enfants âgés de moins de 15 ans (moins de 30 mois pour la forme pour enfant).

Durée du traitement : si la toux persiste après une semaine, si des crachats sanglants ou des effets indésirables apparaissent, arrêtez le traitement et consultez votre médecin.

Alcool : à éviter pendant le traitement.

Sujets âgés : risque accru d'effets indésirables; doses réduites de moitié.

Conduite de véhicules : ce médicament peut diminuer la vigilance; la conduite de véhicules ou l'utilisation de machines peut être dangereuse.

Sportifs : ce médicament peut donner une réaction positive en cas de tests pour contrôle antidopage.

Effets indésirables possibles : somnolence, sécheresse de la bouche, confusion, nausées, vomissements, crises d'asthme, constipation, dépression respiratoire (surtout chez l'enfant), éruption cutanée (réaction allergique : arrêtez immédiatement le traitement).

Note : des spécialités différentes par leur composition sont vendues sans ordonnance sous le même nom; l'efficacité de la codéine est généralement reconnue, mais les autres composants ont peu d'intérêt dans l'emploi proposé.

NÉOCUPRUM® (Boiron)

Principes actifs : pommade contenant du sulfate de cuivre et *Calendula arvensis.*

Emploi : proposé comme antiseptique de la peau.

Note : vendu sans ordonnance; des principes actifs plus efficaces sont actuellement disponibles.

NÉO-MERCAZOLE® (Nicholas)

Introd. en 1959. Remb. SS 70%.

Principe actif : **Carbimazol.**

Préparations : comprimés à 5 ou 20 mg.

Emploi : antithyroïdien de synthèse, dérivé de la thiourée, utilisé lorsque la glande thyroïde est trop active et produit un excès d'hormone confirmé par le laboratoire (maladie de Basedow ou hyperthyroïdie) ; il agit en diminuant l'utilisation de l'iode par l'organisme pour produire l'hormone thyroïdienne; les effets ne se manifestent qu'après 3-4 semaines de traitement lorsque les réserves d'hormone thyroïdienne déjà produite sont épuisées.

Pour les détails → p. 58.

Note : vendu sans ordonnance; le traitement doit être conduit sous contrôle médical.

NÉOMYCINE (Diamant)

Introd. en 1954.
PRINCIPE ACTIF : *Néomycine*.
Préparations :
– comprimés à 250 mg. Liste I. Remb.
SS 40%.;
– collyre. Remb. SS 70%.
– pommade. Remb. SS 70%.
Emploi : la néomycine est l'un des plus
anciens antibiotiques du groupe des
aminosides; elle est surtout utilisée
en applications locales; par voie
buccale, elle est peu résorbée; la néomycine n'est pas utilisée en injections
à cause de sa toxicité élevée sur le rein
et sur l'oreille interne.
– *En pommade* : utilisée pour traiter les
infections de la peau, notamment les
furoncles; risque de réaction allergique locale, de création de germes
résistants et de surinfection par des
champignons.
– *En collyre* : utilisée pour traiter les
infections bactériennes superficielles
de l'œil ou de ses annexes; risque de
réactions allergiques; ne pas utiliser
sans avis médical.
– *Par voie buccale* : proposée comme
antiseptique intestinal dans les diarrhées infectieuses non invasives, en
complément de la réhydratation. Ne
pas utiliser en cas de grossesse, de
maladie des reins, de maladie de
l'oreille, de maladie de Parkinson ou
de myasthénie. En cas de résorption,
peut provoquer des bourdonnement
d'oreille, des vertiges, des troubles
de l'équilibre et une atteinte rénale.
*Note : les comprimés sont prescrits sur
ordonnance médicale; le collyre et la
pommade sont vendus sans ordonnance,
mais à éviter en automédication comme
tous les antibiotiques locaux.*

NÉOMYCINE-
BACITRACINE (Marcofina)

Introd. en 1958. Remb. SS 70%.
PRINCIPES ACTIFS : pommade contenant
de la bacitracine et néomycine (antibiotiques).
Emploi : furoncles, anthrax, impétigo
et autres infections de la peau.
Effets indésirables possibles : réactions
allergiques de contact à la néomycine
ou à la bacitracine, sélection de germes

résistants, surinfection par des champignons.
*Note : vendu sans ordonnance; à éviter
en automédication comme tous les
antibiotiques locaux.*

NÉOPARYL® (Martinet)

Introd. en 1962. Liste I. Remb. SS 70%.
PRINCIPES ACTIFS : collyre contenant de
l'héparinate de phényléphrine et de
méthylglucamine.
Emploi : irritations conjonctivales.
Précautions : ne pas employer en cas
de glaucome par fermeture de l'angle
et chez l'enfant âgé de moins de 3 ans.
Conduite de véhicules : ce médicament
peut dilater les pupilles; la conduite
de véhicules ou l'utilisation de machines peut être dangereuse en cas
d'instillation répétées.
Conservation : à utiliser dans les 15
jours après l'ouverture du flacon.
Note : prescrit sur ordonnance médicale.

NÉOPARYL-B12® (Martinet)

Introd. en 1972. Liste I. Remb. SS 70%.
PRINCIPES ACTIFS : collyre contenant de
l'héparinate de phényléphrine et de
méthylglucamine, héparinate de
sodium, hydroxocobalamine (vitamine B12).
Emploi : proposé dans les irritations
cornéo-conjonctivales.
Précautions : ne pas employer en cas
de glaucome par fermeture de l'angle
et chez l'enfant âgé de moins de 3 ans.
Conduite de véhicules : ce médicament
peut dilater les pupilles; la conduite
de véhicules ou l'utilisation de machines peut être dangereuse en cas
d'instillation répétées.
Conservation : à utiliser dans les 15
jours après l'ouverture du flacon.
Note : prescrit sur ordonnance médicale.

NÉOPARYL® Framycétine
(Martinet)

Introd. en 1964. Liste I. Remb. SS 70%.
PRINCIPES ACTIFS : collyre contenant de
l'héparinate de phényléphrine et de
méthylglucamine et de la framycétine
(antibiotique local).
Emploi : proposé dans les infections
cornéennes et conjonctivales.
Précautions : ne pas employer en cas
de glaucome par fermeture de l'angle
et chez l'enfant âgé de moins de 3 ans.

Conduite de véhicules : ce médicament peut dilater les pupilles; la conduite de véhicules ou l'utilisation de machines peut être dangereuse.

Note : prescrit sur ordonnance médicale.

NÉO-PERGONAL® (Serono)

Introd. en 1986. Liste I. Remb. SS 100%.

PRINCIPE ACTIF : *Gonadotrophine ménopausique* (HMG).

SYNONYMES : ménotrophine, urogonadotropine.

Préparations : ampoules injectables à 75 UI de FSH + 75 UI de LH.

La gonadotrophine ménopausique humaine extraite de l'urine de femmes ménopausées contient de la folliculostimuline (FSH) et de la lutéinostimuline (LH) en proportions presque égales; cependant, la demi-vie biologique sensiblement plus longue de la FSH, par rapport à celle de la LH, confère à la préparation une activité folliculostimulante prédominante.

Emploi : médicament utilisé, en injection intramusculaire, en association avec la gonadotrophine chorionique (HCG) :
– chez la femme, pour traiter certaines formes de stérilité dues à une absence d'ovulation; ce traitement entraîne une grossesse multiple dans 30% des cas environ;
– chez l'homme, pour stimuler la formation du sperme en cas de carence en hormones mâles, sans lésion du testicule ou des voies excrétrices.

Pour les détails → Gonadotrophine ménopausique.

Note : prescrit sur ordonnance médicale.

NÉOSYNCARPINE®
1-1 et 2-5 (Martinet)

Introd. en 1967. Remb. SS 70%.

PRINCIPES ACTIFS : collyre contenant de la pilocarpine (cholinergique) et phénylléphrine (sympathomimétique) dans une proportion 1 :1 et 2 :5.

Emploi : proposé dans les hypertonies oculaires et certains glaucomes.

Précautions : le traitement doit être conduit sous surveillance médicale; ne pas utiliser en cas de glaucome par fermeture de l'angle.

Conduite de véhicules : ce médicament peut entraîner des troubles visuels; la conduite de véhicules ou l'utilisation

de machines peut être dangereuse en cas d'instillation répétées.

Chirurgie : avant toute intervention dentaire ou chirurgicale ou d'hospitalisation d'urgence, informer le médecin que vous utilisez ce médicament.

Note : vendu sans ordonnance; à éviter en automédication, comme tous les collyres.

NÉOSYNÉPHRINE

Remb. SS 70%.

PRINCIPE ACTIF : *Phényléphrine.*

SPÉCIALITÉS :
 Néosynéphrine (M., S. & D.-Chibret).
 Néosynéphrine (Faure).

Préparations : collyre à 5% ou 10%.

Emploi : sympathomimétique stimulant uniquement les récepteurs alpha-adrénergiques, utilisé en collyre pour provoquer une dilatation des pupilles (mydriase) nécessaire pour examiner le fond d'œil, pour préparer une intervention ou dans certaines affections déterminées par votre médecin.

Effets indésirables possibles : des instillations répétées peuvent provoquer une hypertension artérielle, des maux de tête, des palpitations, une accélération du pouls.

Note : vendu sans ordonnance; à utiliser sous surveillance médicale.

NÉOTEST® → Tuberculine.

NÉOTYL® (Pharmastra)

PRINCIPES ACTIFS : sirop contenant du bromure de sodium, phénazone, benzoate de sodium, teinture de droséra, belladone, sirop de Desessartz, baume de tolu, eucalyptus.

Emploi : proposé pour calmer la toux.

Note : vendu sans ordonnance; à éviter du fait de la présence de phénazone et de bromure de sodium qui ne sont pas recommandés dans l'emploi proposé.

NÉOXIDIL® (Galderma)

Introd. en 1988. Liste II. Non remb. SS.

PRINCIPE ACTIF : solution de minoxidil pour application locale à 2%.

Emploi : traitement de la calvitie chez l'homme jeune (alopécie androgénique) d'intensité modérée en application locale deux fois par jour.

Effets indésirables possibles: irritation locale, eczéma de contact, urticaire et d'absorption du principe actif (accélération du pouls, palpitations, vertiges, picotements, maux de tête, faiblesse, étourdissements, altération du goût, troubles de la vision).
Note : prescrit sur ordonnance médicale.

NEPHRAMINE® (Biosedra)

Introd. en 1984.
PRINCIPES ACTIFS : solution injectable d'acides aminés.
Emploi : nutrition parentérale.
Note : réservé aux hôpitaux.

NÉPRESSOL® (Ciba-Geigy)

Introd. en 1954. Liste II. Remb. SS 70%.
PRINCIPE ACTIF : **Dihydralazine**.
Préparations : comprimés à 25 mg.
Emploi : médicament appartenant au groupe des antihypertenseurs utilisés pour faire baisser la tension artérielle et qui agissent directement sur les muscles lisses de la paroi des artérioles; ils dilatent les vaisseaux et diminuent par conséquent la résistance au passage du sang.
La dihydralazine est utilisée par voie orale dans le traitement à long terme de l'hypertension artérielle modérée ou sévère, en association avec un bêta-bloquant et/ou un diurétique, et de certaines formes d'insuffisance cardiaque (faiblesse du cœur).
Ce médicament n'est pas recommandé pour traiter les formes labiles ou légères d'hypertension et n'est pas utilisé seul à cause des effets indésirables importants aux doses efficaces (accélération du rythme cardiaque, rétention d'eau et de sodium, prise de poids, augmentation de la pilosité).
Pour les détails → p. 48.
Note : prescrit sur ordonnance médicale.

NERISALIC® (Schering)

Introd. en 1992. Liste I. Remb. SS 70%.
PRINCIPES ACTIFS : crème contenant de l'acide salicylique et diflucortolone (dermocorticoïde).
Emploi : proposé dans les lichénifications, psoriasis et eczéma.
Application du produit: étaler le produit sur les lésions et le faire pénétrer par un léger massage; éviter tout contact avec les yeux. Ne dépassez pas le nombre d'applications journalières prescrites par votre médecin (en général deux par jour au maximum); des applications trop fréquentes et l'occlusion des lésions augmentent le risque d'effets indésirables généralisés.
Durée du traitement : ne pas dépasser 8 jours.
Effets indésirables possibles : prurit, sensation de brûlure; l'application sur de grandes surfaces ou sous un pansement occlusif peut entraîner un passage du principe actif dans la circulation sanguine, d'où l'apparition d'effets indésirables parfois généralisés; l'utilisation prolongée peut provoquer une atteinte de la peau du visage avec rougeur, amincissement et fragilité des téguments et apparition d'ecchymoses.
Note : prescrit sur ordonnance médicale.

NÉRISONE® (Schering)

Introd. en 1979. Liste I. Remb. SS 70%.
PRINCIPE ACTIF : **Diflucortolone**.
Préparations: crème, pommade à 0,1%.
Emploi : corticoïde fluoré d'activité forte (classe II) utilisé en application locale pour soulager la douleur, le prurit et les signes d'inflammation et d'irritation de la peau, notamment dans l'eczéma et la dermatite allergique provoquée par le contact avec des plantes, métaux, produits de nettoyage, cosmétiques, etc. ainsi que dans les processus de lichénification.
Pour les détails → p. 205.
Note : prescrit sur ordonnance médicale.

NÉRISONE C® (Schering)

Introd. en 1980. Liste I. Remb. SS 70%.
PRINCIPES ACTIFS : crème contenant du diflucortolone (dermocorticoïde) et chlorquinaldol (antiseptique).
Emploi : traitement de l'eczéma de contact, la dermatite allergique, les processus de lichénification et dans d'autres affections.
Application du produit: étaler le produit sur les lésions et le faire pénétrer par un léger massage; éviter tout contact avec les yeux. Ne dépassez pas le nombre d'applications journalières prescrites par votre médecin (en général deux par jour au maximum); des applications trop fréquentes et

l'occlusion des lésions augmentent le risque d'effets indésirables.

Durée du traitement : ne pas dépasser 8 jours.

Effets indésirables possibles : prurit, sensation de brûlure; l'application sur de grandes surfaces ou sous un pansement occlusif peut entraîner un passage du principe actif dans la circulation sanguine, d'où l'apparition d'effets indésirables parfois généralisés; l'utilisation prolongée peut provoquer une atteinte de la peau du visage avec rougeur, amincissement et fragilité des téguments et apparition d'ecchymoses.

Note : prescrit sur ordonnance médicale.

NERVOPAX® au Silicea
(Lehning)

Introd. en 1953. Non remb. SS.

Préparation homéopathique proposée dans les névralgies spasmodiques, maux de tête, crampes, coliques, tremblements, convulsions, épilepsie.

NESTOSYL® (Gallier)

Introd. en 1928. Non remb. SS.

PRINCIPES ACTIFS : pommade et solution huileuse pour application locale contenant :
– éthoforme (benzocaïne), butoforme : anesthésiques locaux;
– résorcine, hydroxy-8 quinoléine (oxyquinol) et oxyde de zinc.

Emploi : proposé dans les irritations cutanées aiguës (pommade) et pour l'anesthésie de la peau et des muqueuses (solution huileuse).

Effets indésirables possibles : risque de réactions allergiques graves.

Intoxication : l'absorption accidentelle peut provoquer des convulsions et une altération du sang (méthémoglobinémie).

Note : vendu sans ordonnance; à éviter en automédication à cause du risque d'effets indésirables.

NÉTROMICINE®
(Schering-Plough)

Introd. en 1982. Liste I. Remb. SS 70%.

PRINCIPE ACTIF : *Nétilmicine*.

Préparations : ampoules injectables à 25 mg, 50 mg, 100 mg ou 150 mg.

Emploi : antibiotique du groupe des aminosides ou aminoglycosides utilisé en injections pour traiter des infections graves, souvent en association avec d'autres agents antibactériens; les effets indésirables les plus importants sont les troubles de l'ouïe et de l'équilibre par atteinte de l'oreille interne en cas de surdosage ou d'insuffisance rénale.

Pour les détails → p. 25.

Note : prescrit sur ordonnance médicale.

NÉTUX® (Soekami-Lefrancq)

Introd. en 1964. Remb. SS 40%.

PRINCIPES ACTIFS : gélules et suspension buvable contenant :
– codéine : antitussif opiacé;
– phényltoloxamine : antihistaminique, sédatif et atropinique.

Emploi : proposé pour calmer la toux irritative, sèche.

Précautions : ne pas employer en cas de :
– asthme, insuffisance respiratoire (la diminution de la toux cause l'accumulation de mucosités dans les voies respiratoires);
– maladie du foie (l'élimination de la codéine est diminuée en cas d'insuffisance hépatique);
– ulcère gastro-duodénal évolutif;
– hypertrophie de la prostate;
– glaucome à angle fermé;
– grossesse (innocuité non établie), allaitement;
– enfants âgés de moins de 15 ans (de 30 mois pour la forme pour enfant).

Durée du traitement : si la toux persiste après une semaine, si des crachats sanglants ou des effets indésirables apparaissent, arrêtez le traitement et consultez votre médecin.

Alcool : évitez les boissons alcoolisées pendant le traitement (majoration de l'effet sédatif).

Sujets âgés : risque accru d'effets indésirables; doses réduites de moitié.

Conduite de véhicules : ce médicament peut diminuer la vigilance; la conduite de véhicules ou l'utilisation de machines peut être dangereuse.

Sportifs : ce médicament peut donner une réaction positive en cas de tests pour contrôle antidopage.

En cas de diabète : tenir compte de la teneur en sucre du produit.

Effets indésirables possibles : somnolence, sécheresse de la bouche, confusion, nausées, vomissements, crises d'asthme, constipation, éruption cutanée (réaction allergique : arrêtez immédiatement le traitement), difficulté à uriner, troubles de la vision.

Note : vendu sans ordonnance; l'efficacité de la codéine est généralement reconnue, mais la présence d'un antihistaminique a peu d'intérêt dans l'emploi proposé.

NEULEPTIL® (Specia)

Introd. en 1963. Liste I. Remb. SS 70%.

PRINCIPE ACTIF : *Périciazine*.

SYNONYME : propériciazine.

Préparations : gélules à 10 mg; comprimés à 25 mg; gouttes buvables à 0,25 mg/goutte et 1 mg/goutte.

Emploi : neuroleptiques dérivé de la phénothiazine ayant une action sédative utilisé dans les troubles du comportement avec agressivité et de certaines maladies mentales chroniques (schizophrénies, délires).

Pour les détails → p. 468.

Note : prescrit sur ordonnance médicale.

NEUPOGEN® (Roche)

Introd. en 1991. Liste I.

PRINCIPE ACTIF : *Filgrastim*.

SYNONYME : facteur de stimulation des colonies de granulocytes; G-CSF («Granulocyte-Colony Stimulating Factor»).

Préparations : solution injectable en flacons à 0,30 mg ou 0,48 mg.

Emploi : médicament produit par biotechnologie qui stimule la prolifération des globules blancs dans le sang et est utilisé en cas de diminution du nombre de ces globules à la suite d'une chimiothérapie anticancéreuse pour des tumeurs malignes ou d'une greffe de moelle.

Note : la délivrance de ce médicament est soumise à des conditions particulières.

NEURIPLÈGE® (Génévrier)

Introd. en 1961. Liste II. Remb. SS 70%.

PRINCIPE ACTIF : *Chlorproéthazine*.

Préparations : comprimés à 25 mg; ampoules injectables à 25 mg dans 5 ml.

Emploi : médicament appartenant au groupe des dérivés de la phénothiazine ayant une action relaxante musculaire ou myorelaxante; la chlorproéthazine agit sur le système nerveux central et est utilisé dans le traitement des contractures et spasmes musculaires douloureux (torticolis, lumbago, etc), en association avec le repos et la physiothérapie; elle a aussi une action tranquillisante et antihistaminique.

Pour les détails → p. 585.

Note : prescrit sur ordonnance médicale.

NEURIPLÈGE® pommade
(Génévrier)

Introd. en 1962. Remb. SS 40%.

PRINCIPES ACTIFS : pommade contenant de la chlorproéthazine (dérivé de la phénothiazine) et paracymène.

Emploi : proposé dans les contractures musculaires douloureuses.

Note : vendu sans ordonnance; consultez votre médecin si les douleurs persistent.

NEUROBORE® (Bouteille)

Introd. en 1930. Non remb. SS.

PRINCIPES ACTIFS : solution buvable contenant du tartrate boricopotassique et alcool de menthe.

Emploi : proposé comme sédatif.

Note : vendu sans ordonnance; les principes actifs ont peu d'intérêt dans l'emploi proposé.

NEUROCALCIUM®
(Lab. Biol. de l'Ile de France)

Introd. en 1935. Remb. SS 70%.

PRINCIPES ACTIFS :
– sirop : bromure, chlorure et glucono-glucoheptonate de calcium;
– comprimés et granulé : phénobarbital (barbiturique à action prolongée), gluconate et bromure de calcium.

Emploi : proposé comme sédatif.

Précautions (préparations contenant du phénobarbital) : ne pas employer chez l'enfant et en cas de grossesse, d'allaitement, de porphyries et d'insuffisance respiratoire; l'activité des anticoagulants oraux et des contraceptifs hormonaux peut être réduite.

Alcool : évitez les boissons alcoolisées pendant le traitement.

Conduite de véhicules : ce médicament peut diminuer la vigilance; la conduite de véhicules ou l'utilisation de machines peut être dangereuse.

Durée du traitement : ce médicament ne doit être utilisé que pour une brève période (maximum 4 semaines).

Effets indésirables possibles : somnolence, éruptions cutanées, troubles psychiques, notamment confusion mentale chez le sujet âgé; éruptions cutanées acnéiformes en cas d'utilisation prolongée.

Note : vendu sans ordonnance; à éviter du fait de la présence de phénobarbital (qui n'est pas recommandé en dehors du traitement de l'épilepsie) et de bromure (qui n'est pas recommandé comme sédatif).

NEUROCYNÉSINE® (Boiron)

Introd. en 1943. Non remb. SS.
Préparations homéopathique (contenant de l'acétanilide) proposée dans les affections douloureuses.

NEUROFLORINE® (Fuca)

Introd. en 1934. Non remb. SS.
PRINCIPES ACTIFS : solution buvable et comprimés contenant de la valériane, passiflore et aubépine.
Emploi : sédatif et tranquillisant.
Note : vendu sans ordonnance; consultez votre médecin si les troubles persistent.

NEUROLITHIUM® (Labcatal)

Introd. en 1973. Liste II. Remb. SS 70%.
PRINCIPE ACTIF : **Gluconate de lithium.**
Préparations : ampoules buvables à 1 g [5 mmol] dans 5 ml et à 2 g [10 mmol] dans 10 ml.

Emploi : les sels de lithium sont utilisés comme «normothymique» dans :
– la prévention des rechutes de psychose maniaco-dépressive; les résultats sont meilleurs dans la prévention des rechutes maniaques que dans celle des rechutes dépressives;
– le traitement des accès aigus de manie (exaltation, précipitation des idées, irritabilité, euphorie); étant donné que les effets des sels de lithium ne se manifestent qu'au bout de 2-3 semaines, on associe un neuroleptique au début du traitement.

Le maniement des sels de lithium est délicat et exige le contrôle régulier de la concentration du lithium dans le sang (lithiémie); dans les formes graves, on conseille de commencer le traitement en milieu hospitalier.
Pour les détails → p. 400.
Note : prescrit sur ordonnance médicale.

NEUROPAX® (Sterling Midy)

Introd. en 1991. Non remb. SS.
PRINCIPES ACTIFS: comprimés contenant du phénobarbital (barbiturique à action prolongée) et extraits de passiflore et aubépine.
Emploi : proposé comme somnifère et sédatif.
Précautions : ne pas employer chez l'enfant et en cas de grossesse, d'allaitement, de porphyries et d'insuffisance respiratoire; l'activité des anticoagulants oraux et des contraceptifs hormonaux peut être réduite.
Alcool : évitez les boissons alcoolisées pendant le traitement (majoration de l'effet sédatif).
Conduite de véhicules : ce médicament peut diminuer la vigilance; la conduite de véhicules ou l'utilisation de machines peut être dangereuse.
Durée du traitement : ce médicament ne doit être utilisé que pour une brève période (maximum 4 semaines).
Effets indésirables possibles : somnolence, éruptions cutanées, troubles psychiques, notamment confusion mentale chez le sujet âgé.
Note : vendu sans ordonnance; à éviter du fait de la présence de phénobarbital qui n'est pas recommandé en dehors du traitement de l'épilepsie.

NEUROSTHÉNOL® (Richard)

Introd. en 1959. Remb. SS 40%.
PRINCIPES ACTIFS : solution buvable contenant un extrait cérébral d'origine porcine, phosphates de calcium et de sodium, acide glutamique et acide phosphorique, chlorure de magnésium et de manganèse.
Emploi : proposé dans la fatigue (ou asthénie fonctionnelle).
Précautions : ne pas employer en cas d'insuffisance rénale; ne pas associer des sulfamides; consultez votre médecin si la fatigue persiste (il peut s'agir d'une dépression ou d'une autre maladie nécessitant un traitement spécifique) ou en cas d'amaigrissement.
Note : vendu sans ordonnance; efficacité des principes actifs à confirmer dans l'emploi proposé.

Si vous utilisez l'une des spécialités suivantes contenant un neuroleptique...

PHÉNOTHIAZINES
  Largactil® (Specia).
  Majeptil® (Specia).
  Melleril® (Sandoz).
  Modécate® (Squibb).
  Moditen® (Squibb).
  Neuleptil® (Specia).
  Nozinan® (Specia).
  Piportil® (Théraplix).
  Plégicil® (Clin Midy).
  Tercian® (Théraplix).
  Terfluzine® (Théraplix).
  Trilifan® (Schering-Plough).

BUTYROPHÉNONES
  Dipipéron® (Janssen).
  Droleptan® (Janssen).
  Haldol® (Janssen).
  Sédalande® (Delalande).
  Sémap® (Janssen).
  Tripéridol® (Janssen).

THIOXANTHÈNES
  Clopixol® (Lundbeck).
  Fluanxol® (Lundbeck).

DIBENZO-OXAZÉPINES
  Leponex® (Sandoz).
  Loxapac® (Lederle).

DIPHÉNYLBUTYLPIPÉRIDINES
  Orap® (Janssen).

BENZAMIDES SUBSTITUÉS
  Aiglonyl® (Fumouze).
  Barnétil® (Delagrange).
  Dogmatil® (Delagrange).
  Equilium® (Fumouze).
  Solian® (Delagrange).
  Synédil® (Brocades Pharma).
  Tiapridal® (Delagrange).
  Tiapride (Panmedica).
  Tiapride (Panpharma).

AUTRES
  Prazinil® (P. Fabre).

NEUROLEPTIQUES RETARD
  Fluanxol LP® (Lundbeck).
  Haldol decanoas® (Janssen).
  Modécate®
    (Bristol-Myers Squibb).
  Moditen Retard®
    (Bristol-Myers Squibb).
  Piportil L4 Retard® (Théraplix).
  Trilifan Retard® (Schering-Plough).

Emploi: les *neuroleptiques* agissent sur le système nerveux et sont utilisés :

En psychiatrie: pour calmer l'agitation et l'excitation, réduire l'agressivité et améliorer les troubles du comportement dans les maladies mentales aiguës et chroniques, notamment dans la schizophrénie et la manie; les neuroleptiques atténuent les symptômes de la maladie mentale, mais ne la guérissent pas.

En médecine générale (à doses faibles):
– pour traiter certaines formes d'anxiété résistantes aux thérapeutiques habituelles (→ Haldol® faible, Melleril®, Nozinan® faible, Plégicil®);
– dans les nausées et les vomissements (→ p. 306);

Autres indications: dans l'hoquet incoercible, la préparation à l'anesthésie, l'éclampsie et le tétanos.

Allergie: informez votre médecin si vous avez déjà fait une réaction allergique ou inhabituelle à un neuroleptique.

Etat de santé : vous devez informer votre médecin de toute affection susceptible de modifier les effets du médicament, notamment maladies du foie ou des reins, maladies cardiovasculaires, épilepsie, glaucome par fermeture de l'angle, difficulté à uriner (hypertrophie de la prostate), activité excessive de la thyroïde (maladie de Basedow), maladie de Parkinson, asthme, bronchite (risque d'aggravation), phéochromocytome (tumeur du tissu médullaire de la glande surrénale : risque de crises hypertensives graves).

Grossesse : l'innocuité de ces médicaments n'ayant pas été établie chez la femme enceinte, leur usage est déconseillé par mesure de prudence (certaines phénothiazines ont causé des malformations du fœtus au cours de l'expérimentation animale).

Allaitement: l'utilisation est déconseillée (certains neuroleptiques passent dans le lait maternel).

Enfants : l'utilisation des neuroleptiques est déconseillée; en effet, certains effets indésirables sont plus fréquents que chez l'adulte, notamment les mouvements involontaires et les tremblements.

Sujets âgés : risque accru d'effets indésirables; doses réduites.

Interactions : il faut informer votre médecin si vous prenez ou avez pris récemment d'autres médicaments, notamment des sédatifs, tranquillisants, analgésiques centraux et somnifères; antidépresseurs inhibiteurs de la mono-amine oxydase ou IMAO (risque de crise hypertensive grave, association à éviter); spasmolytiques atropiniques (effets atropiniques majorés, risque de confusion, d'hallucinations); adrénaline (effets alpha-adrénergiques de l'adrénaline bloqués); lévodopa (antagonisme réciproque); antihypertenseurs et inhibiteurs de l'enzyme de conversion (risque d'hypotension excessive); sels de lithium (toxicité augmentée).

Oubli : si vous oubliez de prendre le médicament, ne doublez pas la dose suivante.

Alcool : la consommation de boissons alcoolisées doit être absolument évitée pendant le traitement.

Autres médicaments : ne prenez aucun autre médicament sans consulter votre médecin; évitez notamment les sédatifs, somnifères, médicaments contre la douleur, antiallergiques.

Conduite de véhicules : assurez vous que le médicament n'entraîne ni somnolence, ni diminution de la vigilance avant de conduire des véhicules ou d'utiliser des machines; l'association avec l'alcool est particulièrement dangereuse car vos réactions peuvent devenir lentes, maladroites.

Surveillance : consultez votre médecin à intervalles réguliers pour évaluer les effets du traitement; des examens du sang, des tests hépatiques et d'autres examens pourront être nécessaires de temps en temps.

Fièvre : en cas de fièvre élevée inexpliquée, informez immédiatement votre médecin, car il pourrait s'agir d'un «syndrome malin des neuroleptiques» (→ p. suiv.).

Arrêt du traitement : n'arrêtez pas le traitement sans consulter votre médecin.

Exposition au soleil : certains neuroleptiques peuvent rendre votre peau très sensible aux rayons solaires et ultraviolets (photosensibilisation); dans ce cas, vous devez éviter l'exposition directe au soleil et porter des vêtements qui couvrent les bras et les jambes, un chapeau et des lunettes de soleil.

Climat chaud : dans les climats chauds et en cas d'effort intense, le risque de coup de chaleur est accru par certains neuroleptiques qui diminuent la transpiration et augmentent la température du corps (effet atropinique).

Précautions : les effets de l'injection d'une préparation retard durent jusqu'à 6 semaines; les précautions indiquées ci-dessus s'appliquent pendant toute cette période.

Chirurgie : informez votre chirurgien que vous êtes traité par un neuroleptique.

Effets indésirables possibles :

– somnolence, sédation, intolérance digestive (administrer le médicament avec un verre d'eau), prise de poids, constipation;

– sécheresse de la bouche (soif, difficulté à avaler); vue trouble, en particulier des objets rapprochés, douleurs dans les yeux (signe de glaucome).

– difficulté à uriner (surtout chez les prostatiques);

– palpitations, accélération du pouls;

– vertiges, étourdissements ou évanouissements quand vous vous levez du lit (tension trop basse ou hypotension orthostatique);

– peau sèche, diminution de la transpiration.

– prurit, urticaire, éruption cutanée (réaction allergique : arrêtez immédiatement le traitement);

– coloration jaune des yeux et de la peau, jaunisse;

– saignement au moindre traumatisme, présence de sang dans les urines ou les selles, coloration noire des selles, apparition de petites taches rouges sur la peau (diminution du nombre des plaquettes dans le sang);

– fièvre, frissons, maux de gorge, ulcérations buccales (diminution du nombre des globules blancs dans le sang);

→

NEUROLEPTIQUES (SUITE)
- impuissance, frigidité, arrêt des règles (aménorrhée), augmentation de volume de seins chez l'homme (gynécomastie);
- tremblements, rigidité de la face et des membres (*syndrome parkinsonien*);
- torticolis spasmodique, rotation et inclinaison de la tête, mouvements rotatoires ou latéraux des yeux, mâchoire serrée (*dyskinésies «précoces»*);
- fièvre élevée, pâleur, confusion mentale, rigidité musculaire, accélération du pouls, variations de la tension artérielle, transpirations (*syndrome malin des neuroleptiques*);
- traitement prolongé, après quelques mois : mouvements involontaires de la langue, de la face, de la mâchoire et des mains (*dyskinésies «tardives»*).
Intoxication : sommeil de plus en plus profond, tremblements, rigidité musculaire, mouvements involontaires, pupilles contractées (myosis), excitation.

NEUROTENSYL® (P.P.D.H.)

PRINCIPES ACTIFS: comprimés contenant de la papavérine, spartéine, aubépine, gui, anémone.
Emploi : proposé dans l'angoisse, les troubles cardiovasculaires, l'hypertension, les arythmies.
Note : vendu sans ordonnance; efficacité des principes actifs à confirmer dans l'emploi proposé.

NEUTROSES® (DB Pharma)

Introd. en 1916. Non remb. SS.
PRINCIPES ACTIFS: comprimés à croquer contenant carbonates de calcium et de magnésium, trisilicate de magnésium, kaolin.
Emploi : proposé pour neutraliser l'excès d'acidité et comme pansement gastrique dans les douleurs liées aux affections de l'œsophage, de l'estomac et du duodénum; en cas d'ulcère de l'estomac ou du duodénum, ce médicament ne doit être utilisé que sous surveillance médicale.
Précautions : consultez votre médecin si les troubles persistent et en cas de douleurs ou crampes abdominales, de selles noires, d'amaigrissement, de fièvre; ne pas utiliser en cas d'insuffisance rénale sévère; ne pas associer des tétracyclines.
En cas de diabète : vérifier la teneur en sucre du produit, diarrhée.
Effets indésirables possibles: diarrhée; retard ou diminution de la résorption d'autres médicaments pris par la bouche, diarrhée).
Note : vendu sans ordonnance; ne pas utiliser pendant plus de 5 jours sans avis médical.

NÉVRIBAUME® (Lederle)

PRINCIPES ACTIFS : onguent contenant du nicotinate de méthyle et salicylate de glycol.
Emploi : proposé dans les douleurs des articulations et des muscles.
Note : vendu sans ordonnance; consultez votre médecin si les douleurs persistent.

NÉVROSTHÉNINE®
Glycocolle Freyssinge
(3M Santé)

Introd. en 1988. Non remb. SS.
PRINCIPES ACTIFS: granulé contenant des glycérophosphates de sodium, de potassium et de magnésium et de la glycine (glycocolle).
Emploi : proposé dans la fatigue (ou asthénie fonctionnelle).
Précautions : consultez votre médecin si la fatigue persiste (il peut s'agir d'une dépression ou d'une autre maladie nécessitant un traitement spécifique) ou en cas d'amaigrissement.
Note : vendu sans ordonnance; efficacité des principes actifs à confirmer dans l'emploi proposé.

NIAMIDE® (Pfizer)

Introd. en 1960. Liste I. Remb. SS 70%.
PRINCIPE ACTIF : *Nialamide*.
Préparations : comprimés à 25 mg.
Emploi : médicament appartement au groupe des inhibiteurs de la monoamine oxydase (IMAO) qui est un enzyme présent dans le système nerveux. Le nialamide a un effet désinhibiteur et est utilisé pour traiter les états dépressifs de l'adulte.

Le traitement doit s'accompagner de certaines précautions, notamment en ce qui concerne les aliments et les médicaments qu'il faut absolument éviter pendant toute la durée du traitement et dans les deux semaines qui suivent son arrêt sous peine de provoquer une *crise d'hypertension artérielle* avec maux de tête sévères, rigidité de la nuque, vives douleurs dans la poitrine, sensibilité augmentée à la lumière, transpirations profuses, accélération du pouls, nausées et vomissements.

Précautions :
– il faut respecter un intervalle de 15 jours pour substituer un antidépresseur tricyclique à un dérivé IMAO; à l'inverse, un antidépresseur IMAO peut être substitué à un dérivé tricyclique après un délai de 3 jours;
– aliments à éviter : aliments (riches en tyramine et tryptophane), notamment fromages fermentés, certains vins, bières, bananes, figues, avocats, viandes et poissons fumés, saucisson, caviar, pâte de crevettes, soja, soupes en sachets, bière, levures, chocolat;
– signes de crise d'hypertension artérielle qui demandent une aide d'urgence : maux de tête sévères, rigidité de la nuque, vives douleurs dans la poitrine, sensibilité augmentée à la lumière, transpirations profuses, accélération du pouls, nausées et vomissements.

Pour les détails → p. 40.
Note : prescrit sur ordonnance médicale.

NIBIOL® (Debat)

Introd. en 1962. Liste I. Remb. SS 70%.
PRINCIPE ACTIF : *Nitroxoline.*
Préparations : comprimés à 50 mg ou 100 mg; suspension buvable à 50 mg par cuillerée à café.
Emploi : médicament appartenant aux groupe des oxyquinoléines utilisé pour traiter les infections des voies urinaires basses non compliquées, surtout l'infection de la vessie (cystite); la nitroxoline est inefficace dans l'urétrite à gonocoques et dans les infections du rein ou de la prostate.
Précautions : ne pas employer en cas d'allergie au produit, de maladies du foie ou des reins, de déficit en glucose-6-phosphate déhydrogénase ou G6PD (risque d'anémie hémolytique chez les sujets atteints de cette anomalie).

Grossesse et allaitement : l'innocuité de ce médicament n'ayant pas été établie chez la femme enceinte, ni lors de l'allaitement, son usage est déconseillé par mesure de prudence.
Enfants : ce médicament est déconseillé chez l'enfant âgé de moins de 6 ans.
Durée du traitement : le traitement ne doit pas être poursuivi pendant plus de 2 semaines sans contrôle médical des résultats; on conseille des cures de 5 jours, renouvelées si nécessaire.
Effets indésirables possibles : nausées et vomissements, diarrhée, maux de tête, vertiges.
Note : prescrit sur ordonnance médicale.

NICAN® (Marion Merrell Dow)

Introd. en 1962. Remb. SS 40%.
PRINCIPES ACTIFS : solution buvable et sirop contenant :
– codéine : antitussif opiacé;
– belladone : atropinique;
– bromoforme, benzoate de sodium, teintures d'aconit et de grindélia.
Emploi : utilisé pour calmer la toux irritative, sèche.
Précautions : ne pas utiliser en cas de
– asthme, insuffisance respiratoire;
– maladies du foie;
– hypertrophie de la prostate;
– glaucome à angle fermé;
– grossesse (innocuité non établie), allaitement;
– enfants âgés de moins de 5 ans.
Durée du traitement : si la toux persiste après une semaine, si des crachats sanglants ou des effets indésirables apparaissent, arrêtez le traitement et consultez votre médecin.
Alcool : à éviter pendant le traitement.
Conduite de véhicules : ce médicament peut diminuer la vigilance; la conduite de véhicules ou l'utilisation de machines peut être dangereuse.
En cas de diabète : tenir compte de la teneur en sucre du produit.
Effets indésirables possibles : somnolence, sécheresse de la bouche, confusion, nausées, vomissements, crises d'asthme, constipation, éruption cutanée (réaction allergique : arrêtez immédiatement le traitement), difficulté à respirer ou à uriner (chez le sujet âgé).
Note : vendu sans ordonnance; l'efficacité de la codéine est généralement reconnue, mais les autres composants ont peu d'intérêt dans l'emploi proposé.

NICICALCIUM® (Lipha Santé)

Introd. en 1954. Non remb. SS.

PRINCIPES ACTIFS : solution buvable contenant du nicotinate et gluconate de calcium, acide ascorbique (vitamine C), chlorure de magnésium, parahydroxybenzoate de méthyle.

Emploi : proposé dans la fatigue.

Précautions : consultez votre médecin si la fatigue persiste (il peut s'agir d'une dépression ou d'une autre maladie nécessitant un traitement spécifique) ou en cas d'amaigrissement.

En cas de diabète : tenir compte de la teneur en sucre du produit.

Note : vendu sans ordonnance; efficacité des principes actifs à confirmer dans l'emploi proposé.

NICOBION® (Astra)

Introd. en 1962. Non remb. SS.

PRINCIPE ACTIF : *Nicotinamide.*

SYNONYMES : vitamine PP, vitamine B3, niacinamide, amide de l'acide nicotinique, amide nicotinique, nicotylamide.

Préparations : comprimés à 500 mg.

Propriétés : vitamine hydrosoluble présente dans la viande, le poisson et le lait; synthétisée dans l'organisme à partir du tryptophane; les besoins quotidiens sont estimés à 20 mg.

Emploi : utilisé pour traiter la pellagre; proposée pour prévenir et traiter les états de carence vitaminique dans l'alcoolisme chronique et la malabsorption, en association avec d'autres vitamines du groupe B.

Note : vendu sans ordonnance; à éviter en automédication (une carence en vitamines ne peut être diagnostiquée que par votre médecin).

NICOPATCH® → Nicotine.

NICOPRIVE® (Théranol)

Introd. en 1970. Non remb. SS.

PRINCIPES ACTIFS: comprimés contenant de l'ascorbate de quinine, thiamine, nicotinamide, acide ascorbique, pyridoxine et extrait de crataegus.

Emploi : désaccoutumant du tabac.

Précautions : ne pas employer en cas d'intolérance à la quinine, de grossesse, de myasthénie.

Effets indésirables possibles : vertiges, bourdonnements d'oreilles, surdité, vision trouble, éruptions cutanées (réaction allergique : arrêtez immédiatement le traitement); anémie, tendance aux hémorragie (diminution des plaquettes dans le sang).

Note : vendu sans ordonnance; efficacité des principes actifs à confirmer dans l'emploi proposé.

NICORETTE® → Nicotine.

NICOTINE

Liste I. Non remb. SS.

GOMMES À MÂCHER (RÉSINATE) :
Nicorette® (Kabi Pharmacia)
[2 mg ou 4 mg].

DISPOSITIFS TRANSDERMIQUES :
Nicopatch® (P. Fabre).
Nicotinell TTS® (Ciba-Geigy).
Tabazur® (Théraplix).

Préparations et emploi : l'administration de nicotine, associée à des méthodes de modification du comportement, peut aider certains patients à arrêter de fumer en calmant les signes de sevrage; cependant, les résultats à long terme sont incertains.

GOMMES À MÂCHER : dans un premier temps, le patient doit arrêter de fumer; ensuite il mâche lentement (pendant environ 30 minutes) une gomme chaque fois qu'il a envie de fumer une cigarette; dose moyenne 10 gommes par jour (maximum 30 gommes par jour); ne pas utiliser pendant une période prolongée.

DISPOSITIFS TRANSDERMIQUES : le patch, appliqué pendant 24 heures, maintient un taux plasmatique constant de nicotine pendant toute la période d'application et diminue les symptômes de sevrage; des érythèmes, des démangeaisons ou des brûlures sont possibles; la durée d'utilisation recommandée est de 2-4 semaines; le patient doit arrêter de fumer complètement car fait de fumer pendant l'utilisation du patch aboutit à des taux plasmatiques de nicotine élevés qui peuvent causer des effets indésirables, notamment cardiaques.

Précautions : la nicotine est déconseillée pendant la grossesse (on conseille aux femmes en âge de procréer une contraception pendant le traitement) et l'allaitement, ainsi que dans les affections suivantes : hypertension artérielle, phéochromocytome, ulcère gastroduodénal, angine de poitrine, troubles du rythme cardiaque, accident vasculaire cérébral récent).

Effets indésirables possibles : maux de tête, vertiges, nausées, élévation modérée de la pression artérielle et de la fréquence du pouls.

Note : prescrit sur ordonnance médicale.

NICOTINELL TTS® → Nicotine.

NIDREL® (Specia)

Introd. en 1989. Liste I. Remb. SS 70%.
PRINCIPE ACTIF : **Nitrendipine.**
Préparations : comprimés à 10 mg ou 20 mg.
Emploi : inhibiteur calcique utilisé pour abaisser la tension artérielle en cas d'hypertension.
Pour les détails → p. 363.
Note : prescrit sur ordonnance médicale.

NIFÉLATE® (Biogalénique)

Introd. en 1991. Liste I. Remb. SS 70%.
PRINCIPE ACTIF : **Nifédipine.**
Préparations : capsules à 10 mg; comprimés à libération prolongée (LP) à 20 mg.
Emploi : inhibiteur calcique utilisé pour prévenir les crises d'angine de poitrine (sensation de constriction douloureuse dans la poitrine pouvant irradier dans le bras gauche) et pour abaisser la tension artérielle en cas d'hypertension.
Pour les détails → p. 363.
Note : prescrit sur ordonnance médicale.

NIFLUGEL® (Upsa)

Introd. en 1990. Liste II. Remb. SS 40%.
PRINCIPE ACTIF : **Acide niflumique.**
Préparation : gel percutané contenant de l'acide niflumique à 2,5%.
Emploi : proposé comme anti-inflammatoire local pour traiter la douleur dans les tendinites, arthrites des petites articulations, entorses, contusions, phlébites et dans d'autres conditions.
Précautions : ne pas appliquer sur des plaies ouvertes (coupures, écorchu-

res) ou sur de grandes surfaces; ne pas employer pendant la grossesse et pendant l'allaitement (innocuité non établie).

Effets indésirables possibles : sécheresse de la peau, sensation de brûlure, rougeur; réactions allergiques rares sous forme d'urticaire, d'éruption cutanée (interrompre le traitement).

Note : prescrit sur ordonnance médicale.

NIFLURIL® (Upsa)

Introd. en 1967. Liste II. Remb. SS 70%.
PRINCIPE ACTIF : **Acide niflumique.**
Préparations : gélules à 250 mg; suppositoires (morniflumate) à 400 mg ou 700 mg.
Emploi : anti-inflammatoire non stéroïdien utilisé dans les inflammations douloureuses des articulations, des capsules articulaires, des muscles ou des tendons et dans d'autres affections déterminées par votre médecin.
Dans la polyarthrite rhumatoïde et dans l'arthrose, il atténue la douleur, la tuméfaction et la raideur des articulations, mais ne guérit pas la maladie.
Pour les détails → p. 50.
Note : prescrit sur ordonnance médicale.

NIFLURIL® pommade (Upsa)

Introd. en 1971. Remb. SS 40%.
PRINCIPE ACTIF : **Acide niflumique.**
Préparation : pommade contenant de l'acide niflumique à 3%.
Emploi : proposé comme anti-inflammatoire local pour traiter la douleur dans les tendinites, arthrites des petites articulations, entorses, contusions, phlébites et dans d'autres affections.
Précautions : ne pas appliquer sur des plaies ouvertes (coupures, écorchures, etc.) ou sur de grandes surfaces; ne pas employer pendant la grossesse et l'allaitement (innocuité non établie).
Effets indésirables possibles : sécheresse de la peau, sensation de brûlure, rougeur; réactions allergiques rares sous forme d'urticaire, d'éruption cutanée (interrompre le traitement).
Note : vendu sans ordonnance; consultez votre médecin si les troubles persistent.

NIGRANTYL® (Lactéol)

Introd. en 1971. Remb. SS 40%.
PRINCIPES ACTIFS: comprimés contenant du citrate de sodium et un extrait de cassis.
Emploi : fragilité capillaire.
Note : vendu sans ordonnance; efficacité des principes actifs à confirmer dans l'emploi proposé.

NILEVAR® (Laphal)

Introd. en 1960. Liste II. Non remb. SS.
PRINCIPE ACTIF : **Noréthandrolone.**
Préparations : ampoules injectables à 50 mg.
Emploi : médicament appartenant au groupe des anabolisants stéroïdiens (ou stéroïdes anabolisants) qui sont des dérivés de l'hormone sexuelle mâle (testostérone) dont ils conservent une certaine activité; ces médicaments sont proposés, sans preuve d'efficacité, pour favoriser la reconstitution des muscles dans les états de dénutrition, notamment chez le sujet âgé en association avec un régime riche en protéines, dans les brûlures étendues, les escarres et les suites d'interventions chirurgicales.
Précautions, effets indésirables possibles → p. 31.
Note : prescrit sur ordonnance médicale.

NIMOTOP® (Bayer Pharma)

Introd. en 1987. Liste I. Remb. SS 70%.
PRINCIPE ACTIF : **Nimodipine.**
Préparations : comprimés à 30 mg; solution injectable en flacons à 10 mg dans 50 ml.
Emploi : inhibiteur calcique proposé pour prévenir (par voie buccale) ou traiter (en injections intraveineuses) les troubles liés à la rupture d'un vaisseaux sanguin dans le cerveau (rupture d'anévrisme cérébral, hémorragie méningée).
Pour les détails → p. 363.
Note : réservé aux hôpitaux.

NIPRIDE® (Roche)

Introd. en 1978. Liste I.
PRINCIPE ACTIF : **Nitroprussiate de sodium.**
Préparations : poudre pour solution injectable en ampoules à 50 mg.

Emploi : antihypertenseur à action ultrarapide utilisé uniquement dans les unités de réanimation pour traiter les crises hypertensives menaçantes, certaines formes d'insuffisance ventriculaire gauche aiguë et pour l'hypotension contrôlée lors d'interventions chirurgicales.
Note : réservé aux hôpitaux.

NISAPULVOL®, NISASEPTOL®, NISASOL®
(Mayoly-Spindler)

Introd. en 1946. Remb. SS 40%.
PRINCIPES ACTIFS : poudre pour application locale, pommade, solution pour application locale contenant des esters de l'acide parahydrobenzoïque et de l'oxyde de zinc (poudre).
Emploi : proposés comme antiseptiques dans les affections de la peau susceptibles de se surinfecter.
Effets indésirables possibles: réactions allergiques (exceptionnelles).
Note : vendu sans ordonnance; des antiseptiques plus efficaces sont actuellement disponibles.

NITRIATE® (L'Arguenon)

Introd. en 1978. Liste I
PRINCIPE ACTIF : **Nitroprussiate de sodium.**
Préparations : poudre pour solution injectable en flacons à 50 mg.
Emploi : antihypertenseur à action ultrarapide utilisé uniquement dans les unités de réanimation pour traiter les crises hypertensives menaçantes, certaines formes d'insuffisance ventriculaire gauche aiguë et pour l'hypotension contrôlée lors d'interventions chirurgicales.
Note : réservé aux hôpitaux.

NITRIDERM TTS®
(Ciba-Geigy)

Introd. en 1990. Liste II. Remb. SS 70%.
PRINCIPE ACTIF : **Trinitrine** .
SYNONYMES : trinitrate de glycéryle, nitroglycérine, trinitroglycérine.
Préparations : système transdermique délivrant 5 mg/24 h et 10 mg/24 h.
Emploi : médicament appartenant au groupe des dérivés nitrés qui dilatent les vaisseaux sanguins, notamment les vaisseaux du cœur (coronaires) et qui sont utilisés dans le traitement

des crises d'angine de poitrine (sensation de constriction douloureuse dans la poitrine pouvant irradier dans le bras gauche).
Pour les détails → p. 203.
Note : prescrit sur ordonnance médicale.

NITRODEX® (Dexo)

Introd. en 1976. Liste II. Remb. SS 70%.
PRINCIPE ACTIF : **Tétranitrate de penta-érithrityle** .
SYNONYMES : pentaerythritol tétranitrate, PETN, TNPE.
Préparations : gélules à libération prolongée à 30 mg *(Chronules®)*.
Emploi : médicament appartenant au groupe des dérivés nitrés qui dilatent les vaisseaux sanguins, notamment les vaisseaux du cœur (coronaires) et qui sont utilisés dans le traitement de l'angine de poitrine (sensation de constriction douloureuse dans la poitrine pouvant irradier dans le bras gauche). Le tétranitrate de pentaérythrityle est employé :
– pour la prévention à long terme des crises l'angine de poitrine graves et invalidantes;
– pour traiter l'insuffisance cardiaque (faiblesse du cœur) congestive, en complément des autres thérapeutiques (l'efficacité à long terme reste à confirmer).
Pour les détails → p. 203.
Note : prescrit sur ordonnance médicale.

NITROL® (Sterling Midy)

Introd. en 1935. Non remb. SS.
PRINCIPES ACTIFS : solution pour application locale contenant de l'alcoolature de chélidoine, teinture de thuya, solution alcoolique d'iode, acide salicylique, acide acétique et collodion.
Emploi : proposé dans le traitement local des verrues.
Note : vendu sans ordonnance; consultez votre médecin si la lésion se modifie ou saigne.

NIVAQUINE® (Specia)

Introd. en 1949.
PRINCIPE ACTIF : *Chloroquine.*
Préparations (sous forme de sulfate) :
– Comprimés à 100 mg (base); sirop à 25 mg (base) par cuillerée mesure; solution injectable en ampoules à 100 mg/2 ml (base). Remb. SS 70%.

– Comprimés à 300 mg (base). Non remb. SS.
Emploi : la chloroquine est utilisée pour prévenir et pour traiter le paludisme ou malaria; elle agit en détruisant les formes sanguines asexuées du protozoaire responsable de la maladie : *Plasmodium vivax, P. ovale, P. malariae* et *P. falciparum* (sauf les souches résistantes de ce dernier qui deviennent de plus en plus fréquentes en Asie du Sud-Est, au nord de l'Amérique du Sud et en Afrique).
La chloroquine est aussi utilisée pour traiter l'amibiase hépatique ainsi que dans le traitement de fond de certaines maladies «auto-immunes», notamment la polyarthrite rhumatoïde (en cas de synovite érosive évolutive et/ou en cas d'échec des sels d'or) et le lupus érythémateux disséminé.
Durée d'action : jusqu'à une semaine.
Allergie : informez votre médecin si vous avez déjà fait une réaction allergique ou inhabituelle à la chloroquine ou à l'hydroxychloroquine.
Etat de santé : lorsque ce médicament est utilisé à doses élevées pour traiter la polyarthrite rhumatoïde ou le lupus érythémateux disséminé, vous devez informer votre médecin de toute affection susceptible de modifier les effets du médicament, notamment :
– maladies du foie ou des reins (risque accru d'effets indésirables);
– porphyries (risque de crise à ne pas confondre avec une crise de paludisme aigu);
– psoriasis;
– déficit en glucose-6-phosphate déshydrogénase ou G6PD (chez les sujets atteints de cette anomalie congénitale rare, la chloroquine peut provoquer une anémie hémolytique).
– maladies des yeux;
– épilepsie;
– myasthénie (risque d'aggravation de la faiblesse musculaire).
Grossesse : la chloroquine traverse la barrière placentaire, mais rien ne permet de penser qu'elle soit dangereuse pendant la grossesse aux doses utilisées dans la prévention ou le traitement du paludisme; par contre, l'emploi prolongé à doses élevées pour traiter la polyarthrite rhumatoïde ou le lupus érythémateux disséminé n'est pas recommandé.

Allaitement : utilisation déconseillée.

Enfants : ils sont particulièrement sensibles à ce médicament et le surdosage est particulièrement dangereux; la prise de 3-4 comprimés (à 300 mg) peut être fatale chez le petit enfant.

Interactions : il faut informer votre médecin si vous prenez ou avez pris récemment d'autres médicaments, notamment :

– sulfadoxine + pyriméthamine (Fansidar®), sels d'or, anti-inflammatoires dérivés de la pyrazolone (risque accru d'éruptions cutanées);

– corticoïdes (risque d'aggravation de certaines maladies musculaires);

– antidépresseurs inhibiteurs de la mono-amine-oxydase ou IMAO (association à éviter).

Prescription : ne dépassez pas la dose prescrite par votre médecin; des doses trop élevées ou des prises trop fréquentes augmentent le risque d'effets indésirables.

Prise du médicament : prendre le médicament avec régularité, le même jour de la semaine en cas de prise hebdomadaire pour la prévention du paludisme; si vous prenez deux comprimés par jour, prenez un comprimé le matin au petit-déjeuner et l'autre au repas du soir.

Oubli : si vous oubliez de prendre une dose, prenez immédiatement la dose oubliée dès que l'oubli est découvert (ne pas doubler la dose) puis reprenez l'horaire antérieur; si vous oubliez le médicament plusieurs jours, prenez contact avec votre médecin.

En cas de paludisme : si vous utilisez ce médicament pour prévenir le paludisme, il faut le prendre pendant toute la durée du séjour de la zone infestée et continuer pendant 6 à 8 semaines après l'avoir quittée; si vous avez de la fièvre au retour du voyage, consultez immédiatement un médecin; pendant le séjour dans la zone infestée, il est très important de vous protéger de la piqûre des moustiques en portant des vêtements longs, en appliquant un insectifuge sur les parties découvertes, en évitant les promenades après le coucher du soleil et en dormant sous une moustiquaire.

En cas de polyarthrite rhumatoïde : si vous utilisez ce médicament pour traiter une polyarthrite rhumatoïde ou un lupus érythémateux disséminé, il faut savoir que l'amélioration ne se manifeste qu'après plusieurs semaines; en outre, des contrôles réguliers des yeux et du sang (formule sanguine) et du fond d'œil sont nécessaires à cause du risque d'effets indésirables.

Alcool : à éviter pendant le traitement.

Conduite de véhicules : avant d'utiliser des machines ou de conduire un véhicule, il faut vous assurer que le médicament ne provoque pas des troubles de la vue (par exemple plus grande sensibilité à l'éblouissement) ou des vertiges.

Effets indésirables possibles :

A DOSES FAIBLES (traitement du paludisme) : prurit intense, nausées, diarrhées, vertiges, bourdonnements d'oreilles, maux de tête.

A DOSES ÉLEVÉES (traitement de la polyarthrite rhumatoïde et du lupus érythémateux disséminé) *à signaler immédiatement à votre médecin* :

– troubles de la vue, difficulté à lire, perception de halos incolores entourant les sources lumineuses, parfois scintillement;

– fièvre, maux de gorge : il peut s'agir d'une diminution du nombre des globules blancs dans le sang;

– faiblesse musculaire, troubles psychiques, excitations;

– prurit, éruption cutanée : réaction allergique : arrêtez le traitement;

– jaunisse;

– après absorption du médicament, les urines peuvent prendre une coloration brun-rougeâtre.

Intoxication (à traiter en milieu hospitalier) : nausées, vomissements et somnolence apparaissent rapidement, suivis par des difficultés d'élocution, agitation, un essoufflement (œdème pulmonaire), des convulsions, un coma, des troubles visuels, des troubles du rythme cardiaques; un arrêt du cœur peut survenir brutalement.

Note : *vendu sans ordonnance; à utiliser sous contrôle médical.*

NIX® (Wellcome)

Introd. en 1991. Non remb. SS.

PRINCIPE ACTIF : crème contenant de la perméthrine à 1%.

Propriétés : élimine les poux, les mites et d'autres arthropodes en perturbant le transport du sodium dans les membranes de leurs cellules nerveuses; chez les mammifères, ce produit est faiblement absorbé par la peau, rapidement inactivé par des estérases et excrété dans l'urine.

Emploi : utilisé dans le traitement des pédiculoses du cuir chevelu (poux de tête).

Note : *vendu sans ordonnance; efficacité généralement reconnue dans l'emploi proposé.*

NIZAXID® (Lilly)

Introd. en 1988. Liste II. Remb. SS 70%.
PRINCIPE ACTIF : *Nizatidine.*

Préparations : gélules à 150 mg ou 300 mg; solution injectable en ampoules à 100 mg dans 4 ml.

Emploi : médicament qui réduit la sécrétion de l'acide gastrique en bloquant l'effet de l'histamine sur les récepteurs H2; en diminuant la sécrétion d'acide chlorhydrique et de pepsine, la famotidine favorise la cicatrisation des ulcères gastroduodénaux et prévient les rechutes; elle est utilisée par voie buccale ou en injections lorsque cette voie est impossible.

Pour les détails → p. 60.

Note : *prescrit sur ordonnance médicale.*

NIZORAL® (Janssen)

Introd. en 1983. Liste I. Remb. SS 70%.
PRINCIPE ACTIF : *Kétoconazole.*

Préparations : comprimés à 200 mg; suspension buvable à 1 mg/goutte.

Emploi : médicament appartenant au groupe des antifongiques imidazolés qui sont employés pour traiter certaines infections causées par des levures et des champignons microscopiques (mycoses). Le kétoconazole est utilisé par voie orale dans les:
- candidose cutanéo-muqueuse, oropharyngée, œsophagienne ou vaginale (pendant 5-10 jours), la candidose généralisée (pendant 1-2 mois) et le pityriasis versicolor (pendant 10 jours);
- mycoses généralisées (pendant 6-12 mois) : coccidioïdomycose, blastomycose, paracoccidioïdomycose et histoplasmose; les patients dont la mycose est sévère, présentant une méningite, un SIDA ou une immu-

nodéficience d'autre origine, doivent être traités par l'amphotéricine B par voie intraveineuse avec ou sans kétoconazole associé par voie orale.

Le kétoconazole a la propriété d'inhiber la production d'hormones stéroïdiennes, en particulier la cortisone et la testostérone. Il a été proposé dans le traitement la maladie de Cushing et des tumeurs de la prostate.

En application locale → Ketoderm®.

Allergie : informez votre médecin si vous avez déjà fait une réaction allergique ou inhabituelle à ce médicament, au fluconazole ou au miconazole.

Etat de santé : vous devez informer votre médecin de toute affection susceptible de modifier les effets du médicament, notamment :
- maladies du foie ou des reins (réduction des doses en cas d'insuffisance hépatique ou rénale);
- ulcère gastroduodénal (les antiacides diminuent l'absorption).

Grossesse : ce médicament ne doit pas être utilisé chez la femme enceinte ou susceptible de l'être; en effet, il a causé des malformations du fœtus au cours de l'expérimentation animale; si une grossesse survient pendant le traitement, il faut informer immédiatement le médecin traitant.

Allaitement : utilisation déconseillée (passe dans le lait maternel).

Interactions : il faut informer votre médecin si vous prenez ou avez pris récemment d'autres médicaments, notamment :
- antiacides et les inhibiteurs de la sécrétion gastrique (absorption diminuée du kétoconazole);
- anticoagulants oraux (potentialisation possible de l'effet anticoagulant);
- rifampicine, isoniazide (réduction de l'efficacité du kétoconazole);
- ciclosporine (toxicité augmentée);
- terfénadine (risque d'arythmies cardiaques graves);
- théophylline (diminution des taux sériques de la théophylline);
- griséofulvine (risque accru de toxicité hépatique).

Prise du médicament : on conseille de prendre le médicament pendant les repas pour assurer une meilleure résorption; si vous oubliez de prendre le médicament et si vous le remarquez dans les 2 heures qui suivent, prenez immédiatement la dose oubliée.

Durée du traitement : prenez le médicament pendant toute la durée prescrite par votre médecin (pendant des mois dans certaines mycoses profondes); l'arrêt prématuré du traitement pourrait favoriser une rechute.

Surveillance : des contrôles réguliers des fonctions hépatique et rénale sont nécessaires en cas de cure prolongée.

Alcool : la consommation d'alcool est formellement déconseillée; en effet, l'alcool peut provoquer un malaise, des bouffées de chaleur, une rougeur de la face et du cou, une accélération du pouls et d'autres troubles (effet «antabuse»).

Exposition au soleil : chez certains sujets, ce médicament peut augmenter la sensibilité à la lumière (on conseille de porter des lunettes de soleil et d'éviter l'exposition directe au soleil).

Conduite de véhicules : assurez vous que le médicament n'entraîne ni somnolence diurne, ni vertiges avant de conduire des véhicules ou d'utiliser des machines.

Effets indésirables possibles

– nausées, somnolence, flatulences, vomissements, diarrhées, maux de tête, vertiges, diminution de la libido;

– urines foncées, selles décolorées, fièvre, jaunisse;

– augmentation de volume des seins chez l'homme (gynécomastie);

– prurit, éruption cutanée (réaction allergique : arrêtez le traitement).

Note : prescrit sur ordonnance médicale.

NOBACTER® (Innothéra)

Introd. en 1970. Non remb. SS.

PRINCIPE ACTIF : savon et mousse à raser contenant du triclocarban (antiseptique externe).

Précautions : ne pas chauffer ni diluer dans l'eau chaude; ne pas appliquer sur l'oreille ou sur une région cutanée étendue; consultez votre médecin en cas de fièvre.

Effets indésirables possibles : réactions allergiques, sensibilité aux rayons solaires (photosensibilisation) : la formation de chloroaniline (en cas de chauffage) peut provoquer une méthémoglobinémie (modification du sang).

Note : produits vendus sans ordonnance.

NOCERTONE® (Labaz)

Introd. en 1975. Liste II. Remb. SS 70%.

PRINCIPE ACTIF : *Oxétorone*.

Préparations : comprimés à 60 mg.

Emploi : médicament utilisé dans le traitement de fond de la migraine, mais n'ayant pas d'effet sur la crise de migraine déclarée.

Précautions : ne doit pas être utilisé pendant la grossesse (innocuité non établie) et l'allaitement.

Conduite de véhicules : l'attention des conducteurs de véhicules est attirée sur le risque de somnolence provoquée par ce médicament.

Note : prescrit sur ordonnance médicale.

NOCTAMIDE® (Schering)

Introd. en 1989. Liste I. Remb. SS 70%. La durée de prescription ne peut dépasser 4 semaines.

PRINCIPE ACTIF : *Lormétazépam*.

Préparations : compr. à 1 mg ou 2 mg.

Emploi : somnifère appartenant au groupe très nombreux des benzodiazépines; le lormétazépam est proposé par voie buccale pour une brève période dans les insomnies occasionnelles ou transitoires (tous les troubles du sommeil ne nécessitent pas un traitement médicamenteux); il ne doit pas être utilisé pour traiter l'insomnie chronique.

Pour les détails → p. 94.

Note : prescrit sur ordonnance médicale.

NOCTRAN® (Menarini)

Introd. en 1974. Liste I. Remb. SS 70%. La durée de prescription ne peut dépasser 4 semaines.

PRINCIPES ACTIFS : comprimés contenant

– clorazépate dipotassique (10 mg) : benzodiazépine (Tranxène®);

– acépromazine (0,75 mg) : neuroleptique dérivé de la phénothiazine (Plégicil®);

– acéprométazine (7,5 mg) : neuroleptique dérivé de la phénothiazine.

Emploi : association proposée pour une brève période dans les insomnies occasionnelles ou transitoires; ce médicament ne doit pas être utilisé pour traiter l'insomnie chronique.

Pour les détails → p. 94 et p. 468.

Note : prescrit sur ordonnance médicale.

NOCVALÈNE® (Arkomédika)

Introd. en 1988. Non remb. SS.
PRINCIPES ACTIFS : gélules contenant aubépine, coquelicot, passiflore.
Emploi : proposé dans les états «neurotoniques», notamment troubles mineurs du sommeil.
Note : vendu sans ordonnance; consultez votre médecin si les troubles persistent.

NODEX® (Brothier)

Introd. en 1984. Non remb. SS.
PRINCIPE ACTIF : **Dextrométhorphane.**
Préparations : sirop à 22,5 mg ou 37,5 mg par cuillerée à soupe et à 15 mg ou à 25 mg par dose (unidose); pâte à mâcher à 12,5 mg par unité.
Emploi : dérivé de la morphine, agissant sur le système nerveux central, utilisé pour calmer la toux irritative, sèche. Le dextrométhorphane a une action sédative modérée; l'apparition d'une dépendance est exceptionnelle, mais l'abus est possible chez des sujets déjà toxicomanes.
Précautions : ne pas employer en cas de toux grasse, d'insuffisance respiratoire ou d'asthme, de grossesse ou allaitement. Consultez votre médecin si la toux persiste, en cas de crachats sanglants, de fièvre, d'amaigrissement, d'éruption, de troubles de la vue, de difficulté à uriner.
Sportifs : l'attention des sportifs est attirée sur le fait que les tests antidopage peuvent être positifs après administration du médicament.
Enfants : ne doit pas être utilisé chez les enfants âgés de moins de 15 ans (moins de 30 mois pour la forme pour enfant).
Intoxication : hospitalisation d'urgence en cas de prise massive.
Pour les détails → p. 59.
Note : vendu sans ordonnance; efficacité généralement reconnue dans l'emploi proposé; ne pas utiliser chez l'enfant sans avis médical.

NOLVADEX® (Zeneca-Pharma)

Introd. en 1977. Liste I. Remb. SS 100%.
PRINCIPE ACTIF : **Tamoxifène.**
Préparations : comprimés à 10 ou 20 mg.
Emploi : le tamoxifène bloque les effets des estrogènes (hormones femelles) sur la croissance des cellules; il est utilisé pour traiter les proliférations cellulaires anormales au niveau du sein dont la croissance est stimulée par les estrogènes (tumeurs hormonodépendantes); il est aussi employé dans les proliférations cellulaires anormales au niveau de la prostate et de l'utérus et dans d'autres affections.
Durée d'action : les effets persistent pendant 2-4 semaines après l'arrêt du traitement.
Pour les détails → Tamoxifène.
Note : prescrit sur ordonnance médicale.

NONAN® (Aguettant)

Introd. en 1985. Liste I.
PRINCIPES ACTIFS : solution injectable d'oligo-éléments.
Emploi : apport en oligo-éléments au cours de la nutrition parentérale.
Note : prescrit sur ordonnance médicale.

NOOTROPYL® (UCB Pharma)

Introd. en 1972. Liste II. Remb. SS 40%.
PRINCIPE ACTIF : **Piracétam.**
Préparations : comprimés à 800 mg; gélules à 400 mg; ampoules buvables à 1,2 g/ampoule; solution buvable à 200 mg/ml; ampoules injectables à 1 g dans 5 ml ou 3 g dans 15 ml.
Emploi : stimulant non spécifique proposé pour traiter les troubles liés à des infarctus cérébraux constitués ou à la sénescence cérébrale (efficacité à confirmer).
Précautions : espacer les prises ou diminuer les doses en cas d'insuffisance rénale; ne pas utiliser en cas de grossesse (innocuité non établie) ou d'insuffisance rénale sévère.
Effets indésirables possibles : excitation chez certains sujets.
Note : prescrit sur ordonnance médicale.

NOPRON® (Delalande)

Introd. en 1976. Remb. SS 70%.
PRINCIPE ACTIF : **Niaprazine.**
Préparations : sirop à 15 mg par mesure (5 ml).
Propriétés : antihistaminique dérivé de la phénothiazine ayant une action sédative et une action atropinique,
Emploi : proposé chez l'enfant de plus de 6 mois dans les états d'agitation et dans les insomnies.
Précautions : ne pas employer en cas de glaucome, de rétention urinaire, de porphyries; l'administration chez

les enfants âgés de moins d'un an d'antihistaminiques sédatifs peut être associée à la survenue d'apnées du sommeil (arrêt respiratoire).

Effets indésirables possibles : somnolence diurne, malaises avec diminution du tonus musculaire, perte de l'équilibre et chute; élévation de la tension artérielle.

Note : *vendu sans ordonnance; à éviter sans avis médical.*

NORBILINE® (Pharmuka)

Introd. en 1962. Non remb. SS.

PRINCIPES ACTIFS : solution buvable contenant de la prozapine (spasmolytique atropinique) et sorbitol (laxatif osmotique).

Emploi : proposé dans les troubles de la digestion et la constipation.

Précautions : ne pas employer en cas d'hypertrophie de la prostate, de glaucome à angle fermé, d'obstruction biliaire; consultez votre médecin si les troubles persistent et en cas de douleurs dans les yeux, de difficulté à uriner, de crampes abdominales, de selles noires, d'amaigrissement.

Effets indésirables possibles : somnolence, sécheresse de la bouche, vision trouble, accélération du pouls, palpitations, diarrhée.

Note : *vendu sans ordonnance; ne pas utiliser pendant plus de 5 jours sans avis médical.*

NORDAZ® (Bouchara)

Introd. en 1985. Liste I. Remb. SS 70%. La durée de prescription ne peut dépasser 12 semaines.

PRINCIPE ACTIF : *Nordazépam.*

Préparations : compr. à 7,5 ou 15 mg.

Emploi : tranquillisant appartenant au groupe très nombreux des benzodiazépines; le nordazépam est proposé dans l'anxiété, l'angoisse et le sevrage alcoolique.

Pour les détails → p. 94.

Note : *prescrit sur ordonnance médicale.*

NORDITROPINE®
(Novo Nordisk)

Introd. en 1991. Liste I.

PRINCIPE ACTIF : *Somatropine* .

SYNONYMES : somatrophine, somatotropine, hormone somatotrope, Human Growth Hormone, GH, hGH, HGH; Recombinant Human Growth Hormone, R-hGH.

Préparations : poudre pour solution injectable en flacons à 12 UI ou 24 UI (*Penset®*).

Emploi : la somatropine est une substance obtenue par biotechnologie dont la structure est identique à celle de l'*hormone humaine de croissance* sécrétée par l'hypophyse pour stimuler la croissance de l'enfant.

Ce médicament est utilisé en injections régulières chez l'enfant de petite taille en cas de carence en hormone de croissance (nanisme hypophysaire); le traitement est d'autant plus efficace qu'il est commencé plus tôt et est poursuivi jusqu'à ce que l'enfant ait atteint une taille satisfaisante ou que la période de croissance soit terminée (fermeture des cartilages de croissance); l'hormone de croissance est aussi utilisée en cas de petite taille due au syndrome de Turner (une affection congénitale rare qui touche les enfants de sexe féminin).

Pour les détails → Hormone de croissance.

Note : *conditions particulières de délivrance.*

NORFOR® (SmithKline Beecham)

Introd. en 1969. Liste I. Remb. SS 100%.

PRINCIPE ACTIF : *Noréthistérone.*

SYNONYME : noréthindrone.

Préparations : comprimés à 20 mg.

Emploi : médicament appartenant au groupe des progestatifs qui sont des hormones femelles apparentées à la progestérone; utilisé dans le
- traitement des troubles des règles dus à une carence en progestérone : menstruations douloureuses (dysménorrhée), absence de menstruations (aménorrhée), etc.;
- traitement de l'endométriose;
- traitement adjuvant des proliférations cellulaires anormales au niveau du sein et de l'utérus;
- contraception progestative;
- contraception à longue durée d'action (lorsqu'il n'est pas possible d'utiliser d'autres méthodes contraceptives) : une injection intramusculaire profonde de la préparation retard au début du cycle permet une couverture contraceptive de 3-4 mois.

Pour les détails → p. 560.

Note : *prescrit sur ordonnance médicale.*

NORGAGIL® (Norgan)

Introd. en 1981. Liste I. Remb. SS 70%.

PRINCIPES ACTIFS : granulé contenant
- méprobamate (→ ce terme) : tranquillisant, anxiolytique;
- gomme sterculia (laxatif);
- attapulgite (silicate d'aluminium et de magnésium).

Emploi : proposé dans les troubles fonctionnels du côlon.

Précautions : consultez votre médecin si les troubles persistent et en cas de crampes abdominales, de selles noires, d'amaigrissement, de fièvre; ne pas utiliser en cas de grossesse ou d'allaitement.

Alcool : à éviter pendant le traitement.

Vigilance et conduite : assurez vous que le médicament n'entraîne pas de somnolence diurne avant de conduire des véhicules ou d'utiliser des machines.

En cas de diabète : tenir compte de la teneur en sucre du produit.

Effets indésirables possibles : somnolence diurne, sensations d'ébriété, vertiges, troubles de l'équilibre, marche hésitante par action relaxante sur les muscles; parfois nausées, vomissements, diarrhées, troubles de la vue; retard ou diminution de la résorption d'autres médicaments pris par la bouche (respecter un intervalle d'au moins 2 heures).

Note : prescrit sur ordonnance médicale.

NORGALAX® (Norgan)

Introd. en 1985. Non remb. SS.

PRINCIPES ACTIFS : gel rectal en tubes-canules contenant du docusate sodique (laxatif irritant), carboxyméthylcellulose sodique et glycérol.

Emploi : proposé dans les constipations occasionnelles basses.

Précautions : consultez votre médecin en cas de douleurs ou crampes abdominales d'origine indéterminée, de selles noires, d'amaigrissement, de douleurs de la région du foie, d'urines foncées, de jaunisse (ou ictère); évitez l'usage prolongé (risque d'inflammation du rectum).

Note : vendu sans ordonnance; ne pas utiliser pendant plus de 3 jours sans avis médical.

NORIEL® (Biogalénique)

Introd. en 1986. Liste I. Remb. SS 70%.
La durée de prescription ne peut dépasser 4 semaines.

PRINCIPE ACTIF : *Flunitrazépam*.

Préparations : comprimés à 1 mg.

Emploi : somnifère appartenant au groupe très nombreux des benzodiazépines; le flunitrazépam est proposé par voie buccale pour une brève période dans les insomnies occasionnelles ou transitoires (tous les troubles du sommeil ne nécessitent pas un traitement médicamenteux); il ne doit pas être utilisé pour traiter l'insomnie chronique.

Pour les détails → p. 94.

Note : prescrit sur ordonnance médicale.

NORISTÉRAT® → Contraception hormonale.

NORLUTEN®
(SmithKline Beecham)

Introd. en 1961. Liste I. Remb. SS 70%.

PRINCIPE ACTIF : *Noréthistérone*.

SYNONYME : noréthindrone.

Préparations : comprimés à 5 mg.

Emploi : médicament appartenant au groupe des progestatifs qui sont des hormones femelles apparentées à la progestérone naturelle.
La noréthistérone est une hormone synthétique utilisée dans le :
- traitement des troubles des règles dus à une carence en progestérone, notamment menstruations douloureuses (dysménorrhée), absence de menstruations (aménorrhée);
- traitement de l'endométriose;
- traitement adjuvant des proliférations cellulaires anormales, notamment au niveau du sein et de l'utérus;
- traitement d'autres conditions déterminées par votre médecin;
- contraception progestative;
- contraception à longue durée d'action (lorsqu'il n'est pas possible d'utiliser d'autres méthodes contraceptives) : une injection intramusculaire profonde de la préparation retard au début du cycle permet une couverture contraceptive de 3-4 mois.

Pour les détails → p. 560.

Note : prescrit sur ordonnance médicale.

NORMACOL® (Norgan)

Introd. en 1944. Remb. SS 40%.

PRINCIPE ACTIF : *Gomme de sterculia*.

Préparations : granulé en sachets contenant 6,1 g.

Emploi : laxatif mécanique qui agit en augmentant le volume des selles.

Précautions : ne pas employer en cas d'occlusion intestinale, d'affections sténosantes du tube digestif et de mégacôlon par altération de la motricité colique ou de douleurs abdominales de cause inconnue; évitez une utilisation prolongée; consultez votre médecin si la constipation persiste ou en cas de selles noires ou de présence de sang dans les selles.

Note : vendu sans ordonnance; le traitement médicamenteux de la constipation n'est qu'un adjuvant au traitement hygiéno-diététique qui comporte :
– alimentation riche en fibres végétales (légumes, fruits, pain complet), boissons abondantes;
– activité physique et présentation quotidienne à la selle, à la même heure.

NORMACOL® à la bourdaine
(Norgan)

Introd. en 1944. Remb. SS 40%.

PRINCIPES ACTIFS : granulé contenant gomme de sterculia (mucilage) et bourdaine pulvérisée (laxatif irritant de type anthraquinonique).

Emploi : traitement de la constipation.

Précautions : consultez votre médecin si la constipation persiste, en cas de sang dans les selles ou de selles noires, de douleurs abdominales avec diarrhée, d'amaigrissement.
L'usage prolongé risque de provoquer la «maladie des laxatifs» avec lésions de la muqueuse intestinale.

Note : vendu sans ordonnance; à éviter comme tous les laxatifs irritants.

NORMACOL® à la dipropyline
(Norgan)

Introd. en 1952. Remb. SS 40%.

PRINCIPES ACTIFS : granulé contenant gomme de sterculia et alvérine (antispasmodique atropinique).

Emploi : proposé dans les spasmes coliques avec constipation.

Précautions : ne pas employer en cas d'occlusion intestinale, d'affections sténosantes du tube digestif et de mégacôlon par altération de la motricité colique, de douleurs abdominales de cause inconnue, de glaucome ou d'hypertrophie prostatique; évitez l'usage prolongé; consultez votre médecin si la constipation persiste ou en cas de selles noires ou de présence de sang dans les selles.

Note : vendu sans ordonnance; ne pas utiliser pendant plus de 5 jours sans avis médical.

NORMACOL® lavement
(Norgan)

Introd. en 1972. Remb. SS 40%.

Solution hypertonique contenant des phosphates mono et disodiques associés à une petite quantité de gomme de sterculia, utilisée pour la préparation aux examens radiologiques et endoscopiques du côlon.

NORMISON® (Wyeth)

Introd. en 1986. Liste I. Remb. SS 70%.
La durée de prescription ne peut dépasser 4 semaines.

PRINCIPE ACTIF : *Témazépam*.

Préparations : comprimés à 10 mg ou à 20 mg.

Emploi : somnifère appartenant au groupe très nombreux des benzodiazépines; le témazépam est proposé par voie buccale pour une brève période dans les insomnies occasionnelles ou transitoires (tous les troubles du sommeil ne nécessitent pas un traitement médicamenteux); il ne doit pas être utilisé pour traiter l'insomnie chronique.

Pour les détails → p. 94.

Note : prescrit sur ordonnance médicale.

NORMOGASTRYL® (Upsa)

Introd. en 1928. Non remb. SS.

PRINCIPES ACTIFS : comprimés contenant du bicarbonate de sodium, sulfate de sodium, phosphate disodique, acide citrique et benzoate de sodium.

Emploi : proposé pour neutraliser l'excès d'acidité et comme pansement gastrique en cas de brûlures ou de douleurs de l'estomac; en cas d'ulcère de l'estomac ou du duodénum, ce médicament ne doit être utilisé que sous surveillance médicale.

Précautions : consultez votre médecin si les troubles persistent et en cas de douleurs ou crampes abdominales, de selles noires, d'amaigrissement, de fièvre; ne pas employer en cas d'insuffisance rénale sévère; ne pas associer certains antibiotiques.

Prise du médicament : après les repas et éventuellement au coucher.

En cas de régime désodé : tenir compte de la teneur en sodium du produit.

Effets indésirables possibles : somnolence, diarrhée, éruption de la peau.

Note : vendu sans ordonnance; ne pas utiliser pendant plus de 5 jours sans avis médical.

NOROXINE®
(M. S. & D.-Chibret)

Introd. en 1986. Liste I. Remb. SS 70%.

PRINCIPE ACTIF : *Norfloxacine*.

Préparations : comprimés à 400 mg.

Emploi : médicament appartenant au groupe des fluoroquinolones utilisé chez l'adulte pour le traitement des infections par des bactéries; il est utilisé par voie buccale pour traiter notamment les infections à gonocoques.

Pour les détails → p. 290.

Note : prescrit sur ordonnance médicale.

NORQUENTIEL®
(SmithKline Beecham)

Introd. en 1968. Liste I. Non remb. SS.

PRINCIPES ACTIFS: comprimés contenant de l'éthinylestradiol (blancs) et de l'éthinylestradiol + noréthistérone (roses).

Emploi : association d'un estrogène (éthinylestradiol) et d'un progestatif (noréthistérone) utilisée sous surveillance médicale dans les suites d'interruption de grossesse et dans d'autres affections déterminées par votre médecin; interrompre le traitement en cas d'immobilisation prolongée et un mois avant une intervention chirurgicale.

Ce médicament est un estroprogestatif «macrodosé», non contraceptif, à dominance estrogénique.

Pour les détails → p. 266.

Note : prescrit sur ordonnance médicale.

NORTUSSINE® (Norgan)

Introd. en 1968. Remb. SS 40%.

PRINCIPES ACTIFS : sirop contenant :
– dextrométhorphane : antitussif opiacé dont les effets sont analogues à ceux de la codéine;
– mépyramine : antihistaminique, sédatif et atropinique;
– guaïfénésine et cyclamate de sodium.

Emploi : utilisé pour calmer la toux irritative, sèche.

Précautions : ne pas utiliser en cas de :
– asthme, insuffisance respiratoire (la diminution de la toux cause l'accumulation de mucosités dans les voies respiratoires);
– maladie du foie (l'élimination de la codéine est diminuée en cas d'insuffisance hépatique);
– hypertrophie de la prostate (risque d'aggravation de la difficulté à uriner);
– glaucome à angle fermé (risque d'aggravation);
– grossesse (innocuité non établie), allaitement;
– enfants âgés de moins de 15 ans (moins de 30 mois pour la forme pour enfant).

Durée du traitement : si la toux persiste après une semaine, si des crachats sanglants ou des effets indésirables apparaissent, arrêtez le traitement et consultez votre médecin.

Alcool : évitez les boissons alcoolisées pendant le traitement (majoration de l'effet sédatif).

Conduite de véhicules : ce médicament peut diminuer la vigilance; la conduite de véhicules ou l'utilisation de machines peut être dangereuse dans ce cas.

Effets indésirables possibles : somnolence, sécheresse de la bouche, confusion, nausées, vomissements, crises d'asthme, constipation, éruption cutanée (réaction allergique : arrêtez immédiatement le traitement), difficulté à respirer ou à uriner (chez le sujet âgé).

Note : vendu sans ordonnance; l'efficacité du dextrométhorphane est généralement reconnue, mais les autres composants ont peu d'intérêt dans l'emploi proposé.

NOSTRIL®
(Boehringer Ingelheim)

Introd. en 1985. Non remb. SS.

PRINCIPES ACTIFS : solution nasale en flacon nébuliseur contenant chlorhexidine et cétrimonium (antiseptiques locaux).

Emploi : proposé dans les infections de la muqueuse nasale.

Effets indésirables possibles : risque de réactions allergiques.

Note : vendu sans ordonnance; ne pas utiliser pendant plus de 5 jours sans avis médical.

NOVACÉTOL® (Pharmastra)

Introd. en 1981. Non remb. SS.

PRINCIPES ACTIFS : comprimés contenant
– codéine : analgésique opiacé;
– acide acétylsalicylique (aspirine) et paracétamol : analgésiques et antipyrétiques à action périphérique.

Emploi : proposé pour atténuer la douleur modérée (*analgésique*) et pour faire tomber la fièvre (*antipyrétique*).

Durée du traitement : consultez votre médecin si les douleurs persistent après 5 jours ou si la fièvre ou le mal de gorge ne régressent pas au bout de 3 jours.

Précautions : ce médicament ne doit pas être utilisé en cas d'ulcère gastroduodénal évolutif, d'asthme, de maladie hémorragique ou traitement anticoagulant, d'insuffisance respiratoire, d'insuffisance hépatique, d'insuffisance respiratoire, de grossesse, d'allaitement et chez l'enfant âgé de moins de 15 ans.

Conduite de véhicules : ce médicament peut diminuer la vigilance; la conduite de véhicules ou l'utilisation de machines peut être dangereuse.

Sportifs : ce médicament peut donner une réaction positive en cas de tests pour contrôle antidopage.

Effets indésirables possibles : somnolence, vertiges, constipation, nausées, vomissements, douleurs gastriques, bourdonnements d'oreille, baisse de l'audition, maux de tête, réactions allergiques (prurit, urticaire, asthme).

Note : vendu sans ordonnance; l'efficacité de la codéine est généralement reconnue dans l'emploi proposé, mais il est inutile d'associer l'aspirine au paracétamol.

NOVALGINE® (Hoechst)

Introd. en 1956. Liste I. Non remb. SS.

PRINCIPE ACTIF : **Métamizole sodique** .

SYNONYME : noramidopyrine méthane sulfonate sodique.

Préparations : comprimés à 500 mg.

Propriétés : le métamizole sodique est un analgésique pyrazolé à action périphérique et antipyrétique à utiliser avec une extrême prudence en raison de sa toxicité potentielle.

Emploi : en raison de cette toxicité, ce médicament est réservé aux douleurs aiguës intenses et rebelles aux autres analgésiques.

Mise en garde : *l'apparition de fièvre, d'angine ou d'ulcérations buccales et l'augmentation de volume des ganglions lymphatique du cou peuvent être dues à une diminution du nombre des globules blancs dans le sang (agranulocytose parfois fatale); ces manifestations imposent l'arrêt du traitement et une numération globulaire; d'urgence; consultez votre médecin.*

Note : prescrit sur ordonnance médicale.

NOVALUX® (Lederle).

PRINCIPES ACTIFS : collyre contenant de la phényléphrine, chlorobutanol, acide borique, borate de sodium, esculoside, eau de mélilot et de rose.

Emploi : proposé dans les irritations oculaires («yeux rouges»).

Précautions : ne pas employer en cas de glaucome par fermeture de l'angle, d'hypertension artérielle.

Conservation : à utiliser dans les 15 jours après l'ouverture du flacon.

Note : vendu sans ordonnance; à éviter sans avis médical, comme tous les collyres.

NOVANTRONE® (Lederle)

Introd. en 1986. Liste I. Remb. SS 100%.

PRINCIPE ACTIF : **Mitoxantrone**.

Préparations : flacons à 10 mg, 20 mg ou 25 mg.

Emploi : médicament appartenant au groupe des agents intercalants, le mitoxantrone est employé pour traiter la leucémie myéloïde aiguë et les proliférations cellulaires anormales au niveau des ganglions lymphatiques (lymphomes non hodgkiniens), au niveau du sein et dans d'autres affections déterminées par votre médecin. Comme d'autres médicaments de ce type, il peut entraîner des effets indésirables graves.

Note : le traitement doit être pris en charge par un spécialiste.

NOVAPAMYL LP®
(Lederle/Novalis)

Introd. en 1991. Liste I. Remb. SS 70%.

PRINCIPE ACTIF : **Vérapamil**.

Préparations : comprimés à libération prolongée à 120 mg ou à 240 mg.

Emploi : inhibiteur calcique utilisé pour:
– le traitement de fond de l'angine de poitrine (sensation de constriction douloureuse dans la poitrine pouvant irradier dans le bras gauche);
– le traitement de l'hypertension artérielle (formes à libération prolongée);
– la prévention et le traitement des troubles du rythme cardiaque (crises de tachycardie supraventriculaire).

Pour les détails → p. 363.

Note : prescrit sur ordonnance médicale.

NOVAZAM® (Génévrier)

Introd. en 1983. Liste I. Remb. SS 70%. La durée de prescription ne peut dépasser 12 semaines.

PRINCIPE ACTIF : **Diazépam**.

Préparations : comprimés à 10 mg.

Emploi : médicament appartenant au groupe très nombreux des benzodiazépines; le diazépam est employé par voie buccale comme tranquillisant dans l'anxiété, le sevrage alcoolique et les contractures musculaires.
Ce médicament ne devrait pas être utilisé pour diminuer la tension nerveuse causée par le stress de la vie quotidienne.

Pour les détails → p. 94.

Note : prescrit sur ordonnance médicale.

NOVÉSINE® (M. S. & D.-Chibret)

Introd. en 1960. Liste I. Remb. SS 70%.

PRINCIPE ACTIF : **Oxybuprocaïne**.

SYNONYME : butoxyprocaïne.

Préparations : collyre à 0,4%.

Emploi : anesthésique local utilisé pour
– l'extraction de corps étrangers de la cornée et de la conjonctive; ablation de points de suture;
– la mesure de la pression intraoculaire (tonométrie) et d'autres examens.

Note : prescrit sur ordonnance médicale.

NOVITAN® (Deglaude)

Introd. en 1977. Non remb. SS.

PRINCIPES ACTIFS : gélules contenant de la procaïne (anesthésique local) et hématoporphyrine.

Emploi : proposé dans la fatigue.

Précautions : consultez votre médecin si la fatigue persiste (il peut s'agir d'une dépression ou d'une autre maladie nécessitant un traitement spécifique) ou en cas d'amaigrissement.

Note : vendu sans ordonnance; efficacité des principes actifs à confirmer dans l'emploi proposé.

NOVOBÉDOUZE® dix mille
(Bouchara)

Introd. en 1967. Remb. SS 40%.

PRINCIPE ACTIF : **Hydroxocobalamine**.

SYNONYME : vitamine B12

Préparations : ampoules injectables à 10 mg.

Emploi : carences en vitamine B12.

Pour les détails → Vitamine B12.

Note : médicament à utiliser sous contrôle médical.

NOVOCOR® (Monot)

PRINCIPES ACTIFS : pommade contenant de l'acide salicylique, colophane, térébenthine, butoforme, cire.

Emploi : utilisé en application locale dans le traitement des cors et durillons.

Précautions : ne pas employer en cas d'allergie à l'aspirine.

Note : vendu sans ordonnance.

NOVODIL® (Augot)

Introd. en 1982. Remb. SS 40%.

PRINCIPE ACTIF : **Cyclandélate**.

Préparations : gélules à 400 mg.

Emploi : vasodilatateur périphérique proposé dans les artériopathies chroniques oblitérantes des membres inférieurs, les troubles du comportement de la sénescence cérébrale, les troubles cochléo-vestibulaires et rétiniens d'origine ischémique; l'efficacité des vasodilatateurs périphériques dans ces affections est à confirmer.

Effets indésirables possibles : troubles digestifs, allergies cutanées.

Note : vendu sans ordonnance; à éviter en automédication.

NOVOPTINE® (Allergan)

Introd. en 1964. Non remb. SS.
PRINCIPE ACTIF : collyre contenant du cétylpyridinium (antiseptique, ammonium quaternaire).
Emploi : proposé comme antiseptique local dans les irritations conjonctivales par des agents physiques ou chimiques («yeux rouges»).
Effets indésirables possibles : risque d'intolérance locale et de réactions allergiques.
Conservation : à utiliser dans les 15 jours après l'ouverture du flacon.
Note : vendu sans ordonnance; à éviter sans avis médical, comme tous les collyres.

NOXYFLEX® (Innothéra)

Introd. en 1977. Liste II.
PRINCIPE ACTIF : *Noxytioline*.
Préparations : poudre pour solution d'instillation.
Emploi : antiseptique utilisé en chirurgie, agissant par ses métabolites (formaldéhyde, etc.).
Note : réservé aux hôpitaux.

NOZINAN® (Specia)

Introd. en 1957. Liste I. Remb. SS 70%.
PRINCIPE ACTIF : *Lévomépromazine*.
Préparations : comprimés à 2 mg, 25 mg ou 100 mg; gouttes buvables (1 goutte = 1 mg); ampoules injectables à 25 mg dans 1 ml.
Emploi : neuroleptique dérivé de la phénothiazine ayant une action sédative et atropinique utilisé
– *En psychiatrie* : pour calmer l'agitation et l'excitation, réduire l'agressivité et améliorer les troubles du comportement dans les maladies mentales aiguës et chroniques, en particulier la schizophrénie et la manie; la chlorpromazine atténue les symptômes de la maladie mentale, mais n'a pas d'effet curatif.
– *En médecine générale* (à doses plus faibles) : dans les névroses et les affections psychosomatiques à composante anxieuse.
– *En anesthésiologie* : dans la préparation à l'anesthésie, dans l'anesthésie «potentialisée» et la sédation postopératoire.
Pour les détails → p. 468.
Note : prescrit sur ordonnance médicale.

NUBAIN® (Du Pont)

Introd. en 1988. Liste I.
PRINCIPE ACTIF : *Nalbuphine*.
Préparations : ampoules injectables à 20 mg dans 2 ml.
Emploi : analgésique morphinique ayant une action agoniste partielle (agoniste/antagoniste), dont le risque d'abus semble relativement faible; cependant, ce médicament n'est utilisé que dans les douleurs intenses et rebelles aux analgésiques périphériques, en particulier les douleurs postopératoires ou post-traumatiques et les douleurs cancéreuses; ce médicament ne doit pas être utilisé dans le sevrage des toxicomanes.
Pour les détails → Morphine, p. 444.
Note : médicament réservé à l'usage des collectivités.

NUCLÉVIT® B12 (Synthélabo)

Introd. en 1958. Non remb. SS.
PRINCIPES ACTIFS : solution buvable contenant de la cyanocobalamine (vitamine B12) et des nucléotides sous forme de sels métalliques (fer, manganèse, cuivre).
Emploi : proposé dans la fatigue (ou asthénie fonctionnelle).
Précautions : la présence en faible dose de la vitamine B12 est insuffisant pour traiter une anémie, mais suffisante pour en masquer les manifestations et retarder le diagnostic; consultez votre médecin si la fatigue persiste (il peut s'agir d'une dépression ou d'une autre maladie nécessitant un traitement spécifique) ou en présence d'amaigrissement.
En cas de diabète : tenir compte de la teneur en sucre du produit.
Note : vendu sans ordonnance; efficacité des principes actifs à confirmer dans l'emploi proposé.

NUCTALON® (Takeda)

Introd. en 1978. Liste I. Remb. SS 70%.
La durée de prescription ne peut dépasser 4 semaines.
PRINCIPE ACTIF : *Estazolam*.
Préparations : comprimés à 2 mg.
Emploi : somnifère appartenant au groupe très nombreux des benzodiazépines; l'estazolam est proposé par voie buccale pour une brève période dans les insomnies occasionnelles ou

transitoires (tous les troubles du sommeil ne nécessitent pas un traitement médicamenteux); il ne doit pas être utilisé pour traiter l'insomnie chronique.

Pour les détails → p. 94.

Note : prescrit sur ordonnance médicale.

NUIDOR® (Sterling Midy)

Introd. en 1990. Non remb. SS.

PRINCIPES ACTIFS: comprimés contenant 17,6 mg de phénobarbital (barbiturique à action prolongée) et des extraits de passiflore et d'aubépine.

Emploi : proposé comme sédatif.

Précautions : ne pas employer chez l'enfant, en cas de grossesse, d'allaitement, de porphyries et d'insuffisance respiratoire; l'activité des anticoagulants oraux et des contraceptifs hormonaux peut être réduite.

Conduite de véhicules : ce médicament peut diminuer la vigilance; la conduite de véhicules ou l'utilisation de machines peut être dangereuse.

Durée du traitement :ne pas dépasser 4 semaines).

Effets indésirables possibles : somnolence, éruptions cutanées, troubles psychiques, notamment confusion mentale chez le sujet âgé.

Note : vendu sans ordonnance; à éviter du fait de la présence de phénobarbital qui n'est pas recommandé en dehors du traitement de l'épilepsie.

NUJOL® (Fumouze)

Introd. en 1961. Non remb. SS.

PRINCIPE ACTIF : huile de paraffine (huile de vaseline).

Emploi : huile minérale non résorbée par le tube digestif, lubrifiant le contenu colique et ramollissant les selles.

Durée du traitement : ne pas dépasser quelques jours.

Précautions : ne pas employer en cas de traitement anticoagulant, d'occlusion intestinale ou de douleurs abdominales de cause inconnue; consultez votre médecin si la constipation persiste ou en cas de selles noires ou de présence de sang dans les selles.

Effets indésirables possibles : suintement anal, risque de pneumopathie par inhalation en cas de régurgitations chez les sujets inconscients, les patients âgés alités ou les enfants âgés

de moins de 3 ans; diminution de l'absorption de certains médicaments, notamment des anticoagulants dérivés de la coumarine, et des vitamines liposolubles (A, D, E, K).

Note : vendu sans ordonnance; à éviter sans avis médical à cause du risque d'effets indésirables.

NUROFEN® (Boots Pharma).

Introd. en 1992. Non remb. SS.

PRINCIPE ACTIF : *Ibuprofène*

Préparations : comprimés à 200 mg.

Emploi : proposé pour soulager les douleurs modérées (action analgésique), par exemple maux de tête, douleurs dentaires, douleurs menstruelles (dysménorrhées), et pour faire baisser la fièvre.

Pour les détails → p. 50.

Note : en cas d'automédication, lisez attentivement les informations annexes au produit et consultez votre médecin si les douleurs persistent ou si la fièvre ne régresse pas au bout de 3 jours.

NUTRAFLOW® (Alcon)

Introd. en 1981. Non remb. SS.

Préparation : solution saline de contactologie.

Emploi : utilisé pour rincer les lentilles cornéennes et les prothèses oculaires après leur nettoyage.

NUTRIGÈNE® (Biostabilex-Urap)

Introd. en 1964. Remb. SS 40%.

PRINCIPES ACTIFS :
– comprimés bruns contenant de l'acide désoxyribonucléique et vitamines B1, B2, B3, B5, B6, E;
– comprimés bleus contenant de l'acide ribonucléique.

Emploi : proposé dans les douleurs de l'arthrose.

Note : vendu sans ordonnance; efficacité des principes actifs à confirmer dans l'emploi proposé.

NUTRILAMINE® (Bruneau)

Introd. en 1984.

PRINCIPES ACTIFS : solution injectable hypertonique contenant des acides L-aminés cristallisés.

Emploi : alimentation parentérale.

Note : réservé aux hôpitaux.

NYCTO® (P. Fabre)

Introd. en 1986. Non remb. SS.

PRINCIPES ACTIFS : collyre contenant de la phényléphrine (vasoconstricteur), benzalkonium, acide borique, borate et chlorure de sodium.

Emploi : proposé dans les irritations oculaires («yeux rouges»).

Précautions : ne pas employer en cas de glaucome à angle fermé, d'hypertension artérielle, d'association avec des antidépresseurs IMAO et chez l'enfant de moins de 5 ans.

Effets indésirables possibles : sécheresse oculaire, dilatation de la pupille (mydriase), phénomène de «rebond» (congestion).

Note : *vendu sans ordonnance; à éviter sans avis médical, comme tous les collyres.*

O

OCCUCOAT® (Storz)

Introd. en 1991.

PRINCIPE ACTIF : solution contenant de l'hypromellose.

Emploi : solution pour injection intraoculaire utilisée en chirurgie oculaire.

OCTOFÈNE® (Debat)

Introd. en 1978. Liste II. Remb. SS 70%.

PRINCIPE ACTIF : *Clofoctol*.

Préparations : suppositoires à 100 mg, 250 mg ou 750 mg.

Emploi : antiseptique proposé dans les infections des voies respiratoires.

Note : *prescrit sur ordonnance médicale.*

OCUFEN® (Allergan)

Introd. en 1991. Liste II. Remb. SS 70%.

PRINCIPE ACTIF : collyre contenant 0,03% de flurbiprofène (anti-inflammatoire non stéroïdien).

Emploi : proposé dans les inflammations du segment antérieur de l'œil après chirurgie.

Précautions : prévenez votre médecin si vous êtes allergique aux anti-inflammatoires non stéroïdiens, si vous avez eu des infections de la cornée par le virus herpétique, des maladies hémorragiques ou si vous êtes sous traitement anticoagulant.

Note : *prescrit sur ordonnance médicale.*

ODDIBIL® (R. Bellon)

Introd. en 1967. Remb. SS 40%.

PRINCIPE ACTIF : comprimés contenant un nébulisat de fumeterre.

Emploi : proposé pour faciliter les fonctions d'élimination digestives et rénales.

Précautions : ne pas employer en cas d'occlusion des voies biliaires; vous devez consulter votre médecin en cas de douleurs ou crampes abdominales d'origine indéterminée, de selles noires, d'amaigrissement, d'urines foncées, de douleurs de la région du foie, de jaunisse.

Note : *vendu sans ordonnance; efficacité du principe actif à confirmer dans l'emploi proposé.*

ODRIK® (Roussel)

Introd. en 1993. Liste I. Remb. SS 70%.

PRINCIPE ACTIF : *Trandolapril*.

Préparations : gélules à 0,5 mg ou 2 mg.

Emploi : inhibiteur de l'enzyme de conversion utilisé dans le traitement de l'hypertension artérielle, éventuellement associé à un diurétique.

Durée d'action : environ 24 heures.

Pour les détails → p. 364.

Note : *prescrit sur ordonnance médicale.*

ŒSTRADIOL-RETARD (Théramex)

Introd. en 1958. Liste II. Remb. SS 70%.

PRINCIPE ACTIF : *Estradiol* .

SYNONYME : dihydrofolliculine.

Préparations (17 ß-estradiol) : ampoules injectables à 10 ou 25 mg.

Emploi : l'estradiol est utilisé pour corriger la carence estrogénique de la ménopause et atténuer les bouffées de chaleur, transpirations, vertiges et les symptômes de la vaginite atrophique; il est aussi utilisé pour prévenir, ralentir ou stabiliser l'ostéoporose postménopausique en association avec un progestatif pour diminuer les risques de cancer de l'endomètre; dans le traitement de l'insuffisance ovarienne survenant avant ou après la puberté (hypogonadisme), il est utilisé en alternance avec un progestatif pour établir ou maintenir un cycle artificiel; interrompre l'administration en cas d'immobilisation prolongée et un mois avant une intervention chirurgicale.

Pour les détails → p. 266.

Note : prescrit sur ordonnance médicale.

ŒSTROGEL® (Besins-Iscovesco)

Introd. en 1975. Liste II.

PRINCIPE ACTIF : **Estradiol** .

SYNONYME : dihydrofolliculine.

Préparations : gel pour application percutanée en tube (remb. SS. 70%.) ou en flacon doseur (non remb. SS.).

Emploi : l'estradiol est utilisé pour corriger la carence estrogénique de la ménopause et atténuer les bouffées de chaleur, transpirations, vertiges et les symptômes de la vaginite atrophique; il est aussi utilisé pour prévenir, ralentir ou stabiliser l'ostéoporose postménopausique en association avec un progestatif pour diminuer les risques de cancer de l'endomètre; dans le traitement de l'insuffisance ovarienne survenant avant ou après la puberté (hypogonadisme), il est utilisé en alternance avec un progestatif pour établir ou maintenir un cycle artificiel; interrompre l'administration en cas d'immobilisation prolongée et un mois avant une intervention chirurgicale. Le médicament est utilisé sous forme de gel pour application percutanée qui délivre l'hormone directement dans la circulation sanguine.

Pour les détails → p. 266.

Note : prescrit sur ordonnance médicale.

OFLOCET® (Diamant)

Introd. en 1987. Liste I. Remb. SS 70%.

PRINCIPE ACTIF : **Ofloxacine**.

Préparations : comprimés à 200 mg; solution injectable en ampoules à 200 mg dans 40 ml.

Emploi : médicament appartenant au groupe des fluoroquinolones utilisé chez l'adulte pour le traitement des infections par des bactéries; il est utilisé pour traiter les infections des voies urinaires et de la prostate, notamment à gonocoques, et d'autres infections en particulier en milieu

hospitalier.

Pour les détails → p. 290.

Note : prescrit sur ordonnance médicale.

OGAST® (Takeda)

Introd. en 1992. Liste II. Remb. SS 70%.

PRINCIPE ACTIF : **Lansoprazole**.

Préparations : gélules à 30 mg.

Emploi : inhibiteur de la pompe à protons qui diminue la sécrétion acide gastrique et est utilisé pour traiter
- l'ulcère duodénal évolutif;
- l'œsophagite par reflux gastroœsophagien, affection dans laquelle le contenu acide de l'estomac remonte dans l'œsophage;

Pour les détails → p. 61.

Note : prescrit sur ordonnance médicale.

OGYLINE® → Contraception hormonale.

OLÉOSORBATE® «80»
(M., S. & D.-Chibret).

Introd. en 1954. Remb. SS 40%.

PRINCIPES ACTIFS : solution nasale, auriculaire et pour aérosol contenant du polysorbate.

Emploi : utilisée pour ramollir les dépôts croûteux dans les nez et les bouchons de cérumen dans l'oreille avant l'extraction.

Note : vendu sans ordonnance; à éviter sans avis médical.

OLICAL® (Sterling Midy)

PRINCIPES ACTIFS : crème contenant de l'huile de foie de morue, huile de millepertuis, extraits de niaouli et romarin, eau de chaux.

Emploi : engelures et gerçures.

Note : produit vendu sans ordonnance.

OLIGOCURE® (Labcatal)

Introd. en 1978. Non remb. SS.

PRINCIPES ACTIFS : solution buvable contenant des oligo-éléments (gluconate de manganèse et de cuivre, or colloïdal).

Emploi : proposé dans la fatigue (ou asthénie fonctionnelle).

Précautions : consultez votre médecin si la fatigue persiste (il peut s'agir d'une dépression ou d'une autre maladie nécessitant un traitement spécifique) ou en cas d'amaigrissement.

Note : vendu sans ordonnance; efficacité à confirmer dans l'emploi proposé.

OLIGODERM® (Labcatal)

Introd. en 1991. Non remb. SS.

PRINCIPES ACTIFS : solution pour application locale contenant des oligoéléments (gluconate de manganèse et de cuivre).

Emploi : traitement adjuvant des crevasses du sein.

Note : vendu sans ordonnance; efficacité à confirmer dans l'emploi proposé.

OLIGOGRANUL® (Boiron)

Introd. en 1991. Non remb. SS.

Gamme de produits contenant des oligo-éléments sous forme de granules. Le traitement par un élément «minéral-trace» ne dispense pas d'un traitement spécifique éventuel.

OLIGOSOLS® Oligo-éléments catalytiques (Labcatal)

Gamme de produits contenant des oligo-éléments présentés sous forme de solutions buvables ou injectables. Le traitement par un élément «minéral-trace» ne dispense pas d'un traitement spécifique éventuel.

OLIGOSTIM® (Dolisos)

Introd. en 1990-1991. Non remb. SS.

Gamme de produits contenant des oligo-éléments sous forme de comprimés sublinguaux. Le traitement par un élément «minéral-trace» ne dispense pas d'un traitement spécifique éventuel.

OLIVIASE® (Upsa)

Introd. en 1957. Remb. SS 70%.

PRINCIPES ACTIFS: comprimés contenant des extraits d'olivier.

Emploi : proposé pour favoriser l'élimination rénale de l'eau.

Note : vendu sans ordonnance; des principes actifs plus efficaces sont actuellement disponibles.

OLMIFON® (Lafon)

Introd. en 1985. Liste I. Remb. SS 70%.

PRINCIPE ACTIF : *Adrafinil* .

Préparations : comprimés à 300 mg.

Emploi : psychostimulant proposé dans le traitement des troubles de la vigilance et des manifestations dépressives chez le sujet âgé (efficacité à confirmer).

Précautions : ne doit pas être employé en cas d'épilepsie, de grossesse (innocuité non établie) et d'allaitement.

Effets indésirables possibles : confusion mentale, agitation, excitation, éruptions cutanées.

Note : prescrit sur ordonnance médicale.

ONCOTAM® (Lab. ACT)

Introd. en 1991. Liste I. Remb. SS 100%.

PRINCIPE ACTIF : *Tamoxifène*.

Préparations : comprimés à 10 mg ou 20 mg.

Emploi : le tamoxifène bloque les effets des estrogènes (hormones femelles) sur la croissance des cellules; il est utilisé pour traiter les proliférations cellulaires anormales au niveau du sein dont la croissance est stimulée par les estrogènes (tumeurs hormonodépendantes); il est aussi employé dans les proliférations cellulaires anormales au niveau de la prostate et de l'utérus et dans d'autres affections.

Durée d'action : les effets persistent pendant 2-4 semaines après l'arrêt du traitement.

Pour les détails → Tamoxifène.

Note : prescrit sur ordonnance médicale.

ONCOVIN® (Lilly)

Introd. en 1984. Liste I. Remb. SS 100%.

PRINCIPE ACTIF : *Vincristine*.

Préparations : solution injectable en flacons à 1 mg dans 1 ml.

Emploi : alcaloïde de la pervenche *(Vinca rosea)*, appartenant au groupe des «poisons du fuseau», utilisé en perfusion intraveineuse pour traiter les proliférations cellulaires anormales, notamment de la maladie de Hodgkin, et d'autres affections déterminées par votre médecin; la vincristine est souvent associée à d'autres médicaments selon des protocoles qui varient selon la maladie; dans la maladie de Hodgkin, on utilise souvent l'association dite «MOPP»

(Méthylchloréthamine, Oncovin, Procarbazine et Prednisone).
Note : *le traitement doit être pris en charge par un spécialiste.*

ONCTOSE® (Monot)

Introd. en 1959. Non remb. SS.
PRINCIPES ACTIFS : crème contenant de la diphénhydramine (antihistaminique) et lidocaïne (anesthésique local).
Emploi : traitement local du prurit.
Précautions : ne utiliser chez les enfants en bas âge (risque d'absorption et de convulsions).
Effets indésirables possibles : sensibilisation de la peau aux rayons solaires (photosensibilisation), risque de réactions allergiques locales ou exceptionnellement générales.
Note : *vendu sans ordonnance; préférez les comprimés* (Nautamine®), *car le gel peut provoquer une réaction allergique.*

ONCTOSE® Hydrocortisone (Monot)

Introd. en 1968. Liste I. Non remb. SS.
PRINCIPES ACTIFS : crème contenant de la diphénhydramine (antihistaminique), lidocaïne (anesthésique local) et hydrocortisone (dermocorticoïde).
Emploi : traitement local du prurit et des réactions cutanées allergiques par agent externe (piqûres d'insectes et de végétaux).
Application du produit : étaler le produit sur les lésions et le faire pénétrer par un léger massage; éviter tout contact avec les yeux. Ne dépassez pas le nombre d'applications journalières prescrites par votre médecin (en général deux par jour au maximum); des applications trop fréquentes et l'occlusion des lésions augmentent le risque d'effets indésirables.
Durée du traitement : ne pas dépasser 8 jours.
Effets indésirables possibles : prurit, sensation de brûlure; l'application sur de grandes surfaces ou sous un pansement occlusif peut entraîner un passage des principes actifs dans la circulation sanguine, d'où l'apparition d'effets indésirables généralisés notamment chez le nourrisson et l'enfant en bas âge (risque de convulsions); sensibilisation de la peau aux rayons solaires (photosensibilisation), risque de réactions allergiques locales ou générales à la lidocaïne ou la diphénhydramine.
Note : *prescrit sur ordonnance médicale.*

OPACINAN® (Alcon)

Introd. en 1975. Non remb. SS.
PRINCIPES ACTIFS: comprimés contenant des vitamines (B1, B2, B5, B6, PP).
Emploi : préparation polyvitaminée proposée dans le traitement des carences en vitamines du groupe B (à l'exclusion de la vitamine B12), notamment chez les patients éthyliques; en dehors de ces carences, l'emploi de ce médicament n'est pas justifié pour traiter certaines affections douloureuses.
Note : *vendu sans ordonnance; à éviter en automédication (une carence en vitamines ne peut être diagnostiquée que par votre médecin).*

OPALGYNE® (Innothéra)

Introd. en 1986. Liste II. Non remb. SS.
PRINCIPE ACTIF : solution vaginale contenant de la benzydamine (anti-inflammatoire local).
Emploi : vaginites douloureuses aiguës.
Note : *prescrit sur ordonnance médicale.*

OPHTADIL® (Chauvin)

Introd. en 1975. Remb. SS 40%.
PRINCIPES ACTIFS : solution buvable contenant de la buphénine (vasodilatateur bêtamimétique), éthaxozorutoside, acide ascorbique (vitamine C) et tocofersolan (vitamine E).
Emploi : proposé dans les insuffisances vasculaires chorio-rétiniennes dont le diagnostic ne peut être posé que par votre médecin.
Note : *vendu sans ordonnance; à éviter en automédication.*

OPHTAGRAM® (Chauvin)

Introd. en 1983. Liste I. Remb. SS 70%.
PRINCIPE ACTIF : collyre et pommade ophtalmique contenant de la gentamicine.
Emploi : infections bactériennes sévères du segment antérieur de l'œil et de ses annexes, notamment conjonctivites, kératite, ulcères de la cornée, orgelet.

Précautions : ne pas employer en cas d'allergie à la gentamicine.

Durée du traitement : ne pas dépasser une semaine.

Effets indésirables possibles: irritation locale, réactions allergiques croisées à la néomycine.

Conservation : à utiliser dans les 15 jours après l'ouverture du flacon.

Note : prescrit sur ordonnance médicale.

OPHTALMINE® (Fisons)

Introd. en 1980.

PRINCIPES ACTIFS : solution stérile pour lavage oculaire (non remb. SS.) et collyre (remb. SS. 70%.) contenant de l'acide borique, borate de sodium, extrait de rose et de vigne rouge, eau de rose et de menthe, hamamélis, thymol.

Emploi : proposé dans les irritations des paupières et du globe oculaire (bain oculaire) et de la conjonctive et des annexes (collyre).

Conservation : à utiliser dans les 15 jours après l'ouverture du flacon.

Note : vendu sans ordonnance; à éviter sans avis médical, comme tous les collyres.

OPHTASILOXANE® (Alcon)

Introd. en 1963. Non remb. SS.

PRINCIPES ACTIFS : collyre contenant de l'octylphénol polyoxyéthylène, distéarate de polyéthylèneglycol et diméticone.

Emploi : proposé dans les œdèmes de la cornée.

Conservation : à utiliser dans les 15 jours après l'ouverture du flacon.

Note : vendu sans ordonnance; à éviter sans avis médical, comme tous les collyres.

OPHTERGINE® (Allergan)

Introd. en 1908. Non remb. SS.

PRINCIPE ACTIF : pommade ophtalmique contenant 1% d'oxyde mercurique jaune.

Emploi : proposé dans les inflammations des paupières (blépharites).

Note : vendu sans ordonnance; à éviter sans avis médical.

OPIUM

L'opium est le suc desséché obtenu en incisant les capsules du pavot (*Papaver somniferum* Linné ou var. *album* Candolle); il contient de nombreux alcaloïdes, notamment :

– les phénanthrènes (analgésiques à action centrale) : morphine, codéine et thébaïne;

– les isoquinoléines (sans action analgésique) : noscapine, narcéine et papavérine.

Préparations : on utilise les préparations galéniques suivantes :

- POUDRE D'OPIUM : 10% de morphine.
- EXTRAIT TOTAL : 50% de morphine.
- EXTRAIT THÉBAÏQUE : 20% de morphine.
- TEINTURE D'OPIUM : 0,1% de morphine [→ Pectipar®].
- ELIXIR PARÉGORIQUE : 20 g = 10 mg de morphine [→ Elixir parégorique].
- LAUDANUM : 1 g = 10 mg de morphine.
- SIROP THÉBAÏQUE : 0,5% de morphine.
- SIROP DIACODE : 0.1% de morphine.
- SIROP DE MORPHINE : contient 10 mg de chlorhydrate de morphine par cuillerée à soupe (10 ml).

Ces préparations ont une action analgésique centrale, sédative, antidiarrhéique et antitussive; elles ne sont pas employées chez l'enfant et doivent être utilisées avec précaution chez le sujet âgé, l'insuffisant hépatique ou rénal.

OPOBYL® (Bailly-Speab)

Introd. 1929. Non remb. SS.

PRINCIPES ACTIFS: comprimés contenant aloès pulvérisé (laxatif irritant), extraits de bile, de foie, boldo, combretum, belladone, jusquiame.

Emploi : proposé dans les troubles digestifs et la constipation.

Précautions : consultez votre médecin si la constipation persiste, en cas de sang dans les selles ou de selles noires, de douleurs abdominales avec diarrhée, d'amaigrissement.

L'usage prolongé risque de provoquer la «maladie des laxatifs» avec lésions de la muqueuse intestinale.

Note : vendu sans ordonnance; à éviter comme tous les laxatifs irritants.

OPO-VEINOGÈNE® (Gallier)

Introd. en 1955. Remb. SS 40%.
PRINCIPES ACTIFS : solution buvable
contenant des extraits de vigne rouge,
marron d'Inde et esculoside.
Emploi : insuffisance veineuse.
Note : *vendu sans ordonnance; efficacité
des principes actifs à confirmer dans
l'emploi proposé.*

OPTALIDON® (Sandoz)

Introd. en 1930. Liste I. Remb. SS 70%.
PRINCIPES ACTIFS : comprimés et suppositoires contenant :
– métamizole sodique (noramidopyrine) : analgésique pyrazolé à action
périphérique et antipyrétique à utiliser avec une extrême prudence en
raison de sa toxicité potentielle;
– caféine : stimulant central.
Emploi : en raison de sa toxicité potentielle, ce médicament est réservé aux
douleurs aiguës intenses et rebelles
aux autres analgésiques.
Mise en garde : *l'apparition de fièvre,
d'angine ou d'ulcérations buccales et
l'augmentation de volume des ganglions
lymphatique du cou peuvent être dues
à une diminution du nombre des
globules blancs dans le sang (agranulocytose parfois fatale); ces manifestations imposent l'arrêt du traitement
et une numération globulaire d'urgence; consultez immédiatement un
médecin.*
Note : *prescrit sur ordonnance médicale.*

OPTAMINE® (Théraplix)

Introd. en 1975. Liste II. Remb. SS 40%.
PRINCIPE ACTIF : ***Dihydroergotoxine***
(dihydroergocornine, dihydroergocristine, dihydroergocryptine A et B).
SYNONYMES : co-dergocrine, codergocrine, ergoloid.
Préparations : solution buvable contenant 0,05 mg par goutte.
Emploi : vasodilatateur périphérique
dérivé de l'ergot de seigle proposé
dans le traitement des troubles
vasculaires cérébraux, notamment du
déficit intellectuel lié au vieillissement; l'efficacité des vasodilatateurs
périphériques dans ces affections reste
à confirmer.
Précautions : ne pas employer en cas
d'allergie aux dérivés de l'ergot de
seigle, de pouls très lent, de tension

artérielle très basse (hypotension), de
grossesse ou allaitement, de traitement anticoagulant; ne pas associer
d'autres dérivés de l'ergot de seigle.
Effets indésirables possibles : congestion nasale, nausées.
Note : *prescrit sur ordonnance médicale.*

OPTANOX® (Byk)

Introd. en 1962. Liste I. Remb. SS 70%.
La durée de prescription ne peut
dépasser 4 semaines.
PRINCIPE ACTIF : ***Vinylbital***.
Préparations : comprimés à 100 mg
(suppositoires → Suppoptanox®).
Emploi : barbiturique proposé pour une
brève période dans les insomnies occasionnelles ou transitoires (tous les
troubles du sommeil ne nécessitent
pas un traitement médicamenteux);
il ne doit pas être employé pour traiter
l'insomnie chronique; l'utilisation est
limitée car les barbituriques ne sont
pas recommandés en dehors du traitement de l'épilepsie.
Précautions : ne pas employer en cas
d'allergie aux barbituriques, d'asthme,
emphysème, maladies des poumons
chroniques, de porphyrie, de grossesse
ou allaitement; ne pas employer chez
l'enfant.
Alcool : évitez les boissons alcoolisées
pendant le traitement.
Conduite de véhicules : à éviter ainsi que
l'utilisation des machines en raison
de la baisse de la vigilance.
Risque de dépendance : la prise prolongée peut créer une dépendance mais
le syndrome de sevrage se produit en
principe moins souvent qu'avec les
barbituriques à action plus rapide; la
dépendance se traduit par un fort
besoin de prendre le médicament, une
tendance à augmenter les doses (tolérance, des troubles psychiques, des
symptômes de «sevrage» si vous
arrêtez le traitement, notamment fatigue, faiblesse, dépression, déficits
intellectuels et affectifs, nausées,
crampes d'estomac, vomissements,
tremblements, confusion.
Intoxication : nausées, maux de tête,
obnubilation, confusion mentale,
respiration lente et superficielle, encombrement de la gorge, chute de la
tension artérielle et évolution vers le
coma; hospitalisation d'urgence en cas
d'intoxication massive.
Note : *prescrit sur ordonnance médicale.*

OPTICRON® (Fisons)

Introd. en 1983. Liste II. Remb. SS 70%.

PRINCIPE ACTIF : *Acide cromoglicique*.

Préparations : collyre contenant de l'acide cromoglicique et benzalkonium; l'*Opticron® unidose* ne contient pas de benzalkonium.

Propriétés : l'acide cromoglicique agit sur certaines cellules appelées «mastocytes» en empêchant la libération des médiateurs de l'allergie.

Emploi : l'acide cromoglicique est utilisé dans les conjonctivites allergiques.

Précautions : ne pas porter de verres de contact (sauf pour la forme unidose).

Conservation : à utiliser dans les 15 jours après l'ouverture du flacon.

Note : prescrit sur ordonnance médicale.

OPTIDEX® (Fisons)

Introd. en 1977. Liste I. Remb. SS 70%.

PRINCIPES ACTIFS : collyre contenant de la polymyxine B (antibiotique), néomycine (antibiotique) et dexaméthasone (corticoïde).

Emploi : proposé dans les affections inflammatoires et infectieuses du segment antérieur de l'œil.

Précautions : évitez les instillations répétées.

Conservation : à utiliser dans les 15 jours après l'ouverture du flacon.

Note : prescrit sur ordonnance médicale.

OPTI-FREE® (Alcon)

Introd. en 1991. Non remb. SS.

PRINCIPES ACTIFS : solution de contactologie contenant du polyquad et édétate de sodium.

Emploi : rinçage des lentilles de contact souples hydrophiles.

OPTILIX® (Amido).

PRINCIPES ACTIFS : collyre contenant de la synéphrine (vasoconstricteur) et acide borique.

Emploi : proposé dans les irritations oculaires («yeux rouges»).

Précautions : ne pas employer en cas de glaucome par fermeture de l'angle, d'hypertension artérielle.

Conservation : à utiliser dans les 15 jours après l'ouverture du flacon.

Note : vendu sans ordonnance; à éviter sans avis médical, comme tous les collyres.

OPTRAEX® (Etris)

Introd. en 1931. Non remb. SS.

PRINCIPES ACTIFS : solution pour lavage oculaire contenant du chlorobutanol, acide borique, borate de sodium, acide salicylique, alcool à 95°, eau d'hamamélis et paraoxybenzoate de méthyle sodé.

Emploi : proposé dans les irritations des globes oculaires et de ses annexes.

Précautions : enlever les lentilles de contact avant d'utiliser le produit; les porteurs de lentilles souples doivent attendre au moins une heure avant de les remettre.

Note : vendu sans ordonnance; consultez votre médecin si les troubles persistent.

ORACÉFAL®
(Bristol-Myers Squibb)

Introd. en 1977. Liste I. Remb. SS 70%.

PRINCIPE ACTIF : *Céfadroxil*.

Préparations : gélules à 500 mg; poudre pour sirop à 125 mg, 250 mg ou 500 mg par dose.

Emploi : antibiotique du groupe des céphalosporines (→ ce terme) utilisé pour traiter certaines infections.

Précautions : ne pas employer en cas d'allergie à la pénicilline ou aux céphalosporines, de grossesse ou d'allaitement.

Effets indésirables possibles : nausées, vomissements, diarrhées, prurit, éruption cutanée (réaction allergique: arrêtez immédiatement le traitement).

Note : prescrit sur ordonnance médicale.

ORACILLINE®
(Farmitalia C. Erba)

Introd. en 1958. Liste I. Remb. SS 70%.

PRINCIPE ACTIF : *Phénoxyméthylpénicilline*.

SYNONYME : pénicilline V

EQUIVALENCE : 1 million UI = 650 mg.

Préparations : comprimés à 1 million d'UI; poudre orale en sachets à 0,5 million d'UI; suspension buvable à 0,25, 0,5 et 1 million d'UI par dose.

Emploi : pénicilline active par voie buccale, ayant le même effet antibactérien que la pénicilline G, utilisée pour le traitement des infections bactériennes légères ou de gravité moyenne, notamment à streptocoques, des voies respiratoires supérieures, de l'oreille (otites) et des sinus (sinusites), de l'érysipèle, de la scarlatine et pour la prévention des rechutes du rhumatisme articulaire aigu.

Prise du médicament : on conseille de prendre le médicament à jeun, une heure avant chacun des 3 repas, avec une quatrième dose prise éventuellement avant le coucher; si vous prenez des antiacides ou des pansements gastriques, prenez-les une heure après les repas.

Pour les détails → p. 520.

Note : prescrit sur ordonnance médicale.

ORALGAN® (Inava)

Introd. en 1985. Non remb. SS.

PRINCIPES ACTIFS: comprimés contenant
– paracétamol : analgésique à action périphérique et antipyrétique;
– codéine : analgésique opiacé.

Emploi : proposé pour atténuer la douleur modérée (*analgésique*) et pour faire tomber la fièvre (*antipyrétique*).

Posologie (adulte) : 1-2 comprimés 1 à 3 fois par jour.

Durée du traitement : consultez votre médecin si les douleurs persistent après 5 jours ou si la fièvre ou le mal de gorge ne régressent pas au bout de 3 jours.

Précautions : ce médicament ne doit pas être utilisé en cas d'insuffisance hépatique, d'insuffisance respiratoire, de grossesse, d'allaitement et chez l'enfant âgé de moins de 15 ans; évitez l'association avec l'alcool, les tranquillisants et les somnifères.

Conduite de véhicules : ce médicament peut diminuer la vigilance; la conduite de véhicules ou l'utilisation de machines peut être dangereuse.

Sportifs : ce médicament peut donner une réaction positive en cas de tests pour contrôle antidopage.

Effets indésirables possibles : somnolence, vertiges, constipation, nausées, éruptions cutanées (réactions allergiques : arrêtez immédiatement le traitement), jaunisse.

Note : vendu sans ordonnance; efficacité des principes actifs généralement reconnue dans l'emploi proposé.

ORAP® (Janssen)

Introd. en 1972. Liste I. Remb. SS 70%.

PRINCIPE ACTIF : *Pimozide*.

Préparations : comprimés à 1 mg ou 4 mg; solution buvable à 2,5 mg/ml.

Emploi :neuroleptique dérivé de la diphénylbutylpipéridine utilisé pour traiter certaines maladies mentales chroniques et d'autres affections, notamment les tics et le syndrome de Gilles de la Tourette de l'enfant (grimaces, répétition automatique des derniers mots entendus).

Pour les détails → p. 468.

Note : prescrit sur ordonnance médicale.

ORBÉNINE®
(SmithKline Beecham)

Introd. en 1976. Liste I. Remb. SS 70%.

PRINCIPE ACTIF : *Cloxacilline*.

Préparations : gélules à 500 mg; préparation injectable en flacons à 1000 mg.

Emploi : pénicilline du groupe M ß-lactamases-résistante, active contre les staphylocoques producteurs de pénicillinases. Prendre le médicament de préférence à jeun.

Pour les détails → p. 520.

Note : prescrit sur ordonnance médicale.

ORDINATOR® (Synthélabo)

Introd. en 1963. Liste I. Non remb. SS.

PRINCIPE ACTIF : *Fénozolone*.

Préparations : comprimés à 10 mg.

Emploi : dérivé de l'amphétamine stimulant la vigilance proposé dans le traitement de la fatigue intellectuelle et physique; médicament à utiliser avec grande prudence du fait des risques de dépendance et de troubles déficitaires intellectuels et affectifs; ne devrait pas être utilisé chez l'enfant.

Ce médicament a une action analogue à celle des anorexigènes ou «coupe faim» qui sont aussi des dérivés de l'amphétamine; il provoque les mêmes effets indésirables et risque de dépendance; son emploi demande les mêmes précautions (→ p. 33).

Note : prescrit sur ordonnance médicale.

ORELOX® (Diamant)

Introd. en 1991. Liste I. Remb. SS 70%.

PRINCIPE ACTIF : *Cefpodoxime*.

Préparations : comprimés à 100 mg.

Emploi : antibiotique du groupe des céphalosporines (→ ce terme) utilisé pour traiter certaines infections bactériennes.

Précautions : ne pas employer en cas d'allergie à la pénicilline ou aux céphalosporines, de grossesse ou d'allaitement; espacement des prises en cas d'insuffisance rénale.

Durée du traitement : respectez la durée de prescription de votre médecin, même si les fièvre et les autres signes d'infection disparaissent; en effet, un arrêt prématuré du traitement peut favoriser une rechute; si les symptômes ne sont pas améliorés en quelques jours par le traitement, ou s'ils s'aggravent, consultez votre médecin.

Effets indésirables possibles : fatigue, nausées, vomissements, diarrhées, prurit, éruption cutanée (réaction allergique : arrêtez le traitement).

Note : prescrit sur ordonnance médicale.

ORGAMÉTRIL® (Organon)

Introd. en 1970. Liste I. Remb. SS 70%.
PRINCIPE ACTIF : **Lynestrénol**.
SYNONYME : éthinylstrénol.
Préparations : comprimés à 5 mg.
Emploi : médicament appartenant au groupe des progestatifs (ou gestagènes) qui sont des hormones femelles apparentées à la progestérone naturelle. Le lynestrénol est un progestatif synthétique du groupe des norstéroïdes utilisé pour traiter

– les troubles des menstruations dus à une carence en progestérone;
– les hémorragies fonctionnelles;
– la ménopause installée, en association avec un estrogène.
– l'endométriose.

Le lynestrénol est aussi utilisé comme contraceptif progestatif.
Pour les détails → p. 560.
Note : prescrit sur ordonnance médicale.

ORGASULINE® → Insuline.

ORIMÉTÈNE® (Ciba-Geigy)

Introd. en 1985. Liste I. Remb. SS 100%.
PRINCIPE ACTIF : **Aminoglutéthimide**.
Préparations : comprimés à 250 mg.
Emploi : médicament agissant sur les glandes corticosurrénales, dont il diminue la sécrétion de certaines hormones (action anticortisolique) et sur certaines tumeurs où il bloque la transformation des androgènes en estrogènes. L'aminoglutéthimide est utilisée pour le traitement de certaines tumeurs du sein, métastasées et postménopausiques dites *hormono-dépendantes*, de certaines tumeurs des surrénales et des affections où le cortex de la glande surrénale est hyperactif sans être cancéreux (p. ex. maladie de Cushing, maladie caractérisée par bouffissure du visage et une obésité du cou et du tronc).

Durée d'action : 12-24 heures.

Précautions : ne pas employer en cas d'allergie au produit, de porphyrie, d'infections récentes (herpès).

Grossesse : ce médicament ne doit pas être utilisé pendant la grossesse; en effet, il a causé des malformations du fœtus au cours de l'expérimentation animale.

Allaitement : utilisation déconseillée.

Au début du traitement : la prise du médicament peut causer des nausées ou des vomissements; il convient d'essayer de continuer le traitement et de ne pas l'interrompre sans l'avis de votre médecin.

Chirurgie : avant une intervention dentaire ou chirurgicale, ou en cas d'hospitalisation d'urgence, vous devez informer le personnel soignant que vous prenez ce médicament.

Alcool : à éviter pendant le traitement.

Conduite de véhicules : chez certains sujets, ce médicament provoque des vertiges ou diminue la vigilance; la conduite de véhicules ou l'utilisation de machines peut être dangereuse.

Arrêt du traitement : vous ne devez pas interrompre ou arrêter le traitement sans consulter votre médecin.

Effets indésirables possibles :
– fatigue, somnolence, nausées, diarrhées, fièvre, vertiges;
– vertiges, troubles de l'équilibre;
– prurit, éruption cutanée (réaction allergique : arrêtez le traitement);
– pilosité excessive et modification de la voix chez la femme;
– angine avec frissons, fièvre (diminution des globules blancs dans le sang);
– selles noires, présence de sang dans les selles ou les urines;
– perte des cheveux, troubles menstruels, douleurs musculaires.

Note : le traitement doit être pris en charge par un spécialiste.

ORNICÉTIL® (Logeais)

Introd. en 1991. Liste II. Remb. SS 40%.
PRINCIPE ACTIF : poudre pour solution injectable contenant de l'oxoglurate de L-ornithine.
Emploi : proposé en injections ou en perfusions dans l'encéphalopathie hépatique.
Note : prescrit sur ordonnance médicale.

ORNIDAZOLE Newpharm®
(Fandre)

Introd. en 1990. Liste I.
PRINCIPE ACTIF : *Ornidazole.*
Préparations : solutions pour perfusions à 1 g/200 ml, 500 mg/100 ml, 250 mg/50 ml et 125 mg/25 ml.
Emploi : antiprotozoaire et antibactérien utilisé en milieu hospitalier en perfusion intraveineuse pour prévenir et traiter certaines infections graves à germes anaérobies survenant lors d'interventions chirurgicales.
Note : réservé aux hôpitaux.

ORNITAÏNE® (Schwarz)

Introd. en 1963. Remb. SS 40%.
PRINCIPES ACTIFS : solution buvable contenant de l'ornithine, bétaïne, sorbitol (laxatif osmotique), pyridoxine (vitamine B6), oxyde de magnésium et acide citrique.
Emploi : troubles de la digestion.
Précautions : ne pas employer en cas d'obstruction des voies biliaires; consultez votre médecin en cas de douleurs ou crampes abdominales d'origine indéterminée, de selles noires, d'amaigrissement, d'urines foncées, de douleurs de la région du foie, de jaunisse.
Effets indésirables possibles: douleurs abdominales, diarrhées.
Note : vendu sans ordonnance; ne pas utiliser pendant plus de 5 jours sans avis médical.

OROCAL® (Théramex)

Introd. en 1990. Remb. SS 70%.
PRINCIPE ACTIF : comprimés à sucer contenant 1,25 g de carbonate de calcium.
Emploi : carences calciques.
Pour les détails → p. 121.
Note : vendu sans ordonnance; médicament à éviter en automédication.

OROKEN® (Pharmuka)

Introd. en 1989. Liste I. Remb. SS 70%.
PRINCIPE ACTIF : *Céfixime.*
Préparations : comprimés à 200 mg; granulé en sachets à 40 mg ou 100 mg.
Emploi : antibiotique du groupe des céphalosporines (→ ce terme) utilisé pour traiter certaines infections bactériennes, notamment infections des voies respiratoires, de la gorge, du nez, des oreilles et infections des voies urinaires à germes sensibles.
Précautions : ne pas employer en cas d'allergie à la pénicilline ou aux céphalosporines, de grossesse ou d'allaitement.
Effets indésirables possibles : nausées, vomissements, diarrhées (à signaler à votre médecin si elles sont sévères et persistantes), prurit, maux de tête, vertiges, éruption cutanée (réaction allergique : arrêtez le traitement).
Note : prescrit sur ordonnance médicale.

OROMÉDINE® (Millot-Solac)

Introd. en 1962. Remb. SS 40%.
PRINCIPES ACTIFS : collutoire contenant de l'hexamidine (antiseptique local) et tétracaïne (anesthésique local).
Emploi : proposé dans les états congestifs de la bouche et de la gorge.
Note : vendu sans ordonnance; ne pas utiliser pendant plus de 5 jours sans avis médical.

OROMONE® (Sarbach)

Introd. en 1992. Liste II. Non remb. SS.
PRINCIPE ACTIF : *Estradiol.*
SYNONYME : dihydrofolliculine.
Préparations (17 ß-estradiol) : comprimés à 2 mg.
Emploi : médicament appartenant au groupe des estrogènes qui sont des hormones femelles naturelles produites par les ovaires et nécessaires pour le développement des caractères sexuels de la femme et pour la régulation du cycle menstruel pendant l'âge de la procréation.
L'estradiol est utilisé pour corriger la carence estrogénique de la ménopause et atténuer les bouffées de chaleur, transpirations, vertiges et les symptômes de la vaginite atrophique; il est aussi utilisé pour prévenir, ralentir ou stabiliser l'ostéoporose postménopausique en association avec un

progestatif pour diminuer les risques de cancer de l'endomètre; dans le traitement de l'insuffisance ovarienne survenant avant ou après la puberté (hypogonadisme), il est utilisé en alternance avec un progestatif pour établir ou maintenir un cycle artificiel; interrompre l'utilisation en cas d'immobilisation prolongée et un mois avant une intervention chirurgicale.
Pour les détails → p. 266.
Note : prescrit sur ordonnance médicale.

OROPIVALONE® bacitracine
(Jouveinal)

Introd. en 1981. Liste II. Remb. SS 40%.
PRINCIPES ACTIFS : comprimés à sucer contenant du tixocortol (corticoïde) et bacitracine (antibiotique).
Emploi : proposé dans les inflammations et infections de la bouche et de la gorge.
Durée du traitement : ne pas dépasser 10 jours.
Effets indésirables possibles: réactions allergiques à la bacitracine.
Note : prescrit sur ordonnance médicale.

OROSEPTOL® (Sterling Midy)

Introd. en 1972. Non remb. SS.
PRINCIPES ACTIFS : comprimés à sucer contenant du chlorure de déqualinium (antiseptique local) et de la tétracaïne (anesthésique local).
Emploi : proposé dans les inflammations et infections de la bouche et de la gorge.
Note : vendu sans ordonnance; ne pas utiliser pendant plus de 5 jours sans avis médical.

ORTÉNAL® (Specia)

Introd. en 1945. Liste I. Remb. SS 70%.
PRINCIPES ACTIFS: comprimés contenant du phénobarbital (100 mg) et amphétamine sulfate (5 mg).
Emploi : proposé dans le traitement de l'épilepsie; on préfère généralement une préparation sans amphétamine.
Précautions : ne pas employer chez l'enfant et en cas de grossesse, d'allaitement, de porphyries et d'insuffisance respiratoire; l'activité des anticoagulants oraux et des contraceptifs hormonaux peut être réduite.
Conduite de véhicules : ce médicament peut diminuer la vigilance; la conduite de véhicules ou l'utilisation de machines peut être dangereuse.
Effets indésirables possibles : somnolence, éruptions cutanées, troubles psychiques, notamment confusion mentale chez le sujet âgé.
Pour les détails → Phénobarbital.
Note : prescrit sur ordonnance médicale.

ORTHOCLONE OKT3®
(Cilag)

Introd. en 1987. Liste I.
PRINCIPE ACTIF : *Muromonab-CD3*.
SYNONYME : anti-CD3.
Préparations : ampoules injectables à 5 mg (immunoglobuline IgG-2α produite par biotechnologie).
Emploi : anticorps monoclonal qui diminue l'immunité naturelle de l'organisme (immunosuppresseur), utilisé pour prévenir le rejet d'une greffe rénale, hépatique ou cardiaque.
Note : réservé aux hôpitaux.

ORTHO-GASTRINE®
(J.-P. Martin)

Introd. en 1924. Non remb. SS.
PRINCIPES ACTIFS : poudre orale contenant du sulfate de sodium (purgatif salin), hydrogénophosphate, citrate et carbonate de sodium.
Emploi : proposé dans les troubles digestifs (dyspepsie) et la constipation.
Précautions : ce médicament ne doit pas être employé en cas de
– maladies inflammatoires intestinale;
– douleurs abdominales de cause inconnue;
– occlusion intestinale;
– obstruction des voies biliaires.
Consultez votre médecin si les troubles persistent, en cas de fièvre, de crampes abdominales, de selles noires, d'amaigrissement ou de fièvre.
En cas de régime désodé : tenir compte de la teneur en sodium du produit.
Effets indésirables possibles: douleurs abdominales, diarrhées.
Usage prolongé : risque de «maladie des laxatifs» avec troubles de l'équilibre des liquides et des électrolytes, notamment diminution du potassium dans le sang (hypokaliémie), lésions de la muqueuse intestinale.
Note : vendu sans ordonnance; laxatif à ne pas utiliser pendant plus de 3 jours sans avis médical .

ORTHO-NOVUM® → Contraception hormonale.

OSCILLOCOCCINUM®
(Boiron)

Introd. en 1944. Non remb. SS.

PRINCIPE ACTIF : globules contenant un autolysat filtré de foie et cœur de canard de Barbarie dynamisé (préparation homéopathique).

Emploi : proposé dans la grippe.

Note : vendu sans ordonnance; efficacité du principe actif à confirmer dans l'emploi proposé.

OSFOLATE® (Mayoly-Spindler)

Introd. en 1988.

PRINCIPE ACTIF : *Folinate de calcium.*

SYNONYMES : acide folinique, leucovorine, *citrovorum factor.*

Préparations : gélules à 5 mg ou 25 mg.

Emploi : le folinate de calcium est un dérivé de l'acide folique utilisé

– comme antidote dans le surdosage accidentel des médicaments antagonistes de l'acide folique (antifoliques: méthotrexate, triméthoprime, pyriméthamine, pentamidine, triamtérène, phénytoïne);

– dans le traitement de certaines anémies dites «mégaloblastiques» dues à une carence en acide folique ou aux médicaments antifoliques.

Précautions : ce médicament ne doit pas être utilisé pour traiter l'anémie pernicieuse car il améliore les symptômes de l'anémie, mais ne protège pas le patient de la progression du syndrome neurologique.

Effets indésirables possibles : troubles digestifs, réactions allergiques rares.

Note : réservé aux hôpitaux.

OSMOGEL® (Merck-Clévenot)

Introd. en 1967. Remb. SS 40%.

PRINCIPES ACTIFS : gel pour application locale contenant du sulfate de magnésium et lidocaïne (anesthésique local).

Emploi : proposé dans les œdèmes post-traumatiques.

Note : vendu sans ordonnance; consultez votre médecin si les troubles persistent.

OSMOTAN G® (Aguettant)

Introd. en 1985.

PRINCIPES ACTIFS : solution injectable pour perfusion contenant les ions Na+, K+, Cl- et du glucose.

Emploi : apport calorique et équilibration hydro-électrolytique.

Note : réservé aux hôpitaux.

OSMOTOL® (Chauvin)

Introd. en 1938. Non remb. SS.

PRINCIPES ACTIFS : solution auriculaire contenant de la résorcine et éphédrine (vasoconstricteur).

Emploi : proposé dans les otites externes à tympan fermé dont le diagnostic ne peut être posé que par votre médecin.

Précautions : vérifier l'état du tympan avant toute application.

Durée du traitement : ne pas dépasser 10 jours sans contrôle médical.

Effets indésirables possibles : réactions allergiques.

Note : vendu sans ordonnance; à éviter en automédication.

OSPEN® (Sandoz)

Introd. en 1972. Liste I. Remb. SS 70%.

PRINCIPE ACTIF : *Phénoxyméthylpénicilline.*

SYNONYME : pénicilline V.

EQUIVALENCE : 1 million UI = 650 mg.

Préparations : comprimés à 1 million d'UI.

Emploi : pénicilline active par voie buccale, ayant le même effet antibactérien que la pénicilline G, utilisée pour le traitement des infections légères ou de gravité moyenne, notamment à streptocoques, des voies respiratoires supérieures, de l'oreille (otites) et des sinus (sinusites), de l'érysipèle, de la scarlatine et d'autres infections; elle est aussi utilisée pour la prévention des rechutes du rhumatisme articulaire aigu.

Prise du médicament : on conseille de prendre le médicament à jeun, une heure avant chacun des 3 repas, avec une quatrième dose prise éventuellement avant le coucher; si vous prenez des antiacides ou des pansements gastriques, prenez-les une heure après les repas.

Pour les détails → p. 520.

Note : prescrit sur ordonnance médicale.

OSSOPAN® (Robapharm)

Introd. en 1984. Remb. SS 40%.

PRINCIPE ACTIF : comprimés contenant un extrait de tissu osseux de veaux (complexe osséine-hydroxyapatite).

Emploi : proposée dans les carences calciques et dans l'ostéoporose (dont le diagnostic ne peut être posé que par votre médecin).

Précautions : ne pas employer en cas d'immobilisation prolongée ou en association avec les digitaliques.

Note : vendu sans ordonnance; efficacité du principe actif à confirmer dans l'emploi proposé.

OSTÉINE C® (Zambon)

Introd. en 1976. Non remb. SS.

PRINCIPES ACTIFS : granulé pour suspension buvable contenant des éléments minéraux et acide ascorbique (vitamine C).

Emploi : proposé dans la fatigue.

Précautions : consultez votre médecin si la fatigue persiste (il peut s'agir d'une dépression ou d'une maladie nécessitant un traitement spécifique) ou en cas d'amaigrissement.

Note : vendu sans ordonnance; efficacité des principes actifs à confirmer dans l'emploi proposé.

OSTÉOCYNÉSINE® (Boiron)

Introd. en 1943. Non remb. SS.

Préparation homéopathique proposée dans les troubles du métabolisme du calcium (dont le diagnostic ne peut être posé que par votre médecin).

OSTÉOFLUOR®
(Merck-Clévenot)

Introd. en 1984. Remb. SS 70%.

PRINCIPE ACTIF : *Fluorure de sodium*.

Préparations : comprimés contenant 25 mg de fluorure de sodium (teneur en fluor : 11,3 mg).

Emploi : le fluorure de sodium à doses élevées est utilisé sous surveillance médicale pour traiter l'ostéoporose grave, uniquement en cas de tassement vertébral; ce traitement doit être associé à une prise quotidienne de 1 à 2 g de calcium élément (pour éviter une déminéralisation osseuse ou ostéomalacie). Le calcium doit être ingéré à distance de la prise de fluor. L'association de vitamine D peut être nécessaire en cas de malabsorption calcique, mais demande une surveillance stricte de la calcémie et de la calciurie.

Pour les détails → Fluorure de sodium à doses élevées.

Note : vendu sans ordonnance; à éviter en automédication.

OSTÉOGEN® (Richard)

Introd. en 1963. Remb. SS 40%.

PRINCIPES ACTIFS: comprimés contenant de l'ascorbate de calcium, désoxyribonucléate de magnésium, acide désoxyribonucléique et de la pyridoxine (vitamine B6).

Emploi : proposé dans l'ostéoporose (dont le diagnostic ne peut être posé que par votre médecin).

Note : vendu sans ordonnance; à éviter en automédication.

OSTRAM® → Calcium, Sels de.

OTIPAX® (Biocodex)

Introd. en 1979. Remb. SS 40%.

PRINCIPES ACTIFS : solution auriculaire contenant de la lidocaïne (anesthésique local) et phénazone (antipyrine).

Emploi : proposé dans les douleurs de l'oreille.

Durée du traitement : ne pas dépasser 10 jours.

Précautions : vérifier l'état du tympan avant toute application.

Effets indésirables possibles: réactions allergiques au phénazone.

Note : vendu sans ordonnance; toute douleur de l'oreille exige une consultation avec votre médecin.

OTOFA® (Bouchara)

Introd. en 1986. Liste I. Remb. SS 40%.

PRINCIPE ACTIF : *Rifamycine*.

Préparations : solution auriculaire à 2,6%.

Emploi : antibiotique proposé dans les otites externes à tympan fermé.

Durée du traitement : ne pas dépasser 10 jours.

Effets indésirables possibles: réactions allergiques locales.

Note : prescrit sur ordonnance médicale.

OTOLYSINE® (Chauvin)

Introd. en 1962. Remb. SS 40%.

PRINCIPES ACTIFS : solution auriculaire contenant de l'acide caprylique et caprylate de triéthanolamine.

Emploi : préparation à l'extraction des bouchons de cérumen.

Précautions : vérifier l'état du tympan avant toute application.

Effets indésirables possibles : prurit, irritation, eczéma de l'oreille externe et du pavillon.

Note : vendu sans ordonnance; le traitement doit être conduit sous surveillance médicale.

OTOMIDE® (L'Arguenon)

Introd. en 1939. Non remb. SS.

PRINCIPES ACTIFS : solution auriculaire contenant de l'amyléine et sulfasuccinamide sodique.

Emploi : proposé dans les douleurs de l'oreille.

Précautions : vérifier l'état du tympan avant toute application.

Durée du traitement : ne pas dépasser 10 jours.

Note : vendu sans ordonnance; toute douleur de l'oreille exige une consultation avec votre médecin.

OTONOL® (Picot)

PRINCIPES ACTIFS : solution auriculaire contenant de la résorcine et hydrate de chloral.

Emploi : proposé dans les douleurs de l'oreille.

Précautions : vérifier l'état du tympan avant toute application.

Durée du traitement : ne pas dépasser 10 jours.

Note : vendu sans ordonnance; toute douleur de l'oreille exige une consultation avec votre médecin.

OTORALGYL® (J.-P. Martin)

Introd. en 1974. Non remb. SS.

PRINCIPES ACTIFS : solution auriculaire contenant de la lidocaïne (anesthésique local) et sulfasuccinamide sodique.

Emploi : proposé dans les douleurs de l'oreille.

Précautions : vérifier l'état du tympan avant toute application.

Durée du traitement : ne pas dépasser 10 jours.

Note : vendu sans ordonnance; toute douleur de l'oreille exige une consultation avec votre médecin.

OTYLOL® (Bridoux)

Introd. en 1952. Remb. 40%.

PRINCIPES ACTIFS : solution auriculaire contenant de la procaïne et tétracaïne (anesthésiques locaux), phénol (antiseptique), éphédrine (vasoconstricteur) et glycérine.

Emploi : proposé dans les douleurs de l'oreille.

Précautions : vérifier l'état du tympan avant toute application.

Durée du traitement : ne pas dépasser 10 jours.

Note : vendu sans ordonnance; toute douleur de l'oreille exige une consultation avec votre médecin.

OUABAÏNE (Aguettant)

Introd. en 1967. Liste I. Non remb. SS.

SYNONYME : g-strophanthoside.

Préparations : ampoules injectables à 0,25 mg dans 1 ml.

Emploi : substance obtenue à partir des semences de *Strophanthus gratus* ayant les mêmes effets que les digitaliques; utilisée en injection intraveineuse dans le traitement d'urgence de l'insuffisance cardiaque.

Pour les détails → p. 319.

Note : prescrit sur ordonnance médicale.

OUATE HÉMOSTATIQUE US® (Pharmastra)

Introd. en 1982. Non remb. SS.

PRINCIPE ACTIF : ouate pour application locale contenant de l'alginate de calcium (coagulant ou hémostatique).

Emploi : proposé pour arrêter le saignement d'une plaie superficielle.

Précautions : ne pas employer en cas de traitement anticoagulant (le saignement peut être un signe de surdosage).

Note : vendu sans ordonnance; consultez votre médecin si le saignement persiste.

OVANON® → Contraception hormonale.

OVESTIN® (Organon)

Introd. en 1966. Liste II. Remb. SS 70%.
PRINCIPE ACTIF : *Estriol*.
Préparations : comprimés à 0,25 mg.
Emploi : médicament appartenant au groupe des estrogènes qui sont des hormones femelles naturelles nécessaires pour le développement des caractères sexuels de la femme et pour la régulation du cycle menstruel pendant l'âge de la procréation.

L'estriol est un estrogène naturel dont la durée d'action est relativement courte utilisé par voie buccale :
- pour corriger la carence estrogénique après la ménopause (naturelle ou après ablation chirurgicale des ovaires) et atténuer les bouffées de chaleur, les transpirations, les vertiges et les symptômes de la vaginite atrophique;
- pour prévenir, ralentir ou stabiliser l'ostéoporose postménopausique il est utilisé en association avec un progestatif pour diminuer les risques de cancer de l'endomètre;
- pour traiter l'insuffisance ovarienne survenant avant ou après la puberté (hypogonadisme) il est utilisé en alternance avec un progestatif pour établir ou maintenir un cycle artificiel.

Interrompre l'administration en cas d'immobilisation prolongée et un mois avant une intervention chirurgicale
Pour les détails → p. 266.
Note : prescrit sur ordonnance médicale.

OVULES PHARMATEX®

Introd. en 1976. Non remb. SS.
PRINCIPE ACTIF : ovules gynécologiques contenant du benzalkonium (spermicide).
Emploi : utilisé pour la contraception locale; placer une ovule au fond du vagin en position allongée 10 minutes avant le rapport; la protection est partielle (diminue le risque de grossesse sans le supprimer) et dure environ 4 heures; pas de lavage 12 heures avant et dans les 2 heures qui suivent les rapports.
Note : vendu sans ordonnance; efficacité généralement reconnue dans l'emploi proposé.

OVULES Sédo-hémostatiques du Dr Jouve (Gerda)

Introd. en 1951. Non remb. SS.
PRINCIPES ACTIFS : ovules gynécologiques contenant du chlorure de calcium et phénazone (antipyrine).
Emploi : proposé dans les douleurs et les hémorragies gynécologiques.
Effets indésirables possibles : réactions allergiques au phénazone.
Note : vendu sans ordonnance; à éviter en automédication.

OXADILÈNE® (Leurquin)

Introd. en 1978. Liste I. Remb. SS 40%.
PRINCIPES ACTIFS : gélules contenant de la papavérine (antispasmodique musculotrope) et butalamine (vasodilatateur périphérique).
Emploi : proposé dans les manifestations de l'artérite des membres inférieurs et de la sénescence cérébrale (efficacité à confirmer).
Effets indésirables possibles : accélération du pouls, constipation, atteinte hépatique.
Note : prescrit sur ordonnance médicale.

OXOVINCA® (Schering)

Introd. en 1984. Liste II. Remb. SS 40%.
PRINCIPE ACTIF : *Vincamine*.
Préparations : comprimés à 20 mg.
Emploi : vasodilatateur périphérique obtenu à partir de pervenche *(Vinca minor)* proposé pour traiter les troubles de l'irrigation sanguine cérébrale, notamment dans la sénescence cérébrale, les vertiges et les troubles de la mémoire, ainsi que les troubles sensoriels, auditifs et visuels d'origine ischémique; l'efficacité des vasodilatateurs périphériques dans ces affections reste à confirmer.
Précautions : ne pas employer en cas de grossesse ou d'allaitement (innocuité non établie), d'hypertension intracrânienne, de troubles du rythme cardiaque, de diminution du taux du potassium dans le sang (hypokaliémie); ce médicament ne doit pas être associé aux antiarythmiques.
Effets indésirables possibles : nausées, vomissements, ralentissement du rythme cardiaque (bradycardie), hypotension, éruption cutanée.
Note : prescrit sur ordonnance médicale.

OXYBOLDINE® (Lab. CPF)

Introd. en 1945. Non remb. SS.

PRINCIPES ACTIFS: comprimés contenant de la boldine, sulfate, phosphate et carbonate de sodium.

Emploi : proposé pour stimuler la sécrétion de la bile dans les troubles de la digestion (dyspepsie) et dans la constipation.

Précautions : ne pas employer en cas d'obstruction des voies biliaires; consultez votre médecin en cas de douleurs ou crampes abdominales d'origine indéterminée, de selles noires, d'amaigrissement, d'urines foncées, de douleurs de la région du foie, de jaunisse (ictère).

En cas de régime désodé : tenir compte de la teneur en sodium du produit.

Effets indésirables possibles: diarrhée.

Note : vendu sans ordonnance; ne pas utiliser pendant plus de 5 jours sans avis médical.

OXYCARDIN® (Schwarz)

Introd. en 1991. Liste II. Remb. SS 70%.

PRINCIPE ACTIF : **Mononitrate d'iso-sorbide.**

SYNONYMES : isosorbide mononitrate, ISMN.

Préparations : comprimés à 20 mg.

Emploi : médicament appartenant au groupe des dérivés nitrés qui dilatent les vaisseaux sanguins, notamment les vaisseaux du cœur (coronaires) et qui sont utilisés dans le traitement de l'angine de poitrine. Le mononitrate d'isosorbide est employé

– pour la prévention à long terme des crises l'angine de poitrine graves et invalidantes;

– pour traiter l'insuffisance cardiaque gauche sévère (faiblesse du cœur), en complément des autres thérapeutiques (l'efficacité à long terme reste à confirmer).

Ce médicament ne convient pas au traitement de la crise aiguë d'angine de poitrine (sensation de constriction douloureuse dans la poitrine pouvant irradier dans le bras gauche).

Pour les détails → p. 203.

Note : prescrit sur ordonnance médicale.

OXYDE MERCURIQUE JAUNE (Chauvin)

Introd. en 1980. Non remb. SS.

Préparations : pommade ophtalmique à 1%.

Emploi : traitement des infections des paupières (blépharites).

Note : vendu sans ordonnance; à éviter sans avis médical.

OXYPÉROL® (Lemoine)

Introd. en 1973. Remb. SS 40%.

PRINCIPES ACTIFS : crème contenant du baume du Pérou, oxyde de zinc, huile d'amande douce, eau de chaux.

Emploi : proposé dans les gerçures, engelures, plaies et brûlures superficielles.

Effets indésirables possibles: réactions allergiques, eczéma de contact.

Note : vendu sans ordonnance; des principes actifs moins allergisants sont actuellement disponibles.

OXYPLASTINE® (Parke-Davis)

Introd. en 1936. Remb. SS 40%.

PRINCIPES ACTIFS : pommade contenant oxyde de zinc et baume du Pérou.

Emploi : protection de la peau.

Effets indésirables possibles: réactions allergiques, eczéma de contact (allergie au baume du Pérou).

OXY-THYMOLINE® (Meyer)

Introd. en 1919. Non remb. SS.

PRINCIPES ACTIFS : solution pour application locale et collutoire contenant du thymol, phénol, hydrate de chloral et extrait de ratanhia.

Emploi : proposé dans le «mal de gorge» de l'adulte sans fièvre.

Durée du traitement : ne pas utiliser pendant plus de 5 jours sans avis médical.

Note : vendu sans ordonnance; des principes actifs plus efficaces sont actuellement disponibles.

OXYTHYOL® (Lab. du Praticien)

Introd. en 1987. Remb. SS 40%.

PRINCIPES ACTIFS: pâte pour application locale contenant amidon, oxyde de zinc, ichthyolammonium, vaseline, lanoline.

Emploi : inflammations de la peau, brûlures au premier degré.
Note : *vendu sans ordonnance; consultez votre médecin si les lésions persistent.*

OZOTHINE® (S.C.A.T.)

Introd. en 1949. Remb. SS 40%.
PRINCIPES ACTIFS :
– sirop : codéthyline (antitussif opiacé) et produits oxydés de l'essence de térébenthine;
– suppositoires et solution injectable : produits oxydés de l'essence de térébenthine.
Emploi : proposé dans les affections des voies respiratoires.
Précautions (sirop) : ne pas utiliser en cas de
– asthme, insuffisance respiratoire (la diminution de la toux cause l'accumulation de mucosités dans les voies respiratoires);
– maladie du foie (l'élimination de la codéine est diminuée en cas d'insuffisance hépatique);
– ulcère gastro-duodénal évolutif;
– grossesse (innocuité non établie), allaitement;
– enfants âgés de moins de 5 ans.
Durée du traitement : si la toux persiste après une semaine, si des crachats sanglants ou des effets indésirables apparaissent, arrêtez le traitement et consultez votre médecin.
Alcool (sirop) : évitez les boissons alcoolisées pendant le traitement par le sirop (majoration de l'effet sédatif).
Sujets âgés (sirop) : risque accru d'effets indésirables; doses réduites de moitié.
Conduite de véhicules : le sirop peut diminuer la vigilance; la conduite de véhicules ou l'utilisation de machines peut être dangereuse.
Sportifs (sirop) : ce médicament peut donner une réaction positive en cas de tests pratiqués lors des contrôles antidopage.
Effets indésirables possibles (sirop) : somnolence, sécheresse de la bouche, confusion, nausées, vomissements, crises d'asthme (bronchospasme), constipation, éruption cutanée (réaction allergique : arrêtez le traitement).
Note : *vendu sans ordonnance; l'efficacité de la codéthyline (sirop) est généralement reconnue, mais les autres composants ont peu d'intérêt dans l'emploi proposé.*

OZOTHINE® à la diprophylline (S.C.A.T.)

Introd. en 1955. Remb. SS 40%.
PRINCIPES ACTIFS : comprimés, suppositoires et solution injectable contenant de la diprophylline (dérivé de la théophylline) et des produits oxydés de l'essence de thérébenthine;
Emploi : proposé dans l'asthme.
Note : *vendu sans ordonnance; à éviter en automédication; des principes actifs plus efficaces sont actuellement disponibles.*

P

PABASUN® (Gallier)

Introd. en 1987. Non remb. SS.
PRINCIPE ACTIF : **Acide para-amino-benzoïque.**
SYNONYME : PABA.
MÉDICAMENT ANALOGUE : Paraminan®.
Préparations : comprimés à 500 mg.
Emploi : proposé dans la prévention et le traitement des irritation de la peau exposée au soleil (allergies au soleil ou lucites); le médicament est pris par voie orale à la dose de 6 comprimés par jour en trois prises (2 comprimés le matin, 2 à midi et 2 le soir); le traitement doit commencer 15 jours avant le début de l'exposition solaire et se poursuivre jusqu'à l'installation d'une réaction protectrice de l'épiderme (bronzage).
Proposé dans les vitiligos (dépigmentation) en traitement prolongé à la dose de 6 comprimés par jour en 3 prises. Ce médicament n'empêche pas les coups de soleil.
Effets indésirables possibles : urticaire.
Note : *vendu sans ordonnance; à éviter sans avis médical dans les vitiligos.*

PADÉRYL® (Gerda)

Introd. en 1942. Remb. SS 40%.
PRINCIPES ACTIFS : comprimés et sirop contenant :
– codéine : antitussif opiacé;
– papavérine : spasmolytique;
– belladone, jusquiame : atropiniques;
– cinnamavérine, extrait de hysope [comprimés] ou gui [sirop].
Emploi : toux irritative, sèche.

Précautions : ne pas utiliser en cas de
– asthme, insuffisance respiratoire (la
diminution de la toux cause l'accumulation de mucosités dans les voies
respiratoires);
– maladie du foie;
– hypertrophie de la prostate;
– glaucome à angle fermé;
– grossesse, allaitement;
– enfants âgés de moins de 15 ans.
Durée du traitement : si la toux persiste
après une semaine, si des crachats
sanglants ou des effets indésirables
apparaissent, arrêtez le traitement et
consultez votre médecin.
Alcool : évitez les boissons alcoolisées
pendant le traitement.
Conduite de véhicules : ce médicament
peut diminuer la vigilance; la conduite
de véhicules ou l'utilisation de machines peut être dangereuse.
Effets indésirables possibles : somnolence, sécheresse de la bouche, confusion, nausées, vomissements, crises
d'asthme, constipation, éruption cutanée (réaction allergique : arrêtez
immédiatement le traitement), difficulté à respirer ou à uriner (chez le
sujet âgé).
*Note : vendu sans ordonnance; l'efficacité
de la codéine est généralement reconnue,
mais les autres composants ont peu
d'intérêt dans l'emploi proposé.*

PAIN RAMET® acide (Lab. CS)

Introd. en 1948. Non remb. SS.
PRINCIPES ACTIFS : pain dermatologique
contenant des sulfates de cuivre et de
zinc, camphre et essence de romarin.
Emploi : acné juvénile, eczéma.
Précautions : ne pas utiliser chez l'enfant de moins de 30 mois.
*Note : vendu sans ordonnance; des médi-
caments plus efficaces sont actuellement
disponibles pour traiter l'acné.*

PALFIUM® (Delalande)

Introd. en 1957. Remb. SS 70%.
Stupéfiants (règle des 7 jours).
PRINCIPE ACTIF : ***Dextromoramide***.
Préparations : comprimés à 5 mg (base);
ampoules injectables à 5 mg/1 ml.
Emploi : substance synthétique appartenant au groupe des analgésiques
morphiniques; à la suite d'adminis-
trations répétées, ces médicaments
peuvent provoquer une *dépendance*
physique et psychique qui s'accom-

pagne, à l'arrêt de l'administration,
d'un *syndrome de sevrage;* chez la
plupart des patients, l'emploi pendant
une courte période pour soulager la
douleur ne cause pas de dépendance
et l'arrêt ne pose aucun problème.
La dextromoramide est utilisée par
voie buccale ou en injections dans les
douleurs intenses et rebelles aux
analgésiques périphériques, notamment les douleurs post-opératoire ou
post-traumatiques, les douleurs de
l'infarctus du myocarde, celles d'origine cancéreuse et la colique néphrétique ou biliaire (associer un
antispasmodique); elle ralentit la
fréquence cardiaque (effet bradycar-
disant) et abaisse la tension artérielle
(effet hypotenseur).
Pour les détails → Morphine, p. 444.
Note : prescrit sur ordonnance médicale.

PALMI GLOBULES®
(Médecine Végétale)

Introd. en 1913. Non remb. SS.
PRINCIPES ACTIFS : comprimés contenant
de la méthénamine (antiseptique
urinaire), salol, extraits de gentiane,
combretum, boldo, buchu, busserole.
Emploi : troubles de la digestion.
Précautions : ne pas employer en cas
de maladie cœliaque par intolérance
au gluten ou d'obstruction des voies
biliaires; consultez votre médecin en
cas de douleurs ou crampes abdominales d'origine indéterminée, de selles
noires, d'amaigrissement, d'urines
foncées, de douleurs de la région du
foie, de jaunisse.
*Note : vendu sans ordonnance; la mé-
thénamine et les autres composants ont
peu d'intérêt dans l'emploi proposé.*

PALPIPAX® (Bouchard)

Introd. en 1967. Liste I. Remb. SS 70%.
PRINCIPES ACTIFS : comprimés contenant
– méprobamate (100 mg) : tranquillisant (Equanil®);
– extrait de valériane.
Emploi : le méprobamate est un tranquillisant utilisé pour traiter l'anxiété
et les contractures douloureuses; il
est proposé en association avec un
extrait de valériane pour traiter les
troubles de l'éréthisme cardiaque.
Pour les détails → Méprobamate.
Note : prescrit sur ordonnance médicale.

PALUDRINE® (Zeneca-Pharma)

Introd. en 1990. Non remb. SS.

PRINCIPE ACTIF : *Proguanil*.

SYNONYMES : chlorguanide, proguanide.

Préparations : comprimés à 100 mg.

Emploi : utilisé pour prévenir le paludisme
- chez les femmes enceintes et les sujets non immuns qui risquent d'être exposés;
- en association avec la chloroquine pour la prévention à court terme chez les voyageurs se rendant dans des régions où l'incidence de la résistance de *P. falciparum* à la chloroquine est faible; le médicament doit être pris au moins 24 avant l'arrivée dans la zone d'endémie.

Prise du médicament : on conseille de prendre la dose quotidienne avec un verre d'eau, après un repas, toujours à la même heure.

Précautions : il ne faut pas employer le proguanil dans les régions connues pour leur résistance au proguanil ou à la pyriméthamine, car une résistance croisée s'installe rapidement.
Utilisation très prudente en cas d'insuffisance rénale; on a signalé la présence de sang dans les urines (hématurie) à la suite d'un surdosage.

Grossesse : rien ne permet d'affirmer que le proguanil, appliqué aux doses recommandées, est dangereux pendant la grossesse; compte tenu de la vulnérabilité des femmes enceintes à l'égard du paludisme à falciparum, il faut l'employer à titre préventif partout où cette maladie est prévalente et susceptible d'y répondre, si l'on ne dispose pas de chloroquine, ou si celle-ci est inefficace.

Effets indésirables possibles : troubles digestifs, ulcérations buccales, occasionnellement perte des cheveux (alopécie), éruptions cutanées.

Note : médicament à utiliser sous contrôle médical.

PANADOL® (Sterling Midy)

Introd. en 1966. Non remb. SS.

PRINCIPES ACTIFS: comprimés contenant
- paracétamol 500 mg;
- sorbitol 100 mg.

Emploi : proposé pour atténuer la douleur modérée *(analgésique)* et pour faire tomber la fièvre *(antipyrétique)*.

Prise du médicament : ménagez un intervalle minimum de 4 heures entre deux prises.

Durée du traitement : consultez votre médecin si les douleurs persistent après 5 jours ou si la fièvre ou le mal de gorge ne régressent pas au bout de 3 jours.

Précautions : ce médicament ne doit pas être utilisé en cas d'insuffisance hépatique, d'insuffisance respiratoire, de déficit en glucose-6-phosphate déhydrogénase ou G6PD (enzyme du globule rouge), de grossesse, d'allaitement et chez l'enfant âgé de moins de 5 ans.

Effets indésirables possibles : respiration sifflante, éruption cutanée, jaunisse.

Intoxication : en cas d'ingestion massive, hospitalisation d'urgence.

Pour les détails → Paracétamol.

Note : vendu sans ordonnance; l'efficacité du paracétamol est généralement reconnue, mais le sorbitol a peu d'intérêt dans l'emploi proposé.

PANADOL® codéine
(Sterling Midy)

Introd. en 1987. Non remb. SS.

PRINCIPES ACTIFS: comprimés contenant
- paracétamol : analgésique à action périphérique et antipyrétique;
- codéine : analgésique central.

Emploi : proposé pour atténuer la douleur modérée *(analgésique)* et pour faire tomber la fièvre *(antipyrétique)*.

Posologie (adulte) : 1-2 comprimés 1-3 fois par jour.

Durée du traitement : consultez votre médecin si les douleurs persistent après 5 jours ou si la fièvre ou le mal de gorge ne régressent pas au bout de 3 jours.

Précautions : ce médicament ne doit pas être utilisé en cas d'insuffisance hépatique, d'insuffisance respiratoire, de déficit en G6PD (anomalie familiale), de grossesse, d'allaitement et chez l'enfant âgé de moins de 15 ans; évitez l'association avec l'alcool, les tranquillisants et les somnifères.

Conduite de véhicules : ce médicament peut diminuer la vigilance; la conduite de véhicules ou l'utilisation de machines peut être dangereuse.

Sportifs : ce médicament peut donner une réaction positive en cas de tests pour contrôle antidopage.

Effets indésirables possibles : somnolence, vertiges, constipation, nausées, respiration sifflante, éruption cutanée, jaunisse.

Note : *vendu sans ordonnance ; l'efficacité des principes actifs est généralement reconnue dans l'emploi proposé.*

PANCRÉAL® Kirchner (Iderne)

Introd. en 1934. Remb. SS 40%.

PRINCIPES ACTIFS : comprimés contenant un extrait de pancréas de porc, diastase de malt, cellulase fongique et papaïne.

Emploi : proposé dans les troubles digestifs (dyspepsies) avec ballonnements, aérophagie.

Précautions : consultez votre médecin si les troubles persistent et en cas de douleurs ou crampes abdominales, de selles noires, d'amaigrissement, de fièvre.

Effets indésirables possibles : nausées, crampes abdominales, vomissements, diarrhées chez les sujets hypersensibles aux extraits pancréatiques de porc ; constipation en cas de surdosage.

Note : *vendu sans ordonnance ; à éviter en automédication (les enzymes pancréatiques ne sont utiles qu'en cas d'insuffisance pancréatique qui ne peut être diagnostiquée que par votre médecin).*

PANCRÉLASE® (Byk)

Introd. en 1961. Remb. SS 40%.

PRINCIPES ACTIFS : comprimés contenant de la poudre de pancréas de porc, pancréatine, cellulase fongique, tanin.

Emploi : proposé dans les troubles digestifs (dyspepsies).

Précautions : ne pas employer en cas de pancréatite (inflammation du pancréas), d'allergie à la viande de porc ; l'emploi est déconseillé en cas de grossesse (innocuité non établie) et d'allaitement ; consultez votre médecin si les troubles persistent et en cas de crampes abdominales, de selles noires, d'amaigrissement.

Effets indésirables possibles : nausées, crampes abdominales, vomissements, diarrhées chez les sujets hypersensibles aux extraits pancréatiques de porc ; constipation (surdosage).

Note : *vendu sans ordonnance ; à éviter en automédication (les enzymes pancréatiques ne sont utiles qu'en cas d'insuffisance pancréatique qui ne peut être diagnostiquée que par votre médecin).*

PANFUREX® (Bouchara)

Introd. en 1987. Liste II. Remb. SS 40%.

PRINCIPE ACTIF : **Nifuroxazide**.

Préparations : gélules à 100 mg ou 200 mg ; suspension buvable à 220 mg par cuillerée mesure.

Emploi : dérivé du nitrofurane proposé, en complément de la réhydratation, dans le traitement des diarrhées aiguës présumées d'origine bactérienne (sans selles sanglantes ou purulentes) ; en l'absence d'une altération de la muqueuse intestinale, ce médicament n'est pratiquement pas résorbé par le tube digestif.

Précautions : ne pas employer en cas d'allergie au produit ou à un autre dérivé du nitrofurane, de maladies intestinales chroniques, grossesse et allaitement (innocuité non établie).

Alcool : l'alcool peut provoquer un malaise, des bouffées de chaleur, une rougeur de la face et du cou, une accélération du pouls et d'autres troubles (effet «antabuse»).

Durée du traitement : la durée du traitement ne doit pas dépasser 7 jours ; si aucune amélioration ne se manifeste, on arrête le traitement après 3 jours.

Effets indésirables possibles prurit, éruption cutanée (réaction allergique : arrêtez immédiatement le traitement).

Note : *prescrit sur ordonnance médicale.*

PANNOGEL® (Schering)

Introd. en 1983. Liste II. Non remb. SS.

PRINCIPE ACTIF : **Peroxyde de benzoyle**.

Préparations : gel aqueux pour application locale à 5% ou à 10%.

Emploi : traitement de l'acné.

Pour les détails → Peroxyde de benzoyle.

Note : *prescrit sur ordonnance médicale.*

PANOTILE® (Zambon)

Introd. en 1977. Liste I. Remb. SS 40%.
PRINCIPES ACTIFS : solution auriculaire contenant de la polymyxine B (antibiotique), néomycine (antibiotique), fludrocortisone (corticoïde) et lidocaïne (anesthésique local).
Emploi : otites externes à tympan fermé (l'état du tympan doit être vérifié avant toute prescription).
Durée du traitement : maximum 10 jours.
Effets indésirables possibles : réactions allergiques à la néomycine ou à la polymyxine B.
Note : prescrit sur ordonnance médicale.

PANOXYL® (Stiefel)

Introd. en 1990. Liste II. Non remb. SS.
PRINCIPE ACTIF : *Peroxyde de benzoyle*.
Préparations : gel à 5% et à 10%; pain dermatologique à 10%.
Emploi : utilisé en application locale dans le traitement de l'acné.
Pour les détails → Peroxyde de benzoyle.
Note : prescrit sur ordonnance médicale.

PANSORAL® (Inava)

Introd. en 1982. Non remb. SS.
PRINCIPES ACTIFS : gel pour application buccale contenant du salicylate de choline et chlorure de cétalkonium (antiseptique local).
Emploi : proposé dans les gingivites et les aphtes.
Note : vendu sans ordonnance; ne pas utiliser pendant plus de 5 jours sans avis médical.

PANSPORINE® → Céphalosporines.

PANTESTONE® (Organon)

Introd. en 1988. Liste II. Remb. SS 70%.
PRINCIPE ACTIF : *Testostérone*.
Préparations : capsules à 40 mg.
Emploi : androgène ou hormone mâle naturelle d'origine testiculaire, actuellement préparée par synthèse, employée lorsque l'organisme est incapable de la sécréter en quantité suffisante soit chez l'homme adulte que chez le garçon à l'âge de la puberté; ce médicament est aussi utilisé pour traiter les proliférations cellulaires anormales au niveau du sein chez la femme (indication exceptionnelle) et proposé dans les états de dénutrition chez le sujet âgé, en association avec un régime riche en protéines.
Pour les détails → p. 31.
Note : prescrit sur ordonnance médicale.

PAPAÏNE® (DB Pharma)

Introd. en 1943. Non remb. SS.
PRINCIPE ACTIF : élixir et sirop contenant du suc de papayer (*Carica Papaya*).
Emploi : proposé dans les troubles digestifs (dyspepsie).
Précautions : consultez votre médecin si les troubles persistent et en cas de douleurs ou crampes abdominales, de selles noires, d'amaigrissement, de fièvre; ne pas utiliser chez l'enfant de moins de 15 ans en raison de la présence d'alcool (élixir).
Conduite de véhicules : ce médicament peut diminuer la vigilance à cause de la présence d'alcool (élixir); la conduite de véhicules ou l'utilisation de machines peut être dangereuse.
En cas de diabète : tenir compte de la teneur en sucre du produit.
Note : vendu sans ordonnance; ne pas utiliser pendant plus de 5 jours sans avis médical.

PAPS® (Richard)

Introd. en 1964. Remb. SS 70%.
PRINCIPES ACTIFS : poudre pour application locale contenant du soufre, undécylénate de zinc, gallate de bismuth, acide salicylique, oxyde de zinc, acide borique, menthol et camphre.
Emploi : proposé comme antiseptique et antiprurigineux.
Précautions : ne pas utiliser dans les eczémas aigus et chez le nourrisson.
Note : vendu sans ordonnance; ne pas utiliser pendant plus de 5 jours sans avis médical.

PARA PLUS® (S.C.A.T.)

Introd. en 1991. Non remb. SS.
PRINCIPES ACTIFS : solution pour application locale contenant malathion, perméthrine, butoxyde de pipéronyle.
Emploi : utilisé dans le traitement curatif des pédiculoses (poux).
Précautions : éviter le contact avec les yeux et les muqueuses; ne pas utiliser chez l'enfant de moins de 30 mois.

Conservation : ne pas laisser à la portée des enfants.
Note : *vendu sans ordonnance; efficacité généralement reconnue dans l'emploi proposé.*

PARA SPÉCIAL POUX®
(S.C.A.T.)

Introd. en 1977. Non remb. SS.
PRINCIPES ACTIFS : shampooing et lotion contenant de la dépalléthrine et butoxyde de pipéronyle.
Emploi : utilisé pour traiter les pédiculoses du cuir chevelu (poux).
Précautions : éviter le contact avec les yeux et les muqueuses.
Conservation : ne pas laisser à la portée des enfants.
Note : *vendu sans ordonnance; efficacité généralement reconnue dans l'emploi proposé.*

PARABOLAN® (Negma)

Introd. en 1980. Liste II. Non remb. SS.
PRINCIPE ACTIF : **Trenbolone**.
Préparations : ampoules injectables à 50 mg (base).
Emploi : médicament appartenant au groupe des anabolisants stéroïdiens qui sont des dérivés de l'hormone sexuelle mâle (testostérone) dont ils conservent une certaine activité; ces médicaments sont proposés, sans preuve d'efficacité, pour favoriser la reconstitution des muscles dans les états de dénutrition, notamment chez le sujet âgé en association avec un régime riche en protéines, dans les brûlures étendues, les escarres, les suites d'interventions chirurgicales, après immobilisation prolongée et certaines ostéoporoses.
Précautions, effets indésirables possibles → p. 31.
Note : *prescrit sur ordonnance médicale.*

PARACÉTAMOL

Remb. SS 70%.
SYNONYME : acétaminophène.
SPÉCIALITÉS :
Aféradol® (Oberlin).
Algodol® (P.P.D.H.).
Claradol ® (Nicholas).
Dafalgan® (Upsa).
Doliprane® (Théraplix).
Dolko® (Lucien).
Efferalgan® (Upsa).

Gynospasmine® (Delalande).
Malgis® (S.K. Beecham).
Panadol® (Sterling Midy) [+ sorbitol].
Paralyoc® (Farmalyoc).
PROPACÉTAMOL :
Pro-Dafalgan® (Upsa) [injectable].
Emploi : le paracétamol est utilisé
– pour soulager les douleurs d'intensité modérée (maux de tête, maux de dents, douleurs musculaires, rhumatismales, menstruelles, etc.); le paracétamol a une *action analgésique périphérique* sur les tissus, alors que les analgésiques à action centrale (morphiniques ou narcotiques) agissent sur le système nerveux central;
– pour abaisser la température (fièvre) par exemple en cas d'infections grippales : *action antipyrétique*.
Le paracétamol n'irrite pas l'estomac et peut remplacer l'aspirine en cas d'allergie, de maladies de l'estomac ou de traitement anticoagulant; cependant, le paracétamol ne possède pas les propriétés anti-inflammatoires de l'aspirine et des médicaments analogues, c'est-à-dire qu'il n'améliore pas la rougeur, la chaleur, la raideur et l'enflure des tissus provoqués par les processus rhumatismaux.
Durée d'action : jusqu'à 6 heures.
Allergie : informez votre médecin si vous avez déjà fait une réaction allergique ou inhabituelle à ce médicament.
Attention! le paracétamol est vendu sous plusieurs noms de spécialités et ce principe actif se trouve dans de nombreuses spécialités où il est associé à d'autres substances; en cas de doute, consultez votre pharmacien.
Etat de santé : vous devez informer votre médecin de toute affection susceptible de modifier les effets du médicament, notamment :
– maladies du foie ou des reins (risque accru d'effets indésirables en cas d'insuffisance hépatique ou rénale);
– anémie hémolytique;
– déficit en glucose-6-phosphate déshydrogénase ou G6PD (chez le sujet atteint de cette anomalie congénitale rare, le paracétamol peut provoquer une anémie hémolytique).
– alcoolisme chronique (risque accru d'effets indésirables hépatiques).
Grossesse et allaitement : il n'existe pas de contre-indication actuellement connue à l'utilisation de ce médicament; cependant, son innocuité n'a pas

été établie chez la femme enceinte, ni lors de l'allaitement.

Régime : si vous suivez un régime pauvre en sel, demandez à votre médecin si vous pouvez prendre les comprimés effervescents, riches en sel.

Interactions : certains médicaments ne doivent en aucun cas être associés; dans d'autres cas, l'association de deux médicaments peut demander un ajustement des doses ou d'autres précautions; par conséquent, il faut informer votre médecin si vous prenez ou avez pris récemment d'autres médicaments, notamment :
– spécialités contenant du paracétamol (évitez de prendre en même temps deux spécialités contenant du paracétamol);
– tétracyclines (le paracétamol en comprimés effervescents empêche la bonne résorption des tétracyclines);
– l'utilisation de paracétamol peut fausser le dosage de l'acide urique dans le sang et celui du glucose.

Prescription : ne dépassez pas la dose prescrite par votre médecin ou votre dentiste ou figurant dans les informations annexes au produit; si vous avez l'impression que l'efficacité du médicament est trop faible, n'augmentez pas la dose, mais consultez votre médecin.

Automédication : en cas d'automédication, lisez attentivement les informations annexes au produit; consultez votre médecin si les douleurs persistent après une semaine ou si la fièvre ou les douleurs ne régressent pas au bout de 3-4 jours.

Prise du médicament : ménagez un intervalle minimum de 4 heures entre deux prises.

Effets indésirables possibles :
– prurit, urticaire, éruptions cutanées, bouffissure des paupières et des lèvres, voix rauque, difficulté à respirer ou à avaler (réaction allergique: arrêtez le traitement);
– coloration jaune des yeux et de la peau, jaunisse;
– selles sanglantes ou noires, urines troubles ou rouges, tendance aux hémorragies (diminution du nombre des plaquettes dans le sang);
– fièvre, mal de gorge, augmentation de volume des ganglions du cou (diminution des globules blancs dans le sang);

– traitement prolongé : l'utilisation prolongée pendant des mois et des années, surtout lorsqu'elle est associée à l'utilisation d'autres médicaments contre la douleur, peut aboutir à l'insuffisance rénale grave et nécessiter la dialyse rénale.

Intoxication : l'intoxication aiguë se traduit par des nausées, vomissements, diarrhées, transpirations, pâleur, douleurs abdominal, puis, 1-2 jours après l'ingestion apparition d'un ictère; l'intoxication est particulièrement grave chez les alcooliques chroniques. Toute personne suspecte d'avoir pris des doses toxiques de paracétamol doit immédiatement être placée en milieu hospitalier, car il existe un antidote efficace (acétylcystéine) seulement s'il est donné dans les 24 heures qui suivent l'intoxication.

Spécialités contenant d'autres principes actifs associés : de très nombreuses spécialités contiennent le paracétamol associé à d'autres principes actifs dont il convient d'évaluer le risque propres d'effets indésirables; l'adjonction de vitamines n'ajoute rien aux effets thérapeutiques du paracétamol.

Note : *vendu sans ordonnance; efficacité généralement reconnue dans l'emploi proposé.*

PARAGRIPPE® (Boiron)

Introd. en 1943. Non remb. SS.
Préparations homéopathiques (comprimés ou globules) proposées dans la grippe.

PARALYOC® (Farmalyoc)

Introd. en 1988. Remb. SS 70%.
PRINCIPE ACTIF : *Paracétamol.*
Préparations : comprimés à 500 mg; lyophilisats à 50 mg, 125 mg ou 250 mg.
Emploi : → Paracétamol ci-dessus.

PARAMINAN® (Gallier)

Introd. en 1977. Non remb. SS.
PRINCIPE ACTIF : *Acide para-amino-benzoïque.*
SYNONYME : PABA.
MÉDICAMENT ANALOGUE : Pabasun®.
Préparations : comprimés à 500 mg.

Emploi : proposé dans la prévention et le traitement des irritations de la peau exposée au soleil (allergies au soleil ou lucites); le médicament est pris par voie orale à la dose de 6 comprimés par jour en trois prises (2 comprimés le matin, 2 à midi et 2 le soir); le traitement doit commencer 15 jours avant le début de l'exposition solaire et se poursuivre jusqu'à l'installation d'une réaction protectrice de l'épiderme (bronzage).

Proposé dans les vitiligos (dépigmentation) en traitement prolongé à la dose de 4 comprimés par jour. Ce médicament n'empêche pas les coups de soleil.

Effets indésirables possibles : urticaire (arrêtez le traitement).

Note : vendu sans ordonnance; à éviter sans avis médical.

PARANICO® (Elerté)

Introd. en 1959. Non remb. SS.

PRINCIPES ACTIFS: comprimés contenant de la nicotinamide, ascorbate de quinine et thiamine (vitamine B1).

Emploi : désaccoutumance du tabac.

Précautions : ne pas employer en cas d'intolérance à la quinine, de grossesse, de myasthénie.

Effets indésirables possibles : vertiges, bourdonnements d'oreilles, surdité, vision trouble, éruptions cutanées (réaction allergique : arrêtez immédiatement le traitement); anémie, tendance aux hémorragies (diminution du nombre de plaquettes dans le sang).

Note : vendu sans ordonnance; efficacité des principes actifs à confirmer dans l'emploi proposé.

PARAPLATINE®
(Bristol-Myers Squibb)

Introd. en 1989. Liste I.

PRINCIPE ACTIF : **Carboplatine**.

Préparations : solution injectable en flacons à 50 mg, 150 mg ou 450 mg.

Emploi : médicament dérivé du platine utilisé pour traiter les proliférations cellulaires anormales au niveau de l'ovaire ou du poumon et d'autres tumeurs; comme les autres médicaments de ce type il détruit non seulement les cellules anormales mais aussi d'autres cellules, ce qui peut entraîner des effets indésirables parfois graves; médicament utilisé sous surveillance médicale stricte.

Note : réservé aux hôpitaux.

PARAPSYLLIUM® (Medgenix)

Introd. en 1989. Remb. SS 40%.

PRINCIPES ACTIFS : poudre pour suspension buvable contenant du psyllium *(Plantago ovata)*, paraffine liquide microencapsulée, gélatine, terre silicieuse, acide sorbique, sorbitol.

Emploi : proposé dans la constipation.

Durée du traitement : ne doit pas dépasser quelques jours.

Précautions : ne pas employer en cas de traitement anticoagulant, d'occlusion intestinale ou de douleurs abdominales de cause inconnue; consultez votre médecin si la constipation persiste ou en cas de selles noires ou de présence de sang dans les selles.

Effets indésirables possibles : diminution de l'absorption de certains médicaments, notamment des anticoagulants oraux et des vitamines liposolubles (A, D, E et K).

Note : vendu sans ordonnance; à éviter en automédication .

PARASIDOSE® (Gilbert)

Introd. en 1988. Non remb. SS.

PRINCIPES ACTIFS :
– lotion contenant de la bioalléthrine et butoxyde de pipéronyle;
– shampooing contenant de la D-phénothrine.

Emploi : pédiculoses (poux).

Précautions : éviter le contact avec les yeux et les muqueuses.

Conservation : ne pas laisser à la portée des enfants.

Note : vendu sans ordonnance; efficacité généralement reconnue dans l'emploi proposé.

PARÉGORIQUE (Lafran)

Introd. en 1922. Liste II. Remb. SS 40%.

PRINCIPES ACTIFS: comprimés contenant poudre d'opium (5 mg), acide benzoïque, camphre et essence d'anis.

Emploi : utilisé comme antidiarrhéique.

Précautions : ne pas utiliser chez l'enfant de moins de 30 mois et en cas de rectocolite hémorragique; usage prudent chez le sujet âgé; ne pas utiliser en cas de douleurs ou de crampes abdominales d'origine indéterminée, de selles noires, d'amaigrissement, de jaunisse; consultez votre médecin si la diarrhée persiste après 48 heures, si des glaires et du sang apparaissent dans les selles; dans les diarrhées d'origine infectieuse dues à des bactéries ou à des protozoaires, des traitements spécifiques sont parfois indispensables; en outre, surtout chez l'enfant, la déshydratation qui accompagne toute diarrhée aiguë demande avant tout une réhydratation par voie orale ou par injection dans les cas graves.

Effets indésirables possibles : possibilité d'apparition d'une dépendance en cas de traitement prolongé.

Note : prescrit sur ordonnance médicale.

PARFENAC® (Lederle)

Introd. en 1974 . Remb. SS 40%.

PRINCIPE ACTIF : **Bufexamac.**

Préparations : crème à 5%.

Emploi : proposé comme anti-inflammatoire local pour traiter la douleur dans les tendinites, arthrites des petites articulations, entorses, contusions, phlébites et dans d'autres conditions.

Précautions : ne pas appliquer sur des plaies ouvertes (coupures, écorchures, etc.) ou sur de grandes surfaces; ne pas employer pendant la grossesse et l'allaitement.

Effets indésirables possibles : sécheresse de la peau, brûlures, rougeur; les réactions allergiques sous forme d'urticaire sont rares (interrompre le traitement).

Note : vendu sans ordonnance; consultez votre médecin si les douleurs persistent.

PARGINE® (Sarget)

Introd. en 1986. Non remb. SS.

PRINCIPE ACTIF : **Arginine.**

Préparations : solution buvable en ampoules à 5 g (sous forme d'aspartate de L-arginine).

Emploi : acide aminé proposé dans les retards de croissance de l'enfant dus à un déficit de l'hormone de croissance (dont le diagnostic demande un examen médical).

Note : vendu sans ordonnance; efficacité du principe actif à confirmer dans l'emploi proposé.

PARKINANE LP® (Lederle)

Introd. en 1976. Liste I. Remb. SS 70%.

PRINCIPE ACTIF : **Trihexyphénidyle.**

Préparations : gélules à libération prolongée à 2 mg ou 5 mg.

Emploi : médicament utilisé dans le traitement de la maladie de Parkinson (paralysie agitante) pour réduire le tremblement et la rigidité musculaire; il est employé seul dans les formes débutantes de la maladie ou en association avec la lévodopa dans les formes plus avancées; il est aussi utilisé pour contrôler le torticolis spasmodique, les mouvements involontaires des yeux et les symptômes de maladie de Parkinson observés au début du traitement par les neuroleptiques (dyskinésies «précoces»).

Pour les détails → p. 52.

Note : prescrit sur ordonnance médicale.

PARKIPAN® (L'Arguenon)

Introd. en 1945. Non remb. SS.

PRINCIPES ACTIFS :
– solution pour application locale contenant du bleu de trypan;
– pommade contenant du bleu de trypan, amyléine (anesthésique local), et oxyde de titane.

Emploi : antiseptique local.

Note : vendu sans ordonnance; des antiseptiques plus efficaces sont actuellement disponibles.

PARLAX® (Soekami-Lefrancq)

Introd. en 1920. Non remb. SS.

PRINCIPES ACTIFS : huile de paraffine (huile de vaseline).

Parlax® «composé» : contient en plus huile d'olive et passiflore.

Emploi : huile minérale non résorbée par le tube digestif, lubrifiant le contenu colique et ramollissant les selles.

Durée du traitement : ne pas dépasser quelques jours.

Précautions : ne pas employer en cas de traitement anticoagulant, d'occlusion intestinale ou de douleurs abdominales de cause inconnue; consultez votre médecin si la constipation persiste ou en cas de selles noires ou de présence de sang dans les selles.

Effets indésirables possibles : suintement anal, risque de pneumopathie par inhalation en cas de régurgitations chez les sujets inconscients, les patients âgés alités ou les enfants âgés de moins de 3 ans; diminution de l'absorption de certains médicaments, notamment des anticoagulants dérivés de la coumarine, et des vitamines liposolubles (A, D, E, K).

Note : *vendu sans ordonnance; à éviter sans avis médical à cause du risque d'effets indésirables.*

PARLODEL® (Sandoz)

Introd. en 1978. Liste I. Remb. SS 70%.
Principe actif : **Bromocriptine**.

Préparations : comprimés à 2,5 mg; gélules à 5 mg ou 10 mg.

Emploi : alcaloïde de l'ergot de seigle diminuant la sécrétion par l'hypophyse d'une hormone appelée *prolactine* dont l'excès stimule la sécrétion de lait en dehors de la période de lactation (galactorrhée), l'absence de règles (aménorrhée) et une stérilité; la bromocriptine est utilisée pour traiter ces troubles ainsi que pour arrêter la lactation après l'accouchement (comprimés à 2,5 mg); en outre, la bromocriptine est utilisée dans la maladie de Parkinson où elle stimule directement la libération de dopamine par les récepteurs spécifiques et pallie la déplétion en dopamine qui caractérise cette maladie.

Précautions : ne pas employer en cas d'allergie aux dérivés de l'ergot de seigle, d'ulcère gastroduodénal en évolution, de maladie hépatique (accumulation dans le sang en cas d'insuffisance hépatique), d'hypertension, de toxémie gravidique.

Grossesse : la bromocriptine n'est pas conseillée chez la femme enceinte ou susceptible de l'être; en effet, il a causé des malformations du fœtus au cours de l'expérimentation animale; si une grossesse (diagnostic biologique positif) survient au cours du traitement, on conseille d'arrêter l'administration de bromocriptine.

Allaitement : la bromocriptine bloque la sécrétion du lait.

Interactions : il faut informer votre médecin si vous prenez ou avez pris récemment d'autres médicaments, notamment : estrogènes, progestatifs, «pilule» contraceptive, érythromycine et josamycine (augmentation du taux plasmatique de la bromocriptine).

Prise du médicament : pour améliorer la tolérance digestive, prenez le médicament au milieu des repas.

Délai d'action : l'action du médicament ne se manifeste qu'après plusieurs semaines; n'arrêtez pas le traitement ou n'augmentez pas les doses sans consulter votre médecin.

Alcool : la consommation d'alcool est formellement déconseillée; il peut provoquer un malaise, des bouffées de chaleur, une rougeur de la face et du cou, une accélération du pouls et d'autres troubles (effet «antabuse»).

En cas de maladie de Parkinson : si vous avez une maladie de Parkinson et passez de la lévodopa à la bromocriptine, consultez votre médecin sur le passage progressif d'un médicament à l'autre.

En cas de stérilité : si, après examen gynécologique, ophtalmologique et radiologique de l'hypophyse, vous utilisez la bromocriptine pour traiter une stérilité due à un excès de prolactine, une grossesse peut survenir à la suite du traitement; dans ce cas, consultez votre médecin sur l'arrêt éventuel du traitement.

En cas d'excès de prolactine : si vous utilisez la bromocriptine pour traiter d'autres troubles liés à un excès de prolactine, notamment un syndrome aménorrhée-galactorrhée, et si une grossesse n'est pas désirée, recourez à une contraception locale pendant toute la durée du traitement, en évitant la contraception hormonale.

Conduite de véhicules : chez certains sujets, ce médicament provoque des vertiges ou diminue la vigilance; la conduite de véhicules ou l'utilisation de machines peut être dangereuse.

Effets indésirables possibles :
– troubles digestifs, vertiges, évanouissement lorsque vous vous levez brusquement (hypotension orthostatique), maux de tête, bouffées de chaleur, transpirations, somnolence, sécheresse de la bouche, constipation, pâleur des extrémités;
– troubles visuels, mal de tête subit et intense; difficulté à respirer;
– nausées, vomissements;
– selles noires;
– effets indésirables observés chez les sujets traités pour la maladie de Parkinson : excitation, confusion, hallucinations, mouvements involontaires

inhabituels et épanchement pleural (en cas de traitement prolongé); un effet indésirable grave, observé en cas de traitement prolongé avec des doses élevées, est appelé «fibrose rétropéritonéale» qui se traduit par des douleurs lombaires, chevilles enflées (œdèmes) et une altération de la fonction rénale.

Intoxication : nausées, vomissements, vertiges, chute de la tension artérielle, transpirations, hallucinations.

Note : prescrit sur ordonnance médicale.

PASSÉDYL® (Fournier)

Introd. en 1977. Non remb. SS.

PRINCIPES ACTIFS : sirop pour enfants contenant du sulfogaïacol, benzoate de sodium, teinture de droséra, grindélia, extraits de tolu, polygala, terpine, fleur d'oranger.

Emploi : proposé dans les troubles des sécrétions bronchiques.

Note : vendu sans ordonnance; ne pas utiliser pendant plus de 5 jours sans avis médical.

PASSIFLORA GHL® (Lehning)

Introd. en 1984. Non remb. SS.

Préparation homéopathique (gouttes) proposée dans les insomnies.

PASSIFLORINE® (Parke-Davis)

Introd. en 1920. Remb. SS 70%.

PRINCIPES ACTIFS : solution buvable contenant des extraits de passiflore et teinture d'aubépine.

Emploi : proposé comme tranquillisant dans la nervosité, les palpitations et les troubles mineurs du sommeil.

Note : vendu sans ordonnance; consultez votre médecin si les troubles persistent.

PASSINÉVRYL® (Gallier)

Introd. en 1957. Non remb. SS.

PRINCIPES ACTIFS : comprimés contenant des extraits de passiflore, saule, aubépine, valériane.

Emploi : proposé comme tranquillisant dans la nervosité, les palpitations et les troubles mineurs du sommeil.

Note : vendu sans ordonnance; consultez votre médecin si les troubles persistent.

PASTABA® (Monal)

Introd. en 1952. Non remb. SS.

PRINCIPES ACTIFS : comprimés contenant du protéinate d'argent, hydrate de magnésium, chlorate de potassium, benzoate de sodium.

Emploi : désaccoutumance du tabac.

Effets indésirables possibles : en cas de traitement prolongé, risque de dépôts d'argent avec coloration bleuâtre de la peau et des muqueuses.

Note : vendu sans ordonnance; efficacité des principes actifs à confirmer dans l'emploi proposé.

PAST AIL® (Médecine Végétale)

Introd. en 1956. Non remb. SS.

PRINCIPE ACTIF : comprimés contenant un extrait d'ail.

Emploi : proposé dans les troubles de la circulation et la fragilité capillaire.

Note : vendu sans ordonnance; efficacité du principe actif à confirmer dans l'emploi proposé.

PASTILLES ALMA®
(Gifrer Barbezat)

PRINCIPES ACTIFS : pastilles contenant du menthol, anis, terpinol, et réglisse.

Emploi : proposé dans les irritations de la bouche et de la gorge.

Note : vendu sans ordonnance; ne pas utiliser pendant plus de 5 jours sans avis médical.

PASTILLES JESSEL® (Jessel)

Introd. en 1932. Non remb. SS.

PRINCIPES ACTIFS : pastilles contenant rétinol (vitamine A), ergocalciférol (vitamine D2), fer réduit, phosphure de zinc, sulfate de strychnine et de berbérine.

Emploi : proposé dans le traitement des anémies, du rachitisme, des troubles de la croissance et de la nutrition (ces affections ne peuvent être diagnostiquées que par votre médecin).

Note : vendu sans ordonnance; médicament à éviter du fait de la présence de strychnine; en outre, la présence de fer peut masquer un saignement chronique.

PASTILLES M.B.C.® (Monal)

Introd. en 1949. Non remb. SS.

PRINCIPES ACTIFS : pastilles contenant du menthol, amyléine, procaïne, borate et chlorate de sodium.

Emploi : anesthésique et antiseptique buccal proposé dans le «mal de gorge» de l'adulte sans fièvre.

Note : *vendu sans ordonnance; ne pas utiliser pendant plus de 5 jours sans avis médical.*

PASTILLES MONLÉON®
(Toulade)

Introd. en 1950. Non remb. SS.

PRINCIPES ACTIFS : pastilles contenant du méthylthioninium (bleu de méthylène), baume de tolu, teinture de droséra, aconit, hamamélis, ipéca.

Emploi : proposé dans les affections buccales, la toux, les pharyngites et les bronchites.

Précautions : ne pas employer chez l'enfant de moins de 3 ans.

Note : *vendu sans ordonnance; ne pas utiliser pendant plus de 5 jours sans avis médical.*

PÂTE À L'EAU Roche-Posay®

Introd. en 1937. Non remb. SS.

PRINCIPES ACTIFS : pâte pour application locale contenant des oxydes de zinc et de titane, borate de sodium, silicate d'aluminium, acide salicylique, talc, glycérol, eau de la Roche-Posay.

Emploi : proposé dans les eczémas.

Précautions : ne pas utiliser chez l'enfant de moins de 30 mois.

Effets indésirables possibles : le borate de sodium peut entraîner une réaction cutanée parfois grave chez le nourrisson.

Note : *vendu sans ordonnance; à éviter sans avis médical.*

PATENTEX® (Lab. CCD)

Introd. en 1985. Non remb. SS.

PRINCIPE ACTIF : *Nonoxinol*.

Préparations : ovules à 75 mg .

Propriétés : contraceptif local qui abaisse la tension superficielle de la membrane lipidique des spermatozoïdes dont tout mouvement est bloqué de manière irréversible (action spermicide).

Emploi : l'ovule peut être introduit jusqu'à une heure avant le rapport. Le délai d'action est d'environ 10 minutes et la durée d'action varie de 2 heures à 10 heures. Pas de lavage ni injection vaginale 12 heures avant et dans 2 heures suivant les rapports.

Note : *vendu sans ordonnance; efficacité généralement reconnue dans l'emploi proposé.*

PÂTES PECTORALES
(Oberlin)

Introd. en 1983. Non remb. SS.

PRINCIPES ACTIFS : pâte à sucer contenant de la codéine (antitussif opiacé), baume de tolu et laurier-cerise.

Emploi : proposé pour calmer la toux irritative, sèche.

Précautions : ne pas utiliser en cas de
– asthme, insuffisance respiratoire (la diminution de la toux cause l'accumulation de mucosités dans les voies respiratoires);
– maladie du foie (l'élimination de la codéine et de la codéthyline est diminuée);
– ulcère gastro-duodénal évolutif;
– grossesse (innocuité non établie), allaitement;
– enfants âgés de moins de 30 mois.

Durée du traitement : si la toux persiste après une semaine, si des crachats sanglants ou des effets indésirables apparaissent, arrêtez le traitement et consultez votre médecin.

Alcool : évitez les boissons alcoolisées pendant le traitement.

Sujets âgés : risque accru d'effets indésirables; doses réduites de moitié.

Conduite de véhicules : ce médicament peut diminuer la vigilance; la conduite de véhicules ou l'utilisation de machines peut être dangereuse.

Sportifs : ce médicament peut donner une réaction positive en cas de tests pour contrôle antidopage.

Effets indésirables possibles : somnolence, sécheresse de la bouche, confusion, nausées, vomissements, crises d'asthme, constipation, éruption cutanée (réaction allergique : arrêtez immédiatement le traitement).

Note : *vendu sans ordonnance; l'efficacité de la codéine est généralement reconnue, mais les autres composants ont peu d'intérêt dans l'emploi proposé.*

PAUSERIL® (Wyeth)

Introd. en 1982. Liste I. Non remb. SS.

PRINCIPES ACTIFS: comprimés contenant de l'éthinylestradiol (jaune orange) et de l'éthinylestradiol + lévonorgestrel (jaunes).

Emploi : association d'un estrogène (éthinylestradiol) et d'un progestatif (lévonorgestrel) utilisée sous surveillance médicale dans les troubles de la ménopause installée ou apparue depuis moins d'un an; interrompre le traitement en cas d'immobilisation prolongée.
Ce produit est un estroprogestatif «minidosé», non contraceptif.

Pour les détails → p. 266.

Note : prescrit sur ordonnance médicale.

PAXÉLADINE® (Beaufour)

Introd. en 1968. Remb. SS 40%.

PRINCIPE ACTIF : sirop et gélules contenant de l'oxéladine (antitussif agissant sur le système nerveux central).

Emploi : utilisé pour calmer la toux irritative, sèche.

Précautions : ne pas utiliser en cas de
– asthme, insuffisance respiratoire (la diminution de la toux cause l'accumulation de mucosités dans les voies respiratoires);
– grossesse, allaitement;
– enfants âgés de moins de 8 ans.

Durée du traitement : si la toux persiste après une semaine, si des crachats sanglants ou des effets indésirables apparaissent, arrêtez le traitement et consultez votre médecin.

Conduite de véhicules : ce médicament peut diminuer la vigilance; la conduite de véhicules ou l'utilisation de machines peut être dangereuse.

Alcool : à éviter pendant le traitement (majoration de l'effet sédatif).

Effets indésirables possibles : somnolence, nausées, vomissements, constipation.

Note : vendu sans ordonnance; l'efficacité de l'oxéladine est généralement reconnue dans l'emploi proposé.

PAXÉLADINE® Noctée (Beaufour)

Introd. en 1988. Remb. SS 40%.

PRINCIPES ACTIFS : sirop contenant :
– oxéladine : antitussif agissant sur le système nerveux central;

– prométhazine : dérivé de la phénothiazine antihistaminique, sédatif et atropinique (Phénergan®);

Emploi : utilisé pour calmer la toux irritative, sèche.

Précautions : ne pas utiliser en cas de
– asthme, insuffisance respiratoire (la diminution de la toux cause l'accumulation de mucosités dans les voies respiratoires);
– maladie du foie avec insuffisance hépatique;
– hypertrophie de la prostate;
– glaucome à angle fermé;
– grossesse, allaitement;
– enfants âgés de moins de 5 ans (risque d'arrêt respiratoire pendant le sommeil).

Durée du traitement : si la toux persiste après une semaine, si des crachats sanglants ou des effets indésirables apparaissent, arrêtez le traitement et consultez votre médecin.

Conduite de véhicules : ce médicament peut diminuer la vigilance; la conduite de véhicules ou l'utilisation de machines peut être dangereuse.

Alcool : évitez les boissons alcoolisées pendant le traitement (majoration de l'effet sédatif).

Effets indésirables possibles : somnolence, sécheresse de la bouche, du nez et de la gorge, troubles de la vision, accélération du pouls, palpitations, bouffées de chaleur, nausées, constipation, difficulté à uriner (chez les prostatiques), confusion mentale ou agitation (sujets âgés), excitation (surtout chez l'enfant), éruptions cutanées; mouvements involontaires de la bouche et du visage (dyskinésies).

Note : vendu sans ordonnance; l'efficacité de l'oxéladine est généralement reconnue, mais la prométhazine a peu d'intérêt dans l'emploi proposé.

PAXÈNE® (Amido)

PRINCIPES ACTIFS: comprimés contenant du phénobarbital et salicylate d'ésérine.

Emploi : proposé comme sédatif.

Note : vendu sans ordonnance; à éviter du fait de la présence de phénobarbital qui n'est pas recommandé en dehors du traitement de l'épilepsie.

PAXOM® (Synlab)

Introd. en 1980. Liste II. Remb. SS 40%.
PRINCIPE ACTIF : **Cobamamide**.
SYNONYMES : dibencozide.
Préparations : poudre pour solution injectable en flacons à 20 mg.
Emploi : coenzyme de la vitamine B12 proposé comme «antalgique» pour soulager les douleurs des névrites, polynévrites, névralgies, sciatiques etc.; l'efficacité n'a pas été confirmée en dehors des états de carence en vitamine B12.
Note : prescrit sur ordonnance médicale.

PECTIPAR® (Lab. CPF)

Introd. en 1992. Non remb. SS.
PRINCIPES ACTIFS : suspension buvable en sachets contenant 250 mg de teinture d'opium et 2,5 g de kaolin.
Emploi : proposé dans la diarrhée.
Précautions : ne pas utiliser chez l'enfant de moins de 15 ans ou en cas de rectocolite hémorragique; usage très prudent chez le sujet âgé; ne pas employer en cas de douleurs ou de crampes abdominales d'origine indéterminée, de selles noires, d'amaigrissement, de jaunisse; consultez votre médecin si la diarrhée persiste, si des glaires et du sang apparaissent dans les selles; dans les diarrhées d'origine infectieuse dues à des bactéries ou à des protozoaires, des traitements spécifiques sont parfois indispensables; en outre, surtout chez l'enfant, la déshydratation qui accompagne toute diarrhée aiguë demande avant tout une réhydratation par voie orale ou par injection dans les cas graves.
Effets indésirables possibles : constipation; possibilité d'apparition d'une dépendance en cas de traitement prolongé.
Note : vendu sans ordonnance; consultez votre médecin si la diarrhée persiste après 48 heures.

PECTO 6® (P. Fabre)

Introd. en 1971. Non remb. SS.
PRINCIPES ACTIFS :
– *sirop adultes* : codéine et codéthyline (antitussifs opiacés), sulfogaïacol, benzoate de sodium, teinture de droséra et d'aconit, eucalyptus et extrait de coquelicot;

– *sirop enfants* : codéine (antitussif opiacé), sulfogaïacol, teintures de belladone (atropinique) et d'aconit, benzoate de sodium.
Emploi : proposés pour calmer la toux irritative, sèche.
Précautions : ne pas utiliser en cas de
– asthme, insuffisance respiratoire (la diminution de la toux cause l'accumulation de mucosités dans les voies respiratoires);
– maladie du foie;
– grossesse, allaitement;
– enfants âgés de moins de 15 ans (de 3 ans pour la forme pour enfant).
Durée du traitement : si la toux persiste après une semaine, si des crachats sanglants ou des effets indésirables apparaissent, arrêtez le traitement et consultez votre médecin.
Alcool : évitez les boissons alcoolisées pendant le traitement (majoration de l'effet sédatif).
Sujets âgés : risque accru d'effets indésirables; doses réduites de moitié.
Conduite de véhicules : ce médicament peut diminuer la vigilance; la conduite de véhicules ou l'utilisation de machines peut être dangereuse.
Sportifs : ce médicament peut donner une réaction positive en cas de tests pour contrôle antidopage.
Effets indésirables possibles : somnolence, sécheresse de la bouche, confusion, nausées, vomissements, crises d'asthme, constipation, éruption cutanée (réaction allergique : arrêtez immédiatement le traitement).
Note : vendu sans ordonnance; l'efficacité des antitussifs opiacés (codéine, codéthyline) est généralement reconnue, mais les autres composants ont peu d'intérêt dans l'emploi proposé.

PECTOCALM® (Pharmastra)

PRINCIPES ACTIFS : suppositoires contenant de la codéine (antitussif opiacé), sulfogaïacol, benzoate de sodium, eau de laurier cerise.
Emploi : proposé pour calmer la toux irritative, sèche.
Pour les détails → Antitussifs opiacés.
Note : vendu sans ordonnance; l'efficacité de la codéine est généralement reconnue, mais les autres composants ont peu d'intérêt dans l'emploi proposé.

PECTOCINAL® (Aérocid)

PRINCIPES ACTIFS : amyléine, bromure de sodium, belladone, aconit, grindélia, eau de laurier rose, coquelicot, eau chloroformée, baume de tolu, glycérol.

Emploi : proposé pour calmer la toux.

Note : vendu sans ordonnance; des principes actifs plus efficaces sont actuellement disponibles.

PECTORAL EDULCOR®
(P. Fabre)

Introd. en 1942. Non remb. SS.

PRINCIPES ACTIFS : sirop contenant de la codéine (antitussif opiacé), du bromoforme, teintures de belladone (atropinique) et d'aconit, vanilline, saccharine.

Emploi : utilisé pour calmer la toux irritative, sèche.

Précautions : ne pas utiliser en cas de
– asthme, insuffisance respiratoire (la diminution de la toux cause l'accumulation de mucosités dans les voies respiratoires);
– maladie du foie;
– hypertrophie de la prostate;
– glaucome à angle fermé;
– grossesse (innocuité non établie), allaitement;
– enfants âgés de moins de 15 ans (moins de 30 mois pour la forme pour enfant).

Durée du traitement : si la toux persiste après une semaine, si des crachats sanglants ou des effets indésirables apparaissent, arrêtez le traitement et consultez votre médecin.

Alcool : à éviter pendant le traitement (majoration de l'effet sédatif).

Conduite de véhicules : ce médicament peut diminuer la vigilance; la conduite de véhicules ou l'utilisation de machines peut être dangereuse.

Effets indésirables possibles : somnolence, sécheresse de la bouche, confusion, nausées, vomissements, crises d'asthme, constipation, éruption cutanée (réaction allergique : arrêtez immédiatement le traitement), difficulté à respirer ou à uriner (chez le sujet âgé).

Note : vendu sans ordonnance; l'efficacité de la codéine est généralement reconnue, mais les autres composants ont peu d'intérêt dans l'emploi proposé.

PECTOSAN® (Lab. CPF)

Introd. en 1959. Remb. SS 40%.

PRINCIPES ACTIFS : sirop contenant de la codéthyline et pholcodine (antitussifs opiacés), sulfogaïacol, teinture de belladone (atropinique) et de polygala.

Emploi : utilisé pour calmer la toux irritative, sèche.

Précautions : ne pas utiliser en cas de
– asthme, insuffisance respiratoire (la diminution de la toux cause l'accumulation de mucosités dans les voies respiratoires);
– maladie du foie (l'élimination de la codéthyline est diminuée en cas d'insuffisance hépatique);
– hypertrophie de la prostate (risque d'aggravation de la difficulté à uriner);
– glaucome à angle fermé;
– grossesse, allaitement;
– enfants âgés de moins de 15 ans (moins de 30 mois pour la forme pour enfant).

Durée du traitement : si la toux persiste après une semaine, si des crachats sanglants ou des effets indésirables apparaissent, arrêtez le traitement et consultez votre médecin.

Alcool : évitez les boissons alcoolisées pendant le traitement (majoration de l'effet sédatif).

Conduite de véhicules : ce médicament peut diminuer la vigilance; la conduite de véhicules ou l'utilisation de machines peut être dangereuse.

Effets indésirables possibles : somnolence, sécheresse de la bouche, confusion, nausées, vomissements, crises d'asthme, constipation, éruption cutanée (réaction allergique : arrêtez immédiatement le traitement), difficulté à respirer ou à uriner (chez le sujet âgé).

Note : vendu sans ordonnance; l'efficacité des antitussifs opiacés (codéthyline, pholcodine) est généralement reconnue, mais les autres composants ont peu d'intérêt dans l'emploi proposé.

PECTOVOX®
(Soekami-Lefrancq)

Introd. en 1975. Non remb. SS.

PRINCIPES ACTIFS : pastilles contenant de la codéine (antitussif opiacé), bromoforme, extraits d'opium, de belladone (atropinique), teinture de grindélia et d'iris de Florence, baume de tolu.

Emploi : utilisé pour calmer la toux irritative, sèche.

Précautions : ne pas utiliser en cas de
- asthme, insuffisance respiratoire (la diminution de la toux cause l'accumulation de mucosités dans les voies respiratoires);
- maladie du foie;
- hypertrophie de la prostate;
- glaucome à angle fermé;
- grossesse (innocuité non établie), allaitement;
- enfants âgés de moins de 15 ans (moins de 30 mois pour la forme pour enfant).

Durée du traitement : si la toux persiste après une semaine, si des crachats sanglants ou des effets indésirables apparaissent, arrêtez le traitement et consultez votre médecin.

Alcool : évitez les boissons alcoolisées pendant le traitement (majoration de l'effet sédatif).

Conduite de véhicules : ce médicament peut diminuer la vigilance; la conduite de véhicules ou l'utilisation de machines peut être dangereuse dans ce cas.

Effets indésirables possibles : somnolence, sécheresse de la bouche, confusion, nausées, vomissements, crises d'asthme, constipation, éruption cutanée (réaction allergique : arrêtez immédiatement le traitement), difficulté à respirer ou à uriner (chez le sujet âgé).

Note : vendu sans ordonnance; l'efficacité de la codéine est généralement reconnue, mais les autres composants ont peu d'intérêt dans l'emploi proposé.

PÉDIAZOLE® (Abbott)

Introd. en 1988. Liste I. Remb. SS 70%.
PRINCIPES ACTIFS : granulé pour sirop contenant
- érythromycine (200 mg) : antibiotique macrolide;
- sulfafurazol (600 mg) : sulfamide.

Emploi : proposé pour traiter les otites moyennes aiguës de l'enfant.

Pour les détails → p. 415 et p. 649.
Note : prescrit sur ordonnance médicale.

PEDIMYCOSE® (Scholl)

Introd. en 1989. Non remb. SS.
PRINCIPE ACTIF : *Tolnaftate*.
Préparations : crème à 1%; lotion à 1%; poudre pour application locale à 0,5%.

Emploi : médicament appartenant au groupe des antifongiques locaux qui sont utilisés pour traiter les infections de la peau causées par des champignons ou des levures; il est utilisé pour traiter les dermatophytoses de la peau glabre et des orteils (pied d'athlète) et les teignes.

Précautions : ne pas appliquer sur une grande surface, une peau lésée et chez le nourrisson (risque d'absorption du produit) consultez votre médecin si les lésions ne s'améliorent pas.

Effets indésirables possibles: irritation locale, prurit, brûlures.

Note : vendu sans ordonnance; à éviter sans avis médical, sauf en cas de rechutes d'affections diagnostiquées antérieurement par votre médecin.

PÉFLACINE® (R. Bellon)

Introd. en 1985. Liste I. Remb. SS 70%.
PRINCIPE ACTIF : *Péfloxacine*.
Préparations : comprimés à 400 mg; *Péflacine monodose*® [2 comprimés à 400 mg enrobés]; solution injectable en ampoules à 400 mg dans 5 ml ou en pochés souples à 400 mg dans 125 ml (réservées aux hôpitaux).

Emploi : médicament appartenant au groupe des fluoroquinolones utilisé *en dose unique* est pour traiter
- la cystite essentielle de la femme à germes sensibles;
- l'urétrite gonococcique de l'homme.
La péfloxacine est aussi utilisée pour traiter d'autres infections, en particulier en milieu hospitalier.

Pour les détails → p. 290.
Note : prescrit sur ordonnance médicale.

PELVO MAGNÉSIUM®
(3M Santé)

Introd. en 1950. Non remb. SS.
PRINCIPES ACTIFS: comprimés contenant de l'hydrocarbonate de magnésium et extrait d'*Allium cepa*.

Emploi : proposé comme «décongestionnant pelvien».

Note : vendu sans ordonnance; efficacité des principes actifs à confirmer dans l'emploi proposé.

Si vous utilisez l'une des spécialités suivantes contenant un antibiotique du groupe des pénicillines...

PÉNICILLINE G *ou* BENZYLPÉNICILLINE
 (sensible aux pénicillinases)
 Biclinocilline® (Clin Midy)
 Bipénicilline Diamant®
 Extencilline® (Specia).
 Pénicilline G (Diamant).

PÉNICILLINES V
 (sensibles aux pénicillinases)
 Oracilline® (Farmitalia C. Erba)
 Ospen® (Sandoz).

PÉNICILLINES DU GROUPE M
 (résistantes aux pénicillinases)
 Bristopen® (Bristol-Myers Squibb).
 Diclocil® (Bristol-Myers Squibb).
 Orbénine® (SmithKline Beecham).

PÉNICILLINES DU GROUPE A
 (Aminopénicillines)
 A-Gram® (Inava).
 Amodex® (Belmac).
 Amophar® (Pharbiol).
 Ampicilline Panpharma®
 Augmentin® (SmithKline Beecham).
 Bacampicine® (Upjohn).

Bactox® (Innotech).
Bristamox® (Bristol-Myers Squibb).
Ciblor® (Inava).
Clamoxyl® (SmithKline Beecham).
Flemoxine® (Brocades Pharma).
Gramidil® (Leurquin).
Hiconcil® (Bristol-Myers Squibb).
Penglobe® (Astra).
Pénicline® (Delagrange).
Proampi® (Parke-Davis).
Suvipen® (Gallier).
Totapen® (Bristol-Myers Squibb).
Zamocilline® (Zambon).

CARBOXYPÉNICILLINES :
 Claventin® (SmithKline Beecham).
 Ticarpen® (SmithKline Beecham).

AMIDINOPÉNICILLINES :
 Selexid® (Leo) .

URÉIDOPÉNICILLINES :
 Baypen® (Bayer).
 Pipérilline® (Lederle).

CARBAPÉNÈMES :
 Tienam® (M., S. & D.-Chibret).

Emploi : les pénicillines appartiennent au groupe des antibiotiques qui sont utilisés dans le traitement des infections bactériennes ; ils agissent en empêchant la croissance des bactéries ; ces antibiotiques n'agissent pas dans les infections à virus, par ex. dans le rhume ou la grippe.

La *pénicilline G* ou benzylpénicilline est extraite des cultures de *Penicillium*, notamment *P. notatum* ; après 50 ans d'utilisation, son spectre antibactérien n'a que peu diminué ; elle doit être administrée en injections, car elle est détruite par les sucs digestifs ; elle est employée dans les infections des voies respiratoires, de la peau, dans la scarlatine et dans d'autres affections.

Les *pénicillines V* sont actives par voie buccale ; d'autres pénicillines semi-synthétiques sont actives contre divers groupes de bactéries (pénicillines à spectre étendu) ; certaines d'entre elles ne sont utilisées qu'en milieu hospitalier en perfusions.

Les *pénicillines M* sont actives sur les staphylocoques producteurs de pénicillinases.

Les *pénicillines du groupe A (aminopénicillines)* sont utilisées dans les infections suivantes :
- trachéo-bronchites, otites, angines aiguës et autres infections ORL ;
- infections des voies urinaires (à colibacilles, protéus, gonocoques) ;
- infections intra-abdominales et de la vésicule biliaire (cholécystites) et infections gynécologiques ;
- méningites à *H. influenzae* ou à germes non identifiés, en association avec le chloramphénicol ;
- shigelloses : efficace surtout dans les infections à *Shigella flexneri* ;
- fièvre typhoïde : en cas de résistance au chloramphénicol ;
- salmonelloses : guérissent en général spontanément ; l'administration d'amoxicilline peut favoriser l'apparition de porteurs de germes ;
- autres infections déterminées par votre médecin.

Allergie : signalez à votre médecin toute réaction allergique ou inhabituelle aux pénicillines, aux céphalosporines ou à la pénicillamine; en cas d'antécédents d'allergie, aucune pénicilline ne doit être utilisée.

Etat de santé : vous devez informer votre médecin de toute affection susceptible de modifier les effets de ces antibiotiques, notamment :
- maladies allergiques, p. ex. asthme, rhume des foins, eczéma (risque accru d'allergie aux pénicillines);
- maladie des reins (risque accru d'effets indésirables);
- mononucléose infectieuse (risque accru d'éruptions cutanées).

Grossesse et allaitement : il n'existe pas de contre-indication actuellement connue à l'utilisation des pénicillines; cependant, leur innocuité n'a pas été établie chez la femme enceinte; les pénicillines passent dans le lait maternel, peuvent sensibiliser l'enfant et cette sensibilisation aux pénicillines peut demeurer toute la vie.

Interactions : informez votre médecin et votre pharmacien si vous prenez ou avez pris récemment d'autres médicaments, notamment :
- contraceptifs oraux (diminution de l'effet contraceptif);
- allopurinol (risque accru de réactions allergiques);
- probénécide (diminution de l'élimination rénale des pénicillines);
- aspirine et autres anti-inflammatoires non stéroïdiens (à éviter).

Durée du traitement : prenez le médicament pendant toute la période prescrite; ceci est particulièrement important si vous prenez une pénicilline par voie orale pour traiter une infection à streptocoques et pour prévenir les complications.
Une éventuelle impression de fatigue n'est pas due au traitement antibiotique, mais à l'infection elle-même; le fait de réduire les doses ou d'interrompre le traitement ne ferait que retarder la guérison.

Prise du médicament : pour assurer l'efficacité du traitement, il faut maintenir un taux sanguin constant de l'antibiotique; dans ce but, prenez les pénicillines par voie buccale à intervalles réguliers et à heures fixes; si vous oubliez de prendre une dose, ne doublez pas la dose suivante.

Effets du traitement : si les symptômes ne sont pas améliorés en quelques jours par le traitement, ou s'ils s'aggravent, consultez votre médecin.

En cas de diabète : il faut savoir que certaines pénicillines peuvent fausser les résultats de certains tests pour déceler la présence de sucre dans les urines.

En cas de régime désodé : la plupart des pénicillines sont des sels de sodium, certaines étant des sels de potassium; l'apport de ces éléments doit être pris en compte aux fortes doses.

Effets indésirables possibles :
- nausées, vomissements;
- *réactions allergiques* : fièvre, prurit, urticaire, bouffissure des paupières et des lèvres (œdème de Quincke), éruptions cutanées, exceptionnellement état de choc (choc anaphylactique); la survenue de toute manifestation allergique impose l'arrêt définitif du traitement; votre médecin peut vous conseiller de porter sur vous une carte indiquant votre allergie aux pénicillines;
- diarrhées qui peuvent être sévères et sanglantes avec certaines pénicillines; en cas de crampes abdominales, fièvre, diarrhées persistantes, selles contenant du sang, il peut s'agir d'une *colite pseudomembraneuse* qui exige, dans les formes graves, une hospitalisation; ne pas utiliser des antidiarrhéiques, p. ex. lopéramide ou diphénoxylate qui peuvent aggraver les diarrhées;
- inflammation de la muqueuse buccale;
- fièvre, douleurs articulaire, ganglions lymphatiques enflés (maladie sérique)
- difficulté à respirer;
- évanouissements, mouvements involontaires anormaux, convulsions (encéphalopathie);
- sang dans les urines, tendance aux hémorragies.

PÉNÉTRADOL® (Fournier)

Introd. en 1971. Liste II. Remb. SS 40%.

PRINCIPES ACTIFS : pommade contenant de la chymotrypsine (enzyme) et de la phénylbutazone (anti-inflammatoire non stéroïdien).

Emploi : proposé comme anti-inflammatoire local dans les tendinites, arthrites des petites articulations, entorses, contusion, phlébites et dans d'autres conditions.

Précautions : ne doit pas être appliqué sur les plaies, dermatoses suintantes, eczéma, tissus infectés.

Note : prescrit sur ordonnance médicale.

PENGLOBE® (Astra)

Introd. en 1978. Liste I. Remb. SS 70%.

PRINCIPE ACTIF : **Bacampicilline**.

Préparations : comprimés à 200 mg, 400 mg ou 600 mg.

Propriétés : précurseur le de l'ampicilline (pénicilline du groupe A) ayant un large spectre d'action contre les bactéries, mais inefficace contre les staphylocoques producteurs de pénicillinases.
La bacampicilline est éliminée surtout dans les urines (précautions en cas d'insuffisance rénale); signalez à votre médecin l'existence de toute maladie rénale (une réduction des doses peut être nécessaire).

Durée du traitement : elle est déterminée par votre médecin; l'interruption prématurée du traitement peut favoriser une rechute de l'infection.

Pour les détails → p. 520.

Note : prescrit sur ordonnance médicale.

PÉNICILLINE G (Diamant)

Introd. en 1952. Liste I. Remb. SS 70%.

PRINCIPE ACTIF : **Benzylpénicilline**.

EQUIVALENCE : 1 UI = 0,6 µg.

Préparations : flacons à 1 million d'UI (sel de sodium).

Emploi : antibiotique du groupe des pénicillines utilisé à l'hôpital pour traiter des infections graves à germes sensibles.

Pour les détails → p. 520.

Note : prescrit sur ordonnance médicale.

PÉNICLINE® (Delagrange)

Introd. en 1963. Liste I. Remb. SS 70%.

PRINCIPE ACTIF : **Ampicilline**.

Préparations : gélules à 500 mg; poudre pour solution injectable en flacons à 1 g (sel de sodium).

Propriétés : antibiotique du groupe des pénicillines A ayant un large spectre d'action contre les bactéries, mais inefficace contre les staphylocoques producteurs de pénicillinases; l'ampicilline est éliminée surtout dans les urines (précautions en cas d'insuffisance rénale); signalez à votre médecin toute maladie rénale (la réduction des doses peut être nécessaire en cas d'insuffisance rénale).

Durée du traitement : elle est déterminée par votre médecin; l'interruption prématurée du traitement peut favoriser une rechute de l'infection.

Pour les détails → p. 520.

Note : prescrit sur ordonnance médicale.

PENTACARINAT® (R. Bellon)

Introd. en 1990. Liste I. Remb. SS 70%.

PRINCIPE ACTIF : **Pentamidine**.

Préparations : poudre pour solution injectable et pour solution pour inhalation (aérosol) en flacons à 300 mg.

Emploi : antiprotozoaire utilisé
– pour prévenir (en aérosol) et pour traiter (en injections) la pneumonie à *Pneumocystis carinii* chez les malades dont les défenses immunologiques sont très diminuées, notamment chez des sujets atteints de SIDA;
– pour traiter la maladie du sommeil (trypanosomiase africaine à la phase lymphatico-sanguine); utilisée en injections;
– pour traiter la leishmaniose cutanée due à *Leishmania tropica* transmise par le phlébotome et observée aux bords de la Méditerranée et de la mer Caspienne, au Moyen-Orient, en Inde et en Afrique orientale et centrale.

Précautions : ne pas employer en cas d'allergie au produit; les affections suivantes peuvent modifier l'action du médicament :
– asthme (risque d'aggravation par l'inhalation de pentamidine);
– maladies du foie ou des reins (risque d'aggravation par l'injection de pentamidine);

– diabète sucré (risque d'aggravation par les injections de pentamidine).

Grossesse : ce médicament est en principe déconseillé chez la femme enceinte ou susceptible de l'être ; en effet, il a causé des malformations du fœtus au cours de l'expérimentation animale ; cependant, devant la gravité de l'affection à traiter, votre médecin pourra vous proposer de l'utiliser dans le cas particulier.

Allaitement : l'utilisation de ce médicament est déconseillée.

Interactions : il faut informer votre médecin si vous prenez ou avez pris récemment d'autres médicaments, notamment des bêta-bloquants qui peuvent entraîner une réaction asthmatique lorsque la pentamidine est utilisée en inhalations.

Surveillance : le traitement doit être conduit sous surveillance médicale, avec contrôles fréquents du sang (numération des globules), du taux du sucre dans le sang (glycémie) et de la fonction rénale.

Hypotension : après une injection de pentamidine, on conseille de rester couché pendant au moins 30 minutes pour éviter une baisse trop importante de la tension artérielle et une syncope.

Effets indésirables possibles :

En inhalation : sécheresse de la gorge, toux, essoufflement, difficulté à avaler, goût métallique dans la bouche, asthme, étourdissement, vomissements.

En injections :
– évanouissement, syncope, diminution excessive de la tension artérielle (perfusion intraveineuse rapide) ;
– confusion, hallucinations ;
– diminution du volume des urines, (insuffisance rénale) ;
– accélération du pouls, palpitations, transpirations profuses, frissons, tremblements, nausées, faim, maux de tête (hypoglycémie) ;
– sécheresse de la peau, augmentation du volume des urines, soif, perte de l'appétit, nausées, vomissements, odeur «fruitée» de l'haleine (hyperglycémie) ;
– saignement au moindre traumatisme, présence de sang dans les urines ou les selles, coloration noire des selles, apparition de petites taches rouges sur la peau (diminution du nombre des plaquettes dans le sang) ;

– fièvre, frissons, maux de gorge, ulcérations buccales (diminution du nombre des globules blancs dans le sang) ;
– éruption cutanée (réaction allergique : arrêtez immédiatement le traitement) ;
– jaunisse.

Note : *prescrit sur ordonnance médicale.*

PENTASA® (Ferring)

Introd. en 1988. Remb. SS 70%.

PRINCIPE ACTIF : *Mésalazine.*

SYNONYMES : acide 5-aminosalicylique, 5-ASA.

Préparations : comprimés à 250 mg ou 500 mg ; suspension rectale en flacons de 1 g.

Emploi : médicament utilisé par voie orale et rectale pour traiter des maladies inflammatoires de l'intestin, notamment :
– rectocolite hémorragique ou colite ulcéreuse qui atteint le gros intestin (côlon) ;
– maladie de Crohn ou iléite terminale qui atteint l'intestin grêle.
Avant le début du traitement, le diagnostic doit être confirmé par la rectoscopie et la sigmoïdoscopie.
L'olsalazine (Dipentum®) est constituée par 2 molécules de mésalazine et a les mêmes effets.

Allergie : informez votre médecin si vous avez déjà fait une réaction allergique ou inhabituelle à ce médicament, à la sulfasalazine, aux sulfamides ou aux salicylés, p. ex. à l'aspirine.

Etat de santé : vous devez informer votre médecin de toute affection susceptible de modifier les effets du médicament, notamment :
– maladie du rein ;
– maladies du foie ;
– ulcère gastroduodénal en évolution ;
– déficit en G6PD ou glucose-6-phosphate déshydrogénase (risque d'anémie hémolytique).
– porphyries (risque de crises) ;
– inflammation du pancréas ou pancréatite ;
– maladies du sang avec tendance aux hémorragies.

Grossesse et allaitement : l'innocuité de ce médicament n'ayant pas été établie chez la femme enceinte, ni lors de l'allaitement, son usage est déconseillé par mesure de prudence.

Interactions : il faut informer votre médecin si vous prenez ou avez pris récemment d'autres médicaments :

– digoxine, acide folique (diminution de la concentration plasmatique et de l'efficacité de ces médicaments);
– anticoagulants oraux, antidiabétiques oraux, phénytoïne, méthotrexate (les effets de ces médicaments et leur toxicité sont augmentés);
– sulfinpyrazone, furosémide, rifampicine (l'efficacité de ces médicaments peut être réduite);
– sels ferreux et les sels de calcium (absorption intestinale diminuée).

Boissons : votre médecin pourra vous conseiller de boire abondamment pendant le traitement pour éviter des effets indésirables rénaux.

Prise du médicament :

– *Voie buccale* : on conseille de prendre le médicament aux repas pour atténuer l'irritations intestinale.
– *Voie rectale* : injecter lentement dans le rectum la suspension; ne pas se lever et garder la suspension aussi longtemps que possible; on conseille d'injecter la suspension le soir, après exonération intestinale.

Effets indésirables possibles :

– *Voie buccale* : nausées et vomissements, diarrhée, maux de tête, vertiges, crise d'asthme, pancréatite; lésions de type lupus érythémateux disséminé (éruption «en ailes de papillon» au visage), éruptions cutanées, fièvre (réaction allergique).
– *Voie rectale* : difficulté à garder la suspension, prurit, fausse envie douloureuse d'aller à selle, troubles digestifs, flatulences, maux de tête.

Note : *vendu sans ordonnance; le traitement doit être conduit sous surveillance médicale.*

PENTICORT® (Lederle)

Introd. en 1980. Liste I. Remb. SS 70%.
PRINCIPE ACTIF : **Amcinonide**.
Préparations : crème, pommade.
Emploi : corticoïde fluoré d'activité forte (classe II) utilisé en application locale pour soulager la douleur, le prurit et les signes d'inflammation et d'irritation de la peau, notamment dans l'eczéma et la dermatite allergique provoquée par le contact avec des plantes, métaux, produits de nettoyage, cosmétiques, etc. ainsi que dans les processus de lichénification.
Pour les détails → p. 205.
Note : *prescrit sur ordonnance médicale.*

PENTICORT® néomycine
(Lederle)

Introd. en 1980. Liste I. Remb. SS 70%.
PRINCIPES ACTIFS : crème contenant de la néomycine (antibiotique) et amcinonide (dermocorticoïde classe II).
Emploi : traitement des eczémas infectés et d'autres affections de la peau.
Application du produit : étaler le produit sur les lésions et le faire pénétrer par un léger massage; éviter tout contact avec les yeux.
Ne dépassez pas le nombre d'applications journalières prescrites par votre médecin (en général deux par jour); des applications trop fréquentes et l'occlusion des lésions augmentent le risque d'effets indésirables généralisés.
Durée du traitement : ne pas dépasser 8 jours.
Effets indésirables possibles : prurit, sensation de brûlure; l'application sur de grandes surfaces ou sous un pansement occlusif peut entraîner un passage du principe actif dans la circulation sanguine, d'où l'apparition d'effets indésirables généralisés.
L'utilisation prolongée peut provoquer une atteinte de la peau du visage avec rougeur, amincissement et fragilité des téguments et apparition d'ecchymoses.
Note : *prescrit sur ordonnance médicale.*

PEPDINE® (M. S. & D.-Chibret)

Introd. en 1988. Liste II. Remb. SS 70%.
PRINCIPE ACTIF : **Famotidine**.
Préparations : comprimés à 20 mg ou 40 mg; poudre pour solution injectable en flacons à 20 mg.
Emploi : médicament qui inhibe la sécrétion gastrique en bloquant l'effet de l'histamine sur les récepteurs H2; en diminuant la sécrétion d'acide chlorhydrique et de pepsine, la famotidine favorise la cicatrisation des ulcères gastro-duodénaux et prévient les rechutes; elle est utilisée par voie buccale ou en injections lorsque cette voie est impossible.
Pour les détails → p. 60.
Note : *prescrit sur ordonnance médicale.*

PEPSANE® (Rosa-Phytopharma)

Introd. en 1979. Remb. SS 70%.

PRINCIPES ACTIFS : gelée orale contenant du gaïazulène et diméticone.

Emploi : proposé dans les troubles digestifs (dyspepsies).

Précautions : consultez votre médecin si les troubles persistent et en cas de crampes abdominales, de selles noires, d'amaigrissement, d'éruption cutanée (réaction allergique : arrêtez immédiatement le traitement).

Note : vendu sans ordonnance; ne pas utiliser pendant plus de 5 jours sans avis médical.

PEPTAVLON® (Zeneca-Pharma)

Introd. en 1983. Non remb. SS.

PRINCIPE ACTIF : **Pentagastrine**.

Préparations : ampoules à 0,5 mg/2 ml.

Emploi : utilisé pour stimuler la sécrétion d'acide par l'estomac (test à la pentagastrine).

Précautions : ne pas utiliser pendant la grossesse.

PERCASE® (Millot-Solac)

Introd. en 1968. Remb. SS 40%.

PRINCIPE ACTIF : crème contenant de l'héparine.

Emploi : proposé dans le traitement local des phlébites superficielles et des poussées hémorroïdaires.

Précautions : consultez votre médecin en cas de suspicion de phlébite (jambes rouges et/ou chaudes, douloureuses, surtout si d'un seul côté et avec fièvre).

Note : vendu sans ordonnance; efficacité du principe actif à confirmer dans l'emploi proposé.

PERCLUSONE® (L'Arguenon)

Introd. en 1972. Liste II. Remb. SS 40%.

PRINCIPES ACTIFS : pommade contenant de la clofézone (combinaison de phénylbutazone et clofexamide).

Emploi : proposé comme anti-inflammatoire local pour traiter la douleur dans les tendinites, arthrites des petites articulations, entorses, contusions, phlébites.

Précautions : ne pas appliquer sur des plaies ouvertes (coupures, écorchures, etc.) ou sur de grandes surfaces; ne pas employer pendant la grossesse et l'allaitement (innocuité non établie).

Effets indésirables possibles : sécheresse de la peau, sensation de brûlure, rougeur; réactions allergiques rares sous forme d'urticaire, d'éruption cutanée (interrompre le traitement).

Note : prescrit sur ordonnance médicale.

PERCUTACRINE
thyroxinique® (Besins-Iscovesco)

Introd. en 1954. Liste II. Non remb. SS.

PRINCIPE ACTIF : solution pour application locale contenant de la thyroxine.

Emploi : «amaigrissant local» proposé dans les surcharges adipeuses sous-cutanées (efficacité à confirmer).

Note : prescrit sur ordonnance médicale.

PERCUTAFÉINE® (P. Fabre)

Introd. en 1982. Non remb. SS.

PRINCIPE ACTIF : gel pour application locale contenant de la caféine.

Emploi : proposé dans les surcharges adipeuses sous-cutanées localisées («amaigrissant local»).

Sportifs : ce médicament peut donner une réaction positive en cas de tests pour contrôle antidopage.

Note : vendu sans ordonnance; efficacité du principe actif à confirmer dans l'emploi proposé.

PERCUTALGINE®
(Besins-Iscovesco)

Introd. en 1967. Liste I. Remb. SS 40%.

PRINCIPES ACTIFS : solution pour application locale et gel contenant de la dexaméthasone (corticoïde), salicylamide, salicylate de glycol et nicotinate de méthyle.

Emploi : proposé comme anti-inflammatoire local dans les tendinites, arthrites des petites articulations, entorses, contusion, phlébites et dans d'autres conditions.

Application du produit : étaler le produit sur les lésions et le faire pénétrer par un léger massage; éviter tout contact avec les yeux. Ne dépassez pas le nombre d'applications journalières prescrites par votre médecin (en général une par jour); des applications trop fréquentes et l'occlusion des lésions augmentent le risque d'effets indésirables généralisés.

Durée du traitement : maximum 8 jours.

Effets indésirables possibles : prurit, sensation de brûlure; l'application sur de grandes surfaces ou sous un pansement occlusif peut entraîner un passage du principe actif dans la circulation sanguine, d'où l'apparition d'effets indésirables généralisés.

L'utilisation prolongée peut provoquer une atteinte de la peau du visage avec rougeur, amincissement et fragilité des téguments et apparition d'ecchymoses.

Note : prescrit sur ordonnance médicale.

PEREFLAT® (Latéma)

Introd. en 1975. Non remb. SS.
PRINCIPES ACTIFS: comprimés contenant un extrait pancréatique et diméticone.
Emploi : proposé dans les troubles digestifs (dyspepsies), ballonnements, aérophagie.
Précautions : consultez votre médecin si les troubles persistent et en cas de crampes abdominales, de selles noires, d'amaigrissement, d'éruption cutanée (réaction allergique : arrêtez immédiatement le traitement).
Note : vendu sans ordonnance; ne pas utiliser pendant plus de 5 jours sans avis médical.

PÉRÉNAN® (Millot-Solac)

Introd. en 1980. Liste II. Remb. SS 40%.
PRINCIPE ACTIF : **Dihydroergotoxine**.
Préparations : gélules à 2,5 mg.
Emploi : vasodilatateur périphérique dérivé de l'ergot de seigle proposé dans le traitement des troubles vasculaires cérébraux, notamment du déficit intellectuel lié à la sénescence; l'efficacité des vasodilatateurs périphériques dans ces affections est à confirmer.
Précautions : ne pas employer en cas d'allergie aux dérivés de l'ergot de seigle, de pouls très lent, de tension artérielle très basse (hypotension), de grossesse ou allaitement, de traitement anticoagulant; ne pas associer d'autres dérivés de l'ergot de seigle.
Effets indésirables possibles : congestion nasale, nausées.
Note : prescrit sur ordonnance médicale.

PERFANE® (Marion Merrell Dow)

Introd. en 1989. Liste I.
PRINCIPE ACTIF : **Enoximone**.
Préparations : ampoules injectables à 100 mg dans 20 ml.
Emploi : cardiotonique et vasodilatateur utilisé dans le traitement à court terme de l'insuffisance cardiaque aiguë congestive, chez des patients hospitalisés dans une unité de soins intensifs.
Note : réservé aux hôpitaux.

PERGALEN® (Hoechst)

Introd. en 1969. Non remb. SS.
PRINCIPES ACTIFS : pommade contenant de l'apolate de sodium et nicotinate de benzyle.
Emploi : proposé dans les douleurs d'origine musculaire et tendineuse.
Précautions : ne doit pas être appliqué sur les plaies, dermatoses suintantes, eczéma, tissus infectés.
Note : vendu sans ordonnance; consultez votre médecin si les douleurs persistent.

PERGOTIME® (Serono)

Introd. en 1986. Liste I. Remb. SS 70%.
PRINCIPE ACTIF : **Clomifène**.
Préparations : comprimés à 50 mg.
Emploi : inducteur de l'ovulation qui stimule la libération de certaines hormones par l'hypophyse et est utilisé en cas de stérilité féminine due à l'absence d'ovulation; ce traitement ne doit être entrepris que sous surveillance médicale spécialisée et sous contrôle biologique.
Le traitement de la stérilité par le clomifène aboutit dans environ 8% des cas à une grossesse multiple.
Pour les détails → Clomifène.
Note : prescrit sur ordonnance médicale.

PÉRIACTINE® (M., S. & D.-Chibret)

Introd. en 1962. Non remb. SS.
PRINCIPE ACTIF : **Cyproheptadine**.
Préparations : comprimés à 4 mg; sirop à 2 mg par cuillerée à café.
Emploi : antihistaminique utilisé pour prévenir et traiter les affections allergiques, notamment rhinites et conjonctivites allergiques, urticaire, rhume des foins; proposée aussi pour

stimuler l'appétit (orexigène); la cyproheptadine possède des propriétés sédatives et atropiniques; ne pas utiliser chez l'enfant de moins de 12 ans.
Pour les détails → p. 45.
Note : vendu sans ordonnance; efficacité généralement reconnue dans l'emploi proposé; tenir compte de l'effet sédatif.

PÉRIDIL-HÉPARINE®
(Pharmy II)

Introd. en 1958. Liste I. Remb. SS 70%.
PRINCIPES ACTIFS : solution injectable intradermique contenant de l'acide nicotinique, héparine (anticoagulant) et procaïne (anesthésique local).
Emploi : proposé dans les douleurs rhumatismales et les troubles de la circulation capillaire (efficacité à confirmer).
Note : prescrit sur ordonnance médicale.

PÉRIDYS® (Robapharm)

Introd. en 1986. Liste II. Remb. SS 40%.
PRINCIPE ACTIF : **Dompéridone.**
Préparations : comprimés à 10 mg; suspension buvable à 1 mg/ml.
Emploi : neuroleptique dérivé de la butyrophénone stimulant les mouvements et les contractions du tube digestif de l'estomac à l'intestin; le dompéridone est utilisé par voie buccale pour traiter les nausées, les vomissements (sauf les vomissements gravidiques) et les troubles de la motricité digestive, notamment le reflux gastro-œsophagien (liquide acide remontant dans la bouche) et le retard de l'évacuation gastrique.
Pour les détails → p. 306.
Note : prescrit sur ordonnance médicale.

PÉRIFAZO® (Kabi Pharmacia)

Introd. en 1988.
PRINCIPES ACTIFS : solution pour perfusion contenant des acides aminés.
Emploi : alimentation parentérale.

PÉRISTALTINE® (Zyma)

Introd. en 1912. Non remb. SS.
Préparations : comprimés contenant 100 mg d'extrait de cascara (laxatif irritant).
Emploi : proposé dans la constipation.
Précautions : médicament appartenant au groupe des laxatifs stimulants ou irritants qui contiennent ou libèrent dans l'intestin (surtout dans le côlon) des substances irritantes (anthraquinones); ils augmentant la motricité (péristaltisme) du côlon et la sécrétion intestinale d'eau, d'électrolytes et de protéines; ils ne doivent être utilisés que pour des traitements de courte durée (maximum 3 jours) de la constipation occasionnelle.
Note : vendu sans ordonnance; à éviter comme tous les laxatifs irritants.

PÉRITRATE® (Parke-Davis)

Introd. en 1965. Liste II. Remb. SS 70%.
PRINCIPE ACTIF : **Tétranitrate de pentaérithrityle** .
SYNONYMES : pentaerythritol tétranitrate, PETN, TNPE.
Préparations : comprimés à libération prolongée à 80 mg.
Emploi : médicament appartenant au groupe des dérivés nitrés qui dilatent les vaisseaux sanguins, notamment les vaisseaux du cœur (coronaires) et qui sont utilisés pou traiter l'angine de poitrine (sensation de constriction douloureuse dans la poitrine pouvant irradier dans le bras gauche).
Le tétranitrate de pentaérithrityle est employé
– pour la prévention à long terme des crises l'angine de poitrine graves et invalidantes;
– pour traiter l'insuffisance cardiaque (faiblesse du cœur) congestive, en complément des autres thérapeutiques (efficacité à confirmer).
Pour les détails → p. 203.
Note : prescrit sur ordonnance médicale.

PERKOD® (Biogalénique)

Introd. en 1981. Liste II. Remb. SS 70%.,
PRINCIPE ACTIF : **Dipyridamole.**
Préparations : comprimés à 75 mg.
Emploi : médicament introduit à l'origine pour le traitement de fond de l'angine de poitrine et utilisé, en association avec l'aspirine à faibles doses, pour normaliser la tendance pathologique des plaquettes sanguines à l'agrégation et pour prévenir ainsi la formation de caillots sanguins, notamment chez les porteurs de prothèses valvulaires (valvules cardiaques artificielles).
Pour les détails → Dipyridamole.
Note : prescrit sur ordonnance médicale.

PERMIXON® (P. Fabre)

Introd. en 1992. Remb. SS 40%.

PRINCIPE ACTIF : comprimés contenant 160 mg d'un extrait de *Serenoa repens* ou palmier de Floride.

Emploi : proposé dans les signes fonctionnels de l'adénome de la prostate (dont le diagnostic ne peut être posé que par votre médecin).

Note : vendu sans ordonnance; à éviter sans avis médical.

PERMUCYL® (P.P.D.H.)

PRINCIPES ACTIFS : comprimés contenant de l'aloïne (laxatif irritant) et gomme sterculia.

Emploi : proposé dans les troubles digestifs et la constipation.

Précautions : consultez votre médecin si la constipation persiste, en cas de sang dans les selles ou de selles noires, de douleurs abdominales avec diarrhée, d'amaigrissement.

L'usage prolongé risque de provoquer la «maladie des laxatifs» avec lésions de la muqueuse intestinale.

Note : vendu sans ordonnance; à éviter comme tous les laxatifs irritants.

PERNAZÈNE® (Synthélabo)

Introd. en 1958. Liste II. Remb. SS 40%.

PRINCIPE ACTIF : *Tymazoline*.

Préparations : soluté nasal aqueux.

Emploi : médicament stimulant les fibres sympathiques (alpha-sympathomimétique) provoquant une diminution de la lumière des vaisseaux sanguins (vasoconstriction).

L'oxymétazoline est employée en solution nasale pour atténuer temporairement la congestion nasale causée par le rhume banal, rhume des foins et d'autres affections.

Durée du traitement : l'utilisation pendant plus de 5-6 jours consécutifs est déconseillée en raison du risque d'aggravation de la congestion nasale («rebond»), obstruction chronique du nez par hypertrophie des cornets.

Précautions : ne pas utiliser chez les enfants âgés de moins de 3 ans, en cas d'hypertension, de glaucome par fermeture de l'angle, d'adénome de la prostate, de fonctionnement excessif de la glande thyroïde (hyperthyroïdie), d'insuffisance hépatique, de grossesse, d'allaitement, d'association avec les antidépresseurs de type IMAO.

Effets indésirables possibles (provoqués par l'absorption de la tymazoline dans l'organisme) : palpitations, accélération ou irrégularité du pouls, maux de tête, étourdissements, nervosité, insomnie, transpirations, tremblements.

Note : prescrit sur ordonnance médicale.

PEROXYDE DE BENZOYLE

SPÉCIALITÉS :
  Cutacnyl® (Galderma).
  Eclaran® (P. Fabre).
  Effacné® (Roche-Posay).
  Pannogel® (Schering).
  Panoxyl® (Stiefel).
  Uvacnyl® (Galderma).

Emploi : utilisé en application locale dans le traitement de l'acné.

Application : le produit est appliqué sur la peau rincée à l'eau et séchée; on commence par une ou 2 applications par jour, puis lorsque les lésions sont stabilisées, une application tous les 2 jours; vous pouvez tester la sensibilité de votre peau en appliquant le produit sur une petite surface; évitez l'exposition au soleil et l'utilisation de lampes à rayons ultraviolets (photosensibilisation); en cas d'application accidentelle sur les muqueuses des yeux, des narines ou de la bouche, rincez à l'eau; évitez tout produit de toilette parfumé ou alcoolisé.

Précautions : ne pas employer en cas d'hypersensibilité au médicament ou à l'une des composantes de l'excipient ou à l'eau oxygénée; utiliser avec prudence au visage et chez les sujets à peau fine, blonds ou roux.

Effets indésirables possibles : si malgré les précautions mentionnées ci-dessus l'irritation persiste, une rougeur, une desquamation ou une éruption apparaissent, consultez votre médecin.

Conservation : dans un endroit frais, hors de portée des enfants.

PERSANTINE®
(Boehringer Ingelheim)

Introd. en 1969. Liste II. Remb. SS 70%.

PRINCIPE ACTIF : *Dipyridamole*.

Préparations : comprimés à 25 mg ou 75 mg; solution injectable en ampoules à 10 mg dans 2 ml.

Emploi : médicament introduit à l'origine pour le traitement de fond de l'angine de poitrine et utilisé, en association avec l'aspirine à faibles doses, pour normaliser la tendance pathologique des plaquettes sanguines à l'agrégation et pour prévenir ainsi la formation de caillots sanguins, notamment chez les porteurs de prothèses valvulaires (valvules cardiaques artificielles).

Le dipyridamole est aussi utilisé en injection dans l'exploration du cœur (scintigraphie myocardique et échocardiographie).

Pour les détails → Dipyridamole.

Note : prescrit sur ordonnance médicale.

PERTOFRAN® (Ciba-Geigy)

Introd. en 1966. Liste I. Remb. SS 70%.

Principe actif : ***Désipramine***.

Préparations : comprimés à 25 mg.

Emploi : antidépresseur du groupe des tricycliques, ayant un effet stimulant (psychotonique) et une action atropinique, utilisé dans le traitement des états dépressifs de l'adulte.

Pour les détails → p. 40.

Note : prescrit sur ordonnance médicale.

PERTUDORON® (Weleda)

Préparation homéopathique (solution buvable) proposée pour calmer la toux.

PÉRUBORE® (Mayoly-Spindler)

Introd. en 1928. Non remb. SS.

Principes actifs : comprimés pour inhalation et gargarisme contenant du thymol, baume du Pérou, essences de thym, romarin et lavande.

Emploi : proposé dans les états congestifs des voies respiratoires («rhume»).

Précautions : ne pas utiliser chez l'enfant de moins de 30 mois.

Note : vendu sans ordonnance; ne pas utiliser pendant plus de 5 jours sans avis médical.

PERVINCAMINE® (Synthélabo)

Introd. en 1975. Liste II. Remb. SS 40%.

Principe actif : ***Vincamine***.

Préparations : gélules à 20 mg.

Emploi : vasodilatateur périphérique obtenu à partir de pervenche (*Vinca minor*) proposé pour traiter les troubles de l'irrigation sanguine cérébrale, notamment dans la sénescence cérébrale, les vertiges et les troubles de la mémoire, ainsi que les troubles sensoriels, auditifs et visuels d'origine ischémique; l'efficacité des vasodilatateurs périphériques dans ces affections reste à confirmer.

Précautions : ne pas employer en cas de grossesse ou d'allaitement (innocuité non établie), d'hypertension intracrânienne, de troubles du rythme cardiaque, de diminution du taux du potassium dans le sang (hypokaliémie); ce médicament ne doit pas être associé aux antiarythmiques.

Effets indésirables possibles : nausées, vomissements, ralentissement du rythme cardiaque, hypotension artérielle, éruption cutanée.

Note : prescrit sur ordonnance médicale.

PETITES PILULES CARTERS® pour le foie
(Fumouze)

Introd. en 1939. Non remb. SS.

Principes actifs : comprimés contenant de l'aloès (laxatif irritant) et boldine.

Emploi : troubles digestifs, constipation.

Précautions : consultez votre médecin si la constipation persiste, en cas de sang dans les selles ou de selles noires, de douleurs abdominales avec diarrhée, d'amaigrissement.

L'usage prolongé risque de provoquer la «maladie des laxatifs» avec lésions de la muqueuse intestinale.

Note : vendu sans ordonnance; à éviter comme tous les laxatifs irritants.

PÉVARYL® (Cilag)

Introd. en 1976. Remb. SS 70%.

Principe actif : ***Econazole***.

Préparations : crème dermique 1%; lait dermique 1%; spray solution 1%; spray poudre 1%; lotion 1%.

Emploi : médicament appartenant au groupe des antifongiques imidazolés qui sont utilisés en application locale pour traiter les infections de la peau causées par des champignons ou des levures (mycoses); il est aussi actif contre certaines bactéries, notamment staphylocoques et streptocoques; il est utilisé pour traiter les dermatophytoses de la peau glabre et des orteils (pied d'athlète), les teignes et d'autres affections.

Les ovules gynécologiques (*Gyno-Pévaryl®*) sont employés pour le traitement local des mycoses vaginales.

Précautions : ne pas appliquer sur une grande surface, une peau lésée et chez le nourrisson (risque d'absorption du produit); consultez votre médecin si les lésions ne s'améliorent pas rapidement.

Effets indésirables possibles: irritation locale, prurit, sensation de brûlure, apparition de papules et vésicules (réaction allergique : arrêtez immédiatement le traitement).

Note : *vendu sans ordonnance; à éviter sans avis médical, sauf en cas de rechutes d'affections diagnostiquées antérieurement par votre médecin.*

PEVISONE® (Cilag)

Introd. en 1980. Liste I. Non remb. SS.

PRINCIPES ACTIFS : crème contenant de l'éconazole (antifongique) et triamcinolone (dermocorticoïde).

Emploi : proposé dans des infections de la peau par des champignons (mycoses superficielles) avec signes d'inflammation.

Précautions : ne pas employer en cas d'infections cutanées virales (zona, herpès) ou tuberculeuses; gale; d'acné et rosacée; de lésions ulcérées ou suintantes; d'atrophie cutanée; d'ulcères de jambe; de réactions à la vaccination; l'emploi est déconseillé pendant le premier trimestre de la grossesse et l'allaitement; ne pas appliquer aux bords des yeux.

Application du produit: étaler le produit sur les lésions et le faire pénétrer par un léger massage; éviter tout contact avec les yeux. Ne dépassez pas le nombre d'applications journalières prescrites par votre médecin (en général une par jour); des applications trop fréquentes et l'occlusion des lésions augmentent le risque d'effets indésirables généralisés.

Durée du traitement : ne pas dépasser 8 jours sous contrôle médical.

Effets indésirables possibles : prurit, sensation de brûlure; l'application sur de grandes surfaces ou sous un pansement occlusif peut entraîner un passage du principe actif dans la circulation sanguine, d'où l'apparition d'effets indésirables généralisés; l'utilisation prolongée peut provoquer une atteinte de la peau du visage avec rougeur, amincissement et fragilité des téguments et apparition d'ecchymoses.

Note : *prescrit sur ordonnance médicale.*

PEXID® (Marion Merrell Dow)

Introd. en 1974. Liste I. Non remb. SS.

PRINCIPE ACTIF : **Perhexiline.**

Préparations : comprimés à 100 mg.

Emploi : inhibiteur calcique utilisé pour prévenir les crises d'angine de poitrine (sensation de constriction douloureuse dans la poitrine pouvant irradier dans le bras gauche); son utilisation est limitée par des effets indésirables sévères, notamment des troubles de la sensibilité, de la vue et des faiblesses musculaires (polynévrites), des atteintes du foie, une diminution du taux du sucre dans le sang (hypoglycémie) et des pertes de poids importantes; par conséquent, il est recommandé de n'utiliser ce médicament qu'en cas d'échec des autres traitements.

Pour les détails → p. 363.

Note : *prescrit sur ordonnance médicale.*

PHAEVA® → Contraception hormonale.

PHAKAN® (Chauvin)

Introd. en 1971. Remb. SS 70%.

PRINCIPES ACTIFS :
– solution buvable : pyridoxine (vitamine B6), acide glutamique, glycine;
– gélules : acide ascorbique (vitamine C) et L-cystéine.

Emploi : proposé dans l'opacification du cristallin pour en retarder l'évolution.

Prise du médicament : absorber en même temps une gélule et le contenu d'un ampoule (solution buvable).

Note : *vendu sans ordonnance; efficacité des principes actifs à confirmer dans l'emploi proposé.*

PHAPAX® (Lehning)

Introd. en 1949. Non remb. SS.

Préparation homéopathique (solution buvable) proposée dans les migraines.

PHARMACILLINE®
(Pharminter)

PRINCIPES ACTIFS : collutoire et gouttes nasales contenant de la méthocidine et chlorure de cétylpyridinium.
Emploi : antiseptique local.
Note : vendu sans ordonnance; ne pas utiliser pendant plus de 5 jours sans avis médical.

PHARMADOSE® (Gilbert)

Introd. en 1971. Non remb. SS.
PRINCIPES ACTIFS :
– compresses de mercurescéine;
– compresses d'alcool, camphre et tartrazine;
– compresses de teinture d'arnica.
Emploi : antisepsie de la peau et des plaies superficielles; contusions.
Note : *produits vendus sans ordonnance; consultez votre médecin si les lésions persistent.*

PHARMATEX® (Innothéra)

Non remb. SS.
PRINCIPES ACTIFS : comprimés gynécologiques, mini-ovules, ovules, solution gynécologique, tampons et crème contenant du benzalkonium.
Emploi : utilisés pour la contraception locale (suivre les instructions qui accompagnent chaque produit).
Note : vendu sans ordonnance; efficacité généralement reconnue dans l'emploi proposé.

PHARMATON®, Capsules
(Boehringer Ingelheim)

Introd. en 1973. Non remb. SS.
PRINCIPES ACTIFS : capsules contenant des vitamines (préparation polyvitaminée), des sels minéraux (notamment des sels de calcium), du déanol et un extrait de ginseng.
Emploi : proposé dans la fatigue.
Durée du traitement : limitée à quelques jours; consultez votre médecin si la fatigue persiste.
Précautions : ne pas employer en cas de calculs biliaires ou urinaires, d'épilepsie (en raison de la présence de déanol), en cas de grossesse et allaitement (en raison de la présence de vitamine A); utilisation prudente chez l'enfant (en raison de la présence

de vitamines A et D); la présence en faible dose de la vitamine B12 est insuffisante pour traiter une anémie, mais suffisante pour en masquer les manifestations et retarder le diagnostic.
Effets indésirables possibles : risque d'excès des vitamines A et D (vomissements, calculs rénaux, etc.) en cas d'utilisation prolongée.
Note : vendu sans ordonnance; efficacité des principes actifs à confirmer dans l'emploi proposé.

PHARYNGINE® (Salver)

Introd. en 1974. Non remb. SS.
PRINCIPES ACTIFS : tablettes à sucer contenant de la tyrothricine (antibiotique), acide ascorbique (vitamine C) et tétracaïne (anesthésique local).
Emploi : anesthésique et antiseptique buccal proposé dans le «mal de gorge» de l'adulte sans fièvre.
Sportifs : ce médicament peut donner une réaction positive en cas de tests pour contrôle antidopage.
Effets indésirables possibles: réactions allergiques à la tétracaïne.
Note : vendu sans ordonnance; ne pas utiliser pendant plus de 5 jours sans avis médical.

PHÉNERGAN® (Specia)

Introd. en 1948. Remb. SS 70%.
PRINCIPE ACTIF : ***Prométhazine***.
Préparations : comprimés à 25 mg; sirop à 5 mg par cuillerée à café; ampoules injectables à 50 mg dans 2 ml.
Emploi : médicament dérivé de la phénothiazine ayant des propriétés antihistaminiques, sédatives et atropiniques. La prométhazine est utilisée dans le traitement des conditions suivantes :
– affections allergiques, notamment rhinites et conjonctivites allergiques, urticaire, rhume des foins;
– mal des transports.
La forme injectable est utilisée comme prémédication anesthésique.
L'usage est déconseillé chez l'enfant âgé de moins de 5 ans (risque d'arrêt respiratoire pendant le sommeil).
Pour les détails → p. 45.
Note : vendu sans ordonnance; efficacité généralement reconnue dans l'emploi proposé; tenir compte de l'effet sédatif.

PHÉNERGAN® Crème (Specia)

Introd. en 1950. Remb. SS 40%.
PRINCIPE ACTIF : *Prométhazine*.
Préparations : crème à 10%.
Emploi : antihistaminique proposé en
application locale dans le traitement
des affections cutanées allergiques.
*Note : vendu sans ordonnance; préférez
les comprimés ou le sirop, car la crème
peut provoquer une réaction allergique
locale.*

PHÉNOBARBITAL

SPÉCIALITÉS :
Aparoxal® (Veyron-Froment).
Epanal® *50 mg* (Bouchara).
Gardénal® (Specia).

Emploi : le phénobarbital est un barbiturique à action prolongée introduit
il y a plus de 70 ans; il est encore l'un
des antiépileptiques les plus efficaces
dans le traitement de toutes les formes
d'épilepsie, sauf le petit mal (absences), seul ou associé à la phénytoïne.
Le phénobarbital n'est plus recommandé comme sédatif ou comme
somnifère; il a été remplacé dans cet
emploi par les benzodiazépines.

Durée d'action : 24-48 heures; certains
effets persistent jusqu'à 6 jours.

Allergie : informez votre médecin si vous
avez déjà fait une réaction allergique
ou inhabituelle à ce médicament ou à
d'autres barbituriques.

Etat de santé : vous devez informer votre
médecin de toute affection susceptible
de modifier les effets du médicament,
notamment :
– alcoolisme ou abus de drogues (risque accru de dépendance);
– dépression (risque d'aggravation);
– porphyrie (aggravation possible);
– maladie du foie;
– asthme, emphysème, maladies des
poumons chroniques.

Grossesse : l'innocuité du phénobarbital pendant la grossesse n'ayant pas
été démontrée, son utilisation est
déconseillée chez la femme enceinte
ou en âge de procréer; cependant, la
grossesse ne justifie jamais l'arrêt
brutal du traitement car le risque de
déclencher ainsi l'état de mal épileptique est important.

Allaitement : l'utilisation du médicament est déconseillée car il passe dans
le lait maternel.

Enfants : ils sont plus sensibles que les
adultes au phénobarbital qui peut
provoquer une excitation et des troubles du comportement.

Interactions : il faut informer votre
médecin si vous prenez ou avez pris
récemment d'autres médicaments,
notamment :
– sédatifs, tranquillisants, somnifères;
– anticoagulants oraux (diminution de
l'action anticoagulante) :
– corticoïdes (diminution des effets des
corticoïdes);
– antidépresseurs tricycliques (risque
de crises convulsives généralisées);
– carbamazépine, doxycycline, ciclosporine, quinidine, théophylline,
digitoxine (le phénobarbital diminue
leur action);
– contraceptifs oraux : le phénobarbital
peut réduire l'efficacité des contraceptifs oraux estroprogestatifs, surtout s'ils sont faiblement dosés en
estrogènes; il faut choisir un produit
plus fortement dosé en estrogènes
ou recourir à la contraception locale;
– en cas de prise concomitante de phénobarbital et d'acide valproïque, la
concentration plasmatique du phénobarbital peut être élevée avec
risque de sédation profonde.

Prescription : ne dépassez pas la dose
prescrite par votre médecin; des doses
trop élevées ou des prises trop fréquentes augmentent le risque d'effets
indésirables; si vous estimez que le
médicament ne produit pas, ou ne
produit plus l'effet désiré, n'augmentez
pas la dose, mais consultez votre
médecin.

Oubli : si vous oubliez de prendre le
médicament et si vous le remarquez
dans les 2 heures qui suivent, prenez
immédiatement la dose oubliée; ne
doublez pas la dose suivante; il est
très important de prendre le médicament à des intervalles réguliers pour
maintenir une concentration sanguine
constante.

Surveillance : pendant les premiers
mois, des contrôles fréquents sont
nécessaires pour que votre médecin
puisse moduler les doses en fonction
des résultats et des effets indésirables
éventuels; la surveillance est très
importante chez le sujet âgé et chez
les malades présentant une diminution de la fonction respiratoire ou une
insuffisance hépatique ou rénale.

Alcool et sédatifs : évitez la consommation d'alcool, de tranquillisants et de somnifères pendant le traitement.

Vigilance : évitez de conduire des véhicules ou d'utiliser des machines en raison de la somnolence diurne et la diminution de la vigilance provoquées par le médicament.

Arrêt du traitement : si vous avez pris ce médicament pendant plusieurs semaines ou mois, ne jamais arrêter le traitement sans l'avis du médecin; en effet, l'arrêt brusque peut avoir des conséquences graves, notamment l'apparition de crises convulsives et d'un état de mal épileptique; dans la mesure du possible, on étalera l'arrêt du traitement sur une période de 6 mois, en diminuant les doses progressivement.

Effets indésirables possibles :
– somnolence diurne, réveil difficile, vertiges, troubles de l'équilibre; excitabilité chez l'enfant et confusion mentale chez le sujet âgé;
– éruptions cutanées (réaction allergique : arrêtez immédiatement le traitement);
– douleurs articulaires («rhumatisme barbiturique»);
– saignement au moindre traumatisme, présence de sang dans les urines ou les selles, coloration noire des selles, apparition de petites taches rouges sur la peau (diminution du nombre des plaquettes dans le sang);
– fièvre, frissons, maux de gorge, ulcérations buccales (diminution des globules blancs dans le sang).

Risque de dépendance : la prise prolongée peut créer une dépendance mais le syndrome de sevrage se produit moins souvent qu'avec les barbituriques à action plus rapide; la dépendance se traduit par:
– un fort besoin de prendre le médicament;
– une tendance à augmenter les doses;
– des troubles psychiques;
– des symptômes de «sevrage» si vous arrêtez le traitement, notamment fatigue, faiblesse, dépression, déficits intellectuels et affectifs, nausées, crampes d'estomac, vomissements, tremblements, confusion.

Intoxication : nausées, maux de tête, obnubilation, confusion mentale, respiration lente et superficielle, encombrement de la gorge, chute de la tension artérielle et évolution vers le coma; l'hospitalisation d'urgence est nécessaire en cas d'intoxication massive.

PHÉNORO® (Roche)

Introd. en 1982. Non remb. SS.

PRINCIPES ACTIFS : gélules contenant canthaxanthine (15 mg) et bétacarotène (10 mg).

Emploi : utilisée par voie buccale pour réduire la sensibilisation de la peau à la lumière (photosensibilisation) liée aux porphyries, aux médicaments (en particulier les dérivés de la phénothiazine), à l'urticaire solaire.

Précautions : ne pas employer en cas de glaucome, grossesse, allaitement; ne pas dépasser 2 mois de traitement sans contrôle ophtalmologique (recherche de dépôts rétiniens); ne pas associer des préparations contenant la vitamine A.

Effets indésirables possibles : coloration brun-orangée des paumes des mains, toxicité oculaire (dépôts jaunes dans la rétine); hépatite; urticaire.

Note : *vendu sans ordonnance; à éviter sans avis médical.*

PHÉNYLBUTAZONE LIGNOCAÏNE (Monot)

Introd. en 1960. Liste II. Non remb. SS.

PRINCIPES ACTIFS : pommade contenant de la phénylbutazone (anti-inflammatoire non stéroïdien) et lidocaïne (anesthésique local).

Emploi : proposé contre l'inflammation et la douleur dans les tendinites, arthrites des petites articulations, entorses, contusions et phlébites.

Effets indésirables possibles : eczéma aigu allergique de contact.

Note : *prescrit sur ordonnance médicale.*

PHLÉBOGEL® (Lipha Santé)

Introd. en 1985. Remb. SS 40%.

PRINCIPES ACTIFS : gel pour application locale contenant de la buphénine (vasodilatateur) et aescine.

Emploi : proposé dans le traitement des symptômes en rapport avec l'insuffisance veineuse et lymphatique (jambes lourdes, etc.).

Précautions : consultez votre médecin en cas de suspicion de phlébite (jambes rouges et/ou chaudes, douloureuses, surtout si d'un seul côté et avec fièvre).

Note : vendu sans ordonnance; efficacité des principes actifs à confirmer dans l'emploi proposé.

PHLÉBOGÉNINE® (Boiron)

Préparation homéopathique (baume) proposée comme tonique veineux.

PHOCYTAN® (Aguettant)

Introd. en 1980.
PRINCIPE ACTIF : solution injectable contenant du glucose-phosphate disodique.
Emploi : nutrition parentérale.

PHOLCONES® (Lab. CPF)

Introd. en 1957. Remb. SS 40%.
PRINCIPES ACTIFS :

– *Pholcones* : suppositoires contenant de la pholcodine (antitussif opiacé), amyléine, quinine, camphre et eucalyptol;

– *Pholcones Bismuth-Quinine* : suppositoires contenant de la pholcodine (antitussif opiacé), quinine (antipaludique), succinate basique de bismuth, éther glycérique de gaïacol, camphre et eucalyptol;

– *Pholcones Guaiphénésine-Quinine* : suppositoires contenant de la pholcodine (antitussif opiacé), guaifénésine, quinine, camphre et eucalyptol.

Emploi : proposés dans les affections aiguës de la gorge et dans la toux.
Précautions : ne pas utiliser en cas de
– asthme, insuffisance respiratoire (la diminution de la toux cause l'accumulation de mucosités dans les voies respiratoires);
– maladie du foie (l'élimination de la pholcodine est diminuée en cas d'insuffisance hépatique);
– traitement anticoagulant;
– grossesse, allaitement;
– enfants âgés de moins de 15 ans (de 30 mois pour la forme pour enfant).
Durée du traitement : si la toux persiste après une semaine, si des crachats sanglants ou des effets indésirables apparaissent, arrêtez le traitement et consultez votre médecin.

Alcool : évitez les boissons alcoolisées pendant le traitement (majoration de l'effet sédatif).
Sportifs : ce médicament peut donner une réaction positive en cas de tests pour contrôle antidopage.
Conduite de véhicules : ce médicament peut diminuer la vigilance; la conduite de véhicules ou l'utilisation de machines peut être dangereuse.
Effets indésirables possibles :
– liés à la quinine : vertiges, bourdonnements d'oreilles, surdité, vision trouble; certains sujets sont anormalement sensibles à la quinine qui dès la première ou les premières doses, provoque des effets indésirables parfois graves, notamment de la fièvre, une éruption cutanée, une crise d'asthme, une accélération du pouls et une chute de la tension artérielle avec vertiges, syncope et risque d'arrêt du cœur;
– liés à la pholcodine : somnolence, ou parfois excitation chez le sujet âgé, nausées, vomissements, constipation pouvant évoluer vers l'occlusion intestinale paralytique, vertiges, crises d'asthme, ralentissement du pouls, confusion mentale.

Note : spécialités vendues sans ordonnance; l'efficacité de la pholcodine est généralement reconnue, mais les autres composants ont peu d'intérêt dans l'emploi proposé.

PHOSOFORME® (Chanteaud)

Introd. en 1959. Remb. SS 40%.
PRINCIPE ACTIF : solution buvable contenant de l'acide phosphorique.
Emploi : proposé comme acidifiant de l'urine dans les infections urinaires avec urine alcaline et pour prévenir la formation de calculs urinaires contenant du calcium (lithiases calciques); selon le fabricant, la dose peut être déterminée selon le pH urinaire que l'on mesure à l'aide du papier réactif contenu dans l'emballage.
Précautions : ne pas employer en cas d'insuffisance rénale ou d'ulcère gastro-duodénal; ne pas associer des sulfamides.
Note : vendu sans ordonnance; à éviter en automédication (une infection urinaire ne peut être diagnostiquée que par votre médecin).

PHOSOVÉOL® (Fournier)

Introd. en 1958. Non remb. SS.
PRINCIPES ACTIFS : solution buvable contenant de l'acide phosphorique, acide ascorbique (vitamine C) et gluco-heptonate de calcium.
Emploi : proposé dans la fatigue.
Précautions : consultez votre médecin si la fatigue persiste (il peut s'agir d'une dépression ou d'une maladie nécessitant un traitement spécifique) ou en cas d'amaigrissement.
Note : vendu sans ordonnance; efficacité des principes actifs à confirmer dans l'emploi proposé.

PHOSPHALUGEL®
(Boehringer Ingelheim)

Introd. en 1966. Remb. SS 70%.
PRINCIPE ACTIF : *Phosphate d'aluminium*.
Préparations : comprimés à 540 mg; gelée orale en sachets à 12,38 g.
Emploi : utilisé dans les douleurs au cours des affections de l'estomac, de l'œsophage et du duodénum.
Précautions : consultez votre médecin si les troubles persistent et en cas de douleurs ou crampes abdominales, de selles noires, d'amaigrissement, de fièvre; ne pas utiliser en cas d'insuffisance rénale sévère; ne pas associer des tétracyclines.
Effets indésirables possibles : retard ou diminution de la résorption d'autres médicaments pris par la bouche (respecter un intervalle d'au moins 2 heures); action constipante surtout chez les patients âgés et alités.
Note : vendu sans ordonnance; ne pas utiliser pendant plus de 5 jours sans avis médical.

PHOSPHOCHOLINE®
(Soekami-Lefrancq)

Introd. en 1970. Non remb. SS.
PRINCIPES ACTIFS : granulé contenant du phosphate disodique et citrates de choline et de sodium.
Emploi : troubles digestifs (dyspepsies).
Précautions : consultez votre médecin si les troubles persistent et en cas de douleurs ou crampes abdominales, de selles noires, d'amaigrissement.
Note : vendu sans ordonnance; ne pas utiliser pendant plus de 5 jours sans avis médical.

PHOSPHOLINE IODIDE®
(Promédica)

Introd. en 1966. Liste I. Remb. SS 70%.
PRINCIPE ACTIF : *Iodure d'écothiopate*.
SYNONYME : iodure d'écostigmine.
Préparations : collyre à 0,03%, 0,06% et 0,125%.
Emploi : anticholinestérasique utilisé en collyre dans le traitement de certaines formes de glaucome et d'autres affections oculaires.
Durée d'action : 100 heures.
Allergie : informez votre médecin si vous avez déjà fait une réaction allergique ou inhabituelle à ce collyre.
État de santé : vous devez informer votre médecin de toute affection susceptible de modifier les effets du médicament, notamment asthme, tendance au décollement de la rétine.
Grossesse et allaitement : il n'existe pas de contre-indication actuellement connue à l'utilisation de ce médicament; cependant, son innocuité n'a pas été établie chez la femme enceinte, ni lors de l'allaitement.
Interactions : il faut informer votre médecin si vous prenez ou avez pris récemment d'autres médicaments, notamment atropiniques (antispasmodiques, antiparkinsoniens).
Insecticides et pesticides : informez votre médecin si vous avez été exposé récemment à l'un de ces produits; pendant le traitement, évitez tout contact avec des insecticides ou pesticides, notamment les composés organo-phosphorés sous forme de pulvérisations utilisée en agriculture.
Prescription : ne dépassez pas la dose prescrite par votre médecin (habituellement une seule goutte le soir); des instillations trop fréquentes augmentent le risque d'effets indésirables.
Surveillance : pendant la durée du traitement, vous devez faire contrôler périodiquement la tension de votre globe oculaire pour contrôler les effets du collyre.
Conduite de véhicules : l'attention des conducteurs de véhicules est attirée sur la gêne visuelle après emploi.
Chirurgie : en cas d'intervention chirurgicale, prévenir l'anesthésiste (risque de potentialisation des curarisants).
Effets indésirables possibles :
– *signes occasionnels* : gêne visuelle transitoire, irritation conjonctivale, diminution de l'adaptation à l'obs-

curité (cécité nocturne), maux de tête, larmoiement;

– *signes d'absorption du médicament (à signaler à votre médecin)* : nausées, douleurs gastriques, vomissements, diarrhée, transpirations profuses, ralentissement du pouls;

– *signes de décollement de la rétine (à signaler immédiatement)* : mouches volantes, éclairs, puis sensation d'un voile sombre flottant devant un œil.

Intoxication accidentelle : nécessite une intervention médicale d'urgence.

Note : prescrit sur ordonnance médicale.

PHOSPHONEUROS®
(Doms-Adrian)

Introd. en 1988. Liste II. Remb. SS 70%.
PRINCIPES ACTIFS : solution buvable contenant de l'acide phosphorique, phosphates de calcium et de sodium et glycérophosphate de magnésium.
Emploi : proposé dans certains rachitismes, diabète phosphaté, fuite calcique lors d'immobilisations prolongées.
Note : prescrit sur ordonnance médicale.

PHOSPHORE-SANDOZ®
Forte

Introd. en 1970. Remb. SS 70%.
PRINCIPES ACTIFS : comprimés contenant du phosphate monoammonique, phosphate monopotassique et glycérophosphate de manganèse.
Emploi : proposé dans certains rachitismes, diabète phosphaté, fuite calcique lors d'immobilisation prolongée, hypercalciurie sans hypercalcémie; le diagnostic de ces affections ne peut être posé que par le médecin.
Note : vendu sans ordonnance; à éviter en automédication.

PHYLARM® (Lab. LCA)

Introd. en 1990. Non remb. SS.
PRINCIPES ACTIFS : solution pour lavage oculaire contenant chlorure de sodium, acide borique et borate de sodium (antiseptique local faible).
Emploi : proposé dans les irritations du globe oculaire et de ses annexes.
Note : vendu sans ordonnance; ne pas utiliser pendant plus de 5 jours sans avis médical.

PHYSIOGINE® (Organon)

Introd. en 1992. Liste II. Remb. SS 70%.
PRINCIPE ACTIF : crème vaginale à 0,1% et ovules contenant 0,5 mg d'estriol.
Emploi : utilisé pour atténuer la sécheresse et soulager le prurit et les douleurs vulvaires et vaginales dues au déficit estrogénique de la ménopause.
Précautions : ne pas employer en cas de cancer du sein ou de l'utérus ou d'hémorragies génitales d'origine indéterminée.
Effets indésirables possibles : rarement irritation ou prurit locaux.
Note : prescrit sur ordonnance médicale.

PHYSIOMYCINE® (Laphal)

Introd. en 1978. Liste I. Remb. SS 70%.
PRINCIPE ACTIF : *Métacycline*.
SYNONYME : méthylènecycline.
Préparations : gélules à 300 mg (chlorhydrate).
Emploi : antibiotique du groupe des tétracyclines employé dans le traitement des infections, notamment infections uro-génitales et sexuellement transmissibles, et dans d'autres affections déterminées par le médecin.
Pour les détails → p. 672.
Note : prescrit sur ordonnance médicale.

PHYSIOSTAT® → Contraception hormonale.

PHYTAT D.B.® (Marx)

Introd. en 1964. Remb. SS 70%.
PRINCIPE ACTIF : *Acide fytique*.
Préparations : sirop à 7,5% (phytate de sodium).
Propriétés : médicament qui diminue l'absorption du calcium au niveau de l'intestin.
Emploi : proposé en cas d'élimination excessive du calcium dans les urines (hypercalciurie idiopathique) avec calculs du rein.
Précautions : consultez votre médecin à intervalles réguliers pour évaluer les résultats du traitement et contrôler le taux du calcium dans le sang (calcémie) et les urines (calciurie).
Note : à utiliser sous contrôle médical.

PHYTÉMAG® (Lesourd)

Introd. en 1934. Non remb. SS.
PRINCIPES ACTIFS : gélules contenant du silicate et glycérophosphate de magnésium, des oxydes de zinc, cuivre et nickel, de la chlorophylle et des poudres de persil, prêle, ache, gingembre.
Emploi : proposé dans la fatigue.
Précautions : consultez votre médecin si la fatigue persiste (il peut s'agir d'une dépression ou d'une maladie nécessitant un traitement spécifique) ou en cas d'amaigrissement.
Note : vendu sans ordonnance; efficacité des principes actifs à confirmer dans l'emploi proposé.

PHYTOCALM® (Upsa)

Introd. en 1956. Remb. SS 70%.
PRINCIPES ACTIFS : solution buvable contenant un extrait de valériane et teintures d'aubépine, de passiflore et de ballote.
Emploi : proposé comme tranquillisant et dans les troubles mineurs du sommeil.
Note : vendu sans ordonnance; consultez votre médecin si les troubles persistent.

PHYTONEUROL® (Pionneau)

PRINCIPES ACTIFS : solution buvable contenant des extraits d'anémone, de valériane, de saule blanc, d'aubépine et de passiflore.
Emploi : proposé comme sédatif.

PIASCLÉDINE®
(Pharmascience)

Introd. en 1990. Remb. SS 40%.
PRINCIPES ACTIFS : gélules contenant des extraits d'insaponifiables d'avocat (1 partie) et de soja (2 parties).
Emploi : proposé dans l'arthrose et dans la parodontose ou pyorrhées alvéolodentaires.
Note : vendu sans ordonnance; efficacité des principes actifs à confirmer dans l'emploi proposé.

PILO-1 et PILO-2® (Chauvin)

Introd. en 1972. Remb. SS 70%.
Préparations : collyre contenant 1% ou 2% de pilocarpine.
Emploi → Pilocarpine.

PILOCARPINE (Martinet)

Introd. en 1953. Remb. SS 70%.
PRINCIPE ACTIF : *Pilocarpine*.
Préparations : collyre à 1% ou 2%;
– collyre à 3% (Liste I).
Emploi : la pilocarpine est un cholinergique utilisé pour contracter la pupille (myotique) et pour diminuer la tension intraoculaire dans le glaucome et dans d'autres affections. La durée d'action augmente avec la concentration du collyre (6-12 heures).
Conduite de véhicules : l'attention des conducteurs de véhicules est attirée sur la gêne visuelle après l'emploi.
Effets indésirables possibles : les instillation répétées peuvent entraîner un passage du médicament dans la circulation générale avec salivation, transpirations, larmoiement, nausées et vomissements, crise d'asthme, hypotension artérielle.
Conservation : tout flacon entamé doit être utilisé dans les 15 jours.
Note : vendu sans ordonnance (1%, 2%); à éviter sans avis médical, comme tous les collyres.

PILOSURYL® (P. Fabre)

Introd. en 1962. Remb. SS 70%.
PRINCIPES ACTIFS : solution buvable contenant des extraits de phyllantus et piloselle.
Emploi : proposé comme stimulant de l'élimination rénale de l'eau.
Note : vendu sans ordonnance; efficacité des principes actifs à confirmer dans l'emploi proposé.

PILULE CONTRACEPTIVE → Contraception hormonale.

PILULE DUPUIS® (Delalande)

Introd. en 1984. Non remb. SS.
PRINCIPES ACTIFS : comprimés contenant de la poudre d'aloès, un extrait de bourdaine et du bisacodyl (association de laxatifs irritants).
Emploi : traitement de la constipation.
Précautions : consultez votre médecin si la constipation persiste, en cas de sang dans les selles ou de selles noires, de douleurs abdominales avec diarrhée, d'amaigrissement.
Note : vendu sans ordonnance; à éviter comme tous les laxatifs irritants.

PILULES SPARK®
(Médecine Végétale)

Introd. en 1913. Non remb. SS.

PRINCIPES ACTIFS: comprimés contenant
– poudre d'aloès et de bourdaine : laxatifs irritants (anthraquinones);
– extrait de belladone : atropinique;
– poudre de boldo.

Emploi : traitement de courte durée de la constipation.

Précautions : consultez votre médecin si la constipation persiste, en cas de sang dans les selles ou de selles noires, de douleurs abdominales avec diarrhée, d'amaigrissement.

L'usage prolongé risque de provoquer la «maladie des laxatifs» avec lésions de la muqueuse intestinale.

Note : vendu sans ordonnance; à éviter comme tous les laxatifs irritants.

PIMAFUCORT®
(Brocades Pharma)

Introd. en 1976. Liste I. Remb. SS 70%.

PRINCIPES ACTIFS : pommade contenant de la natamycine (antifongique), de la néomycine et bacitracine (antibiotiques) et de la dexaméthasone (dermocorticoïde).

Emploi : traitement des affections de la peau non suintantes, présumées surinfectées par des bactéries ou Candida albicans.

Application du produit: étaler le produit sur les lésions et le faire pénétrer par un léger massage; éviter tout contact avec les yeux. Ne dépassez pas le nombre d'applications journalières prescrites par votre médecin (en général deux par jour au maximum); des applications trop fréquentes et l'occlusion des lésions augmentent le risque d'effets indésirables.

Durée du traitement : ne pas dépasser 8 jours.

Effets indésirables possibles : prurit, sensation de brûlure; l'application sur de grandes surfaces ou sous un pansement occlusif peut entraîner un passage du principe actif dans la circulation sanguine, d'où l'apparition d'effets indésirables généralisés; possibilité de réactions allergiques aux antibiotiques; l'utilisation prolongée peut provoquer une atteinte de la peau du visage avec rougeur, amincissement et fragilité des téguments et apparition d'ecchymoses.
Note : prescrit sur ordonnance médicale.

PINDIONE® (Lipha Santé)

Introd. en 1952. Liste I. Remb. SS 70%.

PRINCIPE ACTIF : **Phénindione**.

Préparations : comprimés à 50 mg.

Emploi : anticoagulant oral utilisé pour prévenir la formation de caillots dans les vaisseaux sanguins (maladie thromboembolique); son emploi exige le contrôle périodique de la coagulabilité du sang; en effet, une dose trop élevée peut provoquer des saignements et une dose trop faible risque de ne pas protéger contre la formation de caillots.

Durée d'action : longue 24-48 heures.

Pour les détails → p. 38.

Note : prescrit sur ordonnance médicale.

PIPÉRAZINE (Doms-Adrian)

Introd. en 1957. Remb. SS 70%.

PRINCIPE ACTIF : **Pipérazine**.

Préparations : sirop contenant 337 mg de pipérazine base par cuillerée à café.

Emploi : médicament appartenant au groupe des anthelminthiques qui sont utilisés pour traiter les infestations par des vers; la pipérazine est employée pour traiter l'ascaridiose et l'oxyurose.

Posologie (adulte) : 50 mg/kg/jour en 2-3 prises pendant 7 jours; dans l'oxyurose, la cure est répétée après 2-3 semaines et doit être accompagnée de mesures d'hygiène et du traitement de tous les membres de la famille pour éviter les réinfestations.

Précautions : ne pas employer en cas de maladies du foie ou des reins ou en cas d'épilepsie; l'usage est déconseillé pendant la grossesse (innocuité non établie); ne pas associer le pyrantel ou les dérivés de la phénothiazine.

Effets indésirables possibles : nausées, vomissements, diarrhées; exceptionnellement troubles visuels, contractions musculaires, éruption cutanée, convulsions.

Note : vendu sans ordonnance; l'efficacité de la pipérazine est généralement reconnue, mais des médicaments plus modernes ont l'avantage d'êtres efficaces en une prise unique.

PIPÉRILLINE® (Lederle)

Introd. en 1984. Liste I.
PRINCIPE ACTIF : **Pipéracilline**.
Préparations : poudre pour solution injectable en flacons à 1 g, 2 g ou 4 g (sel sodique).
Emploi : antibiotique du groupe des pénicillines (uréidopénicilline) utilisé à l'hôpital traiter des infections graves à germes sensibles.
Pour les détails → p. 520.
Note : réservé aux hôpitaux.

PIPORTIL® (Théraplix)

Introd. en 1973. Liste I. Remb. SS 70%.
PRINCIPE ACTIF : **Pipotiazine**.
Préparations : comprimés à 10 mg; gouttes buvables (1 goutte= 1 mg); ampoules injectables à 10 mg.
Solution huileuse (palmitate) à action prolongée : ampoules injectables à 25 mg dans 1 ml et 100 mg dans 4 ml (*Piportil-L4®*).
Emploi : médicament appartenant au groupe des neuroleptiques dérivés de la phénothiazine qui sont utilisées dans le traitement des maladies mentales. La pipotiazine est utilisée par voie orale pour calmer l'agitation et l'excitation, réduire l'agressivité et améliorer les troubles du comportement dans les maladies mentales aiguës. La forme retard est employée pour traiter les maladies mentales chroniques, notamment la schizophrénie et la manie. La pipotiazine atténue les symptômes de la maladie mentale, mais ne la guérit pas.
Pour les détails → p. 468.
Note : prescrit sur ordonnance médicale.

PIPRAM® (R. Bellon)

Introd. en 1975. Liste I. Remb. SS 70%.
PRINCIPE ACTIF : **Acide pipémidique**.
Préparations : gélules à 200 mg; comprimés à 400 mg (*Pipram® fort*).
Emploi : antiseptique urinaire appartenant aux groupe des quinolones utilisés pour traiter les infections des voies urinaires basses non compliquées, notamment l'infection de la vessie (cystite).
Pour les détails → p. 579.
Note : prescrit sur ordonnance médicale.

PIRILÈNE®
(Marion Merrell Dow)

Introd. en 1981. Liste I. Remb. SS 70%.
PRINCIPE ACTIF : **Pyrazinamide**.
Préparations : comprimés à 500 mg.
Emploi : dérivé, comme l'isoniazide, de la nicotinamide, relativement toxique, utilisé en association avec d'autres antituberculeux pour obtenir la stérilisation rapide dans les formes de tuberculose résistantes aux autres traitements; son principal inconvénient est sa toxicité hépatique.
Constituant de tous les traitements antituberculeux de six et huit mois recommandés par l'OMS.
Durée d'action : jusqu'à 24 heures.
Allergie : informez votre médecin si vous avez déjà fait une réaction allergique ou inhabituelle à ce médicament ou à l'éthionamide ou à l'isoniazide.
État de santé : vous devez informer votre médecin de toute affection susceptible de modifier les effets du médicament, notamment
– maladies du foie;
– maladies des reins;
– goutte (augmentation du taux sanguin de l'acide urique et risque de déclenchement de crises);
– porphyries;
– diabète sucré (risque de variations de la glycémie).
Grossesse et allaitement : l'innocuité de ce médicament n'ayant pas été établie chez la femme enceinte, ni lors de l'allaitement, son usage est déconseillé par mesure de prudence.
Enfants : ne pas utiliser chez les enfants âgés de moins de 3 ans.
Interactions : il faut informer votre médecin si vous prenez ou avez pris récemment d'autres médicaments.
Prescription : ne dépassez pas la dose prescrite par votre médecin.
Médicaments associés : respectez les doses et l'horaire des médicaments associés.
Oubli : si vous oubliez de prendre le médicament, ne doublez pas la dose suivante.
Alcool : à éviter pendant le traitement.
Surveillance : contrôles périodiques des fonctions hépatiques et du taux sanguin de l'acide urique.
En cas de diabète : ce médicament peut fausser les résultats de certains tests pour déceler la présence de sucre ou d'acétone dans les urines.

Effets indésirables possibles :
– nausées, vomissements, suivis de faiblesse, fièvre et de l'apparition d'une coloration jaune de la peau ou ictère (atteinte hépatique);
– douleurs et tuméfaction des articulations (goutte);
– prurit, éruptions cutanées (réaction allergique : arrêtez le traitement).

Note : prescrit sur ordonnance médicale.

PIVALONE® (Jouveinal)

Introd. en 1978. Liste II. Remb. SS 40%.
PRINCIPE ACTIF : *Tixocortol.*
Préparations : suspension nasale à 1% en flacon pulvérisateur.
Emploi : corticoïde utilisé en pulvérisations nasales dans les rhinites allergiques et vasomotrices.

Note : prescrit sur ordonnance médicale.

PIVALONE® néomycine (Jouveinal)

Introd. en 1984. Liste I. Remb. SS 70%.
PRINCIPES ACTIFS : suspension pour application nasale ou pour ponction-lavage d'un sinus avec drain à demeure (application endosinusienne) contenant du tixocortol (corticoïde) et néomycine (antibiotique).
Emploi : inflammations et infections de la muqueuse du nez, de la gorge et des sinus (sinusite).
Effets indésirables possibles : réactions allergiques à la néomycine.

Note : prescrit sur ordonnance médicale.

PLANOR® → Contraception hormonale.

PLANPHYLLINE® (Plantier)

Introd. en 1985. Remb. SS 70%.
PRINCIPE ACTIF : *Aminophylline.*
Préparations : comprimés à libération prolongée à 300 mg (250 mg de théophylline base); ampoules injectables à 240 mg dans 10 ml.
Emploi : l'aminophylline est un complexe soluble constitué par la combinaison de théophylline et d'éthylène diamine; dans l'organisme le complexe se dissocie en libérant la théophylline. La théophylline est un dérivé de la xanthine qui dilate les bronches et facilite le passage de l'air; elle est utilisée en cas d'asthme, de bronchite chronique, d'emphysème et dans d'autres affections; à hautes doses, la théophylline stimule le système nerveux central. Les effets indésirables sont fréquents et demandent souvent un contrôle des taux plasmatiques; en effet, la marge entre le taux efficace et le taux toxique est étroite.

Pour les détails → Théophylline.

Note : vendu sans ordonnance; le traitement doit être conduit sous surveillance médicale.

PLAQUENIL®
(Sterling Winthrop)

Introd. en 1960. Remb. SS 70%.
PRINCIPE ACTIF : *Hydroxychloroquine.*
Préparations : comprimés à 200 mg.
Emploi : l'hydroxychloroquine est un antipaludique du groupe des amino-4-quinoléines utilisé dans le traitement de fond de certaines maladies «auto-immunes», notamment la polyarthrite rhumatoïde (en cas de synovite érosive évolutive et/ou en cas d'échec des sels d'or) et le lupus érythémateux disséminé; les effets du traitement ne se manifestent qu'après plusieurs semaines.
Durée d'action : jusqu'à une semaine.
Précautions : ne pas employer en cas d'allergie au produit ou à la chloroquine, de maladies de la rétine (rétinopathies), de porphyries, d'épilepsie, de myasthénie (faiblesse musculaire), de grossesse et allaitement.
Des contrôles réguliers des yeux et du sang (formule sanguine) et du fond d'œil sont nécessaires à cause du risque d'effets indésirables.
Enfants : ils sont particulièrement sensibles à ce médicament et le surdosage est particulièrement dangereux; la prise de 5-6 comprimés peut être fatale chez le petit enfant.
Interactions : il faut informer votre médecin si vous prenez ou avez pris récemment d'autres médicaments, notamment :
– sels d'or, anti-inflammatoires dérivés de la pyrazolone (risque accru d'éruptions cutanées);
– corticoïdes (risque d'aggravation de certaines maladies musculaires);
– antidépresseurs inhibiteurs de la mono-amine-oxydase ou IMAO (association à éviter).

Alcool : à éviter pendant le traitement.

Conduite de véhicules : avant de conduire un véhicule ou d'utiliser des machines, il faut vous assurer que le médicament ne provoque pas des troubles de la vue (par exemple plus grande sensibilité à l'éblouissement) ou des vertiges.

Effets indésirables possibles :

– troubles de la vue, difficulté à lire : à signaler immédiatement à votre médecin, car le médicament peut causer des opacifications de la cornée (réversibles) et des lésions de la rétine (irréversibles);

– fièvre, maux de gorge : *à signaler à votre médecin* car il peut s'agir d'une diminution du nombre des globules blancs dans le sang;

– faiblesse musculaire (amyotrophie);

– troubles psychiques, excitation, crises convulsives;

– prurit, éruption cutanée (réaction allergique : arrêtez immédiatement le traitement);

– troubles visuels, perception de halos incolores entourant les sources lumineuses, parfois scintillement (dépôts cornéens, atteinte de la rétine);

– coloration jaune de la peau et des yeux, jaunisse;

– après absorption du médicament, les urines peuvent prendre une coloration brun-rougeâtre.

Intoxication (à traiter en milieu hospitalier) : nausées et vomissements, somnolence apparaissant rapidement, suivis par de l'agitation, des difficultés d'élocution, un essoufflement (œdème pulmonaire), des convulsions, des troubles visuels, des troubles du rythme cardiaques; évolution vers un coma; un arrêt du cœur peut survenir brutalement.

Note : à utiliser sous contrôle médical.

PLASMACAIR® (Clintec)

Introd. en 1960. Remb. SS 70%.
PRINCIPE ACTIF : *Dextran.*
Préparations : flacons de 500 ml contenant 3,5% d'un polymérisat de glucose (poids moléculaire 40.000).
Emploi : succédané du plasma utilisé en perfusion intraveineuse pour rétablir la masse sanguine dans l'état de choc.
Note : réservé aux hôpitaux.

PLASMAGEL® et PLASMION® (R. Bellon)

Introd. en 1957. Remb. SS 70%. ou 100%.
PRINCIPE ACTIF : *Gélatine fluide modifiée.*
Préparations : flacons de 500 ml contenant de la gélatine de poids moléculaire moyen 35.000 [en solution ionique équilibrée pour le Plasmion®].
Emploi : succédané du plasma employé pour rétablir la masse sanguine dans l'état de choc.

PLASMARINE® (Pharmadéveloppement)

Introd. en 1934. Non remb. SS.
PRINCIPES ACTIFS : sirop contenant de l'eau de mer, iode, phosphate de calcium, glycérophosphates de calcium et manganèse, acide phosphorique.
Emploi : proposé dans la fatigue.
Précautions : ne pas employer en cas d'intolérance à l'iode; consultez votre médecin si la fatigue persiste (il peut s'agir d'une dépression ou d'une autre maladie nécessitant un traitement spécifique) ou en cas d'amaigrissement.
Note : vendu sans ordonnance; efficacité des principes actifs à confirmer dans l'emploi proposé.

PLASMION® → Plasmagel®.

PLASTÉNAN® pommade (Choay)

Introd. en 1968. Remb. SS 40%.
PRINCIPES ACTIFS : pommade contenant de l'acide acéxamique et acide ascorbique (vitamine C).
Emploi : proposé pour favoriser la cicatrisation des plaies superficielles.
Effets indésirables possibles : eczéma de contact.
Note : vendu sans ordonnance; efficacité des principes actifs à confirmer dans l'emploi proposé.

PLASTÉNAN® néomycine (Choay)

Introd. en 1969. Remb. SS 40%.
PRINCIPES ACTIFS : pommade contenant de l'acide acéxamique, néomycine (antibiotique local) et acide ascorbique (vitamine C).

Emploi : proposé pour favoriser la cicatrisation des plaies superficielles infectées ou susceptibles de surinfection.

Durée du traitement : ne pas dépasser une semaines.

Effets indésirables possibles : eczéma de contact.

Note : vendu sans ordonnance; à éviter en automédication comme tous les antibiotiques locaux.

PLÉBÉ® (Pharmadéveloppement)

Introd. en 1960. Non remb. SS.

PRINCIPES ACTIFS : solution buvable contenant de l'acide ascorbique (vitamine C), pyridoxine (vitamine B6), glucoheptonate de calcium, glycérophosphate de magnésium et sorbitol (laxatif osmotique).

Emploi : proposé dans la fatigue.

Précautions : consultez votre médecin si la fatigue persiste (il peut s'agir d'une dépression ou d'une autre maladie nécessitant un traitement spécifique) ou en cas d'amaigrissement.

Note : vendu sans ordonnance; efficacité des principes actifs à confirmer dans l'emploi proposé.

PLÉGICIL® (Clin Midy)

Introd. en 1957. Liste I. Remb. SS 70%.

PRINCIPE ACTIF : *Acépromazine*.

Préparations : solution buvable à 1 mg par 10 gouttes.

Emploi : médicament appartenant au groupe des phénothiazines qui sont utilisées dans le traitement des maladies mentales (action neuroleptique). L'acépromazine est utilisée à faibles doses pour traiter certaines formes d'anxiété résistantes aux thérapeutiques habituelles et en cas de vomissements (action antiémétique).

Pour les détails → p. 468.

Note : prescrit sur ordonnance médicale.

PLENYL® (Oberlin)

Introd. en 1990. Non remb. SS.

PRINCIPES ACTIFS : comprimés contenant des vitamines (préparation polyvitaminée), cocarboxylase, oligoéléments.

Emploi : proposé dans les «carences vitaminiques multiples»; ce médicament est inadéquat pour traiter des carences spécifiques en vitamines; l'efficacité dans les états de fatigue reste à confirmer.

Précautions : ne pas administrer en cas de grossesse et allaitement (en raison de la présence de vitamine A); la présence de vitamine B12 en faible dose est insuffisante pour traiter une anémie, mais suffisante pour en masquer les manifestations et retarder le diagnostic.

Note : vendu sans ordonnance; à éviter en automédication (une carence en vitamines ne peut être diagnostiquée que par votre médecin).

PLITICAN® (Delagrange)

Introd. en 1983. Liste II.

PRINCIPE ACTIF : *Alizapride*.

Préparations :
– Comprimés à 50 mg; soluté buvable à 0,5 mg par goutte. Non remb. SS.
– Ampoules injectables à 50 mg dans 2 ml. Remb. SS 70%.

Emploi : neuroleptique, appartenant au groupe des benzamides substitués qui stimulent les contractions et les mouvements du tube digestif, de l'estomac à l'intestin.
L'alizapride est utilisée :
– Par voie buccale pour traiter les nausées, les vomissements (à l'exclusion des vomissements de la grossesse) et les troubles de la motricité digestive, en particulier le reflux gastro-œsophagien (liquide acide remontant dans la bouche) et le retard de l'évacuation gastrique (ou gastroparésie).
– En injection pour prévenir et traiter les nausées et les vomissements causés par les médicaments anticancéreux.

Pour les détails → p. 306.

Note : prescrit sur ordonnance médicale.

PLUREXID® → Chlorhexidine.

PLURIFACTOR® (Gomenol)

Introd. en 1961. Non remb. SS.

PRINCIPES ACTIFS : comprimés contenant acide désoxyribonucléique (ADN), glycocolle et des vitamines (B1, B2, B6, PP).

Emploi : proposé dans la fatigue.

Précautions : consultez votre médecin si la fatigue persiste (il peut s'agir d'une dépression ou d'une maladie nécessitant un traitement spécifique) ou en cas d'amaigrissement.

Note : vendu sans ordonnance; efficacité des principes actifs à confirmer dans l'emploi proposé.

PNEUMASEPTIC® (Amido)

PRINCIPES ACTIFS : élixir contenant de la codéthyline (antitussif opiacé), sulfogaïacol, terpine, benzoate de sodium.

Emploi : proposé pour calmer la toux.

Pour les détails → p. 59.

Note : vendu sans ordonnance; l'efficacité de la codéthyline est généralement reconnue, mais les autres composants ont peu d'intérêt dans l'emploi proposé.

PNEUMO 23® → Vaccin antipneumococcique.

PNEUMOCLAR® (Pharminter)

PRINCIPE ACTIF : *Carbocistéine*.

Préparations : sirop à 5%.

Emploi : proposé pour liquéfier les sécrétions bronchiques et en faciliter l'expectoration dans les affections respiratoires accompagnées de sécrétions bronchiques épaisses, notamment en cas de bronchite aiguë, d'emphysème et d'autres affections.

Précautions : ne pas employer en cas d'allergie au produit, d'asthme, d'encombrement des bronches, d'ulcère gastroduodénal évolutif, de grossesse ou d'allaitement (innocuité non établie); ne pas employer chez l'enfant de moins de 5 ans.

Consultez votre médecin si votre état ne s'améliore pas rapidement ou s'il s'aggrave, en cas d'amaigrissement, de crachats sanglants ou de fièvre.

Effets indésirables possibles : brûlures d'estomac, maux de tête, nausées, diarrhées.

Pour les détails → p. 287.

Note : vendu sans ordonnance; à éviter sans avis médical.

PNEUMOGÉINE®
(Techni-Pharma)

Introd. en 1948. Remb. SS 70%.

PRINCIPES ACTIFS : solution buvable contenant de la théophylline, caféine,

iodure de potassium et benzoate de sodium.

Emploi : proposé dans le traitement de l'asthme.

Pour les détails → Théophylline.

Note : vendu sans ordonnance; le traitement de l'asthme doit être conduit sous surveillance médicale; des principes actifs plus efficaces sont actuellement disponibles.

PNEUMOPAN® (Sterling Midy)

Introd. en 1968. Non remb. SS.

PRINCIPES ACTIFS : sirop contenant :
– codéine : antitussif opiacé;
– chlorphénamine : antihistaminique, sédatif et atropinique;
– bromoforme et benzoate de sodium.

Emploi : proposé pour calmer la toux.

Précautions : ne pas utiliser en cas de
– asthme, insuffisance respiratoire (la diminution de la toux cause l'accumulation de mucosités dans les voies respiratoires);
– maladie du foie;
– ulcère gastro-duodénal évolutif;
– hypertrophie de la prostate;
– glaucome à angle fermé;
– grossesse, allaitement;
– enfants âgés de moins de 15 ans.

Durée du traitement : si la toux persiste après une semaine, si des crachats sanglants ou des effets indésirables apparaissent, arrêtez le traitement et consultez votre médecin.

Alcool : à éviter pendant le traitement.

Sujets âgés : risque accru d'effets indésirables; doses réduites de moitié.

Conduite de véhicules : ce médicament peut diminuer la vigilance; la conduite de véhicules ou l'utilisation de machines peut être dangereuse.

Sportifs : ce médicament peut donner une réaction positive en cas de tests pur contrôle antidopage.

En cas de diabète : tenir compte de la teneur en sucre du produit.

Effets indésirables possibles :
– liés à la codéine : somnolence, sécheresse de la bouche, confusion mentale, nausées, vomissements, constipation, crises d'asthme, éruption cutanée (réaction allergique : arrêtez immédiatement le traitement);
– liés à la chlorphénamine : somnolence, sécheresse de la bouche, du nez et de la gorge, vision trouble,

accélération du pouls, palpitations, bouffées de chaleur, nausées, constipation, difficulté à uriner (chez les prostatiques), confusion mentale ou agitation (sujets âgés), éruptions.

Note : vendu sans ordonnance; l'efficacité de la codéine est généralement reconnue, mais les autres composants ont peu d'intérêt dans l'emploi proposé.

PNEUMOREL® (Biopharma)

Introd. en 1973. Liste II. Remb. SS 40%.
PRINCIPE ACTIF : **Fenspiride**.
Préparations : comprimés à 80 mg; sirop à 10 mg par cuillerée à café; ampoule injectable à 40 mg dans 5 ml.
Emploi : proposé dans les affections des voies respiratoires (rhinopharyngites, laryngites, bronchites).
Précautions : ne pas utiliser pendant la grossesse et l'allaitement.
Effets indésirables possibles : somnolence, troubles gastriques.
Note : prescrit sur ordonnance médicale.

P.O. 12® (Boehringer Ingelheim)

Introd. en 1958. Non remb. SS.
PRINCIPE ACTIF : **Enoxolone**.
SYNONYME : acide glycyrrhétinique.
Préparations : crème à 2%.
Emploi : proposé pour traiter les inflammations modérées de la peau.
Note : vendu sans ordonnance; consultez votre médecin si les lésions persistent.

POCONEOL®
(Plantes et Médecines)

Introd. en 1974. Non remb. SS.
Gamme de produits homéopathiques présentés sous forme de solutions buvables.

POLARAMINE®
(Schering-Plough)

Introd. en 1962. Remb. SS 70%.
PRINCIPE ACTIF : **Dexchlorphéniramine**.
Préparations : comprimés à 2 mg; comprimés à libération prolongée à 6 mg (Repetabs); sirop à 0,5 mg par c.à.c.; ampoules injectables à 5 mg/1 ml.
Emploi : antihistaminique utilisé pour prévenir et traiter les affections allergiques, notamment conjonctivites et rhinites allergiques, urticaire, rhume des foins; la dexchlorphéniramine possède des propriétés sédatives et

atropiniques; ne pas employer chez l'enfant âgé de moins de 12 ans.
Pour les détails → p. 45.
Note : vendu sans ordonnance; efficacité généralement reconnue dans l'emploi proposé; tenir compte de l'effet sédatif.

POLARAMINE® Pectoral
(Schering-Plough)

Introd. en 1969. Non remb. SS.
PRINCIPES ACTIFS : sirop contenant :
– dexchlorphéniramine : antihistaminique, sédatif et atropinique (Polaramine®);
– pseudoéphédrine : vasoconstricteur;
– guaifénésine, cyclamate et benzoate de sodium.
Emploi : proposé dans la toux d'origine allergique, les coryzas spasmodiques, rhinopharyngites, trachéites et bronchites.
Précautions : ne pas employer en cas d'insuffisance respiratoire, de glaucome par fermeture de l'angle, d'adénome de la prostate, de fonctionnement excessif de la glande thyroïde (hyperthyroïdie), d'hypertension artérielle, d'angine de poitrine, de grossesse, d'allaitement, d'association avec les antidépresseurs IMAO; n'est pas conseillé chez les enfants de moins de 15 ans.
Sportifs : ce médicament peut donner une réaction positive lors des tests pour contrôle antidopage.
Alcool : à éviter pendant le traitement (majoration de l'effet sédatif).
Conduite de véhicules : ce médicament peut diminuer la vigilance; la conduite de véhicules ou l'utilisation de machines peut être dangereuse.
Effets indésirables possibles :
– liés à la dexchlorphéniramine : somnolence, sécheresse de la bouche, du nez et de la gorge, vision trouble, accélération du pouls, palpitations, bouffées de chaleur, nausées, constipation, difficulté à uriner, confusion mentale ou agitation (sujets âgés);
– liés à la pseudoéphédrine : palpitations, accélération ou irrégularité du pouls, maux de tête, étourdissements, nervosité, insomnie, transpirations, tremblements.
Note : vendu sans ordonnance; l'action antiallergique de la dexchlorphéniramine est généralement reconnue, mais les autres composants ont peu d'intérêt dans l'emploi proposé.

POLÉRY® (Veyron et Froment)

Introd. en 1957. Remb. SS 40%.

PRINCIPES ACTIFS : sirop contenant
– codéine et codéthyline : antitussifs opiacés;
– belladone teinture : atropinique;
– bromure et benzoate de sodium, sirop de polygala et d'érysimum, teinture d'aconit.

Emploi : proposé pour calmer la toux irritative, sèche.

Précautions : ne pas utiliser en cas de
– asthme, insuffisance respiratoire (la diminution de la toux cause l'accumulation de mucosités dans les voies respiratoires);
– maladie du foie;
– hypertrophie de la prostate;
– glaucome à angle fermé;
– grossesse (innocuité non établie), allaitement;
– enfants âgés de moins de 15 ans (de 30 mois pour la forme pour enfant).

Durée du traitement : si la toux persiste après une semaine, si des crachats sanglants ou des effets indésirables apparaissent, arrêtez le traitement et consultez votre médecin.

Alcool : évitez les boissons alcoolisées pendant le traitement (majoration de l'effet sédatif).

Sujets âgés : risque accru d'effets indésirables; doses réduites de moitié.

Conduite de véhicules : ce médicament peut diminuer la vigilance; la conduite de véhicules ou l'utilisation de machines peut être dangereuse dans ce cas.

Sportifs : ce médicament peut donner une réaction positive en cas de tests pour contrôle antidopage.

En cas de diabète : tenir compte de la teneur en sucre du produit.

Effets indésirables possibles : somnolence, sécheresse de la bouche, confusion, nausées, vomissements, crises d'asthme, constipation, éruption cutanée (réaction allergique : arrêtez immédiatement le traitement), difficulté à respirer ou à uriner (chez le sujet âgé); faible risque de dépendance en cas de traitement prolongé.

Note : vendu sans ordonnance; l'efficacité des antitussifs opiacés (codéine et codéthyline) est généralement reconnue, mais les autres composants ont peu d'intérêt dans l'emploi proposé.

POLYCARE® (Alcon)

Introd. en 1989. Non remb. SS.

Préparations : comprimés pour solution de contactologie contenant du dichloro-isocyanurate de sodium.

Emploi : décontamination quotidienne des lentilles de contact souples.

POLYCLEAN® (Alcon)

Introd. en 1987. Non remb. SS.

PRINCIPES ACTIFS : solution de contactologie stérile contenant du polysorbate 21, édétate et mercurothiolate de sodium.

Emploi : utilisée pour le nettoyage quotidien des lentilles cornéennes et des prothèses oculaires, qui doivent être ensuite rincées avec une solution de rinçage.

POLYDEXA® (Bouchara)

Introd. en 1973. Liste I. Remb. SS 40%.

PRINCIPES ACTIFS : solution auriculaire contenant de la néomycine (antibiotique), polymyxine B (antibiotique) et dexaméthasone (corticoïde).

Emploi : proposé dans les otites externes à tympan fermé (vérifier l'état du tympan avant toute application).

Durée du traitement : ne pas dépasser 10 jours.

Effets indésirables possibles : réactions allergiques à la néomycine ou à la polymyxine B.

Note : prescrit sur ordonnance médicale.

POLYDEXA® à la phényléphrine (Bouchara)

Introd. en 1978. Liste I. Remb. SS 40%.

PRINCIPES ACTIFS : solution nasale en flacon pulvérisateur contenant de la phényléphrine (vasoconstricteur), dexaméthasone (corticoïde) et polymyxine B (antibiotique local).

Emploi : proposé dans la congestion et l'infection des muqueuses nasales.

Durée du traitement : l'utilisation pendant plus de 5-6 jours consécutifs est déconseillée en raison du risque d'aggravation de la congestion nasale («rebond»), obstruction chronique du nez par hypertrophie des cornets (rhinite «iatrogène»).

Précautions : ne pas employer en cas d'affections virales, de glaucome par fermeture de l'angle, d'association aux antidépresseurs IMAO, d'hypertension, pendant la grossesse ou l'allaitement et chez l'enfant de moins de 30 mois.

Effets indésirables possibles (dus à l'absorption de la phényléphrine dans l'organisme) : palpitations, accélération ou irrégularité du pouls, maux de tête, étourdissements, nervosité, insomnie, transpirations, tremblements; réactions allergiques dues à la polymyxine B.

Note : prescrit sur ordonnance médicale.

POLYFRA® (Alcon)

Introd. en 1969. Remb. SS 70%.
PRINCIPES ACTIFS :
– collyre : polymyxine B et framycétine (antibiotiques), synéphrine (vasoconstricteur);
– pommade ophtalmique : polymyxine B et framycétine (antibiotiques).

Emploi : infections bactériennes aiguës du segment antérieur de l'œil.

Précautions : en l'absence d'amélioration rapide, consultez votre médecin; ne pas utiliser en cas de glaucome par fermeture de l'angle.

Conduite de véhicules : le collyre peut provoquer une dilatation de la pupille (mydriase); la conduite de véhicules ou l'utilisation de machines peut être dangereuse dans ce cas.

Effets indésirables possibles (collyre) : risque de glaucome aigu par fermeture de l'angle.

Conservation : à utiliser dans les 15 jours après l'ouverture du flacon.

Note : vendus sans ordonnance; à éviter en automédication comme tous les antibiotiques locaux.

POLYGAMMA® → Immunoglobulines humaines polyvalentes.

POLYGYNAX® (Innothéra)

Introd. en 1969. Liste I. Remb. SS 70%.
PRINCIPES ACTIFS : capsules vaginales et suspension vaginale (*Polygynax® Virgo*) contenant de la néomycine et polymyxine B (antibiotiques) et nystatine (antifongique).

Emploi : proposé dans le traitement local des vaginites bactériennes et mixtes (avec Candida albicans).

Note : prescrit sur ordonnance médicale.

POLY-KARAYA® (Delalande)

Introd. en 1979. Remb. SS 70%.
PRINCIPES ACTIFS : granulé en sachets contenant de la gomme de sterculia et polyvinyl-polypyrrolidone.

Emploi : laxatif mécanique qui agit en augmentant le volume des selles, proposé dans les troubles fonctionnels du côlon et dans la constipation rebelle aux thérapeutiques hygiéno-diététiques.

En cas de diabète : tenir compte de la teneur en sucre du produit.

Précautions : consultez votre médecin si les troubles persistent et en cas de crampes abdominales, de selles noires, d'amaigrissement.

Effets indésirables possibles : ballonnements prévenus par un apport d'eau suffisant.

Note : vendu sans ordonnance.

POLYPIRINE® (Lehning)

Introd. en 1952. Liste II. Remb. SS 70%.
PRINCIPES ACTIFS : gélules contenant :
– propyphénazone : analgésique et antipyrétique à éviter à cause de sa toxicité potentielle;
– phénacétine : analgésique à action périphérique à éviter à cause de sa toxicité rénale;
– phénicarbazide : analgésique et antipyrétique;
– caféine : stimulant central;
– cannelle, ipéca, scille.

Emploi : proposé pour atténuer la douleur modérée (*analgésique*) et pour faire tomber la fièvre (*antipyrétique*).

Durée du traitement : consultez votre médecin si les douleurs persistent après 5 jours ou si la fièvre ou le mal de gorge ne régressent pas au bout de 3 jours.

Précautions : ce médicament ne doit pas être utilisé en cas de :
– maladies des reins;
– chez les sujets qui ont fait des réactions à ce médicament ou à un dérivé de la pyrazolone;
– chez les enfants de moins de 15 ans;
– chez la femme enceinte ou susceptible de l'être (innocuité non établie) et en cas d'allaitement;
– porphyrie hépatique;
– chez les sujets qui ont un déficit congénital en glucose-6-phosphate déshydrogénase ou G6PD (risque d'hémolyse).

Effets indésirables possibles :
– liés à la phénacétine : l'utilisation
prolongée provoque des lésions
rénales irréversibles parfois fatales;
seul un traitement très court, non
répété, peut être envisagé (la phénacétine a été abandonnée dans divers
pays);
– liés à la propyphénazone : fièvre,
frissons, maux de gorge, ulcérations
buccales (diminution des globules
blancs dans le sang); urticaire, éruption cutanée; visage enflé, bouffissure
des lèvres et des paupières, voix
rauque, difficulté à respirer ou à
avaler (œdème de Quincke).
Note : prescrit sur ordonnance médicale.

POLYRINSE® (Alcon)

Introd. en 1986. Non remb. SS.
Préparations : solution de contactologie
contenant du chlorure de sodium.
Emploi : utilisée pour rincer les lentilles
cornéennes et les prothèses oculaires
après leur nettoyage.

POLYSILANE Jouillé®
(Synthélabo)

Introd. en 1960. Remb. SS 70%.
PRINCIPES ACTIFS: comprimés contenant
du diméticone, sorbitol (laxatif osmotique) et hydroxyde d'aluminium.
Emploi : proposé pour neutraliser
l'excès d'acidité et comme pansement
gastrique dans les douleurs d'estomac
d'origines diverses et le reflux gastro-
œsophagien (liquide acide remontant
dans la bouche) et dans les ballonnements (météorisme); en cas d'ulcère
de l'estomac ou du duodénum, ce
médicament ne doit être utilisé que
sous surveillance médicale.
Précautions : consultez votre médecin
si les troubles persistent et en cas de
douleurs ou crampes abdominales,
de selles noires, d'amaigrissement,
de fièvre; ne pas utiliser en cas
d'insuffisance rénale sévère; ne pas
associer des tétracyclines.
Effets indésirables possibles : retard ou
diminution de la résorption d'autres
médicaments pris par la bouche
(respecter un intervalle d'au moins
deux heures), constipation.
*Note : vendu sans ordonnance; ne pas
utiliser pendant plus de 5 jours sans
avis médical.*

POLYSILANE Jouillé®
nourrisson (Synthélabo)

Introd. en 1963. Remb. SS 70%.
PRINCIPES ACTIFS: comprimés contenant
du diméticone et farine de caroube.
Emploi : proposé dans les troubles
digestifs du nouveau-né et du nourrisson.
*Note : vendu sans ordonnance; à éviter
sans avis médical.*

POLYSILANE réglisse®
(Clin Midy)

Introd. en 1965. Remb. SS 70%.
PRINCIPES ACTIFS: comprimés contenant
du diméticone, extrait de réglisse,
glycinate et hydroxyde d'aluminium,
trisilicate de magnésium, carbonate
de calcium.
Emploi : proposé pour neutraliser
l'excès d'acidité et comme pansement
gastrique et intestinal et dans les
ballonnements (météorisme).
En cas d'ulcère de l'estomac ou du
duodénum, ce médicament ne doit
être utilisé que sous surveillance médicale.
Précautions : consultez votre médecin
si les troubles persistent et en cas de
douleurs ou crampes abdominales,
de selles noires, d'amaigrissement,
de fièvre; ne pas utiliser en cas
d'insuffisance rénale sévère; ne pas
associer de tétracyclines.
Prise du médicament : après les repas et
éventuellement au coucher.
Effets indésirables possibles : retard ou
diminution de la résorption d'autres
médicaments pris par la bouche
(respecter un intervalle d'au moins 2
heures); constipation.
*Note : vendu sans ordonnance; ne pas
utiliser pendant plus de 5 jours sans
avis médical.*

POLYTONYL® (Upsa)

Introd. en 1965. Non remb. SS.
PRINCIPES ACTIFS : solution buvable
contenant de l'acide ascorbique (vitamine C), pyridoxine (vitamine B6),
nicotinamide (vitamine PP), aspartate
de magnésium et de potassium,
lysine, fructoheptonate de calcium et
sorbitol.
Emploi : proposé dans la fatigue.
Précautions : consultez votre médecin
si la fatigue persiste (il peut s'agir

d'une dépression ou d'une autre maladie nécessitant un traitement spécifique) ou en cas d'amaigrissement.
Effets indésirables possibles: douleurs abdominales, diarrhées.
Note : vendu sans ordonnance; efficacité des principes actifs à confirmer dans l'emploi proposé.

POLYZYM® (Alcon)

Introd. en 1988. Non remb. SS.
Préparations : comprimés pour contactologie contenant de la pancréatine d'origine animale.
Emploi : nettoyage enzymatique des lentilles de contact.

POMMADE au Calendula (Boiron)

Introd. en 1928. Remb. SS 70%.
PRINCIPE ACTIF : un extrait de *Calendula officinalis*.
Emploi : écorchures, crevasses, gerçures.
Note : vendu sans ordonnance; consultez votre médecin si les lésions persistent.

POMMADE de Dalibour (Monot)

Introd. en 1956. Non remb. SS.
PRINCIPES ACTIFS : pommade contenant du sulfate de cuivre, sulfate et oxyde de zinc et camphre.
Emploi : proposé dans les l'érythème solaire, les lésions et brûlures superficielles peu étendues.
Note : vendu sans ordonnance; consultez votre médecin si les lésions persistent.

POMMADE Lelong® (Sterling Midy)

Introd. en 1952. Non remb. SS.
PRINCIPES ACTIFS : pommade contenant de la sulfapyridine, baume du Pérou et rétinol.
Emploi : proposé dans les brûlures superficielles, engelure, gerçures, crevasses infectées ou susceptibles de surinfection.
Effets indésirables possibles: réactions allergiques à la sulfapyridine ou au baume du Pérou.
Note : vendu sans ordonnance; des principes actifs moins allergisants sont actuellement disponibles.

POMMADE Midy® (Clin Midy)

Introd. en 1938. Remb. SS 40%.
PRINCIPES ACTIFS : pommade rectale contenant de l'amyléine, benzocaïne, extraits de marron d'Inde et de Hamamélis.
Emploi : poussées hémorroïdaires.
Précautions : arrêtez le traitement et consultez votre médecin en cas d'accentuation des douleurs, d'apparition de sang dans les selles ou de fièvre.
Note : produit vendu sans ordonnance.

PONDÉRAL® (Biopharma)

Introd. en 1963. Liste I. Non remb. SS.
PRINCIPE ACTIF : **Fenfluramine.**
Préparations : gélules à action prolongée à 60 mg («Longue Action»).
Emploi : excitant du système nerveux central analogue de l'amphétamine utilisé pour diminuer l'appétit dans le traitement à court terme de l'obésité («coupe-faim»); associé à l'exercice physique et à un régime pauvre en hydrate de carbones, graisses et calories, ce médicament peut aider certains patients, mais l'action diminue au bout de quelques semaines et s'accompagne d'effets indésirables, notamment de l'apparition d'une dépendance. L'emploi de ce médicament devrait se limiter à des situations particulières où une perte pondérale rapide est souhaitée, p. exemple avant une opération et ne devrait pas dépasser 6 semaines.
Pour les détails → p. 33.
Note : prescrit sur ordonnance médicale.

PONSTYL® (Parke-Davis)

Introd. en 1973. Liste II. Remb. SS 70%.
PRINCIPE ACTIF : *Acide méfénamique.*
Préparations : gélules à 250 mg; suppositoires à 500 mg.
Emploi : anti-inflammatoire non stéroïdien utilisé dans les inflammations douloureuses des articulations, des capsules articulaires, des muscles ou des tendons et dans d'autres affections déterminées par votre médecin; dans la polyarthrite rhumatoïde et dans l'arthrose, il atténue la douleur, la tuméfaction et le raideur des articulations, mais ne guérit pas la maladie.
Pour les détails → p. 50.
Note : prescrit sur ordonnance médicale.

POSÉBOR® (Galderma)

Introd. en 1975. Non remb. SS.
PRINCIPES ACTIFS : crème contenant hexamidine, DL-lysine et allantoïnate de chlorhydroxyaluminium.
Emploi : traitement de l'acné.
Note : vendu sans ordonnance; des principes actifs plus efficaces sont actuellement disponibles.

POSICYCLINE® (Alcon)

Introd. en 1962. Remb. SS 70%.
PRINCIPE ACTIF : **Oxytétracycline**.
Préparations : collyre et pommade ophtalmique à 1%.
Emploi : antibiotique utilisé pour traiter les infections des structures externes de l'œil et de ses annexes, notamment du trachome.
Note : vendu sans ordonnance; à éviter sans avis médical.

POSINE® (Alcon)

Introd. en 1967. Remb. SS 70%.
PRINCIPES ACTIFS : collyre contenant de la synéphrine (vasoconstricteur) et acide borique.

Emploi : proposé dans les irritations de la conjonctive et des annexes («yeux rouges»).

Précautions : ne pas employer en cas de glaucome à angle fermé, d'hypertension artérielle et chez l'enfant âgé de moins de 3 ans.

Durée du traitement : ne devrait pas dépasser 5-6 jours.

Sportifs : ce médicament peut donner une réaction positive en cas de tests pratiqués lors des contrôles antidopage.

Conduite de véhicules : ce médicament peut dilater les pupilles (mydriase) et provoquer des troubles visuels; la conduite de véhicules ou l'utilisation de machines peut être dangereuse en cas d'instillation répétées.

Conservation : à utiliser dans les 15 jours après l'ouverture du flacon.

Note : vendu sans ordonnance; à éviter sans avis médical, comme tous les collyres.

POTASSION® → tableau ci-dessous.

Si vous utilisez l'une des spécialités suivantes contenant un sel de potassium...

CHLORURE DE POTASSIUM :
    Diffu-K® (Delagrange) [gélules à 8 mmol]
    Kaléorid® (Leo) [comprimés à 8 et 13,4 mmol]
    Potassium Aguettant® [soluté injectable].
    Potassium Lavoisier® [soluté injectable].
    Potassium Richard® [soluté buvable].
GLUCOHEPTONATE DE POTASSIUM
    Potassion® (Delagrange) [sol. buvable à 5 mmol par cuillerée à café].
GLUCONATE DE POTASSIUM
    Gluconate de potassium Egic® (Synthélabo)
      [sirop à 10 mmol par cuillerée à soupe].
TARTRATE DE POTASSIUM
    Nati-K® (Synlab) [comprimés à 4,26 mmol].
ÉQUIVALENCES :
1 g d'ion K^+ = 25 mmol d'ion K^+ 1 g de KCl = 13,4 mmol d'ion K^+

Emploi : un régime alimentaire équilibré fournit assez de potassium pour maintenir un état de santé satisfaisant (besoins quotidiens : 13 à 36 mmol). Parmi les aliments riches en potassium on peut citer les abricots, les bananes, les oranges, les avocats, les dattes, raisins et pruneaux secs, les tomates; ces aliments, dont certains peuvent être consommés sous forme de jus, sont mieux tolérés que le préparations pharmaceutiques de sels de potassium par voie buccale.

Des **suppléments de potassium** peuvent être nécessaires en cas de carence et de taux du potassium dans le sang trop bas (hypokaliémie) qui peut être d'origine :
– digestive : nausées, vomissements, laxatifs irritants;
– rénale : utilisation prolongée de diurétiques thiazidiques (qui favorisent les pertes de potassium), corticoïdes, amphotéricine B, certaines néphrites.

Les sels de potassium sont administrés (sous surveillance médicale)
– Par voie buccale : on utilise habituellement le chlorure de potassium pour prévenir ou traiter l'hypokaliémie modérée; d'autres sels de potassium plus agréables au goût sont commercialisés, mais dans certaines conditions, il faut utiliser le chlorure de potassium parce que l'ion chlorure est nécessaire.
– En perfusion intraveineuse : dans l'hypokaliémie grave.

Allergie : informez votre médecin si vous avez déjà fait une réaction allergique ou inhabituelle à une préparation d'un sel de potassium.

État de santé : vous devez informer votre médecin de toute affection susceptible de modifier les effets du médicament, notamment : insuffisance surrénale, maladie d'Addison, maladie des reins, diabète non équilibré, diarrhée prolongée et grave, ulcère gastro-duodénal, myotonie congénitale.

Grossesse et allaitement : il n'existe pas de contre-indication actuellement connue à l'utilisation de sels de potassium.

Régime : informez votre médecin si vous suivez un régime pauvre en sel ou sans sel, si vous utilisez des substituts du sel ou du lait pauvre en sel.

Sujets âgés : risque accru d'effets indésirables en raison de la diminution fréquente de la fonction rénale.

Interactions : il faut informer votre médecin si vous prenez ou avez pris récemment d'autres médicaments, notamment : diurétiques épargnant le potassium (spironolactone, amiloride, triamtérène), inhibiteurs de l'enzyme de conversion, glucosides cardiotoniques (digitaliques), succédanés du sel dans les régimes désodés (peuvent constituer des apports de potassium importants).

Prescription : ne dépassez pas la dose prescrite par votre médecin; des doses trop élevées ou des prises trop fréquentes augmentent le risque d'effets indésirables; cela est particulièrement important si vous prenez également des diurétiques ou des digitaliques.

Oubli : si vous oubliez de prendre le médicament et si vous le remarquez dans les 2 heures qui suivent, prenez immédiatement la dose oubliée; ne doublez pas la dose suivante.

Prise du médicament : on conseille de prendre le médicament en position assise, après un repas ou avec des aliments pour diminuer l'irritation gastrique; si vous avez des difficultés à avaler les comprimés ou les dragées, ou si vous avez l'impression qu'ils restent dans la gorge, consultez votre médecin car ils pourraient irriter la muqueuse et éventuellement provoquer des ulcères.

Surveillance : des contrôles réguliers par votre médecin, accompagnés d'examens de laboratoire, notamment du dosage du taux du potassium dans le sang, sont nécessaires pour évaluer les résultats du traitement.

Effets indésirables possibles :
– nausées, vomissements, diarrhées;
– douleurs abdominales;
– selles noires ou teintées de sang ou autres signes d'hémorragie intestinale, surtout si vous utilisez des comprimés entériques de chlorure de potassium à hautes doses (risque d'ulcère de l'intestin grêle).

Intoxication : le taux de potassium dans le sang est normalement maintenu constant par les reins et tout excès est rapidement éliminé dans les urines; l'augmentation du taux de potassium dans le sang *(hyperkaliémie)* ne s'observe qu'en cas d'insuffisance rénale et se manifeste par des signes atypiques : faiblesse musculaire, diminution des réflexes, paralysies, palpitations, pouls irrégulier, altérations de l'électrocardiogramme, évolution vers l'état de choc.

POVANYL® (Parke-Davis)

Introd. en 1962. Non remb. SS.

PRINCIPE ACTIF : *Pyrvinium*.

Préparations : comprimés enrobés ou à croquer à 50 mg (base); suspension buvable à 50 mg (base) par cuillerée à café.

Emploi : médicament appartenant au groupe des anthelminthiques ou vermifuges qui sont utilisés pour traiter les infestations par des vers; le pyrvinium agit spécifiquement sur les oxyures; le médicament n'est pratiquement pas résorbé par le tube digestif et agit en paralysant les vers qui sont expulsé avec les selles; pour éviter un réinfestation, on conseille de traiter en même temps l'entourage et de prendre des mesures d'hygiène, notamment :
– couper les ongles à ras;
– se savonner les mains avec une brosse à angles après être allé à la selle et avant les repas;
– laver la région anale à l'eau savonneuse plusieurs fois par jour;
– changer et faire bouillir souvent les draps dans la semaine qui suit la prise de pyrvinium;
– nettoyer le sol et enlever souvent la poussière.

Posologie (adulte) : un comprimé par 10 kg de poids à avaler avec un peu d'eau (à renouveler le jour suivant en cas d'infestation massive); la cure est répétée après 2-3 semaines et doit être accompagnée de mesures d'hygiène et du traitement des membres de la famille pour éviter les réinfestations.

Précautions : ne pas employer en cas d'allergie au produit, de maladies inflammatoires de l'intestin ou d'insuffisance hépatique.

Grossesse et allaitement : l'innocuité de ce médicament n'ayant pas été établie chez la femme enceinte, ni lors de l'allaitement, son usage est déconseillé par mesure de prudence.

Prise du médicament : on conseille de prendre la dose nécessaire en une prise unique, pendant ou après un repas.

Alcool : à éviter pendant le traitement.

Effets indésirables possibles : somnolence, maux de tête, douleurs abdominales, nausées, diarrhée; crise d'asthme, urticaire, éruption cutanée (réaction allergique); le pyrvinium est un colorant qui confère une coloration rouge aux selles; ce médicament peut rendre votre peau très sensible aux rayons solaires et ultraviolets.

Note : *vendu sans ordonnance; efficacité généralement reconnue dans l'emploi proposé.*

P.P.S.B. HUMAIN
(Bio-Transfusion).

SYNONYME : fraction coagulante PPSB.

Préparations : produit de fractionnement du plasma humain contenant
– prothrombine ou facteur II (min. 20 UI/ml);
– facteur IX (facteur Christmas) antihémophilique B (min. 20 UI/ml);
– proconvertine ou facteur VII (min. 10 UI/ml);
– facteur Stuart ou facteur X (min. 20 UI/ml).

Emploi : utilisé en injection intraveineuse pour traiter les hémorragies dues au surdosage des anticoagulants oraux dérivés de la coumarine, à l'insuffisance hépatique et dans d'autres conditions déterminées par votre médecin.

Note : *le traitement doit être conduit sous surveillance médicale. Bien que toutes les précautions aient été prises, le risque de transmission de maladies infectieuses par les fractions plasmatiques ne peut pas être entièrement exclu.*

PRACTAZIN® (Biogalénique)

Introd. en 1982. Liste II. Remb. SS 70%.

PRINCIPES ACTIFS: comprimés contenant
– spironolactone (25 mg) : diurétique distal épargnant le potassium (Practon®);
– altizide (15 mg) : diurétique thiazidique.

Emploi : association d'un diurétique dérivé de la thiazide et d'un diurétique épargnant le potassium dans le but de limiter autant que possible les pertes potassiques indésirables.
Ce médicament est utilisé pour traiter l'hypertension artérielle et les œdèmes.

Pour les détails → p. 232 et p. 233.

Note : *prescrit sur ordonnance médicale.*

PRACTON® (Biogalénique)

Introd. en 1981. Liste II. Remb. SS 70%.

PRINCIPE ACTIF : *Spironolactone*.

Préparations : comprimés à 50 mg.

Emploi : médicament appartenant au groupe des diurétiques qui sont utilisés pour favoriser l'élimination de l'excès d'eau accumulée dans l'organisme (œdèmes) ; la spironolactone est un stéroïde antagoniste de l'aldostérone ; contrairement aux diurétiques thiazidiques, la spironolactone ne provoque pas de pertes indésirables de potassium (diurétique «épargnant le potassium»).

La spironolactone est utilisée
– pour réduire les œdèmes cardiaques, cirrhotiques ou néphrotiques qui résistent à d'autres diurétiques, surtout si l'on soupçonne un hyperaldostéronisme secondaire ;
– comme adjuvant dans le traitement de l'hypertension artérielle essentielle en cas d'hypokaliémie (diminution du taux du potassium dans le sang) ou d'intolérance aux autres diurétiques ;
– dans la myasthénie et la paralysie périodique familiale (en raison de son action hyperkaliémiante) ;
– dans l'œdème cyclique idiopathique ;
– pour traiter l'augmentation excessive d'aldostérone dans l'hyperaldostéronisme primaire ou syndrome de Conn.

En cas d'insuffisance rénale, les diurétiques épargnant le potassium peuvent causer une élévation dangereuse du taux de potassium dans le sang (hyperkaliémie).

L'action se manifeste entre le 3e et le 6e jour de traitement et persiste pendant 72 heures après l'arrêt de celui-ci.

Sportifs : ce médicament se trouve sur la liste des dopants interdits (Ministère de la Jeunesse et des Sports) ; il donne une réaction positive en cas de tests pratiqués lors des contrôles antidopage.
Pour les détails → p. 233.
Note : prescrit sur ordonnance médicale.

PRAGMAREL® (Upsa)

Introd. en 1980. Liste I. Remb. SS 70%.
PRINCIPE ACTIF : *Trazodone.*
Préparations : gélules à 25 mg ; comprimés à 100 mg ; solution buvable à 25 mg par ml (1 goutte = 1 mg).
Emploi : antidépresseur ayant une action sédative marquée, utilisé dans le traitement des états dépressifs de l'adulte ; il provoque moins d'effets indésirables que les antidépresseurs tricycliques (action atropinique plus faible) ; il est souvent employé chez les sujets âgés.
Durée d'action : jusqu'à 24 heures.
Pour les détails → p. 40.
Note : prescrit sur ordonnance médicale.

PRANDIOL® (Théraplix)

Introd. en 1978. Liste II. Remb. SS 70%.,
PRINCIPE ACTIF : *Dipyridamole.*
Préparations : gélules à 75 mg.
Emploi : médicament introduit à l'origine pour le traitement de fond de l'angine de poitrine et utilisé, en association avec l'aspirine à faibles doses, pour normaliser la tendance pathologique des plaquettes sanguines à l'agrégation et pour prévenir ainsi la formation de caillots sanguins, en particulier chez les sujets porteurs de prothèses valvulaires (valvules cardiaques artificielles).
Pour les détails → Dipyridamole.
Note : prescrit sur ordonnance médicale.

PRANFIL® (Amido)

PRINCIPES ACTIFS : comprimés contenant du phénobarbital (barbiturique à action prolongée), méthénamine, ésérine, charbon animal et végétal.
Emploi : proposé dans la «digestion difficile».
Note : vendu sans ordonnance ; à éviter du fait de la présence de phénobarbital.

PRAXADIUM® (Théraplix)

Introd. en 1985. Liste I. Remb. SS 70%.
La durée de prescription ne peut dépasser 12 semaines.
PRINCIPE ACTIF : *Nordazépam.*
Préparations : compr. à 7,5 mg ou 15 mg.
Emploi : tranquillisant appartenant au groupe très nombreux des benzodiazépines ; le nordazépam est proposé dans l'anxiété, l'angoisse et le sevrage alcoolique.
Pour les détails → p. 94.
Note : prescrit sur ordonnance médicale.

PRAXILÈNE® (Lipha Santé)

Introd. en 1975. Liste II. Remb. SS 70%.
PRINCIPE ACTIF : *Naftidrofuryl.*
Préparations : comprimés à 200 mg ; gélules à 100 mg ; ampoules injectables à 40 mg dans 5 ml ; ampoules

pour perfusion à 200 mg dans 10 ml (à diluer).

Propriétés : substance qui dilate les vaisseaux sanguins en agissant directement sur les muscles des parois vasculaires.

Emploi : proposé dans le traitement des artérites oblitérantes des membres inférieurs et du déficit intellectuel chez les sujets âgés; l'efficacité des vasodilatateurs périphériques dans ces affections reste à confirmer.

Précautions : ne pas associer les bêta-bloquants ou les antiarythmiques.

Note : prescrit sur ordonnance médicale.

PRAXINOR® (Lipha Santé)

Introd. en 1970. Liste II. Remb. SS 70%.

PRINCIPES ACTIFS : comprimés contenant de la théodrénaline (vasopresseur) et cafédrine.

Emploi : proposé dans la l'hypotension orthostatique.

Précautions : ne pas utiliser en cas de
– hypertension artérielle;
– porphyries;
– glaucome par fermeture de l'angle;
– hypertrophie de la prostate;
– grossesse, allaitement;
– association avec les antidépresseurs IMAO.

Sportifs : ce médicament peut donner une réaction positive en cas de contrôles antidopage.

Effets indésirables possibles : troubles digestifs, poussée hypertensive, maux de tête, difficulté à uriner, éruptions.

Note : prescrit sur ordonnance médicale.

PRAZINIL® (P. Fabre)

Introd. en 1977. Liste I. Remb. SS 70%.

PRINCIPE ACTIF : *Carpipramine*.

Préparations : comprimés à 50 mg.

Emploi : analogue des antidépresseurs tricycliques utilisé comme neuroleptique désinhibiteur dans les psychoses schizophréniques déficitaires.

Pour les détails → p. 468.

Note : prescrit sur ordonnance médicale.

PRÉCYCLAN® (Leo)

Introd. en 1965. Liste II. Non remb. SS.

PRINCIPES ACTIFS : comprimés contenant
– méprobamate : tranquillisant;
– bendrofluméthiazide : diurétique de type thiazidique;

– flumédroxone : dérivé de la progestérone.

Emploi : proposé dans les troubles et œdèmes apparaissant avant les règles (syndrome prémenstruel).

Précautions : le traitement doit être conduit sous surveillance médicale stricte; ne pas utiliser en cas d'allergie aux diurétiques thiazidiques ou d'insuffisance rénale.

Conduite de véhicules : ce médicament peut diminuer la vigilance; la conduite de véhicules ou l'utilisation de machines peut être dangereuse.

Sportifs : ce médicament peut donner une réaction positive en cas de tests pour contrôle antidopage.

Alcool : évitez les boissons alcoolisées pendant le traitement.

Effets indésirables possibles : somnolence, vertiges, nausées et vomissements.

Note : prescrit sur ordonnance médicale.

PRÉFAGYL® (Oberlin)

Introd. en 1956. Non remb. SS.

PRINCIPES ACTIFS : comprimés contenant du chlorure de magnésium, bicarbonate, sulfate et phosphate de sodium.

Emploi : proposé pour neutraliser l'excès d'acidité et comme pansement gastrique dans les douleurs liées aux affections de l'œsophage, de l'estomac et du duodénum; en cas d'ulcère de l'estomac ou du duodénum, ce médicament ne doit être utilisé que sous surveillance médicale.

Prise du médicament : après les repas et éventuellement au coucher.

Précautions : consultez votre médecin si les troubles persistent et en cas de crampes abdominales, de selles noires, d'amaigrissement, de fièvre.

En cas de régime sans sel : tenir compte de la teneur en sodium du produit.

Effets indésirables possibles : retard ou diminution de la résorption d'autres médicaments pris par voie buccale (respecter un intervalle d'au moins 2 heures); diarrhée.

Note : vendu sans ordonnance; ne pas utiliser pendant plus de 5 jours sans avis médical.

PRÉFAMONE® (Dexo)

Introd. en 1970. Liste I. Non remb. SS.

PRINCIPE ACTIF : *Amfépramone*.

SYNONYME : diéthylpropion.

Préparations : gélules à libération contrôlée à 75 mg (*Chronules®*).

Emploi : excitant du système nerveux central analogue de l'amphétamine utilisé pour diminuer l'appétit dans le traitement à court terme de l'obésité («coupe-faim»); associé à l'exercice physique et à un régime pauvre en hydrate de carbones, graisses et calories, ce médicament peut aider certains patients, mais l'action diminue au bout de quelques semaines et s'accompagne d'effets indésirables, notamment de l'apparition d'une dépendance. L'emploi de ce médicament devrait se limiter à des situations particulières où une perte de poids rapide est souhaitée, p. ex. avant une opération chirurgicale, et sans dépasser 6 semaines.

Pour les détails → p. 33.

Note : prescrit sur ordonnance médicale.

PRÉMARIN® (Wyeth)

Introd. en 1972. Liste II. Non remb. SS.

PRINCIPE ACTIF : ***Estrogènes conjugués***.

Préparations (estrogènes conjugués équins) : comprimés à 0,625 mg ou à 1,25 mg (en monosulfate d'ester sodique d'estrone); poudre pour solution injectable en flacons à 20 mg.

Emploi : mélange d'estrogènes naturels extraits d'urine de jument gravide utilisé pour corriger la carence estrogénique après la ménopause et atténuer les bouffées de chaleur, transpirations, vertiges et les symptômes de la vaginite atrophique; il est aussi utilisé pour prévenir, ralentir ou stabiliser l'ostéoporose postménopausique en association avec un progestatif pour diminuer les risques de cancer de l'endomètre; dans le traitement de l'insuffisance ovarienne survenant avant ou après la puberté (hypogonadisme), il est utilisé en alternance avec un progestatif pour établir ou maintenir un cycle artificiel; interrompre l'administration en cas d'immobilisation prolongée et un mois avant une intervention chirurgicale. La forme injectable est utilisée pour le traitement d'urgence des hémorragies génitales d'origine utérine.

Pour les détails → p. 266.

Note : prescrit sur ordonnance médicale.

PREMIDAN® (Monot)

Introd. en 1988. Non remb. SS.

PRINCIPES ACTIFS :
– sirop adulte : pholcodine (antitussif opiacé), belladone (atropinique), teintures d'aconit, d'opium, polygala, ipéca, eau de laurier-cerise;
– sirop enfant : pholcodine (antitussif opiacé), teintures d'aconit, de droséra, ipéca.

Emploi : utilisé pour calmer la toux irritative, sèche.

Précautions : ne pas utiliser en cas de
– asthme, insuffisance respiratoire (la diminution de la toux cause l'accumulation de mucosités dans les voies respiratoires);
– maladie du foie (l'élimination de la pholcodine est diminuée en cas d'insuffisance hépatique);
– hypertrophie de la prostate (risque d'aggravation de la difficulté à uriner);
– glaucome à angle fermé;
– grossesse (innocuité non établie), allaitement;
– enfants âgés de moins de 15 ans (de 30 mois pour la forme pour enfant).

Durée du traitement : si la toux persiste après une semaine, si des crachats sanglants ou des effets indésirables apparaissent, arrêtez le traitement et consultez votre médecin.

Alcool : évitez les boissons alcoolisées pendant le traitement (majoration de l'effet sédatif).

Conduite de véhicules : ce médicament peut diminuer la vigilance; la conduite de véhicules ou l'utilisation de machines peut être dangereuse.

Sportifs : ce médicament peut donner une réaction positive en cas de contrôles antidopage.

En cas de diabète : vérifiez la teneur en sucre du produit.

Effets indésirables possibles : somnolence, sécheresse de la bouche, confusion, nausées, vomissements, crises d'asthme, constipation, éruption cutanée (réaction allergique : arrêtez immédiatement le traitement), difficulté à respirer ou à uriner (chez le sujet âgé).

Note : vendu sans ordonnance; l'efficacité de la pholcodine est généralement reconnue, mais les autres composants ont peu d'intérêt dans l'emploi proposé.

PRÉNOXAN® (Schering-Plough)

Introd. en 1957. Liste II. Remb. SS 70%.

PRINCIPES ACTIFS : suppositoires contenant :
- acide acétylsalicylique (ou aspirine) : analgésique et antipyrétique;
- phénobarbital : barbiturique à action prolongée.

Emploi : proposé dans le traitement des états fébriles et douleurs diverses; l'utilisation est limitée du fait de la présence de phénobarbital qui n'est pas recommandé en dehors du traitement de l'épilepsie.

Durée du traitement : consultez votre médecin si les douleurs persistent après 5 jours ou si la fièvre ne régresse pas au bout de 3 jours.

Précautions : ne pas employer chez l'enfant et en cas d'ulcère gastroduodénal, d'asthme, de maladie hémorragique, de traitement anticoagulant, de grossesse, d'allaitement, de porphyries, d'insuffisance respiratoire. L'activité des anticoagulants oraux et des contraceptifs hormonaux peut être réduite.

Alcool : évitez les boissons alcoolisées pendant le traitement (majoration de l'effet sédatif).

Conduite de véhicules : ce médicament peut diminuer la vigilance; la conduite de véhicules ou l'utilisation de machines peut être dangereuse.

Effets indésirables possibles :
- liés à l'aspirine : nausées, vomissements, douleurs gastriques, bourdonnements d'oreille, diminution de l'audition, maux de tête; consultez votre médecin en cas de douleurs abdominales, vomissements sanglants, selles noires, crise d'asthme, prurit, urticaire, asthme ou jaunisse;
- liés au phénobarbital : somnolence, éruptions cutanées, troubles psychiques, notamment confusion mentale chez le sujet âgé.

Note : prescrit sur ordonnance médicale.

PRÉPACOL® (Guerbet)

Introd. en 1983. Non remb. SS.

PRINCIPES ACTIFS : comprimés contenant du bisacodyl (laxatif irritant) et solution buvable contenant du phosphate sodique.

Emploi : utilisé pour la préparation aux examens radiologiques et endoscopiques du côlon.

PRE-PAR® (Duphar)

Introd. en 1976. Liste I. Remb. SS 70%.

PRINCIPE ACTIF : *Ritodrine*.

Préparations : comprimés à 10 mg; ampoules injectables à 50 mg dans 5 ml.

Emploi : médicament appartenant au groupe des bêtamimétiques qui agissent sur les récepteurs bêta-2 adrénergiques des muscles des bronches (bronchodilatation) et de l'utérus (action utérorelaxante).

La ritodrine est utilisée par voie orale, en injection ou en perfusion (à l'hôpital) en cas de menace d'accouchement prématuré et dans d'autres conditions déterminées par votre médecin.

Pour les détails → p. 717.

Note : prescrit sur ordonnance médicale.

PRÉPARATION H® (Whitehall)

Introd. en 1959. Non remb. SS.

PRINCIPES ACTIFS :
- suppositoires : butoforme, nitrate de phénylmercure, esculoside, huile de foie de flétan et levure de bière;
- pommade : levure de bière, huile de flétan, esculoside et essence de thym.

Emploi : proposé dans les poussées hémorroïdaires.

Précautions : arrêtez le traitement et consultez votre médecin en cas d'accentuation des douleurs, d'apparition de sang dans les selles ou de fièvre.

Note : vendu sans ordonnance.

PREPIDIL® (Upjohn)

Introd. en 1988. Liste I.

PRINCIPE ACTIF : *Dinoprostone*.

SYNONYMES : prostaglandine E_2, PGE_2.

Préparations : gel stérile intracervical (seringue préremplie à 0,5 mg).

Emploi : prostaglandine utilisée en milieu hospitalier par voie intracervicale sous forme de gel pour obtenir la maturation cervicale et la dilatation du col à terme ou à proximité du terme, quand les conditions cervicales sont défavorables à une induction standard du travail. Etant donné que ce médicament a provoqué des malformations du fœtus dans l'expérimentation animale, une interruption de grossesse commencée doit être terminée en tout cas; si la grossesse n'est pas complètement interrompue, ou si l'on a des doutes à ce sujet, il faut parachever l'évacuation de l'utérus.

Effets indésirables possibles : nausées, vomissements, diarrhée, maux de tête, bouffées de chaleur, irritation au point d'injection; en cas de contact du produit avec la peau, laver immédiatement à l'eau et savon.

Note : *réservé aux hôpitaux.*

PREPULSID® (Janssen)

Introd. en 1990. Liste II. Remb. SS 70%.

PRINCIPE ACTIF : *Cisapride*.

Préparations : comprimés à 10 mg; suspension buvable à 1 mg/ml.

Emploi : neuroleptique, appartenant au groupe des benzamides substitués, qui stimule les contractions et les mouvements du tube digestif, de l'estomac à l'intestin.

Le cisapride est employé par voie buccale pour traiter les nausées, les vomissements et les troubles de la motricité digestive, notamment le reflux gastro-œsophagien (liquide acide remontant dans la bouche) et le retard de l'évacuation gastrique.

Pour les détails → p. 306.

Note : *prescrit sur ordonnance médicale.*

PRESTOLE®
(SmithKline Beecham)

Introd. en 1983. Liste II. Remb. SS 70%.

PRINCIPES ACTIFS : gélules contenant
– hydrochlorothiazide (25 mg) : diurétique thiazidique (Esidrex®);
– triamtérène (50 mg) : diurétique distal épargnant le potassium.

Emploi : association d'un diurétique dérivé de la thiazide et d'un diurétique distal épargnant le potassium dans le but de limiter autant que possible les pertes potassiques indésirables.

Ce médicament est utilisé pour traiter l'hypertension artérielle et les œdèmes.

Pour les détails → p. 232 et p. 233.

Note : *prescrit sur ordonnance médicale.*

PRÉVIGRIP® → Vaccin antigrippal.

PRÉVISCAN®
(Procter & Gamble)

Introd. en 1971. Liste I. Remb. SS 70%.

PRINCIPE ACTIF : *Fluindione*.

Préparations : comprimés à 20 mg.

Emploi : anticoagulant oral utilisé pour prévenir la formation de caillots dans les vaisseaux sanguins (thromboses et embolies); son emploi exige le contrôle périodique de la coagulabilité du sang; en effet, une dose trop élevée peut provoquer des saignements et une dose trop faible risque de ne pas protéger contre la formation de caillots.

Durée d'action : longue (3-4 jours).

Pour les détails → p. 38.

Note : *prescrit sur ordonnance médicale.*

PRIMALAN® (Inava)

Introd. en 1976. Remb. SS 70%.

PRINCIPE ACTIF : *Méquitazine*.

Préparations : comprimés à 5 mg; suspension buvable à 1,25 mg/mesure.

Emploi : médicament dérivé de la phénothiazine ayant des effets antihistaminiques, atropiniques et sédatifs.

La méquitazine est utilisée pour le traitement des affections allergiques, notamment rhinites et conjonctivites allergiques, urticaire, rhume des foins, boursouflure des lèvres et des paupières (œdème de Quincke); bien que l'action sédative de ce médicament soit moindre que celle d'autres antihistaminiques, la prise de fortes doses peut entraîner un effet sédatif.

Durée d'action : environ 18 heures.

Pour les détails → p. 45.

Note : *vendu sans ordonnance; efficacité généralement reconnue dans l'emploi proposé; tenir compte de l'effet sédatif.*

PRIMÈNE® (Clintec)

Introd. en 1986.

PRINCIPES ACTIFS : solution injectable pour perfusion contenant 20 acides aminés.

Emploi : nutrition parentérale du nouveau-né et l'enfant.

PRIMOLUT-NOR® (Schering)

Introd. en 1969. Liste I. Remb. SS 70%.
PRINCIPE ACTIF : **Noréthistérone.**
SYNONYME : noréthindrone.
Préparations : comprimés à 10 mg.
Emploi : médicament appartenant au groupe des progestatifs qui sont des hormones femelles apparentées à la progestérone naturelle.
La noréthistérone est une hormone synthétique utilisée dans le
– traitement des troubles des règles dus à une carence en progestérone, notamment menstruations douloureuses (dysménorrhée), absence de menstruations (aménorrhée);
– traitement de l'endométriose, affection caractérisée par la présence anormale de tissu de revêtement de l'utérus à l'extérieur de celui-ci;
– traitement adjuvant des proliférations cellulaires anormales au niveau du sein et de l'utérus;
– traitement d'autres conditions déterminées par votre médecin;
– contraception progestative.
Pour les détails → p. 560.
Note : prescrit sur ordonnance médicale.

PRIMPÉRAN® (Delagrange)

Introd. en 1964. Liste II. Remb. SS 70%.
PRINCIPE ACTIF : **Métoclopramide.**
Préparations : comprimés à 10 mg; solution buvable à 1 mg/ml ou à 2,6 mg/ml; suppositoires à 10 mg ou 20 mg; ampoules injectables à 10 mg dans 2 ml et 100 mg dans 5 ml.
Emploi : neuroleptique, appartenant au groupe des benzamides substitués, qui stimule les contractions et les mouvements du tube digestif, de l'estomac à l'intestin.
La métoclopramide est utilisée par voie buccale pour traiter les nausées, les vomissements (à l'exclusion des vomissements gravidiques) et les troubles de la motricité digestive, notamment le reflux gastro-œsophagien (liquide acide remontant dans la bouche) et le retard de l'évacuation gastrique (gastroparésie); elle est utilisée en injection pour prévenir et traiter les nausées et les vomissements causés par les médicaments anticancéreux.
Pour les détails → p. 306.
Note : prescrit sur ordonnance médicale.

PRIMPÉROXANE® (Delagrange)

Introd. en 1982. Liste II. Non remb. SS.
PRINCIPES ACTIF : comprimés contenant
– métoclopramide (5 mg) : antiémétique (Primpéran®);
– diméticone (250 mg) : pansement digestif.
Emploi : proposé dans le météorisme et flatulences abdominales.
Emploi : le métoclopramide est un neuroleptique, appartenant au groupe des benzamides substitués, qui stimule les contractions et les mouvements du tube digestif, de l'estomac à l'intestin. La diméticone est une silicone non résorbée par le tube digestif proposée dans le traitement symptomatique des gastrites et ulcères gastro-duodénaux ainsi que dans le ballonnement, l'aérophagie, le météorisme et les flatulences.
Pour les détails → p. 306.
Note : prescrit sur ordonnance médicale.

PRIMYXINE® (Pfizer)

Introd. en 1966. Non remb. SS.
PRINCIPES ACTIFS : pommade contenant de l'oxytétracycline (antibiotique) et polymyxine B (antibiotique).
Emploi : proposée pour la prévention des infections de la peau.
Effets indésirables possibles : réactions allergiques de contact à l'oxytétracycline, la néomycine ou la polymyxine B; création de germes résistants; risque de toxicité rénale en cas d'absorption (utilisation prolongée su des surfaces étendues).
Note : vendu sans ordonnance; à éviter en automédication comme tous les antibiotiques locaux.

PRINACTIZIDE® (Clin Midy)

Introd. en 1982. Liste II. Remb. SS 70%.
PRINCIPES ACTIFS : comprimés contenant 15 mg d'altizide et 25 mg de spironolactone.
Emploi : association d'un diurétique dérivé de la thiazide (altizide) et d'un diurétique épargnant le potassium (spironolactone) dans le but de limiter autant que possible les pertes potassiques; utilisé pour traiter l'hypertension artérielle et les œdèmes.
Pour les détails → p. 232 et p. 233.
Note : prescrit sur ordonnance médicale.

PRINCI-B® Fort (Sterling Midy)

Introd. en 1972. Non remb. SS.

PRINCIPES ACTIFS : comprimés contenant de la thiamine (vitamine B1), pyridoxine (vitamine B6) et cyanocobalamine (vitamine B12).

Emploi : proposé dans les carences en vitamines du groupe B, notamment chez les patients éthyliques; l'utilisation dans les syndromes douloureux (névralgies, rhumatismes, névrites) indépendants de la carence vitaminique n'est pas justifiée.

Note : vendu sans ordonnance; à éviter en automédication (une carence en vitamines ne peut être diagnostiquée que par votre médecin).

PRINIVIL® (Du Pont)

Introd. en 1988. Liste I. Remb. SS 70%.

PRINCIPE ACTIF : *Lisinopril*.

Préparations : comprimés à 5 ou 20 mg.

Emploi : inhibiteur de l'enzyme de conversion utilisé dans le traitement de l'hypertension artérielle, éventuellement associé à un diurétique, ainsi que pour le traitement de l'insuffisance cardiaque, rebelle aux digitaliques et aux diurétiques.

Durée d'action : environ 24 heures.

Pour les détails → p. 364.

Note : prescrit sur ordonnance médicale.

PRINZIDE® (Du Pont)

Introd. en 1991. Liste I. Remb. SS 70%.

PRINCIPES ACTIFS : comprimés contenant
– lisinopril (20 mg) : inhibiteur de l'enzyme de conversion (Prinivil®, Zestril®);
– hydrochlorothiazide (12,5 mg) : diurétique thiazidique (Esidrex®).

Emploi : association proposée pour traiter l'hypertension artérielle.

Pour les détails : → p. 232 et p. 364.

Note : prescrit sur ordonnance médicale.

PRIODERM® (Plantier)

Introd. en 1983. Non remb. SS.

PRINCIPE ACTIF : *Malathion*.

Préparations : lotion à 0,5%.

Emploi : insecticide organophosphoré, inhibiteur de la cholinestérase, actif sur les poux; grâce à son action sur les œufs des parasites (lentes), une seule application suffit.

Application : appliquer sur le cuir chevelu et les cheveux non humides; laisser sécher naturellement; 12 heures après le traitement, laver les cheveux; il est conseillé de traiter simultanément la famille et l'entourage direct et de laver les vêtements et les draps à 70°-80°.

Précautions : l'utilisation pendant la grossesse, l'allaitement et chez les enfants âgés de moins de 6 ans est déconseillée sans avis médical; protéger les yeux lors de l'application.

Intoxication : en cas de résorption à travers la peau (peau lésée, enfant) ou d'ingestion accidentelle, salivation, larmoiement, difficulté à respirer, vomissements, crampes abdominales, diarrhée, transpirations, pupilles contractées (myosis), confusion, convulsions, tremblements, coma.

Conservation : mettre hors de portée des enfants.

Note : vendu sans ordonnance; efficacité généralement reconnue dans l'emploi proposé.

PROAMPI® (Parke-Davis)

Introd. en 1982. Liste I. Remb. SS 70%.

PRINCIPE ACTIF : *Pivampicilline*.

Préparations : comprimés à 350 mg ou 500 mg.

Propriétés : pénicilline du groupe A ayant un large spectre d'action contre les bactéries, mais inefficace contre les staphylocoques producteurs de pénicillinases; la pivampicilline libère dans l'organisme de l'ampicilline qui est éliminée surtout dans les urines (précautions en cas d'insuffisance rénale); signalez à votre médecin l'existence de toute maladie rénale (une réduction des doses peut être nécessaire).

Durée du traitement : elle est déterminée par votre médecin; l'interruption prématurée du traitement peut favoriser une rechute de l'infection.

Pour les détails → p. 520.

Note : prescrit sur ordonnance médicale.

PROBANTHINE® (Searle)

Introd. en 1954. Non remb. SS.

PRINCIPE ACTIF : *Bromure de propanthéline*.

SYNONYME : propanthélinium.

Préparations : comprimés à 15 mg.

Emploi : atropinique de synthèse provoquant un relâchement des fibres musculaires lisses du tube digestif et des voies urinaires et une diminution des sécrétions gastriques, salivaires, lacrymales et de la sudation.

Ce médicament est utilisé par voie buccale dans les spasmes douloureux des voies digestives, biliaires et urinaires.

Pour les détails → p. 56.

Note : vendu sans ordonnance; ne pas utiliser pendant plus de 48 heures sans avis médical.

PROCAÏNE

Liste II. Remb. SS 40%.

SPÉCIALITÉS (chlorhydrate) :

Procaïne (Biostabilex-Urap)

Procaïne Lavoisier
　　(Chaix & Du Marais).

Préparations : solution injectable à 1% et à 2%.

Emploi : anesthésique local, ayant aussi une action ganglioplégique et antiarythmique.

Note : utilisé sous contrôle médical.

PROCONVERTINE
(Bio-Transfusion).

Remb. SS 100%.

SYNONYME : facteur VII.

Préparations : flacons à 500 UI/20 ml.

Emploi : fraction plasmatique utilisée pour prévenir et traiter les hémorragies chez des patients présentant un déficit constitutionnel en facteur VII.

Note: le traitement doit être pris en charge par un spécialiste. Bien que toutes les précautions aient été prises, le risque de transmission de maladies infectieuses par les fractions plasmatiques ne peut pas être entièrement exclu.

PROCTOCORT®
(Boehringer Ingelheim)

Introd. en 1983. Liste I. Remb. SS 70%.

PRINCIPE ACTIF : mousse rectale contenant de l'hydrocortisone en flacon pressurisé.

Emploi : utilisé dans la rectocolite hémorragique et la maladie de Crohn colique.

Note : prescrit sur ordonnance médicale.

PROCTOLOG® (Jouveinal)

Introd. en 1974. Liste II. Remb. SS 40%.

PRINCIPES ACTIFS : suppositoires et pommade rectale contenant de la trimébutine (antispasmodique musculotrope) et ruscogénines.

Emploi : poussées hémorroïdaires.

Précautions : arrêtez le traitement et consultez votre médecin en cas d'accentuation des douleurs, d'apparition de sang dans les selles ou de fièvre.

Note : prescrit sur ordonnance médicale.

PRO-DAFALGAN® → Paracétamol.

PRODASONE® et DÉPO-PRODASONE® (Upjohn)

Introd. en 1986 et 1974. Liste I.
Remb. SS 100% et 70%.

PRINCIPE ACTIF : **Médroxyprogestérone**.

Préparations : comprimés à 200 mg (*Prodasone®*).

Suspension injectable (préparation retard) en flacons contenant 250 mg ou 500 mg (*Dépo-Prodasone®*).

Emploi : médicament appartenant au groupe des progestatifs (gestagènes) qui sont des hormones femelles apparentées à la progestérone naturelle sécrétée par le corps jaune.

La médroxyprogestérone est une hormone synthétique, dérivée de la 17-OH-progestérone, utilisée sous contrôle médical dans le

– traitement adjuvant des proliférations cellulaires anormales, notamment au niveau du sein et de l'utérus;

– traitement d'autres conditions déterminées par votre médecin.

Pour les détails → p. 560.

Note : prescrit sur ordonnance médicale.

PROFÉNID® et
BI-PROFÉNID® (Specia)

Introd. en 1973. Liste II. Remb. SS 70%.

PRINCIPE ACTIF : **Kétoprofène**.

Préparations: gélules à 50 mg; comprimés à 100 mg (*Profénid®*) et 150 mg (*Bi-Profénid®*); suppositoires à 100 mg; comprimés à libération prolongée à 200 mg (*Profénid LP®*); poudre pour solution injectable (intramusculaire) en flacons à 100 mg; poudre pour solution injectable (perfusions) en flacons à 100 mg.

Emploi : anti-inflammatoire non stéroïdien utilisé dans les inflammations douloureuses des articulations, des capsules articulaires, des muscles ou des tendons et dans d'autres affections déterminées par votre médecin; dans la polyarthrite rhumatoïde et dans l'arthrose, il atténue la douleur, la tuméfaction et la raideur des articulations, mais ne guérit pas la maladie. En injections, il est utilisé dans les sciatiques et lombalgies aiguës et dans les coliques du rein (sous surveillance médicale stricte).

Pour les détails → p. 50.

Note : prescrit sur ordonnance médicale.

PROFÉNID® gel (Specia)

Introd. en 1973. Liste II. Remb. SS 70%.

PRINCIPE ACTIF : *Kétoprofène.*

Préparations : gel à 2,5%. SS. 40%.

Emploi : proposé comme anti-inflammatoire local pour traiter la douleur dans les tendinites, arthrites des petites articulations, entorses, contusions, phlébites et dans d'autres conditions.

Précautions : ne pas appliquer sur des plaies ouvertes ou sur de grandes surfaces; ne pas employer pendant la grossesse et l'allaitement (innocuité non établie).

Effets indésirables possibles : sécheresse de la peau, sensation de brûlure, rougeur; réactions allergiques rares sous forme d'urticaire, d'éruption cutanée (interrompre le traitement).

Note : prescrit sur ordonnance médicale.

PROGESTÉRONE-RETARD PHARLON® (Schering)

Introd. en 1958. Remb. SS 70%.

PRINCIPE ACTIF : *Caproate d'hydroxyprogestérone* .

Préparations : solution huileuse injectable en ampoules à 250 mg ou à 550 mg.

Emploi : médicament appartenant au groupe des progestatifs qui sont des hormones femelles.   → p. 562

Si vous utilisez l'une des spécialités suivantes contenant une hormone femelle du groupe des progestatifs...

PROGESTATIFS NATURELS
PROGESTÉRONE
  Utrogestan® (Besins-Iscovesco).
HYDROXYPROGESTÉRONE.
  Progestérone-Retard (Schering)
  Hydroxyprogestérone-Retard
  (Théramex).
  Tocogestan® (Théramex).

PROGESTATIFS SYNTHÉTIQUES
  Colprone 5® (Wyeth).
  Dépo-Prodasone® (Upjohn) [inj.].
  Depo-Provera® (Upjohn) [inj.].
  Duphaston® (Duphar).
  Exluton® (Organon)
  [contraceptif].
  Farlutal® (Farmitalia C. Erba).

Lutényl® (Théramex) [compr.].
Lutéran® (Solymès).
Lutionex® (Roussel).
Lutométrodiol® (Searle).
Microval® (Wyeth)
  [contraceptif].
Milligynon® (Schering)
  [contraceptif].
Norfor® (SmithKline Beecham).
Noristérat® (Schering) [inj.].
Norluten® (SmithKline Beecham).
Ogyline® (Roussel)
  [contraceptif].
Orgamétril® (Organon).
Primolut-Nor® (Schering).
Prodasone® (Upjohn) [compr.].
Surgestone® (Cassenne).

Emploi : les *progestatifs* sont des hormones femelles naturelles ou synthétiques utilisées pour traiter :
– les troubles des règles dus à une carence en progestérone, notamment menstruations douloureuses (dysménorrhée), irrégularités ou absence des menstruations; on administre le progestif du 16e au 26e jour du cycle menstruel.
– l'endométriose, affection caractérisée par la présence anormale de

tissu de revêtement de l'utérus à l'extérieur de celui-ci.

– les troubles de la ménopause (cycle artificiel, associés à un estrogène);
– avortements à répétition par insuffisance lutéale prouvée;
– les proliférations cellulaires anormales, notamment au niveau du sein et de l'utérus, en association avec d'autres mesures thérapeutiques.

Certains progestatifs sont utilisés pour la contraception hormonale.

Allergie : informez votre médecin si vous avez déjà fait une réaction allergique à un progestatif.

Etat de santé : vous devez informer votre médecin de toute affection susceptible de modifier les effets du médicament, notamment :

– antécédents d'accidents thrombo-emboliques (formation de caillots);
– hypertension artérielle (aggravation possible);
– antécédents d'accidents vasculaires cérébraux (risque de rechute);
– maladies du foie ou des reins (risque accru d'effets indésirables en cas d'insuffisance hépatique ou rénale);
– diabète sucré (diminution de l'efficacité de l'insuline);
– fibrome utérin; hémorragies génitales de cause inconnue.

Grossesse : l'utilisation de progestatifs naturels pendant la grossesse est limitée aux cas d'insuffisance lutéale prouvée.

En cas d'avortement spontané précoce dû à des anomalies chromosomiques (50% des cas), l'administration aurait pour seul effet de retarder l'expulsion d'un œuf mort.

L'emploi des progestatifs synthétiques comporte un risque d'ambiguïté sexuelle, surtout du fœtus mâle.

Interactions : il faut informer votre médecin si vous prenez ou avez pris récemment d'autres médicaments, notamment la bromocriptine (diminution des effets de la bromocriptine, association à éviter).

Prescription : ne dépassez pas la dose prescrite; des doses trop élevées ou des prises trop fréquentes augmentent le risque d'effets indésirables.

Oubli : si vous oubliez de prendre le médicament et si vous le remarquez dans les deux heures qui suivent, prenez immédiatement la dose oubliée; ne doublez pas la dose suivante; si vous oubliez le médicament plusieurs jours, prenez contact avec votre médecin.

En cas de grossesse au cours du traitement : arrêtez le traitement immédiatement si vous soupçonnez d'être enceinte.

Conduite de véhicules : chez certains sujets, les progestatifs peuvent provoquer une somnolence et des vertiges : la conduite de véhicules ou l'utilisation de machines peut être dangereuse dans ce cas.

Traitement prolongé : des frottis cervicaux et des examens des seins sont recommandés une fois par an.

Effets indésirables possibles :

– nausées, vomissements, hypertension artérielle;
– prise de poids, chevilles enflées (rétention d'eau et de sel);
– seins douloureux (mastodynie);
– menstruations irrégulières, hémorragies au milieu du cycle; consultez votre médecin si les règles sont anormalement abondantes et prolongées ou en cas d'absence de règles pendant plus de 45 jours;
– hémorragies et tuméfaction des gencives (hyperplasie gingivale);
– acné, séborrhée;
– coloration jaune des yeux et de la peau, jaunisse;
– troubles de la vue, perception double des objets (diplopie), maux de tête sévères;
– prurit, éruption cutanée (réaction allergique : arrêtez immédiatement le traitement).
– traitement prolongé : légère augmentation du risque de formation de caillots sanguins (thromboses et embolies).

[suite de la p. 560]
L'hydroxyprogestérone est une hormone synthétique utilisée dans le :
- traitement des troubles des règles dus à une carence en progestérone : menstruations douloureuses (dysménorrhée), absence de menstruations (aménorrhée), etc.;
- traitement de l'endométriose, affection caractérisée par la présence anormale de tissu de revêtement de l'utérus à l'extérieur de celui-ci.
- traitement adjuvant des proliférations cellulaires anormales, notamment au niveau du sein et de l'utérus.

Durée d'action : environ 10 jours.
Pour les détails → p. 560.
Note : *à utiliser sous contrôle médical.*

PROGESTOGEL® et PROGESTOSOL®

(Besins-Iscovesco)

Introd. respectivement en 1972 et 1974.
PRINCIPE ACTIF : **Progestérone** .
SYNONYME : lutéine.

Préparations :
- *Progestogel®* : gel à usage externe à 1%. Remb. SS 70%.
- *Progestosol®* : solut. alcoolique pour application locale à 0,5%. Non remb.

Emploi :
- le gel est proposé pour prévenir et traiter les douleurs et kystes mammaires bénins;
- la solution alcoolique est proposée dans la séborrhées du visage et du cuir chevelu.

Note : *vendu sans ordonnance; à éviter sans avis médical.*

PROGLICEM®

(Schering-Plough)

Introd. en 1974. Liste I.
PRINCIPE ACTIF : **Diazoxide.**

Préparations : gélules à 25 ou 100 mg.
Emploi : médicament utilisé par voie buccale dans le traitement de l'hypoglycémie (baisse du taux du sucre dans le sang); il agit en bloquant la libération de l'insuline par le pancréas (action hyperglycémiante). La mise en œuvre du traitement de l'hypoglycémie se fait en milieu hospitalier.
Allergie : informez votre médecin si vous avez déjà fait une réaction allergique ou inhabituelle à ce médicament ou aux sulfamides ou aux diurétiques thiazidiques.

Etat de santé : vous devez informer votre médecin de toute affection susceptible de modifier les effets du médicament, notamment maladies des reins, goutte, angine de poitrine, accidents vasculaires cérébraux antérieurs («attaques»), diabète sucré.

Grossesse et allaitement : l'innocuité de ce médicament n'ayant pas été établie chez la femme enceinte, ni lors de l'allaitement, son usage est déconseillé par mesure de prudence.

Interactions : il faut informer votre médecin si vous prenez ou avez pris récemment d'autres médicaments, notamment diurétiques thiazidiques, antidépresseurs tricycliques.

Surveillance : contrôlez le taux de glucose dans le sang (glycémie) et la présence de glucose dans les urines (et éventuellement d'acétone) et informez votre médecin des résultats.

Hyperglycémie : surveillez l'apparition de signes d'une augmentation du taux de glucose dans le sang (hyperglycémie), notamment asthénie, sécheresse de la peau, augmentation du volume des urines, soif, perte de l'appétit, nausées, vomissements, odeur «fruitée» de l'haleine; ces signes apparaissent si les doses sont excessives ou en cas de fièvre ou de stress.

Hypoglycémie : surveillez l'apparition de signes d'une diminution du taux de glucose dans le sang (hypoglycémie), notamment accélération du pouls, palpitations, transpirations profuses, frissons, tremblements, nausées, faim, maux de tête; si, ces signes apparaissent consultez immédiatement votre médecin.

Effets indésirables possibles : diminution du volume des urines, rétention d'eau et prise de poids rapide, chevilles enflées (œdème), éruption cutanée (réaction allergique : arrêtez immédiatement le traitement), augmentation de la pilosité sur le front, le dos et les extrémités (surtout chez l'enfant), nausées, vomissements.

Note : *réservé aux hôpitaux.*

PROGYNOVA® (Schering)

Introd. en 1980. Liste II. Non remb. SS.
PRINCIPE ACTIF : **Estradiol** .
SYNONYME : dihydrofolliculine.
Préparations : comprimés à 2 mg.

Emploi : l'estradiol est utilisé pour corriger la carence estrogénique après la ménopause et atténuer les bouffées de chaleur, transpirations, vertiges et les symptômes de la vaginite atrophique ; il est aussi utilisé pour prévenir, ralentir ou stabiliser l'ostéoporose postménopausique en association avec un progestatif pour diminuer les risques de cancer de l'endomètre ; dans le traitement de l'insuffisance ovarienne survenant avant ou après la puberté (hypogonadisme), il est utilisé en alternance avec un progestatif pour établir ou maintenir un cycle artificiel ; interrompre l'administration en cas d'immobilisation prolongée.

Pour les détails → p. 266.

Note : prescrit sur ordonnance médicale.

PROKINYL LP®
(Techni-Pharma)

Introd. en 1989. Liste II. Remb. SS 70%.

PRINCIPE ACTIF : **Métoclopramide**.

Préparations : comprimés à libération prolongée à 15 mg.

Emploi : neuroleptique, appartenant au groupe des benzamides substitués, qui stimule les contractions et les mouvements du tube digestif, de l'estomac à l'intestin.

La métoclopramide est utilisée pour traiter les nausées, les vomissements (à l'exclusion des vomissements gravidiques) et les troubles de la motricité digestive, notamment le reflux gastro-œsophagien (liquide acide remontant dans la bouche) et le retard de l'évacuation gastrique.

Pour les détails → p. 306.

Note : prescrit sur ordonnance médicale.

PROLEUKIN® (Eurocetus)

Introd. en 1990. Liste I.

PRINCIPE ACTIF : **Aldesleukine**.

SYNONYME : interleukine-2r.

Préparations : poudre pour solution injectable en flacons à 1 mg.

Propriétés : ce médicament a une activité analogue à celle de l'interleukine-2 humaine native ; celle-ci est une lymphokine stimulant la croissance et la prolifération des lymphocytes T et la production de cellules LAK («Lymphokine Activated Killer») qui lysent *in vitro* certaines cellules tumorales.

Emploi : utilisé pour traiter les proliférations cellulaires anormales au niveau du rein de l'adulte et dans le mélanome métastatique.

Note : réservé aux hôpitaux.

PROMINCIL® (Ardeval)

Introd. en 1990. Non remb. SS.

PRINCIPES ACTIFS : suspension buvable contenant du fucus vésiculeux, reine des près et prêle.

Emploi : proposé comme adjuvant des régimes amaigrissants.

Note : vendu sans ordonnance ; efficacité des principes actifs à confirmer dans l'emploi proposé.

PROMIT® (Kabi Pharmacia)

Introd. en 1989.

PRINCIPE ACTIF : solution injectable de dextran 1 (poids moléculaire 1000).

Emploi : utilisé pour déceler une hypersensibilité et prévenir la réaction anaphylactique induite par le dextran de poids moléculaire élevé ; il est injecté 1-2 minutes avant la mise en place d'une perfusion de dextran.

Note : réservé aux hôpitaux.

PRONTALGINE®
(Boehringer Ingelheim)

Introd. en 1981. Non remb. SS.

PRINCIPES ACTIFS : comprimés contenant
– codéine : antitussif opiacé ;
– paracétamol : analgésique et antipyrétique à action périphérique ;
– caféine : stimulant central ;
– bromure de diméthyl-octyl (benzoyl-éthyl) ammonium.

Emploi : proposé pour atténuer la douleur modérée *(analgésique)* et pour faire tomber la fièvre *(antipyrétique)*.

Durée du traitement : consultez votre médecin si les douleurs persistent après 5 jours ou si la fièvre ou le mal de gorge ne régressent pas au bout de 3 jours.

Précautions : ce médicament ne doit pas être utilisé en cas d'insuffisance hépatique, d'insuffisance respiratoire, de glaucome par fermeture de l'angle, d'hypertrophie de la prostate, de grossesse, d'allaitement et chez l'enfant âgé de moins de 15 ans.

Durée du traitement : ne doit pas dépasser quelques jours sans avis médical.

Conduite de véhicules : ce médicament peut diminuer la vigilance; la conduite de véhicules ou l'utilisation de machines peut être dangereuse.

Sportifs : ce médicament peut donner une réaction positive lors des contrôles antidopage.

Effets indésirables possibles : somnolence, vertiges, nausées, éruptions cutanées, sécheresse de la bouche, du nez et de la gorge, vision trouble, accélération du pouls, palpitations, bouffées de chaleur, nausées, constipation, difficulté à uriner (chez les prostatiques), confusion mentale ou agitation (sujets âgés).

Note : vendu sans ordonnance; l'efficacité de la codéine et celle du paracétamol sont généralement reconnues, mais les autres composants ont peu d'intérêt dans l'emploi proposé.

PROPINE® (Allergan)

Introd. en 1988. Liste I. Remb. SS 70%.
PRINCIPE ACTIF : *Dipivéfrine*.
Préparations : collyre à 0,1%.
Emploi : sympathomimétique utilisé en collyre pour traiter le glaucome chronique à angle ouvert et pour diminuer la pression intraoculaire élevée.
Précautions : ne pas employer en cas de glaucome par fermeture de l'angle; utilisation prudente en cas de maladie cardiovasculaire, d'hypertension artérielle, d'angine de poitrine ou de diabète; contrôle périodique de la tension intraoculaire.
Effets indésirables possibles : sensations de brûlure et de picotement, maux de tête; rarement accélération du pouls, hypertension artérielle (résorption du médicament dans la circulation générale); dilatation de la pupille (ou mydriase active); risque d'accès de glaucome aigu chez les sujets prédisposés à angle irido-cornéen étroit ou ayant des antécédents de glaucome à angle fermé.
Note : prescrit sur ordonnance médicale.

PROPIOCINE® (Roussel)

Introd. en 1977. Liste I. Remb. SS 70%.
PRINCIPE ACTIF : **Erythromycine**.
Préparations : comprimés à 500 mg; comprimés pour suspension buvable à 250 mg.
Emploi : antibiotique du groupe des macrolides largement utilisé par voie buccale ou en injections pour traiter les infections dues à des bactéries (inefficace dans les infections à virus); l'érythromycine peut remplacer la pénicilline ou les tétracyclines chez les sujets allergiques à ces médicaments.
Pour les détails → p. 415.
Note : prescrit sur ordonnance médicale.

PROPIONATE DE SODIUM
(M., S. & D.-Chibret)

Introd. en 1954. Remb. SS 40%.
Préparations : solution nasale à 2,5%.
Emploi : infections du nez (rhinites).
Note : vendu sans ordonnance; ne pas utiliser pendant plus de 5 jours sans avis médical.

PROPIONATE DE SODIUM
(M., S. & D.-Chibret)

Introd. en 1952. Remb. SS 70%.
Préparations : solution ophta-ORL à 5%.
Emploi : conjonctivites et otites externes à tympan fermé (le traitement doit être conduit sous surveillance médicale).
Durée du traitement : limitée à 10 jours.
Note : vendu sans ordonnance; à éviter en automédication.

PROPOFAN®
(Marion Merrell Dow)

Introd. en 1972. Liste I. Remb. SS 70%.
PRINCIPES ACTIFS: comprimés contenant
– dextropropoxyphène : analgésique morphinique «mineur»;
– paracétamol : analgésique à action périphérique et antipyrétique;
– carbasalate calcique : précurseur de l'aspirine, ayant les mêmes propriétés que celle-ci;
– chlorphénamine : antihistaminique, sédatif et atropinique;
– caféine : stimulant central.
Emploi : proposé pour atténuer la douleur modérée (*analgésique*) et pour faire tomber la fièvre (*antipyrétique*).
Durée du traitement : consultez votre médecin si les douleurs persistent après 5 jours ou si la fièvre ou le mal de gorge ne régressent pas au bout de 3 jours.
Précautions : ce médicament ne doit pas être utilisé en cas d'ulcère gastroduodénal évolutif, de maladie hémorragique ou de traitement anti-

coagulant, d'asthme, d'insuffisance hépatique, d'insuffisance respiratoire, de grossesse, d'allaitement et chez l'enfant âgé de moins de 15 ans.

Conduite de véhicules : ce médicament peut diminuer la vigilance ; la conduite de véhicules ou l'utilisation de machines peut être dangereuse.

Alcool : à éviter pendant le traitement.

Sportifs : ce médicament peut donner une réaction positive en cas de tests pour contrôle antidopage.

Effets indésirables possibles : somnolence, vertiges, constipation, nausées, vomissements, douleurs gastriques, bourdonnements d'oreille, baisse de l'audition, maux de tête ; consultez votre médecin en cas de douleurs abdominales, de vomissements sanglants, de selles noires, de prurit, de crise d'asthme, d'urticaire, d'ictère.

Note : prescrit sur ordonnance médicale.

PRORHINEL® (Monal)

Introd. en 1965. Remb. SS 40%.

PRINCIPES ACTIFS : la solution nasale contient de l'oléosorbate 80 et benzododécinium (antiseptique local).

Emploi : infections du nez (rhinites).

Note : vendu sans ordonnance ; ne pas utiliser pendant plus de 5 jours sans avis médical.

PROSTIGMINE® (Roche)

Introd. en 1932. Liste I. Remb. SS 70%.

PRINCIPE ACTIF : **Néostigmine.**

Préparations (bromure) : comprimés à 15 mg ; ampoules injectables à 0,5 mg dans 1 ml.

Emploi : anticholinestérasique utilisé pour traiter les symptômes de la myasthénie et pour confirmer son diagnostic, pour traiter l'atonie intestinale ou vésicale après une intervention chirurgicale ou comme antagoniste de certains curarisants utilisés au cours de l'anesthésie chirurgicale.

Durée d'action : 2 à 4 heures après injection intramusculaire.

Précautions : ne pas employer en cas d'allergie au produit ou à d'autres anticholinestérasiques, d'infections urinaires, d'asthme ou de bronchite asthmatique ; déconseillé en cas de grossesse, car d'autres anticholinestérasiques ont causé des faiblesses

musculaires et des détresses respiratoires chez les nouveau-né de mères traitées au long cours. Vous devez aussi signaler à votre médecin tout contact récent avec des insecticides ou pesticides.

Prise du médicament : vous devez noter au début du traitement l'heure à laquelle vous prenez chaque dose et les effets bénéfiques ou indésirables constatés et discuter avec votre médecin toute modification qui pourrait être nécessaire pour améliorer les résultats.

Autres médicaments : l'association avec la morphine ou un autre analgésique morphinique augmente le risque de paralysie respiratoire.

Effets indésirables possibles : nausées, vomissements, crampes abdominales (activité intestinale accrue), diarrhée, salivation abondante, transpirations profuses, ralentissement du pouls, confusion, soubresauts musculaires, troubles de la vue ; ces effets cholinergiques sont atténués par l'administration d'atropine.

Intoxication : il faut une intervention médicale immédiate car il a un risque d'arrêt de la respiration.

Note : prescrit sur ordonnance médicale.

PROSTINE-E$_2$® (Upjohn)

Introd. en 1986. Liste I.

PRINCIPE ACTIF : **Dinoprostone.**

SYNONYMES : prostaglandine E$_2$, PGE$_2$.

Préparations : soluté injectable pour perfusion à 1 mg/ml (pour l'induction du travail à terme) et à 10 mg/ml (pour l'interruption thérapeutique de la grossesse) ; préparation injectable par voie extra-amniotique à 10 mg par ml.

Emploi : prostaglandine utilisée en milieu hospitalier dans les indications suivantes :

Par voie intraveineuse :

- Provocation de l'accouchement à terme en l'absence de contre-indications fœtales.
- Induction du travail en cas de mort du fœtus *in utero*.

Par voie intraveineuse ou extra-amniotique :

- Interruption thérapeutique de la grossesse au cours du premier et deuxième trimestre, notamment en cas d'avortement incomplet et de môles hydatiformes.

Etant donné que ce médicament a provoqué des malformations du fœtus dans l'expérimentation animale, une interruption de grossesse commencée doit être terminée en tout cas; si la grossesse n'est pas complètement interrompue, ou si l'on a des doutes à ce sujet, il faut parachever l'évacuation de l'utérus.

Précautions : informez votre médecin si vous avez déjà fait une réaction allergique ou inhabituelle à ce médicament ou à d'autres prostaglandines ou si vous êtes atteint d'asthme ou de glaucome.

Effets indésirables possibles : nausées, vomissements, diarrhée, maux de tête, bouffées de chaleur, irritation au point d'injection.

Note : *réservé aux hôpitaux.*

PROSTINE-F$_2$ ALPHA®
(Upjohn)

Introd. en 1983. Liste I.

PRINCIPE ACTIF : **Dinoprost**.

Préparations : ampoule injectable à 5 mg dans 1 ml.

Emploi : dérivé de la prostaglandine F2α utilisé en milieu hospitalier pour déclencher le travail sur un fœtus vivant aux environs du terme d'une grossesse normale ou, en cas de mort du fœtus *in utero*, durant le 2e ou 3e trimestre.

Précautions : informez votre médecin si vous avez déjà fait une réaction allergique ou inhabituelle à ce médicament ou à d'autres prostaglandines ou si vous êtes atteint d'asthme ou de glaucome.

Effets indésirables possibles : nausées, vomissements, maux de tête, bouffées de chaleur, irritation au point d'injection.

Note : *réservé aux hôpitaux.*

PROSTINE VR® (Upjohn)

Introd. en 1983. Liste I.

PRINCIPE ACTIF : **Alprostadil**.

SYNONYME : prostaglandine E$_1$.

Préparations : ampoules injectables à 0,5 mg dans 1 ml.

Emploi : utilisé en perfusion dans des services spécialisés chez le nouveau-né porteur d'une cardiopathie congénitale pour maintenir ouverte la lumière du canal artériel jusqu'au moment où la chirurgie correctrice peut être instituée; l'alprostadil agit en relâchant les muscles lisses du canal artériel; le traitement doit être limité à 7 jours (risque d'hyperostose).

Dans certains pays, l'alprostadil est proposé dans le traitement de l'occlusion artérielle chronique.

Note : *réservé aux hôpitaux.*

PROTAMINE, Sulfate de

Remb. SS 70%.

SYNONYMES : salmine, clupéine.
Protamine (Choay).
Protamine Fournier® (Pharmuka).
Protamine (Roche).

Préparations : ampoules injectables à 5.000 UI dans 5 ml et à 10.000 Unités antihéparine (UAH) dans 10 ml; ampoules injectables à 100 mg dans 10 ml. Remb. SS 70%.

Emploi : utilisé pour neutraliser l'action anticoagulante de l'héparine en cas de surdosage et d'hémorragie (effet immédiat par voie intraveineuse).

Note : *à utiliser sous contrôle médical.*

PROTANGIX®
(Soekami-Lefrancq)

Introd. en 1980. Liste II. Remb. SS 70%.,

PRINCIPE ACTIF : **Dipyridamole**.

Préparations : capsules à 60 mg.

Emploi : médicament introduit à l'origine pour le traitement de fond de l'angine de poitrine et utilisé, en association avec l'aspirine à faibles doses, pour normaliser la tendance anormale des plaquettes sanguines à l'agrégation et pour prévenir ainsi la formation de caillots sanguins, en particulier chez les porteurs de prothèses valvulaires (valvules cardiaques artificielles).

Pour les détails → Dipyridamole.

Note : *prescrit sur ordonnance médicale.*

PROTÉOSÉRYL® (Splénodex)

Introd. en 1957. Remb. SS 40%.

PRINCIPE ACTIF : pommade contenant un protéolysat de sérum d'équidés.

Emploi : ulcères de jambe.

Note : *vendu sans ordonnance; efficacité du principe actif à confirmer dans l'emploi proposé.*

PROTÉOSULFAN® (Gallier)

Introd. en 1988. Non remb. SS.
PRINCIPES ACTIFS: comprimés contenant de l'acide acétylsalicylique (aspirine) et un protéolysat soufré.
Emploi: arthrose et douleurs rhumatismales.
Précautions: ne doit pas être utilisé en cas d'allergie à l'aspirine, d'asthme, d'ulcère gastro-duodénal évolutif, de maladie hémorragique ou traitement anticoagulant, de grossesse et chez l'enfant âgé de moins de 10 ans sans avis médical.
Effets indésirables possibles: nausées, vomissements, douleurs gastriques, bourdonnements d'oreille, baisse de l'audition, maux de tête.
Consultez votre médecin en cas de douleurs abdominales, vomissements sanglants, selles noires, asthme, prurit, urticaire ou jaunisse.
Intoxication: hospitalisation d'urgence en cas de prise massive accidentelle.
Note: vendu sans ordonnance; l'efficacité de l'aspirine sur les douleurs rhumatismales est généralement reconnue, mais la présence d'un dérivé soufré a peu d'intérêt dans l'emploi proposé.

PROTHIADEN® (Boots Pharma)

Introd. en 1977. Liste I. Remb. SS 70%.
PRINCIPE ACTIF: ***Dosulépine.***
Préparations: compr. à 25 ou 75 mg.
Emploi: antidépresseur du groupe des tricycliques utilisé dans le traitement des états dépressifs de l'adulte, ayant une action atropinique et une action sédative modérée.
Pour les détails → p. 40.
Note: prescrit sur ordonnance médicale.

PROTIRÉLINE® (Roche)

Introd. en 1977. Liste I.
PRINCIPE ACTIF: ***Protiréline.***
SYNONYMES: facteur de libération de la thyrotrophine (TRF), Thyrotropin Releasing Hormone (TRH), thyrolibérine.
Préparations: ampoules injectables à 0,2 mg dans 2 ml.
Emploi: analogue synthétique d'une hormone hypothalamique naturelle, la protiréline stimule la sécrétion par l'hypophyse d'une hormone appelée thyrotrophine (TSH) qui à son tour stimule la thyroïde. La protiréline est utilisée pour le diagnostic et la surveillance des troubles de la fonction thyroïdienne; en effet, la mesure du taux de la TSH dans le sang avant et après une injection intraveineuse de protiréline permet de mesurer les réserves hypophysaires en TSH. La protiréline stimule aussi la libération de la prolactine et le test décrit ci-dessus est aussi utilisé dans le diagnostic de l'hypersécrétion de cette hormone, par exemple dans certaines tumeurs de l'hypophyse.
Précautions: ne pas employer en cas d'allergie au produit ou de grossesse (il a causé des malformations du fœtus au cours de l'expérimentation animale); utilisation prudente en cas d'hypertension artérielle, de maladie cardiovasculaire, d'accident cérébro-vasculaire récent (les variations brusques de la tension artérielle peuvent être dangereuses).
Effets indésirables possibles: maux de tête, nausées, vertiges, sensation de miction impérieuse, évanouissements.
Note: réservé aux hôpitaux.

PROTOTAPEN®
(Bristol-Myers Squibb)

Introd. en 1978. Liste I. Remb. SS 70%.
PRINCIPES ACTIFS: sachet de poudre pour suspension buvable contenant de l'ampicilline (3,5 g) et probénécide (1 g).
Propriétés: le probénécide retarde l'élimination rénale de la pénicilline et est associé à l'ampicilline pour maintenir des concentrations sanguines élevées de cet antibiotique.
Emploi: proposé dans le traitement de la blennorragie gonococcique en une prise unique; surveillance des tests sérologiques pour la syphilis 3 semaines et 3 mois après le traitement.
Prise du médicament: introduire dans un verre la poudre contenue dans le sachet, ajouter de l'eau, mélanger et avaler la suspension en une seule foie.
Précautions: ne pas employer en cas d'allergie aux pénicillines.
Sportifs: ce médicament peut donner une réaction positive lors des contrôles antidopage.
Pour les détails → p. 520.
Note: prescrit sur ordonnance médicale.

PROVIRON® (Schering)

Introd. en 1975. Liste II. Non remb. SS.
PRINCIPE ACTIF : **Mestérolone**.
Préparations : comprimés à 25 mg.
Emploi : androgène ou hormone mâle synthétique employée lorsque l'organisme est incapable de la sécréter la testostérone en quantité suffisante chez l'homme adulte (hypogonadisme masculin); proposé pour augmenter le nombre de spermatozoïdes dans le sperme lorsque ce nombre est diminué (oligospermie) et s'accompagne de stérilité.

Les androgènes ne conviennent pas pour favoriser le développement de la masse musculaire chez les sujets sains, ni pour augmenter l'efficience physique; ce médicament ne doit en aucun cas être utilisés chez la femme.
Pour les détails → p. 31.
Note : prescrit sur ordonnance médicale.

PROZAC® (Lilly)

Introd. en 1989. Liste I. Remb. SS 70%.
PRINCIPE ACTIF : **Fluoxétine**.
Préparations : gélules à 20 mg.
Emploi : antidépresseur du groupe des bicycliques, utilisé dans le traitement des états dépressifs de l'adulte.
Durée d'action : 2-3 jours.
Pour les détails → p. 40.
Note : prescrit sur ordonnance médicale.

PSEUDOPHAGE® (Servier)

Introd. en 1949. Non remb. SS.
PRINCIPES ACTIFS : granulé contenant de l'acide ß-polymannuronique (sel sodique) et un extrait de *Gelidium corneum*.
Emploi : proposé comme adjuvant des régimes amaigrissants; le produit remplit l'estomac d'une substance de lest très peu calorique et provoque une sensation de réplétion gastrique.
Prise du médicament : un sachet dans un grand verre d'eau 10 minutes avant les repas; évitez les boissons gazeuses.
Note : produit vendu sans ordonnance.

PSOCORTÈNE® (Ciba-Geigy)

Introd. en 1978. Liste I. Remb. SS 70%.
PRINCIPES ACTIFS : pommade contenant de l'acide salicylique et goudron de houille (kératolytiques), flumétasone (dermocorticoïde).

Emploi : traitement du psoriasis, de l'eczéma de contact, des processus de lichénification et d'autres affections pour amincir la couche cornée de la peau (action kératolytique).
Application du produit : étaler le produit sur les lésions et le faire pénétrer par un léger massage; éviter tout contact avec les yeux. Ne dépassez pas le nombre d'applications journalières prescrites par votre médecin (en général deux par jour au maximum); des applications trop fréquentes et l'occlusion des lésions augmentent le risque d'effets indésirables.
Effets indésirables possibles : prurit, sensation de brûlure; l'application sur de grandes surfaces ou sous un pansement occlusif peut entraîner un passage du principe actif dans la circulation sanguine, d'où l'apparition d'effets indésirables parfois généralisés; l'utilisation prolongée peut provoquer une atteinte de la peau du visage avec rougeur, amincissement et fragilité des téguments et apparition d'ecchymoses.
Note : prescrit sur ordonnance médicale.

PSORADERM-5® (Bergaderm)

Introd. en 1983. Liste I. Non remb. SS.
PRINCIPE ACTIF : **5-Méthoxypsoralène**.
SYNONYME : bergaptène.
MÉDICAMENT ANALOGUE → Méladinine®
Préparations : comprimés à 20 mg.
Emploi : agent de pigmentation appartenant aux groupe des psoralènes qui sont des substances extraites de certaines plantes et utilisées en médecine traditionnelle pour traiter le vitiligo (zones de la peau blanches, décolorées ou dépigmentées).
Le méthoxypsoralène, après administration par voie buccale, sensibilise la peau à l'action des rayons ultraviolets et cette action photosensibilisante dure 24-48 heures avec un effet maximum après 2-4 heures.
Les psoralènes stimulent la production de peau pigmentée et sont utilisés par voie buccale, en association à l'exposition aux rayons solaires ou à une lampe à rayons ultraviolets (PUVA), pour traiter le vitiligo et le psoriasis; en application locale, ils sont utilisés pour traiter le vitiligo localisé.
Les psoralènes augmentent la sensibilité de la peau aux rayons du soleil;

ils ne doivent en aucun cas être utilisés pour bronzer (risque de brûlures); le traitement doit être conduit par un médecin spécialisé.

Précautions : ne pas employer en cas d'allergie au produit; les affections suivantes peuvent modifier l'action du médicament : allergie aux rayons du soleil, maladies du foie ou des reins, lupus érythémateux disséminé aigu, porphyrie cutanée tardive, porphyrie érythropoïétique (risque de crises), hypertension artérielle, insuffisance cardiaque, états précancéreux de la peau, mélanomes, épithéliomas (ne pas utiliser ce traitement), affections oculaires, p. ex. choriorétinite, glaucome (un examen des yeux est conseillé avant de commencer le traitement).

Grossesse : ce médicament ne doit pas être utilisé chez la femme enceinte ou susceptible de l'être; en effet, il a causé des malformations du fœtus au cours de l'expérimentation animale; si une grossesse intervient pendant le traitement, informez immédiatement votre médecin.

Allaitement : utilisation déconseillée.

Enfants : ne pas utiliser avant 12 ans.

Régime : certains aliments, notamment figues, carottes, céleris et la moutarde, peuvent augmenter la sensibilité de la peau aux rayons ultraviolets.

Interactions : il faut informer votre médecin si vous prenez ou avez pris récemment des médicaments, notamment dérivés de la phénothiazine, sulfamides, diurétiques thiazidiques, tétracyclines, griséofulvine, quinolones, amiodarone, composés arsenicaux, médicaments anticancéreux ou traitement par des rayons X (radiothérapie).

Surveillance : le traitement doit être conduit par un médecin spécialisé et vous devez suivre scrupuleusement ses prescriptions; en effet, des doses trop élevées du médicament ou une exposition aux rayons solaire ou ultraviolets peut entraîner des brûlures graves; des examens périodiques du sang, des urines et des yeux sont recommandés.

Oubli : si vous oubliez de prendre le médicament, la séance d'exposition aux rayons solaires ou ultraviolets doit être renvoyée; en effet, celle-ci doit commencer 2 heures après la prise du médicament.

Délai d'action : de 6 à 8 semaines; il faut donc attendre ce délai avant de pouvoir évaluer l'efficacité du traitement.

Exposition au soleil : ce médicament rend votre peau très sensible aux rayons solaires et ultraviolets (photosensibilisation), ce qui demande quelques précautions :
- dans les 24 heures qui précèdent chaque séance, évitez l'exposition directe au soleil et portez des vêtements qui couvrent les bras et les jambes, un chapeau et des lunettes de soleil; consultez votre médecin sur l'opportunité d'utiliser une crème écran total antisolaire sur le zones non traitées;
- après chaque séance, couvrez les parties exposées du corps pendant au moins 8 heures.
- la sensibilisation de la peau aux rayons du soleil persiste 48 heures après la prise du médicament;
- arrêtez le traitement au moins 8 jours avant un voyage de vacances, notamment en cas de vacances en montagne ou à la mer.

Effets indésirables possibles :
- rougeur de la peau, prurit, nausées, troubles intestinaux, vertiges, maux de tête;
- douleurs, éruption cutanée, chevilles enflées, dépression, insomnie.
- l'usage prolongé peut entraîner un vieillissement prématuré de la peau et un cancer de la peau.

Note : prescrit sur ordonnance médicale.

PSYLIA® (Techni-Pharma)

Introd. en 1991. Remb. SS 40%.

PRINCIPE ACTIF : **Psyllium**.

Préparations : poudre orale à 3,6 g par sachet.

Propriétés : mucilage provenant des semences de *Plantago ovata* constitué de polysaccharides non digestibles; ceux-ci absorbent l'eau dans l'intestin et, en hydratant et en augmentant le volume du bol fécal, facilitent l'expulsion et stimulent le péristaltisme.

Emploi : traitement de la constipation; toujours boire un grand verre d'eau avec chaque prise.

Précautions : ne pas employer en cas de maladies inflammatoires de l'intestin ou de douleurs abdominales de cause inconnue; consultez votre médecin si la constipation persiste ou

en cas de selles noires ou de présence de sang dans les selles.
Effets indésirables possibles : ballonnement abdominal.
Note : *vendu sans ordonnance; le traitement médicamenteux de la constipation n'est qu'un adjuvant au traitement hygiéno-diététique.*

PSYLLIUM Langlebert® (Vigan)

Introd. en 1910. Non remb. SS.
Préparations : graines de Psyllium.
Emploi : traitement de la constipation; toujours boire un grand verre d'eau avec chaque prise.
Précautions : ne pas employer en cas de maladies inflammatoires de l'intestin ou de douleurs abdominales de cause inconnue; consultez votre médecin si la constipation persiste ou en cas de selles noires ou de présence de sang dans les selles.
Effets indésirables possibles : ballonnement abdominal.
Note : *vendu sans ordonnance; le traitement médicamenteux de la constipation n'est qu'un adjuvant au traitement hygiéno-diététique.*

PULMADOL® (Amido)

PRINCIPES ACTIFS : sirop contenant de la codéine (antitussif opiacé), séné (laxatif irritant), sirop d'opium, sulfogaïacol, teinture d'aconit, belladone, droséra, eucalyptus, serpolet, benzoate de sodium, sulfate de magnésium, eau de laurier cerise.
Emploi : proposé pour calmer la toux.
Note : *vendu sans ordonnance; l'efficacité de la codéine est généralement reconnue, mais utilisation limitée du fait de la présence d'un laxatif irritant (séné) et d'autres composants ayant peu d'intérêt dans l'emploi proposé.*

PULMAX® (Zyma)

Introd. en 1978. Non remb. SS.
PRINCIPES ACTIFS : crème contenant du baume du Pérou, camphre, essences de romarin et d'eucalyptus.
Emploi : proposé comme révulsif dans les affections respiratoires.
Effets indésirables possibles: réactions allergiques.
Note : *vendu sans ordonnance; efficacité des principes actifs à confirmer dans l'emploi proposé.*

PULMICORT® (Astra)

Introd. en 1992. Liste I. Remb. SS 70%.
PRINCIPE ACTIF : **Budésonide**.
Préparations: aérosol-doseur (bouffées à 100 et 200 µg); poudre pour inhalation buccale en récipient doseur délivrant 200 µg/dose (*Turbuhaler®*).
Emploi : médicament apparenté à la cortisone (corticoïde), ayant une action anti-inflammatoire et antiallergique, utilisé en inhalation buccale en aérosol pour prévenir la crise d'asthme; ce médicament n'est pas utilisé pour traiter la crise d'asthme isolée ou l'état de mal asthmatique
Pour les détails → p. 179.
Note : *prescrit sur ordonnance médicale.*

PULMOCALM® (Picot)

PRINCIPES ACTIFS : sirop contenant de la codéine et codéthyline (antitussifs opiacés), adrénaline, teinture de droséra, belladone, aconit, grindélia, eau de laurier cerise, sirop de Desessartz, benzoate de sodium.
Emploi : proposé dans la toux.
Pour les détails → p. 59.
Note : *vendu sans ordonnance; l'efficacité des antitussifs opiacés (codéine et codéthyline) est généralement reconnue, mais les autres composants ont peu d'intérêt dans l'emploi proposé.*

PULMO-DRAINOL® (Boiron)

Préparation homéopathique (solution buvable) proposée dans la toux.

PULMOFLUIDE® (Leurquin)

Introd. en 1940. Non remb. SS.
PRINCIPES ACTIFS :
– solution buvable («simple») : codéine (antitussif opiacé), guaifénésine, ipéca, terpine, eucalyptol et benzoate de sodium;
– sirop enfants : pholcodine (antitussif opiacé), terpine, benzoate de sodium, sirops de framboise, de tolu et de Desessartz.
Emploi : proposés pour calmer la toux.
Pour les détails → p. 59.
Note : *vendu sans ordonnance; l'efficacité des antitussifs opiacés (codéine et pholcodine) est généralement reconnue, mais les autres composants ont peu d'intérêt dans l'emploi proposé.*

PULMOFLUIDE® Ephédriné
(Leurquin)

Introd. en 1943. Non remb. SS.
PRINCIPES ACTIFS : solution buvable contenant de la codéine (antitussif opiacé), éphédrine (sympathomimétique), guaifénésine, ipéca, terpine, eucalyptol et benzoate de sodium.
Emploi : proposé dans l'asthme et les bronchites chroniques.
Pour les détails → p. 59.
Note : *vendu sans ordonnance; des principes actifs plus efficaces sont actuellement disponibles pour traiter l'asthme et les bronchites.*

PULMOLL® (Sterling Midy)

Introd. en 1911. Non remb. SS.
PRINCIPES ACTIFS : pastilles à sucer contenant de l'amyléine (anesthésique local), terpine, menthol; (il y a une forme «au menthol et eucalyptus»).
Emploi : proposé dans le «mal de gorge» de l'adulte sans fièvre.
Note : *vendu sans ordonnance; ne pas utiliser pendant plus de 5 jours sans avis médical.*

PULMONASE® (Chanteaud)

Introd. en 1934. Non remb. SS.
PRINCIPES ACTIFS : sirop contenant de la codéine (antitussif opiacé), rhum à 54°, chloroforme, benzoate de sodium, teinture d'aconit et de droséra, extrait de tolu, eau de laurier-cerise.
Emploi : proposé pour calmer la toux.
Pour les détails → p. 59.
Note : *vendu sans ordonnance; l'efficacité de la codéine est généralement reconnue, mais les autres composants ont peu d'intérêt dans l'emploi proposé; le chloroforme est toxique pour le foie.*

PULMOPHÉDRYL® (Wyeth)

PRINCIPES ACTIFS : sirop contenant de la codéine (antitussif opiacé), éphédrine, caféine, sulfogaïacol, arrhénal, teinture d'aconit, jusquiame, belladone, sirops de Desessartz et de baume de tolu, benzoate de sodium, gluconate de calcium.
Emploi : proposé pour calmer la toux.
Pour les détails → p. 59.
Note : *vendu sans ordonnance; l'efficacité de la codéine est généralement reconnue,* mais les autres composants ont peu d'intérêt dans l'emploi proposé.

PULMOSÉRUM® (Bailly-Speab)

Introd. en 1910. Remb. SS 40%.
PRINCIPES ACTIFS : solution buvable (à diluer) contenant de la codéine (antitussif opiacé), gaïacol et acide phosphorique.
Emploi : proposé pour calmer la toux.
Pour les détails → p. 59.
Note : *vendu sans ordonnance; l'efficacité de la codéine est généralement reconnue, mais les autres composants ont peu d'intérêt dans l'emploi proposé.*

PULMOSODYL® (Bridoux)

Introd. en 1952. Remb. SS 40%.
PRINCIPES ACTIFS : sirop contenant de la codéthyline (antitussif opiacé), bromoforme, sulfogaïacol, extrait de tolu.
Emploi : proposé pour calmer la toux.
Pour les détails → p. 59.
Note : *vendu sans ordonnance; l'efficacité de la codéthyline est généralement reconnue, mais les autres composants ont peu d'intérêt dans l'emploi proposé.*

PULMOTHIOL®
(Soekami-Lefrancq)

Introd. en 1943. Remb. SS 40%.
PRINCIPES ACTIFS : sirop adulte contenant de la codéine (antitussif opiacé), teinture de belladone (atropinique), bromoforme, sulfogaïacol, bromure de sodium, benzoate de sodium, teinture d'aconit, aubépine, eucalyptus, polygala, lobélie, terpine, extrait de pavot blanc;
Emploi : proposé pour calmer la toux.
Pour les détails → p. 59.
Note : *vendu sans ordonnance; l'efficacité de la codéine est généralement reconnue, mais les autres composants ont peu d'intérêt dans l'emploi proposé.*

PULSTIM® (Cassenne)

Introd. en 1990. Liste I.
PRINCIPE ACTIF : **Gonadoréline**.
Préparations : solution injectable à 0,50 mg par ml.
Emploi : analogue de synthèse de la LH-RH naturelle utilisé en administration pulsatile pour le traitement de la stérilité féminine due à l'absence

d'ovulation consécutive à une carence en gonadoréline.

Note : le traitement doit être pris en charge par un spécialiste.

PULVÉOL® (Laleuf)

Introd. en 1905. Non remb. SS.

PRINCIPES ACTIFS : poudre pour inhalation contenant de l'eucalyptol, terpinol, menthol et acide borique.

Emploi : proposé dans les états congestifs des voies aériennes supérieures.

Précautions : ne pas utiliser chez les enfants de moins de 2 ans.

Note : vendu sans ordonnance.

PULVO 47® (Fournier)

Introd. en 1970. Remb. SS 40%.

PRINCIPES ACTIFS : poudre pour application locale contenant de l'hexamidine et catalase de foie de cheval.

Emploi : proposé dans les petites plaies et brûlures superficielles.

Effets indésirables possibles : réactions allergiques locales ou générales.

Note : vendu sans ordonnance; l'efficacité de l'hexamidine est généralement reconnue, mais la catalase de foie de cheval a peu d'intérêt dans l'emploi proposé.

PULVO 47® néomycine
(Fournier)

Introd. en 1974. Liste I. Remb. SS 40%.

PRINCIPES ACTIFS : poudre pour application locale contenant de la néomycine et catalase de foie de cheval.

Emploi : petites plaies et brûlures superficielles peu étendues; la catalase de foie de cheval a peu d'intérêt dans l'emploi proposé.

Effets indésirables possibles : réactions allergiques locales ou générales.

Note : prescrit sur ordonnance médicale.

PURGANOL® (Saunier-Daguin)

Introd. en 1905. Liste II. Non remb. SS.

PRINCIPE ACTIF : *Phénolphtaléine*

Préparations : tablettes à 250 mg.

Emploi : traitement de courte durée de la constipation; la phénolphtaléine appartient au groupe des laxatifs stimulants ou irritants qui contiennent ou libèrent dans l'intestin (surtout dans le côlon) des substances irritantes; ils augmentent la motricité (pé-

ristaltisme) du côlon et la sécrétion intestinale d'eau, d'électrolytes et de protéines.

Effets indésirables possibles : douleurs abdominales avec diarrhée, accélération du pouls, éruption cutanée (réaction allergique : arrêtez immédiatement le traitement); maladie des laxatifs en cas d'usage prolongé.

Note : prescrit sur ordonnance médicale.

PURINÉTHOL® (Wellcome)

Introd. en 1965. Liste I. Remb. SS 100%.

PRINCIPE ACTIF : *Mercaptopurine*.

Préparations : comprimés à 50 mg.

Emploi : la mercaptopurine est un antimétabolite antagoniste des purines utilisé pour traiter et prévenir les rechutes de certaines leucémies.

Note : le traitement doit être pris en charge par un spécialiste.

PURSENNIDE® (Sandoz)

Introd. en 1950. Non remb. SS.

Préparations : comprimés contenant 20 mg d'un extrait purifié de feuilles de séné (laxatif irritant).

Emploi : traitement de courte durée de la constipation.

Précautions : ce médicament appartient au groupe des laxatifs stimulants ou irritants qui contiennent ou libèrent dans l'intestin (surtout dans le côlon) des substances irritantes (anthraquinones); ils augmentent la motricité (péristaltisme) du côlon et la sécrétion intestinale d'eau, d'électrolytes et de protéines; ils ne doivent être utilisés que pour des traitements de courte durée (maximum 3 jours) de la constipation occasionnelle.

Note : vendu sans ordonnance; à éviter comme tous les laxatifs irritants.

PYGMAL® (Astier)

Introd. en 1970. Remb. SS 70%.

PRINCIPES ACTIFS : crème contenant de l'oxyde et carbonate de zinc, trichlorex et soufre précipité.

Emploi : proposé dans l'acné.

Note : vendu sans ordonnance; des principes actifs plus efficaces sont actuellement disponibles pour traiter l'acné.

PYOCÉFAL® → Céphalosporines.

PYORÉDOL® (Roussel)

Introd. en 1972. Non remb. SS.
PRINCIPE ACTIF : pâte gingivale contenant de la phénytoïne.
Emploi : proposé dans certaines gingivites.
Note : produit vendu sans ordonnance; à éviter sans avis médical.

PYOREX® (Bailly-Speab)

Introd. en 1939. Non remb. SS.
PRINCIPES ACTIFS : pâte gingivale et dentifrice contenant de l'éthacridine, acétarsol et ricinoléate de sodium.
Emploi : proposé dans l'hygiène buccodentaire.
Note : produit vendu sans ordonnance; des principes actifs plus efficaces sont actuellement disponibles.

PYOSTACINE® (Specia)

Introd. en 1973. Liste I. Remb. SS 70%.
PRINCIPE ACTIF : *Pristinamycine*.
MÉDICAMENT ANALOGUE : virginiamycine (→ Staphylomycine®).
Préparations : comprimés à 500 mg.
Emploi : antibiotique apparenté aux macrolides utilisé par voie buccale dans le traitement de certaines infections bactériennes, notamment l'urétrite gonococcique aiguë.
Précautions : ne doit pas utilisée pendant l'allaitement (passe dans le lait maternel).
Effets indésirables possibles : troubles digestifs, éruptions cutanées.
Note : prescrit sur ordonnance médicale.

PYRADOL® (Gallier)

Introd. en 1987. Non remb. SS.
PRINCIPES ACTIFS : crème contenant du salicylate de morpholine.
Emploi : proposé dans le traitement local des douleurs d'origine musculaire, tendineuse ou ligamentaire.
Précautions : ne pas appliquer sur les muqueuses ou les plaies ouvertes; ne pas utiliser en cas d'allergie connue à l'aspirine.
Effets indésirables possibles : réactions allergiques.
Note : vendu sans ordonnance; consultez le médecin si les douleurs persistent.

PYRALVEX® (Norgan)

Introd. en 1956. Non remb. SS.
PRINCIPES ACTIFS :
– gel buccal et gingival : extrait de rhubarbe, acide salicylique, éthanol, glycérol, triéthanolamine, saccharinate de sodium, carboxypolyméthylène;
– solution buccale et gingivale : acide salicylique et extrait de rhubarbe, éthanol.
Emploi : proposé dans les infections limitées à la cavité buccale.
Note : vendu sans ordonnance; ne pas utiliser pendant plus de 5 jours sans avis médical.

PYRAX® (Amido)

PRINCIPES ACTIFS : suppositoires contenant de l'aspirine, quinine et caféine.
Emploi : proposé pour calmer les douleurs et abaisser la fièvre.
Note : vendu sans ordonnance; l'efficacité de l'aspirine est généralement reconnue, mais les autres composants ont peu d'intérêt dans l'emploi proposé.

PYREFLOR®
(Clément Giromagny)

Introd. en 1985. Non remb. SS.
PRINCIPES ACTIFS :
– lotion : perméthrine, butoxyde de pipéronyle et énoxolone;
– shampooing : perméthrine et butoxyde de pipéronyle.
Emploi : proposé dans le traitement des pédiculoses (poux).
Application :
– lotion : appliquer la lotion à la base des cheveux et frictionner pendant 5 minutes, puis laver et peigner;
– shampooing : deux shampooings à 3 jours d'intervalle.
Précautions : éviter tout contact avec les muqueuses et les yeux.
Note : vendu sans ordonnance; efficacité généralement reconnue dans l'emploi proposé.

PYRÉTHANE®
à la noramidopyrine (Gerda)

Introd. en 1982. Liste I. Remb. SS 70%.
PRINCIPE ACTIF : *Métamizole sodique* .
SYNONYME : noramidopyrine méthane sulfonate sodique.

Préparations : solution buvable contenant 250 mg/ml (15 gouttes).

Propriétés : le métamizole sodique est un analgésique pyrazolé à action périphérique et antipyrétique à utiliser avec une extrême prudence en raison de sa toxicité potentielle.

Emploi : en raison de sa toxicité, ce médicament est réservé aux douleurs aiguës intenses et rebelles aux autres analgésiques.

Mise en garde : *l'apparition de fièvre, d'angine ou d'ulcérations buccales et l'augmentation de volume des ganglions lymphatique du cou* peuvent être dues à une diminution du nombre des globules blancs dans le sang (agranulocytose); ces manifestations imposent l'arrêt du traitement et une numération globulaire d'urgence; consultez votre médecin.

Note : *prescrit sur ordonnance médicale.*

PYRIDIUM® (Servier)

Introd. en 1949. Non remb. SS.
PRINCIPE ACTIF : **Phénazopyridine**.
Préparations : comprimés à 100 mg.
Emploi : analgésique qui, administré par voie buccale, passe dans les urines et soulage les douleurs et les sensations de brûlure qui accompagnent les affections urinaires basses; l'efficacité du traitement tend à s'effacer après 48 heures; la phénazopyridine n'est pas un antiseptique urinaire et n'a pas d'action sur l'infection.

Précautions : ne pas employer en cas d'allergie au produit; certaines affections peuvent modifier l'action du médicament, notamment les maladies des reins (risque accru d'effets indésirables); l'innocuité n'a pas été établie chez la femme enceinte, ni lors de l'allaitement.

Enfants : déconseillé chez l'enfant âgé de moins de 6 ans.

En cas de diabète : peut fausser les résultats de certains tests pour déceler la présence de sucre dans l'urine.

Effets indésirables possibles :
– vertiges, douleurs abdominales, vomissements, maux de tête, somnolence;
– coloration en jaune de la peau (accumulation du médicament);
– difficulté à uriner, diminution du volume des urines;
– pâleur, faiblesse, respiration accélérée (anémie hémolytique).

– coloration en rouge orangé des urines qui tachent le linge.

Intoxication : pâleur, coloration bleuâtre de la peau (cyanose), respiration accélérée, vertiges, maux de tête, vomissements; un traitement médical d'urgence peut être nécessaire.

Note : *vendu sans ordonnance; à éviter en automédication (une affection urinaire ne peut être diagnostiquée que par votre médecin).*

PYRIDOSCORBINE®
(Synthélabo)

Introd. en 1964. Non remb. SS.
PRINCIPES ACTIFS : solution buvable contenant de l'acide ascorbique (vitamine C) et pyridoxine (vitamine B6).
Emploi : proposé dans la grippe et la fatigue (asthénie).
Précautions : consultez votre médecin si la fatigue persiste (il peut s'agir d'une dépression ou d'une autre maladie nécessitant un traitement spécifique).

Note : *vendu sans ordonnance; efficacité des principes actifs à confirmer dans l'emploi proposé.*

Q

QUESTRAN®
(Bristol-Myers Squibb)

Introd. en 1974. Liste I. Remb. SS 70%.
PRINCIPE ACTIF : **Colestyramine**.
Préparations : paquets de poudre à 4 g.
Emploi : résine synthétique qui favorise l'élimination des acides biliaires de l'organisme et utilisée par voie buccale pour abaisser le taux du cholestérol total dans le sang lorsque ce taux reste trop élevé malgré un régime adapté et assidu; la colestyramine n'est pas absorbée dans l'intestin, mais elle fixe les sels biliaires et entraîne leur élimination.

La colestyramine est aussi utilisée pour atténuer le prurit intense qui accompagne l'occlusion partielle des voies biliaires (stase biliaire).

Précautions : ne pas employer en cas d'allergie au produit; les affections suivantes peuvent modifier l'action du médicament :
– constipation chronique (peut être aggravée);

– maladies du foie, ictère, calculs de la vésicule biliaire (ne doit pas être utilisé en cas d'insuffisance hépatique ou d'occlusion des voies biliaires);
– ulcère gastroduodénal en évolution (risque d'hémorragie).

Grossesse et allaitement : la colestyramine n'étant pas absorbée, il peut être utilisé en surveillant l'absorption des vitamines A, D et K (liposolubles); consultez votre médecin sur l'opportunité de prendre des suppléments de ces vitamines.

Enfants : les effets à long terme sur la croissance n'étant pas été établis.

Sujets âgés : commencer par des doses faibles (la constipation peut être grave).

Interactions : il faut informer votre médecin si vous prenez les médicaments suivants dont l'absorption est diminuée par la colestyramine, notamment digitaliques, tétracyclines, anticoagulants oraux, hormones thyroïdiennes, phénobarbital : prendre ces médicaments une heure avant ou 6 heures après toute prise de colestyramine.

Prescription : ne dépassez pas la dose prescrite par votre médecin; des doses trop élevées ou des prises trop fréquentes augmentent le risque d'effets indésirables.

Oubli : si vous oubliez de prendre le médicament et si vous le remarquez dans les 2 heures qui suivent, prenez immédiatement la dose oubliée; ne doublez pas la dose suivante; si vous oubliez le médicament plusieurs jours, prenez contact avec votre médecin.

Prise du médicament : la poudre doit être placée sur la surface de l'eau dans un demi-verre d'eau; on laisse reposer pendant 1 à 2 minutes, puis on remue pour obtenir une suspension uniforme (évitez la formation de grumeaux); ne jamais prendre la poudre sous forme sèche.

Régime : si vous prenez ce médicament pour abaisser le taux de cholestérol dans le sang, votre médecin vous conseillera sur un régime approprié que vous devez suivre et fera des contrôles périodiques pour vérifier l'efficacité du traitement.

Surveillance : il est essentiel que votre médecin puisse contrôler après 3-6 mois de traitement les taux sanguins du cholestérol et des triglycérides; si les résultats ne sont pas satisfaisants, votre médecin pourra vous indiquer d'autres moyens thérapeutiques.

Traitement prolongé : peut entraîner une diminution de l'absorption des vitamines A, D et K (liposolubles); des suppléments de ces vitamines peuvent être nécessaires.

Effets indésirables possibles : perte de l'appétit, vertiges, maux de tête, perte de poids, irritation au niveau de l'anus; constipation (peut nécessiter l'arrêt du traitement), selles noires, douleurs gastriques avec nausées et vomissements.

Note : prescrit sur ordonnance médicale.

QUIÉTIVAL® (Ardeval)

Introd. en 1990. Non remb. SS.

PRINCIPES ACTIFS : suspension buvable contenant de la passiflore, valériane et mélisse.

Emploi : proposé dans les états «neurotoniques» de l'adulte, notamment troubles mineurs du sommeil.

Précautions : ne pas utiliser chez l'enfant de moins de 15 ans.

Note : vendu sans ordonnance; consultez votre médecin si les troubles persistent.

QUINIDURULE® (Astra)

Introd. en 1974. Liste I. Remb. SS 70%.

PRINCIPE ACTIF : *Quinidine*.

Préparations (monosulfate) : comprimés à libération prolongée à 200 mg.

Emploi : la quinidine, un alcaloïde du quinquina *(Cinchona)*, appartient au groupe des médicaments antiarythmiques et est utilisée pour régulariser et ralentir le rythme cardiaque trop rapide. Comme les autres antiarythmiques, la quinidine peut aggraver une arythmie préexistante ou provoquer l'apparition d'arythmies nouvelles (effet arythmogène).

Durée d'action : 6-8 heures (plus de 12 heures pour les préparations à libération prolongée).

Allergie : informez votre médecin si vous avez déjà fait une réaction allergique ou inhabituelle à la quinidine ou à la quinine.

Surveillance : des contrôles réguliers et fréquents sont nécessaires pour moduler les doses en fonction des effets du traitement et d'effets indésirables éventuels.

Conduite de véhicules : chez certains sujets, ce médicament provoque des vertiges ou diminue la vigilance; la conduite de véhicules ou l'utilisation de machines peut être dangereuse.

Arrêt du traitement: n'arrêtez pas brusquement le traitement sans consulter votre médecin.

Intoxication: troubles sensoriels (visuels, auditifs), agitation, troubles respiratoires, chute de la tension artérielle, irrégularité et accélération du pouls, perte de conscience.

Note : prescrit sur ordonnance médicale.

QUINIMAX® (Labaz)

Introd. en 1934. Non remb. SS.

PRINCIPE ACTIF : comprimés contenant 100 mg de bichlorhydrate de quinine-résorcine; ampoules injectables contenant 100 mg, 200 mg ou 400 mg de bichlorhydrate de quinine-résorcine.

Emploi → Quinine ci-dessous.

Note : vendu sans ordonnance; le traitement doit être conduit sous surveillance médicale.

QUININE

SPÉCIALITÉS :
Arsiquinoforme® (Delalande).
Quinine Lafran®.
Quinoforme® (Delalande) [inject.].
Quinimax® (Labaz).

Emploi : la quinine est un alcaloïde du quinquina *(Cinchona);* elle appartient au groupe des antiprotozoaires qui sont utilisés pour combattre les infections par des protozoaires (animaux formés d'une seule cellule).

Médicament très ancien, la quinine est toujours très utile dans le traitement des formes de paludisme à *P. falciparum* résistantes à la chloroquine et de toutes les formes graves de paludisme lorsque le patient ne peut pas prendre les médicaments par voie orale en raison d'un coma, de convulsions, de vomissements ou de diarrhée; dans ces cas, la voie intraveineuse est la seule possible; à doses élevées, elle provoque des symptômes appelés «cinchonisme».

La quinine est utilisée à faibles doses pour prévenir et traiter les crampes musculaires et les douleurs aux bras nocturnes (efficacité variable); les crampes nocturnes sont souvent évitables par des moyens non médicamenteux, comme les massages et la chaleur.

Il ne faut pas confondre la quinine avec la quinidine qui est utilisée pour le traitement des troubles du rythme cardiaque.

Durée d'action : jusqu'à 24 heures.

Allergie : informez votre médecin si vous avez déjà fait une réaction allergique ou inhabituelle à la quinine ou à quinidine.

État de santé : vous devez informer votre médecin de toute affection susceptible de modifier les effets du médicament, notamment :
– maladies du foie;
– constipation chronique;
– carence en glucose-6-phosphate déhydrogénase ou G6PD (chez les sujets atteints de cette anomalie héréditaire rare, la quinine peut provoquer une anémie hémolytique).
– insuffisance cardiaque;
– hémoglobinurie (affection dans laquelle l'hémoglobine passe dans les urines qui deviennent foncées);
– hypoglycémie;
– myasthénie (risque d'aggravation de la faiblesse musculaire).

Grossesse : ce médicament ne doit pas être utilisé chez la femme enceinte ou susceptible de l'être; en effet, il a causé des malformations du fœtus au cours de l'expérimentation animale; en cas de paludisme cependant, il ne faut pas interrompre le traitement à la quinine pendant la grossesse, malgré ses propriétés abortives présumées à fortes doses, car elle protège la vie de la mère.

Allaitement : l'utilisation de ce médicament est déconseillée, car il passe dans le lait maternel.

Interactions : il faut informer votre médecin si vous prenez ou avez pris récemment d'autres médicaments, notamment :
– digitale (peut augmenter les concentrations plasmatiques et la toxicité de la quinine; on conseille de réduire la dose de la digitale);
– antiacides gastriques (ils diminuent l'absorption de la quinine);
– anticoagulants oraux (potentialisation de l'action anticoagulante);
– antiarythmiques, notamment bépridil, sotalol, amiodarone (risque accru d'arythmies graves);
– cimétidine (augmentation de la toxicité de la quinidine).

Prescription : ne dépassez pas la dose prescrite par votre médecin; des doses trop élevées ou des prises trop fréquentes augmentent le risque d'effets indésirables.

Prise du médicament : on conseille de prendre ce médicament au cours ou après les repas.

Oubli : si vous oubliez de prendre le médicament, ne doublez pas la dose suivante.

Arrêt du traitement : en cas de paludisme, n'arrêtez pas le traitement sans consulter votre médecin.

Surveillance : dans la mesure du possible, on surveillera l'audition pendant toute la durée du traitement ainsi que le taux de glucose dans le sang (glycémie) car la quinine peut induire une sécrétion d'insuline et donc une hypoglycémie.

Conduite de véhicules : ce médicament peut provoquer des troubles visuels : la conduite de véhicules ou l'utilisation de machines peut être dangereuse.

Effets indésirables possibles :
– nausées, vomissements et diarrhées (30% des cas);
– liés à une hypersensibilité ou *idiosyncrasie* : certains sujets sont anormalement sensibles à la quinine qui dès la première ou les premières doses, provoque des effets indésirables parfois graves, notamment de la fièvre, une éruption cutanée ou une crise d'asthme, une accélération du pouls et une chute de la tension artérielle avec vertiges, syncope et risque d'arrêt du cœur;
– liés à des doses excessives ou *cinchonisme* : maux de tête, vertiges, accélération du pouls, palpitations, bourdonnements d'oreilles, baisse de l'ouïe, surdité, troubles visuels, perception double des objets (diplopie);
– faiblesse, pâleur : anémie hémolytique;
– saignement au moindre traumatisme, présence de sang dans les urines ou les selles, coloration noire des selles, apparition de petites taches rouges sur la peau : diminution du nombre des plaquettes dans le sang;
– la *fièvre bilieuse hémoglobinurique*, caractérisée par une hémolyse massive avec passage de l'hémoglobine dans les urines qui deviennent foncées (hémoglobinurie), avait été attribuée à la quinine, mais elle s'observe aussi dans le paludisme non traité par la quinine.

Intoxication : chez l'adulte, une dose unique orale supérieure à 3 g peut provoquer une intoxication grave voire mortelle; des doses bien inférieures peuvent être mortelles chez l'enfant; l'hospitalisation d'urgence est nécessaire en cas de perte de conscience; les symptômes sont:
– un effet d'irritation locale sur le tube digestif se traduisant par des nausées, des vomissements, des douleurs abdominales et de la diarrhée;
– bourdonnements d'oreille, baisse de l'acuité auditive et vertiges; l'exposition à des doses toxiques peut provoquer une surdité irréversible;
– troubles visuels, perception double des objets (diplopie) et cécité nocturne; le retour à la normale est lent mais en général complet;
– des effets de type quinidine se traduisant par une chute de la tension artérielle et des troubles du rythme.

QUININE (Lafran)

Introd. en 1922. Remb. SS 70%.
Préparations (chlorhydrate basique) : comprimés à 250 mg ou 500 mg.
Emploi → Quinine ci-dessus.
Note : *vendu sans ordonnance; le traitement doit être conduit sous surveillance médicale.*

QUININE vitamine C Grand® (Dufoort)

Introd. en 1951. Remb. SS 70%.
PRINCIPES ACTIFS: comprimés contenant de la quinine (antipaludique) et de l'acide ascorbique (vitamine C).
Emploi : proposé dans les coryzas, les états grippaux, les crampes musculaires et la fatigue.
Précautions : ne pas employer en cas d'intolérance à la quinine, de grossesse, de myasthénie.
Effets indésirables possibles : vertiges, bourdonnements d'oreilles, surdité, vision trouble, éruptions cutanées (réaction allergique : arrêtez immédiatement le traitement).
Note : *vendu sans ordonnance; efficacité des principes actifs à confirmer dans l'emploi proposé.*

QUINISÉDINE® (Le Marchand)

Introd. en 1953. Remb. SS 70%.
PRINCIPES ACTIFS: comprimés contenant du benzoate de quinine (antipaludique) et un extrait d'aubépine.

Emploi : proposé dans les crampes musculaires (crampes nocturnes, crampes des sportifs).
Précautions : ne pas employer en cas d'intolérance à la quinine, de grossesse, de myasthénie.
Effets indésirables possibles : vertiges, bourdonnements d'oreilles, surdité, vision trouble, éruptions cutanées (réaction allergique : arrêtez immédiatement le traitement).
Note : vendu sans ordonnance; efficacité des principes actifs à confirmer dans l'emploi proposé.

QUINOFORME® (Delalande)
Introd. en 1921. Remb. SS 70%.
PRINCIPE ACTIF : ampoules injectables contenant 500 mg de quinine dans 2 ml (sous forme de formiate basique).
Emploi : paludisme.
Pour les détails → Quinine.
Note : vendu sans ordonnance; le traitement doit être conduit sous surveillance médicale.

QUINTONINE® (Sterling Midy)
Introd. en 1910. Non remb. SS.
PRINCIPES ACTIFS : sirop contenant des écorces de quinquina, cannelle, orange amère, quassia, kola, gentiane, noix vomique et glycérophosphate de calcium.
Emploi : proposé dans la fatigue.
Précautions : ne pas utiliser chez l'enfant de moins de 15 ans; consultez votre médecin si la fatigue persiste (il peut s'agir d'une dépression ou d'une autre maladie nécessitant un traitement spécifique) ou en cas d'amaigrissement.
Note : vendu sans ordonnance; efficacité des principes actifs à confirmer dans l'emploi proposé.

QUINTOPAN® pastilles
(Sterling Midy)
Introd. en 1989. Non remb. SS.
PRINCIPE ACTIF : **Codéine.**
Préparations : pastilles à sucer contenant 8,25 mg de codéine phosphate.
Propriétés : la codéine est un alcaloïde extrait de l'opium ayant une action analgésique plus faible que celle de la morphine; elle est utilisée comme :
– antitussif par action sédative sur le centre de la toux;

– ralentisseur du transit intestinal dans les diarrhées et
– analgésique morphinique «mineur».
Emploi : la codéine utilisée pour de courtes périodes aux doses recommandées ne cause pas de dépendance; cependant, à doses élevées et en cas d'usage prolongé, elle peut provoquer une dépendance.
Précautions : ne pas employer en cas de toux grasse, d'insuffisance respiratoire ou d'asthme, de grossesse ou allaitement. Consultez votre médecin si la toux persiste, en cas de crachats sanglants, de fièvre, d'amaigrissement, d'éruption cutanée, de troubles de la vue, de difficulté à uriner.
Enfants : l'utilisation est déconseillée avant 15 ans (risque de dépression respiratoire).
Sportifs : les tests antidopage peuvent être positifs après administration du médicament.
Intoxication: hospitalisation d'urgence en cas de prise massive accidentelle.
Pour les détails → p. 59.
Note : vendu sans ordonnance; l'efficacité de la codéine est généralement reconnue dans l'emploi proposé.

QUINTOPAN® sirop
(Sterling Midy)
Introd. en 1957. Non remb. SS.
PRINCIPES ACTIFS : sirop contenant
– codéine et codéthyline : antitussifs opiacés;
– bromoforme, benzoate de sodium;
– extraits de polygala, grindélia, bryone, aconit.
Emploi : proposé pour diminuer la température (antipyrétique) et pour calmer la toux irritative, sèche.
Précautions : ne pas utiliser en cas de
– asthme, insuffisance respiratoire (la diminution de la toux cause l'accumulation de mucosités dans les voies respiratoires);
– maladie du foie;
– ulcère gastro-duodénal évolutif;
– hypersensibilité aux salicylés;
– maladies hémorragiques;
– traitement anticoagulant;
– grossesse , allaitement;
– enfants âgés de moins de 15 ans.
Durée du traitement : si la toux persiste après une semaine, si des crachats sanglants ou des effets indésirables → p. 580

Si vous utilisez l'une des spécialités suivantes pour traiter une infection urinaire...

SPÉCIALITÉS CONTENANT UN QUINOLONE:

Apurone® (3M Santé).   Pipram® (R. Bellon).
Eracine® (Sterling Winthrop).   Urotrate® (Parke-Davis).
Négram® (Sterling Winthrop).

Emploi : les *quinolones* sont des antiseptiques urinaires utilisés pour traiter les infections des voies urinaires basses non compliquées, en particulier l'infection de la vessie (cystite). La rosoxacine (Eracine®) est utilisée pour le «traitement-minute» des gonococcies aiguës non compliquées.

Allergie : informez votre médecin si vous avez déjà fait une réaction allergique au produit ou à un autre antiseptique urinaire.

Etat de santé : vous devez informer votre médecin de toute affection susceptible de modifier les effets du médicament, notamment épilepsie, antécédents de convulsions, maladies du foie ou des reins, maladie de Parkinson, déficit en G6PD (glucose-6-phosphate déhydrogénase) chez les sujets atteints de cette anomalie héréditaire rare, risque d'anémie hémolytique).

Grossesse : les quinolones ne doivent pas être utilisés chez la femme enceinte (risque d'ictère nucléaire chez le nouveau-né).

Allaitement : en raison du passage dans le lait maternel, l'utilisation n'est pas conseillée .

Enfants : ces médicaments ne doivent pas être employés avant l'âge de 15 ans; en effet, ils ont provoqué des troubles de la croissance et du développement des os chez le jeune animal au cours de l'expérimentation de laboratoire.

Interactions : il faut informer votre médecin si vous prenez ou avez pris récemment d'autres médicaments, notamment des anticoagulants oraux (majoration de l'action anticoagulante, risque accru d'hémorragie).

Prescription : ne dépassez pas la dose prescrite; des doses trop élevées ou des prises trop fréquentes augmentent le risque d'effets indésirables. Consultez votre médecin si au bout de quelques jours vous constatez que les symptômes ne s'améliorent pas.

Oubli : si vous oubliez de prendre le médicament, ne doublez pas la dose suivante.

Durée du traitement : le traitement ne doit pas être poursuivi pendant plus de 2 semaine sans contrôle médical.

Conduite de véhicules : les conducteurs de véhicules et les utilisateurs de machines doivent être informés de la possibilité de troubles visuels et parfois de somnolence aggravée par l'alcool.

Exposition au soleil : les quinolones peuvent rendre votre peau très sensible aux rayons solaires et ultraviolets (photosensibilisation); dans ce cas, vous devez éviter l'exposition directe au soleil et porter des vêtements qui couvrent les bras et les jambes, un chapeau et des lunettes de soleil.

En cas de diabète : il peut être nécessaire d'ajuster les doses des antidiabétiques oraux; en outre, les résultats des tests pour déceler le sucre dans l'urine peuvent être faussés.

Effets indésirables possibles :
– nausées et vomissements, diarrhée, somnolence, vertiges;
– troubles de la vue (brouillard, halos colorés autour des objets);
– prurit, urticaire, éruption cutanée, douleurs aux articulations (réaction allergique : arrêtez immédiatement le traitement); jaunisse.

Intoxication : nausées, vomissements, diarrhées, hémolyse, somnolence, troubles mentaux, convulsions.

[suite de la p. 578]

apparaissent, arrêtez le traitement et consultez votre médecin.

Alcool : évitez les boissons alcoolisées pendant le traitement (majoration de l'effet sédatif).

Sujets âgés : risque accru d'effets indésirables; doses réduites de moitié.

Conduite de véhicules : ce médicament peut diminuer la vigilance; la conduite de véhicules ou l'utilisation de machines peut être dangereuse.

Effets indésirables possibles : somnolence, sécheresse de la bouche, confusion, nausées, vomissements, crises d'asthme, constipation, éruption cutanée (réaction allergique) : arrêtez immédiatement le traitement), difficulté à respirer ou à uriner (chez le sujet âgé).

Note : vendu sans ordonnance; l'efficacité des antitussifs opiacés (codéine et codéthyline) est généralement reconnue, mais les autres composants ont peu d'intérêt dans l'emploi proposé.

QUITAXON® (P. Fabre)

Introd. en 1972. Liste I. Remb. SS 70%.

PRINCIPE ACTIF : *Doxépine.*

Préparations : comprimés à 10 mg ou à 50 mg; solution buvable (1 goutte = 0,5 mg); ampoules injectables à 25 mg dans 2 ml.

Emploi : antidépresseur du groupe des tricycliques, ayant une action atropinique et une action sédative, utilisé dans le traitement des états dépressifs de l'adulte.

Pour les détails → p. 40.

Note : prescrit sur ordonnance médicale.

QUOTANE® (R. Bellon)

Introd. en 1958. Non remb. SS.

PRINCIPE ACTIF : crème contenant de la quinisocaïne (anesthésique local).

Emploi : proposé dans le traitement des prurits (le prurit n'est qu'un symptôme dont il faut rechercher la cause).

Effets indésirables possibles : la persistance ou l'aggravation du prurit peut être due à une réaction allergique locale au produit.

Note : vendu sans ordonnance; ne pas utiliser pendant plus de 48 heures sans avis médical.

QUOTIVIT O.E.® (RP Labo)

Introd. en 1992. Non remb. SS.

PRINCIPES ACTIFS: comprimés contenant des vitamines (préparation polyvitaminée), oligo-éléments et sels minéraux.

Emploi : proposé dans les «carences vitaminiques multiples»; ce médicament est inadéquat pour traiter des carences spécifiques en vitamines; l'efficacité dans les états de fatigue reste à confirmer.

Précautions : ne pas administrer chez l'enfant sans avis médical (en raison de la présence de vitamines A et D), en cas de grossesse et allaitement (en raison de la présence de vitamine A).

Effets indésirables possibles : risque d'excès des vitamines A et D (vomissements, calculs rénaux, etc.) en cas d'utilisation prolongée; possibilité de coloration jaune des urines.

Note : vendu sans ordonnance; à éviter en automédication (une carence en vitamines ne peut être diagnostiquée que par votre médecin).

R

R 1406® (Janssen)

Introd. en 1964.

Stupéfiants (règle des 7 jours).

PRINCIPE ACTIF : *Phénopéridine.*

Préparations : ampoules injectables à 2 mg dans 2 ml et à 10 mg dans 10 ml.

Emploi : analgésique morphinique majeur, 25 à 50 fois plus puissant que la morphine (à dose égale), dont l'utilisation est réservée à l'anesthésie.

Note : réservé aux hôpitaux.

RANIPLEX® (Fournier)

Introd. en 1984. Liste II. Remb. SS 70%.

PRINCIPE ACTIF : *Ranitidine.*

Préparations : comprimés à 150 mg ou 300 mg; comprimés effervescents à 150 mg ou 300 mg; ampoules injectables à 50 mg dans 2 ml.

Emploi : médicament qui inhibe la sécrétion gastrique en bloquant l'effet de l'histamine sur les récepteurs H2; en diminuant la sécrétion d'acide chlorhydrique et de pepsine, la famotidine favorise la cicatrisation des ulcères gastro-duodénaux et prévient les rechutes; elle est utilisée par voie buccale ou en injections lorsque cette voie est impossible.

Pour les détails → p. 60.

Note : *prescrit sur ordonnance médicale.*

RAPHANUS S. Potier®
(DB Pharma)

Introd. en 1948. Non remb. SS.

PRINCIPE ACTIF: solution buvable contenant un suc de *Raphanus sativus*, var. *niger*.

Emploi : proposé pour stimuler la sécrétion de bile dans les troubles digestifs et dans la constipation.

Précautions : ne pas employer en cas d'obstruction des voies biliaires; consultez votre médecin en cas de douleurs ou crampes abdominales d'origine indéterminée, de selles noires, d'amaigrissement, d'urines foncées, de douleurs de la région du foie, de jaunisse.

Effets indésirables possibles: douleurs abdominales, diarrhées.

Note : *vendu sans ordonnance; ne pas utiliser pendant plus de 5 jours sans avis médical.*

RAPIFEN® (Janssen)

Introd. en 1986.

Stupéfiants (règle des 7 jours).

PRINCIPE ACTIF : **Alfentanil.**

Préparations : ampoules à 1 mg dans 2 ml et 5 mg dans 10 ml.

Emploi : analgésique central, d'action rapide et brève, réservé à l'anesthésie (l'assistance respiratoire doit obligatoirement être prévue).

Pour les détails → Morphine, p. 444.

Note : *réservé aux hôpitaux.*

RAPITARD® → Insuline.

RECORDIL LA® (Meram)

Introd. en 1971. Remb. SS 70%.

PRINCIPE ACTIF : **Efloxate.**

Préparations : comprimés à 100 mg.

Emploi : proposé comme «vasodilatateur coronarien» dans la prévention des crises d'angine de poitrine (efficacité à confirmer).

Note : *vendu sans ordonnance; à éviter en automédication.*

RECORMON®
(Boehringer Mannheim)

Introd. en 1990. Liste I.

PRINCIPE ACTIF : **Epoétine alfa.**

SYNONYMES : érythropoïétine humaine recombinante, r-HuEPO, RHuEPO.

Préparations : poudre pour solution injectable en flacons à 1.000 U, 2.000 U, ou 5.000 U.

Emploi : l'époétine synthétique (recombinante) a les mêmes propriétés que l'érythropoïétine naturelle qui est normalement sécrétée par les reins et qui stimule la production de globules rouges par la moelle osseuse; lorsque la sécrétion de l'époétine naturelle est insuffisante, la production de globules rouges diminue et une anémie apparaît; tel est le cas dans l'anémie des insuffisants rénaux chroniques dialysés; cette anémie peut être traitée par des injections d'époétine synthétique.

Ce médicament est aussi utilisé dans le traitement de l'anémie des insuffisants rénaux chroniques non dialysés et de l'anémie provoquée par la zidovudine chez des patients atteints de SIDA.

L'époétine est habituellement injectée par un médecin ou une infirmière après une séance de dialyse; des contrôles réguliers de la tension artérielle, du taux d'hémoglobine dans le sang et d'autres examens sont essentiels pour ajuster les doses, éviter les effets indésirables et assurer l'efficacité du traitement.

Sportifs : ce médicament donne une réaction positive en cas de contrôles antidopage; l'administration d'époétine constitue un «dopage sanguin» susceptible de stimuler la production de globules rouges et de modifier artificiellement les capacités des personnes participant à des compétitions et manifestations sportives (Ministère de la Jeunesse et des Sports).

Effets indésirables possibles :
– hypertension artérielle, accélération du pouls, maux de tête;
– convulsions, souvent liées à une poussée hypertensive (augmentation trop rapide du taux l'hémoglobine dans le sang);
– fièvre, frissons, douleurs musculaires et osseuses, transpirations apparaissant 1-2 heures après l'injection et régressant en 12 heures environ);

– réactions allergiques cutanées, bouffissure des paupières (œdème palpébral);
– thrombose au point d'injection.
Note : *conditions particulières de délivrance.*

RECTOLAX® (J.-P. Martin)

Introd. en 1991. Non remb. SS.

PRINCIPES ACTIFS : crème rectale contenant du mannitol et carraghénate.

Emploi : proposé dans la constipation résistante au traitement hygiéno-diététique et aux laxatifs non irritants.

Précautions : ne pas employer en cas d'hémorroïdes, de fissures anales ou de rectocolite hémorragique; consultez votre médecin si la constipation persiste, si du sang apparaît dans les selles ou en cas d'amaigrissement.

Effets indésirables possibles: irritation du rectum, brûlures anales.

Note : *vendu sans ordonnance; ne pas utiliser pendant plus de 3 jours.*

RECTOPANBILINE® (Plantier)

Introd. en 1928. Non remb. SS.

PRINCIPES ACTIFS : suppositoires pour adulte et suppositoires pour enfant contenant un extrait biliaire, gélatine et glycérol.

Emploi : proposé dans la constipation résistante au traitement hygiéno-diététique et aux laxatifs non irritants.

Précautions : ne pas employer en cas d'hémorroïdes, de fissures anales ou de rectocolite hémorragique; consultez votre médecin si la constipation persiste, si du sang apparaît dans les selles ou en cas d'amaigrissement.

Effets indésirables possibles: irritation du rectum, brûlures anales.

Note : *vendu sans ordonnance; ne pas utiliser pendant plus de 3 jours.*

RECTOPHÉDROL®
(J.-P. Martin)

Introd. en 1981. Non remb. SS.

PRINCIPES ACTIFS : suppositoires contenant de l'éphédrine (sympathomimétique vasoconstricteur), procaïne (anesthésique local), camphre, eucalyptol, gaïacol et essence de serpolet.

Emploi : proposé dans les affections broncho-pulmonaires banales.

Précautions : ne pas employer chez l'enfant ayant des antécédents de convulsions, en cas d'angine de poitrine, d'hypertension artérielle, de glaucome par fermeture de l'angle, d'adénome de la prostate, de fonctionnement excessif de la glande thyroïde (hyperthyroïdie), d'insuffisance hépatique, de grossesse, d'allaitement, d'association avec les antidépresseurs IMAO; utilisation prudente chez les sujets âgés.

Sportifs : ce médicament peut donner une réaction positive en cas de tests pour contrôle antidopage.

Effets indésirables possibles : palpitations, accélération ou irrégularité du pouls, maux de tête, étourdissements, nervosité, insomnie, transpirations, tremblements.

Note : *vendu sans ordonnance; efficacité des principes actifs à confirmer dans l'emploi proposé.*

RECTOPLEXIL® (Specia)

Introd. en 1966. Liste II. Remb. SS 40%.

PRINCIPES ACTIFS : suppositoires contenant
– oxomémazine : dérivé de la phénothiazine antihistaminique, sédatif, atropinique;
– paracétamol : analgésique et antipyrétique à action centrale;
– guaïfénésine, benzoate de sodium.

Emploi : proposé pour calmer la toux irritative, sèche.

Précautions : ne pas utiliser en cas de
– hypertrophie de la prostate (risque d'aggravation de la difficulté à uriner);
– glaucome à angle fermé;
– insuffisance cardiaque décompensée;
– maladies du foie ou des reins;
– épilepsie;
– grossesse et allaitement;
– nouveau-né, nourrisson et enfant âgé de moins de 2 ans (risque d'arrêt respiratoire pendant le sommeil).

Conduite de véhicules : ce médicament peut diminuer la vigilance; la conduite de véhicules ou l'utilisation de machines peut être dangereuse.

Alcool : évitez les boissons alcoolisées pendant le traitement (majoration de l'effet sédatif).

Durée du traitement : si la toux persiste après une semaine, si des crachats sanglants ou des effets indésirables apparaissent, arrêtez le traitement et consultez votre médecin.

Effets indésirables possibles : somnolence, sécheresse de la bouche, du nez et de la gorge, vision trouble, accélération du pouls, palpitations, bouffées de chaleur, nausées, constipation, difficulté à uriner, confusion ou agitation (sujets âgés), sensibilisation de la peau aux rayons solaires, mouvements involontaires de la bouche ou du visage.

Note : prescrit sur ordonnance médicale.

RECTOQUOTANE® (R. Bellon)

Introd. en 1969. Non remb. SS.

PRINCIPES ACTIFS : suppositoires et pommade contenant de la quinisocaïne (anesthésique local), éphédrine (vasoconstricteur), cétrimonium (antiseptique) et esculoside.

Emploi : poussées hémorroïdaires.

Précautions : arrêtez le traitement et consultez votre médecin en cas d'accentuation des douleurs, d'apparition de sang dans les selles ou de fièvre.

Note : vendu sans ordonnance.

RECTOVALONE® (Jouveinal)

Introd. en 1983. Liste II. Remb. SS 70%.

PRINCIPE ACTIF : *Tixocortol.*

Préparations : suspension pour lavement en flacons à 250 mg/100 ml.

Emploi : corticoïde utilisé en lavements dans le traitement des rectocolites hémorragiques et de la maladie de Crohn colique.

Précautions : ne pas employer en cas d'ulcère gastroduodénal évolutif, de maladies bactériennes, de mycoses ou d'infections virales (herpès, zona, hépatites virales).

Effets indésirables possibles : surinfection locale.

Note : prescrit sur ordonnance médicale.

RÉDULIGNE® (Ardeval)

Introd. en 1990. Non remb. SS.

PRINCIPES ACTIFS : suspension buvable contenant fucus, pissenlit et prêle.

Emploi : proposé comme adjuvant des régimes amaigrissants.

Note : vendu sans ordonnance ; efficacité des principes actifs à confirmer dans l'emploi proposé.

REFLEX SPRAY®
(Boots Pharma)

Introd. en 1989. Remb. SS 40%.

PRINCIPE ACTIF : solution pour application locale contenant du salicylate de picolamine en flacon pressurisé.

Emploi : proposé dans le traitement local des douleurs et contusions.

Précautions : ne pas employer en cas d'allergie à l'aspirine ; ne pas appliquer sur les muqueuses ou sur les plaies ouvertes.

Note : vendu sans ordonnance ; consultez votre médecin si les douleurs persistent.

REGAINE® (Upjohn).

Introd. en 1987. Liste II. Non remb. SS.

PRINCIPE ACTIF : solution de minoxidil pour application locale à 2%.

Emploi : traitement de la calvitie chez l'homme jeune (alopécie androgénique) d'intensité modérée en application locale deux fois par jour.

Effets indésirables possibles : irritation locale, eczéma de contact, urticaire et absorption du principe actif (accélération du pouls, palpitations, vertiges, picotements, maux de tête, faiblesse, étourdissements, altération du goût, troubles de la vision).

Note : prescrit sur ordonnance médicale.

RÉHYDRATATION ORALE
Solution pour

Préparation recommandée par l'O.M.S. (poudre à dissoudre dans un litre d'eau) :

COMPOSITION	g/l
chlorure de sodium	3,5
citrate trisodique dihydraté*	2,9
chlorure de potassium	1,5
glucose	20,0

* Le citrate trisodique dihydraté peut être remplacé par 2,5 g de bicarbonate de sodium (hydrogénocarbonate de sodium). Toutefois, comme la stabilité de cette dernière formulation est très médiocre en climat tropical, on ne peut la recommander que lorsque la préparation est destinée à l'usage immédiat.

Emploi : la solution de glucose et d'électrolytes recommandée par l'OMS est très utile pour prévenir et combattre les conséquences de la diarrhée aiguë en particulier chez l'enfant; en effet, en présence de diarrhée aiguë, il faut avant tout combattre la déshydratation et les pertes d'électrolytes.

Cette préparation n'arrête pas la diarrhée, mais compense les pertes d'eau et de substances chimiques importantes pour l'organisme qui sont éliminées en cas de diarrhée profuse. Les patients très déshydratés doivent d'abord être réhydratés par perfusion intraveineuse jusqu'à qu'ils soient capables d'avaler des liquides.

Précautions :
– la solution doit être préparée au moment de l'emploi (et en tout cas chaque jour), de préférence avec de l'eau récemment bouillie et refroidie (ne pas bouillir la solution);
– il faut peser exactement la quantité de poudre à utiliser et bien mélanger les ingrédients; les solutions trop concentrées ou trop diluées ne doivent pas être utilisées;
– la solution doit être prise en petites quantités à intervalles réguliers; dans le cas d'un nourrisson, on lui fera prendre une cuillerée à café (5 ml) toutes les 1 à 2 minutes;
– mettez les paquets de poudre à l'abri de la chaleur, de la lumière directe et de l'humidité (éviter la cuisine, la salle de bain et les toilettes);
– conservez les solutions au réfrigérateur, mais évitez la congélation;
– préparez une solution fraîche chaque jour.

RELAXODDI® (Opocalcium)

Introd. en 1969. Liste II. Remb. SS 40%.
PRINCIPES ACTIFS : capsules contenant de la butacaïne (anesthésique local) et acide oléique.
Emploi : proposé dans les troubles digestifs (dyspepsies).
Précautions : ne pas employer en cas d'obstruction des voies biliaires; consultez votre médecin en cas de douleurs ou crampes abdominales d'origine indéterminée, de selles noires, d'amaigrissement, d'urines foncées, de douleurs de la région du foie, de jaunisse.
Sportifs : ce médicament peut donner une réaction positive en cas de tests pour contrôle antidopage.
Note : vendu sans ordonnance; ne pas utiliser pendant plus de 5 jours sans avis médical.

RELVÈNE® (Pharmascience)

Introd. en 1965. Remb. SS 40%.
PRINCIPES ACTIFS : gélules, poudre orale, solution buvable et gel pour application locale contenant des hydroxyéthylrutosides (vasculoprotecteurs).
Emploi : proposé dans le traitement des symptômes en rapport avec l'insuffisance veinolymphatique (jambes lourdes, etc.).
Précautions : consultez votre médecin en cas de suspicion de phlébite (jambes rouges et/ou chaudes, douloureuses, surtout si d'un seul côté et avec fièvre).
Note : vendu sans ordonnance; efficacité des principes actifs à confirmer dans l'emploi proposé.

RENITEC® (M., S. & D.-Chibret)

Introd. en 1985. Liste I. Remb. SS 70%.
PRINCIPE ACTIF : **Enalapril**.
Préparations : compr. à 5 mg ou 20 mg.
Emploi : inhibiteur de l'enzyme de conversion utilisé dans le traitement de l'hypertension artérielle, éventuellement associé à un diurétique, ainsi que pour traiter l'insuffisance cardiaque congestive, rebelle aux digitaliques et aux diurétiques.
Durée d'action : 12 à 24 heures.
Pour les détails → p. 364.
Note : prescrit sur ordonnance médicale.

RENNIE® (Nicholas)

Non remb. SS.
PRINCIPES ACTIFS : tablettes contenant du carbonate de calcium et hydroxycarbonate de magnésium.
Emploi : proposé pour neutraliser l'excès d'acidité et comme pansement gastrique dans les douleurs liées aux affections de l'œsophage, de l'estomac et du duodénum; en cas d'ulcère de l'estomac ou du duodénum, ce médicament ne doit être utilisé que sous surveillance médicale.
Prise du médicament : après les repas et éventuellement au coucher.
Précautions : consultez votre médecin si les troubles persistent et en cas de douleurs ou crampes abdominales, de selles noires, d'amaigrissement, de fièvre; ne pas utiliser en cas d'insuffisance rénale sévère.   → p. 586

Si vous utilisez l'une des spécialités suivantes pour traiter des contractures musculaires...

Alinam® (Lucien).
Coltramyl® (Roussel).
Dantrium® (Lipha Santé).
Décontractyl® (Synthélabo).
Liorésal® (Ciba-Geigy).
Lumirelax® (Gallier).

Myolastan® (Clin-Midy).
Neuriplège® (Génévrier).
Novazam® (Génévrier).
Trancopal® (Sterling Winthrop).
Valium® (Roche).

Emploi : les *relaxants musculaires* ou *myorelaxants* sont utilisés pour traiter les contractures et les spasmes musculaires douloureux (torticolis, lumbago, etc), en association avec le repos et la physiothérapie; ils sont aussi utilisés dans les spasmes qui accompagnent la sclérose en plaques, certaines lésions de la moelle épinière et dans d'autres affections déterminées par votre médecin. L'action relaxante sur les muscles s'exerce par l'intermédiaire du système nerveux central et s'accompagne souvent d'une action tranquillisante.

Allergie : informez votre médecin si vous avez déjà fait une réaction allergique ou inhabituelle au produit.

Etat de santé : vous devez informer votre médecin de toute affection susceptible de modifier les effets du médicament, notamment diabète sucré, épilepsie, maladie rénale, myasthénie, maladie de Parkinson (contre-indication), hypertrophie de la prostate, asthme, bronchite chronique, emphysème, fonction respiratoire limitée déficit en glucose-6-phosphate déhydrogénase ou G6PD (chez les sujets atteints de cette anomalie congénitale rare, ce médicament peut provoquer une anémie hémolytique).

Grossesse : ces médicaments sont déconseillés chez la femme enceinte ou susceptible de l'être; en effet, certains relaxants musculaires ont causé des malformations du fœtus au cours de l'expérimentation animale.

Allaitement : utilisation déconseillée.

Interactions : il faut informer votre médecin si vous prenez ou avez pris récemment d'autres médicaments, notamment antidépresseurs tricycliques, tranquillisants, somnifères, antihypertenseurs (risque de baisse exagérée de la tension artérielle), anticoagulants oraux.

Prescription : ne dépassez pas la dose prescrite; des doses trop élevées ou des prises trop fréquentes augmentent le risque d'effets indésirables.

Conduite de véhicules : chez certains sujets, les relaxants musculaires peuvent provoquer une somnolence, des vertiges ou diminuer la vigilance; la conduite de véhicules ou l'utilisation de machines peut être dangereuse dans ce cas.

Alcool : pendant le traitement, évitez la consommation d'alcool et la prise de tranquillisants car leurs effets sédatifs sont augmentés.

Arrêt du traitement : l'arrêt brusque du traitement peut provoquer des effets indésirables graves (risque de troubles mentaux, convulsions, hallucinations); consultez votre médecin sur la réduction progressive des doses sur une période de une à deux semaines.

En cas de diabète : il peut être nécessaire de modifier les doses des antidiabétiques en fonction de la glycémie et de la présence de sucre dans les urines.

Effets indésirables possibles :
– faiblesse musculaire, somnolence, sécheresse de la bouche, vertiges, insomnies, nausées, constipation;
– bourdonnements d'oreille; hallucinations, confusion mentale;
– nervosité, anxiété, sauts d'humeur; dépression;
– crampes musculaires; convulsions;
– éruptions cutanées (réaction allergique : arrêtez le traitement);
– difficulté à uriner;
– coloration jaune de la peau et des yeux, jaunisse.

Intoxication : faiblesse musculaire, respiration lente et superficielle, troubles visuels, convulsions, somnolence, coma; l'hospitalisation peut être nécessaire.

Effets indésirables possibles : retard ou diminution de la résorption d'autres médicaments pris par la bouche.
Note : *vendu sans ordonnance; ne pas utiliser pendant plus de 5 jours sans avis médical.*

RENUTRYL® (Clintec)

Introd. en 1965. Remb. SS 40%.
Préparation liquide destinée à l'alimentation orale ou par sonde.

REPTILASE®
(Pharmadéveloppement)

Introd. en 1957. Remb. SS 70%.
Solution obtenue à partir de venin de la vipère sudaméricaine *Bothrops atrox*.
PRINCIPES ACTIFS : ampoules injectables à 0,3 unités NIH d'hémocoagulase (mélange de batroxobine et d'un enzyme à activité thromboplastinique).
Emploi : proposé pour traiter les hémorragies non liées à un déficit en facteurs de coagulation et/ou à un allongement isolé du temps de saignement dont le diagnostic ne peut être posé que par votre médecin.
Précautions : l'innocuité de ce médicament n'ayant pas été établie chez la femme enceinte, ni lors de l'allaitement, son usage est déconseillé par mesure de prudence.
Effets indésirables possibles : troubles digestifs, éruptions cutanées, aux de tête, vertiges, hémorragies, risque d'état de choc.
Note : *vendu sans ordonnance; efficacité des principes actifs à confirmer dans l'emploi proposé.*

RÉSIVIT® (Upsa)

Introd. en 1973. Remb. SS 40%.
PRINCIPE ACTIF : *Leucocianidol.*
Préparations : solution buvable en ampoules à 5 mg dans 2 ml.
Emploi : proposé dans le traitement des symptômes en rapport avec l'insuffisance veinolymphatique et la fragilité capillaire au niveau de la peau.
Précautions : consultez votre médecin en cas de suspicion de phlébite (jambes rouges et/ou chaudes, douloureuses, surtout si d'un seul côté et avec fièvre).
Note : *vendu sans ordonnance; efficacité du principe actif à confirmer dans l'emploi proposé.*

RESPILÈNE®
(Sterling Winthrop)

Introd. en 1973. Liste II. Remb. SS 40%.
PRINCIPE ACTIF : *Zipéprol.*
Préparations : sirop adulte à 25 mg par cuillerée à café; sirop enfant à 15 mg par cuillerée à café.
Emploi : proposé pour calmer la toux sèche, irritative.
Précautions : ne pas employer en cas d'épilepsie ou d'antécédents de convulsions, pendant la grossesse ou l'allaitement.
Conduite de véhicules : ce médicament peut provoquer une somnolence; la conduite de véhicules ou l'utilisation de machines peut être dangereuse.
Note : *prescrit sur ordonnance médicale.*

RESTRICAL® (Meram)

Introd. en 1973. Non remb. SS.
PRINCIPES ACTIFS : huile buvable contenant de la paraffine liquide, huile d'arachide (glycérides), bétacarotène, estragon ou arôme noisette.
Emploi : proposé dans la constipation et les assaisonnements à froid (sauce vinaigrette ou mayonnaise) dans les régimes de restriction calorique et lipidique.
Durée du traitement : ne pas dépasser quelques jours.
Précautions : ne pas employer en cas de traitement anticoagulant, d'occlusion intestinale ou de douleurs abdominales de cause inconnue; consultez votre médecin si la constipation persiste ou en cas de selles noires ou de présence de sang dans les selles.
Effets indésirables possibles : suintement anal, risque de pneumopathie par inhalation en cas de régurgitations chez les patients âgés alités ou les enfants âgés de moins de 3 ans; diminution de l'absorption de certains médicaments, notamment des anticoagulants oraux, et des vitamines liposolubles (A, D, E, K).
Note : *vendu sans ordonnance; à éviter sans avis médical à cause du risque d'effets indésirables.*

RETACNYL® (Galderma)

Introd. en 1990. Liste I. Non remb. SS.
PRINCIPE ACTIF : *Trétinoïne.*
Préparations : crème dermique à 0,025% ou 0,050%.

Emploi : rétinoïde apparenté à la vitamine A (rétinol), la trétinoïne est utilisée en applications locales dans le traitement de certaines formes d'acné et dans d'autres affections de la peau (troubles de la kératinisation).
Pour les détails → Trétinoïne.
Note : prescrit sur ordonnance médicale.

RETARCYL® (Delagrange)

Introd. en 1959. Non remb. SS.
PRINCIPE ACTIF : baume contenant du salicylate de morpholine.
Emploi : douleurs d'origine musculaire, tendineuse ou ligamentaire.
Précautions : ne pas employer en cas d'allergie à l'aspirine; ne pas appliquer sur les muqueuses ou des plaies ouvertes.
Note : vendu sans ordonnance; consultez votre médecin si les douleurs persistent.

RETIN A® (Cilag)

Introd. en 1988. Liste I. Non remb. SS.
PRINCIPE ACTIF : **Trétinoïne.**
Préparations : crème à 0,05%.
Emploi : rétinoïde apparenté à la vitamine A (rétinol), la trétinoïne est utilisée en applications locales dans le traitement de certaines formes d'acné et dans d'autres affections de la peau (troubles de la kératinisation).
Pour les détails → Trétinoïne.
Note : prescrit sur ordonnance médicale.

RETITOP® (Roche-Posay)

Introd. en 1991. Liste I. Non remb. SS.
PRINCIPE ACTIF : **Trétinoïne.**
Préparations : crème dermique à 0,05%.
Emploi : rétinoïde apparenté à la vitamine A (rétinol), la trétinoïne est utilisée en applications locales dans le traitement de certaines formes d'acné et dans d'autres affections de la peau (troubles de la kératinisation).
Pour les détails → Trétinoïne.
Note : prescrit sur ordonnance médicale.

RETROVIR® (Wellcome)

Introd. en 1987. Liste I.
PRINCIPE ACTIF : **Zidovudine.**
SYNONYME : azidothymidine (AZT).
Préparations : gélules à 100 mg ou à 250 mg; solut. buvable à 10 mg/ml.
Emploi : médicament actif sur les rétrovirus dont l'efficacité est prouvée dans le traitement de l'infection à VIH (= Virus de l'Immunodéficience Humaine), virus responsable du SIDA (= Syndrome d'Immuno-Déficience Acquise); la zidovudine ne guérit pas l'infection, mais ralentit son évolution et prolonge la survie.
La zidovudine est employée dans les conditions suivantes :
– Infections à virus VIH aux stades de SIDA et d'ARC (= AIDS Related Complex) : la zidovudine permet de réduire la fréquence des complications et d'améliorer le pronostic vital; elle diminue la fréquence des infections opportunistes et peut faire régresser les symptômes neuropsychiques.
– Sujets séropositifs sans manifestations cliniques de SIDA, mais dont les marqueurs de l'évolutivité de la maladie sont en progression, en particulier lorsque les lymphocytes CD4 sont inférieurs à 200/mm^3 ou lorsqu'ils sont compris entre 200 et 500 par mm^3 et en diminution rapide.
– Chez l'enfant de plus de 3 mois ayant des signes nets d'immunodépression due au VIH, avec ou sans symptômes manifestes.
Le sarcome de Kaposi isolé n'est pas une indication, mais on a obtenu des résultats favorables lorsqu'on a associé la zidovudine à faible dose à l'interféron alfa.
La zidovudine inhibe la multiplication du VIH, mais ne l'élimine pas de l'organisme; par conséquent, le risque de transmission du virus à d'autres personnes – par des rapports sexuels sans protection ou par contact avec le sang, par exemple lorsque plusieurs personnes utilisent la même aiguille pour injections – persiste pendant et après le traitement.
Précautions : ne pas employer en cas d'allergie au produit; les affections suivantes peuvent modifier l'action du médicament :
– anémie, maladies du sang (risque d'aggravation; la mise en œuvre du traitement doit être précédée d'une numération des globules rouges et des globules blancs);
– maladies du foie ou des reins (risque accru d'effets indésirables en cas d'insuffisance hépatique ou rénale);
– carence en acide folique ou vitamine B12 (risque d'aggravation).
Grossesse : l'innocuité de ce médicament n'ayant pas été établie chez la

femme enceinte, on déconseille son usage sauf en cas de nécessité absolue.

Allaitement : l'utilisation de ce médicament est déconseillée, car il passe dans le lait maternel.

Interactions : il faut informer votre médecin si vous prenez ou avez pris récemment d'autres médicaments, notamment :
– antinéoplasiques;
– autres antiviraux;
– paracétamol;
– probénécide;
– aspirine, anti-inflammatoires non stéroïdiens;
– pyriméthamine, triméthoprime et sulfadoxine;
– morphine, codéine, méthadone.

Prescription : ne dépassez pas la dose prescrite par votre médecin; des doses trop élevées ou des prises trop fréquentes augmentent le risque d'effets indésirables.

Oubli : si vous oubliez de prendre le médicament, ne doublez pas la dose suivante.

Prise du médicament : les capsules doivent être avalées et accompagnée d'un grand verre d'eau.

Surveillance : consultez votre médecin à intervalles réguliers pour évaluer les effets du traitement et surveiller les effets du médicament sur le sang.

Arrêt du traitement : n'arrêtez pas le traitement sans consulter votre médecin.

Autres médicaments : ne prenez aucun autre médicament sans consulter votre médecin.

Effets indésirables possibles :
– nausées, vomissements, maux de tête, insomnie;
– fatigue, pâleur, «souffle court», anémie (diminution du nombre des globules rouges dans le sang);
– fièvre, frissons, maux de gorge, ulcérations buccales, prédisposition aux infections (diminution des globules blancs dans le sang);
– éruptions cutanées (réaction allergique);
– engourdissement, fourmillements et douleurs dans les pieds ou les mains (risque de neuropathie périphérique douloureuse)
– douleurs musculaires (myopathie);
– agitation, convulsions.

Note : réservé aux hôpitaux.

REVITALOSE® (Darcy)

Introd. en 1957. Non remb. SS.

PRINCIPES ACTIFS : solution buvable contenant un extrait de corticosurrénale et de substance grise (ampoule A) et de l'acide ascorbique (ampoule B).

Emploi : proposé dans la fatigue.

Précautions : consultez votre médecin si la fatigue persiste (il peut s'agir d'une dépression ou d'une autre maladie nécessitant un traitement spécifique) ou en cas d'amaigrissement.

Note : vendu sans ordonnance; efficacité des principes actifs à confirmer dans l'emploi proposé.

REXORT® (Takeda)

Introd. en 1977. Liste I.

PRINCIPE ACTIF : ampoules injectables contenant de la citicoline (250 mg dans 2 ml ou 500 mg dans 4 ml).

Emploi : proposée dans les traumatismes crâniens et dans les accidents vasculaires cérébraux récents avec troubles de la vigilance.

Note : réservé aux hôpitaux.

RHÉOBRAL® (Niverpharm)

Introd. en 1992. Liste II. Remb. SS 40%.

PRINCIPE ACTIF : poudre orale contenant de la troxérutine (vasculoprotecteur) et vincamine (vasodilatateur périphérique).

Emploi : proposé dans le traitement des symptômes au cours du déficit intellectuel du sujet âgé (efficacité à confirmer)

Note : prescrit sur ordonnance médicale.

RHÉOFLUX® (Niverpharm)

Introd. en 1990. Remb. SS 40%.

PRINCIPE ACTIF : poudre orale contenant de la troxérutine (vasculoprotecteur).

Emploi : proposé dans le traitement des symptômes en rapport avec l'insuffisance veineuse et lymphatique (jambes lourdes, etc.).

Précautions : consultez votre médecin en cas de suspicion de phlébite (jambes rouges et/ou chaudes, douloureuses, surtout si d'un seul côté et avec fièvre).

Note : vendu sans ordonnance; efficacité du principe actif à confirmer dans l'emploi proposé.

RHÉOMACRODEX®
(Kabi Pharmacia)

Introd. en 1965.

PRINCIPE ACTIF : **Dextran**.

Préparations : flacons de 500 ml contenant 10% d'un polymérisat de glucose (poids moléculaire 40.000).

Emploi : succédané du plasma employé en perfusion intraveineuse pour rétablir la masse sanguine dans l'état de choc.

Note : réservé aux hôpitaux.

RHEUMADORON® (Weleda)

Introd. en 1949. Non remb. SS.
Produit homéopathique (solution buvable) proposé dans les manifestations articulaires douloureuses.

RHINAAXIA® (Zyma)

Introd. en 1986. Remb. SS 40%.

PRINCIPE ACTIF : **Acide spaglumique**.

Préparations : soluté nasal en flacon nébuliseur [+ benzalkonium].

Emploi : proposé dans les rhinites allergiques (rhume des foins, rhumes dus à une allergie aux poussières de maison ou aux poils d'animaux).

Précautions : ne pas employer en cas de grossesse (innocuité non établie).

Effets indésirables possibles : irritation nasale.

Note : vendu sans ordonnance; ne pas utiliser pendant plus de 5 jours sans avis médical.

RHINADVIL® (Whitehall)

Introd. en 1992. Remb. SS 40%.

PRINCIPES ACTIFS: comprimés contenant
– ibuprofène (200 mg) : anti-inflammatoire non stéroïdien (→ p. 50);
– pseudoéphédrine (30 mg) : sympathomimétique vasoconstricteur.

Emploi : médicament proposé dans l'obstruction et l'hypersécrétion nasale avec maux de tête et/ou fièvre.

Posologie (adulte) : 1-2 comprimés par jour.

Précautions : ne pas employer en cas d'allergie à l'un des composants ou à l'aspirine, d'ulcère gastro-duodénal évolutif, d'insuffisance hépatique ou rénale, de fonctionnement excessif de la glande thyroïde (hyperthyroïdie), d'hypertension artérielle, d'angine de poitrine, de grossesse, d'allaitement, d'association avec les antidépresseurs IMAO; déconseillé chez les enfants de moins de 15 ans.

Sportifs : ce médicament peut donner une réaction positive en cas de tests pour contrôle antidopage.

Effets indésirables possibles :
– liés à l'ibuprofène : troubles digestifs, réactions allergiques (éruptions cutanées, crise d'asthme), vertiges, maux de tête, hémorragie gastro-intestinale, forte fièvre avec mal de gorge et augmentation de volume des ganglions du cou (agranulocytose);
– liés à la pseudoéphédrine : palpitations, accélération ou irrégularité du pouls, maux de tête, étourdissements, nervosité, insomnie, transpirations, tremblements.

Intoxication : nausées, vomissements, pâleur, douleurs abdominales; transfert à l'hôpital dans les cas graves.

Note : vendu sans ordonnance; ne pas utiliser sans avis médical.

RHINALAIR LP® (Inava)

Introd. en 1988. Remb. SS 40%.

PRINCIPE ACTIF : **Pseudoéphédrine**.

Préparations : gélules à libération prolongée à 120 mg.

Emploi : alcaloïde extrait à partir d'un arbuste chinois, *Ephedra sinica*, ou produit par synthèse, stimulant les fibres sympathiques (alpha-sympathomimétique) et provoquant une diminution de la lumière des vaisseaux sanguins (vasoconstriction).
La pseudoéphédrine est proposée par voie orale comme «antirhume» pour décongestionner temporairement le nez dans le rhume banal (coryza); l'utilisation doit être limitée à quelques jours; il ne doit pas être utilisé chez l'enfant au-dessous de 12 ans.

Précautions : ne pas employer en cas d'allergie au produit, d'hypertension artérielle, d'angine de poitrine, de troubles prostatiques, de glaucome par fermeture de l'angle, d'activité excessive de la thyroïde ou hyperthyroïdie, de grossesse et allaitement, d'association aux antidépresseurs inhibiteurs de la mono-amine oxydase ou IMAO (risque de d'hypertension).

Sportifs : ce médicament peut donner une réaction positive en cas de tests pour contrôle antidopage.

Effets indésirables possibles : insomnie, nervosité, tremblements, maux de tête, transpirations et nausées, vomissements; accélération ou irrégularité du pouls, palpitations; aggravation de la congestion nasale (effet «rebond») en cas d'emploi prolongé.

Arrêtez le traitement et consultez votre médecin en cas de fièvre, d'éruption (réaction allergique), de jaunisse, d'urines foncées, de respiration sifflante, de vertiges.

Intoxication : possibilité chez l'enfant d'intoxication aiguë grave avec délire, convulsions, perte de connaissance, respiration lente et superficielle (dépression respiratoire) et évolution vers le coma (hospitalisation d'urgence).

Note : vendu sans ordonnance; ne pas utiliser sans avis médical.

RHINAMIDE® (Bailly-Speab)

Introd. en 1939. Liste II. Remb. SS 40%.

PRINCIPES ACTIFS : solution nasale et auriculaire contenant de la sulfanilamide (sulfamide), éphédrine (vasoconstricteur), butacaïne (anesthésique local) et acide benzoïque.

Emploi : proposé dans les rhinites et rhino-pharyngites et leur retentissement tubo-tympanique.

Précautions : ne pas utiliser chez les enfants âgés de moins de 3 ans, en cas de glaucome par fermeture de l'angle, d'adénome de la prostate, de fonctionnement excessif de la glande thyroïde (hyperthyroïdie), d'insuffisance hépatique, de grossesse, d'allaitement, d'association avec les antidépresseurs IMAO; vérifier l'état du tympan avant toute application dans l'oreille.

Durée du traitement : l'utilisation pendant plus de 5-6 jours consécutifs est déconseillée en raison du risque d'aggravation de la congestion nasale («rebond»), obstruction chronique du nez par hypertrophie des cornets (rhinite «iatrogène»).

Sportifs : ce médicament peut donner une réaction positive en cas de tests pratiqués lors des contrôles antidopage.

Effets indésirables possibles (provoqués par l'absorption de l'éphédrine dans l'organisme) : palpitations, accélération ou irrégularité du pouls, maux de tête, étourdissements, nervosité, insomnie, transpirations, tremblements.

Note : prescrit sur ordonnance médicale.

RHINATHIOL® (Synthélabo)

Introd. en 1965. Remb. SS 40%.

PRINCIPE ACTIF : *Carbocistéine*.

Préparations : gélules, granulé et sirop pour adultes ou pour enfants.

Emploi : proposé pour liquéfier les sécrétions bronchiques et en faciliter l'expectoration dans les affections respiratoires accompagnées de sécrétions bronchiques épaisses, notamment en cas de bronchite aiguë, d'emphysème et d'autres affections.

Précautions : ne pas employer en cas d'allergie au produit, d'asthme, d'encombrement des bronches, d'ulcère gastroduodénal évolutif, de grossesse ou d'allaitement (innocuité non établie); ne pas employer chez l'enfant de moins de 5 ans.

Consultez votre médecin si votre état ne s'améliore pas rapidement ou s'il s'aggrave, en cas de crachats sanglants, d'amaigrissement, de fièvre.

Effets indésirables possibles : brûlures d'estomac, maux de tête, diarrhées.

Pour les détails → p. 287.

Note : vendu sans ordonnance; à éviter sans avis médical.

RHINATHIOL® prométhazine
(Synthélabo)

Introd. en 1967. Remb. SS 40%.

PRINCIPES ACTIFS : sirop contenant :
– carbocistéine : fluidifiant des sécrétions bronchiques;
– prométhazine : antihistaminique, sédatif et atropinique dérivé de la phénothiazine (Phénergan®);

Emploi : proposé dans les coryzas et trachéo-bronchites spasmodiques.

Précautions : ne pas utiliser chez le nouveau-né, nourrisson et enfant âgé de moins de 5 ans (risque d'arrêt respiratoire), en cas d'ulcère gastroduodénal, d'insuffisance hépatique; de glaucome par fermeture de l'angle, d'hypertrophie prostatique.

Conduite de véhicules : ce médicament peut diminuer la vigilance; la conduite de véhicules ou l'utilisation de machines peut être dangereuse.

Alcool : à éviter pendant le traitement (majoration de l'effet sédatif).

Durée du traitement : ce médicament ne doit être utilisé que pour une brève période.

En cas de diabète : tenir compte de la teneur en sucre du produit.

Effets indésirables possibles : somnolence, sécheresse de la bouche, du nez et de la gorge, troubles de la vision, accélération du pouls, palpitations, bouffées de chaleur, nausées, constipation, difficulté à uriner (chez les prostatiques), confusion mentale ou agitation (sujets âgés) éruptions cutanées.

Note : vendu sans ordonnance; à éviter sans avis médical.

RhinATP® (Synthélabo)

Introd. en 1978. Remb. SS 40%.

PRINCIPES ACTIFS: solution nasale contenant de la triphosadénine (ATP) et sulfasuccinamide (sulfamide).

Emploi : proposé dans les infections nasales.

Durée du traitement : ne doit pas dépasser 10 jours.

Précautions : ne pas employer en cas d'allergie aux sulfamides.

Effets indésirables possibles: réactions allergiques locales.

Conservation : la solution reconstituée au moment de l'emploi est stable à la température ordinaire pendant 10 jours.

Note : vendu sans ordonnance; les sulfamides locaux sont déconseillés à cause du risque de réactions allergiques.

RHINATUX® (Amido)

PRINCIPES ACTIFS: comprimés contenant de la codéine (antitussif opiacé), éphédrine et camphre.

Emploi : proposé pour calmer la toux irritative, sèche.

Pour les détails → p. 59.

Note : vendu sans ordonnance; l'efficacité de la codéine est généralement reconnue, mais la présence des autres composants a peu d'intérêt dans l'emploi proposé.

RHINO-BÉBÉ® (Monot)

Introd. en 1970. Non remb. SS.

PRINCIPES ACTIFS : solution nasale qui contient du lysozyme et propionate de sodium (antiseptique local).

Emploi : proposé dans les infections nasales.

Note : vendu sans ordonnance; ne pas utiliser pendant plus de 3 jours sans avis médical.

RHINO-BLACHE® → Chlorhexidine.

RHINOFÉBRAL® (J.-P. Martin)

Introd. en 1976. Non remb. SS.

PRINCIPES ACTIFS : gélules contenant :
– paracétamol : analgésique à action périphérique et antipyrétique;
– chlorphénamine : antihistaminique, sédatif et atropinique;
– acide ascorbique : vitamine C.

Emploi : proposé dans le rhume et les états grippaux.

Précautions : ne pas utiliser en cas de
– asthme, insuffisance respiratoire (la diminution de la toux cause l'accumulation de mucosités dans les voies respiratoires);
– maladie du foie;
– hypertrophie de la prostate;
– glaucome à angle fermé;
– grossesse, allaitement
– enfant de moins de 5 ans.

Durée du traitement : si la toux persiste après une semaine, si des crachats sanglants ou des effets indésirables apparaissent, arrêtez le traitement et consultez votre médecin.

Alcool : à éviter pendant le traitement.

Conduite de véhicules : ce médicament peut diminuer la vigilance; la conduite de véhicules ou l'utilisation de machines peut être dangereuse.

Effets indésirables possibles : somnolence, sécheresse de la bouche, confusion, nausées, vomissements, crises d'asthme, constipation, excitation (surtout chez l'enfant), éruption cutanée (réaction allergique : arrêtez immédiatement le traitement), difficulté à respirer ou à uriner (chez le sujet âgé).

Note : vendu sans ordonnance; l'efficacité du paracétamol comme antidouleur et antifièvre est généralement reconnue, mais les autres composants ont peu d'intérêt dans l'emploi proposé.

RHINOFLUIMUCIL® (Zambon)

Introd. en 1986. Liste II. Remb. SS 40%.

PRINCIPES ACTIFS : solution nasale qui contient de l'acétylcystéine (fluidifiant bronchique), tuaminoheptane (vasoconstricteur) et chlorure de benzalkonium (antiseptique).

Emploi : proposé pour traiter la congestion des muqueuses nasales et du pharynx (rhino-pharyngites).

Durée du traitement : l'utilisation pendant plus de 5-6 jours consécutifs est déconseillée en raison du risque d'aggravation de la congestion nasale («rebond»), obstruction chronique du nez par hypertrophie des cornets.

Précautions : ne pas employer en cas de glaucome, d'association avec des antidépresseurs IMAO et chez l'enfant de moins de 3 ans.

Effets indésirables possibles (dus à l'absorption du tuaminoheptane dans l'organisme) : palpitations, accélération ou irrégularité du pouls, maux de tête, étourdissements, nervosité, insomnie, transpirations.

Note : prescrit sur ordonnance médicale.

RHINOGORGE® (Lederle)

PRINCIPES ACTIFS : gouttes nasales qui contient du cétylpyridinium et sorbate de potassium.

Emploi : proposé comme antiseptique nasal dans le rhume.

Note : vendu sans ordonnance; ne pas utiliser pendant plus de 3 jours.

RHINO-LACTÉOL® (Lactéol)

Introd. en 1919. Remb. SS 40%.

PRINCIPE ACTIF : poudre à priser contenant une culture de *Lactobacillus acidophilus*.

Emploi : proposé dans les infections du rhinopharynx.

Note : vendu sans ordonnance; efficacité du principe actif à confirmer dans l'emploi proposé.

RHINOPTEN® (Debat)

Introd. en 1979. Remb. SS 40%.

PRINCIPES ACTIFS : comprimés et solution nasale contenant des fractions antigéniques de souches de staphylocoques, streptocoques, pneumocoques et branhamella.

Emploi : proposé dans les rhinopharyngites.

Note : vendu sans ordonnance; efficacité des principes actifs à confirmer dans l'emploi proposé.

RHINO-SULFORGAN®
(Jolly-Jatel)

Introd. en 1961. Remb. SS 40%.

PRINCIPES ACTIFS : solution nasale qui contient de l'huile naturelle soufrée, butoforme, labrafil, eucalyptol, huile d'arachide.

Emploi : proposé dans les rhinopharyngites.

Note : vendu sans ordonnance; efficacité des principes actifs à confirmer dans l'emploi proposé.

RHINO-SULFURYL® (Monal)

Introd. en 1935. Liste II. Remb. SS 40%.

PRINCIPES ACTIFS : solution nasale qui contient de l'éphédrine (vasoconstricteur) et du thiosulfate de sodium (antiseptique).

Emploi : proposé dans les rhinites et rhino-pharyngites.

Précautions : ne pas utiliser chez les enfants âgés de moins de 3 ans, en cas de glaucome par fermeture de l'angle, d'adénome prostatique, de fonctionnement excessif de la glande thyroïde (hyperthyroïdie), d'insuffisance hépatique, de grossesse, d'allaitement, d'association avec les antidépresseurs IMAO.

Durée du traitement : l'utilisation pendant plus de 5-6 jours consécutifs est déconseillée en raison du risque d'aggravation de la congestion nasale («rebond»), obstruction chronique du nez par hypertrophie des cornets.

Effets indésirables possibles (dus à l'absorption de l'éphédrine) : palpitations, accélération ou irrégularité du pouls, maux de tête, étourdissements, nervosité, transpirations, tremblements, insomnie.

Note : prescrit sur ordonnance médicale.

RHINOTROPHYL® (Jolly-Jatel)

Introd. en 1980. Remb. SS 40%.

PRINCIPES ACTIFS : solution nasale qui contient de la framycétine (antibiotique aminoside) et thénoate d'éthanolamine.

Emploi : proposé dans les infections nasales.

Durée du traitement : ne pas dépasser 10 jours consécutifs en raison du risque accru d'effets indésirables.

Précautions : ne pas employer en cas d'allergie aux aminosides.

Effets indésirables possibles : réactions allergiques.

Note : vendu sans ordonnance; à éviter en automédication comme tous les antibiotiques locaux.

RHONAL® (Specia)

Introd. en 1967. Remb. SS 70.

PRINCIPE ACTIF : **Aspirine**.

Préparations : comprimés contenant 500 mg d'aspirine ou acide acétyl-salicylique.

Emploi : l'aspirine est utilisée pour atténuer la douleur modérée *(analgésique)* et pour faire tomber la fièvre *(antipyrétique)*, par exemple dans les états grippaux; à dose élevée, elle diminue les douleurs rhumatismales ainsi que la raideur et la tuméfaction des articulations *(anti-inflammatoire)*; enfin, à dose faible, elle peut prévenir la formation de caillots sanguins dans les vaisseaux *(antiagrégant plaquettaire)*.

Précautions : ce médicament ne doit pas être utilisé en cas d'allergie à l'aspirine, d'asthme, d'ulcère gastro-duodénal évolutif, de maladie grave du foie ou des reins, de maladie hémorragique ou de traitement anticoagulant, de grossesse et chez l'enfant âgé de moins de 10 ans sans avis médical, notamment lorsqu'on soupçonne une grippe ou une varicelle.

Arrêtez le traitement et consultez votre médecin si les douleurs persistent après 5 jours ou si la fièvre ne régresse pas au bout de 3 jours, en cas de bourdonnements d'oreille, de baisse de l'audition, de douleurs abdominales, de vomissements sanglants, de selles noires, de prurit, de crise d'asthme, d'urticaire ou de jaunisse.

Intoxication : conduire le malade d'urgence à l'hôpital en cas de prise massive accidentelle.

Pour les détails → Aspirine.

Note : vendu sans ordonnance; efficacité généralement reconnue dans l'emploi proposé.

RIABAL® (Logeais)

Introd. en 1974. Liste II

PRINCIPE ACTIF : **Prifinium**.

Préparations (sous forme de bromure): Comprimés retard à 70 mg; amp. injectables à 15 mg dans 2 ml. Remb. SS 40%.

Riabal® enfant . Solut. buvable à 2 mg par pipette. Non remb. SS.

Emploi : atropinique de synthèse provoquant un relâchement des fibres musculaires lisses du tube digestif et des voies urinaires et une diminution des sécrétions gastriques, salivaires, lacrymales et de la sudation. Le prifinium est utilisé par voie buccale dans les spasmes douloureux des voies digestives, biliaires et urinaires. La forme injectable est proposée dans le traitement des coliques du foie et du rein.

Pour les détails → p. 56.

Note : prescrit sur ordonnance médicale.

RIBATRAN® (Leurquin)

Introd. en 1969. Remb. SS 40%.

PRINCIPES ACTIFS: comprimés contenant de la trypsine, ribonucléase et chymotrypsinogène (enzymes).

Emploi : proposé dans les œdèmes post-traumatiques et les infections des voies respiratoires.

Effets indésirables possibles : éruption cutanée (réaction allergique : arrêtez immédiatement le traitement).

Note : vendu sans ordonnance; efficacité des principes actifs à confirmer dans l'emploi proposé.

RIBOMUNYL® (Inava)

Introd. en 1977. Remb. SS 40%.

PRINCIPES ACTIFS : solution pour aérosol, poudre pour solution injectable, comprimés et granulé pour solution buvable contenant des fractions ribosomales et membranaires de certaines bactéries (streptocoque, pneumocoque, *Klebsiella pneumoniae*, *Hemophilus influenzae*).

Emploi : proposé pour prévenir les infections récidivantes des voies respiratoires (efficacité à confirmer).

Note : vendu sans ordonnance; à éviter en automédication.

RICRIDÈNE® (Lipha Santé)

Introd. en 1981. Liste II. Remb. SS 40%.
PRINCIPE ACTIF : *Nifurzide.*
Préparations : gélules à 150 mg; suspension buvable à 20 mg par cuillerée mesure.
Emploi : dérivé du nitrofurane proposé, en complément de la réhydratation, dans le traitement des diarrhées aiguës présumées d'origine bactérienne (sans selles sanglantes ou purulentes); en l'absence d'une altération de la muqueuse intestinale, il n'est pratiquement pas résorbé.
Précautions : ne pas employer en cas d'allergie au produit ou à un autre dérivé du nitrofurane, de maladies intestinales chroniques, grossesse et allaitement (innocuité non établie).
Alcool : l'alcool peut provoquer un malaise, des bouffées de chaleur, une rougeur de la face et du cou, une accélération du pouls et d'autres troubles (effet «antabuse»).
Durée du traitement : ne pas dépasser 7 jours; si aucune amélioration ne se manifeste, on arrête le traitement après 3 jours.
Effets indésirables possibles : prurit, éruption cutanée (réaction allergique : arrêtez le traitement).
Note : prescrit sur ordonnance médicale.

RIDAURAN®
(P. Fabre/Robapharm)

Introd. en 1988. Liste I. Remb. SS 70%.
PRINCIPE ACTIF : *Auranofine.*
Préparations : comprimés contenant 3 mg [0,87 mg d'or].
Emploi : l'auranofine est un composé contenant de l'or utilisé par voie buccale dans le traitement de fond de la polyarthrite rhumatoïde de l'adulte lorsque la radiologie met en évidence des érosions cartilagineuses et osseuses évolutives; les sels d'or sont susceptibles de ralentir la progression de la maladie, mais n'agissent pas directement sur l'inflammation et sur les douleurs; ces médicaments sont relativement toxiques (surveillance régulière des effets indésirables) et leur efficacité à long terme reste incertaine; les effets indésirables peuvent se manifester plusieurs mois après l'arrêt du traitement.
L'auranofine est moins efficace que les sels d'or administrés par injection;

la récidive est fréquente dans les 6 mois qui suivent l'interruption du traitement.
Pour les détails → p. 54.
Note : prescrit sur ordonnance médicale.

RIFADINE®
(Marion Merrell Dow)

Introd. en 1971. Liste I. Remb. SS 70%.
PRINCIPE ACTIF : *Rifampicine.*
Préparations : gélules à 300 mg; suspension buvable à 100 mg par mesure; poudre pour solution injectable en flacons à 600 mg.
Emploi → Rifampicine ci-dessous.
Note : prescrit sur ordonnance médicale.

RIFAMPICINE

SYNONYMES : rifampine, rifamycine AMP.
SPÉCIALITÉS :
Rifadine® (Marion Merrell Dow).
Rimactan® (Ciba-Geigy).
Emploi : antibiotique semisynthétique employé dans le traitement des infections suivantes :
– tuberculose : la rifampicine est l'un des constituants de tous les traitements chimiothérapeutiques antituberculeux de 6 et 8 mois recommandés par l'OMS; la rifampicine diffuse bien dans le cerveau et est particulièrement utile en cas de méningite tuberculeuse; elle est toujours associée à d'autres antituberculeux pour prévenir l'émergence de souches résistantes;
– lèpre, en association avec d'autres médicaments;
– brucellose, en association avec une tétracycline;
– certaines infections graves, notamment des valvules cardiaques (endocardite), en association avec d'autres antibiotiques;
– prévention de la méningite à méningocoque chez les porteurs sains qui ont été en contact avec des malades (n'est pas indiquée dans le traitement de la maladie déclarée).
Précautions : ne pas employer en cas d'allergie au produit; les affections suivantes peuvent modifier l'action du médicament :
– maladies hépatiques;
– alcoolisme chronique;
– porphyries (risque d'aggravation).
Grossesse : ce médicament ne doit pas être utilisé chez la femme enceinte ou

susceptible de l'être; en effet, il a causé des malformations du fœtus au cours de l'expérimentation animale; dans le traitement de la tuberculose, la rifampicine peut être administrée, en cas de nécessité absolue, en association avec l'isoniazide et la pyrazinamide, selon le régime classique de six mois; de la vitamine K doit être administrée systématiquement à la naissance en raison du risque d'hémorragie postnatale chez le nouveau-né.

Allaitement : utilisation déconseillée (passe dans le lait maternel).

Enfants : ce médicament n'est pas utilisé chez le nouveau-né ou le prématuré à cause de l'immaturité du système enzymatique.

Sujets âgés : risque accru d'effets indésirables, doses réduites.

Interactions : il faut informer votre médecin si vous prenez ou avez pris récemment d'autres médicaments. Les effets des médicaments suivants sont diminués par la prise concomitante de rifampicine :
– contraceptifs hormonaux estroprogestatifs ou «pilule» (on conseille de recourir pendant toute la durée du traitement et durant le mois suivant à une contraception locale);
– corticoïdes (adaptation des doses des corticoïdes);
– anticoagulants oraux (surveillance accrue du taux de prothrombine et adaptation des doses des anticoagulants);
– digitaliques;
– antidiabétiques oraux;
– kétoconazole;
– quinidine, hydroquinidine;
– P.A.S. (acide para-aminosalicylique);
– théophylline.

Prescription : ne dépassez pas la dose prescrite par votre médecin; des doses trop élevées ou des prises trop fréquentes augmentent le risque d'effets indésirables.

Prise du médicament : on conseille de prendre les comprimés à distance des repas (à jeun).

Durée du traitement : si vous prenez ce médicament pour traiter une tuberculose, il est très important de poursuivre le traitement pendant toute la durée prescrite par votre médecin, habituellement plusieurs mois.

Oubli : si vous oubliez de prendre le médicament, ne doublez pas la dose suivante.

Alcool : évitez les boissons alcoolisées (risque accru d'effet indésirables hépatiques).

Surveillance : des contrôles réguliers par votre médecin, accompagnés d'examens de laboratoire, notamment des tests de la fonction hépatique, sont nécessaires pour évaluer les résultats du traitement.

Conduite de véhicules : chez certains sujets, ce médicament peut modifier le comportement habituel ou diminuer la vigilance; la conduite de véhicules ou l'utilisation de machines peut être dangereuse dans ce cas.

Durée du traitement : respectez la durée de prescription de votre médecin, même si les fièvre et les autres signes d'infection disparaissent; en effet, un arrêt prématuré du traitement peut favoriser une rechute.

Effets indésirables possibles :
– nausées, vomissements, diarrhées, douleurs et crampes musculaires;
– prurit, éruption cutanée (réaction allergique : arrêtez immédiatement le traitement);
– fièvre, syndrome d'allure grippale entre le 3e et 6e mois de traitement;
– coloration jaune des yeux et de la peau, jaunisse;
– syndrome «grippal» avec fièvre, frissons, maux de tête, vertiges, douleurs osseuses apparaissant entre le 3e et le 6e mois de traitement;
– fièvre, frissons, maux de gorge, ulcérations buccales (diminution des globules blancs dans le sang);
– saignement au moindre traumatisme, présence de sang dans les urines ou les selles, coloration noire des selles, apparition de petites taches rouges ou bleues sur la peau (diminution des plaquettes dans le sang);
– faiblesse, pâleur (anémie hémolytique);
– toux, asthme, difficulté à respirer (lors d'usage intermittent).

Coloration des urines : le traitement cause une coloration rougeâtre des urines et des larmes ainsi que des taches irréversibles sur les verres de contact souples et les implants de cristallin.

Intoxication : coloration rouge-brunâtre ou orange de la peau, de la salive, des larmes, de la sueur («red man syndrome»); nausées, vomissements, douleurs abdominales, ictère, éventuellement œdème du poumon, troubles de la conscience, convulsions (hospitalisation d'urgence).

Note : prescrit sur ordonnance médicale.

RIFAMYCINE Chibret®
(M., S. & D.-Chibret)

Introd. en 1968. Liste I. Remb. SS 70%.
PRINCIPE ACTIF : collyre et pommade ophtalmique contenant 1% de rifamycine (antibiotique).
Emploi : proposée dans les conjonctivites bactériennes aiguës et blépharites.

Note : prescrit sur ordonnance médicale.

RIFATER® (Marion Merrell Dow)

Introd. en 1991. Liste I. Remb. SS 70%.
PRINCIPES ACTIFS : comprimés contenant
– rifampicine 120 mg (Rifadine®, Rimactan®);
– isoniazide 50 mg (Rimifon®);
– pyrazinamide 300 mg (Pirilène®).
Emploi : association fixe de trois antituberculeux majeurs utilisée dans le traitement de la tuberculose.

Note : prescrit sur ordonnance médicale.

RIFINAH® (Marion Merrell Dow)

Introd. en 1991. Liste I. Remb. SS 70%.
PRINCIPES ACTIFS : comprimés contenant
– rifampicine 300 mg (Rifadine®, Rimactan®);
– isoniazide 150 mg (Rimifon®).
Emploi : association fixe de deux antituberculeux majeurs utilisée dans le traitement de la tuberculose.

Note : prescrit sur ordonnance médicale.

RIFOCINE® 5%
(Marion Merrell Dow)

Introd. en 1966. Liste I.
Remb. SS 70%.
PRINCIPE ACTIF : *Rifamycine*
Préparations : solution pour application locale contenant 5% de rifamycine ou rifamycine SV (antibiotique proche de la rifampicine).
Emploi : utilisation limitée à certaines infections cutanées à germes sensibles à cause du risque d'émergence de mutants résistants, en particulier de staphylocoques.

Note : prescrit sur ordonnance médicale.

RIFOCINE® collutoire
(Marion Merrell Dow)

Introd. en 1968. Liste I. Remb. SS 40%.
PRINCIPE ACTIF : *Rifamycine*
Préparations : collutoire en flacon pressurisé.
Emploi : limité au traitement local des infections buccales à germes résistants aux autres antiseptiques.
Durée du traitement : ne pas dépasser 10 jours.

Note : prescrit sur ordonnance médicale.

RIMACTAN® (Ciba-Geigy)

Introd. en 1969. Liste I. Remb. SS 70%.
PRINCIPE ACTIF : *Rifampicine*.
Préparations : gélules à 300 mg; suspension buvable à 100 mg/mesure.
Emploi → Rifampicine, p. 594.

Note : prescrit sur ordonnance médicale.

RIMIFON® (Roche)

Introd. en 1952. Liste I. Remb. SS 70%.
PRINCIPE ACTIF : *Isoniazide*.
SYNONYMES : hydrazide de l'acide isonicotinique, INH.
Préparations : compr. à 50 ou 150 mg; ampoules injectables à 500 mg/ 5 ml.
Emploi : médicament parmi les plus efficaces dans le traitement de la tuberculose, l'isoniazide fait partie de tous les traitements antituberculeux actuellement recommandés par l'Organisation mondiale de la Santé. En outre, l'isoniazide est utilisé seul dans la *prévention de la tuberculose*:
– pour éviter la transmission de la maladie aux autres membres à haut risque de la famille du malade;
– pour éviter la recrudescence de l'infection en cas d'immunodéficience;
– chez tous les patients infectés par le VIH qui ont un test positif à la tuberculine, quel que soit leur âge; les patients infectés par le VIH dont la réaction à la tuberculine est négative et qui présentent un risque élevé de contamination par la tuberculose, devraient aussi recevoir l'isoniazide à titre préventif.
Dans le traitement des infections par mycobactéries atypiques, on l'utilise en association avec la rifampicine et l'éthambutol.

Durée d'action : jusqu'à 4 jours.

Allergie : informez votre médecin si vous avez déjà fait une réaction allergique ou toxique à l'isoniazide ou au pyrazinamide.

Etat de santé : vous devez informer votre médecin de toute affection susceptible de modifier les effets du médicament, notamment :
- maladie du foie, alcoolisme chronique;
- maladie des reins;
- épilepsie non contrôlée (risque d'aggravation des crises);
- névrite périphérique.

Grossesse : l'innocuité de ce médicament n'ayant pas été établie chez la femme enceinte, on déconseille de l'utiliser, sauf en cas de nécessité absolue (tuberculose active).

Allaitement : l'utilisation de ce médicament est déconseillée, car il passe dans le lait maternel.

Interactions : il faut informer votre médecin si vous prenez ou avez pris récemment d'autres médicaments, notamment phénytoïne, benzodiazépines, rifampicine, antiacides gastriques, carbamazépine et niridazole (association à éviter).

Prescription : ne dépassez pas la dose prescrite par votre médecin; des doses trop élevées ou des prises trop fréquentes augmentent le risque d'effets indésirables; pour éviter des effets indésirables éventuels dus à la carence en pyridoxine (vitamine B6), notamment une polynévrite, votre médecin pourra vous prescrire des suppléments de pyridoxine.

Oubli : si vous oubliez de prendre le médicament, ne doublez pas la dose suivante.

Durée du traitement : la tuberculose ne peut guérir que si vous prenez régulièrement l'isoniazide et les autres médicaments associés pendant toute la durée du traitement prescrit par votre médecin (de 6 à 12 mois).

Alcool : à éviter (diminue l'efficacité de l'isoniazide et augmente le risque d'effets indésirables hépatiques).

Régime : chez certains sujets traités par l'isoniazide, les fromages et les poissons peuvent provoquer un prurit et une rougeur de la peau, des bouffées de chaleur, des transpirations, des maux de tête et des malaises.

Surveillance : des contrôles réguliers sont nécessaires pour que votre médecin puisse évaluer les progrès du traitement; certains tests peuvent être nécessaires, notamment de la fonction hépatique et dans certains cas du taux sanguin de l'isoniazide.

En cas de diabète : l'isoniazide peut fausser certains tests pour détecter le sucre dans les urines.

Effets indésirables possibles :
- fièvre, douleurs musculaire et articulaires;
- faiblesse, malaise, nausées et vomissements persistants;
- fourmillements, douleurs aux mains et aux pieds (polynévrite);
- troubles de la vue (névrite optique);
- insomnie, agitation;
- troubles psychiques;
- crises convulsives (souvent dues à un taux sanguin d'isoniazide trop élevé);
- éruption cutanée (réaction allergique : arrêtez le traitement);
- urines foncées, jaunisse.

Intoxication : 30 minutes à 3 heures après l'absorption d'une dose massive, on observe des nausées, des vomissements, des vertiges, des troubles visuels et des hallucinations; possibilité de dépression respiratoire, convulsions violentes et évolution vers le coma; l'hospitalisation d'urgence est nécessaire.

Note : prescrit sur ordonnance médicale.

RINUREL® et RINUTAN®
(Parke-Davis)

Introd. en 1964 et 1972. Remb. SS 40%.
Principes actifs : comprimés et sirop contenant :
- paracétamol : analgésique et antipyrétique à action périphérique;
- phénylpropanolamine : sympathomimétique vasoconstricteur;
- phényltoloxamine : antihistaminique, sédatif et atropinique.

Emploi : médicament antirhume proposé dans l'obstruction et l'hypersécrétion nasales.

Précautions : ne pas employer en cas d'insuffisance hépatique, d'angine de poitrine, d'hypertension artérielle, de glaucome par fermeture de l'angle, d'hypertrophie de la prostate, de fonctionnement excessif de la glande thyroïde (hyperthyroïdie), de myasthénie, de déficit en glucose-6-phosphate déshydrogénase ou G6PD, de grossesse, d'allaitement, d'association avec les antidépresseurs IMAO; utilisation prudente chez les sujets âgés.

Conduite de véhicules : ce médicament peut diminuer la vigilance; la conduite de véhicules ou l'utilisation de machines peut être dangereuse.

Alcool : évitez les boissons alcoolisées pendant le traitement (majoration de l'effet sédatif).

Sportifs : ce médicament peut donner une réaction positive en cas de tests pratiqués lors des contrôles antidopage.

Effets indésirables possibles :
– liés à la phényltoloxamine : somnolence, sécheresse de la bouche, du nez et de la gorge, vision trouble, accélération du pouls, palpitations, bouffées de chaleur, nausées, constipation, difficulté à uriner (chez les prostatiques), confusion mentale ou agitation (sujets âgés);
– liés à la phénylpropanolamine : palpitations, accélération ou irrégularité du pouls, maux de tête, étourdissements, nervosité, insomnie, transpirations, tremblements;
– liés au paracétamol : respiration sifflante, éruption cutanée, urines orangées, jaunisse.

Note : vendu sans ordonnance; à éviter sans avis médical à cause des effets indésirables possibles.

RINUTAN® → Rinurel®.

RISORDAN® (Théraplix)

Introd. en 1962. Liste II. Remb. SS 70%.
PRINCIPE ACTIF : *Dinitrate d'isosorbide.*
SYNONYME : isosorbide dinitrate, ISDN.
Préparations : comprimés à 5 mg, 10 mg ou 20 mg; comprimés à libération prolongée à 20 mg, 40 mg ou 60 mg *(Risordan® LP)*; ampoules injectables à 10 mg dans 10 ml.

Emploi : médicament appartenant au groupe des dérivés nitrés qui dilatent les vaisseaux sanguins, notamment les vaisseaux du cœur (coronaires) et qui sont utilisés dans le traitement des crises d'angine de poitrine (sensation de constriction douloureuse dans la poitrine pouvant irradier dans le bras gauche).
Pour les détails → p. 203.
Note : prescrit sur ordonnance médicale.

RIVOTRIL® (Roche)

Introd. en 1979. Liste I. Remb. SS 70%.
PRINCIPE ACTIF : *Clonazépam.*
Préparations : comprimés à 2 mg; solution buvable à 0,25% (1 goutte = 0,1 mg); ampoules injectables à 1 mg dans 2 ml.

Emploi : anticonvulsivant appartenant au groupe des benzodiazépines; le clonazépam est employé par voie buccale comme antiépileptique et, en injections intraveineuses, dans le traitement de l'état de mal épileptique, des crises d'agitation, du tétanos, dans la préparation à l'anesthésie et dans d'autres affections déterminées par votre médecin. Il a été proposé dans les encéphalopathies épileptiques de l'enfant (syndrome de Lennox-Gastaut, syndrome de West).
Pour les détails → p. 94.
Note : prescrit sur ordonnance médicale.

ROACCUTANE® (Roche)

Introd. en 1986. Liste I. Remb. SS 70%.
PRINCIPE ACTIF : *Isotrétinoïne.*
Préparations : capsules à 5 mg, 10 mg ou 20 mg.

Propriétés et emploi : rétinoïde apparenté à la vitamine A (rétinol) utilisé par voie buccale dans le traitement de l'acné kystique sévère, invalidante et résistant aux traitements usuels; l'isotrétinoïne agit en supprimant l'activité des glandes sébacées et en réduisant leur taille; la durée du traitement est de 16 semaines.

Précautions : l'isotrétinoïne ne doit en aucun cas être utilisée en cas de grossesse, car son utilisation comporte un risque important de graves malformation du fœtus; elle est déconseillée chez l'enfant à cause du risque de troubles de la croissance osseuse et dans le traitement de l'acné juvénile sans gravité.

Lorsque l'isotrétinoïne est utilisée exceptionnellement chez la femme en âge de procréer, la patiente doit :
– être capable de comprendre l'importance du risque d'avoir un enfant malformé et de suivre les précautions d'emploi;
– consentir aux mesures contraceptives obligatoires;
– présenter un test de grossesse négatif dans les deux semaines précédent le début du traitement et ne commencer

le traitement qu'au deuxième ou troisième jour des prochaines règles. Ce médicament vous est prescrit personnellement et vous ne devez en aucun cas le donner à une autre personne; son utilisation demande une excellente coopération avec votre médecin.

Durée d'action : environ 2 jours.

Allergie : informez votre médecin si vous avez déjà fait une réaction allergique ou inhabituelle à ce médicament, à l'étrétinate ou à la vitamine A.

État de santé : vous devez informer votre médecin de toute affection susceptible de modifier les effets du médicament, notamment :
- maladie du foie ou du rein (diminution de l'élimination du médicament en cas d'insuffisance rénale ou hépatique);
- hyperlipidémie (le médicament peut augmenter le taux sanguin des triglycérides);
- obésité, alcoolisme, diabète;
- diabète sucré (le taux du sucre dans le sang peut être modifié).

Grossesse : ce médicament ne doit en aucun cas être utilisé en cas de grossesse et il est en principe contre-indiqué chez la femme en âge de procréer; en effet, son emploi comporte un risque de graves malformations fœtales.

Exceptionnellement, en cas d'acné kystique sévère, très invalidante, chez une femme apte à procréer, des *mesures anticonceptionnelles efficaces et permanentes* sont indispensables non seulement pendant toute la durée du traitement mais encore un mois avant et un mois après l'arrêt de celui-ci; la patiente devra être informée des raisons de ces mesures destinées à éviter le risque élevé de graves malformations fœtales.

Allaitement : ce médicament ne doit pas être utilisé pendant l'allaitement.

Enfants et adolescents : ne pas utiliser en période de croissance (risque de troubles de la croissance osseuse par soudure prématurée des épiphyses).

Interactions : il faut informer votre médecin si vous prenez ou avez pris récemment d'autres médicaments, notamment :
- étrétinate, trétinoïne (risque accru d'effets indésirables);
- spécialités contenant de la vitamine A (risque accru d'effets indésirables);
- tétracyclines (risque d'augmentation

de la pression intracrâniennes avec nausées et maux de tête);

Prescription : ne dépassez pas la dose prescrite par votre médecin; des doses trop élevées ou des prises trop fréquentes augmentent le risque d'effets indésirables.

Prise du médicament : les capsules doivent être absorbées au cours des repas.

Oubli : si vous oubliez de prendre le médicament et si vous le remarquez dans les 2 heures qui suivent, prenez immédiatement la dose oubliée; ne doublez pas la dose suivante; si vous oubliez le médicament plusieurs jours, prenez contact avec votre médecin.

Au début du traitement : une aggravation est possible (poussée d'acné inflammatoire); si l'aggravation persiste après quelques semaines, consultez votre médecin.

Alcool : évitez l'alcool (risque accru d'effets indésirables).

Autres médicaments : ne prenez aucun autre médicament pendant le traitement sans l'avis de votre médecin; évitez notamment les spécialités contenant de la vitamine A (rétinol).

Surveillance : des contrôles des lipides dans le sang et de la fonction hépatique peuvent être demandés par votre médecin avant et pendant le traitement.

En cas de diabète : renforcez l'autosurveillance glycémique.

Lentilles de contact : si vous portez des lentilles de contact, l'utilisation d'un collyre pour suppléance lacrymale peut être utile pour éviter l'irritation due à la sécheresse des yeux provoquée par le traitement.

En cas de grossesse au cours du traitement : si malgré les mesures contraceptives vous soupçonnez une grossesse, informez immédiatement votre médecin (risque de malformations graves chez le fœtus).

Conduite de véhicules : assurez-vous que le médicament n'entraîne pas de troubles de la vision crépusculaire avant de conduire des véhicules ou d'utiliser des machines.

Exposition au soleil : l'isotrétinoïne peut rendre votre peau très sensible aux rayons solaires et ultraviolets (photosensibilisation); dans ce cas, vous devez éviter l'exposition directe au soleil et porter des vêtements qui couvrent les bras et les jambes, un chapeau et des lunettes de soleil.

Don du sang : doit être évité pendant le traitement et au cours du mois suivant son arrêt en raison de la présence du médicament dans le sang et du risque de contamination de femmes enceintes.

Effets indésirables possibles :
– sécheresse de la bouche et du nez, sécheresse des yeux, transpirations, aggravation passagère de l'acné au début du traitement;
– sécheresse et fissures des lèvres (chéilite);
– prurit, amincissement et desquamation de la peau saine;
– conjonctivite, sensibilité excessive et douloureuse à la lumière (photophobie), troubles de la vision crépusculaire;
– maux de tête inhabituels, troubles visuels, nausées (risque d'hypertension intracrânienne);
– perte des cheveux (alopécie) réversible;
– malformation des ongles;
– douleurs des muscles, des os et des articulations (calcifications);
– jaunisse;
– traitement prolongé : peut causer des troubles de la fonction hépatique, une augmentation des lipides sanguins (hyperlipidémie) et des troubles de la vue (dépôts sur la cornée).

Intoxication : maux de tête, nausées, vomissements.

Note : prescrit sur ordonnance médicale.

ROACCUTANE® gel (Roche)

Introd. en 1992. Liste I. Non remb. SS.
PRINCIPE ACTIF : *Isotrétinoïne*.
Préparations : gel pour application locale à 0,05%.
Emploi : rétinoïde apparenté à la vitamine A (rétinol) utilisé en application locale pour traiter l'acné, notamment l'acné juvénile; les premiers signes d'amélioration apparaissent généralement à la fin du premier mois de traitement qui est habituellement poursuivi pendant 3 mois.
Précautions : évitez le contact avec la bouche, les narines, les yeux et les muqueuses; évitez l'exposition au soleil ou aux lampes à rayons ultraviolets.
Effets indésirables possibles : irritation locale.
Note : prescrit sur ordonnance médicale.

ROCALTROL® (Roche)

Introd. en 1985. Liste I. Remb. SS 70%.
PRINCIPE ACTIF : *Calcitriol* .
Préparations : capsules à 0,25 µg.
Propriétés : métabolite de la vitamine D3 formé dans le rein à partir du 25-hydroxycholécalciférol (25-HCC); en cas d'insuffisance rénale, la production de calcitriol endogène est réduite ou bloquée, ce qui entraîne une ostéodystrophie.
Emploi : employé dans le traitement des ostéodystrophies rénales, rachitismes pseudo-carentiels, rachitisme et ostéomalacie par hypophosphatémie, hypoparathyroïdie et pseudo-hypoparathyroïdie.
Précautions : surveillance régulière de la calcémie, calciurie, phosphatases alcalines et de la phosphorémie. Ce médicament ne doit pas être utilisé dans les indications classiques de la vitamine D.
Note : prescrit sur ordonnance médicale.

ROCÉPHINE® → Céphalosporines.

ROCGEL® (Roques)

Introd. en 1978. Remb. SS 70%.
PRINCIPE ACTIF : suspension buvable contenant de l'oxyde d'aluminium oxydé (boehmite).
Emploi : proposé pour neutraliser l'excès d'acidité et comme pansement gastrique en cas de brûlures de l'estomac; en cas d'ulcère de l'estomac ou du duodénum, il ne doit être utilisé que sous surveillance médicale.
Précautions : consultez votre médecin si les troubles persistent et en cas de douleurs ou crampes abdominales, de selles noires, d'amaigrissement, de fièvre; ne pas utiliser en cas d'insuffisance rénale sévère; ne pas associer de tétracyclines.
Prise du médicament : après les repas et éventuellement au coucher.
En cas de diabète : tenir compte de la teneur en sucre du produit.
Effets indésirables possibles : retard ou diminution de la résorption d'autres médicaments pris par la bouche (respecter un intervalle d'au moins 2 h).
Note : vendu sans ordonnance; ne pas utiliser pendant plus de 5 jours sans avis médical.

ROCMALINE® (Roques)

Introd. en 1967. Non remb. SS.
PRINCIPES ACTIFS : solution buvable contenant de l'arginine et acide malique.
Emploi : proposé dans les symptômes fonctionnels présumés d'origine hépatique.
Note : vendu sans ordonnance; efficacité des principes actifs à confirmer dans l'emploi proposé.

RODOGYL® (Specia)

Introd. en 1971. Liste I. Remb. SS 70%.
PRINCIPES ACTIFS: comprimés contenant
– spiramycine (antibiotique);
– métronidazole (antibactérien).
Emploi : proposé dans les infections buccales et dentaires (abcès dentaire, gingivites, stomatites, etc.); le traitement doit être conduit sous surveillance médicale stricte.
Précautions : ne pas employer en cas d'affections neurologiques, de grossesse ou d'allaitement; l'activité des anticoagulants oraux peut être augmentée.
Alcool : évitez les boissons alcoolisées pendant le traitement (effet «antabuse»).
Effets indésirables possibles : nausées, vomissements, diarrhées, altération du goût, inflammation de la langue et de la bouche (glossite, stomatite), vertiges, troubles de la marche, polynévrite.
Note : prescrit sur ordonnance médicale.

ROFÉRON®-A (Roche)

Introd. en 1987. Liste I.
PRINCIPE ACTIF : *Interféron alfa-2a*.
Préparations : flacons contenant 3, 9 ou 18 millions d'UI.
Emploi : les interférons alfa-2a et alfa-2b sont identiques sauf pour ce qui concerne un acide aminé; ils sont produits par biotechnologie (rIFN-α) à partir d'une souche de colibacille soumise à une manipulation génétique. L'interféron alfa-2a est utilisé en injections dans le traitement de diverses affections, notamment leucémie à tricholeucocytes, mélanome multiple, sarcome de Kaposi associé au SIDA, condylomes acuminés (*Papillomavirus*), hépatite chronique active B, hépatite chronique active C.

Allergie : informez votre médecin si vous avez déjà fait une réaction allergique ou inhabituelle à l'interféron ou à l'albumine humaine.
Grossesse : ce médicament ne doit pas être utilisé pendant la grossesse, car son innocuité n'a pas été établie; si une grossesse survient pendant le traitement, il faut en informer immédiatement votre médecin.
Allaitement : l'utilisation de ce médicament est déconseillée, car il passe dans le lait maternel.
Enfants : l'innocuité du médicament n'a été établie ni chez l'enfant, ni chez l'adolescent de moins de 18 ans.
Interactions : il faut informer votre médecin si vous prenez ou avez pris récemment d'autres médicaments, notamment des sédatifs, tranquillisants ou somnifères (majoration de l'action sédative).
Boissons : pendant le traitement, vous devez boire abondamment (3-4 litres par jour) pour maintenir un état d'hydratation satisfaisant.
Autres médicaments : ne prenez aucun autre médicament sans consulter votre médecin.
Alcool : évitez la consommation de boissons alcoolisées.
Vaccinations : pendant le traitement, ou dans les jours qui suivent l'arrêt de l'administration, vous devez éviter toute vaccination sans avis médical.
Effets indésirables possibles :
– somnolence, maux de tête, troubles digestifs;
– fièvre, douleurs musculaires et articulaires, maux de tête (syndrome pseudogrippal pendant la première semaine de traitement; peut être prévenu ou traité par le paracétamol);
– modifications de la tension artérielle, irrégularité du pouls (arythmies);
– confusion , troubles psychiques;
– saignement au moindre traumatisme, présence de sang dans les urines ou les selles, coloration noire des selles, apparition de petites taches rouges sur la peau (diminution excessive du nombre des plaquettes dans le sang);
– fièvre, frissons, maux de gorge, ulcérations buccales (diminution du nombre des globules blancs dans le sang);
– perte des cheveux (alopécie).
Note : médicament réservé aux hôpitaux; conditions de délivrance particulières.

ROFLUAL® (Roche)

Introd. en 1987. Liste I. Non remb. SS.
PRINCIPE ACTIF : *Rimantadine*.
Préparations : comprimés à 100 mg; solution buvable à 50 mg par cuillerée mesure.
Emploi : médicament de la famille des antiviraux proposé pour la prévention de la grippe A avant l'apparition des symptômes chez les sujets à haut risque (collectivités, sujets âgés, insuffisants cardiaques, etc.) lorsque la vaccination antigrippale est impossible ou tardive; la protection cesse dès que l'on arrête le médicament; pour cette raison, l'amantadine ne peut remplacer le vaccin antigrippal dont les effets se prolongent pendant des mois après la vaccination.
Allergie : informez votre médecin si vous avez déjà fait une réaction allergique ou inhabituelle à ce médicament ou à l'amantadine.
Etat de santé : vous devez informer votre médecin de toute affection susceptible de modifier les effets du médicament, notamment :
– maladie rénale (l'insuffisance rénale nécessite la réduction des doses);
– épilepsie ou antécédents de convulsions (risque d'aggravation).
Grossesse : ce médicament ne doit pas être utilisé chez la femme enceinte ou susceptible de l'être; en effet, il a causé des effets toxiques sur le fœtus au cours de l'expérimentation animale; si vous devenez enceinte au cours du traitement, consultez votre médecin.
Allaitement : l'utilisation est déconseillée (passe dans le lait maternel).
Enfants : ce médicament n'est pas utilisé chez l'enfant âgé de moins de 1 an.
Sujets âgés : ils sont particulièrement sensibles à la rimantadine chez lesquels les effets indésirables sont fréquents.
Interactions : il faut informer votre médecin si vous prenez ou avez pris récemment d'autres médicaments.
– stimulants, anorexigènes ou «coupe-faim» (association à éviter);
– atropiniques, notamment antispasmodiques (majoration des effets atropiniques).
Prescription : ne dépassez pas la dose prescrite par votre médecin; des doses trop élevées ou des prises trop fréquentes augmentent le risque d'effets indésirables.
Prise du médicament : on conseille de prendre le médicament avant 17 heures pour éviter des insomnies.
Conduite de véhicules : les conducteurs de véhicules et les utilisateurs de machines doivent être informés de la possibilité de vertiges, de troubles de la vue et de ralentissement des réflexes dus au médicament.
Alcool : à éviter pendant le traitement.
Effets indésirables possibles :
– vertiges, maux de tête, irritabilité, insomnie, difficulté à se concentrer, cauchemars;
– perte de l'appétit, nausées, vomissements, diarrhées;
– sécheresse de la bouche, troubles de la vue;
– tendance à l'évanouissement, surtout lorsque vous vous levez brusquement (tension trop basse);
– dépression, anxiété, confusion, surtout chez les sujets âgés;
– hallucination; convulsions;
– troubles de la parole et de l'équilibre;
– difficulté à uriner;
– éruptions cutanées, marbrures de la peau;
– chevilles enflées (œdèmes).
Note : prescrit sur ordonnance médicale.

ROHYPNOL® (Roche)

Introd. en 1978. Liste I. Remb. SS 70%.
La durée de prescription ne peut dépasser 4 semaines.
PRINCIPE ACTIF : *Flunitrazépam*.
Préparations : comprimés à 1 mg ou à 2 mg.
Emploi : somnifère appartenant au groupe très nombreux des benzodiazépines; le flunitrazépam est proposé par voie buccale pour une brève période dans les insomnies occasionnelles ou transitoires (tous les troubles du sommeil ne nécessitent pas un traitement médicamenteux); il ne doit pas être utilisé pour traiter l'insomnie chronique.
Pour les détails → p. 94.
Note : prescrit sur ordonnance médicale.

ROMARÈNE® (Beaufour).

Introd. en 1961. Non remb. SS.
PRINCIPES ACTIFS : granulé contenant des extraits de romarin, taraxacum, combretum, eucalyptus, tartrate de potassium et de sodium, citrate de sodium.

Emploi : proposé pour stimuler la sécrétion de la bile dans les troubles de la digestion (dyspepsies) et dans la constipation.

Précautions : ne pas employer en cas de maladie cœliaque par intolérance au gluten ou d'obstruction des voies biliaires; consultez votre médecin en cas de douleurs ou crampes abdominales d'origine indéterminée, de selles noires, d'amaigrissement, d'urines foncées, de douleurs de la région du foie, de jaunisse.

Note : vendu sans ordonnance; ne pas utiliser pendant plus de 5 jours sans avis médical.

ROMARINEX-CHOLINE®
(Monal)

Introd. en 1957. Remb. SS 40%.

PRINCIPES ACTIFS : solution buvable contenant des extraits de romarin, boldo, artichaut, pissenlit, combretum et citrate de choline.

Emploi : proposé pour stimuler la sécrétion de la bile dans les troubles de la digestion et dans la constipation.

Précautions : ne pas employer en cas de maladie cœliaque par intolérance au gluten ou d'obstruction des voies biliaires; consultez votre médecin en cas de douleurs ou crampes abdominales d'origine indéterminée, de selles noires, d'amaigrissement, d'urines foncées, de douleurs de la région du foie, de jaunisse.

Note : vendu sans ordonnance; ne pas utiliser pendant plus de 5 jours sans avis médical.

ROMILAR® (Nicholas)

PRINCIPE ACTIF : *Dextrométhorphane.*

Préparations : comprimés à 15 mg et sirop.

Emploi : dérivé de la morphine, agissant sur le système nerveux central, utilisé pour calmer la toux irritative, sèche. Le dextrométhorphane a une action sédative modérée; l'apparition d'une dépendance est exceptionnelle, mais l'abus est possible chez des sujets déjà toxicomanes.

Précautions : ne pas employer en cas de toux grasse, d'insuffisance respiratoire ou d'asthme, de grossesse ou allaitement. Consultez votre médecin si la toux persiste, en cas de crachats sanglants, de fièvre, d'amaigrisse-

ment, d'éruption, de troubles de la vue, de difficulté à uriner.

Sportifs : l'attention des sportifs est attirée sur le fait que les tests antidopage peuvent être positifs après usage du médicament.

Enfants : ne doit pas être utilisé chez les enfants âgés de moins de 15 ans.

Intoxication : hospitalisation d'urgence en cas de prise massive.

Pour les détails → p. 59.

Note : vendu sans ordonnance; efficacité généralement reconnue dans l'emploi proposé; ne pas utiliser chez l'enfant sans avis médical.

R.O.R. VACCIN → Vaccin R.O.R.

ROUVAX® → Vaccin antirougeoleux.

ROVAMYCINE® (Specia)

Introd. en 1972. Liste I. Remb. SS 70%.

PRINCIPE ACTIF : *Spiramycine.*

Préparations : comprimés à 1,5 millions UI et 3 millions UI; sirop à 375.000 UI par cuillerée mesure; poudre pour solution injectable en flacons à 1,5 millions UI.

Emploi : antibiotique du groupe des macrolides utilisé par voie buccale ou en injections pour traiter les infections dues à des bactéries (inefficace dans les infections à virus); la spiramycine peut remplacer la pénicilline ou les tétracyclines chez les sujets allergiques à ces médicaments.

Pour les détails → p. 415.

Note : prescrit sur ordonnance médicale.

ROVIGON® (Nicholas)

PRINCIPES ACTIFS : comprimés à croquer contenant de la vitamine A et vitamine E.

Emploi : proposé dans la fatigue.

Précautions : consultez votre médecin si la fatigue persiste.

Effets indésirables possibles : l'utilisation prolongée ou répétée peut provoquer une hypervitaminose A (pour les détails → Vitamine A).

Note : vendu sans ordonnance; efficacité du principe actif à confirmer dans l'emploi proposé.

ROZEX® (Lederle)

Introd. en 1991. Liste I. Remb. SS 70%.

PRINCIPE ACTIF : gel contenant 0,75% de métronidazole pour application locale.

Emploi : proposé dans le traitement local de la couperose ou acné rosacée (rougeur du visage et/ou nez tuméfié).

Précautions : ne pas employer chez l'enfant, pendant la grossesse ou l'allaitement et en cas d'allergie aux dérivés imidazolés.

Note : prescrit sur ordonnance médicale.

RU 486 → Mifégyne®.

RUBIDAZONE® (R. Bellon)

Introd. en 1981. Liste I.

PRINCIPE ACTIF : *Zorubicine.*

Préparations : flacons à 50 mg.

Emploi : médicament appartenant au groupe des anthracyclines utilisés pour traiter les proliférations cellulaires anormales et d'autres affections ; ces médicaments agissent non seulement sur les cellules anormales, mais aussi sur les cellules normales, ce qui entraîne des effets indésirables qui se manifestent parfois longtemps après l'arrêt du traitement ; deux ou plusieurs médicaments peuvent être utilisés en même temps selon des protocoles qui varient selon le type de la tumeur et le stade d'évolution. La zorubicine est utilisée en injections pour traiter les leucémies aiguës et d'autres affections déterminées par votre médecin.

Note : réservé aux hôpitaux.

RUBOZINC® (Labcatal)

Introd. en 1988. Remb. SS 70%.

PRINCIPE ACTIF : gélules contenant du gluconate de zinc.

Emploi : proposé dans l'acné macrokystique ou nodulaire et dans l'acrodermatite entéropathique dont le diagnostic ne peut être posé que par votre médecin.

Note : vendu sans ordonnance ; efficacité du principe actif à confirmer dans l'emploi proposé.

RUDI-ROUVAX® (Mérieux).

Introd. en 1983. Remb. SS 70%.

Vaccin associé contre la rubéole et la rougeole.

RUDISTROL® (Boiron)

Préparation homéopathique (pommade) proposée dans les douleurs des articulations et des muscles (baume antirhumatismal).

RUDIVAX® → Vaccin antirubéoleux.

RUFOL® (Debat)

Introd. en 1949. Non remb. SS.

PRINCIPE ACTIF : *Sulfaméthizol.*

Préparations : comprimés à 100 mg.

Emploi : sulfamide antibactérien éliminé rapidement dans les urines utilisé dans le traitement des infections non compliquées des voies urinaires basses à germes sensibles, principalement chez la femme, en traitement de 3 à 4 jours ; les principes actifs plus efficaces sont actuellement disponibles.

Pour les détails → p. 649.

Note : vendu sans ordonnance ; à éviter en automédication (une infection urinaire ne peut être diagnostiquée que par votre médecin).

RULID® (Roussel)

Introd. en 1987. Liste I. Remb. SS 70%.

PRINCIPE ACTIF : *Roxithromycine.*

Préparations : comprimés à 150 mg.

Emploi : antibiotique du groupe des macrolides, dérivé de l'érythromycine, utilisé par voie buccale ou en injections pour traiter les infections dues à des bactéries.

Pour les détails → p. 415.

Note : prescrit sur ordonnance médicale.

RUMAFLUOR® (Zyma)

Introd. en 1985. Remb. SS 70%.

PRINCIPE ACTIF : *Fluorure de sodium.*

Préparations : comprimés contenant 22,1 mg de fluorure de sodium (teneur en fluor : 10 mg).

Emploi : le fluorure de sodium à doses élevées est utilisé sous surveillance médicale pour traiter l'ostéoporose grave, uniquement en cas de tassement vertébral; ce traitement doit être associé à une prise quotidienne de 1-2 g de calcium élément (pour éviter une déminéralisation osseuse ou ostéomalacie). Le calcium doit être ingéré à distance de la prise de fluor. L'association de vitamine D peut être nécessaire en cas de malabsorption calcique, mais demande une surveillance de la calcémie et de la calciurie.

Pour les détails → Fluorure de sodium à doses élevées.

Note : vendu sans ordonnance; à éviter en automédication.

RUMALON® (Robapharm)

Introd. en 1962. Remb. SS 40%.

PRINCIPES ACTIFS : solution injectable contenant des extraits de cartilage et de moelle osseuse.

Emploi : proposé dans le traitement de fond des arthroses.

Effets indésirables possibles : l'injection peut s'accompagner de réactions allergiques.

Note : vendu sans ordonnance; efficacité des principes actifs à confirmer dans l'emploi proposé.

RUMICINE® (Schering-Plough)

Introd. en 1982. Non remb. SS.

PRINCIPES ACTIFS: comprimés contenant
– acide acétylsalicylique (aspirine) : analgésique et antipyrétique;
– chlorphénamine : antihistaminique, sédatif et atropinique;
– caféine : stimulant central.

Emploi : proposé pour atténuer la douleur modérée *(analgésique)* et pour faire tomber la fièvre *(antipyrétique)* dans le rhume et la grippe.

Durée du traitement : consultez votre médecin si les douleurs persistent après 5 jours ou si la fièvre ou le mal de gorge ne régressent pas au bout de 3 jours.

Précautions : ce médicament ne doit pas être utilisé en cas d'allergie à l'aspirine, d'ulcère gastro-duodénal évolutif, de maladie hémorragique ou traitement anticoagulant, d'insuffisance respiratoire, de glaucome à angle fermé, d'hypertrophie de la prostate, de grossesse et chez l'enfant âgé de moins de 4 ans.

Alcool : à éviter pendant le traitement.

Conduite de véhicules : ce médicament peut diminuer la vigilance; la conduite de véhicules ou l'utilisation de machines peut être dangereuse.

Effets indésirables possibles : somnolence, nausées, vomissements, douleurs gastriques, bourdonnements d'oreille, baisse de l'audition, maux de tête, confusion, constipation; consultez votre médecin en cas de douleurs abdominales, de vomissements sanglants, de selles noires, de crise d'asthme, de prurit, d'urticaire ou de jaunisse.

Note : vendu sans ordonnance; l'efficacité de l'aspirine est généralement reconnue, mais les autres composants ont peu d'intérêt dans l'emploi proposé.

RUPTON® (Dexo)

Introd. en 1972. Non remb. SS.

PRINCIPES ACTIFS : gélules à libération prolongée *(Chronules®)* contenant :
– bromphéniramine : antihistaminique, sédatif et atropinique;
– phénylpropanolamine : sympathomimétique vasoconstricteur.

Emploi : médicament antirhume proposé dans l'obstruction et l'hypersécrétion nasales.

Précautions : ne pas utiliser chez les enfants âgés de moins de 12 ans, en cas de glaucome par fermeture de l'angle, d'adénome de la prostate, de fonctionnement excessif de la glande thyroïde (hyperthyroïdie), d'insuffisance hépatique, de grossesse, d'allaitement ou d'association avec les antidépresseurs IMAO.

Alcool : à éviter pendant le traitement (majoration de l'effet sédatif).

Conduite de véhicules : la conduite de véhicules ou l'utilisation de machines peut être dangereuse en raison de la diminution de la vigilance.

Sportifs : ce médicament peut donner une réaction positive en cas de tests pratiqués lors des contrôles antidopage.

Effets indésirables possibles :
– bromphéniramine : somnolence, sécheresse de la bouche, du nez et de la gorge, vision trouble, accélération du pouls, palpitations, bouffées de chaleur, nausées, difficulté à uriner (chez les prostatiques), confusion mentale ou agitation (chez les sujets âgés), constipation.

– phénylpropanolamine : palpitations, accélération ou irrégularité du pouls, maux de tête, étourdissements, nervosité, transpirations, tremblements, insomnie.

Note : vendu sans ordonnance; ne pas utiliser sans avis médical à cause des effets indésirables possibles.

RUTOVINCINE® (Synthélabo)

Introd. en 1978. Liste II. Remb. SS 40%.
PRINCIPES ACTIFS: comprimés contenant de l'acide ascorbique (vitamine C), troxérutine et fraction vincique.
Emploi : proposé dans les troubles liés à la sénescence cérébrale, séquelles d'accidents vasculaires cérébraux et troubles sensoriels d'origine vasculaire; l'efficacité dans ces affections reste à confirmer.

Note : prescrit sur ordonnance médicale.

RYTHMODAN® (Roussel)

Introd. en 1969. Liste I. Remb. SS 70%.
PRINCIPE ACTIF : *Disopyramide*.
Préparations: gélules à 100 mg; compr. à libération prolongée à 250 mg (*Rythmodan® LP*); ampoules injectables à 50 mg dans 5 ml.
Emploi : médicament utilisé pour régulariser le rythme du cœur, en particulier pour le ralentir lorsqu'il est rapide (tachycardies paroxystiques), ce qui améliore la circulation; le disopyramide diminue la force des contractions cardiaques et par conséquent peut aggraver l'insuffisance cardiaque (faiblesse du cœur).
Précautions : ne pas employer en cas d'allergie au produit, de pouls très lent (bloc auriculo-ventriculaire non appareillé), de grossesse et allaitement (innocuité non établie); utilisation prudente en cas de glaucome par fermeture de l'angle, de difficulté à uriner, de myasthénie (risque d'aggravation de la faiblesse musculaire).
Interactions : il faut informer votre médecin si vous prenez ou avez pris récemment d'autres médicaments, notamment amiodarone, autres antiarythmiques, bépridil, sotalol, lidoflazine, prénylamine, vincamine (risque accru de troubles graves du rythme appelés «torsades de pointe»).
Prise du médicament : on conseille de prendre le médicament tous les jours,

à des intervalles réguliers, toujours à la même heure; les gélules à libération prolongée doivent être avalées telles quelles.
Alcool : à éviter pendant le traitement.
Conduite de véhicules : assurez vous que le médicament n'entraîne ni vertiges, ni troubles de la vue avant de conduire des véhicules ou d'utiliser des machines.
Arrêt du traitement : n'arrêtez pas le traitement sans consulter votre médecin (risque d'aggravation des troubles du rythme).
Effets indésirables possibles :
– difficulté à uriner, troubles de la vue, perception double des objets (diplopie), sécheresse de la bouche (soif), constipation, jaunisse;
– ce médicament peut provoquer une hypoglycémie, aggraver une insuffisance cardiaque (faiblesse du cœur) préexistante et causer des troubles graves du rythme cardiaque (diagnostic confirmé par l'électrocardiogramme);
– éruption cutanées (réaction allergique : arrêtez immédiatement le traitement).

Note : prescrit sur ordonnance médicale.

RYTHMOL® (Knoll)

Introd. en 1984. Liste I. Remb. SS 70%.
PRINCIPE ACTIF : *Propafénone*.
Préparations : comprimés à 300 mg.
Emploi : médicament appartenant au groupe des antiarythmiques qui sont utilisés pour régulariser et ralentir le rythme cardiaque notamment dans les crises de tachycardie (battements trop rapides); étant donné qu'il peut provoquer des problèmes cardiaques, ce médicament n'est utilisé que dans les troubles du rythme d'une certaine gravité; le traitement devrait commencer en milieu hospitalier et être supervisé par un spécialiste.
Durée d'action : environ 8 heures.
Surveillance : des contrôles réguliers et fréquents sont nécessaires pour moduler les doses en fonction des effets du traitement et d'effets indésirables éventuels.
Conduite de véhicules : chez certains sujets, ce médicament provoque des vertiges ou diminue la vigilance; la conduite de véhicules ou l'utilisation de machines peut être dangereuse dans ce cas.

Arrêt du traitement: n'arrêtez pas brusquement le traitement sans consulter votre médecin.

Intoxication : possibilité de troubles graves du rythme cardiaque et de convulsions qui demandent une hospitalisation d'urgence.

Note : prescrit sur ordonnance médicale.

S

SABRIL® (Marion Merrell Dow)

Introd. en 1991. Liste I.

PRINCIPE ACTIF : *Vigabatrine.*

Préparations : comprimés à 500 mg.

Emploi : utilisé dans les épilepsies rebelles aux autres traitements, en particulier les épilepsies partielles, en complément du traitement antérieur.

Précautions : ne pas employer en cas d'allergie au produit; les affections suivantes peuvent modifier l'action du médicament :
– maladie des reins;
– troubles de las vision des couleurs;
– maladies mentales antérieures.

Grossesse : ce médicament ne doit pas être utilisé chez la femme enceinte ou susceptible de l'être; en effet, il a causé des malformations du fœtus au cours de l'expérimentation animale.

Allaitement : utilisation déconseillée (passe dans le lait maternel).

Sujets âgés : risque accru d'effets indésirables, doses réduites.

Interactions : il faut informer votre médecin si vous prenez ou avez pris récemment d'autres médicaments, notamment de la phénytoïne (diminution du taux plasmatique de la phénytoïne).

Prescription : ne dépassez pas la dose prescrite par votre médecin; des doses trop élevées ou des prises trop fréquentes augmentent le risque d'effets indésirables.

Alcool : à éviter pendant le traitement.

Conduite de véhicules : chez certains sujets, ce médicament peut provoquer une somnolence ou des vertiges : la conduite de véhicules ou l'utilisation de machines peut être dangereuse.

Arrêt du traitement : n'arrêtez jamais le traitement sans consulter votre médecin; en effet, l'arrêt brusque du traitement peut déclencher des crises graves (phénomène de «rebond»).

Effets indésirables possibles :
– somnolence diurne, fatigue, vertiges, nausées, vomissements;
– agressivité, insomnie;
– négligence, confusion mentale;
– troubles de la vue, perception double des objets (diplopie);
– troubles de la mémoire;
– prise de poids.

Note : réservé aux hôpitaux.

S-ACIDE® (Pharmascience)

Introd. en 1960. Remb. SS 70%.

Composition : solution pour application locale contenant un détergent anionique.

Emploi : antiseptique de la peau.

SACNEL® (Urpac)

Introd. en 1943. Non remb. SS.

PRINCIPES ACTIFS : lotion contenant du soufre, de l'acide dithiosalicylique, oxydes de zinc et de titane; crème contenant du soufre, acide dithiosalicylique, linoléate d'éthyle, menthol, hamamélis, cholestérol.

Emploi : proposé dans l'acné vulgaire.

Note : vendu sans ordonnance; des principes actifs plus efficaces sont actuellement disponibles pour traiter l'acné.

SACOLÈNE® (Searle)

Introd. en 1979. Non remb. SS.

PRINCIPES ACTIFS : granulé contenant des lactoprotéines méthyléniques; il existe une forme pour enfant.

Emploi : proposé dans les diarrhées présumées non organiques.

Précautions : ne pas employer en cas de douleurs ou de crampes abdominales d'origine indéterminée, de selles noires, d'amaigrissement, de jaunisse; consultez votre médecin si des glaires et du sang apparaissent dans les selles; dans les diarrhées d'origine infectieuse dues à des bactéries ou à des protozoaires, des traitements spécifiques sont parfois indispensables; surtout chez l'enfant, la déshydratation qui accompagne toute diarrhée aiguë demande avant tout une réhydratation par voie orale ou par injection dans les cas graves.

Note : vendu sans ordonnance; des principes actifs plus efficaces sont actuellement disponibles.

SAIZEN® (Serono)

Introd. en 1989. Liste I.
PRINCIPE ACTIF : *Somatropine* .
SYNONYMES : somatotrophine, somatotropine, hormone somatotrope, Human Growth Hormone, GH, hGH, HGH; Recombinant Human Growth Hormone, R-hGH.
Préparations : poudre pour solution injectable en flacons à 4 UI ou 10 UI.
Emploi : la somatropine est une substance obtenue par biotechnologie dont la structure est identique à celle de l'*hormone humaine de croissance* sécrétée par l'hypophyse pour stimuler la croissance normale de l'enfant.
Ce médicament est utilisé en injections régulières chez l'enfant de petite taille en cas de carence en hormone de croissance (nanisme hypophysaire); le traitement est d'autant plus efficace qu'il est commencé plus tôt et est poursuivi jusqu'à ce que l'enfant ait atteint une taille satisfaisante ou que la période de croissance soit terminée (fermeture des cartilages de croissance); l'hormone de croissance est aussi utilisée en cas de petite taille due au syndrome de Turner (une affection congénitale rare qui touche les enfants de sexe féminin).
Pour les détails → Hormone de croissance.
Note : *conditions particulières de délivrance.*

SALAZOPYRINE®
(Kabi Pharmacia)

Introd. en 1958. Liste I. Remb. SS 70%.
PRINCIPE ACTIF : *Sulfasalazine*.
SYNONYME : salazosulfapyridine.
Préparations : comprimés à 500 mg; suspension rectale (lavement) en flacons à 3 g.
Emploi : sulfamide combiné à un dérivé de l'acide salicylique utilisé par voie orale et rectale pour traiter des maladies inflammatoires de l'intestin, notamment dans la :
– rectocolite hémorragique ou colite ulcéreuse qui atteint le gros intestin;
– maladie de Crohn ou iléite terminale qui atteint l'intestin grêle.
Avant le début du traitement, le diagnostic doit être confirmé par la rectoscopie et la sigmoïdoscopie.
La sulfasalazine a été proposée dans le traitement de fond de la poly-arthrite rhumatoïde ne répondant pas aux autres anti-inflammatoires non stéroïdiens.
L'effet ne se manifeste qu'après 6 à 10 semaines de traitement.
Allergie : informez votre médecin si vous avez déjà fait une réaction allergique ou inhabituelle à un sulfamide ou à un salicylé, p. ex. à l'aspirine.
État de santé : vous devez informer votre médecin de toute affection susceptible de modifier les effets du médicament, notamment :
– anémie ou autres maladies du sang;
– maladies du foie ou des reins;
– porphyrie intermittente aiguë;
– obstruction intestinale ou des voies urinaires;
– pancréatite ou antécédents de pancréatite;
– déficit en glucose-6-phosphate déshydrogénase ou G6PD (chez les sujets atteints de cette anomalie congénitale rare, ce médicament peut provoquer une anémie hémolytique).
Grossesse : ce médicament ne doit pas être utilisé chez la femme enceinte ou susceptible de l'être; en effet, il a causé des malformations du fœtus au cours de l'expérimentation animale.
Allaitement : utilisation déconseillée (passe dans le lait maternel).
Stérilité masculine : les hommes désirant procréer devront arrêter d'utiliser ce médicament car il peut provoquer une diminution de la quantité de sperme (oligospermie), lentement réversible à l'arrêt du traitement.
Enfants : ne pas employer avant l'âge de 2 ans.
Sujets âgés : l'élimination du médicament peut être diminuée, ce qui demande une réduction des doses.
Interactions : il faut informer votre médecin si vous avez pris récemment d'autres médicaments, en particulier glucosides cardiotoniques (digitaliques), acide folique, anticoagulants oraux, antidiabétiques oraux, phénytoïne, phénylbutazone, méthotrexate, antidiarrhéiques opiacés.
Prescription : ne dépassez pas la dose prescrite par votre médecin; des doses trop élevées ou des prises trop fréquentes augmentent le risque d'effets indésirables.
Prise du médicament : les comprimés doivent être avalés avec un peu d'eau au cours des repas.

Oubli : si vous oubliez de prendre le médicament et si vous le remarquez dans les 2 heures qui suivent, prenez immédiatement la dose oubliée ; ne doublez pas la dose suivante ; si vous oubliez le médicament plusieurs jours, prenez contact avec votre médecin.

Boissons : votre médecin peut vous conseiller de boire abondamment pendant le traitement pour éviter des effets indésirables rénaux.

Régime : le traitement prolongé peut diminuer l'absorption de certaines vitamines ; on conseille un régime riche en légumes verts.

Surveillance : consultez votre médecin à intervalles réguliers pour évaluer les effets du traitement ; en cas de traitement prolongé (en cas de polyarthrite rhumatoïde), des contrôles réguliers de la formule sanguine et de la fonction hépatique sont nécessaires.

Exposition au soleil : ce médicament peut rendre votre peau très sensible aux rayons solaires et ultraviolets (photosensibilisation) ; dans ce cas, vous devez éviter l'exposition directe au soleil et porter des vêtements qui couvrent les bras et les jambes, un chapeau et des lunettes de soleil.

Voie rectale : un lavement chaque soir pendant une semaine ; les lavements sont administrés avant le coucher.

Effets indésirables possibles :
– nausées, vomissements, diarrhée ;
– vertiges, maux de tête persistants, bourdonnements d'oreille ;
– douleurs articulaires et musculaires ;
– présence de cristaux et de sang dans les urines (hématurie) ;
– fièvre, urticaire, éruption cutanée (réaction allergique : arrêtez immédiatement le traitement) ;
– visage enflé, œdème des lèvres, de la langue ou de la gorge avec voix rauque, difficulté à avaler et à respirer (œdème de Quincke) ;
– faiblesse, pâleur (anémie hémolytique) ;
– jaunisse ;
– saignement au moindre traumatisme, présence de sang dans les urines ou les selles, coloration noire des selles, apparition de petites taches rouges sur la peau (diminution du nombre des plaquettes dans le sang) ;
– fièvre, frissons, maux de gorge et ulcérations buccales (diminution du nombre des globules blancs dans le sang) ;

– toux, douleurs au thorax, difficulté à respirer ;
– coloration possible des urines en jaune ou en brun (sans signification).
Note : prescrit sur ordonnance médicale.

SALBUMOL® (Glaxo)

Introd. en 1988. Liste I. Remb. SS 70 %.
PRINCIPE ACTIF : **Salbutamol.**
SYNONYME : albutérol.
Préparations : comprimés à 2 mg ; ampoules injectables à 0,5 mg dans 1 ml ou à 5 mg dans 5 ml (*Salbumol® Fort*) ; suppositoires à 1 mg.
Emploi : médicament appartenant au groupe des bêtamimétiques qui stimulent les récepteurs bêta-2 adrénergiques des muscles de l'utérus (action utérorelaxante). Les bêtamimétiques ou bêtastimulants font partie des sympathomimétiques ou stimulants du système sympathique.
Le salbutamol est utilisé par voie orale, en injection ou en perfusion (à l'hôpital) en cas de menace d'accouchement prématuré.
Pour les détails → p. 717.
Note : prescrit sur ordonnance médicale.

SALGYDAL® à la noramidopyrine (Doms-Adrian)

Introd. en 1982. Liste I. Remb. SS 70 %.
PRINCIPES ACTIFS : comprimés et suppositoires contenant :
– métamizole sodique (noramidopyrine) : analgésique pyrazolé à action périphérique et antipyrétique à utiliser avec une extrême prudence en raison de sa toxicité potentielle ;
– paracétamol : analgésique et antipyrétique ;
– codéine : analgésique opiacé ;
Emploi : en raison de sa toxicité, ce médicament est réservé aux douleurs aiguës intenses et rebelles aux autres analgésiques.
Mise en garde : *l'apparition de fièvre, d'angine ou d'ulcérations buccales et l'augmentation de volume des ganglions lymphatique du cou* peuvent être dues à une diminution du nombre des globules blancs dans le sang (agranulocytose) ; ces manifestations imposent l'arrêt du traitement et une numération globulaire d'urgence ; consultez votre médecin.
Note : prescrit sur ordonnance médicale.

SALICAIRINE® (Monal)

Introd. en 1951. Remb. SS 70%.

PRINCIPE ACTIF: solution buvable contenant un extrait de salicaire.

Emploi : proposé dans les diarrhées.

Précautions : ne pas employer en cas de douleurs ou de crampes abdominales d'origine indéterminée, de selles noires, d'amaigrissement, de jaunisse; consultez votre médecin si des glaires et du sang apparaissent dans les selles; dans les diarrhées d'origine infectieuse, des traitements spécifiques sont parfois indispensables; en outre, surtout chez l'enfant, la déshydratation qui accompagne toute diarrhée aiguë demande avant tout une réhydratation par voie orale ou par injection dans les cas graves.

Note : *vendu sans ordonnance; des principes actifs plus efficaces sont actuellement disponibles.*

SALIPRAN® (Corbière)

Introd. en 1985. Remb. SS 70%.

PRINCIPE ACTIF : **Bénorilate**.

Préparations : sachets de poudre orale contenant 2 g.

Emploi : le bénorilate est une combinaison de l'aspirine et du paracétamol; il est proposé pour atténuer la douleur modérée *(analgésique)* et pour faire tomber la fièvre *(antipyrétique)*; à dose élevée, il diminue les douleurs rhumatismales ainsi que la raideur et la tuméfaction des articulations *(anti-inflammatoire)*. En cas d'automédication, lisez les informations annexes au produit et consultez votre médecin si les douleurs ou la fièvre persistent après 3 jours.

Pour les détails → Aspirine et Paracétamol.

Note : *vendu sans ordonnance; l'efficacité de l'aspirine et celle du paracétamol sont généralement reconnues, mais leur association a peu d'intérêt.*

SANDIMMUN® (Sandoz)

Introd. en 1984. Liste I.

PRINCIPE ACTIF : **Ciclosporine**.

SYNONYME : cyclosporine A.

Préparations : capsules à 25 mg, 50 mg ou 100 mg; solution buvable 100 mg par ml; ampoules injectables à 50 mg dans 1 ml et 250 mg dans 5 ml.

Emploi : médicament appartenant au groupe des immunodépresseurs qui diminuent les défenses naturelles de l'organisme contre les infections et les réactions contre les cellules étrangères; le traitement par la ciclosporine est instauré et suivi en service spécialisé dans les affections suivantes

– transplantation d'organes et greffes de moelle osseuse pour prévenir ou traiter le rejet du greffon;

– psoriasis grave en cas d'échec des autres traitements;

– certains syndromes néphrotiques pour réduire les doses ou remplacer les corticoïdes;

– dans d'autres affections déterminées par votre médecin.

La ciclosporine peut provoquer des lésions des reins et du foie; elle augmente la susceptibilité aux infections.

Allergie : informez votre médecin si vous avez déjà fait une réaction allergique ou inhabituelle à la ciclosporine ou à l'excipient (huile de ricin polyoxyéthylénée ou crémophor).

Etat de santé : vous devez informer votre médecin de toute affection susceptible de modifier les effets du médicament, notamment :

– maladie des reins;

– maladie infectieuse récente, en particulier varicelle, zona (risque d'extension);

– vaccinations par des vaccins à virus vivants atténués (risque d'infection grave).

Grossesse : ce médicament ne doit pas être utilisé chez la femme enceinte ou susceptible de l'être; en effet, il a causé des malformations du fœtus au cours de l'expérimentation animale; signalez à votre médecin tout signe de grossesse apparaissant pendant le traitement.

Allaitement : utilisation déconseillée (passe dans le lait maternel).

Interactions : il faut informer votre médecin si vous prenez ou avez pris récemment d'autres médicaments, notamment :

– érythromycine, kétoconazole, josamycine, corticoïdes, estrogènes et progestatifs, inhibiteurs calciques, cimétidine, diurétiques thiazidiques (augmentation des taux sanguins de ciclosporine);

– aminosides, amphotéricine B, melphalan, triméthoprime (augmentation de la toxicité rénale);

– lovastatine (lésions des muscles);
– globulines antilymphocytaires (risque de pseudolymphomes);
– phénytoïne, isoniazide, rifampicine (diminution des taux sanguins et de l'efficacité de la ciclosporine);
– co-trimoxazole (toxicité rénale).

Prise du médicament : la solution buvable doit être diluée dans une boisson froide (lait, jus de fruit, chocolat), en évitant les récipients en plastique; les capsules doivent être avalées intactes.

Surveillance : les examens de laboratoire périodiques sont indispensables, notamment pour contrôler les taux sanguins de la ciclosporine et les fonctions rénales et hépatiques.

Hygiène buccale : chez certains sujets, en particulier jeunes, la ciclosporine provoque au début du traitement un saignement des gencives enflées (hyperplasie gingivale); votre médecin ou votre dentiste pourront vous indiquer comment nettoyer vos dents.

Arrêt du traitement : ne pas interrompre le traitement sans consulter votre médecin (risque de rejet de la greffe).

Vaccinations : pendant le traitement, ou dans les jours qui suivent l'arrêt de l'administration, vous devez éviter toute vaccination sans avis médical; il faut aussi éviter les contacts avec des personnes qui ont pris un vaccin oral contre la poliomyélite.

Effets indésirables possibles :

– comme le médicament est administré sous surveillance médicale stricte, les effets toxiques sur les reins (insuffisance rénale) et le foie sont détectés par les examens de laboratoire pratiqués périodiquement;

– susceptibilité accrue aux infections : les symptômes d'infection de type grippal, les maux de gorge, le rhume et l'apparition de furoncles doivent être signalés à votre médecin;

– nausées, vomissements, saignement des gencives enflées (hyperplasie gingivale), tremblements fin des mains, visage enflé, hypertension artérielle, augmentation de la pilosité (hypertrichose), sensation de brûlures aux mains et aux pieds;

– traitement prolongé : peut entraîner une insuffisance rénale et une prolifération des cellules lymphatiques (syndromes lymphoprolifératifs).

Note : réservé aux hôpitaux.

SANDOCAL® (Sandoz)

Introd. en 1989. Remb. SS 70%.
PRINCIPES ACTIFS : poudre orale contenant du gluconolactate et carbonate de calcium.
Emploi : proposé dans les carences calciques (→ p. 121).
Note : vendu sans ordonnance; à éviter en automédication (une carence en calcium ne peut être diagnostiquée que par votre médecin).

SANDOSTATINE® (Sandoz)

Introd. en 1989. Liste I.
PRINCIPE ACTIF : *Octréotide* .
Préparations : ampoules injectables à 50 µg, 100 µg et 500 µg dans 1 ml.
Emploi : médicament ayant les mêmes effets qu'une substance naturelle hypothalamique appelée *somatostatine* qui inhibe la sécrétion des hormones pancréatiques, gastro-intestinales et de l'hormone de croissance; il est utilisé en injections pour
– traiter les symptômes dus à certaines tumeurs endocrines digestives (tumeurs carcinoïdes, vipomes, glucagonomes);
– traiter certaines forme d'une maladie due à l'excès d'hormone de croissance appelée «acromégalie».
Effets indésirables possibles : perte de l'appétit, nausées, vomissements, diarrhée, selles molles (stéatorrhée); l'octréotide peut causer des signes d'augmentation ou de diminution du taux de glucose dans le sang (hyperglycémie ou hypoglycémie).
Note : réservé aux hôpitaux.

SANMIGRAN® (Sandoz)

Introd. en 1976. Liste II. Remb. SS 70%.
PRINCIPE ACTIF : *Pizotifène*.
Préparations : comprimés à 0,73 mg.
Propriétés : le pizotifène est un antagoniste de la sérotonine, de l'histamine et de la tryptamine, qui jouent un rôle dans le développement de la migraine; il a en outre la propriété de stimuler l'appétit.
Emploi : utilisé dans le traitement de fond de la migraine, mais n'ayant pas d'effet sur la crise de migraine déclarée; il est aussi utilisé en cas de céphalées d'origine vasculaire et celles liées à la libération d'histamine.

Précautions : ne doit pas être utilisé en cas de glaucome à angle fermé, de risque de rétention urinaire (hypertrophie de la prostate), pendant la grossesse (innocuité non établie) et l'allaitement (par prudence).

Conduite de véhicules : l'attention des conducteurs de véhicules est attirée sur le risque de somnolence.

Effets indésirables possibles : sédation, fatigue, sécheresse de la bouche, vertiges, augmentation de l'appétit, constipation.

Note : prescrit sur ordonnance médicale.

SANOFORMINE®
(Mayoly-Spindler)

Introd. en 1928. Non remb. SS.

PRINCIPES ACTIFS : comprimés pour solution vaginale et pour gargarisme contenant du sulfate de cuivre et fluorure de sodium.

Emploi : antiseptique local.

Note : vendu sans ordonnance; des principes actifs plus efficaces sont actuellement disponibles.

SANTAHERBA® (Lehning)

Introd. en 1948. Non remb. SS.

Préparation homéopathique (solution buvable) proposée dans le traitement de fond de l'asthme.

SANTANE® Tisanes (Iphym)

Introd. en 1976-1982. Non remb. SS.

Gamme de tisanes à base de plantes médicinales.

SAPROL® (Médecine Végétale)

Introd. en 1913. Non remb. SS.

PRINCIPES ACTIFS : comprimés contenant de la méthénamine (acidifiant et antiseptique urinaire), boldo, buchu, busserole, térébenthine, salol.

Emploi : proposé dans les infections urogénitales qui ne peuvent être diagnostiquées que par votre médecin.

Précautions : ne pas employer chez l'enfant de moins de 15 ans, en cas d'insuffisance rénale ou de goutte, de grossesse; ne pas associer des sulfamides ou des alcalinisants.

Note : vendu sans ordonnance; des principes actifs plus efficaces sont actuellement disponibles; à éviter en automédication.

SARGENOR® (Sarget)

Introd. en 1965. Non remb. SS.

PRINCIPE ACTIF : *Arginine.*

Préparations (sous forme d'aspartate) : comprimés à croquer à 1 g; solution buvable en ampoules à 1 g.

Emploi : acide aminé proposé dans la fatigue (ou asthénie fonctionnelle).

Précautions : consultez votre médecin si la fatigue persiste (il peut s'agir d'une dépression ou d'une maladie nécessitant un traitement spécifique).

Note : vendu sans ordonnance; efficacité du principe actif à confirmer dans l'emploi proposé.

SARGÉPIRINE® (Sarget)

Introd. en 1977. Remb. SS 70.

PRINCIPES ACTIFS : comprimés à croquer contenant de l'aspirine ou acide acétylsalicylique (500 mg) et glycocolle (250 mg).

Emploi : l'aspirine est utilisée pour atténuer la douleur modérée (*analgésique*) et pour faire tomber la fièvre (*antipyrétique*), par exemple dans les états grippaux; à dose élevée, elle diminue les douleurs rhumatismales ainsi que la raideur et la tuméfaction des articulations (*anti-inflammatoire*); enfin, à dose faible, elle peut prévenir la formation de caillots sanguins (*antiagrégant plaquettaire*).

Durée du traitement : consultez votre médecin si les douleurs persistent après 5 jours ou si la fièvre ne régresse pas au bout de 3 jours.

Précautions : ce médicament ne doit pas être utilisé en cas d'allergie à l'aspirine, d'asthme, d'ulcère gastroduodénal évolutif, de maladie grave du foie ou des reins, de maladie hémorragique ou de traitement anticoagulant, de grossesse et chez l'enfant de moins de 10 ans sans avis médical, notamment lorsqu'on soupçonne une grippe ou une varicelle.

Effets indésirables possibles : nausées, vomissements, brûlures d'estomac, bourdonnements d'oreille, baisse de l'audition, maux de tête; consultez votre médecin en cas de douleurs abdominales, de vomissements sanglants, de selles noires, de crise d'asthme, de prurit, d'urticaire ou de jaunisse.

intoxication :hospitalisation d'urgence en cas de prise massive accidentelle.
Pour les détails → Aspirine.
Note : *vendu sans ordonnance; l'efficacité de l'aspirine est généralement reconnue, mais le glycocolle a peu d'intérêt dans l'emploi proposé.*

SATIVOL® (Boiron)

Préparation homéopathique (granulés) proposée dans la fatigue (asthénie fonctionnelle).

SAUBACHROME®
(Sterling Midy)

PRINCIPE ACTIF : solution pour application locale contenant de la merbromine.
Emploi : antisepsie de la peau et des plaies superficielles.
Note : *produit vendu sans ordonnance; des antiseptiques efficaces ne contenant pas de mercure sont actuellement disponibles.*

SAVON LIQUIDE RAMET®
(Lab. CS)

Introd. en 1952. Non remb. SS.
PRINCIPE ACTIF : savon liquide contenant de l'huile de cade.
Emploi : proposé dans le traitement externe des dermatoses sèches.
Note : *vendu sans ordonnance; à éviter sans avis médical.*

SCABECID® (Stiefel)

Introd. en 1987. Non remb. SS.
PRINCIPE ACTIF : **Lindane**.
SYNONYMES : hexachlorocyclohexane, hexachlorure de gamma-benzène.
Préparations : crème fluide à 1%.
Emploi : antiparasite externe utilisé en application locale dans le traitement des pédiculoses (poux adultes et lentes de la tête, du corps et du pubis) et le traitement de la gale et autres acarioses (aoûtats, sarcoptes, tiques); traiter tous les membres de la famille simultanément, même en l'absence de signes cliniques; désinfecter les vêtements et la literie; suivez les instructions du fabricant.
Précautions : ne pas utiliser chez les enfants âgés de moins de 2 ans, en cas de grossesse ou d'allaitement; évitez

les applications prolongées (on doit limiter le contact avec la peau à 12 heures pour l'adulte et à 6 heures pour l'enfant) ou répétées; ne pas appliquer sur la peau lésée, les yeux ou les muqueuses.
Effets indésirables possibles : irritation, prurit, rougeur, eczéma (réaction allergique : arrêtez le traitement).
Intoxication : en cas d'ingestion accidentelle ou de résorption à travers la peau (peau lésée, jeune enfant), possibilité d'agitation, vomissements, crampes musculaires et convulsions qui demandent une aide médicale d'urgence; en outre, possibilité d'atteinte hépatique et de la moelle osseuse (diminution du nombre des globules dans le sang).
Conservation : mettre hors de portée des enfants.
Note : *vendu sans ordonnance; efficacité généralement reconnue dans l'emploi proposé.*

SCHOLL® Solution

Non remb. SS.
PRINCIPES ACTIFS : solution contenant du monosulfure de sodium, urée et acétate de potassium.
Emploi : proposé pour traiter les ongles incarnés.
Note : *produit vendu sans ordonnance.*

SCHOUM® (Medgenix)

Introd. en 1908. Non remb. SS.
PRINCIPES ACTIFS : solution buvable contenant de l'alvérine (spasmolytique musculotrope), sorbitol, extraits de fumeterre, bugrane, piscidia.
Emploi : proposé pour faciliter les fonctions d'élimination digestives et rénales.
Précautions : ne pas employer en cas d'obstruction des voies biliaires, de grossesse, d'allaitement; consultez votre médecin en cas de douleurs ou de crampes abdominales d'origine indéterminée, de selles noires, d'amaigrissement, d'urines foncées, de douleurs de la région du foie, de jaunisse.
Effets indésirables possibles: douleurs abdominales, diarrhées.
Note : *vendu sans ordonnance; efficacité des principes actifs à confirmer dans l'emploi proposé.*

SCLÉRÉMO® (Bouteille)

Introd. en 1950. Non remb. SS.
PRINCIPES ACTIFS : solution injectable contenant de l'alun de chrome et glycérol.
Emploi : sclérose des varices.
Note : l'injection doit être pratiquée par un médecin expérimenté.

SCLÉROCALCINE® (Lehning)

Préparation homéopathique (comprimés) proposée dans les troubles de la circulation.

SCLÉRO-DRAINOL® (Boiron)

Préparation homéopathique (solution buvable) proposée dans les troubles de la circulation.

SCOPODERM TTS®
(Ciba-Geigy)

Introd. en 1986. Liste I. Non remb. SS.
PRINCIPE ACTIF : **Hyoscine ou Scopolamine.**
Préparations : dispositif transdermique contenant 1,5 mg d'hyoscine et délivrant 0,5 mg/72 heures.
Propriétés : alcaloïde de la belladone qui diffère de l'atropine par son action sédative sur le système nerveux central.
Emploi : proposé contre le mal de transports; le patch est appliqué derrière l'oreille entre 6 et 12 heures avant le voyage et retiré dès la fin du voyage (l'action d'un système dure 72 heures); ce produit doit être utilisé sous surveillance médicale.
Précautions : ne pas utiliser chez les enfants âgés de moins de 15 ans et en cas de glaucome, d'hypertrophie de la prostate, d'épilepsie; évitez l'absorption d'alcool.
Conduite de véhicules : ce médicament peut diminuer la vigilance et provoquer des troubles visuels; la conduite de véhicules ou l'utilisation de machines peut être dangereuse.
Effets indésirables possibles : somnolence, sécheresse de la bouche, vertiges, troubles visuels manque de concentration, confusion mentale et hallucinations (surtout chez les sujets âgés); ces effets peuvent persister plusieurs jours.
Note : prescrit sur ordonnance médicale.

SCORBO-BÉTAÏNE®
(Fournier)

Introd. en 1964. Remb. SS 40%.
PRINCIPES ACTIFS : solution buvable contenant de l'ascorbate et hydrate de bétaïne.
Emploi : proposé dans les troubles présumés d'origine hépatique.
En cas de diabète : tenir compte de la teneur en sucre du produit.
Note : vendu sans ordonnance; efficacité des principes actifs à confirmer dans l'emploi proposé.

SÉBAKLEN® (Fumouze)

Introd. en 1965. Remb. SS 70%.
PRINCIPE ACTIF : solution pour application locale à 1% de xénysalate.
Emploi : dermites séborrhéiques du cuir chevelu (cheveux gras).
Effets indésirables possibles : cheveux fragiles en cas d'utilisation prolongée, réactions allergiques.
Note : produit vendu sans ordonnance.

SÉCALIP® (Biothérapie)

Introd. en 1991. Liste II. Remb. SS 70%.
PRINCIPE ACTIF : **Fénofibrate.**
Préparations : gélules à 100 mg ou à 300 mg.
Emploi : médicament appartenant au groupe des hypolipidémiants qui sont utilisés pour abaisser les taux du cholestérol et des triglycérides dans le sang (graisses ou lipides sanguins). Le fénofibrate appartient à la famille des fibrates et est utilisé lorsque les taux du cholestérol et des triglycérides dans le sang restent trop élevés malgré un régime adapté, poursuivi correctement pendant 3-6 mois. La poursuite du régime est dans tous les cas indispensable.
Pour les détails → p. 353.
Note : prescrit sur ordonnance médicale.

SECTRAL® (Specia)

Introd. en 1976. Liste I. Remb. SS 70%.
PRINCIPE ACTIF : **Acébutolol.**
Préparations :
– comprimés à 200 mg ou 400 mg;
– comprimés à libération prolongée à 500 mg (*Sectral LP®*);
– solution buvable à 40 mg/ml;
– solution injectable en ampoules à 25 mg/5 ml (réservée à l'hôpital).

Emploi : médicament appartenant au groupe très nombreux des bêta-bloquants utilisé :
– pour abaisser la tension artérielle chez les hypertendus (antihypertenseur);
– pour prévenir les crises d'angine de poitrine (antiangoreux);
– pour régulariser le rythme cardiaque (antiarythmique).
– pour atténuer les palpitations et le tremblement dans l'activité excessive de la glande thyroïde (maladie de Basedow ou hyperthyroïdie).
Il s'agit d'un bêta-bloquant de type «cardiosélectif».
Durée d'action : jusqu'à 24 heures.
Pour les détails → p. 96.
Note : prescrit sur ordonnance médicale.

SÉDACOLLYRE® (Lab. CPF)

Introd. en 1975. Non remb. SS.
PRINCIPES ACTIFS : collyre contenant de la synéphrine (vasoconstricteur), benzododécinium (antiseptique) et berbérine.
Emploi : proposé dans les irritations de la conjonctive et des annexes («yeux rouges»).
Précautions : ne pas employer en cas de glaucome à angle fermé, d'hypertension artérielle et chez l'enfant âgé de moins de 3 ans.
Durée du traitement : ne devrait pas dépasser 5-6 jours.
Sportifs : ce médicament peut donner une réaction positive en cas de tests pour contrôle antidopage.
Conduite de véhicules : ce médicament peut dilater les pupilles (mydriase) et provoquer des troubles visuels; la conduite de véhicules ou l'utilisation de machines peut être dangereuse en cas d'instillation répétées.
Conservation : à utiliser dans les 15 jours après l'ouverture du flacon.
Note : vendu sans ordonnance; à éviter sans avis médical, comme tous les collyres.

SÉDALANDE® (Delalande)

Introd. en 1964. Liste I. Remb. SS 70%.
PRINCIPE ACTIF : **Fluanisone**.
SYNONYME : haloanisone.
Préparations : ampoules injectables à 20 mg dans 4 ml.
Emploi : médicament appartenant au groupe des neuroleptiques dérivés de la butyrophénone utilisé pour traiter les états d'agitation au cours des maladies mentales et pour la préparation à l'anesthésie.
Pour les détails → p. 468.
Note : prescrit sur ordonnance médicale.

SÉDARÈNE® gélules (Wintec)

Introd. en 1985. Remb. SS 70%.
PRINCIPES ACTIFS : gélules contenant :
– paracétamol : analgésique et antipyrétique à action périphérique;
– codéine : analgésique opiacé.
Emploi : proposé pour atténuer la douleur modérée *(analgésique)* et pour faire tomber la fièvre *(antipyrétique)*.
Durée du traitement : consultez votre médecin si les douleurs persistent après 5 jours ou si la fièvre ou le mal de gorge ne régressent pas au bout de 3 jours.
Précautions : ce médicament ne doit pas être utilisé en cas d'insuffisance hépatique, d'insuffisance respiratoire, de grossesse, d'allaitement et chez l'enfant âgé de moins de 15 ans; évitez les boissons alcoolisées, les tranquillisants et les somnifères.
Conduite de véhicules : ce médicament peut diminuer la vigilance; la conduite de véhicules ou l'utilisation de machines peut être dangereuse.
Sportifs : ce médicament peut donner une réaction positive en cas de tests pour contrôle antidopage.
Effets indésirables possibles : somnolence, vertiges, constipation, nausées, respiration sifflante, éruption cutanée, urines orangées, jaunisse.
Note : vendu sans ordonnance; l'efficacité du paracétamol et celle de la codéine sont généralement reconnues dans l'emploi proposé.

SÉDARÈNE® suppositoires
(Wintec Pharma)

Introd. en 1965. Non remb. SS.
PRINCIPES ACTIFS : suppositoires contenant
– paracétamol : analgésique et antipyrétique à action périphérique;
– caféine : stimulant central;
– diéthylsalicylamide.
Emploi : proposé pour atténuer la douleur modérée *(analgésique)* et pour faire tomber la fièvre *(antipyrétique)*.
Durée du traitement : consultez votre médecin si les douleurs persistent

après 5 jours ou si la fièvre ou le mal de gorge ne régressent pas au bout de 3 jours.

Précautions : ce médicament ne doit pas être utilisé en cas d'insuffisance hépatique et chez l'enfant âgé de moins de 30 mois.

Sportifs : ce médicament peut donner une réaction positive en cas de tests pour contrôle antidopage.

Effets indésirables possibles : excitation, insomnie, palpitations, respiration sifflante, éruption cutanée, urines orangées, jaunisse.

Note : vendu sans ordonnance ; l'efficacité du paracétamol est généralement reconnue, mais les autres composants ont peu d'intérêt dans l'emploi proposé.

SÉDARTRYL® (Oberlin)

Introd. en 1957. Non remb. SS.

PRINCIPES ACTIFS : baume contenant de l'acide salicylique, nicotinate de méthyle, camphre, salicylate d'amyle, essences de térébenthine et de moutarde.

Emploi : proposé dans le traitement local des douleurs d'origine musculaire, tendineuse ou ligamentaire.

Précautions : ne pas employer en cas d'allergie à l'aspirine et chez l'enfant de moins de 30 mois ; ne pas appliquer sur les plaies ou muqueuses.

Note : vendu sans ordonnance ; consultez votre médecin si les douleurs persistent.

SÉDASPIR® (Bride)

Introd. en 1938. Non remb. SS.

PRINCIPES ACTIFS : comprimés contenant
- acide acétylsalicylique (ou aspirine) : analgésique à action périphérique et antipyrétique ;
- codéine : analgésique opiacé ;
- caféine : stimulant central.

Emploi : proposé pour atténuer la douleur modérée *(analgésique)* et pour faire tomber la fièvre *(antipyrétique)*.

Durée du traitement : consultez votre médecin si les douleurs persistent après 5 jours ou si la fièvre ou le mal de gorge ne régressent pas au bout de 3 jours.

Précautions : ce médicament ne doit pas être utilisé en cas d'ulcère gastroduodénal évolutif, de maladie hé-

morragique ou de traitement anticoagulant, d'insuffisance respiratoire, de grossesse et chez l'enfant âgé de moins de 6 ans.

Conduite de véhicules : ce médicament peut diminuer la vigilance ; la conduite de véhicules ou l'utilisation de machines peut être dangereuse dans ce cas.

Alcool : évitez les boissons alcoolisées pendant le traitement (majoration de l'effet sédatif).

Sportifs : ce médicament peut donner une réaction positive en cas de tests pour contrôle antidopage.

Effets indésirables possibles :
- liés à la codéine : somnolence, vertiges, constipation ;
- liés à l'aspirine : nausées, vomissements, douleurs gastriques, bourdonnements d'oreille, baisse de l'audition, maux de tête ; consultez votre médecin en cas de douleurs abdominales, de vomissements sanglants, de selles noires, de crise d'asthme, de prurit, d'urticaire ou de jaunisse ;
- liés à la caféine : excitation, insomnie.

Note : vendu sans ordonnance ; l'efficacité de l'aspirine et celle de la codéine sont généralement reconnues, mais la caféine a peu d'intérêt dans l'emploi proposé.

SÉDATIF PC® (Boiron)

Introd. en 1955. Non remb. SS.
Préparation homéopathique (comprimés et suppositoires) a visée sédative et antispasmodique.

SÉDATIF TIBER®
(Médecine Végétale)

Introd. en 1913. Non remb. SS.

PRINCIPES ACTIFS : sirop contenant du bromure de sodium, bromure de potassium, bromure d'ammonium, extraits de bardane, saponaire, pensée sauvage, fumeterre, salsepareille et bourdaine.

Emploi : proposé dans les troubles légers du sommeil, irritabilité, nervosité.

Note : vendu sans ordonnance ; à éviter du fait de la présence de bromures qui ne sont pas recommandés comme sédatifs.

SÉDATONYL® (Lipha Santé)

Introd. en 1938. Liste II. Remb. SS 70%.

PRINCIPES ACTIFS : solution buvable contenant du phénobarbital (barbiturique à action prolongée) et extrait d'aubépine.

Emploi : proposé comme sédatif et somnifère et pour traiter l'éréthisme cardiaque; l'utilisation est limitée du fait de la présence de phénobarbital qui n'est pas recommandé en dehors du traitement de l'épilepsie.

Durée du traitement : ce médicament ne doit être utilisé que pour une brève période (maximum 4 semaines).

Précautions : ne pas employer chez l'enfant et en cas de grossesse, d'allaitement, de porphyries et d'insuffisance respiratoire; l'activité des anticoagulants oraux et des contraceptifs hormonaux peut être réduite.

Alcool : évitez les boissons alcoolisées pendant le traitement (majoration de l'effet sédatif).

Conduite de véhicules : ce médicament peut diminuer la vigilance; la conduite de véhicules ou l'utilisation de machines peut être dangereuse.

Effets indésirables possibles : somnolence, éruptions cutanées, troubles psychiques, notamment confusion mentale chez le sujet âgé.

Note : *prescrit sur ordonnance médicale.*

SÉDIBAÏNE®
(Marion Merrell Dow)

Introd. en 1939. Non remb. SS.

PRINCIPES ACTIFS : comprimés contenant
– phénobarbital : barbiturique à action prolongée;
– belladone : atropinique;
– extraits de valériane, de strophantus, jusquiame, crataegus, ballote.

Emploi : proposé dans le traitement de l'émotivité, nervosité, anxiété, palpitations, insomnie.

Précautions : ne pas employer chez l'enfant et en cas de grossesse, d'allaitement, de glaucome à angle fermé, d'hypertrophie prostatique, de porphyries et d'insuffisance respiratoire; l'activité des anticoagulants oraux et des contraceptifs hormonaux peut être réduite.

Alcool : évitez les boissons alcoolisées pendant le traitement (majoration de l'effet sédatif).

Conduite de véhicules : ce médicament peut diminuer la vigilance; la conduite de véhicules ou l'utilisation de machines peut être dangereuse.

Durée du traitement : ce médicament ne doit être utilisé que pour une brève période (maximum 4 semaines).

Effets indésirables possibles : somnolence, sécheresse de la bouche, du nez et de la gorge, vision trouble, accélération du pouls, palpitations, bouffées de chaleur, nausées, constipation, difficulté à uriner (chez les sujets prostatiques), confusion mentale ou agitation (sujets âgés), éruptions cutanées.

Note : *vendu sans ordonnance; à éviter du fait de la présence de phénobarbital qui n'est pas recommandé en dehors du traitement de l'épilepsie.*

SÉDIGRIPPAL® à la vitamine C (Boehringer Ingelheim)

Introd. en 1978. Non remb. SS.

PRINCIPES ACTIFS : comprimés contenant
– paracétamol : analgésique et antipyrétique à action périphérique;
– caféine : stimulant central;
– ascorbate de calcium : vitamine C;
– aspartate de potassium.

Emploi : proposé pour atténuer la douleur modérée (*analgésique*) et pour faire tomber la fièvre (*antipyrétique*) dans les états grippaux, courbatures fébriles.

Durée du traitement : consultez votre médecin si les douleurs persistent après 5 jours ou si la fièvre ou le mal de gorge ne régressent pas au bout de 3 jours.

Précautions : ce médicament ne doit pas être utilisé pendant la grossesse et l'allaitement, en cas d'insuffisance hépatique ou chez l'enfant âgé de moins de 7 ans.

Sportifs : ce médicament peut donner une réaction positive en cas de tests pratiqués lors des contrôles antidopage.

Effets indésirables possibles : excitation, insomnie, palpitations, respiration sifflante, éruption cutanée, urines orangées, jaunisse.

Note : *vendu sans ordonnance; l'efficacité du paracétamol est généralement reconnue, mais les autres composants ont peu d'intérêt dans l'emploi proposé.*

SÉDOPHON® pectoral
(Pharmadéveloppement)

Introd. en 1980. Non remb. SS.

PRINCIPES ACTIFS : solution buvable contenant de la codéthyline (antitussif opiacé), guaifénésine et teinture d'aconit.

Emploi : proposé pour calmer la toux sèche, gênante.

Précautions : ne pas utiliser en cas de
– asthme, insuffisance respiratoire (la diminution de la toux cause l'accumulation de mucosités dans les voies respiratoires);
– maladie du foie (l'élimination de la codéthyline est diminuée en cas d'insuffisance hépatique);
– ulcère gastroduodénal évolutif;
– grossesse (innocuité non établie), allaitement;
– enfants âgés de moins de 5 ans.

Durée du traitement : si la toux persiste après une semaine, si des crachats sanglants ou des effets indésirables apparaissent, arrêtez le traitement et consultez votre médecin.

Alcool : évitez les boissons alcoolisées pendant le traitement (majoration de l'effet sédatif).

Sujets âgés : risque accru d'effets indésirables; doses réduites de moitié.

Conduite de véhicules : ce médicament peut diminuer la vigilance; la conduite de véhicules ou l'utilisation de machines peut être dangereuse dans ce cas.

Effets indésirables possibles : somnolence diurne, sécheresse de la bouche, confusion, nausées, vomissements, crises d'asthme (bronchospasme), constipation, excitation (surtout chez l'enfant), éruption cutanée (réaction allergique : arrêtez le traitement).

Note : *vendu sans ordonnance; l'efficacité de la codéthyline est généralement reconnue, mais les autres composants ont peu d'intérêt dans l'emploi proposé.*

SÉDORRHOÏDE® (Lipha Santé)

Introd. en 1971. Non remb. SS.

PRINCIPES ACTIFS : crème rectale et suppositoires contenant du dodéclonium, butoforme, benzocaïne, esculoside et énoxolone.

Emploi : proposé dans les poussées hémorroïdaires.

Précautions : arrêtez le traitement et consultez votre médecin en cas d'accentuation des douleurs, d'apparition de sang dans les selles ou de fièvre.

Note : *vendu sans ordonnance.*

SÉDOTHRICINE® (Monot)

PRINCIPES ACTIFS : pommade contenant de la tyrothricine (antibiotique local), résorcine, soufre, oxyde de zinc, benzoate de sodium.

Emploi : infections de la peau.

Effets indésirables possibles : réaction allergique à la tyrothricine.

Note : *vendu sans ordonnance; à éviter en automédication comme tous les antibiotiques locaux.*

SÉGLOR® (Millot-Solac)

Introd. en 1977. Liste II. Remb. SS 70%.

PRINCIPE ACTIF : *Dihydroergotamine.*

Préparations : lyophilisat oral à 5 mg; solution buvable à 2 mg/20 gouttes.

Emploi : traitement de la crise de migraine.

Pour les détails → Dihydroergotamine.

Note : *prescrit sur ordonnance médicale.*

SÉGOLAN® (Wyeth)

Introd. en 1976. Liste II. Remb. SS 40%.

PRINCIPE ACTIF : *Dihydroergotoxine* (dihydroergocornine, dihydroergocristine, dihydroergocryptine A et B).

SYNONYMES : co-dergocrine, codergocrine, ergoloid.

Préparations : solution buvable à 1 mg par ml (=20 gouttes).

Emploi : vasodilatateur périphérique dérivé de l'ergot de seigle proposé dans le traitement des troubles vasculaires cérébraux, notamment du déficit intellectuel lié à la sénescence; l'efficacité des vasodilatateurs périphériques dans ces affections reste à confirmer.

Précautions : ne pas employer en cas d'allergie aux dérivés de l'ergot de seigle, de pouls très lent, de tension artérielle très basse (hypotension), de grossesse ou allaitement, de traitement anticoagulant; ne pas associer d'autres dérivés de l'ergot de seigle.

Effets indésirables possibles : congestion nasale, nausées.

Note : *prescrit sur ordonnance médicale.*

SÉLÉNIUM injectable
(Aguettant)

Introd. en 1986. Liste I. Non remb. SS.
PRINCIPE ACTIF : solution injectable pour perfusion contenant 10 μg/ml de sélénite de sodium.
Emploi : nutrition parentérale.

SÉLÉNIUM Microsol (Herbaxt)
Introd. en 1990. Non remb. SS.
PRINCIPE ACTIF : solution buvable contenant 0,04 mg de sélénium sous forme de sélénite de sodium.
Emploi : proposé dans les affections musculaires et cutanées.
Effets indésirables possibles : vomissements, perte des cheveux, modification des ongles en cas d'usage prolongé.
Note : vendu sans ordonnance; efficacité à confirmer dans l'emploi proposé.

SELEXID® (Leo)

Introd. en 1982. Liste I. Remb. SS 70%.
PRINCIPE ACTIF : *Pivmécillinam.*
Préparations : comprimés à 200 mg.
Emploi : antibiotique du groupe des amidinopénicilline utilisé pour traiter les infections urinaires.
Précautions : ne pas employer en cas d'allergie aux pénicillines ou aux céphalosporines, d'infections par des virus herpétiques, notamment mononucléose infectieuse (risque accru d'accidents allergiques); doses réduites en cas d'insuffisance rénale; en cas de grossesse ou allaitement, il faut tenir compte du passage transplacentaire et du passage dans le lait maternel; évitez l'association avec l'allopurinol.
Effets indésirables possibles : nausées, vomissements, diarrhées, candidose digestive : éruptions cutanées maculopapuleuses (réactions allergiques); œsophagite lorsque les comprimés sont avalés avec très peu de liquide.
Pour les détails → p. 520.
Note : prescrit sur ordonnance médicale.

SELOKEN® (Astra)

Introd. en 1980. Liste I. Remb. SS 70%.
PRINCIPE ACTIF : *Métoprolol.*
Préparations : comprimés à 100 mg; comprimés à libération prolongée à 200 mg (*Seloken LP®*); ampoules injectables à 5 mg dans 5 ml (réservées aux hôpitaux).
Emploi : médicament appartenant au groupe très nombreux des bêta-bloquants utilisé
– pour abaisser la tension artérielle chez les hypertendus (antihypertenseur);
– pour prévenir les crises d'angine de poitrine (antiangoreux);
– pour régulariser le rythme cardiaque (antiarythmique).
– pour atténuer les palpitations et le tremblement dans l'activité excessive de la glande thyroïde (hyperthyroïdie ou maladie de Basedow);
– pour le traitement de fond de la migraine.
Il s'agit d'un bêta-bloquant de type «cardiosélectif».
Pour les détails → p. 96.
Note : prescrit sur ordonnance médicale.

SELSUN® (Abbott)

Introd. en 1953. Liste I. Non remb. SS.
PRINCIPE ACTIF : suspension pour applications locales contenant du sulfure de sélénium (agent tensioactif anionique).
Emploi : proposé dans le traitement des dermatites séborrhéiques du cuir chevelu et d'autres affections.
Note : prescrit sur ordonnance médicale.

SÉMAP® (Janssen)

Introd. en 1975. Liste I. Remb. SS 70%.
PRINCIPE ACTIF : *Penfluridol.*
Préparations : comprimés à 20 mg.
Emploi : neuroleptique dérivé de la butyrophénone utilisé pour traiter certaines maladies mentales aiguës, notamment la schizophrénie.
Durée d'action : jusqu'à 7 jours.
Pour les détails → p. 468.
Note : prescrit sur ordonnance médicale.

SÉMICID® (Théraplix)

Introd. en 1986. Non remb. SS.
PRINCIPE ACTIF : *Nonoxinol.*
Préparations : ovules à 100 mg.
Propriétés : le nonoxinol abaisse la tension superficielle de la membrane lipidique des spermatozoïdes dont tout mouvement est bloqué de manière irréversible (action spermicide).
Emploi : l'ovule peut être introduit jusqu'à une heure avant le rapport.

Le délai d'action est d'environ 10 minutes et la durée d'action varie de 2 heures à 10 heures. Pas de lavage ni injection vaginale 12 heures avant et dans 2 heures suivant les rapports.
Note : *vendu sans ordonnance; efficacité généralement reconnue dans l'emploi proposé.*

SEMILENTE MC® → Insuline.

SEMI-TARDUM HP® → Insuline.

SÉNOKOT® (Sarget)
Introd. en 1963. Non remb. SS.
PRINCIPES ACTIFS : comprimés et granulé contenant de la poudre de follicule de séné (laxatif irritant).
Emploi : traitement de la constipation.
Précautions : ce médicament appartient au groupe des laxatifs stimulants ou irritants qui contiennent ou libèrent dans l'intestin (surtout dans le côlon) des substances irritantes (anthraquinones); ils augmentant la motricité (péristaltisme) du côlon et la sécrétion intestinale d'eau, d'électrolytes et de protéines; ils ne doivent être utilisés que pour des traitements de courte durée (maximum 3 jours) de la constipation occasionnelle.
Note : *vendu sans ordonnance; à éviter comme tous les laxatifs irritants.*

SÉNOPHILE® (Bruneau)
Introd. en 1920. Remb. SS 40%.
PRINCIPES ACTIFS : pommade contenant de l'oxyde de zinc et benzoate de cholestérol.
Emploi : proposé dans les gerçures, engelures, crevasses, petites plaies et brûlures superficielles.
Note : *vendu sans ordonnance; consultez votre médecin si les lésions persistent.*

SENSIVISION® (Chauvin)
Introd. en 1993. Non remb. SS.
PRINCIPE ACTIF : collyre contenant un infusé de feuilles de plantain.
Emploi : proposé dans l'irritation oculaire.
Conservation : à utiliser dans les 15 jours après l'ouverture du flacon.
Note : *vendu sans ordonnance; à éviter sans avis médical, comme tous les collyres.*

SEPTÉAL® → Chlorhexidine.

SEPTILINE®
(Médecine Végétale)
Introd. en 1913. Non remb. SS.
PRINCIPES ACTIFS : granulé effervescent pour solution buvable contenant du carbonate et benzoate de lithium, bicarbonate et hydrogénophosphate de sodium et acide tartrique.
Emploi : proposé pour préparer une eau de table gazeuse digestive.
Précautions : ne pas employer en cas de grossesse et chez les sujets traités par des sels de lithium.
En cas de régime désodé : tenir compte de la teneur en sodium du produit.

SEPTISOL® (Monot)
Introd. en 1989. Non remb. SS.
PRINCIPES ACTIFS : collyre contenant de l'acide salicylique et borique et borate de sodium.
Emploi : proposé dans les conjonctivites et irritations oculaires.
Conservation : à utiliser dans les 15 jours après l'ouverture du flacon.
Note : *vendu sans ordonnance; à éviter sans avis médical, comme tous les collyres.*

SEPTIVON® (Clin Midy)
Introd. en 1972. Remb. SS 70%.
PRINCIPE ACTIF : solution pour application locale contenant du triclocarban (antiseptique externe).
Emploi : antiseptique local proposé dans les petites lésions cutanées.
Précautions : ne pas chauffer ni diluer dans l'eau chaude; ne pas appliquer sur l'oreille ou sur une région cutanée étendue; évitez l'exposition au soleil; consultez votre médecin en cas de fièvre.
Effets indésirables possibles : réactions allergiques, sensibilité aux rayons solaires (photosensibilisation) : la formation de chloroaniline (en cas de chauffage) peut provoquer une modification du sang (méthémoglobinémie).
Note : *vendu sans ordonnance; à éviter en automédication à cause du risque d'effets indésirables.*

SERC® (Duphar)

Introd. en 1975 . Liste I. Remb. SS 70%.

PRINCIPE ACTIF : **Bétahistine.**

Préparations : comprimés à 8 mg.

Emploi : proposé pour prévenir et traiter les vertiges, notamment le vertige de Ménière (crises de vertige avec bourdonnement d'oreille et surdité).

Précautions : utilisation prudente chez les asthmatiques; ne pas utiliser en cas d'ulcère gastro-duodénal ou de phéochromocytome; l'innocuité de ce médicament n'ayant pas été établie chez la femme enceinte, ni lors de l'allaitement, son usage est déconseillé par mesure de prudence.

Note : *prescrit sur ordonnance médicale.*

SÉRÉCOR® (Houdé)

Introd. en 1981. Remb. SS 70%.

PRINCIPE ACTIF : **Hydroquinidine.**

SYNONYME : dihydroquinidine.

Préparations : gélules à libération prolongée à 300 mg.

Emploi : médicament appartenant au groupe des antiarythmiques qui sont utilisés pour régulariser et ralentir le rythme cardiaque.
Comme les autres antiarythmiques, l'hydroquinidine peut aggraver une arythmie préexistante ou provoquer des arythmies nouvelles.

Allergie : informez votre médecin si vous avez déjà fait une réaction allergique ou inhabituelle à la quinidine ou à quinine.

Surveillance : des contrôles réguliers et fréquents sont nécessaires pour moduler les doses en fonction des effets du traitement et d'effets indésirables éventuels.

Conduite de véhicules : chez certains sujets, ce médicament provoque des vertiges ou diminue la vigilance; la conduite de véhicules ou l'utilisation de machines peut être dangereuse.

Arrêt du traitement : n'arrêtez pas brusquement le traitement sans consulter votre médecin.

Intoxication : troubles sensoriels (visuels, auditifs), agitation, troubles respiratoires, chute de la tension artérielle, irrégularité et accélération du pouls, perte de conscience (hospitalisation d'urgence).

Note : *médicament à utiliser sous contrôle médical.*

SÉRÉNIVAL® (Ardeval)

Introd. en 1991. Non remb. SS.

PRINCIPES ACTIFS : suspension buvable contenant de l'aubépine, passiflore et valériane.

Emploi : proposé dans les états «neurotoniques» et les troubles mineurs du sommeil.

Note : *vendu sans ordonnance; consultez votre médecin si les troubles persistent.*

SÉRÉNOL®
(Plantes et Médecines)

Introd. en 1975. Non remb. SS.

PRINCIPES ACTIFS : comprimés contenant du phénobarbital (barbiturique à action prolongée), extraits d'aubépine et de passiflore.

Emploi : sédatif et somnifère.

Durée du traitement : ce médicament ne doit être utilisé que pour une brève période (maximum 4 semaines).

Précautions : ne pas employer chez l'enfant et en cas de grossesse, d'allaitement, de porphyries et d'insuffisance respiratoire; l'activité des anticoagulants oraux et des contraceptifs hormonaux peut être réduite.

Alcool : évitez les boissons alcoolisées pendant le traitement.

Conduite de véhicules : ce médicament peut diminuer la vigilance; la conduite de véhicules ou l'utilisation de machines peut être dangereuse.

Effets indésirables possibles : somnolence, éruptions cutanées, troubles psychiques, notamment confusion mentale chez le sujet âgé.

Note : *vendu sans ordonnance; à éviter du fait de la présence de phénobarbital qui n'est pas recommandé en dehors du traitement de l'épilepsie.*

SÉRESTA® (Wyeth)

Introd. en 1966. Liste I. Remb. SS 70%. La durée de prescription ne peut dépasser 12 semaines.

PRINCIPE ACTIF : **Oxazépam.**

Préparations : comprimés à 10 mg ou 50 mg.

Emploi : tranquillisant appartenant au groupe très nombreux des benzodiazépines; l'oxazépam est proposé dans le traitement de l'anxiété, de l'angoisse et lors du sevrage alcoolique.

Pour les détails → p. 94.

Note : *prescrit sur ordonnance médicale.*

SÉRIEL® (Biogalénique)

Introd. en 1980. Liste I. Remb. SS 70%.
La durée de prescription ne peut dépasser 12 semaines.
PRINCIPE ACTIF : **Tofisopam**.
Préparations : comprimés à 50 mg.
Emploi : tranquillisant appartenant au groupe très nombreux des benzodiazépines; le tofisopam est proposé dans l'anxiété et le sevrage alcoolique.
Pour les détails → p. 94.
Note : prescrit sur ordonnance médicale.

SERMION® (Specia)

Introd. en 1975. Liste II. Remb. SS 70%.
PRINCIPE ACTIF : **Nicergoline**.
Préparations : gélules à 5 mg; lyophilisats oraux (*Lyoc®*) à 5 mg ou 10 mg; ampoules injectables à 5 mg/2, 5 ml.
Emploi : dérivé de l'ergot de seigle proposé comme vasodilatateur périphérique :
– par voie buccale pour améliorer les sensations d'étourdissement et le déficit intellectuel du sujet âgé;
– en injections dans les accidents vasculaires cérébraux et les artérites des membres inférieurs.
L'efficacité des vasodilatateurs périphériques dans ces affections reste à confirmer.
Précautions : ne pas employer en cas d'allergie aux dérivés de l'ergot de seigle, de pouls très lent, de tension artérielle très basse (hypotension), de grossesse ou allaitement, de traitement anticoagulant; ne pas associer d'autres dérivés de l'ergot de seigle.
Note : prescrit sur ordonnance médicale.

SÉROPHY® (Monal)

Introd. en 1989. Non remb. SS.
Préparations : solution nasale contenant du chlorure de sodium (sérum physiologique).
Emploi : lavage des fosses nasales.

SÉRUM ANTIDIPHTÉRIQUE

SYNONYME : antitoxine diphtérique.
Préparations : ampoules à 10.000 UI dans 10 ml.
Emploi : sérum d'origine équine sans équivalent d'origine humaine; solution stérile et concentrée d'antitoxine, préparée à partir de sérum de cheval hyperimmunisé contre la toxine diphtérique; l'action dure 15 à 21 jours; peu employé en Europe où la diphtérie a pratiquement disparu.
Conservation : entre +2°C et +8°C.

SÉRUM ANTIRABIQUE

SYNONYME : antitoxine rabique.
SPÉCIALITÉ :
Sérum antirabique Pasteur®
Préparations : ampoules de 10 ml titrant 80 UI/ml.
Emploi : sérum d'origine équine utilisé pour la prévention de la rage le plus tôt possible après morsure d'un animal suspect lorsque les immunoglobulines antirabiques ne sont pas disponibles. Le traitement préventif ne dispense pas d'une vaccination dans un centre antirabique.
Conservation : entre +2°C et +8°C.
Note : ce sérum d'origine équine est remplacé par les immunoglobulines anti-rabiques d'origine humaine qui ont une meilleure tolérance et une action plus longue.

SÉRUM ANTITÉTANIQUE
Pasteur®

Introd. en 1963. Remb. SS 70%.
SYNONYME : antitoxine tétanique.
PRÉPARATION : seringue de 1 ml contenant au moins 1500 UI d'antitoxine tétanique.
Emploi : sérum d'origine équine utilisé pour la prévention du tétanos en cas de plaie suspecte d'être tétanigène chez des sujets non vaccinés ou n'ayant pas eu de rappel depuis 5 ans; on associe la vaccination (si le sujet n'a jamais été vacciné) ou un rappel d'anatoxine (s'il a été vacciné).
Conservation : entre +2°C et +8°C.
Note : ce sérum d'origine équine est remplacé par les immunoglobulines antitétaniques d'origine humaine qui ont une meilleure tolérance et une action plus longue.

SÉRUM ANTIVENIMEUX

SPÉCIALITÉS (sérums d'origine équine) :
Sérum antivenimeux purifié Mérieux [Vipera aspis et Vipera berus].
Ipser®Europe Pasteur [Aspis-Berus-Ammodytes].
Sérum Pasteur anti-Bitis-Echis-Naja.
Sérum Pasteur anti-Dendroaspis.

Emploi : selon les pays, on utilise divers sérums hétérologues, monovalents ou polyvalents, contre les morsures des serpents venimeux de chaque pays; en cas de morsure de vipères de France et d'Europe, l'utilisation du sérum est controversée à cause des doutes sur son efficacité et des risques de réactions allergiques graves; par contre, elle est toujours recommandée en cas de morsure de serpents exotiques car leurs toxines sont cardiotoxiques et neurotoxiques. Dans le formes graves, l'hospitalisation d'urgence et les mesures de réanimation sont essentielles.

Conservation : entre +2°C et +8°C.

SIBÉLIUM® (Janssen)

Introd. en 1986. Liste I. Remb. SS 70%.

PRINCIPE ACTIF : *Flunarizine.*

Préparations : comprimés à 10 mg.

Emploi : médicament dérivé de la pipérazine ayant une action antihistaminique et sédative, ainsi que d'inhibition calcique, proposé dans le traitement des vertiges et dans la prévention des crises de migraine.

Précautions : ne pas employer en cas d'allergie au produit, de maladie de Parkinson, de maladies du foie ou des reins, d'état dépressif, de grossesse et allaitement; chez les sujets âgés, risque accru d'effets indésirables, notamment mouvements involontaires, tremblements, rigidité musculaire; réduire les doses; la durée du traitement ne doit pas dépasser un mois.

Alcool : évitez la consommation de boissons alcoolisées (majoration de l'effet sédatif).

Conduite de véhicules : chez certains sujets, ce médicament peut provoquer une somnolence : la conduite de véhicules ou l'utilisation de machines peut être dangereuse dans ce cas.

Effets indésirables possibles : somnolence, sédation, nausées, vomissements, maux de tête, insomnie, prise de poids; mouvements involontaires, tremblements, rigidité musculaire (symptômes extrapyramidaux); dépression; écoulement anormal du lait (galactorrhée).

Intoxication : agitation, accélération du pouls (tachycardie).

Note : *prescrit sur ordonnance médicale.*

SILICONYL® (Monot)

PRINCIPES ACTIFS : pommade contenant diméticone, acide citrique, oxyde de zinc, sous-gallate de bismuth, baume du Pérou.

Emploi : petites lésions de la peau.

Effets indésirables possibles : réactions allergiques au baume du Pérou.

Note : *vendu sans ordonnance; consultez votre médecin si les lésions persistent ou s'aggravent.*

SILIGAZ® (SmithKline Beecham)

Introd. en 1978. Non remb. SS.

PRINCIPE ACTIF : *Diméticone.*

SYNONYME : polysilane.

Préparations : capsules à 250 mg.

Emploi : silicone non résorbée par le tube digestif proposée pour neutraliser l'excès d'acidité et comme pansement gastrique dans les gastrites, les ulcères gastro-duodénaux, le reflux gastro-œsophagien (liquide acide remontant dans la bouche) ainsi que dans le ballonnement, l'aérophagie, le météorisme et les flatulences; en cas d'ulcère de l'estomac ou du duodénum, ce médicament ne doit être utilisé que sous surveillance médicale.

Prise du médicament : après les repas et éventuellement au coucher.

Précautions : le diméticone diminue l'absorption intestinale des phosphates; consultez votre médecin si les troubles persistent et en cas de crampes abdominales, de selles noires, d'amaigrissement, de fièvre.

Effets indésirables possibles : retard ou diminution de la résorption d'autres médicaments pris par la bouche (respecter un intervalle d'au moins deux heures), diarrhée.

Note : *vendu sans ordonnance; ne pas utiliser pendant plus de 5 jours sans avis médical.*

SILIPRÊLE® (Herbaxt)

Introd. en 1988. Non remb. SS.

PRINCIPE ACTIF : capsules contenant un extrait de prêle des champs.

Emploi : proposé pour faciliter les fonction d'élimination rénales et digestives.

Note : *vendu sans ordonnance; efficacité du principe actif à confirmer dans l'emploi proposé.*

SILOMAT®
(Boehringer Ingelheim)

Introd. en 1969 Liste II. Remb. SS 40%.

PRINCIPE ACTIF : **Clobutinol**.

Préparations : compr. à 40 mg; solution buvable (1 goutte = 2 mg); sirop à 20 mg par cuillerée à café; ampoules injectables à 20 mg dans 2 ml.

Emploi : médicament agissant sur le système nerveux central, utilisé pour calmer la toux irritative, sèche.

Précautions : ne pas employer en cas d'allergie au produit, d'épilepsie, de convulsions, de grossesse et d'allaitement (innocuité non établie).

Durée du traitement : si la toux persiste après une semaine ou si des effets indésirables apparaissent, consultez votre médecin.

Effets indésirables possibles : nausées, vomissements, convulsions (surtout chez l'enfant), éruption cutanée (réaction allergique : arrêtez immédiatement le traitement).

Intoxication : vomissements, vertiges, agitation ou somnolence, tremblements, pupilles contractées (myosis), convulsions; une intervention médicale d'urgence peut être nécessaire.

Note : prescrit sur ordonnance médicale.

SIMACTIL® (Rorer)

Introd. en 1986. Liste II. Remb. SS 40%.

PRINCIPE ACTIF : **Dihydroergotoxine** (dihydroergocornine, dihydroergocristine, dihydroergocryptine A et B).

SYNONYMES : co-dergocrine, codergocrine, ergoloïd.

Préparations : lyophilisat oral à 4,5 mg.

Emploi : vasodilatateur périphérique dérivé de l'ergot de seigle proposé dans le traitement des troubles vasculaires cérébraux, notamment du déficit intellectuel lié à la sénescence; l'efficacité des vasodilatateurs périphériques dans ces affections reste à confirmer.

Précautions : ne pas employer en cas d'allergie aux dérivés de l'ergot de seigle, de pouls très lent, de tension artérielle très basse (hypotension), de grossesse ou allaitement, de traitement anticoagulant; ne pas associer d'autres dérivés de l'ergot de seigle.

Effets indésirables possibles : congestion nasale, nausées.

Note : prescrit sur ordonnance médicale.

SINEMET® (Du Pont)

Introd. en 1975. Liste I. Remb. SS 70%.

PRINCIPES ACTIFS : **Lévodopa + Carbidopa**.

Préparations : comprimés à 100 mg ou 250 mg de lévodopa (+ respectivement 10 mg ou 25 mg de carbidopa).

Emploi : la lévodopa est un précurseur de la dopamine et est utilisée pour le traitement de la maladie de Parkinson et du syndrome parkinsonien; l'effet antiparkinsonien est attribué à la stimulation par la dopamine des récepteurs dopaminergiques dans les ganglions de la base du cerveau; cet effet est plus marqué sur la rigidité et la lenteur des gestes (akinésie) que sur le tremblement; la lévodopa est associée à la carbidopa qui empêche la transformation de la lévodopa en dopamine en dehors du cerveau; elle augmente par conséquent l'efficacité de la lévodopa et permet d'en réduire les doses et de diminuer ses effets indésirables.

Pour les détails → Lévodopa.

Note : prescrit sur ordonnance médicale.

SINÉQUAN® (Pfizer)

Introd. en 1971. Liste I. Remb. SS 70%.

PRINCIPE ACTIF : **Doxépine**.

Préparations : gélules à 5 mg, 10 mg, 25 mg ou 50 mg.

Emploi : antidépresseur du groupe des tricycliques, ayant une action atropinique et une action sédative, utilisé dans le traitement des états dépressifs de l'adulte.

Pour les détails → p. 40.

Note : prescrit sur ordonnance médicale.

SINEX® (Lachartre)

Introd. en 1988. Liste II. Remb. SS 40%.

PRINCIPE ACTIF : **Oxymétazoline**.

Préparations : soluté nasal en flacon nébuliseur [+ menthol, camphre].

Emploi : stimulant des fibres sympathiques (alpha-sympathomimétique) provoquant une diminution de la lumière des vaisseaux sanguins (vasoconstriction). L'oxymétazoline est employée en solution nasale pour atténuer temporairement la congestion nasale causée par le rhume banal, le rhume des foins et d'autres affections; l'utilisation doit être limitée à quelques jours.

Précautions : ne pas utiliser chez l'enfant de moins de 15 ans, en cas d'allergie au produit, d'hypertension artérielle, d'angine de poitrine, de troubles prostatiques, de glaucome par fermeture de l'angle, d'activité excessive de la thyroïde ou hyperthyroïdie, de grossesse et allaitement, d'association aux antidépresseurs inhibiteurs de la mono-amine oxydase IMAO (risque de crise hypertensive).

Effets indésirables possibles : insomnie, nervosité, tremblements, maux de tête, transpirations, nausées et vomissements; accélération ou irrégularité du pouls, palpitations; aggravation de la congestion nasale (effet «rebond») en cas de traitement prolongé. Arrêtez le traitement et consultez votre médecin en cas de fièvre, d'éruption cutanée, de jaunisse, d'urines foncées, de respiration sifflante, de vertiges.

Intoxication : possibilité chez l'enfant d'intoxication aiguë grave avec délire, convulsions, perte de connaissance, respiration lente et superficielle (dépression respiratoire) et évolution vers le coma; l'hospitalisation d'urgence peut être nécessaire.

Note : prescrit sur ordonnance médicale.

SINTROM® (Ciba-Geigy)

Introd. en 1959. Liste I. Remb. SS 70%.

PRINCIPE ACTIF : **Acénocoumarol.**

SYNONYMES : acénocoumarine, nicoumalone.

Préparations : comprimés à 4 mg.

Emploi : anticoagulant oral utilisé pour prévenir la formation de caillots dans les vaisseaux sanguins (maladie thromboembolique); son emploi exige le contrôle périodique de la coagulabilité du sang; en effet, une dose trop élevée peut provoquer des saignements et une dose trop faible risque de ne pas protéger contre la formation de caillots.

Durée d'action : environ 24 heures.

Pour les détails → p. 38.

Note : prescrit sur ordonnance médicale.

SINUSITOL® (Amido)

PRINCIPES ACTIFS : solution pour inhalation contenant menthol et essences de niaouli et de thym, eucalyptol et terpinol.

Emploi : proposé comme «antiseptique respiratoire».

Note : vendu sans ordonnance; consultez votre médecin si les troubles persistent après 5 jours.

SINUSPAX® (Lehning)

Introd. en 1953. Non remb. SS.
Préparation homéopathique (comprimés) proposée dans les sinusites.

SIROP ADRIAN® (Dynathéra)

Introd. en 1958. Non remb. SS.

PRINCIPES ACTIFS : sirop contenant de la pholcodine (antitussif opiacé), bromoforme, teinture d'aconit, baume de tolu, eau de laurier-cerise.

Emploi : utilisé pour calmer la toux irritative, sèche.

Précautions : ne pas utiliser en cas de
– asthme, insuffisance respiratoire (la diminution de la toux cause l'accumulation de mucosités dans les voies respiratoires);
– maladie du foie (l'élimination de la pholcodine est diminuée en cas d'insuffisance hépatique);
– grossesse (innocuité non établie), allaitement;
– enfants âgés de moins de 15 ans.

Durée du traitement : si la toux persiste après une semaine, si des crachats sanglants ou des effets indésirables apparaissent, arrêtez le traitement et consultez votre médecin.

Alcool : évitez les boissons alcoolisées pendant le traitement (majoration de l'effet sédatif).

Conduite de véhicules : ce médicament peut diminuer la vigilance; la conduite de véhicules ou l'utilisation de machines peut être dangereuse dans ce cas.

En cas de diabète : tenir compte de la teneur en sucre du produit.

Effets indésirables possibles : somnolence, confusion, nausées, vomissements, crises d'asthme, constipation, éruption cutanée (réaction allergique: arrêtez immédiatement le traitement), difficulté à respirer ou à uriner (sujet âgé).

Note : vendu sans ordonnance; l'efficacité de la pholcodine est généralement reconnue, mais les autres composants ont peu d'intérêt dans l'emploi proposé.

SIROP BOIN® (Picot)

Introd. en 1908. Remb. SS 40%.

PRINCIPES ACTIFS : sirop contenant de la codéine (antitussif opiacé), épinéphrine (adrénaline), gaïacol, menthol, teinture d'aconit et eau de laurier-cerise.

Emploi : proposé dans l'asthme, le «catarrhe», les bronchites chroniques et les toux rebelles.

Précautions : ne pas utiliser en cas de
– asthme, bronchite chronique (la diminution de la toux cause l'accumulation de mucosités dans les voies respiratoires);
– maladie du foie;
– grossesse, allaitement;
– enfants âgés de moins de 15 ans.

Durée du traitement : si la toux persiste après une semaine, si des crachats sanglants ou des effets indésirables apparaissent, arrêtez le traitement et consultez votre médecin.

Alcool : à éviter pendant le traitement (majoration de l'effet sédatif).

Sujets âgés : risque accru d'effets indésirables; doses réduites de moitié.

Conduite de véhicules : ce médicament peut diminuer la vigilance; la conduite de véhicules ou l'utilisation de machines peut être dangereuse.

Sportifs : ce médicament peut donner une réaction positive en cas de tests pratiqués lors des contrôles antidopage.

En cas de diabète : tenir compte de la teneur en sucre du produit.

Effets indésirables possibles : somnolence, vertiges et nausées, vomissements, crises d'asthme, constipation, éruption cutanée (réaction allergique: arrêtez immédiatement le traitement).

Note : vendu sans ordonnance; l'efficacité de la codéine pour calmer la toux est généralement reconnue, mais les autres composants ont peu d'intérêt dans l'emploi proposé.

SIROP CLARIX® (Lab. CPF)

Introd. en 1956. Non remb. SS.

PRINCIPES ACTIFS : sirop contenant de la pholcodine (antitussif opiacé), éphédrine (vasoconstricteur), sulfogaïacol, teinture d'aconit et de belladone (atropinique), camphosulfonate de sodium.

Emploi : proposé pour calmer la toux.

Précautions : ne pas utiliser en cas de
– asthme, insuffisance respiratoire (la diminution de la toux cause l'accumulation de mucosités dans les voies respiratoires);
– maladie du foie;
– hypertrophie de la prostate;
– glaucome à angle fermé;
– grossesse (innocuité non établie), allaitement;
– utilisation d'antidépresseurs IMAO;
– enfants âgés de moins de 8 ans.

Durée du traitement : si la toux persiste après une semaine, si des crachats sanglants ou des effets indésirables apparaissent, arrêtez le traitement et consultez votre médecin.

Alcool : évitez les boissons alcoolisées pendant le traitement (majoration de l'effet sédatif).

Conduite de véhicules : ce médicament peut diminuer la vigilance; la conduite de véhicules ou l'utilisation de machines peut être dangereuse dans ce cas.

Sportifs : ce médicament peut donner une réaction positive en cas de tests pour contrôle antidopage.

Effets indésirables possibles : somnolence, sécheresse de la bouche, confusion, nausées, vomissements, crises d'asthme, constipation, éruption cutanée (réaction allergique : arrêtez immédiatement le traitement), difficulté à respirer ou à uriner (chez le sujet âgé).

Note : vendu sans ordonnance; l'efficacité de la pholcodine est généralement reconnue, mais les autres composants ont peu d'intérêt dans l'emploi proposé.

SIROP FAMEL® (Etris)

Introd. en 1900. Remb. SS 40%.

PRINCIPES ACTIFS : sirop contenant de la codéine (antitussif opiacé), lactocréosote, lactophosphate de calcium, teinture d'aconit.

Emploi : proposé pour calmer la toux.

Précautions : ne pas utiliser en cas de
– asthme, insuffisance respiratoire (la diminution de la toux cause l'accumulation de mucosités dans les voies respiratoires);
– maladie du foie (l'élimination de la codéine est diminuée en cas d'insuffisance hépatique);
– ulcère gastroduodénal évolutif;

– grossesse (innocuité non établie), allaitement;
– enfants âgés de moins de 5 ans.

Durée du traitement : si la toux persiste après une semaine, si des crachats sanglants ou des effets indésirables apparaissent, arrêtez le traitement et consultez votre médecin.

Alcool : évitez les boissons alcoolisées pendant le traitement (majoration de l'effet sédatif).

Sujets âgés : risque accru d'effets indésirables; doses réduites de moitié.

Conduite de véhicules : ce médicament peut diminuer la vigilance; la conduite de véhicules ou l'utilisation de machines peut être dangereuse.

Effets indésirables possibles : somnolence, sécheresse de la bouche, confusion, nausées, vomissements, crises d'asthme, constipation, excitation (surtout chez l'enfant), éruption cutanée (réaction allergique : arrêtez immédiatement le traitement).

Note : vendu sans ordonnance; l'efficacité de la codéine est généralement reconnue, mais les autres composants ont peu d'intérêt dans l'emploi proposé.

SIROP MANCEAU®
(SmithKline Beecham)

Introd. en 1890. Non remb. SS.

PRINCIPES ACTIFS : sirop contenant un extrait de séné (laxatif irritant) et sirop de pommes reinettes.

Emploi : traitement de courte durée de la constipation.

Précautions : consultez votre médecin si la constipation persiste, en cas de sang dans les selles ou de selles noires, de douleurs abdominales avec diarrhée, d'amaigrissement.

L'usage prolongé risque de provoquer la «maladie des laxatifs» avec lésions de la muqueuse intestinale.

Note : vendu sans ordonnance; à éviter comme tous les laxatifs irritants.

SIROP PECTORAL (Oberlin)

Introd. en 1957. Non remb. SS.

PRINCIPES ACTIFS : sirop contenant de la codéthyline (antitussif opiacé), bromoforme, benzoate de sodium, sulfogaïacol, teinture de belladone (atropinique), aconit, droséra, eucalyptus, polygala, sirop d'ipécacuanha et baume de tolu.

Emploi : utilisé pour calmer la toux.

Précautions : ne pas utiliser en cas de
– asthme, insuffisance respiratoire (la diminution de la toux cause l'accumulation de mucosités dans les voies respiratoires);
– maladie du foie;
– hypertrophie de la prostate;
– glaucome à angle fermé;
– grossesse, allaitement;
– enfants âgés de moins de 15 ans (de 30 mois pour la forme pour enfant).

Durée du traitement : si la toux persiste après une semaine, si des crachats sanglants ou des effets indésirables apparaissent, arrêtez le traitement et consultez votre médecin.

Sujets âgés : risque accru d'effets indésirables; réduire les doses de moitié.

Alcool : à éviter pendant le traitement (majoration de l'effet sédatif).

Conduite de véhicules : ce médicament peut diminuer la vigilance; la conduite de véhicules ou l'utilisation de machines peut être dangereuse.

Sportifs : ce médicament peut donner une réaction positive en cas de tests pratiqués lors des contrôles antidopage.

Effets indésirables possibles : somnolence, sécheresse de la bouche, confusion, nausées, vomissements, crises d'asthme, constipation, éruption cutanée (réaction allergique : arrêtez immédiatement le traitement), difficulté à respirer ou à uriner (chez le sujet âgé).

Note : vendu sans ordonnance; l'efficacité de la codéthyline est généralement reconnue, mais les très nombreux autres composants ont peu d'intérêt dans l'emploi proposé.

SIROP TEYSSÈDRE®
(Bouteille)

Introd. en 1872. Non remb. SS.

PRINCIPES ACTIFS : sirop contenant du bromure de calcium et hydrate de chloral.

Emploi : proposé comme sédatif chez le jeune enfant.

Effets indésirables possibles : acné, troubles psychiques (en cas d'usage prolongé).

Note : vendu sans ordonnance; les bromures et l'hydrate de chloral ne sont pas recommandés comme sédatifs, notamment chez l'enfant.

SIROP DES VOSGES
CAZÉ® (SmithKline Beecham)

Introd. en 1905. Non remb. SS.
PRINCIPE ACTIF : *Pholcodine* .
Emploi : la pholcodine est un dérivé morphinique, agissant sur le système nerveux central et utilisé pour calmer la toux irritative, sèche; elle a une action sédative modérée; l'apparition d'une dépendance est exceptionnelle, mais l'abus est possible chez des sujets déjà toxicomanes.
Précautions : ne pas employer en cas de toux grasse, d'insuffisance respiratoire ou d'asthme, de grossesse ou allaitement. Consultez votre médecin si la toux persiste, en cas de crachats sanglants, de fièvre, d'amaigrissement, d'éruption cutanée, de troubles de la vue, de difficulté à uriner.
Sportifs : l'attention est attirée sur le fait que les tests antidopage peuvent être positifs après usage du produit.
Enfants : ne doit pas être utilisé chez les enfants âgés de moins de 5 ans.
Intoxication : hospitalisation d'urgence en cas de prise massive accidentelle.
Pour les détails → p. 59.
Note : vendu sans ordonnance; l'efficacité de la pholcodine est généralement reconnue dans l'emploi proposé.

SISOLLINE® (Schering-Plough)

Introd. en 1980. Liste I. Remb. SS 70%.
PRINCIPE ACTIF : *Sisomicine*.
Préparations : ampoules injectables à 20 mg, 50 mg, 75 mg ou 100 mg.
Emploi : antibiotique du groupe des aminosides ou aminoglycosides utilisé en injections pour traiter des infections graves, souvent en association avec d'autres antibactériens; les effets indésirables les plus importants sont les troubles de l'ouïe et de l'équilibre par atteinte de l'oreille interne en cas de surdosage ou d'insuffisance rénale.
Pour les détails → p. 25.
Note : prescrit sur ordonnance médicale.

SKENAN LP® (Upsa)

Introd. en 1991. Remb. SS 70%.
Stupéfiants (règle des 7 jours).
PRINCIPE ACTIF : *Morphine*.
Préparations : gélules à libération prolongée à 10 mg, 30 mg, 60 mg ou 100 mg.

Emploi : préparation de morphine utilisée par voie buccale dans les douleurs chroniques intenses ou rebelles aux autres analgésiques, notamment douleurs d'origine cancéreuse.
Pour les détails → Morphine, p. 444.
Note : prescrit sur ordonnance médicale.

SKIACOL® (Alcon)

Introd. en 1977. Liste I. Remb. SS 70%.
PRINCIPE ACTIF : *Cyclopentolate*.
Préparations : collyre à 0,5%.
Propriétés : atropinique provoquant une dilatation de la pupille (mydriase passive) et une paralysie des muscles de l'accommodation (qui permettent la mise au point des objets rapprochés).
Emploi : utilisé dans la préparation à l'examen du fond d'œil et à la chirurgie, ainsi que dans le traitement de certaines affections oculaires.
Conduite de véhicules : l'instillation de ce collyre provoque des troubles de la vision qui peuvent gêner les conducteurs de véhicules.
Note : prescrit sur ordonnance médicale.

SKINOREN® (Schering)

Introd. en 1990. Non remb. SS.
PRINCIPE ACTIF : *Acide azélaïque*
Préparations : crème à 20%.
Emploi : proposé dans le traitement local de l'acné.
Précautions : éviter le contact avec les yeux; en cas de contact accidentel, effectuer immédiatement un rinçage abondant à l'eau; ne pas utiliser en cas de grossesse.
Effets indésirables possibles : prurit, rougeur, desquamation locale.
Note : vendu sans ordonnance; consultez votre médecin si les lésions persistent.

SMECTA® (Ipsen)

Introd. en 1977. Remb. SS 70%.
PRINCIPES ACTIFS : la poudre pour suspension buvable contient de la diosmectite, glucose, saccharine, vanilline.
Emploi : proposé dans les douleurs liées aux affections gastro-duodénales et la diarrhée.
Prise du médicament : après les repas et éventuellement au coucher.
Précautions : consultez votre médecin si les troubles persistent et en cas de

douleurs ou crampes abdominales, de selles noires, d'amaigrissement, de fièvre; ne pas utiliser en cas d'insuffisance rénale sévère; ne pas associer des tétracyclines.
En cas de diabète : tenir compte de la teneur en sucre du produit.
Effets indésirables possibles : retard ou diminution de la résorption d'autres médicaments (respecter un intervalle d'au moins 2 heures).
Note : vendu sans ordonnance; ne pas utiliser pendant plus de 5 jours sans avis médical.

SOACLENS® (Alcon)

Introd. en 1984. Non remb. SS.
PRINCIPES ACTIFS : solution de contactologie stérile contenant du polysorbate 80, thiomersal, édétate de sodium, alcool polyvinylique, hydroxyéthylcellulose, hydrogénophosphate et dihydrogénophosphate de sodium, chlorure de sodium.
Emploi : utilisé pour le nettoyage quotidien des lentilles cornéennes et des prothèses oculaires.

SOFRAMYCINE® poudre et pommade (Roussel)

Introd. en 1955. Remb. SS 70%.
PRINCIPE ACTIF : poudre pour solution locale et pommade contenant de la framycétine.
Propriétés : la framycétine est un antibiotique du groupe des aminosides, utilisé en application locale, actif sur les staphylocoques, streptocoques et autres bactéries.
Emploi : prévention et traitement des infections de la peau.
Durée du traitement : ne pas dépasser 10 jours.
Effets indésirables possibles : réactions allergiques.
Note : vendu sans ordonnance; à éviter en automédication comme tous les antibiotiques locaux.

SOFRAMYCINE® solution nasale (Roussel)

Introd. en 1955. Non remb. SS.
PRINCIPE ACTIF : solution nasale en flacon pulvérisateur contenant 1,25% de framycétine.
Emploi : traitement des infections de la muqueuse nasale (rhinites).

Durée du traitement : ne pas dépasser 10 jours.
Effets indésirables possibles : réactions allergiques.
Note : vendu sans ordonnance; à éviter en automédication comme tous les antibiotiques locaux.

SOFRAMYCINE® hydrocortisone (Roussel)

Introd. en 1957. Liste I. Non remb. SS.
PRINCIPES ACTIFS : solution nasale contenant de la framycétine (antibiotique) et hydrocortisone (corticoïde).
Emploi : traitement des infections de la muqueuse nasale (rhinites).
Précautions : ne pas employer en cas d'infections virales.
Durée du traitement : ne pas dépasser 10 jours sans contrôle médical.
Effets indésirables possibles : réactions allergiques à la framycétine.
Note : prescrit sur ordonnance médicale.

SOFRAMYCINE® naphtazoline (Roussel)

Introd. en 1953. Liste II. Non remb. SS.
PRINCIPES ACTIFS : solution nasale contenant de la framycétine (antibiotique local) et naphazoline (vasoconstricteur).
Emploi : proposé pour traiter la congestion des muqueuses nasales et du pharynx (rhino-pharyngites).
Durée du traitement : l'utilisation pendant plus de 5-6 jours consécutifs est déconseillée en raison du risque d'aggravation de la congestion nasale («rebond»), obstruction chronique du nez par hypertrophie des cornets.
Précautions : ne pas employer en cas de glaucome par fermeture de l'angle, d'association avec des antidépresseurs IMAO et chez l'enfant de moins de 7 ans.
Effets indésirables possibles (dus à l'absorption de la naphazoline dans l'organisme) : palpitations, accélération ou irrégularité du pouls, maux de tête, étourdissements, nervosité, insomnie, transpirations.
Note : prescrit sur ordonnance médicale.

SOKER® (Médecine Végétale)

Introd. en 1913. Non remb. SS.
PRINCIPES ACTIFS : gélules contenant du bicarbonate de sodium, sulfate de

sodium (purgatif salin), hydrogéno-phosphate de sodium, carbonate de calcium, oxyde de magnésium, poudre de réglisse, condurango, badiane de Chine et anis vert.

Emploi : proposé pour neutraliser l'excès d'acidité gastrique et dans les troubles digestifs (dyspepsies).

Précautions : consultez votre médecin si les troubles persistent et en cas de douleurs ou crampes abdominales, de selles noires, d'amaigrissement, de fièvre ; ne pas utiliser en cas d'insuffisance rénale sévère ou d'intolérance à l'aspirine ou à la tartrazine ; ne pas associer certains antibiotiques (tétracyclines).

Effets indésirables possibles : diarrhée.

Note : vendu sans ordonnance ; la plupart des principes actifs ont peu d'intérêt dans l'emploi proposé.

SOLACY® (Serozym)

Introd. en 1975. Remb. SS 40%.

PRINCIPES ACTIFS : gélules (adulte) et comprimés pour suspension buvable (pour enfant) contenant du soufre, cystine, rétinol (vitamine A), levure.

Emploi : affections des voies aériennes.

Précautions : ne pas utiliser pendant la grossesse.

Note : vendu sans ordonnance ; efficacité des principes actifs à confirmer dans l'emploi proposé.

SOLASKIL® (Specia)

Introd. en 1971. Liste II. Non remb. SS.

PRINCIPE ACTIF : *Lévamisole*.

Préparations :
– comprimés à 30 mg. Remb. SS 70%.
– comprimés à 150 mg. Non remb. SS.

Emploi : médicament appartenant au groupe des anthelminthiques ou des vermifuges qui sont utilisés pour traiter les infestations par des vers ; le lévamisole est employé pour traiter l'ascaridiose et l'ankylostomiase ; une prise unique suffit pour venir à bout de la plupart de ces infestations ; toutefois, le traitement de l'oxyurose doit être systématiquement répété au bout de 2 à 4 semaines et tous les membres de la famille doivent être traités en même temps que le malade.

Ce médicament a été proposé dans le traitement de fond de certaines polyarthrites rhumatoïdes.

Précautions : déconseillé en cas de grossesse (innocuité non établie).

Effets indésirables possibles : maux de tête, vertiges, douleurs abdominales, nausées, diarrhée, éruption cutanée, exceptionnellement diminution du nombre des globules blancs dans le sang chez les porteurs d'antigène HLA B27 (agranulocytose).

Note : prescrit sur ordonnance médicale.

SOLCOSÉRYL® (Sarget)

Introd. en 1972. Remb. SS 40%.

PRINCIPE ACTIF : pommade contenant un extrait de sang de veau déprotéiné.

Emploi : ulcères de jambe.

Effets indésirables possibles : risque de réactions allergiques.

Note : vendu sans ordonnance ; efficacité du principe actif à confirmer dans l'emploi proposé.

SOLIAN® (Delagrange)

Introd. en 1988. Liste I. Remb. SS 70%.

PRINCIPE ACTIF : *Amisulpride*.

Préparations : comprimés à 50 mg ou 200 mg ; ampoules pour injections à 200 mg dans 4 ml (réservées aux hôpitaux).

Emploi : neuroleptique du groupe des benzamides substitués, ayant aussi des effets antiémétiques, antivertigineux et antiulcéreux, utilisé pour traiter certaines maladies mentales (psychoses).

Pour les détails → p. 468.

Note : prescrit sur ordonnance médicale.

SOLMUCOL® (Génévrier)

Introd. en 1989. Remb. SS 40%.

PRINCIPE ACTIF : *Acétylcystéine*.

Préparations : granulé pour solution buvable en sachets 100 mg ou 200 mg.

Emploi : proposé pour liquéfier les sécrétions bronchiques et en faciliter l'expectoration dans les affections respiratoires accompagnées de sécrétions bronchiques épaisses, en particulier en cas de bronchite aiguë, d'emphysème et d'autres affections.

Précautions : ne pas employer en cas d'allergie au produit, d'asthme bronchique, d'encombrement des bronches, d'ulcère gastroduodénal évolutif, de grossesse ou d'allaitement (innocuité non établie) ; ne pas utiliser chez l'enfant de moins de 5 ans.

Consultez votre médecin si votre état ne s'améliore pas rapidement ou s'il s'aggrave, en cas de crachats sanglants, d'amaigrissement, de fièvre.

Effets indésirables possibles : brûlures d'estomac, maux de tête, nausées, diarrhées.

Pour les détails → p. 287.

Note : vendu sans ordonnance; à éviter sans avis médical.

SOLUBACTER® (Innothéra)

Introd. en 1971. Remb. SS 70%.

PRINCIPE ACTIF : solution pour application locale contenant du triclocarban (antiseptique externe).

Emploi : petites lésions de la peau.

Précautions : ne pas chauffer ni diluer dans l'eau chaude; ne pas appliquer sur l'oreille ou sur une région cutanée étendue; consultez votre médecin en cas de fièvre; ne pas utiliser chez le nouveau-né.

Effets indésirables possibles : réactions allergiques, sensibilité aux rayons solaires (photosensibilisation) : la formation de chloroaniline en cas de chauffage peut provoquer une altération du sang (méthémoglobinémie).

Note : vendu sans ordonnance; à éviter en automédication à cause du risque d'effets indésirables.

SOLUCAMPHRE® (Delalande)

Introd. en 1927. Remb. SS 70%.

PRINCIPE ACTIF : solution buvable et solution injectable contenant du camsilate de pipérazine.

Emploi : proposé dans le traitement des évanouissements sans cause organique (dont le diagnostic doit être posé par votre médecin).

Précautions : ne pas employer en cas de grossesse.

Sportifs : la solution buvable peut donner une réaction positive en cas de tests pour contrôle antidopage.

Note : vendu sans ordonnance; à éviter en automédication.

SOLUCÉTYL® (Sarbach)

Introd. en 1965. Non remb. SS.

PRINCIPES ACTIFS: comprimés contenant de l'acide acétylsalicylique (aspirine) et acide ascorbique (vitamine C).

Emploi : proposé pour atténuer la douleur modérée *(analgésique)* et pour faire tomber la fièvre *(antipyrétique)*.

Durée du traitement : consultez votre médecin si les douleurs persistent après 5 jours ou si la fièvre ou le mal de gorge ne régressent pas au bout de 3 jours.

Précautions : ce médicament ne doit pas être utilisé en cas d'allergie à l'aspirine, d'asthme, d'ulcère gastroduodénal évolutif, de maladie hémorragique ou de traitement anticoagulant, de grossesse et chez l'enfant de moins de 10 ans sans avis médical.

Effets indésirables possibles: nausées, vomissements, douleurs gastriques, bourdonnements d'oreille, baisse de l'audition, maux de tête.

Consultez votre médecin en cas de douleurs abdominales, de vomissements sanglants, de selles noires, de prurit, de crise d'asthme, d'urticaire ou de jaunisse.

Intoxication : hospitalisation d'urgence en cas de prise massive accidentelle.

Pour les détails → Aspirine.

Note : vendu sans ordonnance; l'efficacité de l'aspirine est généralement reconnue, mais la vitamine C a peu d'intérêt dans l'emploi proposé.

SOLUCHROM® (Lab. CPF)

Introd. en 1938. Non remb. SS.

PRINCIPE ACTIF : solution pour application locale contenant de la merbromine.

Emploi : désinfection de la peau et des plaies superficielles.

Note : vendu sans ordonnance; des antiseptiques efficaces ne contenant pas de mercure sont actuellement disponibles.

SOLUCORT® Ophta
(M. S. & D.-Chibret)

Introd. en 1963. Liste I. Remb. SS 70%.

PRINCIPE ACTIF : collyre contenant de la prednisolone (corticoïde).

Emploi : affections allergiques du segment antérieur de l'œil et de ses annexes.

Conservation : à utiliser dans les 15 jours après l'ouverture du flacon.

Pour les détails → p. 178.

Note : prescrit sur ordonnance médicale.

SOLUCORT® ORL
(M. S. & D.-Chibret)

Introd. en 1963. Liste I. Remb. SS 40%.
PRINCIPE ACTIF : poudre pour solution
nasale contenant de la prednisolone
(corticoïde).
Emploi : pulvérisations nasales proposées dans les inflammation de la muqueuse nasale (rhinites allergiques).
Précautions : ne pas employer en cas
d'infections virales, fongiques ou de
tuberculose.
Durée du traitement : ne pas dépasser
7 jours sans contrôle médical.
Note : prescrit sur ordonnance médicale.

SOLUDACTONE® (Searle)

Introd. en 1971. Liste I. Remb. SS 70%.
PRINCIPE ACTIF : **Canrénoate de potassium.**
Préparations : poudre pour solution
injectable en flacons à 100 mg ou
200 mg [+ trométamol].
Emploi : forme injectable de la spironolactone utilisée dans les cas d'urgence en perfusion intraveineuse.
Pour les détails → p. 233.
Note : prescrit sur ordonnance médicale.

SOLUDÉCADRON® → Décadron®.

SOLUDOR® (Lehning)

Préparation homéopathique (solution
buvable) proposée comme sédatif.

SOLUGASTRYL® (Oberlin)

Introd. en 1989. Non remb. SS.
PRINCIPES ACTIFS: comprimés contenant
du sulfate de sodium, chlorure de
magnésium, hydrogénophosphate de
sodium.
Emploi : proposé pour neutraliser
l'excès d'acidité et comme pansement
gastrique dans les douleurs liées aux
affections de l'œsophage, de l'estomac
et du duodénum; en cas d'ulcère de
l'estomac ou du duodénum, ce médicament ne doit être utilisé que sous
surveillance médicale.
Précautions : consultez votre médecin
si les troubles persistent et en cas de
crampes abdominales, de selles
noires, d'amaigrissement, de fièvre;

ne pas utiliser en cas d'insuffisance
rénale.
Prise du médicament : après les repas et
éventuellement au coucher.
Effets indésirables possibles : diarrhée.
*Note : vendu sans ordonnance; ne pas
utiliser pendant plus de 5 jours sans
avis médical.*

SOLUMAG® → Magnésium, Sels de.

SOLU-MÉDROL® → Médrol®.

SOLUPRED® (Houdé)

Introd. en 1964. Liste I. Remb. SS 70%.
PRINCIPE ACTIF : **Prednisolone.**
SYNONYME : deltahydrocortisone.
Préparations : comprimés à 5 mg ou
20 mg; solution buvable (gouttes à
1 mg/ml).
Emploi : médicament apparenté à la
cortisone utilisé par voie orale ou en
injections pour atténuer les réactions
inflammatoires et allergiques, ainsi
que dans le traitement de maladies
telles que des allergies cutanées graves, des crises d'asthme, ou des polyarthrites évolutives; il s'agit d'un
médicament puissant qui, s'il n'est
pas utilisé selon la prescription, peut
provoquer des effets indésirables.
Durée d'action : 12-72 heures.
Pour les détails → p. 176.
Note : prescrit sur ordonnance médicale.

SOLUPSAN® (Upsa)

Introd. en 1983. Remb. SS 70%.
Préparations : comprimés effervescents
contenant 0,1 g (enfants), 0,5 g ou 1 g
d'aspirine sous forme de carbasalate
calcique.
Emploi : précurseur de l'aspirine ayant
les mêmes propriétés que celle-ci et
utilisé dans les mêmes conditions.
Pour les détails → Aspirine.
*Note : vendu sans ordonnance; l'efficacité
de l'aspirine est généralement reconnue.*

SOLURUTINE® papavérine
(Synthélabo)

Introd. en 1967. Liste I. Remb. SS 40%.
PRINCIPES ACTIFS: comprimés contenant
de la papavérine (antispasmodique
musculotrope), éthoxazorutoside,

(«vasculoprotecteur»), acide ascorbique (vitamine C).
Emploi : proposé dans les troubles liés à la fragilité capillaire et à la sénescence cérébrale (efficacité à confirmer).
Note : prescrit sur ordonnance médicale.

SOLUTION D'OLIGO-ÉLÉMENTS (Aguettant)

Introd. en 1988.
PRINCIPES ACTIFS : solution injectable pour perfusion contenant 10 oligo-éléments (fer, cuivre, manganèse, fluor, cobalt, iode, chrome, sélénium, molybdène, zinc).
Emploi : proposée dans la nutrition parentérale prolongée chez l'enfant et le nourrisson.
Note : réservé aux hôpitaux.

SOLUTION STAGO® (Merck-Clévenot)

Introd. en 1958. Non remb. SS.
PRINCIPES ACTIFS : solution buvable contenant des teintures de boldo, camomille, kinkeliba, solidage et du chloroforme.
Emploi : proposé pour stimuler la sécrétion de la bile dans les troubles digestifs (dyspepsies).
Précautions : ne pas employer en cas d'obstruction des voies biliaires; consultez votre médecin en cas de douleurs ou crampes abdominales d'origine indéterminée, de selles noires, d'amaigrissement, d'urines foncées, de douleurs de la région du foie, de jaunisse.
Effets indésirables possibles : douleurs abdominales, diarrhées.
Note : vendu sans ordonnance; utilisation limitée en particulier à cause de la présence de chloroforme qui est toxique pour le foie.

SOLUTRICINE® (RP Labo)

Introd. en 1966. Non remb. SS.
PRINCIPES ACTIFS : pastilles à sucer contenant de la tyrothricine (antibiotique) et acide ascorbique (*Solutricine® vitamine C*).
Emploi : proposé dans les infections limitées de la bouche et le «mal de gorge» sans fièvre de l'adulte.
Note : vendu sans ordonnance; ne pas utiliser pendant plus de 3 jours sans avis médical.

SOLUVIT® (Kabi Pharmacia)

Introd. en 1990.
PRINCIPES ACTIFS : poudre pour solution injectable contenant des vitamines hydrosolubles (préparation polyvitaminée).
Emploi : nutrition parentérale.
Note : réservé aux hôpitaux.

SOMMIÈRES® Pentavit B (Chauvin)

Introd. en 1956. Remb. SS 70%.
PRINCIPES ACTIFS : collyre contenant iodure de sodium, iodure de lithium, chlorure de calcium et des vitamines (thiamine, riboflavine, pyridoxine, nicotinamide, pantothénate de calcium).
Emploi : proposé dans la cataracte débutante (efficacité à confirmer).
Conservation : à utiliser dans les 15 jours après l'ouverture du flacon.
Note : vendu sans ordonnance; à éviter sans avis médical, comme tous les collyres.

SOPHTAL® (Alcon)

Introd. en 1976. Non remb. SS.
PRINCIPES ACTIFS :
– collyre : acide salicylique, chlorhexidine;
– solution oculaire : acide salicylique, borate de sodium, nitrate phénylmercurique et eau de rose.
Emploi : irritation des paupières et du globe oculaire («yeux rouges»).
Précautions :
– solution : consultez votre médecin si les troubles persistent plus de 48 heures;
– collyre : à éviter sans avis médical.
Conservation (collyre) : à utiliser dans les 15 jours après l'ouverture du flacon.
Note : vendu sans ordonnance.

SOPROL® (Novalis)

Introd. en 1988. Liste I. Remb. SS 70%.
PRINCIPE ACTIF : *Bisoprolol.*
Préparations : comprimés à 10 mg.
Emploi : médicament appartenant au groupe très nombreux des bêta-bloquants utilisé :
– pour abaisser la tension artérielle chez les hypertendus (antihypertenseur);

– pour prévenir les crises d'angine de poitrine (antiangoreux).

Il s'agit d'un bêta-bloquant de type «cardiosélectif».

Durée d'action : jusqu'à 24 heures.

Pour les détails → p. 96.

Note : prescrit sur ordonnance médicale.

SORBACEL® (Fandre)

Introd. en 1956.

PRINCIPES ACTIFS : gaze résorbable de cellulose oxydée, neutralisée par l'acétate de calcium (coagulant ou hémostatique local).

Emploi : proposé pour arrêter le saignement d'une plaie superficielle.

Précautions : ne pas employer en cas de traitement anticoagulant.

Note : vendu sans ordonnance; consultez votre médecin si le saignement persiste.

SORBITOL (Delalande)

Introd. en 1957. Non remb. SS.

PRINCIPE ACTIF : *Sorbitol.*

Préparations : poudre orale en sachets de 5 g.

Emploi : laxatif osmotique proposé dans le traitement des troubles de la digestion (dyspepsies) et comme traitement d'appoint de la constipation.

Prise du médicament : dissoudre la poudre dans un demi-verre d'eau avant les repas.

Précautions : ne pas employer en cas d'obstruction des voies biliaires, de rectocolite hémorragique, de maladie de Crohn, d'occlusion intestinale, de douleurs abdominales d'origine indéterminée; consultez votre médecin si les troubles persistent et en cas de douleurs de la région du foie, d'urines foncées, de selles noires, d'amaigrissement, de fièvre.

Effets indésirables possibles : douleurs abdominales, diarrhées.

Note : vendu sans ordonnance; ne pas utiliser pendant plus de 5 jours sans avis médical.

SORBITOL injectable
(Aguettant)

Introd. en 1975. Non remb. SS.

Préparations : solution injectable pour perfusion intraveineuse à 5% ou 10%.

Emploi : succédané des solutions de glucose.

SORBITRATE®
(Zeneca-Pharma)

Introd. en 1984. Liste II. Remb. SS 70%.

PRINCIPE ACTIF : *Dinitrate d'isosorbide.*

SYNONYMES : isosorbide dinitrate, ISDN.

Préparations : comprimés à 20 mg.

Emploi : médicament appartenant au groupe des dérivés nitrés qui dilatent les vaisseaux sanguins, notamment les vaisseaux du cœur (coronaires) et qui sont utilisés dans le traitement des crises d'angine de poitrine (sensation de constriction douloureuse dans la poitrine pouvant irradier dans le bras gauche).

Pour les détails → p. 203.

Note : prescrit sur ordonnance médicale.

SORBOCITRYL® (Meram)

Introd. en 1966. Non remb. SS.

PRINCIPES ACTIFS : solution buvable contenant 3 g ou 1,5 g de sorbitol et citrate de sodium.

Emploi : laxatif osmotique proposé dans le traitement des troubles de la digestion et de la constipation.

Précautions : ne pas employer en cas d'obstruction des voies biliaires, de rectocolite hémorragique, de maladie de Crohn, d'occlusion intestinale, de douleurs abdominales d'origine indéterminée; consultez votre médecin si les troubles persistent et en cas de douleurs de la région du foie, d'urines foncées, de selles noires, d'amaigrissement, de fièvre.

Effets indésirables possibles : douleurs abdominales, diarrhées.

Note : vendu sans ordonnance; ne pas utiliser pendant plus de 5 jours sans avis médical.

SORBOSTYL® (Delalande)

Introd. en 1963. Remb. SS 40%.

PRINCIPE ACTIF : solution injectable hypertonique de sorbitol (50%).

Emploi : utilisé pour prévenir l'occlusion intestinale postopératoire.

Note : réservé aux hôpitaux.

SORBSAN®
(Lab. du Mercurochrome)

Introd. en 1988. Non remb. SS.

PRINCIPE ACTIF : ouate pour application locale contenant de l'alginate de calcium (hémostatique local).

Emploi : proposé pour arrêter le saignement d'une plaie superficielle.

Précautions : ne pas employer en cas de traitement anticoagulant (le saignement peut être dû au surdosage).

Note : vendu sans ordonnance; consultez votre médecin si le saignement persiste.

SORIATANE® (Roche)

Introd. en 1989. Liste I. Remb. SS 70%.

PRINCIPE ACTIF : *Acitrétine*.

Préparations : gélules à 10 mg ou 25 mg.

Emploi : rétinoïde apparenté à la vitamine A (rétinol) utilisé par voie buccale dans le traitement du psoriasis grave, rebelles à d'autres traitements. L'acitrétine agit en diminuant la production d'une protéine (kératine) qui forme la couche dure externe de la peau; elle est aussi utilisée pour le traitement des troubles congénitaux ou acquis de la kératinisation (ichtyoses, maladie de Darier, kératodermies palmo-plantaires).

Durée d'action : l'acitrétine s'accumule dans le tissu graisseux d'où elle peut être libérée pendant de très longues périodes; ses effets continuent pendant des semaines après l'arrêt du traitement.

Grossesse : ce médicament ne doit en aucun cas être utilisée chez la femme enceinte ou susceptible de l'être, car son utilisation comporte un risque important de graves lésions du fœtus et *provoquer la naissance d'un enfant porteur de malformations (effet tératogène)*; son usage est déconseillé chez l'enfant à cause du risque de troubles de la croissance osseuse.

Exceptionnellement, en cas de dermatose grave, invalidante chez une femme apte à procréer, des mesures anticonceptionnelles efficaces sont indispensables non seulement pendant toute la durée du traitement mais encore un mois avant et *2 ans après l'arrêt* de celui-ci, car le médicament est stocké dans l'organisme pendant longtemps; la patiente devra être informée des raisons de ces mesures destinées à éviter le risque de graves malformations fœtales.

Ce médicament vous est prescrit personnellement et vous ne devez en aucun cas le donner à une autre personne; son utilisation demande une excellente coopération avec votre médecin.

Pendant le premier mois de traitement, une aggravation du psoriasis est possible et les effets du traitement n'apparaissent qu'après 2-3 mois.

Lentilles de contact : si vous portez des lentilles de contact, l'utilisation d'un collyre pour suppléance lacrymale peut être utile pour éviter l'irritation due à la sécheresse des yeux provoquée par le traitement.

Conduite de véhicules : assurez vous que le médicament n'entraîne pas de troubles de la vision crépusculaire avant de conduire des véhicules ou d'utiliser des machines.

Exposition au soleil : ce médicament peut rendre votre peau très sensible aux rayons solaires et ultraviolets (photosensibilisation); pendant le traitement, vous devez éviter l'exposition directe au soleil et porter des vêtements qui couvrent les bras et les jambes, un chapeau et des lunettes de soleil.

Note : prescrit sur ordonnance médicale.

SOTALEX®
(Bristol-Myers Squibb)

Introd. en 1976. Liste I. Remb. SS 70%.

PRINCIPE ACTIF : *Sotalol*.

Préparations : comprimés à 80 mg ou 160 mg; ampoules à 20 mg dans 2 ml.

Emploi : médicament appartenant au groupe très nombreux des bêta-bloquants; le sotalol possède des propriétés antiarythmique (classe III).

Il est utilisé :

– pour abaisser la tension artérielle chez les hypertendus (antihypertenseur);

– pour prévenir les crises d'angine de poitrine (antiangoreux);

– pour régulariser le rythme cardiaque (antiarythmique).

– pour atténuer les palpitations et le tremblement en cas d'activité excessive de la glande thyroïde (hyperthyroïdie ou maladie de Basedow)

– pour atténuer les signes fonctionnels de certaines maladies du cœur appelées cardiomyopathies obstructives;

– pour prévenir la récidive des hémorragies digestives en cas de cirrhose.

Il s'agit d'un bêta-bloquant de type «non cardiosélectif».

Pour les détails → p. 96.

Note : prescrit sur ordonnance médicale.

SOUFRANE® (Millot-Solac)

Introd. en 1960. Remb. SS 40%.
PRINCIPE ACTIF : solution nasale contenant le sel sodique de l'acide ténoïque.
Emploi : proposé comme antiseptique nasal dans les rhinites («rhume»).
Précautions : ne pas employer en cas d'intolérance au soufre.
Effets indésirables possibles: réactions allergiques.
Note : vendu sans ordonnance; ne pas utiliser pendant plus de 5 jours sans avis médical.

SOUFRE MICROSOL®
(Herbaxt)

Introd. en 1991. Non remb. SS.
PRINCIPE ACTIF : solution buvable qui contient du soufre (élément minéral-trace).
Emploi : proposé dans les affections cutanées et rhumatismales.
Note : vendu sans ordonnance; efficacité à confirmer dans l'emploi proposé.

SPAGULAX® Mucilage Pur
(SmithKline Beecham)

Introd. en 1936. Remb. SS 40%.
PRINCIPE ACTIF : granulé contenant 3 g de mucilage d'ispaghule par cuillerée à café.
Emploi : laxatif de lest dans la constipation occasionnelle.
Prise du médicament : boire de l'eau avec chaque prise; ne pas prendre le médicament en position allongée.
Précautions : utilisation prudente en cas de mégacôlon par altération de la motricité colique.
Note: vendu sans ordonnance; le traitement médicamenteux de la constipation n'est qu'un adjuvant au traitement hygiéno-diététique qui comporte :
– alimentation riche en fibres végétales (légumes, fruits, pain complet), boissons abondantes;
– activité physique et présentation quotidienne à la selle, à la même heure.

SPAGULAX® au citrate de
potassium (SmithKline Beecham)

Introd. en 1959. Remb. SS 40%.
PRINCIPES ACTIFS : granulé contenant du mucilage d'ispaghule et citrate de potassium.

Emploi : proposé dans la constipation rebelle au traitement hygiéno-diététique.
Prise du médicament : toujours boire de l'eau avec chaque prise; ne pas prendre le médicament en position allongée. La durée du traitement ne doit pas dépasser quelques jours.
Précautions : utilisation prudente en cas de mégacôlon par altération de la motricité colique; ne pas associer des diurétiques épargnant le potassium; consultez votre médecin si les troubles persistent et en cas de douleurs de la région du foie, d'urines foncées, de selles noires, d'amaigrissement, de fièvre.
Effets indésirables possibles: diarrhée, douleurs abdominales.
Note : vendu sans ordonnance; ne pas utiliser pendant plus de 5 jours sans avis médical.

SPAGULAX® au sorbitol
(SmithKline Beecham)

Introd. en 1965. Remb. SS 40%.
PRINCIPES ACTIFS : granulé contenant du mucilage d'ispaghule, sorbitol, acide citrique et phosphate disodique.
Emploi : association d'un laxatif de lest (mucilage d'ispaghule) et d'un laxatif osmotique (sorbitol) proposé dans la constipation occasionnelle.
Prise du médicament : boire de l'eau avec chaque prise; ne pas prendre le médicament en position allongée.
Précautions : ne pas employer en cas d'obstruction des voies biliaires, de rectocolite hémorragique, maladie de Crohn, d'occlusion intestinale, de douleurs abdominales d'origine indéterminée; consultez votre médecin si les troubles persistent et en cas de douleurs de la région du foie, d'urines foncées, de selles noires, d'amaigrissement, de fièvre.
Effets indésirables possibles: douleurs abdominales, diarrhées.
Note : vendu sans ordonnance; ne pas utiliser pendant plus de 5 jours sans avis médical.

SPANOR® (Biothérapie)

Introd. en 1982. Liste I. Remb. SS. 70%.
PRINCIPE ACTIF : gélules contenant 100 mg de doxycycline.
Emploi : antibiotique dérivé de la tétracycline, mieux résorbée que celle-ci

par voie digestive et diffusant mieux dans les tissus; la doxycycline a l'avantage sur la tétracycline de pouvoir être administrée en cas d'insuffisance rénale. La doxycycline est employée dans le traitement des infections à germes sensibles, en particulier infections uro-génitales et sexuellement transmissibles.
Pour les détails → p. 672.
Note : prescrit sur ordonnance médicale.

SPARAPLAIE NA® (Fournier)

Introd. en 1974. Remb. SS 40%.
PRINCIPES ACTIFS : pansement adhésif contenant du chlorure de benzalkonium et butylglycol.
Emploi : protection des plaies superficielles

SPARK® PILULES → Pilules Spark®.

SPARTÉINE (Aguettant)

Introd. en 1967. Liste II. Non remb. SS.
Préparations : solution injectable en ampoules à 50 mg dans 1 ml et 100 mg dans 1 ml.
Emploi : alcaloïde du genêt à balais (*Cytisus scoparius*) proposé pour stimuler les contractions de l'utérus (ocytocique) au cours de l'accouchement ou dans le traitement symptomatique de l'éréthisme cardiaque et de la tachycardie sinusale.
Précautions : ne pas employer en cas de bloc de branche, ne pas associer l'adrénaline, l'iodure de potassium.
Note : prescrit sur ordonnance médicale.

SPASFON® (Lafon)

Introd. en 1964. Remb. SS 40%.
PRINCIPE ACTIF : **Phloroglucinol.**
Préparations : comprimés à 80 mg; lyophilisat oral à 80 mg (*Lyoc®*); suppositoires à 150 mg; ampoules injectables à 40 mg dans 4 ml.
Emploi : antispasmodique agissant directement sur les fibres musculaires lisses, sans action atropinique, utilisé dans le traitement des spasmes douloureux du tube digestif, des voies biliaires et de la sphère génitale et urinaire.
Pour les détails → p. 57.
Note : vendu sans ordonnance; consultez votre médecin si les spasmes persistent.

SPASMAG® (Serozym)

Introd. en 1979. Remb. SS 40%.
PRINCIPES ACTIFS :
– solution buvable et gélules : sulfate de magnésium et levure;
– ampoules injectables : sulfate de magnésium (1,2 g).
Emploi : utilisé dans les carences magnésiennes et proposé, en l'absence de carence magnésienne, dans la «spasmophilie» ou «tétanie constitutionnelle» avec crises d'anxiété et respiration accélérée (efficacité à confirmer).
Précautions : ne pas employer en cas d'insuffisance rénale.
Note : vendu sans ordonnance; à éviter en automédication (une carence en magnésium ne peut être diagnostiquée que par votre médecin).

SPASMAVÉRINE® (R. Bellon)

Introd. en 1948. Remb. SS 40%.
PRINCIPE ACTIF : **Alvérine.**
SYNONYME : dipropyline.
Préparations : comprimés à 40 mg; suppositoires à 80 mg; ampoules injectables à 40 mg dans 2 ml.
Emploi : antispasmodique agissant directement sur les fibres musculaires lisses, sans action atropinique, utilisé dans le traitement des spasmes douloureux du tube digestif et des voies biliaires et proposé dans les spasmes douloureux de la sphère génitale et urinaire.
Pour les détails → p. 57.
Note : vendu sans ordonnance; consultez votre médecin si les spasmes persistent.

SPASMIDÉNAL® (Jolly-Jatel)

Introd. en 1953. Remb. SS 70%.
PRINCIPES ACTIFS :
– comprimés : 10 mg de phénobarbital, valériane et aubépine;
– suppositoires adultes : 60 mg de phénobarbital, valériane et aubépine. Liste II
Emploi : sédatif et somnifère.
Précautions : ne pas employer chez l'enfant et en cas de grossesse, d'allaitement, de porphyries et d'insuffisance respiratoire; l'activité des anticoagulants oraux et des contraceptifs hormonaux peut être réduite.

Alcool : évitez les boissons alcoolisées.
Conduite de véhicules : ce médicament peut diminuer la vigilance; la conduite de véhicules peut être dangereuse.
Durée du traitement : ce médicament ne doit être utilisé que pour une brève période (maximum 4 semaines).
Effets indésirables possibles : somnolence, éruptions cutanées, troubles psychiques, notamment confusion mentale chez le sujet âgé.
Note : vendu sans ordonnance; à éviter du fait de la présence de phénobarbital qui n'est pas recommandé en dehors du traitement de l'épilepsie.

SPASMINE® (Jolly-Jatel)

Introd. en 1953. Remb. SS 70%.
Principes actifs: comprimés contenant un extrait de valériane et poudre d'aubépine.
Emploi: proposé comme sédatif et dans les troubles légers du sommeil.
Note: vendu sans ordonnance; consultez votre médecin si les troubles persistent.

SPASMOLYTIQUES → p. 56 et p. 57

SPASMODEX® (Crinex)

Introd. en 1954. Liste II. Remb. SS 40%.
Principe actif : *Dihexyvérine*.
Préparations : comprimés à 10 mg; suppositoires à 50 mg; ampoules injectables à 10 mg.
Emploi : atropinique de synthèse provoquant un relâchement des fibres musculaires lisses du tube digestif et des voies urinaires et une diminution des sécrétions gastriques, salivaires, lacrymales et de la sudation.
La dihexyvérine est utilisée dans les spasmes douloureux des voies digestives, biliaires et urinaires.
Pour les détails → p. 56.
Note : prescrit sur ordonnance médicale.

SPASMOPRIV® (Delalande)

Introd. en 1979. Liste II. Remb. SS 40%.
Principe actif : *Fénovérine*.
Préparations : gélules à 100 mg.
Emploi : antispasmodique agissant directement sur les fibres musculaires lisses, sans action atropinique, utilisé dans le traitement des spasmes douloureux du tube digestif et des voies biliaires et proposé dans les spasmes douloureux de la sphère génitale et urinaire.
Pour les détails → p. 57.
Note : prescrit sur ordonnance médicale.

SPASMOSÉDINE® (Deglaude)

Introd. en 1927. Remb. SS 70%.
Principes actifs: comprimés contenant
– phénobarbital (12 mg) : barbiturique à action prolongée;
– quinine bromhydrate : antipaludique;
– extrait de cratægus.
Emploi : a été proposé dans l'éréthisme cardiaque et dans les spasmes des vaisseaux chez des sujets hypertendus et artérioscléreux.
Précautions : ce médicament ne doit pas être utilisé chez l'enfant et en cas de grossesse, d'allaitement, de porphyries et d'insuffisance respiratoire; l'activité des anticoagulants oraux et des contraceptifs hormonaux peut être réduite.
Alcool : évitez les boissons alcoolisées pendant le traitement.
Conduite de véhicules : ce médicament peut diminuer la vigilance; la conduite de véhicules ou l'utilisation de machines peut être dangereuse.
Durée du traitement : ce médicament ne doit être utilisé que pour une brève période (maximum 4 semaines).
Effets indésirables possibles :
– liés au phénobarbital : somnolence, éruptions cutanées, troubles psychiques, notamment confusion mentale chez le sujet âgé;
– liés à la quinine : vertiges, bourdonnements d'oreilles, surdité, vision trouble; certains sujets sont anormalement sensibles à la quinine qui dès la première ou les premières doses, provoque des effets indésirables parfois graves, notamment de la fièvre, une éruption cutanée ou une crise d'asthme, une accélération du pouls et une chute de la tension artérielle avec vertiges, syncope et risque d'arrêt du cœur.
Note : vendu sans ordonnance; à éviter du fait de la présence de phénobarbital qui n'est pas recommandé en dehors du traitement de l'épilepsie.

SPECIAFOLDINE® (Specia)

Introd. en 1947. Remb. SS 70%.

PRINCIPE ACTIF : **Acide folique**.

SYNONYME : acide ptéroyl-glutamique, vitamine B9.

Préparations : comprimés à 5 mg.

Emploi : l'acide folique est nécessaire en faible quantité pour la synthèse des acide nucléiques et pour la formation des globules rouges du sang; la carence s'accompagne d'une anémie (dite «mégaloblastique») qui est guérie par l'acide folique.

Les besoins quotidiens en acide folique sont de 200-400 µg, habituellement fournis par les aliments. Les aliments les plus riches en acide folique sont les abats (foie, rognons) et les légumes verts.

L'alcool, certains médicaments (phénytoïne, méthotrexate, co-trimoxazole), des diarrhées chroniques et la résection chirurgicale de l'estomac peuvent augmenter les besoins en acide folique et causer des carences.

L'acide folique est utilisé pour traiter les anémies macrocytaires par carence; l'usage de routine de ce médicament dans le traitement de toutes les anémies doit être proscrit car il peut masquer les symptômes de l'anémie pernicieuse; en effet, dans cette anémie, l'acide folique améliore les symptômes de l'anémie, mais ne protège pas le patient de la progression du syndrome neurologique.

Grossesse : l'administration pendant la grossesse n'est justifiée qu'en cas de carence prouvée.

Effets indésirables possibles : fièvre, prurit, éruption cutanée (réaction allergique : arrêtez le traitement).

Note : *vendu sans ordonnance; médicament à utiliser sous contrôle médical.*

SPÉCYTON® cartilage-parathyroïde (Menarini)

Introd. en 1961. Remb. SS 40%.

PRINCIPES ACTIFS : suppositoires contenant des globulines de plasma de chevaux préparés par injection d'extraits de cartilage et de parathyroïde.

Emploi : proposé dans le traitement de fond des arthroses.

Note : *vendu sans ordonnance; efficacité des principes actifs à confirmer dans l'emploi proposé.*

SPÉVIN® (Arcis-Toledano)

Introd. en 1928. Remb. SS 40%.

PRINCIPES ACTIFS : gélules contenant de la poudre de *Cascara sagrada* et de *Quassia amara* (laxatifs irritants) et charbon végétal.

Emploi : traitement de la constipation.

Précautions : consultez votre médecin si la constipation persiste, en cas de sang dans les selles ou de selles noires, de douleurs abdominales avec diarrhée, d'amaigrissement.

L'usage prolongé risque de provoquer la «maladie des laxatifs».

Note : *vendu sans ordonnance; à éviter comme tous les laxatifs irritants.*

SPIRAMYCINE
Coquelusédal® (Elerté)

Introd. en 1987. Liste I. Remb. SS 70%.

PRINCIPE ACTIF : **Spiramycine**.

Préparations : suppositoires à 650.000 UI (ou 250 mg), 1,3 millions d'UI (ou 500 mg) et 1,95 millions d'UI (750 mg).

Emploi : antibiotique du groupe des macrolides utilisé par voie buccale ou en injections pour traiter les infections dues à des bactéries (inefficace dans les infections à virus); la spiramycine peut remplacer la pénicilline ou les tétracyclines chez les sujets allergiques à ces médicaments.

Pour les détails → p. 415.

Note : *prescrit sur ordonnance médicale.*

SPIREADOSA® (Ardeval)

Introd. en 1991. Non remb. SS.

PRINCIPE ACTIF : suspension alcoolique buvable contenant un extrait de reine des prés.

Emploi : proposé dans les états fébriles et grippaux, les maux de tête, les douleurs dentaires.

Précautions : ne pas employer chez l'enfant de moins de 15 ans.

Note : *vendu sans ordonnance; efficacité du principe actif à confirmer dans l'emploi proposé.*

SPIROCTAN® (Lipha Santé)

Introd. en 1982. Liste II. Remb. SS 70%.

PRINCIPE ACTIF : **Spironolactone**.

Préparations : gélules à 50 mg ou 75 mg.

Emploi : médicament appartenant au groupe des diurétiques qui sont utilisés pour favoriser l'élimination de l'excès d'eau accumulée dans l'organisme (œdèmes); la spironolactone est un stéroïde antagoniste de l'aldostérone; contrairement aux diurétiques thiazidiques, la spironolactone ne provoque pas de pertes indésirables de potassium (diurétique «épargnant le potassium»).

La spironolactone est utilisée :
– pour réduire les œdèmes cardiaques, cirrhotiques ou néphrotiques qui résistent à d'autres diurétiques, surtout si l'on soupçonne un hyperaldostéronisme secondaire;
– comme adjuvant dans le traitement de l'hypertension artérielle essentielle en cas d'hypokaliémie (diminution du taux du potassium dans le sang) ou d'intolérance aux autres diurétiques;
– dans la myasthénie et la paralysie périodique familiale (en raison de son action hyperkaliémiante);
– dans l'œdème cyclique idiopathique;
– pour traiter l'augmentation d'aldostérone (hyperaldostéronisme primaire ou syndrome de Conn).

En cas d'insuffisance rénale, les diurétiques épargnant le potassium peuvent causer une élévation dangereuse du taux de potassium dans le sang (hyperkaliémie).

L'action se manifeste entre le 3e et le 6e jour de traitement et persiste pendant environ 72 heures après l'arrêt de celui-ci.

Sportifs : ce médicament se trouve sur la liste des dopants interdits (Ministère de la Jeunesse et des Sports); il donne une réaction positive en cas de tests pratiqués lors des contrôles antidopage.
Pour les détails → p. 233.
Note : prescrit sur ordonnance médicale.

SPIROCTAZINE® (Lipha Santé)

Introd. en 1984. Liste II. Remb. SS 70%.
PRINCIPES ACTIFS: comprimés contenant
– spironolactone (25 mg) : diurétique épargnant le potassium;
– altizide (15 mg) : diurétique thiazidique.
Emploi : association d'un diurétique dérivé de la thiazide et d'un diurétique distal épargnant le potassium dans le but de limiter autant que possible les pertes potassiques indé-

sirables. Ce médicament est utilisé pour traiter l'hypertension artérielle et les œdèmes.
Pour les détails → p. 232 et p. 233.
Note : prescrit sur ordonnance médicale.

SPIRONONE® Microfine
(Pharmafarm)

Introd. en 1986. Liste II. Remb. SS 70%.
PRINCIPE ACTIF : *Spironolactone.*
Préparations : comprimés à 75 mg.
Emploi : médicament appartenant au groupe des diurétiques qui sont utilisés pour favoriser l'élimination de l'excès d'eau accumulée dans l'organisme (œdèmes); la spironolactone est un stéroïde antagoniste de l'aldostérone; contrairement aux diurétiques thiazidiques, la spironolactone ne provoque pas de pertes indésirables de potassium (diurétique «épargnant le potassium»).

La spironolactone est utilisée :
– pour réduire les œdèmes cardiaques, cirrhotiques ou néphrotiques qui résistent à d'autres diurétiques, surtout si l'on soupçonne un hyperaldostéronisme secondaire;
– comme adjuvant dans le traitement de l'hypertension artérielle essentielle en cas d'hypokaliémie (diminution du taux du potassium dans le sang) ou d'intolérance aux autres diurétiques;
– dans la myasthénie et la paralysie périodique familiale (en raison de son action hyperkaliémiante);
– dans l'œdème cyclique idiopathique;
– pour traiter l'augmentation d'aldostérone (hyperaldostéronisme primaire ou syndrome de Conn).

En cas d'insuffisance rénale, les diurétiques épargnant le potassium peuvent causer une élévation dangereuse du taux de potassium dans le sang (hyperkaliémie).

L'action se manifeste entre le 3e et le 6e jour de traitement et persiste pendant environ 72 heures après l'arrêt de celui-ci.

Sportifs : ce médicament se trouve sur la liste des dopants interdits (Ministère de la Jeunesse et des Sports); il donne une réaction positive en cas de tests pratiqués lors des contrôles antidopage.
Pour les détails → p. 233.
Note : prescrit sur ordonnance médicale.

SPLÉNOCARBINE® (Lesourd)

Introd. en 1934. Non remb. SS.

PRINCIPES ACTIFS : granulé à croquer contenant du charbon activé.

Emploi : troubles digestifs (dyspepsies).

Précautions : consultez votre médecin en cas de douleurs ou crampes abdominales d'origine indéterminée, de selles noires, d'amaigrissement.

En cas de diabète : tenir compte de la teneur en sucre du produit.

Note : vendu sans ordonnance; ne pas utiliser pendant plus de 5 jours sans avis médical.

SPORILINE® (Schering-Plough)

Introd. en 1966. Remb. SS 70%.

PRINCIPE ACTIF : **Tolnaftate**.

Préparations : crème à 1%; lotion à 1%.

Emploi : médicament appartenant au groupe des antifongiques locaux qui sont utilisés pour traiter les infections de la peau causées par des champignons ou des levures; il est utilisé pour traiter les dermatophytoses de la peau glabre et des orteils (pied d'athlète), les teignes et d'autres affections.

Précautions : ne pas appliquer sur une grande surface, une peau lésée et chez le nourrisson (risque d'absorption du produit) consultez votre médecin si les lésions ne s'améliorent pas rapidement.

Effets indésirables possibles: irritation locale, prurit, brûlures.

Note : vendu sans ordonnance; à éviter sans avis médical, sauf en cas de rechutes d'affections diagnostiquées antérieurement par votre médecin.

SPRAY-PAX® (Lab. S.C.A.T.)

Introd. en 1981. Non remb. SS.

PRINCIPES ACTIFS : solution pour application locale en flacon pressurisé contenant un extrait de pyrèthre et butoxyde de pipéronyle.

Emploi : insecticide utilisé dans les pédiculoses du pubis (phtiriase inguinale).

Application : brèves pulvérisations dans les régions pileuses; après 30 minutes, laver au savon.

Note : vendu sans ordonnance; efficacité généralement reconnue dans l'emploi proposé.

SPRÉGAL® aérosol (S.C.A.T.)

Introd. en 1990. Non remb. SS.

PRINCIPES ACTIFS : solution pour application locale en flacon pressurisé (aérosol) contenant de l'esdépalléthrine (pyréthrinoïde de synthèse) et butoxyde de pipéronyle.

Emploi : utilisé pour traiter la gale (suivre les instructions du fabricant).

Note : vendu sans ordonnance; efficacité généralement reconnue dans l'emploi proposé.

SPRÉOR® (Inava)

Introd. en 1990. Liste I. Remb. SS 70%.

PRINCIPE ACTIF : **Salbutamol**.

SYNONYME : albutérol.

Préparations : suspension pour inhalation buccale en flacon pressurisé (100 µg par dose).

Emploi : bêtamimétique utilisé pour dilater les bronches rétrécies par le spasme; il est employé en inhalation buccale pour traiter la crise d'asthme; l'effet survient 15 minutes après l'inhalation et dure environ 6 heures; il ne faut pas l'utiliser chez l'enfant de moins de 5 ans, en cas de bronchite, d'infarctus du myocarde récent ou de grossesse.

Pour les détails → p. 37.

Note : prescrit sur ordonnance médicale.

SRILANE® (Lipha Santé)

Introd. en 1979. Remb. SS 40%.

PRINCIPE ACTIF : pommade contenant 5% d'idrocilamide.

Emploi : relaxant musculaire ou myorelaxant utilisé en application locale dans les contractures et spasmes musculaires douloureux.

Note : vendu sans ordonnance; consultez votre médecin si les douleurs persistent.

ST-52® (Sarget)

Introd. en 1955. Liste II. Remb. SS 100%.

PRINCIPE ACTIF : **Fosfestrol**.

Préparations : comprimés à 100 mg; ampoules injectables (à diluer) à 250 mg.

Emploi : médicament appartenant au groupe des estrogènes qui sont des hormones femelles naturelles nécessaires pour le développement des caractères sexuels de la femme et pour la régulation du cycle menstruel pendant l'âge de la procréation.

Le fosfestrol est un estrogène de synthèse dérivé du diéthylstilbestrol employé pour traiter les proliférations cellulaires anormales au niveau de la prostate; interrompre le traitement en cas d'immobilisation prolongée et un mois avant une opération.

Pour les détails → p. 266.

Note : prescrit sur ordonnance médicale.

STABLON® (Ardix)

Introd. en 1988. Liste I. Remb. SS 70%.
PRINCIPE ACTIF : **Tianeptine**.
Préparations : comprimés à 12,5 mg.
Emploi : antidépresseur du groupe des tricycliques utilisé dans le traitement des états dépressifs de l'adulte.
Pour les détails → p. 40.
Note : prescrit sur ordonnance médicale.

STAGID® (Merck-Clévenot)

Introd. en 1977. Liste I. Remb. SS 70%.
PRINCIPE ACTIF : **Metformine**.
Préparations : comprimés à 700 mg.
Emploi : antidiabétique oral du groupe des biguanides utilisé dans le diabète qui se développe chez l'adulte, dont le contrôle ne nécessite pas de des injections d'insuline (diabète non insulino-dépendant de type II ou DNID) et qu'un régime seul ne peut pas équilibrer suffisamment; l'injection d'insuline dans cette forme de diabète peut cependant être nécessaire en cas de blessure ou de brûlure, d'infection grave, d'apparition d'un coma acido-cétosique, d'intervention chirurgicale ou de grossesse. L'usage de ce médicament constitue un complément à votre régime et il ne saurait en aucun cas le remplacer.
Attention : arrêtez le traitement et informez immédiatement votre médecin en cas de survenue de malaise, nausées, vomissements, crampes, respiration accélérée, douleurs abdominales; ce signes peuvent précéder une complication grave du traitement appelée acidose lactique.
Pour les détails → p. 42.
Note : prescrit sur ordonnance médicale.

STALLERGÈNES MRV®
(Stallergènes)

Introd. en 1969. Remb. SS 40%.
PRINCIPES ACTIFS : suspension injectable contenant diverses bactéries.
Emploi : proposé pour stimuler le système immunitaire et prévenir des infections microbiennes récidivantes des voies respiratoires (efficacité à confirmer).
Précautions : ne pas employer en cas de grossesse.
Effets indésirables possibles : réactions locales (rougeur, prurit) ou générales (fièvre).
Conservation : entre +2° et +8° C.
Note : le traitement doit être conduit sous surveillance médicale.

STAPHYLOMYCINE®
(SmithKline Beecham)

Introd. en 1963. Liste I. Remb. SS 70%.
PRINCIPE ACTIF : **Virginiamycine**.
MÉDICAMENT ANALOGUE : pristinamycine (Pyostacine®).
Préparations : comprimés à 250 mg; poudre orale en sachet à 100 mg; poudre chirurgicale à 2%; pommade dermique à 0,5%.
Emploi : antibiotique apparenté aux macrolides utilisé
– par voie buccale dans le traitement de certaines infections bactériennes, notamment à staphylocoques;
– en application locale (pommade) dans le traitement des furoncles, anthrax, panaris (en complément du traitement chirurgical) et d'autres affections.
Précautions : ne doit pas utilisée dans les infections mammaires pendant l'allaitement.
Effets indésirables possibles : troubles digestifs, éruptions cutanées.
Note : prescrit sur ordonnance médicale.

STAPOROS® (Cassenne)

Introd. en 1973. Liste II. Remb. SS 70%.
PRINCIPE ACTIF : **Calcitonine**.
SYNONYME : thyrocalcitonine.
PRÉPARATIONS (calcitonine extractive de porc) : poudre pour solution injectable en flacons à 1 unité MRC.
Emploi : préparation très faiblement dosée proposée dans les ostéoporoses (efficacité à confirmer).
Note : prescrit sur ordonnance médicale.

STÉDIRIL® → Contraception hormonale.

STER-DEX® (Martinet)

Introd. en 1976. Liste I. Remb. SS 70%.
PRINCIPES ACTIFS : pommade ophtalmique contenant de l'oxytétracycline (antibiotique) et de la dexaméthasone (corticoïde).
Emploi : conjonctivites, infections des paupières (blépharites), et des voies lacrymales comportant une composante inflammatoire importante.
Précautions : ne pas employer en cas d'infections virales, fongiques ou tuberculeuses, d'antécédents de glaucome.
Effets indésirables possibles : risque de sensibilisation à l'oxytétracycline.
Conservation : à utiliser dans les 15 jours après l'ouverture du flacon.
Note : prescrit sur ordonnance médicale.

STÉRÉOCYT® (Kabi Pharmacia)

Introd. en 1978. Liste I. Remb. SS 100%.
PRINCIPE ACTIF : **Prednimustine**.
Préparations : gélules à 10 mg ou 50 mg.
Emploi : médicament du groupe des moutardes azotées associant le chlorambucil à la prednisolone.
La prednimustine agit sur les cellules lymphatiques et est utilisé pour traiter certaines maladies dues à une prolifération excessive des lymphocytes dans les leucémies lymphoïdes, la maladie de Hodgkin et dans d'autres proliférations cellulaires au niveau des ganglions lymphatiques.
Note : le traitement doit être pris en charge par un spécialiste.

STÉRILLIUM® (Medipharm)

Introd. en 1987.
PRINCIPES ACTIFS : solution alcoolique pour application locale contenant du mécétronium étilsulfate (antiseptique) et propanol 1 et 2.
Emploi : proposé pour désinfecter la peau saine et non mouillée.

STÉRIMYCINE® (Martinet)

Introd. en 1978. Remb. SS 70%.
PRINCIPES ACTIFS : pommade ophtalmique contenant de la kanamycine et polymyxine B (antibiotiques).
Emploi : infections de l'œil et de ses annexes.
Précautions : ne pas employer en cas d'infections virales, fongiques ou tuberculeuses, ou de glaucome.
Effets indésirables possibles : risque de sensibilisation à la kanamycine ou à la polymyxine B.
Conservation : à utiliser dans les 15 jours après l'ouverture du flacon.
Note : vendu sans ordonnance; à éviter en automédication comme tous les antibiotiques locaux.

STERLANE® (Pharmascience)

Introd. en 1967. Remb. SS 70%.
PRINCIPES ACTIFS : solution pour application locale, crème et teinture contenant du miristalkonium chlorure (antiseptique) et des substances tensioactives.
Emploi : proposé comme antiseptique dans les petites lésions de la peau.
Précautions : ne pas avaler, ne pas appliquer sur les muqueuses et les parties sexuelles; consultez votre médecin si la lésion persiste, devient douloureuse et s'accompagne de fièvre.
Note : produit vendu sans ordonnance.

STÉROGYL® (Roussel)

Introd. en 1928. Remb. SS 70%.
PRINCIPE ACTIF : **Ergocalciférol**.
SYNONYME : calciférol, vitamine D2.
ÉQUIVALENCE : 1 mg = 40.000 UI.
Préparations :
– solution buvable à 400 UI par goutte;
– *Stérogyl*® 15 «A» : solution alcoolique uniquement buvable en ampoules à 600.000 UI;
– *Stérogyl*® 15 «H» : solution huileuse buvable et injectable à 600.000 UI par ampoule.
Pour les détails → Vitamine D.
Note : vendu sans ordonnance; à utiliser sous contrôle médical.

STHÉNOREX® (S.C.A.T.)

Introd. en 1972. Remb. SS 40%.
PRINCIPES ACTIFS : gélules et poudre orale contenant des extraits de pollens.
Emploi : proposé pour stimuler l'appétit en cas d'amaigrissement.
Note : vendu sans ordonnance; efficacité des principes actifs à confirmer dans l'emploi proposé.

STILLA® (Phygiène)

Introd. en 1965. Non remb. SS.

PRINCIPES ACTIFS : collyre contenant de la phényléphrine (vasoconstricteur), bleu de méthylène (antiseptique), acide borique et borate de sodium.

Emploi : proposé dans les irritations de la conjonctive («yeux rouges»).

Précautions : ne pas employer en cas de glaucome par fermeture de l'angle et chez l'enfant de moins de 3 ans.

Effets indésirables possibles : dilatation gênante des pupilles à la suite d'instillations répétées.

Conservation : à utiliser dans les 15 jours après l'ouverture du flacon.

Note : vendu sans ordonnance; à éviter sans avis médical, comme à tous les collyres.

STILLARGOL®
(Mayoly-Spindler)

Introd. en 1928. Remb. SS 40%.

PRINCIPE ACTIF : **Protéinate d'argent**

Préparations : solution nasale et ophtalmique à 1%, 2% ou 5%.

Emploi : proposé dans le traitement des infections de la muqueuse nasale ou conjonctivale.

Durée du traitement : aussi brève que possible.

Effets indésirables possibles : photosensibilisation, méthémoglobinémie.

Note : vendu sans ordonnance; des principes actifs plus efficaces sont actuellement disponibles.

STILNOX® (Synthélabo)

Introd. en 1988. Liste I. Remb. SS 70%. La durée de prescription ne peut dépasser 4 semaines.

PRINCIPE ACTIF : **Zolpidem**.

Préparations : comprimés à 10 mg.

Emploi : somnifère appartenant au groupe des dérivés de l'imidazopyridine (IZP), ayant des effets pharmacologiques analogues à ceux des benzodiazépines (→ p. 94), proposé par voie buccale *pour une brève période* dans les insomnies occasionnelles ou transitoires (tous les troubles du sommeil ne nécessitent pas un traitement médicamenteux); ce médicament ne doit pas être utilisé pour traiter l'insomnie chronique.

Note : prescrit sur ordonnance médicale.

STIMOL® (Biocodex)

Introd. en 1978. Non remb. SS.

PRINCIPE ACTIF : solution buvable en ampoules et sachets contenant 2 g de malate de citrulline.

Emploi : proposé dans la fatigue.

Précautions : consultez votre médecin si la fatigue persiste (il peut s'agir de dépression ou d'une autre maladie nécessitant un traitement spécifique) ou en cas d'amaigrissement.

Note : vendu sans ordonnance; efficacité du principe actif à confirmer dans l'emploi proposé.

STIMU-LH® (Roussel)

Introd. en 1974. Liste I.

PRINCIPE ACTIF : **Gonadoréline**.

SYNONYMES :

– Luteinizing Hormone Releasing Hormone (LH-RH).
– Facteur de libération de l'hormone lutéinisante.
– Gonadolibérine.

Préparations : ampoules injectables à 0,050 mg.

Emploi : analogue de synthèse de la LH-RH naturelle sécrétée normalement par l'hypothalamus et utilisée dans l'exploration fonctionnelle de l'hypophyse (blocage complet de l'activité gonadotrope et gonadique).

Note : l'exploration doit être prise en charge par un spécialiste.

STIMU-TSH® (Roussel)

Introd. en 1976. Liste I.

PRINCIPE ACTIF : **Protiréline**.

SYNONYMES : facteur de libération de la thyrotrophine (TRF), Thyrotropin Releasing Hormone (TRH), thyrolibérine.

Préparations : ampoules injectables à 0,250 mg dans 2 ml.

Emploi : analogue synthétique d'une hormone hypothalamique naturelle, la protiréline stimule la sécrétion par l'hypophyse d'une hormone appelée thyrotrophine (TSH) qui à son tour stimule la thyroïde. La protiréline est utilisée pour le diagnostic et la surveillance des troubles de la fonction thyroïdienne; en effet, la mesure du taux de la TSH dans le sang avant et après une injection intraveineuse de protiréline permet de mesurer les réserves hypophysaires en TSH. La protiréline stimule aussi la libération de la prolactine et le test décrit ci-dessus est aussi utilisé pour le diagnostic de l'hypersécrétion de cette hormone, par exemple dans certaines tumeurs de l'hypophyse.

Précautions : ne pas employer en cas d'allergie au produit ; les affections suivantes peuvent modifier l'action du médicament :
– hypertension artérielle, maladie cardio-vasculaire, accident cérébro-vasculaire récent (les variations de la tension artérielle peuvent être dangereuses) ;
– maladie des reins (les résultats du test peuvent être faussés).

Grossesse : ce médicament ne doit pas être utilisé chez la femme enceinte ou susceptible de l'être ; en effet, il a causé des malformations du fœtus au cours de l'expérimentation animale.

Allaitement : utilisation déconseillée.

Interactions : il faut informer votre médecin si vous prenez ou avez pris récemment d'autres médicaments.

Effets indésirables possibles : maux de tête, nausées, vertiges, sensation de miction impérieuse, évanouissements.

Note : l'exploration doit être prise en charge par un spécialiste.

STIMYCINE® (Stiefel)

Introd. en 1992. Liste I. Remb. SS 70 %.

PRINCIPE ACTIF : *Erythromycine.*

Préparations : solution alcoolique à 4 % pour application locale.

Emploi : antibiotique macrolide utilisé en application locale pour traiter l'acné, notamment les formes à dominante inflammatoire.

Précautions : ne pas employer en cas d'antécédentes d'allergie à l'érythromycine ; ne pas appliquer en proximité de l'œil ; un emploi prolongé peut provoquer l'apparition de bactéries résistantes à l'antibiotique.

Effets indésirables possibles : irritation et prurit, sensation de brûlure, sécheresse et rougeur de la peau.

Note : prescrit sur ordonnance médicale.

STIVANE® (Beaufour)

Introd. en 1972. Non remb. SS.

PRINCIPE ACTIF : *Pirisudanol*

Préparations : gélules à 300 mg.

Emploi : proposé dans la fatigue (ou asthénie fonctionnelle).

Précautions : consultez votre médecin si la fatigue persiste (il peut s'agir d'une dépression ou d'une autre maladie nécessitant un traitement spécifique) ou en cas d'amaigrissement.

Note : vendu sans ordonnance ; efficacité du principe actif à confirmer dans l'emploi proposé.

STODAL® (Boiron)

Introd. en 1944. Non remb. SS.
Préparations homéopathiques (granules et sirop) proposées pour traiter la toux.

STOM-ANTIBA® (Pharmastra)

Introd. en 1966. Remb. SS 40 %.

PRINCIPES ACTIFS : solution pour bain de bouche contenant de la procaïne (anesthésique local), chloroforme, hydrate de chloral, thymol, acide salicylique, alun de potassium, arnica, menthe, eau de laurier-cerise.

Emploi : proposé comme anesthésique et antiseptique buccal.

Note : vendu sans ordonnance ; ne pas utiliser pendant plus de 5 jours sans avis médical.

STOPASTHME® (Granions)

Introd. en 1949. Non remb. SS.

PRINCIPE ACTIF : gélules contenant 10 mg d'éphédrine.

Propriétés : médicament stimulant les fibres sympathiques (α et ß).

Emploi : pour dilater les bronches dans la crise d'asthme (bronchodilatateur).

Sportifs : ce médicament se trouve sur la liste des dopants interdits (Ministère de la Jeunesse et des Sports) ; il donne une réaction positive en cas de tests pour contrôle antidopage.

Effets indésirables possibles : palpitations, accélération ou irrégularité du pouls, maux de tête, étourdissements, nervosité, insomnie, transpirations, tremblements.

Note : vendu sans ordonnance ; à éviter en automédication à cause des effets indésirables possibles ; des principes actifs plus efficaces sont disponibles pour traiter la crise d'asthme.

STOP HÉMO® (Brothier)

Introd. en 1977. Non remb. SS.

PRINCIPES ACTIFS : compresses, pansements, spray et poudre pour application locale contenant de l'alginate de calcium (hémostatique local).

Emploi : proposé pour arrêter le saignement d'une plaie superficielle.

Précautions : les blessures qui saignent encore 15 minutes après l'application du produit doivent être examinées par votre médecin; ne pas utiliser en cas de traitement anticoagulant (le saignement peut être un signe de surdosage); ne pas appliquer sur des plaies infectées.

Note : vendu sans ordonnance; consultez votre médecin si le saignement persiste.

STOPHÉNYL® (Amido)

PRINCIPES ACTIFS : solution contenant de l'amyléine (anesthésique local), hydrate de chloral, chloroforme, borate de sodium, phénosalyl, essence de géranium.

Emploi : proposé comme antiseptique de la bouche.

Note : vendu sans ordonnance; ne pas utiliser pendant plus de 5 jours sans avis médical.

STRATÈNE® (Pharbiol)

Introd. en 1973. Liste I. Remb. SS 70%.

PRINCIPE ACTIF : **Cétiédil.**

Préparations : gélules à 100 mg.

Emploi : vasodilatateur musculotrope ayant un effet atropinique important et un effet bêta-2 stimulant proposé dans les artériopathies des membres inférieurs et dans les spasmes vasculaires périphériques; l'efficacité des vasodilatateurs périphériques dans ces affections reste à confirmer.

Précautions : ne pas employer en cas de glaucome par fermeture de l'angle, de rétention urinaire par obstacle urétro-prostatique, de grossesse ou d'allaitement; usage prudent chez le sujet âgé.

Note : prescrit sur ordonnance médicale.

STREPSILS® (Boots-Pharma)

Introd. en 1990. Non remb. SS.

PRINCIPES ACTIFS : pastilles à sucer contenant de l'amylmétacrésol et alcool dichloro-2,4 benzylique.

SPÉCIALITÉS ANALOGUES : Strepsils® miel citron, menthol ou vitamine C.

Emploi : antiseptique buccal proposé dans le «mal de gorge» de l'adulte sans fièvre.

Précautions : ne pas employer chez l'enfant de moins de 5 ans et en cas d'allergie à l'aspirine.

En cas de diabète : tenir compte de la teneur en sucre du produit.

Note : vendu sans ordonnance; ne pas utiliser pendant plus de 3 jours sans avis médical.

STREPTASE® (Hoechst)

Introd. en 1970. Liste I.

PRINCIPE ACTIF : **Streptokinase.**

Préparations : lyophilisat pour solution injectable en flacons à 250.000 UI, 500.000 UI, 750.000 UI et 1,5 million d'UI.

Emploi : utilisé en milieu hospitalier pour dissoudre les caillots de sang qui se sont formés dans certains vaisseaux, notamment du cœur et des poumons, et qui empêchent la circulation du sang.

Pour les détails → p. 681.

Note : réservé aux hôpitaux.

STREPTOMYCINE (Diamant)

Introd. en 1949. Liste I. Remb. SS 70%.

PRINCIPE ACTIF : **Streptomycine.**

Préparations : poudre pour solution injectable en flacons à 1 g.

Emploi : le plus ancien antibiotique du groupe des aminosides employé en injections intramusculaires dans le traitement de la tuberculose (en association avec d'autres médicaments), de la brucellose, de la tularémie et de la peste.

Allergie : informez votre médecin si vous avez déjà fait une réaction allergique ou inhabituelle à ce médicament ou à un autre aminoside.

État de santé : vous devez informer votre médecin de toute affection susceptible de modifier les effets du médicament, notamment :

- maladies du rein (le taux de l'antibiotique dans le sang peut être élevé, ce qui entraîne des effets indésirables graves);
- troubles de l'ouïe et/ou de l'équilibre (peuvent être aggravés);
- myasthénie (risque d'aggravation de la faiblesse musculaire).

Grossesse : l'utilisation est déconseillée pendant la grossesse à cause du risque potentiel d'atteinte de l'oreille interne du fœtus.

Allaitement : l'utilisation de ce médicament est déconseillée, car il passe dans le lait maternel.

Enfants : on évite autant que possible d'utiliser la streptomycine chez les enfants car les injections sont douloureuses et les lésions irréversibles des nerfs auditif et vestibulaire sont fréquentes.

Sujets âgés : doses réduites (risque accru d'accumulation et d'effets indésirables).

Interactions : il faut informer votre médecin si vous prenez ou avez pris récemment d'autres médicaments, notamment autres aminosides en injection ou en application locale, furosémide, acide étacrynique, céfaloridine, céfalotine, ciclosporine, cisplatine, colistine, polymyxine B, vancomycine, relaxants musculaires ou diurétiques de l'anse.

Durée du traitement : pour un traitement efficace de l'infection, il faut continuer l'utilisation selon la prescription du médecin, même si votre état s'améliore rapidement; en effet, un arrêt du traitement peut favoriser la rechute.

Boissons : des boissons abondantes peuvent être essentielles pour favoriser l'élimination du médicament dans les urines et éviter son accumulation.

Surveillance : pendant le traitement, consultez votre médecin à intervalles réguliers; en effet, il peut être nécessaire de contrôler la fonction rénale, l'ouïe, l'équilibre et la concentration de l'antibiotique dans le sang.

Chirurgie : informez l'anesthésiste de la prise de ce médicament.

Effets indésirables possibles :
– les injections sont douloureuses et des abcès stériles peuvent se former aux points d'injection;
– toute diminution ou perte de l'ouïe, sifflements dans les oreilles;
– troubles de l'équilibre, vertiges;
– diminution de la production d'urine, urines troubles ou rouges, soif intense;
– maux de tête, somnolence;
– nausées, vomissements persistants;
– prurit, éruptions cutanées.
Note : *prescrit sur ordonnance médicale.*

STRESAM® (Cipharm)

Introd. en 1981. Liste I. Remb. SS 70%.
PRINCIPE ACTIF : *Etifoxine.*
Préparations : gélules à 50 mg.
Emploi : tranquillisant proposé dans l'anxiété.
Précautions : ne pas employer en cas d'insuffisance rénale ou hépatique; éviter les boissons alcoolisées, ne pas associer d'autres tranquillisants, sédatifs ou somnifères; ne pas utiliser en cas de grossesse ou allaitement.
Conduite de véhicules : ce médicament peut diminuer la vigilance; la conduite de véhicules ou l'utilisation de machines peut être dangereuse.
Effets indésirables possibles : somnolence diurne.
Pour les détails → p. 695.
Note : *prescrit sur ordonnance médicale.*

STRIADYNE® (Wyeth)

Introd. en 1950 (compr.) et 1991 (amp.).
PRINCIPE ACTIF : *Triphosadénine.*
SYNONYME : adénosine triphosphate.
Préparations :
– comprimés contenant 15 mg *(Striadyne Forte®)*; non remb. SS;
– ampoules injectables à 20 mg dans 2 ml; remb. SS. 70%.
Emploi :
– par voie buccale : proposé dans le traitement de la fatigue (efficacité à confirmer);
– en injection intraveineuse : utilisé en milieu hospitalier pour traiter les accès de tachycardie supraventriculaire (maladie de Bouveret).
Note : *comprimés vendus sans ordonnance.*

STRONGÉNOL® (Sarbach)

PRINCIPES ACTIFS : solution buvable contenant du ribonucléate de fer, iodure de sodium, extrait iodé de globine, vanadate de sodium, glycocollate de cuivre.
Emploi : proposé dans la fatigue.
Précautions : ne pas employer en cas d'allergie à l'iode; consultez votre médecin si la fatigue persiste (il peut s'agir d'une dépression ou d'une autre maladie nécessitant un traitement spécifique).
Note : *vendu sans ordonnance; à éviter du fait de la présence de fer qui peut masquer un saignement chronique.*

STRUCTUM® (Urpac)

Introd. en 1973. Remb. SS 40%.

PRINCIPE ACTIF : gélules contenant de l'acide chondroïtine sulfurique (sel de sodium).

Emploi : proposé dans le traitement des douleurs arthrosiques.

Effets indésirables possibles : troubles digestifs.

Note : vendu sans ordonnance; efficacité du principe actif à confirmer dans l'emploi proposé.

SUCARYL® (Abbott)

Introd. en 1966. Non remb. SS.

PRINCIPES ACTIFS : comprimés, solution et granulé contenant du cyclamate de sodium et de la saccharine sodique.

ÉQUIVALENCE : 8 gouttes = 1 comprimé = 1 morceau de sucre de 5 g.

Emploi : édulcorant (sucre diététique).

SUCCINIMIDE Sauba®
(Sterling Midy)

Introd. en 1973. Liste II. Remb. SS 70%.

PRINCIPE ACTIF : poudre orale contenant du succinimide.

Emploi : proposé pour réduire l'élimination urinaire d'acide oxalique dans les calculs rénaux oxaliques.

Précautions : ne pas employer chez l'enfant ou en cas de grossesse et d'allaitement.

Note : prescrit sur ordonnance médicale.

SUCLINE® (Soekami-Lefrancq)

Introd. en 1966. Non remb. SS.

PRINCIPE ACTIF : poudre orale et comprimés contenant du saccharinate d'ammonium.

ÉQUIVALENCE : une cuillerée à café du produit équivaut à 25 g de sucre semoule.

Emploi : édulcorant (sucre diététique).

SUCRÉDULCOR® (P. Fabre)

Introd. en 1978. Non remb. SS.

PRINCIPE ACTIF : comprimés contenant du saccharinate de sodium.

ÉQUIVALENCE : 1 comprimé = 1 morceau de sucre de 5 g.

Emploi : édulcorant (sucre diététique).

SUCROMAT® (Mayoly-Spindler)

Introd. en 1978. Non remb. SS.

PRINCIPE ACTIF : poudre orale contenant du saccharinate de sodium.

ÉQUIVALENCE : 1 unité de prise = 1 cuillerée à café de sucre de 3,5 g.

Emploi : édulcorant (sucre diététique).

SUCRUM® (Sterling Midy)

PRINCIPE ACTIF : comprimés contenant 0,125 g de cyclamate de sodium.

Emploi : édulcorant (sucre diététique).

SUDAFED® (Wellcome)

Introd. en 1991. Remb. SS 40%.

PRINCIPE ACTIF : *Pseudoéphédrine.*

SYNONYME : D-isoéphédrine.

Préparations : comprimés à 60 mg; sirop à 30 mg par cuillerée à café.

Emploi : alcaloïde extrait à partir d'un arbuste chinois, *Ephedra sinica*, ou produit par synthèse, stimulant les fibres sympathiques (alpha-sympathomimétique) et provoquant une diminution de la lumière des vaisseaux sanguins (vasoconstriction).

La pseudoéphédrine est proposée par voie orale pour décongestionner temporairement le nez dans le rhume banal (coryza); l'utilisation doit être limitée à quelques jours.

Ce médicament est déconseillé chez l'enfant au-dessous de 12 ans (de 6 ans pour le sirop).

Précautions : ne pas employer en cas d'allergie au produit, d'hypertension artérielle, d'angine de poitrine, de troubles prostatiques, de glaucome par fermeture de l'angle, d'activité excessive de la thyroïde ou hyperthyroïdie, de grossesse et allaitement, d'association aux antidépresseurs inhibiteurs de la mono-amine oxydase ou IMAO (risque de poussées hypertensives).

Sportifs : ce médicament peut donner une réaction positive en cas de contrôles antidopage.

Effets indésirables possibles : insomnie, nervosité, tremblements, maux de tête, transpirations, nausées, vomissements; palpitations et accélération ou irrégularité du pouls; en cas d'emploi prolongé, aggravation de la congestion de la muqueuse nasale (effet «rebond»).

Arrêtez le traitement et consultez votre médecin en cas de fièvre, d'éruption cutanée (réaction allergique), de jaunisse, d'urines foncées, de respiration sifflante, de vertiges.

Intoxication : possibilité chez l'enfant d'intoxication aiguë grave avec délire, convulsions, perte de connaissance, respiration lente et superficielle (dépression respiratoire) et évolution vers le coma.

Note : vendu sans ordonnance; à éviter en automédication en raison des effets indésirables possibles.

SUFENTA® (Janssen)

Introd. en 1992.
Stupéfiant (règle des 7 jours).
PRINCIPE ACTIF : **Sufentanil**.
Préparations : solution injectable IV ou péridurale à 50 µg/ml et 250 µg/5 ml.
Emploi : succédané synthétique de la morphine (action agoniste sans action antagoniste) utilisé en anesthésiologie.
Pour les détails → p. 444.
Note : réservé aux hôpitaux.

SULFARLEM® (Latéma)

Introd. en 1947.
PRINCIPE ACTIF : **Anétholtrithione**.
Préparations :
– comprimés à 12,5 mg; remb. SS. 40%.
– comprimés à 25 mg; remb. SS. 70%.
Emploi : proposé pour
– traiter les troubles digestifs (dyspepsie);
– stimuler le flux salivaire réduit à la suite de la prise de certains médicaments (antidépresseurs, neuroleptiques, antiparkinsoniens, etc.) ou de la radiothérapie.
Précautions : ne pas employer en cas d'obstruction des voies biliaires; consultez votre médecin en cas de douleurs ou crampes abdominales d'origine indéterminée, de selles noires, d'amaigrissement, d'urines foncées, de douleurs de la région du foie, de jaunisse.
Note : vendu sans ordonnance; ne pas utiliser pendant plus de 5 jours sans avis médical.

Si vous utilisez l'une des spécialités suivantes contenant un sulfamide...

SPÉCIALITÉS CONTENANT UN UN SULFAMIDE ET TRIMÉTHOPRIME:
Antrima® (Doms-Adrian).   Eusaprim® (Wellcome).
Bactékod® (Biogalénique).   Supristol® (Gallier).
Bactrim® (Roche).

SPÉCIALITÉS CONTENANT UNIQUEMENT UN SULFAMIDE:
Adiazine® (Théraplix).   Rufol® (Debat).

Emploi : les *sulfamides antibactériens* sont le plus souvent associés à la triméthoprime pour traiter les infections suivantes :
– infections urinaires basses compliquées et/ou hautes (rénales) : ils ne sont pas recommandés dans les infections urinaires basses, non compliquées;
– prostatite aiguë ou chronique; exacerbations aiguës de la bronchite chronique;
– otites, sinusites aiguës; pneumopathie à *Pneumocystis carinii*;
– infections gastro-intestinales à *Shigella*, à *Yersinia enterocolitica*;

– fièvres typhoïdes et paratyphoïdes en cas de résistance au chloramphénicol et à l'ampicilline;
– chancre mou;
– mélioïdose (médicaments de choix); toxoplasmose;
– brucellose : en cas d'intolérance aux tétracyclines;
– choléra : pour diminuer la durée de la diarrhée et la prolifération des germes chez l'enfant.
Allergie : informez votre médecin si vous avez déjà fait une réaction allergique ou inhabituelle aux sulfamides, par exemple à un sulfamide antidiabétique ou diurétique. →

Etat de santé : vous devez informer votre médecin de toute affection susceptible de modifier les effets du médicament, notamment anémie ou autres maladies du sang, maladies du foie ou des reins, maladies allergiques, asthme, porphyrie (risque de déclenchement d'une crise), déficit en glucose-6-phosphate déshydrogénase ou G6PD (chez les sujets atteints de cette anomalie congénitale rare, ce médicament peut provoquer une anémie hémolytique).

Grossesse : les sulfamides associés à la triméthoprime ne doivent pas être utilisés chez la femme enceinte ou susceptible de l'être; en effet, ils ont causé des malformations du fœtus au cours de l'expérimentation animale.

Allaitement : en raison du passage dans le lait maternel, l'utilisation n'est pas conseillée.

Sujets âgés : risque accru d'effets indésirables, doses réduites, surveillance accrue.

Interactions : il faut informer votre médecin si vous prenez ou avez pris récemment d'autres médicaments, notamment anticoagulants oraux, antidiabétiques oraux, méthotrexate, pyriméthamine, ciclosporine, méthénamine, phénytoïne, salicylés, phénylbutazone, probénécide.

Prescription : ne dépassez pas la dose prescrite; des doses trop élevées ou des prises trop fréquentes augmentent le risque d'effets indésirables.

Prise du médicament : pour maintenir une concentration constante dans le sang, il est important de prendre le médicament à intervalles réguliers.

Oubli : si vous oubliez une prise, ne doublez pas la dose suivante.

Durée du traitement : pour un traitement efficace de l'infection, il faut continuer l'utilisation selon la prescription du médecin, même si votre état s'améliore rapidement; en effet, un arrêt trop précoce du traitement peut favoriser une rechute; si les symptômes ne sont pas améliorés en quelques jours, ou s'ils s'aggravent, consultez votre médecin.

Boissons : des boissons abondantes sont essentielles pour favoriser l'élimination du médicament dans les urines et éviter des effets indésirables au niveau du rein.

Surveillance : en cas de traitement prolongé (plus de 8 jours), consultez votre médecin qui pourra demander des tests des fonctions hépatique et rénale et des examens du sang (formule sanguine).

Exposition au soleil : les sulfamides peuvent rendre votre peau très sensible aux rayons solaires et ultraviolets (photosensibilisation); dans ce cas, vous devez éviter l'exposition directe au soleil et porter des vêtements qui couvrent les bras et les jambes, un chapeau et des lunettes de soleil.

Effets indésirables possibles :

– nausées, vomissements, diarrhée;

– prurit, rougeur de la peau, éruption cutanée (réaction allergique : arrêtez immédiatement le traitement);

– visage enflé, bouffissure des lèvres et des paupières, voix rauque, difficulté à respirer ou à avaler (œdème de Quincke);

– saignement au moindre traumatisme, présence de sang dans les urines ou les selles, coloration noire des selles, apparition de petites taches rouges sur la peau (diminution du nombre des plaquettes dans le sang);

– fièvre, frissons, maux de gorge, ulcérations buccales et augmentation de volume des ganglions du cou (diminution du nombre des globules blancs dans le sang);

– faiblesse, pâleur (anémie par carence en acide folique);

– urines foncées, présence de sang dans les urines (hématurie);

– coloration jaune des yeux et de la peau, jaunisse;

– toux, douleurs au thorax, difficulté à respirer (alvéolite allergique).

SULFORGAN® (Jolly-Jatel)

Introd. en 1962. Remb. SS 40%.
PRINCIPE ACTIF : capsules contenant de l'huile thiophénique.
Emploi : proposé dans le traitement de fond de l'arthrose.
Précautions : ne pas employer en cas d'allergie au soufre et ne pas associer des boissons alcalines.
Note : vendu sans ordonnance; efficacité du principe actif à confirmer dans l'emploi proposé.

SULFO-THIORINE
Pantothénique® (Plantier)

Introd. en 1957. Remb. SS 40%.
PRINCIPES ACTIFS :
– solution pour aérosol : thiosulfate de sodium et pantothénate de calcium;
– comprimés et granulé : thiosulfate de sodium et soufre.
Emploi : proposé comme «antiseptique» des voies respiratoires supérieures.
Précautions : ne pas employer en cas d'intolérance au soufre; consultez votre médecin si les troubles persistent.
Note : vendu sans ordonnance; efficacité des principes actifs à confirmer dans l'emploi proposé.

SULFURYL® (Monal)

Introd. en 1895. Remb. SS 40%.
PRINCIPE ACTIF : comprimés pour inhalation contenant du silicoaluminate sodique sulfuré.
Emploi : proposé comme antiseptique des voies respiratoires supérieures et des bronches.
Précautions : ne pas employer en cas d'intolérance au soufre; consultez votre médecin si les troubles persistent.
Note : vendu sans ordonnance; efficacité du principe actif à confirmer dans l'emploi proposé.

SUPADOL® (Lederle)

Introd. en 1983. Remb. SS 70%.
PRINCIPES ACTIFS : comprimés et suppositoires (Liste I) contenant de la codéine (analgésique opiacé), du paracétamol (analgésique et antipyrétique), papavérine (spasmolytique musculotrope), homatropine (antispasmodique atropinique).

Emploi : proposé pour atténuer la douleur modérée (*analgésique*), pour faire tomber la fièvre (*antipyrétique*) et pour atténuer les spasmes (*spasmolytique*).
Précautions : ne pas utiliser en cas de
– asthme, insuffisance respiratoire (la diminution de la toux cause l'accumulation de mucosités dans les voies respiratoires);
– maladie du foie;
– hypertrophie de la prostate;
– glaucome à angle fermé;
– grossesse, allaitement;
– enfants âgés de moins de 15 ans.
Conduite de véhicules : ce médicament peut diminuer la vigilance; la conduite de véhicules ou l'utilisation de machines peut être dangereuse.
Alcool : à éviter pendant le traitement (majoration de l'effet sédatif).
Sportifs : ce médicament peut donner une réaction positive en cas de tests pour contrôle antidopage.
Effets indésirables possibles : somnolence, sécheresse de la bouche, pouls accéléré, bouffées de chaleur, vertiges, nausées et vomissements, constipation, crises d'asthme, éruption cutanée (réaction allergique : arrêtez immédiatement le traitement), difficulté à respirer ou à uriner, confusion (chez le sujet âgé).
Note : les comprimés sont vendus sans ordonnance; consultez votre médecin si les douleurs persistent après 5 jours, si la fièvre ou le mal de gorge ne régressent pas au bout de 3 jours ou si des effets indésirables apparaissent.

SUPPOMALINE® (Sarbach)

Introd. en 1981. Non remb. SS.
PRINCIPES ACTIFS: suppositoires contenant
– codéine (analgésique central);
– paracétamol (analgésique périphérique et antipyrétique)
– belladone (antispasmodique);
– caféine (stimulant central).
Emploi : proposé pour atténuer la douleur modérée (*analgésique*), pour faire tomber la fièvre (*antipyrétique*) et pour atténuer les spasmes (*spasmolytique*).
Précautions : ne pas utiliser en cas de
– asthme, insuffisance respiratoire (la diminution de la toux cause l'accumulation de mucosités dans les voies respiratoires);

– maladie du foie;
– hypertrophie de la prostate;
– glaucome à angle fermé;
– grossesse, allaitement;
– enfants âgés de moins de 15 ans.
Conduite de véhicules : ce médicament peut diminuer la vigilance; la conduite de véhicules ou l'utilisation de machines peut être dangereuse.
Alcool : à éviter pendant le traitement.
Sportifs : ce médicament peut donner une réaction positive en cas de tests pou contrôle antidopage.
Effets indésirables possibles : somnolence, sécheresse de la bouche, accélération du pouls, bouffées de chaleur, vertiges, confusion, nausées, vomissements, crises d'asthme, constipation, éruption cutanée (réaction allergique), difficulté à respirer ou à uriner (chez le sujet âgé).
Note : vendu sans ordonnance; consultez votre médecin si les douleurs persistent après 5 jours, si la fièvre ou le mal de gorge ne régressent pas au bout de 3 jours ou si des effets indésirables apparaissent.

SUPPOPTANOX® (Byk)

Introd. en 1965. Liste I. Remb. SS 70%. La durée de prescription ne peut dépasser 4 semaines.
PRINCIPE ACTIF : *Vinylbital.*
Préparations : suppositoires à 200 mg (comprimés → Optanox®).
Emploi : barbiturique proposé pour une brève période dans les insomnies occasionnelles ou transitoires (tous les troubles du sommeil ne nécessitent pas un traitement médicamenteux); il ne doit pas être employé pour traiter l'insomnie chronique; l'utilisation est limitée car les barbituriques ne sont pas recommandés en dehors du traitement de l'épilepsie.
Précautions : ne pas employer en cas d'allergie aux barbituriques, d'asthme, emphysème, maladies des poumons chroniques, de porphyrie, de grossesse ou allaitement; ne pas employer chez l'enfant.
Alcool : évitez les boissons alcoolisées pendant le traitement (augmentation de l'action sédative).
Vigilance : évitez de conduire des véhicules ou d'utiliser des machines en raison de la somnolence diurne et la diminution de la vigilance provoquées par le médicament.

Risque de dépendance : la prise prolongée peut créer une dépendance mais le syndrome de sevrage se produit en principe moins souvent qu'avec les barbituriques à action plus rapide; la dépendance se traduit par un fort besoin de prendre le médicament, une tendance à augmenter les doses (tolérance, des troubles psychiques, des symptômes de «sevrage» si vous arrêtez le traitement, notamment fatigue, faiblesse, dépression, déficits intellectuels et affectifs, nausées, crampes d'estomac, vomissements, tremblements, confusion.
Intoxication → Phénobarbital.
Note : prescrit sur ordonnance médicale.

SUPPOSIRTAL® (Sterling Midy)

PRINCIPES ACTIFS : suppositoires contenant du camphre, naphtonone, cinnamavérine, eucalyptol et quinine.
Emploi : proposé pour calmer la toux.
Note : vendu sans ordonnance; des principes actifs plus efficaces sont actuellement disponibles.

SUPPOSITOIRES Midy®
(Clin Midy)

Introd. en 1938. Remb. SS 40%.
PRINCIPES ACTIFS : suppositoires contenant amyléine et benzocaïne (anesthésiques locaux), extraits de marron d'Inde et hamamélis.
Emploi : poussées hémorroïdaires.
Précautions : arrêtez le traitement et consultez votre médecin en cas d'accentuation des douleurs, d'apparition de sang dans les selles ou de fièvre.
Note : vendus sans ordonnance; consultez votre médecin si les douleurs persistent.

SUPPOSITOIRES à la glycérine Sauba® (Sterling Midy)

Introd. en 1955. Non remb. SS.
Préparations : suppositoires contenant du glycérol (glycérine).
Emploi : proposés dans la constipation.
Précautions : consultez votre médecin si la constipation persiste, si du sang apparaît dans les selles ou en cas d'amaigrissement.
Note : vendus sans ordonnance; le traitement médicamenteux de la constipation n'est qu'un adjuvant au traitement hygiéno-diététique.

SUPPOSITOIRES à la bile totale Demel® (Lab. CPF)

Introd. en 1961. Remb. SS 40%.

Préparations : suppositoires contenant du glycérol (glycérine), extrait de bile et gélatine.

Emploi : proposés dans la constipation.

Note : *vendus sans ordonnance; ne pas utiliser pendant plus de 3 jours sans avis médical.*

SUPRADYNE® (Nicholas)

PRINCIPES ACTIFS: comprimés contenant des vitamines A, C, D2, E, B1, B2, B6, B12, acide nicotinique, pantothénate de calcium, biotine, glycérophosphate de calcium et de magnésium, carbonate de fer, sulfate de manganèse, de cobalt, de cuivre et de zinc, molybdate de sodium, borate de sodium.

Emploi : préparation polyvitaminée proposée dans les «carences vitaminiques multiples»; ce médicament est inadéquat pour traiter des carences spécifiques en vitamines; efficacité à confirmer dans les états de fatigue.

Posologie (adulte) : un comprimé par jour chez l'adulte.

Précautions : utilisation prudente chez l'enfant (en raison de la présence de vitamines A et D), en cas de grossesse et allaitement (en raison de la présence de vitamine A); la présence en faible dose de vitamine B12 et de fer est insuffisante pour traiter une anémie, mais suffisante pour en masquer les manifestations et retarder le diagnostic; consultez votre médecin si la fatigue persiste (il peut s'agir d'une dépression ou d'une autre maladie nécessitant un traitement spécifique).

Effets indésirables possibles : risque d'excès des vitamines A et D en cas d'utilisation prolongée.

Note : *vendu sans ordonnance; à éviter en automédication (une carence en vitamines ne peut être diagnostiquée que par votre médecin).*

SUPRALOX® (Rorer)

Introd. en 1989. Remb. SS 70%.

PRINCIPES ACTIFS : suspension buvable contenant de l'hydroxyde d'aluminium et hydroxyde de magnésium.

Emploi : proposé pour neutraliser l'excès d'acidité et comme pansement gastrique dans les douleurs liées aux affections de l'œsophage, de l'estomac et du duodénum; en cas d'ulcère de l'estomac ou du duodénum, ce médicament ne doit être utilisé que sous surveillance médicale.

Prise du médicament : après les repas et éventuellement au coucher.

Précautions : consultez votre médecin si les troubles persistent et en cas de douleurs ou crampes abdominales, de selles noires, d'amaigrissement, de fièvre; ne pas utiliser en cas d'insuffisance rénale sévère; ne pas associer des tétracyclines.

Effets indésirables possibles : retard ou diminution de la résorption d'autres médicaments pris par la bouche (respecter un intervalle d'au moins 2 h).

Note : *vendu sans ordonnance; ne pas utiliser pendant plus de 5 jours sans avis médical.*

SUPREFACT® (Hoechst)

Introd. en 1986. Liste I. Remb. SS 100%.

PRINCIPE ACTIF : **Buséréline.**

Préparations : solution nasale à 100 µg par pulvérisation; solution injectable en flacons à 6 mg dans 6 ml.

Emploi : substance synthétique analogue de la gonadoréline naturelle (LH-RH) utilisée pour bloquer la sécrétion de l'hormone mâle (testostérone) et pour réaliser une sorte de «castration pharmacologique» qui est l'une des méthodes employées pour traiter les proliférations cellulaires anormales au niveau de la prostate; cet effet régresse en 4 semaines après l'arrêt du traitement; dans ces affections, elle est parfois associé à d'autres médicaments (→ Eulexine®).

Au début du traitement, le médicament est utilisé en injections et par la suite en pulvérisations nasales; l'usage correct du nébuliseur et le respect des doses quotidiennes, même si vous êtes enrhumé, sont importants; si nécessaire, demandez des explications complémentaires à votre médecin.

Effets indésirables possibles : douleurs osseuses, impuissance, sueurs froides, bouffées de chaleur, fourmillements ou picotements aux extrémités, difficulté à uriner, faiblesse des jambes et éruption cutanée (réaction allergique : arrêtez le traitement).

Note : *prescrit sur ordonnance médicale.*

SUP-RHINITE® (Sterling Midy)

Introd. en 1975. Non remb. SS.

PRINCIPES ACTIFS : gélules à libération prolongée contenant :
– chlorphénamine : antihistaminique, sédatif et atropinique;
– phényléphrine : sympathomimétique vasoconstricteur.

Emploi : proposé dans l'obstruction et l'hypersécrétion nasales.

Précautions : ne pas utiliser chez les enfants âgés de moins de 15 ans, en cas de glaucome par fermeture de l'angle, d'adénome de la prostate, de fonctionnement excessif de la glande thyroïde (hyperthyroïdie), d'angine de poitrine, d'insuffisance hépatique, de grossesse, d'allaitement ou d'association avec les antidépresseurs de type IMAO.

Sportifs : peut donner une réaction positive en cas de tests pratiqués lors des contrôles antidopage.

Alcool : évitez les boissons alcoolisées pendant le traitement.

Conduite de véhicules : ce médicament peut diminuer la vigilance; la conduite de véhicules ou l'utilisation de machines peut être dangereuse.

Durée du traitement : ne pas dépasser 5 jours.

Effets indésirables possibles :
– liés à la chlorphénamine : somnolence, vertiges, sécheresse de la bouche, vision trouble, rétention urinaire, constipation, confusion mentale, excitation;
– liés à la phényléphrine : palpitations, accélération ou irrégularité du pouls, maux de tête, étourdissements, nervosité, transpirations, tremblements.

Note : *vendu sans ordonnance; à éviter sans surveillance médicale à cause des effets indésirables possibles.*

SUPRISTOL® (Gallier)

Introd. en 1978. Liste I. Remb. SS 70%.

PRINCIPES ACTIFS : *Sulfamoxole + triméthoprime*.

SYNONYME : co-trifamole.

Préparations :
– comprimés contenant sulfamoxole 400 mg + triméthoprime 80 mg;
– suspension buvable enfants contenant sulfamoxole 100 mg + triméthoprime 20 mg/cuillerée mesure.

Emploi : association d'un sulfamide à élimination lente (sulfamoxole) avec un autre antibactérien (triméthoprime) ayant une action sur de nombreuses bactéries et certains protozoaires. Ce médicament est utilisé pour traiter de nombreuses infections.

Pour les détails → p. 649.

Note : *prescrit sur ordonnance médicale.*

SURBRONC®
(Boehringer Ingelheim)

Introd. en 1984. Liste II. Remb. SS 40%.

PRINCIPE ACTIF : *Ambroxol*.

Préparations : comprimés à 30 mg; solution buvable à 30 mg par cuillerée à café; solution injectable en ampoules à 15 mg dans 2 ml et à 30 mg dans 4 ml.

Emploi : proposé pour liquéfier les sécrétions bronchiques et en faciliter l'expectoration dans les affections respiratoires accompagnées de sécrétions bronchiques épaisses, notamment en cas de bronchite aiguë, d'emphysème et d'autres affections.

Précautions : ne pas employer en cas d'allergie au produit, d'asthme, d'encombrement des bronches, d'ulcère gastroduodénal évolutif, de grossesse ou d'allaitement (innocuité non établie); ne pas employer chez l'enfant de moins de 5 ans.

Consultez votre médecin si votre état ne s'améliore pas rapidement ou s'il s'aggrave, en cas de crachats sanglants, d'amaigrissement, de fièvre.

Effets indésirables possibles : brûlures d'estomac, maux de tête, nausées, diarrhées.

Pour les détails → p. 287.

Note : *prescrit sur ordonnance médicale.*

SURÉLEN® (Syntex)

Introd. en 1969. Non remb. SS.

PRINCIPES ACTIFS : solution buvable en ampoules contenant
– solution A : extrait corticosurrénal, cyanocobalamine (vitamine B12), pyridoxine (vitamine B6);
– solution B : nicotinamide (vitamine PP), acide ascorbique (vitamine C), aspartate de potassium et adénosine monophosphate (AMB).

Emploi : proposé dans la fatigue (ou asthénie fonctionnelle).

Précautions : consultez votre médecin si la fatigue persiste (il peut s'agir d'une dépression ou d'une autre maladie nécessitant un traitement spécifique) ou en cas d'amaigrissement.
Note : vendu sans ordonnance; efficacité des principes actifs à confirmer dans l'emploi proposé.

SUREPTIL® (Delalande)

Introd. en 1967. Liste II. Remb. SS 40%.

PRINCIPES ACTIFS : comprimés et solution buvable contenant de la cinnarizine (inhibiteur calcique, vasodilatateur artériolaire musculotrope) et acéfylline heptaminol (stimulant).

Emploi : proposé dans accidents vasculaires cérébraux constitués et dans les troubles liés à la sénescence cérébrale (efficacité à confirmer).

Précautions : ne pas employer en cas d'insuffisance cardiaque congestive, d'insuffisance rénale, de grossesse, d'allaitement; ne pas associer des antidépresseurs IMAO.

Sportifs : ce médicament peut donner une réaction positive en cas tests pour contrôle antidopage.

Alcool : évitez les boissons alcoolisées pendant le traitement.

Effets indésirables possibles : somnolence diurne; nausées, vomissements; hypertonie, tremblements, notamment chez les sujets âgés; syndromes extrapyramidaux (dyskinésies orofaciales).

Note : prescrit sur ordonnance médicale.

SURFEXO® Néonatal
(Wellcome)

Introd. en 1992.

PRINCIPE ACTIF : *Colfoscéril.*

Préparations : poudre pour instillation intratrachéale en flacons de 108 mg.

Emploi : surfactant pulmonaire utilisé chez les nouveaux-nés dont le poids de naissance est ≤700 g présentant un syndrome de détresse respiratoire (syndrome des membranes hyalines); l'utilisation est réservée aux praticiens expérimentés dans les soins et la réanimation des prématurés.

Effets indésirables possibles : hémorragie intrapulmonaire.

Note : médicament réservé aux unités de soins intensifs en néonatalogie.

SURFORTAN® (Dynathéra)

Introd. en 1968. Non remb. SS.

PRINCIPES ACTIFS : solution buvable contenant de la pyridoxine (vitamine B6), phosphate monopotassique, aspartate, glutamate, phosphate et succinate de L-lysine.

Emploi : proposé dans la fatigue (ou asthénie fonctionnelle).

Précautions : consultez votre médecin si la fatigue persiste (il peut s'agir d'une dépression ou d'une autre maladie nécessitant un traitement spécifique) ou en cas d'amaigrissement.

Note : vendu sans ordonnance; efficacité des principes actifs à confirmer dans l'emploi proposé.

SURGAM® (Roussel)

Introd. en 1975. Liste II. Remb. SS 70%.

PRINCIPE ACTIF : **Acide tiaprofénique.**

Préparations : comprimés à 100 mg; suppositoires à 300 mg (adulte).

Emploi : anti-inflammatoire non stéroïdien utilisé dans les inflammations douloureuses des articulations, des capsules articulaires, des muscles ou des tendons et dans d'autres affections déterminées par votre médecin; dans la polyarthrite rhumatoïde et dans l'arthrose, il atténue la douleur, la tuméfaction et la raideur des articulations, mais ne guérit pas la maladie.

Pour les détails → p. 50.

Note : prescrit sur ordonnance médicale.

SURGASTRIL® (Amido)

PRINCIPES ACTIFS: comprimés contenant du silicate et aminoacétate d'aluminium, carbonate de sodium, sorbitol.

Emploi : proposé dans les douleurs gastriques.

Précautions : consultez votre médecin si les troubles persistent et en cas de douleurs ou crampes abdominales, de selles noires, d'amaigrissement, de fièvre; ne pas utiliser en cas d'insuffisance rénale sévère; ne pas associer des tétracyclines.

Effets indésirables possibles: retard ou diminution de la résorption d'autres médicaments pris par la bouche, diarrhée.

En cas de diabète : tenir compte de la teneur en sucre du produit.
Note : vendu sans ordonnance; ne pas utiliser pendant plus de 5 jours sans avis médical.

SURGESTONE® (Cassenne)

Introd. en 1983. Liste I. Remb. SS 70%.
PRINCIPE ACTIF : *Promégestone.*
Préparations : comprimés à 0,125 mg, 0,250 mg ou 0,500 mg.
Emploi : médicament appartenant au groupe des progestatifs qui sont des hormones femelles apparentées à la progestérone naturelle.
La promégestone est une hormone dérivée de la 19-norprogestérone, utilisée pour le traitement :
– des troubles des règles dus à la carence en progestérone : menstruations douloureuses (dysménorrhée), absence de menstruations (aménorrhée), etc.;
– des hémorragies fonctionnelles;
– des troubles de la ménopause, en association avec un estrogène;
– d'autres conditions déterminées par votre médecin.
Pour les détails → p. 560.
Note : prescrit sur ordonnance médicale.

SURGICEL® (Johnson & Johnson)

Introd. en 1964.
PRINCIPE ACTIF : gaze résorbable de cellulose oxydée régénérée stérile (coagulant ou hémostatique local).
Emploi : proposé pour arrêter le saignement d'une plaie superficielle.
Précautions : ne pas employer en cas de traitement anticoagulant (le saignement peut être dû au surdosage).
Note : réservé aux hôpitaux.

SURMONTIL® (Specia)

Introd. en 1961. Liste I. Remb. SS 70%.
PRINCIPE ACTIF : *Trimipramine.*
Préparations : comprimés à 25 mg ou 100 mg; solution buvable à 4% (1 goutte = 1 mg); ampoules injectables à 25 mg dans 2 ml.
Emploi : antidépresseur du groupe des tricycliques, ayant une action atropinique et une action sédative modérée, utilisé dans le traitement des états dépressifs de l'adulte.
Pour les détails → p. 40.
Note : prescrit sur ordonnance médicale.

SURVECTOR® (Euthérapie)

Introd. en 1978. Liste I. Remb. SS 70%.
PRINCIPE ACTIF : *Amineptine.*
Préparations : comprimés à 100 mg.
Emploi : antidépresseur dérivé des tricycliques, non imipraminique, ayant une action dopaminergique et psychotonique; des cas de dépendance de type amphétamine, avec troubles psychiques, ont été signalés.
Pour les détails → p. 40.
Note : prescrit sur ordonnance médicale.

SURVITINE® (Soekami-Lefrancq)

Introd. en 1966. Non remb. SS.
PRINCIPES ACTIFS : capsules contenant une association de vitamines (rétinol, colécalciférol, thiamine, riboflavine, pyridoxine, cyanocobalamine, panthénol, nicotinamide, acide ascorbique, tocophérol, biotine) et d'oligoéléments.
Emploi : proposé dans les «carences vitaminiques multiples»; ce médicament est inadéquat pour traiter des carences spécifiques en vitamines; efficacité non établie dans les états de fatigue (asthénie fonctionnelle).
Note : vendu sans ordonnance; à éviter en automédication (une carence en vitamines ne peut être diagnostiquée que par votre médecin).

SUVIPEN® (Gallier)

Introd. en 1975. Liste I. Remb. SS 70%.
PRINCIPE ACTIF : *Métampicilline.*
Préparations : comprimés à 500 mg (sel sodique).
Propriétés : antibiotique du groupe des pénicillines A ayant un large spectre d'action contre les bactéries, mais inefficace contre les staphylocoques producteurs de pénicillinases; la métampicilline libère dans l'organisme de l'ampicilline qui est éliminée surtout dans les urines (précautions en cas d'insuffisance rénale); signalez à votre médecin l'existence de toute maladie rénale (une réduction des doses peut être nécessaire).
Durée du traitement : elle est déterminée par votre médecin; l'interruption prématurée du traitement peut favoriser une rechute de l'infection.
Pour les détails → p. 520.
Note : prescrit sur ordonnance médicale.

SYALINE-SPRAY® (Biosedra)

Introd. en 1988. Remb. SS 40%.
PRINCIPES ACTIFS : solution pour pulvérisations buccales contenant du
sorbitol, carboxyméthylcellulose
sodique, phosphate dipotassique,
chlorure de potassium, chlorure de
calcium et de magnésium.
Emploi : proposé dans la réduction ou
suppression du flux salivaire (hypo-
sialies ou asialies).
*Note : vendu sans ordonnance; consultez
votre médecin si les troubles persistent.*

SYMPANAL® (Aérocid)

PRINCIPES ACTIFS : comprimés contenant
du phénobarbital (barbiturique à
action prolongée), extraits d'aubépine, marrube, passiflore, anémone,
saule blanc, valériane.
Emploi : proposé comme sédatif.
*Note : vendu sans ordonnance; à éviter
du fait de la présence de phénobarbital
qui n'est pas recommandé en dehors du
traitement de l'épilepsie.*

SYMPANEUROL® (Lemoine)

Introd. en 1946. Liste II. Remb. SS 70%.
PRINCIPES ACTIFS : comprimés et solution buvable contenant :
– phénobarbital (20 mg) : barbiturique
à action prolongée;
– extraits de passiflore et de valériane.
Emploi : proposé comme sédatif et
somnifère; l'utilisation est limitée du
fait de la présence de phénobarbital
qui n'est pas recommandé en dehors
du traitement de l'épilepsie.
Précautions : ne pas employer chez
l'enfant et en cas de grossesse, d'allaitement, de porphyries et d'insuffisance respiratoire; l'activité des anticoagulants oraux et des contraceptifs
hormonaux peut être réduite.
Alcool : à éviter pendant le traitement.
Conduite de véhicules : ce médicament
peut diminuer la vigilance; la conduite
de véhicules ou l'utilisation de machines peut être dangereuse.
Durée du traitement : ce médicament ne
doit être utilisé que pour une brève
période (maximum 4 semaines).
Effets indésirables possibles : somnolence, éruptions cutanées, troubles
psychiques, notamment confusion
mentale chez le sujet âgé.
Note : prescrit sur ordonnance médicale.

SYMPATHYL® (Innothéra)

Introd. en 1928. Remb. SS 70%.
PRINCIPES ACTIFS : comprimés contenant
– phénobarbital (10 mg) : barbiturique
à action prolongée;
– extrait d'aubépine.
Emploi : proposé comme sédatif et
somnifère.
Précautions : ne pas employer chez
l'enfant et en cas de grossesse, d'allaitement, de porphyries et d'insuffisance respiratoire; l'activité des anticoagulants oraux et des contraceptifs
hormonaux peut être réduite.
Alcool : à éviter pendant le traitement
(majoration de l'effet sédatif).
Conduite de véhicules : ce médicament
peut diminuer la vigilance; la conduite
de véhicules ou l'utilisation de machines peut être dangereuse.
Durée du traitement : ce médicament ne
doit être utilisé que pour une brève
période (maximum 4 semaines).
Effets indésirables possibles : somnolence, éruptions cutanées, troubles
psychiques, notamment confusion
mentale chez le sujet âgé.
*Note : vendu sans ordonnance; à éviter
du fait de la présence de phénobarbital
qui n'est pas recommandé en dehors du
traitement de l'épilepsie.*

SYMPAVAGOL® (Monal)

Introd. en 1932. Remb. SS 70%.
PRINCIPES ACTIFS : comprimés et solution buvable contenant des extraits
de passiflore et d'aubépine.
Emploi : proposé comme tranquillisant
et somnifère.
En cas de diabète : tenir compte de la
teneur en sucre du produit.
*Note : vendu sans ordonnance; consultez
votre médecin si les troubles persistent.*

SYNACTHÈNE® (Ciba-Geigy)

Introd. en 1968. Liste I. Remb. SS 70%.
PRINCIPE ACTIF : *Tétracosactide*.
SYNONYMES : ACTH synthétique ou
cosyntropine.
Préparations : ampoules pour injection
intramusculaire à 0,5 mg ou 1 mg
(action retard; durée 24-48 heures);
ampoules pour perfusion veineuse et
injection intramusculaire à 0,25 mg
(action immédiate; durée 2-4 heures).
Propriétés : forme synthétique de la
corticotrophine naturelle (ACTH) qui

est sécrété par les cellules basophiles de l'antéhypophyse et qui stimule la sécrétion des glucocorticoïdes par la corticosurrénale normale.

Emploi : utilisé en milieu hospitalier pour l'exploration dynamique de la corticosurrénale (test à l'ACTH) et dans le traitement d'affections diverses, notamment en rhumatologie, neurologie, dermatologie, ophtalmologie, des poussées œdémateuses cérébrales et d'autres affections déterminées par votre médecin.

Note : prescrit sur ordonnance médicale.

SYNALAR® (Cassenne)

Introd. en 1961. Liste I. Remb. SS 70%.
PRINCIPE ACTIF : **Acétonide de fluocinolone.**

Préparations : crème et pommade à 0,025%; solution dermique à 0,01%.

Emploi : corticoïde fluoré d'activité forte (classe II) utilisé en application locale pour soulager la douleur, le prurit et les signes d'inflammation et d'irritation de la peau, notamment dans l'eczéma et la dermatite allergique provoquée par le contact avec des plantes, métaux, produits de nettoyage, cosmétiques, etc.

Pour les détails → p. 205.

Note : prescrit sur ordonnance médicale.

SYNALAR® néomycine
(Cassenne)

Introd. en 1962, Liste I. Remb. SS 70%.
PRINCIPES ACTIFS : crème contenant de la néomycine (antibiotique) et fluocinolone acétonide (dermocorticoïde de la classe II).

Emploi : traitement de les eczémas infectés et d'autres affections de la peau.

Application du produit: étaler le produit sur les lésions et le faire pénétrer par un léger massage; éviter tout contact avec les yeux. Ne dépassez pas le nombre d'applications journalières prescrites par votre médecin (en général deux par jour au maximum); des applications trop fréquentes et l'occlusion des lésions augmentent le risque d'effets indésirables généralisés.

Durée du traitement : ne pas dépasser 8 jours.

Effets indésirables possibles : prurit, sensation de brûlure; l'application sur de grandes surfaces ou sous un pansement occlusif peut entraîner un passage du principe actif dans la circulation sanguine, d'où l'apparition d'effets indésirables généralisés; possibilité de réactions allergiques à la néomycine; l'utilisation prolongée peut provoquer une atteinte de la peau du visage avec rougeur, amincissement et fragilité des téguments et apparition d'ecchymoses.

Note : prescrit sur ordonnance médicale.

SYNAPAUSE® (Organon)

Introd. en 1973. Liste II. Non remb. SS.
PRINCIPE ACTIF : **Estriol.**

Préparations : comprimés à 2 mg ou 4 mg (*Synapause Fort®*).

Emploi : médicament appartenant au groupe des estrogènes qui sont des hormones femelles naturelles nécessaires pour le développement des caractères sexuels de la femme et pour la régulation du cycle menstruel pendant l'âge de la procréation.

L'estriol est un estrogène naturel dont la durée d'action est relativement courte et qui est utilisé :

– pour corriger la carence estrogénique après la ménopause (naturelle ou après ablation chirurgicale des ovaires) et atténuer les bouffées de chaleur, transpirations, vertiges et les symptômes de la vaginite atrophique;

– pour prévenir, ralentir ou stabiliser l'ostéoporose postménopausique il est utilisé en association avec un progestatif pour diminuer les risques de cancer de l'endomètre;

– pour traiter l'insuffisance ovarienne survenant avant ou après la puberté (hypogonadisme) il est utilisé en alternance avec un progestatif pour établir ou maintenir un cycle artificiel. Interrompre l'administration en cas d'immobilisation prolongée et un mois avant une opération.

Pour les détails → p. 266.

Note : prescrit sur ordonnance médicale.

SYNAREL® (Syntex)

Introd. en 1991. Liste I. Remb. SS 70%.
PRINCIPE ACTIF : **Nafaréline** .

Préparations : solution nasale en flacon pressurisé à 200 µg par pulvérisation.

Emploi : analogue de la gonadoréline (LH-RH) naturelle utilisée en pulvérisations nasales pour traiter l'endométriose lorsque le tissu endométrial se développe en dehors de la cavité utérine (dans les ovaires, l'intestin ou tout autre organe du bas-ventre) et dans d'autres conditions déterminées par votre médecin.

Effets indésirables possibles : bouffées de chaleur, maux de tête, modification de la libido, sécheresse vaginale; déminéralisation des os (ostéoporose) en cas d'administration prolongée; si des règles trop abondantes surviennent au cours du traitement de l'endométriose, il faut consulter votre médecin pour en rechercher la cause.

Note : prescrit sur ordonnance médicale.

SYNCORTYL® (Roussel)

Introd. en 1942. Remb. SS 70%.

PRINCIPE ACTIF : *Désoxycortone.*

SYNONYMES : désoxycorticostérone, syncortine, DOCA.

Préparations : solution huileuse injectable en ampoule à 10 mg dans 1 ml.

Emploi : hormone minéralocorticoïde qui favorise la rétention du sodium et de l'eau et l'élimination du potassium; la désoxycortone est utilisée en injection intramusculaire pour traiter
– l'insuffisance surrénalienne aiguë (crise addisonienne);
– l'insuffisance surrénalienne chronique (maladie d'Addison);
– une affection rare, appelée syndrome de Debré-Fibiger, qui est une hyperplasie congénitale des surrénale avec perte de sel et déshydratation;
Selon l'intensité de l'insuffisance surrénale, on associe l'hydrocortisone ou la cortisone.

Précautions : ne pas employer en cas d'allergie au produit; les affections suivantes peuvent modifier l'action du médicament :
– hypertension artérielle;
– insuffisance cardiaque;
– maladie du rein;
– maladie du foie;
– infections virales, notamment herpès, varicelle, zona.
Ce médicament est déconseillé en cas de grossesse, car il peut causer une diminution de l'activité de la glande surrénale chez le nouveau-né.

Allaitement : l'utilisation est déconseillée, car il passe dans le lait maternel.

Sportifs : ce médicament (ainsi que d'autres corticoïdes utilisés par voie générale) se trouve sur la liste des dopants interdits (Ministère de la Jeunesse et des Sports); il donne une réaction positive en cas de tests pratiqués lors des contrôles antidopage.

Interactions : il faut informer votre médecin si vous prenez ou avez pris récemment d'autres médicaments, notamment :
– diurétiques qui augmentent les pertes de potassium (risque accru de déplétion potassique);
– digitale (augmentation de la toxicité de la digitale);
– barbituriques, phénytoïne, rifampicine (diminution de l'efficacité de la dexaméthasone).

Surveillance : dans le traitement de la maladie d'Addison, on associe souvent l'hydrocortisone ou la cortisone; des contrôles périodiques, notamment de la tension artérielle) sont nécessaires pour ajuster les doses du médicament et l'apport salé alimentaire.

Effets indésirables possibles (dus à la rétention d'eau et de sodium) : augmentation rapide de poids, chevilles enflées (œdèmes), hypertension artérielle.

Note : médicament à utiliser sous contrôle médical.

SYNÉDIL® (Brocades Pharma)

Introd. en 1983. Liste I. Remb. SS 70%.

PRINCIPE ACTIF : *Sulpiride.*

Préparations :
– gélules à 50 mg; solution buvable à 25 mg par cuillerée à café;
– *Synédil® Fort* : comprimés à 200 mg; ampoules injectables à 100 mg dans 2 ml.

Emploi : neuroleptique du groupe des benzamides substitués utilisé pour traiter :

EN MÉDECINE GÉNÉRALE (DOSES FAIBLES)
– états névrotiques avec inhibition;
– composante psychosomatique de la maladie ulcéreuse, rectocolite hémorragique, etc.;
– syndromes vertigineux.

EN PSYCHIATRIE (DOSES ÉLEVÉES)
– maladies mentales aiguës et chroniques (psychoses).

Pour les détails → p. 468.

Note : prescrit sur ordonnance médicale.

SYNERGON® (Lipha Santé)

Introd. en 1948. Liste II. Non remb. SS.
PRINCIPES ACTIFS : solution injectable et
suppositoires contenant de l'estrone
(folliculine) et progestérone (1/10).
Emploi : estroprogestatif proposé dans
les aménorrhées secondaires récentes.
Note : prescrit sur ordonnance médicale.

SYNTHOL®
(SmithKline Beecham)

Introd. en 1925. Non remb. SS.
PRINCIPES ACTIFS : solution pour usage
externe et gel pour application locale
contenant de l'hydrate de chloral,
menthol, vératrol, résorcinol et acide
salicylique.
Emploi :
– solution : proposée dans le traitement
  local des douleurs d'origine musculaire ou articulaire, des douleurs
  dentaires, des aphtes et gingivites;
– gel : proposé dans le traitement local
  des douleurs et contusions.
Précautions : ne doit pas être appliqué
sur les plaies, dermatoses suintantes,
eczéma, tissus infectés.
Effets indésirables possibles : réactions
allergiques locales.
*Note : vendu sans ordonnance ; consultez
votre médecin si les douleurs persistent.*

SYNTOCINON® (Sandoz)

Introd. en 1958. Liste II. Remb. SS 70%.
PRINCIPE ACTIF : *Oxytocine.*
Préparations : ampoules injectables à 5
UI dans 1 ml.
Propriétés : hormone sécrétée par
l'hypophyse, actuellement produite
par synthèse, augmentant la fréquence et l'intensité des contractions
utérines chez la femme enceinte ainsi
que la sécrétion de lait maternel.
Emploi : utilisé pour l'induction de
l'accouchement dans des conditions
déterminées par votre médecin, notamment :
– en cas d'insuffisance des contractions
  utérines au début ou au cours du
  travail;
– pour traiter les hémorragies de la
  délivrance et l'atonie utérine après la
  délivrance;
– en cas de césarienne, après extraction
  de l'enfant.
Note : prescrit sur ordonnance médicale.

SYSEROS® (P.P.D.H.)

PRINCIPES ACTIFS : comprimés contenant
de la noix vomique et extrait d'iboga.
Emploi : proposé dans la fatigue.
Précautions : consultez votre médecin
si la fatigue persiste (il peut s'agir
d'une dépression ou d'une autre maladie nécessitant un traitement spécifique) ou en cas d'amaigrissement.
*Note : vendu sans ordonnance ; efficacité
des principes actifs à confirmer dans
l'emploi proposé.*

SYSTRAL® (Lucien)

Introd. en 1963. Liste II. Remb à 70%.
PRINCIPE ACTIF : *Chlorphénoxamine.*
Préparations : comprimés à 20 mg;
sirop à 5 mg par cuillerée à café.
Emploi : antihistaminique utilisé pour
prévenir et traiter les affections allergiques, rhinites et conjonctivites, urticaire, rhume des foins; la buclizine
possède des propriétés sédatives et
atropiniques. Chez l'enfant âgé de
moins de 5 ans, tenir compte du risque
d'arrêt respiratoire pendant le sommeil.
Pour les détails → p. 45.
Note : prescrit sur ordonnance médicale.

T

TABAZUR® → Nicotine.

TADENAN® (Debat)

Introd. en 1969. Remb. SS 40%.
PRINCIPE ACTIF : capsules contenant un
extrait de *Pygeum africanum.*
Emploi : proposé dans les manifestations fonctionnelles de l'adénome de
la prostate dont le diagnostic ne peut
être posé que par votre médecin.
*Note : vendu sans ordonnance ; à éviter
sans avis médical.*

TAGAMET®
(SmithKline Beecham)

Introd. en 1977. Liste II. Remb. SS 70%.
PRINCIPE ACTIF : *Cimétidine.*
Préparations : comprimés à 200 mg,
400 mg ou 800 mg; comprimés effervescents à 200 mg ou 400 mg; ampoules injectables à 200 mg/2 ml.

Emploi : médicament qui inhibe la sécrétion gastrique en bloquant l'effet de l'histamine sur les récepteurs H2; en diminuant la sécrétion d'acide chlorhydrique et de pepsine, la cimétidine favorise la cicatrisation des ulcères gastro-duodénaux et prévient les rechutes; elle est utilisée par voie buccale, ou en injections lorsque cette voie est impossible.

Pour les détails → p. 60.

Note : *prescrit sur ordonnance médicale.*

TAMARINE® (Sterling Midy)

Introd. en 1945. Non remb. SS.

PRINCIPES ACTIFS : gélules et gelée orale contenant de la poudre de feuille de séné (laxatif irritant) et un extrait de pulpe de tamarin.

Emploi : traitement de la constipation.

Précautions : consultez votre médecin si la constipation persiste, en cas de sang dans les selles ou de selles noires, de douleurs abdominales avec diarrhée, d'amaigrissement. L'usage prolongé risque de provoquer la «maladie des laxatifs» avec lésions de la muqueuse intestinale.

Note : *vendu sans ordonnance; à éviter comme tous les laxatifs irritants.*

TAMIK® (Marcofina)

Introd. en 1985. Liste II. Remb. SS 70%.

PRINCIPE ACTIF : **Dihydroergotamine**.

Préparations : capsules à 3 mg.

Emploi : traitement de la crise de migraine.

Pour les détails → Dihydroergotamine.

Note : *prescrit sur ordonnance médicale.*

TAMOFÈNE® (R. Bellon)

Introd. en 1987. Liste I. Remb. SS 100%.

PRINCIPE ACTIF : **Tamoxifène**.

Préparations : comprimés à 10 mg ou 20 mg.

Emploi → Tamoxifène ci-dessous.

Note : *prescrit sur ordonnance médicale.*

TAMOXIFÈNE

SPÉCIALITÉS :

Kessar® (Farmitalia C. Erba).
Lesporène® (Creapharm).
Nolvadex® (Zeneca-Pharma).
Oncotam® (Lab. ACT).
Tamofène® (R. Bellon).

Emploi : le tamoxifène est un antiestrogène qui bloque les effets des estrogènes (hormones femelles) sur la croissance des cellules; il est utilisé pour traiter les proliférations cellulaires anormales au niveau du sein dont la croissance est stimulée par les estrogènes (tumeurs hormonodépendantes); il est aussi employé dans les proliférations cellulaires anormales au niveau de la prostate et de l'utérus et dans d'autres affections déterminées par votre médecin.

Durée d'action : les effets persistent pendant 2-4 semaines après l'arrêt du traitement.

Précautions : ne pas employer en cas d'allergie au produit; emploi prudent en cas de cataracte ou autres maladies de l'œil (risque d'aggravation).

Grossesse : ce médicament ne doit pas être utilisé pendant la grossesse; en effet, il a causé des malformations du fœtus au cours de l'expérimentation animale; si une grossesse survient pendant le traitement, il faut informer immédiatement votre médecin.

Allaitement : l'utilisation de ce médicament est déconseillée, car il passe dans le lait maternel.

Interactions : il faut informer votre médecin si vous prenez ou avez pris récemment d'autres médicaments, notamment les anticoagulants oraux (risque accru d'hémorragie).

Prescription : ne dépassez pas la dose prescrite par votre médecin; des doses trop élevées ou des prises trop fréquentes augmentent le risque d'effets indésirables.

Au début du traitement : ce médicament provoque des nausées et des vomissements; en outre, des douleurs osseuses peuvent apparaître ou s'accentuer; dans ces cas, il ne faut pas arrêter le traitement sans consulter votre médecin.

Oubli : si vous oubliez de prendre le médicament, ne doublez pas la dose suivante.

Surveillance : consultez votre médecin à intervalles réguliers pour évaluer les effets du traitement; des examens du sang (formule sanguine) et un examen des yeux pourront être nécessaires en cas de traitement prolongé.

Autres médicaments : ne prenez aucun autre médicament sans consulter votre médecin.

Effets indésirables possibles :
– nausées, vomissements, bouffées de chaleur, vertiges, menstruations irrégulières, prurit vulvaire, douleurs au niveau de la tumeur;
– chevilles enflées (rétention d'eau);
– troubles de la vision;
– douleurs abdominales;
– douleurs osseuses (métastases);
– prurit, éruption cutanée.

TAMPONS Pharmatex®

Introd. en 1984. Non remb. SS.
PRINCIPES ACTIFS : tampons vaginaux contenant du benzalkonium (spermicide) et acide borique.
Emploi : utilisé avant le rapport pour la contraception locale; le tampon est introduit au fond du vagin, au contact du col; le retrait du tampon peut avoir lieu 2 heures après le dernier rapport; la protection est immédiate et dure environ 24 heures.
Précautions : dans tous les cas, le tampon doit être retiré au plus tard 24 heures après la mise en place; lorsque le tampon est en place, éviter les bains.
Note : vendu sans ordonnance; efficacité généralement reconnue dans l'emploi proposé.

TANAKAN® (Ipsen)

Introd. en 1975. Remb. SS 40%.
PRINCIPE ACTIF : solution buvable contenant un extrait de *Ginkgo biloba*.
Emploi : proposé dans les déficits intellectuels du sujet âgé, la claudication intermittente, les vertiges et autres troubles présumés d'origine circulatoire dont le diagnostic ne peut être posé que par votre médecin.
Note : vendu sans ordonnance; efficacité du principe actif à confirmer.

TANGANIL® (P. Fabre)

Introd. en 1958. Remb. SS 70%.
PRINCIPE ACTIF : *Acétylleucine*.
Préparations : comprimés à 500 mg; ampoules injectables à 500 mg / 5 ml.
Emploi : proposé dans le traitement de fond des vertiges (comprimés); l'injection intraveineuse est proposée dans la crise de vertige.
Précautions : ne pas utiliser pendant la grossesse.
Note : vendu sans ordonnance; à éviter en automédication.

TARDUM MX® → Insuline.

TARDYFERON® (Robapharm)

Introd. en 1978. Remb. SS 70%.
PRINCIPES ACTIFS: comprimés contenant du sulfate ferreux (fer 80 mg), acide ascorbique (vitamine C) et mucoprotéose.
Emploi : anémie ferriprive.
Pour les détails → p. 279.
Note : vendu sans ordonnance; à éviter en automédication (une carence en fer ne peut être diagnostiquée que par votre médecin).

TARDYFERON B9®
(Robapharm)

Introd. en 1987. Remb. SS 40%.
PRINCIPES ACTIFS: comprimés contenant du sulfate ferreux (fer 50 mg), acide folique, acide ascorbique (vitamine C) et mucoprotéose.
Emploi : proposé dans le traitement préventif des carences en fer et en acide folique notamment en cas de grossesse lorsque l'apport alimentaire est insuffisant.
Note : vendu sans ordonnance; à éviter en automédication (une carence en fer et en acide folique ne peut être diagnostiquée que par votre médecin).

TARGOCID®
(Marion Merrell Dow)

Introd. en 1988. Liste I.
PRINCIPE ACTIF : *Téicoplanine*.
Préparations : poudre pour solution injectable en flacons à 200 mg ou 400 mg.
Emploi : antibiotique utilisé en injections ou en perfusions pour traiter les infections sévères en milieu hospitalier, notamment infections à staphylocoques ou streptocoques résistants aux autres antibiotiques ou en cas d'allergie aux pénicillines; le maniement de cet antibiotique est délicat à cause des effets indésirables, notamment au niveau de l'oreille et du rein.
Note : réservé aux hôpitaux.

TARITUX® (Pharminter)

PRINCIPE ACTIF : *Dextrométhorphane*.
Préparations : sirop à 150 mg/100 ml (enfant) et 250 mg/100 ml (adulte).

Emploi : dérivé de la morphine, agissant sur le système nerveux central, utilisé pour calmer la toux irritative, sèche. Le dextrométhorphane a une action sédative modérée ; l'apparition d'une dépendance est exceptionnelle, mais l'abus est possible chez des sujets déjà toxicomanes.

Précautions : ne pas employer en cas de toux grasse, d'insuffisance respiratoire ou d'asthme, de grossesse ou allaitement. Consultez votre médecin si la toux persiste, en cas de crachats sanglants, de fièvre, d'amaigrissement, d'éruption, de troubles de la vue, de difficulté à uriner.

Sportifs : l'attention est attirée sur le fait que les tests antidopage peuvent être positifs après usage du produit.

Enfants : ne doit pas être utilisé chez les enfants âgés de moins de 15 ans (moins de 30 mois pour la forme pour enfant).

Intoxication : hospitalisation d'urgence en cas de prise massive accidentelle.

Pour les détails → p. 59.

Note : *vendu sans ordonnance ; efficacité généralement reconnue dans l'emploi proposé ; ne pas utiliser chez l'enfant sans avis médical.*

TA-RO-CAP® (Soekami-Lefrancq)

Introd. en 1975. Non remb. SS.

PRINCIPES ACTIFS : cape gynécologique contenant du nitrate phénylmercurique et chlorure de benzéthonium (spermicide).

Emploi : proposé pour la contraception locale ; l'ovule est mis en place le plus profondément possible au fond du vagin au moins 5 minutes avant le rapport, en position allongée ; l'action contraceptive dure 2 à 3 heures.

Précautions : pas de lavage ni injection vaginale 12 heures avant et dans les 3 heures suivant les rapports.

Note : *vendu sans ordonnance ; efficacité généralement reconnue dans l'emploi proposé.*

TAXOL® méthionine (Genifar)

PRINCIPES ACTIFS : aloès (laxatif irritant), méthionine, bile pulvérisée, extraits d'*Hyoscymus muticus* et de fucus.

Emploi : proposé dans les troubles digestifs et la constipation.

Précautions : consultez votre médecin si la constipation persiste, en cas de sang dans les selles ou de selles noires,

de douleurs abdominales avec diarrhée, d'amaigrissement. L'usage prolongé risque de provoquer des lésions de la muqueuse intestinale.

Note : *vendu sans ordonnance ; à éviter comme tous les laxatifs irritants.*

TAZOCILLINE® (Lederle)

Introd. en 1992. Liste I.

PRINCIPES ACTIFS : poudre pour solution injectable contenant 2 g de pipéracilline et 250 mg de tazobactam ou respectivement 4 g et 500 mg.

Propriétés : la *pipéracilline* est un antibiotique de la famille des uréidopénicillines ; le tazobactam est un inhibiteur des bêta-lactamines qui élargit le spectre de la pipéracilline.

Emploi : traitement des infections graves à germes sensibles.

Précautions : ne pas utiliser pendant la grossesse et l'allaitement ou en cas d'allergie connue aux pénicillines ou aux céphalosporines.

Note : *réservé aux hôpitaux.*

TÉALINE® (Arkomédika)

Introd. en 1989. Non remb. SS.

PRINCIPES ACTIFS : gélules contenant de la poudre de thé vert et d'orthosiphon.

Emploi : proposé pour faciliter la perte de poids, en complément de mesures diététiques.

Note : *vendu sans ordonnance ; efficacité des principes actifs à confirmer dans l'emploi proposé.*

TÉATROIS® (Théranol)

Introd. en 1974. Liste II. Non remb. SS.

Préparations : comprimés contenant 0,35 mg de tiratricol.

Emploi : proposé par voie orale pour traiter certaines maladies de la glande thyroïde déterminées par votre médecin.

Note : *prescrit sur ordonnance médicale.*

TECHNIPHYLLINE®
(Techni-Pharma)

Introd. en 1982. Remb. SS 70%.

PRINCIPE ACTIF : comprimés contenant 100 mg ou 250 mg de **théophylline**.

Emploi : dérivé de la xanthine qui dilate les bronches et facilite le passage de l'air la théophylline est utilisée en cas d'asthme, de bronchite chronique, d'emphysème pulmonaire et dans d'autres affections.

Pour les détails → Théophylline.

Note : *vendu sans ordonnance; à éviter en automédication.*

TÉDAROL® (Specia)

Introd. en 1963. Liste I. Remb. SS 70%.

PRINCIPE ACTIF : *Triamcinolone*.

Préparations : suspension injectable en ampoule-seringue de 50 mg/2 ml.

Emploi : utilisé en injections locales, notamment :
- *Injections intra-articulaires :* arthrites inflammatoires (sauf septiques) et arthrose en poussée.
- *Injections péri-articulaires :* périarthrite scapulo-humérale ou de la hanche, bursites, tendinites, ténosynovites, syndrome du canal carpien, épicondylites, talalgies.
- *Injections épidurales :* lumbago, sciatique.

Sportifs : ce médicament peut donner une réaction positive en cas de contrôles antidopage.

Pour les détails → p. 178.

Note : *prescrit sur ordonnance médicale.*

TÉDRALAN® (Parke-Davis)

Introd. en 1971. Liste II. Remb. SS 70%.

PRINCIPES ACTIFS : comprimés à libération prolongée contenant :
- théophylline (90 mg) : dilatateur des bronches;
- phénobarbital (25 mg) : barbiturique à action prolongée;
- éphédrine racémique (16 mg) : sympathomimétique.

Emploi: proposé dans l'asthme; l'utilisation est limitée du fait de la présence de phénobarbital qui n'est pas recommandé en dehors du traitement de l'épilepsie.

Précautions : ne pas employer chez l'enfant âgé de moins de 7 ans, en cas d'angine de poitrine, d'hypertension artérielle, de glaucome par fermeture de l'angle, de fonctionnement excessif de la glande thyroïde (hyperthyroïdie), d'insuffisance hépatique, de porphyries, d'insuffisance respiratoire, de grossesse, d'allaitement, d'association avec les antidépresseurs IMAO; utilisation prudente chez les sujets âgés.

Alcool : à éviter pendant le traitement (majoration de l'effet sédatif).

Conduite de véhicules : ce médicament peut diminuer la vigilance; la conduite de véhicules ou l'utilisation de machines peut être dangereuse.

Sportifs : ce médicament peut donner une réaction positive lors des contrôles antidopage.

Effets indésirables possibles :
- théophylline : nausées et vomissements, maux de tête, excitation, convulsions;
- phénobarbital : somnolence, confusion mentale, éruptions cutanées;
- éphédrine : palpitations, accélération ou irrégularité du pouls, maux de tête, étourdissements, nervosité, insomnie, transpirations, tremblements.

Note : *prescrit sur ordonnance médicale.*

TÉGRÉTOL® (Ciba-Geigy)

Introd. en 1964. Liste II. Remb. SS 70%.

PRINCIPE ACTIF : *Carbamazépine*.

Préparations : comprimés à 200 mg; comprimés à libération prolongée à 200 mg ou 400 mg *(Tégrétol® LP)*; suspension buvable à 100 mg par cuillerée mesure.

Emploi : la carbamazépine est apparentée du point de vue chimique aux antidépresseurs tricycliques et est utilisée pour
- traiter certaines formes d'épilepsie, parfois en association avec au autre antiépileptique : grand mal, épilepsie partielle, en particulier épilepsie psychomotrice;
- traiter les douleurs intenses, notamment dans la névralgie du trijumeau et la neuropathie diabétique;
- prévenir les rechutes de la psychose maniaco-dépressive en cas de résistance ou d'intolérance aux sels de lithium;
- traiter les états d'excitation maniaque.

La carbamazépine a été proposée pour traiter le diabète insipide d'origine centrale et le syndrome de sevrage alcoolique.

Durée d'action : 12-24 heures.

Allergie : informez votre médecin si vous avez déjà fait une réaction allergique ou inhabituelle à ce médicament ou à l'un des antidépresseurs tricycliques.

Etat de santé : vous devez informer votre médecin de toute affection susceptible

de modifier les effets du médicament, notamment :
- maladie hépatique ou rénale;
- pouls lent et irrégulier, bloc auriculo-ventriculaire;
- glaucome (risque d'aggravation);
- difficulté à uriner.

Grossesse : on a signalé que ce médicament cause des malformations du fœtus dans l'expérimentation animale (effet tératogène); d'autre part, son emploi vers la fin de la grossesse peut entraîner chez le nouveau-né une hypoprothrombinémie sensible à la vitamine K; par conséquent, chez la femme en âge de procréer, la carbamazépine est déconseillée, mais la grossesse ne justifie jamais l'arrêt brutal du traitement car le risque de déclencher ainsi l'état de mal épileptique est important.

Allaitement : utilisation déconseillée (passe dans le lait maternel).

Sujets âgés : utilisation prudente, doses réduites.

Interactions : il faut informer votre médecin si vous prenez ou avez pris récemment d'autres médicaments, notamment :
- traitement en cours ou datant de moins de 15 jours par un antidépresseur inhibiteur de la mono-amine oxydase ou IMAO (risque de crise d'hypertension artérielle ou de convulsions graves);
- antidépresseurs tricycliques (risque de crises convulsives généralisées);
- anticoagulants oraux (diminution de l'action anticoagulante, adapter les doses en fonction du test de Quick);
- érythromycine et troléandomycine (augmentation de la toxicité de la carbamazépine);
- sels de lithium (risque de confusion, somnolence, troubles de l'équilibre);
- corticoïdes (diminution de l'efficacité de ces médicaments);
- danazol, dextropropoxyphène, vérapamil (augmentation des taux sériques de la carbamazépine);
- phénytoïne, phénobarbital (réduction réciproque des taux sériques);
- isoniazide, cimétidine (risque accru d'effets indésirables);
- quinidine (diminution de l'action de la quinidine)
- l'efficacité de la «pilule» (contraception orale), surtout des produits faiblement dosés, est diminuée par la carbamazépine, ce qui peut donner lieu à des saignements inattendus ou à une grossesse : il convient de changer de méthode contraceptive ou choisir un produit plus fortement dosé en estrogènes.

Prescription : ne dépassez pas la dose prescrite par votre médecin; des doses trop élevées ou des prises trop fréquentes augmentent le risque d'effets indésirables.

Oubli : si vous oubliez de prendre le médicament et si vous le remarquez dans les 2 heures qui suivent, prenez immédiatement la dose oubliée; ne doublez pas la dose suivante.

Prise du médicament : on recommande d'avaler les comprimés ou la suspension pendant ou après le repas, avec un peu d'eau.

Surveillance : des contrôles fréquents sont nécessaires pendant les premiers mois, pour que votre médecin puisse moduler les doses en fonction des résultats et des effets indésirables éventuels.

Autres médicaments : pendant le traitement, ne prenez aucun autre médicament sans demander l'avis de votre médecin.

Alcool : à éviter (les effets sont majorés par la carbamazépine).

Vigilance et conduite : l'aptitude à conduire des véhicules ou à utiliser des machines peut être diminuée par des vertiges, des troubles visuels ou une baisse de la vigilance.

Exposition au soleil : la carbamazépine peut rendre votre peau très sensible aux rayons solaires et ultraviolets (photosensibilisation); dans ce cas, vous devez éviter l'exposition directe au soleil et porter des vêtements qui couvrent les bras et les jambes, un chapeau et des lunettes de soleil.

Changement de médicament ou de la prescription : évitez un changement de médicament sans consulter votre médecin (risque d'augmentation de la fréquence ou aggravation des crises); même si les crises ont totalement cessé, ne changez pas de dose sans l'avis de votre médecin.

Arrêt du traitement : si vous avez pris ce médicament à doses élevées pendant plusieurs semaines ou plus longtemps, ne jamais arrêter le traitement sans l'avis du médecin; en effet, l'arrêt brusque peut avoir des conséquences graves, notamment l'apparition de crises convulsives et d'un état de mal épileptique; dans la mesure du possible, on étalera l'arrêt du traitement sur une période de 6 mois, en diminuant les doses progressivement.

En cas de diabète : ce médicament peut modifier les résultats des tests pour détecter le sucre dans l'urine.

Effets indésirables possibles :
– manque d'appétit, nausées, vomissements, sécheresse de la bouche, vertiges, somnolence; difficulté à uriner, confusion et agitation chez les sujets âgés;
– troubles de la vue, perception double des objets (diplopie);
– éruption cutanée (réaction allergique : arrêtez le traitement);
– fièvre, frissons, maux de gorge, augmentation de volume des ganglions lymphatiques du cou (diminution des globules blancs dans le sang);
– saignement au moindre traumatisme, présence de sang dans les urines ou les selles, coloration noire des selles, apparition de petites taches bleues ou rouges sur la peau (diminution des plaquettes dans le sang);
– selles décolorées, coloration jaune des yeux et de la peau, jaunisse;
– ralentissement du pouls au-dessous de 50 battements par minute, irrégularité du pouls;
– toux, difficulté à respirer;
– mouvements involontaires, comportement agressif.

Intoxication : tremblements, convulsions, agitation, secousses musculaires, dilatation des pupilles (mydriase), mouvements continus des yeux (nystagmus), somnolence évoluant vers le coma; l'intoxication aiguë exige une hospitalisation immédiate.

Note : prescrit sur ordonnance médicale.

TEINTURE DE COCHEUX®
(Aguettant)

Introd. en 1832. Non remb. SS.

PRINCIPE ACTIF : solution alcoolique buvable contenant un extrait de colchique d'automne.

Emploi : proposé dans l'accès de goutte aigu dont le diagnostic ne peut être posé que par votre médecin.

Note : vendu sans ordonnance; des principes actifs plus efficaces sont actuellement disponibles.

TEINTURE D'IODE

PRINCIPES ACTIFS : solution contenant 5% d'iode et 3% d'iodure de potassium dans l'alcool à 90°.

Emploi : désinfection de la peau.

Précautions : ne pas employer en cas d'allergie à l'iode, d'affection de la thyroïde, d'insuffisance rénale, de grossesse (risque d'hypothyroïdie chez le nouveau-né).

Précautions : éviter le contact avec les yeux; ne pas employer en même temps que des désinfectants à base de mercure.

Effets indésirables possibles : rougeur de la peau, démangeaisons, éruption cutanée (réaction allergique : arrêtez immédiatement le traitement); surcharge iodée et risque d'hypothyroïdie en cas d'applications étendues et prolongées.

Note : vendu sans ordonnance; efficacité généralement reconnue dans l'emploi proposé.

TELDANE®
(Marion Merrell Dow)

Introd. en 1982. Liste II. Remb. SS 70%.

PRINCIPE ACTIF : *Terfénadine.*

Préparations : comprimés à 60 mg ou 120 mg; suspension buvable à 7,5 mg par cuillerée mesure

Emploi : antihistaminique utilisé pour atténuer ou prévenir les symptômes d'une allergie par exemple dans le rhume des foins, urticaire, conjonctivite allergique; il est inefficace dans l'asthme.

Bien que l'action sédative soit moindre que celle d'autres antihistaminiques, la prise de fortes doses peut entraîner un effet sédatif (fatigue, somnolence).

Ce médicament peut provoquer des troubles du rythme cardiaque, parfois graves, qui surviennent en général lors de surdosage ou de l'association avec le kétoconazole ou les antibiotiques macrolides.

Intoxication : troubles du rythme cardiaque qui demandent une intervention médicale d'urgence.

Pour les détails → p. 45.

Note : prescrit sur ordonnance médicale.

TÉMESTA® (Wyeth)

Introd. en 1973. Liste I. Remb. SS 70%.
La durée de prescription ne peut dépasser 12 semaines.
PRINCIPE ACTIF : *Lorazépam.*
Préparations : comprimés à 1 mg ou 2,5 mg.
Emploi : tranquillisant appartenant au groupe très nombreux des benzodiazépines.
Le lorazépam est proposé dans l'anxiété, l'angoisse et le sevrage alcoolique; le traitement doit être de courte durée et conduit sous surveillance médicale.
Pour les détails → p. 94.
Note : prescrit sur ordonnance médicale.

TEMGÉSIC® (Schering-Plough)

Introd. en 1987 et 1990.
Liste I. Remb. SS 70%.
PRINCIPE ACTIF : *Buprénorphine.*
Préparations : comprimés sublinguaux à 0,2 mg; ampoules injectables à 0,3 mg dans 1 ml.
Emploi : analgésique de type morphinique ayant une action agoniste partielle (agoniste/antagoniste), dont le risque d'abus semble relativement faible.
La buprénorphine est employée uniquement dans les douleurs intenses et rebelles aux analgésiques périphériques, surtout les douleurs post-opératoires ou post-traumatiques, celles d'origine cancéreuse et de la colique rénale ou biliaire (associer un antispasmodique).
Ce médicament ne doit pas être utilisé dans le sevrage des toxicomanes.
Pour les détails → Morphine, p. 444.
Note : prescrit sur ordonnance médicale.

TENORDATE® (Zeneca-Pharma)

Introd. en 1988. Liste I. Remb. SS 70%.
PRINCIPES ACTIFS : gélules contenant
– nifédipine (20 mg) : inhibiteur calcique (Adalate®, Nifélate®);
– aténolol (50 mg) : bêta-bloquant (Ténormine®).
Emploi : proposé pour traiter l'hypertension artérielle.
Pour les détails → p. 96 et p. 363.
Note : prescrit sur ordonnance médicale.

TÉNORMINE® (Zeneca-Pharma)

Introd. en 1979. Liste I. Remb. SS 70%.
PRINCIPE ACTIF : *Aténolol.*
Préparations : comprimés à 100 mg; ampoules à 5 mg dans 10 ml.
Emploi : médicament appartenant au groupe très nombreux des bêta-bloquants utilisé par voie buccale :
– pour abaisser la tension artérielle chez les hypertendus (antihypertenseur);
– pour prévenir les crises d'angine de poitrine (antiangoreux);
En injection intraveineuse, il est employé dans la phase aiguë de l'infarctus du myocarde.
Il s'agit d'un bêta-bloquant de type «cardiosélectif».
Durée d'action : jusqu'à 30 heures.
Pour les détails → p. 96.
Note : prescrit sur ordonnance médicale.

TENSIONORME® (Leo)

Introd. en 1962. Liste II. Remb. SS 70%.
PRINCIPES ACTIFS: comprimés contenant
– bendrofluméthiazide (2,5 mg) : diurétique thiazidique (Naturine®);
– réserpine (0,1 mg) : sympatholytique post-ganglionnaire.
Emploi : association proposée dans le traitement de l'hypertension artérielle modérée; la réserpine est un alcaloïde de *Rauwolfia serpentina;* elle a une action sédative et était utilisée autrefois comme neuroleptique.
Note : prescrit sur ordonnance médicale.

TENSOPHORIL® (Monot)

Introd. en 1974. Liste I. Remb. SS 70%.
PRINCIPES ACTIFS : gélules contenant de la dopamine (sympathomimétique), amobarbital (barbiturique), acide borique et acide ascorbique.
Emploi : proposé dans les hypotensions et la fatigue (asthénie); l'utilisation est limitée du fait de la présence d'amobarbital (les barbituriques ne sont pas recommandé en dehors du traitement de l'épilepsie).
Précautions : ne pas associer des antidépresseurs IMAO.
Vigilance : les conducteurs de véhicules et les utilisateurs de machines doivent être informés de la possibilité de somnolence aggravée par l'alcool.
Note : prescrit sur ordonnance médicale.

TENSTATEN® (Ipsen)

Introd. en 1988. Liste I. Remb. SS 70%.

PRINCIPE ACTIF : **Ciclétanine**.

Préparations : gélules à 50 mg.

Emploi : médicament appartenant au groupe des diurétiques qui favorisent l'élimination de l'eau et du sodium et qui sont utilisés à faibles doses pour faire baisser la pression en cas d'hypertension artérielle.

Pour les détails → p. 232.

Note : prescrit sur ordonnance médicale.

TÉNUATE DOSPAN®
(Marion Merrell Dow)

Introd. en 1987. Liste I. Non remb. SS.

PRINCIPE ACTIF : **Amfépramone**.

SYNONYME : diéthylpropion.

Préparations : gélules à 75 mg.

Emploi : excitant du système nerveux central analogue de l'amphétamine utilisé pour diminuer l'appétit dans le traitement à court terme de l'obésité («coupe-faim»); associé à l'exercice physique et à un régime pauvre en hydrate de carbones, graisses et calories, ce médicament peut aider certains patients, mais l'action s'estompe au bout de quelques semaines et s'accompagne d'effets indésirables, notamment de l'apparition d'une dépendance. L'emploi de ce médicament devrait se limiter à des situations particulières où une perte pondérale rapide est souhaitée, par exemple avant une opération chirurgicale et ne devrait pas dépasser 6 semaines.

Pour les détails → p. 33.

Note : prescrit sur ordonnance médicale.

TÉRALITHE® (Théraplix)

Introd. en 1974. Liste II. Remb. SS 70%.

PRINCIPE ACTIF : **Carbonate de lithium**.

Préparations : comprimés à 250 mg ou 6,8 mmol.

Emploi : les sels de lithium sont utilisés comme normothymiques dans :
– la prévention des rechutes de la psychose maniaco-dépressive; les résultats sont meilleurs dans la prévention des rechutes maniaques que sur celle des rechutes dépressives;
– le traitement des accès aigus de manie (exaltation, précipitation des idées, irritabilité, euphorie); étant donné que les effets des sels de lithium ne se manifestent qu'au bout de 2-3 semaines, on associe un neuroleptique au début du traitement.

Le maniement des sels de lithium est délicat et exige le contrôle régulier de la concentration du lithium dans le sang (lithiémie); dans les formes graves, on conseille de commencer le traitement en milieu hospitalier.

Pour les détails → p. 400.

Note : prescrit sur ordonnance médicale.

TERCIAN® (Théraplix)

Introd. en 1972. Liste I. Remb. SS 70%.

PRINCIPE ACTIF : **Cyamémazine**.

Préparations : comprimés à 25 mg ou 100 mg; solution buvable (1 goutte = 1 mg); ampoules injectables à 50 mg dans 5 ml.

Emploi : neuroleptique appartenant au groupe des phénothiazines qui sont utilisées dans le traitement des maladies mentales.

La cyamémazine est utilisée à faibles doses pour traiter certaines formes d'anxiété résistantes aux thérapeutiques habituelles.

A doses élevées, elle est utilisée dans les états anxieux graves et les états d'agressivité; en association avec un antidépresseur, elle est proposée dans les dépressions graves.

Pour les détails → p. 468.

Note : prescrit sur ordonnance médicale.

TERCODINE® élixir (Monot)

Introd. en 1975. Non remb. SS.

PRINCIPES ACTIFS : solution buvable contenant de la codéine (antitussif opiacé), terpine et eau de laurier-cerise.

Emploi : proposé pour calmer la toux irritative, sèche.

Précautions : ne pas utiliser en cas de
– asthme, insuffisance respiratoire (la diminution de la toux cause l'accumulation de mucosités dans les voies respiratoires);
– maladie du foie;
– grossesse, allaitement;
– enfants âgés de moins de 8 ans.

Durée du traitement : si la toux persiste après une semaine, si des crachats sanglants ou des effets indésirables apparaissent, arrêtez le traitement et consultez votre médecin.

Alcool : à éviter pendant le traitement.

Sujets âgés : risque accru d'effets indésirables; doses réduites de moitié.

Conduite de véhicules : ce médicament peut diminuer la vigilance; la conduite de véhicules ou l'utilisation de machines peut être dangereuse.

Sportifs : ce médicament peut donner une réaction positive lors des contrôles antidopage.

En cas de diabète : tenir compte de la teneur en sucre du produit.

Effets indésirables possibles : somnolence, sécheresse de la bouche, confusion, nausées, vomissements, crises d'asthme, constipation, éruption cutanée (réaction allergique : arrêtez immédiatement le traitement).

Note : vendu sans ordonnance; l'efficacité de la codéine est généralement reconnue, mais les autres composants ont peu d'intérêt dans l'emploi proposé.

TERFLUZINE® (Théraplix)

Introd. en 1965. Liste I. Remb. SS 70%.

PRINCIPE ACTIF : **Trifluopérazine**.

Préparations : comprimés à 10 mg ou 100 mg; solution buvable (1 goutte= 1 mg).

Emploi : médicament appartenant au groupe des phénothiazines qui sont utilisées dans le traitement des maladies mentales (action neuroleptique).

La trifluopérazine est utilisée à faibles doses pour traiter certaines formes d'anxiété résistantes aux thérapeutiques habituelles.

A doses élevées, elle est employée dans les états anxieux graves et les états d'agressivité; en association avec un antidépresseur, elle est proposée dans les dépressions graves.

Pour les détails → p. 468.

Note : prescrit sur ordonnance médicale.

TERGYNAN® (Bouchara)

Introd. en 1975. Liste I. Remb. SS 70%.

PRINCIPES ACTIFS : comprimés vaginaux contenant de la néomycine (antibiotique), nystatine (antifongique), ternidazole (antiprotozoaire) et prednisolone (corticoïde).

Emploi : proposé dans les vaginites bactériennes, mycosiques à *Candida albicans* et à trichomonas.

Note : prescrit sur ordonnance médicale.

TERNEURINE® (Bristol-Myers Squibb)

Introd. en 1962. Non remb. SS.

PRINCIPES ACTIFS : comprimés contenant de la thiamine (vitamine B1), pyridoxine (vitamine B6) et cyanocobalamine (vitamine B12).

Emploi : préparation polyvitaminée proposée dans les carences en vitamines du groupe B, notamment en cas d'éthylisme.

En dehors de ces carences, l'emploi de vitamines n'est pas justifié pour traiter certains syndromes douloureux, en particulier névralgies, polynévrites, névrites optiques.

Note : vendu sans ordonnance; à éviter en automédication (une carence en vitamines ne peut être reconnue que par votre médecin).

TERNEURINE H-5000® (Bristol-Myers Squibb)

Introd. en 1967. Non remb. SS.

PRINCIPES ACTIFS : poudre pour solution injectable contenant thiamine (vitamine B1), pyridoxine (vitamine B6) et hydroxocobalamine (vitamine B12).

Emploi : préparation polyvitaminée proposée dans les carences en vitamines du groupe B, notamment en cas d'éthylisme.

En dehors de ces carences, l'emploi de vitamines n'est pas justifié pour traiter certains syndromes douloureux, en particulier névralgies, polynévrites, névrites optiques.

Note : vendu sans ordonnance; à éviter en automédication (une carence en vitamines ne peut être reconnue que par votre médecin).

TERPINE comprimés (Gonnon)

Introd. en 1979. Liste I. Non remb. SS.

PRINCIPES ACTIFS : comprimés contenant de la codéine (antitussif opiacé), terpine et benzoate de sodium.

Emploi : proposé pour calmer la toux irritative, sèche.

Précautions : ne pas utiliser en cas de
– asthme, insuffisance respiratoire (la diminution de la toux cause une accumulation de mucosités dans les voies respiratoires);
– maladie du foie;

– grossesse, allaitement;
– enfants âgés de moins de 5 ans.
Durée du traitement : si la toux persiste après une semaine, si des crachats sanglants ou des effets indésirables apparaissent, arrêtez le traitement et consultez votre médecin.
Alcool : à éviter pendant le traitement.
Conduite de véhicules : ce médicament peut diminuer la vigilance; la conduite de véhicules ou l'utilisation de machines peut être dangereuse.
Sportifs : ce médicament peut donner une réaction positive en cas de tests pour contrôle antidopage.
Effets indésirables possibles : somnolence, sécheresse de la bouche, confusion, nausées, vomissements, crises d'asthme, constipation, éruption cutanée (réaction allergique) : arrêtez immédiatement le traitement).
Note : prescrit sur ordonnance médicale.

TERPINE solution buvable
(Gonnon)

Introd. en 1885. Non remb. SS.
PRINCIPES ACTIFS : solution buvable contenant de la terpine et baume de tolu.
Emploi : proposé dans les troubles de la sécrétion bronchique.
Précautions : ne pas employer chez l'enfant de moins de 15 ans et en cas de grossesse.
En cas de diabète : tenir compte de la teneur en sucre du produit.
Note : vendu sans ordonnance; efficacité des principes actifs à confirmer dans l'emploi proposé.

TERPINE DES MONTS-DORE® (Centrapharm)

Introd. en 1944. Remb. SS 40%.
PRINCIPES ACTIFS : solution buvable contenant de la terpine et sirop d'ipécacuanha composé.
Emploi : proposé dans les troubles de la sécrétion bronchique.
Précautions : ne pas employer chez l'enfant de moins de 15 ans et en cas de grossesse.
En cas de diabète : tenir compte de la teneur en sucre du produit.
Note : vendu sans ordonnance; efficacité des principes actifs à confirmer dans l'emploi proposé.

TERPONE® (Rosa-Phytopharma)

Introd. en 1968. Remb. SS 40%.
PRINCIPES ACTIFS :
– sirop : terpine et dérivés d'essences de pin, niaouli, eucalyptus;
– suppositoires : terpine, quinine et dérivés d'essences de pin, niaouli, eucalyptus.
Emploi : proposé dans les troubles de la sécrétion bronchique.
Note : vendu sans ordonnance; efficacité des principes actifs à confirmer dans l'emploi proposé.

TERRAMYCINE
Solu-Retard® (Pfizer)

Introd. en 1964. Liste I. Remb. SS 70%.
PRINCIPE ACTIF : *Oxytétracycline.*
Préparations : solution injectable retard en ampoules à 250 mg (+lidocaïne).
Emploi : antibiotique du groupe des tétracyclines employé dans le traitement des infections, notamment infections uro-génitales et sexuellement transmissibles, et dans d'autres affections déterminées par votre médecin.
Pour les détails → p. 672.
Note : prescrit sur ordonnance médicale.

TERRAMYCINE® pommade dermique (Pfizer)

Introd. en 1956. Non remb. SS.
PRINCIPE ACTIF : pommade dermique contenant de l'oxytétracycline (3%).
Emploi : infections de la peau, notamment à staphylocoques (furoncles, anthrax, etc.).
Précautions : ne pas employer en cas d'allergie aux tétracyclines, de fièvre, d'ulcères ou de lésions suintantes.
Effets indésirables possibles : réactions allergiques, création de germes résistants.
Note : vendu sans ordonnance; à éviter en automédication comme tous les antibiotiques locaux.

TERRAMYCINE® pommade ophtalmique (Pfizer)

Introd. en 1956. Remb. SS 70%.
PRINCIPE ACTIF : pommade ophtalmique contenant de l'oxytétracycline (0,5%).

Emploi : traitement des infections des structures externes de l'œil et de ses annexes, notamment traitement du trachome.
Note : vendu sans ordonnance; à éviter en automédication comme tous les antibiotiques locaux.

TERSIGAT® (3M Santé)

Introd. en 1984. Liste I. Remb. SS 70%.
PRINCIPE ACTIF : **Bromure d'oxitropium**.
Préparations : flacon pressurisé délivrant 100 µg par bouffée.
Emploi : médicament appartenant au groupe des antiasthmatiques atropiniques qui dilatent les bronches rétrécies par le spasme; il est utilisé en inhalations buccales dans le traitement de la crise d'asthme (souvent en association avec un bêtamimétique ou un corticoïde) et dans le traitement de fond de l'asthme et des bronchites chroniques obstructives.
Précautions : ne pas employer en cas d'allergie au produit, d'infection bronchique, de rhinite infectieuse, de difficulté à uriner ou hypertrophie de la prostate, de glaucome par fermeture de l'angle, de grossesse et allaitement (innocuité non établie); ne pas utiliser chez les enfants de moins de 5 ans.
Inhalation buccale (aérosol) : si vous utilisez ce médicament pour traiter les crises d'asthme :
– le médecin devrait vous expliquer le bon usage de l'appareil pour inhalation; en effet l'utilisation correcte de l'inhalateur est très importante pour le succès du traitement; l'inhalation du médicament doit être faite au cours d'une inspiration profonde et doit être suivie d'un arrêt de la respiration pendant quelques secondes; si nécessaire, demandez des explications détaillées à votre médecin;
– consultez votre médecin si les symptômes ne sont pas améliorés, ou s'aggravent, dans les 30 minutes qui suivent l'inhalation;
– si l'efficacité du traitement diminue ou si l'asthme s'aggrave, n'augmentez pas la fréquence des inhalations, mais consultez votre médecin;
– des inhalations trop fréquentes vous exposent à des risques d'effets indésirables graves (des cas de mort subite ont été signalés);
– discutez avec votre médecin la possibilité d'utiliser vous-même un petit appareil pour mesurer le débit de pointe *(peak flow)*, apprendre à connaître votre profil fonctionnel pour rectifier la thérapie au moment opportun et prévenir une crise sévère;
– rincez la bouche après chaque inhalation pour éviter la sécheresse de la bouche et de la gorge;
– lorsque les inhalations supplémentaires n'améliorent pas suffisamment la fonction respiratoire, n'hésitez pas à consulter immédiatement votre médecin ou l'hôpital le plus proche.
Effets indésirables possibles : sécheresse de la bouche, irritation pharyngée; les effets atropiniques par absorption du médicament sont rares.
Note : prescrit sur ordonnance médicale.

TEST BRUCELLIQUE P.S.® (Mérieux)

Introd. en 1985. Remb. SS 70%.
PRINCIPES ACTIFS : solution injectable intradermique contenant *Brucella abortus* souche Buck 19, fraction phénolosoluble, pour le dépistage de l'allergie cutanée vis-à-vis des brucelloses (ne pas utiliser en vue de désensibilisation).
Conservation : entre +2° et +8° C.

TESTOSTÉRONE (Théramex)

Introd. en 1955. Liste II. Remb. SS 70%.
PRINCIPE ACTIF : **Testostérone**.
Préparations (heptylate) : ampoules injectables à 50 mg, 100 mg ou 250 mg.
Emploi : androgène ou hormone mâle naturelle d'origine testiculaire, préparée par synthèse, employée lorsque l'organisme est incapable de la sécréter en quantité suffisante soit chez l'homme adulte que chez le garçon à l'âge de la puberté; ce médicament est aussi utilisé pour traiter les proliférations cellulaires anormales au niveau du sein chez la femme (indication exceptionnelle) et proposé dans les états de dénutrition chez le sujet âgé, en association avec un régime riche en protéines.
Pour les détails → p. 31.
Note : prescrit sur ordonnance médicale.

TÉTAGRIP 05® (Mérieux)

Introd. en 1987. Non remb. SS.
Vaccin antitétanique et antigrippal associé (→ ces termes).

Si vous utilisez l'une des spécialités suivantes contenant un antibiotique...

SPÉCIALITÉS CONTENANT UN ANTIBIOTIQUE DU GROUPE DES TÉTRACYCLINES:

Abiosan® (L'Arguenon).

Doxy-100® (Elerté).

Doxycline® (Plantier).

Doxygram® (Negma).

Doxylets® (Galephar).

Granudoxy® (P. Fabre).

Hexacycline® (Diamant).

Lysocline® (Parke-Davis).

Mestacine® (Lederle).

Monocline® (Doms-Adrian).

Mynocine® (Lederle).

Physiomycine® (Laphal).

Posicycline® (Alcon) [collyre].

Spanor® (Biothérapie).

Terramycine® (Pfizer).

Tétracycline Diamant®.

Tétralysal® (Galderma).

Tétramig® (Biogalénique).

Tolexine® (Biorga).

Transcycline® (Hoechst).

Vibramycine N® (Pfizer).

Vibraveineuse® (Pfizer).

Emploi: les *tétracyclines* sont des antibiotiques utilisés dans le traitement de diverses infections, notamment :

– infections uro-génitales, sexuellement transmissibles, à *Chlamydiae*, mycoplasmes (*Ureaplasma*), à gonocoques sensibles et à d'autres germes;

– infections respiratoires, sinusites, otites à germes sensibles;

– syphilis en cas d'allergie à la pénicilline;

– borrélioses, brucelloses, pasteurelloses, rickettsioses, yersinioses;

– pneumonie à mycoplasmes, psittacose et fièvre Q;

– amibiase intestinale en association avec le métronidazole lorsque celui-ci seul est inefficace;

– choléra : pour atténuer la diarrhée et raccourcir la période d'élimination des vibrions dans les selles;

– accès palustre (en association avec la quinine);

– acné sévère : les tétracyclines sont utilisées en application locale et par voie buccale à faibles doses en traitement prolongé.

Allergie : informez votre médecin si vous avez déjà fait une réaction allergique ou inhabituelle au produit ou à un autre antibiotique de la famille des tétracyclines.

Etat de santé : vous devez informer votre médecin de toute affection susceptible de modifier les effets du médicament, surtout les maladies du foie (risque accru d'effets indésirables en cas d'insuffisance hépatique).

Grossesse : les tétracyclines ne doivent pas être utilisées chez la femme enceinte ou susceptible de l'être; en effet, elles peuvent causer une coloration permanente des dents et des troubles de la croissance des os chez l'enfant.

Allaitement : en raison du passage dans le lait maternel, l'utilisation n'est pas conseillée.

Enfants : ne pas utiliser avant l'âge de 8 ans (risque de coloration permanente des dents et de troubles de la croissance osseuse).

Interactions : il faut informer votre médecin si vous prenez ou avez pris récemment d'autres médicaments, notamment :

– antiacides gastriques, sels ferreux, laxatifs contenant du magnésium, sels de calcium (diminuent la résorption des tétracyclines; respectez un intervalle de 2 heures entre la prise de ces médicaments et la prise de l'antibiotique);

– contraceptifs oraux ou «pilule» (diminution de l'efficacité des contraceptifs);

– pénicillines (les tétracyclines peuvent interférer avec l'action bactéricide des pénicillines, association à éviter);

– anticoagulants oraux (augmentation de l'action anticoagulante);

- sels de lithium (augmentation de la toxicité des sels de lithium);
- rétinoïdes (risque d'hypertension intracrânienne);
- barbituriques, phénytoïne, carbamazépine (diminution des concentrations sanguines et de l'efficacité des tétracyclines).

Prescription : ne dépassez pas la dose prescrite; des doses trop élevées ou des prises trop fréquentes augmentent le risque d'effets indésirables.

Prise du médicament : on conseille de prendre les comprimés au milieu des repas et de ne pas les prendre immédiatement avant le coucher; ils doivent être avalés avec une quantité suffisante d'eau ou délayés dans un demi-verre d'eau pour éviter une irritation locale de l'œsophage (ne pas utiliser le lait); respectez un intervalle de 2 heures entre la prise de certains médicaments et la prise d'une tétracycline.

Oubli : si vous oubliez de prendre le médicament, ne doublez pas la dose suivante.

Durée du traitement : respectez la durée de prescription de votre médecin, même si les fièvre et les autres signes d'infection disparaissent; en effet, un arrêt prématuré du traitement peut favoriser une rechute; si les symptômes ne sont pas améliorés en quelques jours par le traitement, ou s'ils s'aggravent, consultez votre médecin.

Une éventuelle impression de fatigue n'est pas due au traitement antibiotique, mais à l'infection elle-même; par conséquent, le fait de réduire les doses ou d'interrompre le traitement ne ferait que retarder la guérison.

Alcool : évitez la consommation de boissons alcoolisées.

Autres médicaments : ne prenez aucun autre médicament sans consulter votre médecin, en particulier des antiacides gastriques et des laxatifs contenant du magnésium qui diminuent l'absorption digestive des tétracyclines.

Contraception orale : l'efficacité de la contraception orale est diminuée par les tétracyclines (on conseille de passer à la contraception locale).

Exposition au soleil : les tétracyclines peuvent rendre votre peau très sensible aux rayons solaires et ultraviolets (photosensibilisation); dans ce cas, vous devez éviter l'exposition directe au soleil et porter des vêtements qui couvrent les bras et les jambes, un chapeau et des lunettes de soleil; on peut observer une atteinte des ongles (sensation de brûlure et détachement des ongles).

En cas de diabète : les tétracyclines peuvent fausser le résultats de certains tests pour déceler le sucre dans les urines (glycosurie).

Chirurgie : informez le chirurgien et le dentiste que vous êtes traité par une tétracycline.

Effets indésirables possibles :
- nausées, vomissements, diarrhées sévères et persistantes;
- prurit, urticaire, éruption cutanée (réaction allergique : arrêtez immédiatement le traitement)
- visage enflé, bouffissure des lèvres et des paupières, voix rauque, difficulté à respirer ou à avaler (œdème de Quincke);
- fièvre, maux de gorge (diminution du nombre des globules blancs dans le sang);
- saignements inhabituels (diminution du nombre des plaquettes dans le sang);
- coloration jaune des yeux et de la peau, jaunisse;
- faiblesse, pâleur (anémie hémolytique);
- maux de tête sévères, nausées, troubles visuels (hypertension intracrânienne).

Produits périmés : vérifiez toujours la date d'échéance du produit avant l'utilisation; si les comprimés ont changé de couleur ou ont un goût différent, il peut s'agir de produits périmés qui risquent de provoquer des effets indésirables graves au niveau du rein (acidose tubulaire) ou des lésions cutanées (de type lupus érythémateux disséminé).

TÉTAVAX® → Vaccin antitétanique.

TÉTRACOQ 05® (Mérieux)

Vaccin antidiphtérique, anticoquelucheux, antitétanique et antipoliomyélitique associé.

TÉTRACYCLINE (Diamant)

Introd. en 1955. Liste I. Remb. SS 70%.
PRINCIPE ACTIF : *Tétracycline*.
Préparations : comprimés à 250 mg.
Emploi : antibiotique du groupe des
tétracyclines employé dans le traitement des infections, notamment les
infections uro-génitales et sexuellement transmissibles, et dans d'autres
affections.
Pour les détails → p. 672.
Note : prescrit sur ordonnance médicale.

TÉTRALYSAL® (Galderma)

Introd. en 1967. Liste I. Remb. SS 70%.
PRINCIPE ACTIF : *Lymécycline*.
Préparations : gélules à 150 mg.
Emploi : antibiotique du groupe des
tétracyclines employé dans le traitement des infections, notamment les
infections uro-génitales et sexuellement transmissibles, et dans d'autres
affections.
Pour les détails → p. 672.
Note : prescrit sur ordonnance médicale.

TÉTRAMIG® (Biogalénique)

Introd. en 1971. Liste I. Remb. SS 70%.
PRINCIPE ACTIF : *Tétracycline*.
Préparations : comprimés à 250 mg.
Emploi : antibiotique du groupe des
tétracyclines employé dans le traitement des infections, notamment les
infections uro-génitales et sexuellement transmissibles, et dans d'autres
affections.
Pour les détails → p. 672.
Note : prescrit sur ordonnance médicale.

TÉTRANASE® (Rottapharm)

Introd. en 1970. Liste I. Remb. SS 70%.
PRINCIPE ACTIF : *Oxytétracycline*.
Préparations : comprimés contenant
250 mg de l'oxytétracycline et bromélaïnes (enzyme protéolytique).
Emploi : antibiotique du groupe des
tétracyclines employé dans le traite-

ment des infections, notamment les
infections uro-génitales et sexuellement transmissibles.
Pour les détails → p. 672.
Note : prescrit sur ordonnance médicale.

TÉTRAPONGYL® (Gallier)

Introd. en 1992. Liste II. Non remb. SS.
PRINCIPE ACTIF : comprimés contenant
25 mg de poudre de thyroïde d'origine porcine (extrait thyroïdien).
Emploi : même utilisation que la lévothyroxine, mais le contenu en tétra-
iodothyronine (T4) et en tri-iodo-
thyronine (T3) est variable et ne
permet pas un dosage précis (la détermination du taux sérique de T4 est
recommandée pour adapter la dose).
Précautions : utilisation très prudente
chez les sujets âgés ou ayant des
affections cardio-vasculaires.
Pour les détails → p. 346.
Note : prescrit sur ordonnance médicale.

THAMACÉTAT® (R. Bellon)

Introd. en 1985. Liste I. Remb. SS 70%.
PRINCIPE ACTIF : *Trométamol*.
SYNONYMES : THAM, trométhamine.
Préparations : solution injectable pour
perfusion à 3,66 g/100 ml (0,38
molaire ou 380 mOsm/litre).
Emploi : base aminée utilisée en injection intraveineuse pour ses propriétés
alcalinisantes dans le traitement des
acidoses métaboliques.
Précautions : ne pas employer en cas
d'insuffisance respiratoire, d'hypoglycémie, d'alcalose ; prudence en cas
d'insuffisance rénale.
Note : prescrit sur ordonnance médicale.

THÉINOL® (Bailly-Speab)

Introd. en 1910. Remb. SS 70%.
PRINCIPES ACTIFS : solution buvable
contenant
– phénazone (antipyrine) : analgésique
et antipyrétique à éviter à cause de
sa toxicité potentielle ;
– caféine : stimulant central ;
– salicylate de sodium,
Emploi : proposé pour atténuer la douleur modérée (*analgésique*) et pour
faire tomber la fièvre (*antipyrétique*).
Précautions : ce médicament ne doit
pas être utilisé en cas d'insuffisance
hépatique, d'insuffisance respiratoire,
de déficit en glucose-6-phosphate

déhydrogénase ou G6PD (risque d'hémolyse), de grossesse, d'allaitement et chez l'enfant âgé de moins de 15 ans.

Mise en garde : l'apparition de fièvre, d'angine ou d'ulcérations buccales impose l'arrêt immédiat du traitement; consultez votre médecin qui pourra juger nécessaire une numération globulaire d'urgence.

Sportifs : ce médicament peut donner une réaction positive en cas de tests pour contrôle antidopage.

Vigilance : ce médicament peut diminuer la vigilance; la conduite de véhicules ou l'utilisation de machines peut être dangereuse.

Note : vendu sans ordonnance; à éviter à cause de la présence de phénazone (antipyrine) dont les effets indésirables peuvent être graves.

THÉOLAIR® (3M Santé)

Introd. en 1982. Remb. SS 70%.
PRINCIPE ACTIF : théophylline
– comprimés à 125 mg ;
– comprimés à libération prolongée à 100 mg ou 175 mg *(Théolair LP®)*.

Emploi : dérivé de la xanthine qui dilate les bronche et facilite le passage de l'air la théophylline est utilisée en cas d'asthme, de bronchite chronique, d'emphysème pulmonaire et dans d'autres affections.

Pour les détails → Théophylline ci-dessous.

Note : vendu sans ordonnance; à éviter en automédication.

THÉOPHYLLINE

SPÉCIALITÉS :
Armophylline LP® (Rorer).
Cétraphylline® (Schering-Plough).
Dilatrane® (Labomed).
Euphylline L.A.® (Byk).
Techniphylline® (Techni-Pharma).
Théolair® (3M Santé).
Théolair L.P.® (3M Santé).
Théopexine® (Théraplix).
Théophylline Bruneau® (Promidel).
Théophylline Bruneau LP® (Promidel).
Théostat LP® (Inava).
Xanthium® (Galephar).
AMINOPHYLLINE → *Planphylline®* (Plantier).
BAMIFYLLINE → *Trentadil®* (Pharmuka).

Emploi : la théophylline est un dérivé de la xanthine qui dilate les bronches et facilite le passage de l'air : elle est utilisée en cas d'asthme, de bronchite chronique, d'emphysème pulmonaire et dans d'autres affections. Il s'agit d'un médicament classique dont les effets indésirables sont fréquents et demandent souvent un contrôle des taux plasmatiques; en effet, la marge entre le taux efficace et le taux toxique est étroite et, d'autre part, le taux plasmatique du médicament est influencé par de nombreux facteurs; à hautes doses, la théophylline stimule le système nerveux central.

Allergie : informez votre médecin si vous avez déjà fait une réaction allergique ou inhabituelle à ce médicament ou à d'autres dérivés de la xanthine (aminophylline, bamifylline, diprophylline, caféine).

État de santé : vous devez informer votre médecin de toute affection susceptible de modifier les effets du médicament, notamment :
– fièvre, infections respiratoires (p. ex. grippe);
– insuffisance cardiaque (faiblesse du cœur), angine de poitrine ou infarctus du myocarde récent, troubles du rythme cardiaque, hypertension artérielle sévère;
– maladies du foie ou des reins (risque accru d'effets indésirables en cas d'insuffisance hépatique ou rénale);
– activité excessive de la thyroïde (maladie de Basedow, hyperthyroïdie);
– épilepsie, convulsions (risque de déclenchement de crises);
– atteinte hépatique (alcoolisme);
– ulcère gastroduodénal (risque d'aggravation);
– diarrhée (peut modifier l'action des préparations à libération prolongée).

Grossesse : médicament déconseillé en cas de grossesse; en effet, il a causé des malformations du fœtus au cours de l'expérimentation animale; en outre, en cas d'administration en fin de grossesse, possibilité d'effets indésirables chez le nouveau-né (accélération du pouls, excitation, vomissements, troubles respiratoires).

Allaitement : l'utilisation du médicament est déconseillée car il passe dans le lait maternel.

Enfants : chez l'enfant âgé de moins de 6 ans, l'administration de théophylline ne devrait se faire qu'en milieu hospitalier spécialisé; les convulsions sont souvent le premier signe d'une intoxication.

Interactions : il faut informer votre médecin si vous prenez ou avez pris récemment d'autres médicaments, notamment :
- érythromycine, clindamycine, fluoroquinolones, lincomycine, viloxazine (augmentation du risque d'effets indésirables);
- bêta-bloquants (possibilité de neutralisation réciproque des effets);
- sympathomimétiques (danger de troubles du rythme cardiaque);
- carbamazépine, phénytoïne, phénobarbital (diminution de l'efficacité de la théophylline);
- cimétidine, ranitidine, ticlopidine, allopurinol (augmentation de la toxicité de la théophylline).

Prescription : ne dépassez pas la dose prescrite par votre médecin; des doses trop élevées ou des prises trop fréquentes augmentent le risque d'effets indésirables; il convient d'utiliser toujours la même spécialité, du même fabricant; en effet, des produits de divers fabricants peuvent être plus ou moins bien résorbés (demandez conseil à votre pharmacien avant de changer de spécialité).

Prise du médicament : il existe de nombreuses présentations; les formes à libération prolongée ont l'avantage de réduire le nombre de prises quotidiennes, mais leur emploi demande une surveillance stricte pour éviter les accidents dus au surdosage; la résorption est plus lente et plus régulière à distance des repas.

Pour déterminer la dose optimale, votre médecin peut demander des contrôles du taux plasmatique de la théophylline, de préférence à 8 h du matin (pour vérifier l'efficacité en fin de nuit) et pendant la journée 4 heures après la dernière prise (taux habituel entre 5 et 15 mg/litre).

Oubli : si vous oubliez une prise et si vous le remarquez dans les 2 heures qui suivent, prenez immédiatement la dose oubliée; ne doublez pas la dose suivante; si vous oubliez le médicament plusieurs jours, prenez contact avec votre médecin.

Autosurveillance : dans certains cas, votre médecin peut vous demander d'utiliser vous-même un petit appareil pour mesurer le débit expiratoire forcé («peak flow») qui permet d'évaluer la fonction respiratoire et de trouver la dose quotidienne optimale et l'horaire des prises le plus efficace.

Tabac : l'élimination du médicament est accélérée par le tabac; les fumeurs ont souvent besoin de doses plus élevées que les non fumeurs.

Café, thé : limitez la consommation de café et de thé dont les effets stimulants sont majorés par la théophylline.

Arrêt du traitement : l'arrêt brusque du traitement peut aggraver les symptômes; consultez votre médecin sur la réduction progressive des doses.

Effets indésirables possibles :
- nausées, vomissements, diarrhée, vertiges, maux de tête;
- agitation, insomnie, tremblements, excitation;
- palpitations, accélération du pouls);
- prurit, éruption cutanées (réaction allergique : arrêtez le traitement);
- convulsions (taux plasmatique dépassant 20 mg/litre).
- les suppositoires peuvent provoquer une irritation locale.

Intoxication : agitation, excitation, confusion mentale, tremblements, fièvre, chute de la tension artérielle, troubles du rythme cardiaque, douleurs gastriques, vomissements «marc de café», selles tachées de sang ou noires, production excessive d'urine, respiration d'abord accélérée puis ralentie, crises convulsives, arrêt cardiaque (réanimation à l'hôpital).

Note : le traitement doit être conduit sous surveillance médicale.

THÉOPHYLLINE Bruneau®
(Promidel)

Introd. en 1935. Remb. SS 70%.
Préparations : comprimés à 100 mg;
- comprimés à libération prolongée à 50 mg, 100 mg et 200 mg;
- sirop à 12 mg/ml;
- suppositoires adultes à 350 mg;
- suppositoires enfants à 100 mg.

Emploi : dérivé de la xanthine qui dilate les bronches et facilite le passage de l'air la théophylline est utilisée en cas d'asthme, de bronchite chronique, d'emphysème pulmonaire et dans d'autres affections.

Pour les détails → Théophylline ci-dessus.

Note : vendu sans ordonnance; à utiliser sous contrôle médical.

THÉOPHYLLINE
butobarbital (Promidel)

Introd. en 1952. Liste I. Remb. SS 70%.

PRINCIPES ACTIFS : suppositoires contenant de la théophylline (dilatateur des bronches) et butobarbital (barbiturique).

Emploi: proposé dans l'asthme; l'utilisation est limitée du fait de la présence de butobarbital (les barbituriques ne sont pas recommandés en dehors du traitement de l'épilepsie).

Précautions : ne pas employer chez l'enfant âgé de moins de 15 ans, en cas de porphyries, d'insuffisance respiratoire, de grossesse, d'allaitement; utilisation prudente chez les sujets âgés.

Alcool : à éviter pendant le traitement (majoration de l'effet sédatif).

Conduite de véhicules : ce médicament peut diminuer la vigilance; la conduite de véhicules ou l'utilisation de machines peut être dangereuse.

Effets indésirables possibles :
– théophylline : maux de tête, nausées, vomissements, excitation et convulsions;
– butobarbital : somnolence, confusion mentale, éruptions cutanées.

Pour les détails → Théophylline.

Note : prescrit sur ordonnance médicale.

THÉOSTAT LP® (Inava)

Introd. en 1981. Remb. SS 70%.

PRINCIPE ACTIF : *Théophylline*

Préparations : comprimés à libération prolongée à 100 mg ou 300 mg.

Emploi : dérivé de la xanthine qui dilate les bronches et facilite le passage de l'air la théophylline est utilisée en cas d'asthme, de bronchite chronique, d'emphysème pulmonaire et dans d'autres affections.

Pour les détails → Théophylline.

Note : vendu sans ordonnance; à éviter en automédication.

THÉPRUBICINE® (R. Bellon)

Introd. en 1990. Liste I. Remb. SS 100%.

PRINCIPE ACTIF : *Pirarubicine*.

Préparations : poudre pour solution injectable en flacons à 10 mg, 20 mg ou 50 mg.

Emploi : médicament appartenant au groupe des anthracyclines utilisées pour traiter les proliférations cellulaires anormales et d'autres affections; ces médicaments agissent non seulement sur les cellules anormales, mais aussi sur les cellules normales, ce qui entraîne des effets indésirables qui se manifestent parfois longtemps après l'arrêt du traitement; deux ou plusieurs médicaments peuvent être utilisés en même temps selon des protocoles qui varient selon le type de la tumeur et le stade d'évolution. La pirarubicine est employée en injections dans le traitement des proliférations cellulaires anormales au niveau du sein en cas de récidive locale et dans d'autres affections déterminées par votre médecin.

Note : le traitement doit être pris en charge par un spécialiste.

THÉRALÈNE® (Théraplix)

Introd. en 1958. Liste II (excepté le sirop). Remb. SS 70%.

PRINCIPE ACTIF : *Alimémazine*.

Préparations : comprimés à 5 mg; sirop à 2,5 mg par cuillerée à café; solution buvable à 40 mg/ml (1 mg/goutte); ampoules injectables à 25 mg/5 ml.

Emploi : médicament dérivé de la phénothiazine ayant des effets antihistaminiques, neuroleptiques, antiémétiques, antitussifs et atropiniques.

L'alimémazine est utilisée pour le traitement des conditions suivantes :
– affections allergiques, notamment rhinites et conjonctivites allergiques, urticaire, rhume des foins, bouffissure des lèvres et des paupières (œdème de Quincke), piqûres d'insectes;
– toux d'origine allergique, sèches, gênantes, irritatives;
– insomnies;
– états d'agitation.

Chez l'enfant âgé de moins de 5 ans, tenir compte du risque d'arrêt respiratoire pendant le sommeil.
La forme injectable est utilisée comme prémédication anesthésique.

Pour les détails → p. 45.

Note : le sirop est vendu sans ordonnance; l'action antiallergique de l'alimémazine est généralement reconnue; tenir compte de l'effet sédatif

THÉRALÈNE® Pectoral
(Théraplix)

Introd. en 1964. Remb. SS 40%.

PRINCIPES ACTIFS : sirop contenant :
– codéthyline : antitussif opiacé;
– alimémazine : dérivé de la phénothiazine antihistaminique, sédatif et
atropinique (Théralène®);
– éphédrine : sympathomimétique;
– acétate d'ammonium.

Emploi : proposé pour calmer la toux
irritative, sèche.

Précautions : ne pas utiliser en cas de
– asthme, insuffisance respiratoire (la
diminution de la toux cause l'accumulation de mucosités dans les voies
respiratoires);
– hypertrophie de la prostate;
– glaucome à angle fermé;
– maladie du foie;
– angine de poitrine, hypertension
artérielle;
– fonctionnement excessif de la glande
thyroïde (hyperthyroïdie);
– association aux antidépresseurs de
type IMAO;
– grossesse (innocuité non établie),
allaitement;
– enfants âgés de moins de 15 ans (de
30 mois pour la forme pour enfant).

Durée du traitement : si la toux persiste
après une semaine, si des crachats
sanglants ou des effets indésirables
apparaissent, arrêtez le traitement et
consultez votre médecin.

Alcool : évitez les boissons alcoolisées
pendant le traitement (majoration de
l'effet sédatif).

Sujets âgés : risque accru d'effets indésirables.

Conduite de véhicules : ce médicament
peut diminuer la vigilance; la conduite
de véhicules ou l'utilisation de machines peut être dangereuse .

Sportifs : ce médicament peut donner
une réaction positive en cas de tests
pratiqués lors des contrôles antidopage.

Effets indésirables possibles : somnolence, sécheresse de la bouche, confusion, nausées, vomissements, crises
d'asthme, constipation, vision trouble, difficulté à uriner, agitation (sujets âgés), crises d'asthme, éruption
cutanée (réaction allergique : arrêtez
le traitement); palpitations, accélération ou irrégularité du pouls, maux
de tête, étourdissements, nervosité,
insomnie, transpirations, tremblements, mouvements involontaires de
la bouche ou du visage.

Note : vendu sans ordonnance; l'efficacité
de la codéthyline est généralement
reconnue, mais les autres composants
ont peu d'intérêt dans l'emploi proposé.

THÉRALÈNE® pectoral nourrisson (Théraplix)

Introd. en 1968. Remb. SS 40%.

PRINCIPES ACTIFS : sirop contenant :
– alimémazine : dérivé de la phénothiazine antihistaminique, sédatif et
atropinique (Théralène®);
– acétate d'ammonium, benzoate de
sodium, sulfate de magnésium.

Emploi : proposé pour calmer la toux.

Note : vendu sans ordonnance; à éviter
sans avis médical.

THERMALGINE® (Gallier)

PRINCIPES ACTIFS : suppositoires contenant de l'aspirine, salicylate de quinine, succinate de bismuth et caféine.

Emploi : proposé pour calmer la douleur
et abaisser la fièvre.

Note : vendu sans ordonnance; l'efficacité
de l'aspirine est généralement reconnue,
mais les autres composants ont peu
d'intérêt dans l'emploi proposé.

THERMI-RECTAL® (Monot)

PRINCIPES ACTIFS : suppositoires contenant du paracétamol, salicylamide et
sulfate de quinine.

Emploi : proposé pour calmer la douleur
et abaisser la fièvre.

Note : vendu sans ordonnance; l'efficacité
du paracétamol est généralement
reconnue, mais les autres composants
ont peu d'intérêt dans l'emploi proposé.

THIOMUCASE® (Millot-Solac)

Introd. en 1961. Non remb. SS.

PRINCIPES ACTIFS : comprimés et suppositoires contenant des mucopoly-
saccharidases testiculaires; la crème
contient en outre du mercurothiolate
sodique.

Emploi : proposé dans les «dystrophies
localisées du tissu sous-cutané».

Note : vendu sans ordonnance; efficacité
des principes actifs à confirmer dans
l'emploi proposé.

THIOPECTOL®
(Gifrer Barbezat)

Introd. en 1957. Non remb. SS.

PRINCIPES ACTIFS : sirop contenant de la codéine (antitussif opiacé), teinture de belladone, sulfogaïacol, sirop d'eucalyptus et de tolu, terpine.

Emploi : proposé pour calmer la toux.

Pour les détails → p. 59.

Note : vendu sans ordonnance; l'efficacité de la codéine est généralement reconnue dans l'emploi proposé, mais les autres composants ont peu d'intérêt dans l'emploi proposé.

THIOPHÉNICOL® (Clin-Midy)

Introd. en 1962. Liste I. Remb. SS 70%.

PRINCIPE ACTIF : **Thiamphénicol**.

Préparations : comprimés à 250 mg; poudre pour solution injectable en flacons à 750 mg.

Emploi : médicament appartenant au groupe des antibiotiques qui sont utilisés pour traiter les infections causées par les bactéries; ils agissent soit en tuant les bactéries (action bactéricide) soit en arrêtant leur croissance (action bactériostatique); ils n'agissent pas dans les infections virales, par exemple le rhume ou la grippe.

Le thiamphénicol est un analogue du chloramphénicol efficace dans de nombreuses infections; cependant, étant donné le risque des effets indésirables du chloramphénicol, ce médicament n'est jamais employé dans les infections légères; dans les infections sévères, il n'est utilisé que lorsque d'autres médicaments moins toxiques sont inefficaces.

Pour les détails → p. 147.

Note : prescrit sur ordonnance médicale.

THIOPHÉOL® (Biogalénique)

Introd. en 1959. Remb. SS 40%.

PRINCIPES ACTIFS :
– comprimés : thiophène-2-carboxylate de lithium;
– suppositoires : thiophène, soufre colloïdal, pantothénate de calcium et eucalyptol.

Emploi : proposé dans les «affections des voies respiratoires».

Note : vendu sans ordonnance; efficacité des principes actifs à confirmer dans l'emploi proposé.

THIOPON® (Amido)

Introd. en 1948. Remb. SS 40%.

PRINCIPES ACTIFS :
– capsules et solution pour aérosols : huile thiophénique;
– suppositoires : huile thiophénique et pantothénate de calcium;
– solution endonasale : huile thiophénique, essences de pin, eucalyptus et niaouli.

Emploi : inflammations respiratoires.

Précautions : ne pas employer en cas d'intolérance au soufre.

Note : vendu sans ordonnance; efficacité des principes actifs à confirmer dans l'emploi proposé.

THIOPURINOL® (Bouchara)

Introd. en 1968. Liste I. Remb. SS 70%.

PRINCIPE ACTIF : **Tisopurine**.

Préparations : comprimés à 100 mg.

Emploi : médicament qui inhibe la formation de l'acide urique et diminue son taux dans le sang et l'urine (hypouricémiant); il est utilisé dans le traitement des maladies provoquées par une augmentation de l'acide urique dans l'organisme, en particulier dans le traitement de fond de la goutte chronique.

Ce médicament prévient les accès de goutte lorsqu'il est pris régulièrement pendant quelques mois avec un régime pauvre en purines, mais il ne constitue pas un traitement de l'accès de goutte (en fait, il tend à déclencher les accès au début du traitement).

Alors que les médicaments qui diminuent le taux sanguin de l'acide urique en favorisant leur élimination urinaire (uricosuriques), la tisopurine n'augmente pas le risque de formation de calculs urinaires.

La tisopurine est utilisé dans d'autres affections où le taux d'acide urique dans le sang est trop élevé (hyperuricémie), notamment certaines maladies du sang et certaines affections des reins, et pour prévenir la formation des calculs dans les reins.

Pou les détails → p. 44.

Note : prescrit sur ordonnance médicale.

THIOSÉDAL® (Zyma)

Introd. en 1934. Non remb. SS.

PRINCIPES ACTIFS : comprimés et sirop contenant de la codéthyline (antitussif opiacé), jusquiame (atropinique) et sulfogaïacol.

Emploi : proposé pour calmer la toux.

Précautions : ne pas utiliser en cas de
– asthme, insuffisance respiratoire (la diminution de la toux cause l'accumulation de mucosités dans les voies respiratoires);
– glaucome par fermeture de l'angle;
– rétention urinaire par troubles urétroprostatiques;
– maladie du foie (l'élimination de la codéthyline est diminuée en cas d'insuffisance hépatique);
– ulcère gastroduodénal évolutif;
– grossesse (innocuité non établie), allaitement;
– enfants âgés de moins de 5 ans.

Durée du traitement : si la toux persiste après une semaine, si des crachats sanglants ou des effets indésirables apparaissent, arrêtez le traitement et consultez votre médecin.

Alcool : évitez les boissons alcoolisées pendant le traitement (majoration de l'effet sédatif).

Sujets âgés : risque accru d'effets indésirables; doses réduites de moitié.

Conduite de véhicules : ce médicament peut diminuer la vigilance; la conduite de véhicules ou l'utilisation de machines peut être dangereuse.

Effets indésirables possibles : somnolence, sécheresse de la bouche, confusion, nausées, vomissements, crises d'asthme, constipation, excitation (surtout chez l'enfant), éruption cutanée (réaction allergique : arrêtez immédiatement le traitement).

Note : vendu sans ordonnance; l'efficacité de la codéthyline est généralement reconnue, mais les autres composants ont peu d'intérêt dans l'emploi proposé.

THIOTÉPA (R. Bellon)

Introd. en 1961. Liste I. Remb. SS 100%.
PRINCIPE ACTIF : *Thiotépa.*
Préparations : poudre pour solution injectable en flacons à 10 mg.
Emploi : médicament appartenant au groupe des agents alkylants. Le thiotépa est employé pour traiter les proliférations cellulaires anormales, notamment au niveau de l'ovaire ou du sein et, en instillations vésicales, dans les tumeurs de la vessie.
Note : le traitement doit être pris en charge par un spécialiste.

THIOVALONE® pressurisé
(Eurorga)

Introd. en 1978. Liste II. Remb. SS 40%.
PRINCIPES ACTIFS : collutoire en flacon pressurisé contenant du tixocortol (corticoïde) et chlorhexidine (antiseptique).
Emploi : proposé dans les laryngites, angines et pharyngite.
Durée du traitement : ne pas dépasser 8 jours; consultez votre médecin si les douleurs et le mal de gorge ne régressent pas au bout de 3 jours.
Note : prescrit sur ordonnance médicale.

THROMBASE (Houdé)

Introd. en 1947. Remb. SS 70%.
PRINCIPE ACTIF : poudre et solution pour usage local contenant de la thrombase (facteur de la coagulation qui transforme le fibrinogène en fibrine).
Emploi : proposé dans les hémorragies externes de moyenne importance.
Conservation : à +4° C.

THYMOGLOBULINE®
(Mérieux)

Introd. en 1985.
Préparations : flacons contenant 25 mg d'immunoglobuline de lapin antithymocytes humains.
Emploi : immunodépresseur utilisé pour prévenir et traiter les réactions de rejet au cours des transplantations d'organes, notamment de rein et de moelle osseuse.
Note : réservé aux hôpitaux.

L-THYROXINE® (Roche)

Introd. en 1927. Liste II. Remb. SS 70%.
PRINCIPE ACTIF : *Lévothyroxine sodique.*
SYNONYMES : thyroxine, tétra-iodothyronine, L-T4 ou T4 lévogyre.
Préparations : comprimés à 100 µg; soluté buvable contenant 5 µg/goutte [conservation à +4° C]; ampoules injectables à 200 µg dans 1 ml.
Emploi : médicament utilisé par voie buccale lorsque la glande thyroïde ne produit pas assez d'hormones thyroïdiennes dans l'hypothyroïdie, le myxœdème (bouffissure du visage et des mains), le goitre simple (augmentation de volume de la glande thyroïde), l'inflammation de la glande thyroïde (thyroïdite chronique) et les

Thrombolytiques
(utilisés pour dissoudre les caillots sanguins)

Actilyse® (Boehringer Ingelheim).	*Kabikinase*® (Kabi Pharmacia).
Actosolv® (Hoechst).	*Streptase*® (Hoechst).
Eminase ® (SmithKline Beecham).	*Urokinase Choay*®.

Propriétés : enzymes qui provoquent la dissolution des caillots de sang en activant la transformation du plasminogène inactif en plasmine active; sous l'influence de la plasmine, les agrégats de fibrine (caillots) se désintègrent en petits peptides qui sont emportés par la circulation.

Emploi : médicaments utilisés en milieu hospitalier pour dissoudre les caillots de sang qui se sont formés dans certains vaisseaux, notamment du cœur et des poumons, et qui empêchent la circulation du sang.

Dans l'infarctus du myocarde récent (moins de 6 heures), chez des sujets de moins de 75 ans, les thrombolytiques sont utilisés par voie intraveineuse dès que possible; ils diminuent la gravité des lésions du muscle cardiaque si le traitement est précoce. Ils sont aussi utilisés pour dissoudre les caillots dans les vaisseaux des poumons (embolie pulmonaire massive), des extrémités (thromboses artérielles ou veineuses profondes) et dans d'autres affections.

Interactions : il faut informer votre médecin si vous prenez ou avez pris récemment d'autres médicaments, notamment des anticoagulants oraux, des antiagrégants plaquettaires, des anti-inflammatoires non stéroïdiens, de l'aspirine.

Précautions : comme les thrombolytiques peuvent empêcher la coagulation normale du sang, il faut suivre les instructions de l'équipe soignante et attendre l'autorisation du médecin pour vous lever.

Effets indésirables possibles
– *Hémorragies :* peuvent nécessiter l'arrêt du traitement et éventuellement l'administration d'antifibrinolytiques.
– *Réactions allergiques* (streptokinase, anistreplase) : fièvre, frissons, éruption cutanée, risque de choc anaphylactique.

Note : si vous avez été traité depuis moins d'un an avec de la streptokinase ou de l'anistreplase, informez votre médecin car ces médicaments risquent d'être moins efficaces lors d'un traitement successif.

---

prolifération cellulaires anormales au niveau de la thyroïde.

La forme injectable est réservée à l'usage hospitalier pour traiter le coma myxœdémateux.

Durée d'action : 1-3 semaines.
Pour les détails → p. 346.
Note : prescrit sur ordonnance médicale.

TIADILON® (Crinex)

Introd. en 1976. Remb. SS 40%.
PRINCIPE ACTIF : gélules contenant de l'arginine sous forme de tidiacicate ou tidiacic (100 mg).

Emploi : acide aminé proposé dans le traitement des troubles présumés d'origine hépatique.

Précautions : ne pas employer en cas d'obstruction des voies biliaires;

consultez votre médecin en cas de douleurs ou de crampes abdominales, de selles noires, d'amaigrissement, d'urines foncées, de douleurs de la région du foie.

Note : vendu sans ordonnance; efficacité du principe actif à confirmer dans l'emploi proposé.

TIAPRIDAL® → Tiapride ci-dessous.

TIAPRIDE

Liste I. Remb. SS 70%.
PRINCIPE ACTIF : **Tiapride**.
SPÉCIALITÉS :
Equilium® (Fumouze).
Tiapridal® (Delagrange).
Tiapride (Panmedica).
Tiapride (Panpharma).

Préparations : comprimés à 100 mg; ampoules injectables à 100 mg/2 ml.

Emploi : neuroleptique du groupe des benzamides substitués utilisé pour traiter
- les tics et les mouvements anormaux choréiformes (antidyskinétique);
- les douleurs intenses et rebelles;
- les états d'agitation et d'agressivité, notamment chez le sujet alcoolique.

Pour les détails → p. 468.

Note : prescrit sur ordonnance médicale.

TIBÉRAL® (Roche)

Introd. en 1981. Liste I.
PRINCIPE ACTIF : *Ornidazole*.

Préparations : comprimés à 500 mg; ampoules injectables à 125 mg dans 0,75 ml, 500 mg dans 3 ml ou 1 g dans 6 ml.

Emploi : antiprotozoaire et antibactérien utilisé en milieu hospitalier :
- par voie orale pour traiter l'amibiase intestinale ou hépatique, la giardiase (lambliase), la trichomonase urogénitale et certaines infections à germes anaérobies (bactéries dont la croissance ne peut s'effectuer que dans un milieu pauvre en oxygène);
- en perfusion intraveineuse pour prévenir et traiter certaines infections graves à germes anaérobies survenant lors d'opérations chirurgicales.

Pour les détails → p. 53.

Note : ampoules réservées aux hôpitaux.

TIBICORTEN® (Stiefel)

Introd. en 1985. Liste I. Remb. SS 70%.
PRINCIPE ACTIF : *Triamcinolone*.

Préparations : crème à 0,075%.

Emploi : corticoïde d'activité assez forte (classe III) utilisé en application locale pour soulager la douleur, le prurit et les signes d'inflammation et d'irritation de la peau, surtout dans l'eczéma et la dermatite allergique provoquée par le contact avec des plantes, métaux, produits de nettoyage, cosmétiques, etc. ainsi que dans les processus de lichénification.

Pour les détails → p. 205.

Note : prescrit sur ordonnance médicale.

TIBURON® (Pharminter).

Introd. en 1992. Non remb. SS.
PRINCIPE ACTIF : comprimés contenant 200 mg d'ibuprofène.

Emploi : proposé pour soulager les douleurs modérées (action analgésique), par exemple maux de tête, douleurs dentaires, douleurs menstruelles (dysménorrhées), et pour faire baisser la fièvre.

Pour les détails → p. 50.

Note : en cas d'automédication, lisez attentivement les informations annexes au produit et consultez votre médecin si les douleurs persistent ou si la fièvre ne régresse pas au bout de 3 jours.

TICARPEN®
(SmithKline Beecham)

Introd. en 1981. Liste I.
PRINCIPE ACTIF : *Ticarcilline*.

Préparations : poudre pour solution en flacons à 1 g, 2 g ou 5 g (sel sodique).

Emploi : antibiotique appartenant au groupe des carboxypénicillines utilisé en injections pour traiter les infections graves.

Pour les détails → p. 520.

Note : réservé aux hôpitaux.

TICLID® (Millot-Solac)

Introd. en 1978. Liste I. Remb. SS 70%.
PRINCIPE ACTIF : *Ticlopidine*.

Préparations : comprimés à 250 mg.

Emploi : médicaments appartenant au groupe des antiagrégants plaquettaires ou antiplaquettaires qui préviennent le dépôt de plaquettes sur les lésions de la paroi artérielle; ils sont utilisés pour normaliser la tendance pathologique des plaquettes sanguines à l'agrégation et pour prévenir ainsi la formation de caillots sanguins, notamment chez les porteurs de prothèses valvulaires.

Précautions : ne pas employer en cas d'allergie au produit; les affections suivantes peuvent modifier l'action du médicament
- maladies du sang avec tendance aux hémorragies;
- ulcère gastrique ou duodénal;
- hypertension artérielle.

Grossesse et allaitement : l'innocuité de ce médicament n'ayant pas été établie chez la femme enceinte, ni lors de l'allaitement, son usage est déconseillé.

Interactions : il faut informer votre médecin si vous prenez ou avez pris récemment d'autres médicaments, notamment les suivants :

– acide valproïque, céfamandole, céfopérazone, céfotétan, cefménoxime, latamoxef, pentoxifylline, sulfinpyrazone (risque accru d'hémorragies);
– anticoagulants oraux (réduction des doses en cas d'association);
– aspirine (acide acétylsalicylique).

Oubli : si vous oubliez de prendre le médicament et si vous le remarquez dans les 2 heures qui suivent, prenez immédiatement la dose oubliée; ne doublez pas la dose suivante.

Prise du médicament : on conseille de prendre le médicament avec un verre d'eau une heure avant ou deux heures après les repas.

Autres médicaments : la ticlopidine est parfois associée à l'aspirine ou à un anticoagulant oral; ne prenez aucun autre médicament sans l'avis de votre médecin.

Café et thé : ils contiennent des dérivés xanthiniques qui peuvent diminuer l'efficacité du traitement.

Conduite de véhicules : assurez vous que le médicament ne provoque ni étourdissements ni vertiges avant de conduire des véhicules ou d'utiliser des machines.

Effets indésirables possibles :
– maux de tête, bouffées de chaleur, vertiges, étourdissements au moment de vous lever (tension trop basse ou hypotension orthostatique), nausées, vomissements, diarrhées;
– prurit, éruption cutanée (réaction allergique : arrêtez immédiatement le traitement.

Note : prescrit sur ordonnance médicale.

TIENAM® (M., S. & D.-Chibret)

Introd. en 1987. Liste I.
PRINCIPE ACTIF : **Imipénem**.
Préparations : flacons à 250 mg (+ cilastatine sodique 250 mg) ou 500 mg (+ cilastatine sodique 500 mg).
Emploi : l'imipénem est une substance appartenant au groupe des antibiotiques utilisés à l'hôpital en perfusions intraveineuses pour traiter certaines infections graves causées par des bactéries; il est associé à la cilastatine sodique pour améliorer son action contre les bactéries.
Pour les détails → p. 520.
Note : réservé aux hôpitaux.

TIFOMYCINE® (Roussel)

Introd. en 1950. Liste I. Remb. SS 70%.
PRINCIPE ACTIF : **Chloramphénicol**.
Préparations : comprimés à 250 mg.
Emploi : médicament appartenant au groupe des antibiotiques qui sont des médicaments utilisés pour traiter les infections causées par des bactéries. Le chloramphénicol est efficace dans de nombreuses infections et est relativement peu coûteux; cependant, étant donné le risque d'effets indésirables parfois très graves, ce médicament n'est jamais employé dans les infections légères; dans les infections sévères (p. ex. fièvre typhoïde, certaines méningites ou septicémies), il n'est utilisé que lorsque d'autres médicaments moins toxiques sont inefficaces ou contre-indiqués.
Pour les détails → p. 147.
Note : prescrit sur ordonnance médicale.

TIFOMYCINE® collyre (Roussel)

Introd. en 1951. Liste I. Remb. SS 70%.
PRINCIPE ACTIF : **Chloramphénicol**.
Préparations : collyre à 4 mg/ml.
Emploi : antibiotique utilisé en collyre pour traiter les infections bactériennes aiguës du segment antérieur de l'œil et de ses annexes.
Précautions : ne pas employer en cas d'antécédents de réactions allergiques au chloramphénicol.
Surveillance : le traitement exige des contrôles périodiques du sang parce que l'absorption du chloramphénicol dans l'organisme peut provoquer une diminution du nombre des globules sanguins (→ Chloramphénicol).
Conservation : à utiliser dans les 15 jours après l'ouverture du flacon.
Note : prescrit sur ordonnance médicale.

TILADE® (Fisons)

Introd. en 1988. Liste II. Remb. SS 70%.
PRINCIPE ACTIF : **Nédocromil**.
Préparations : poudre pour inhalation en flacon pressurisé [1 bouffée = 1,788 mg].
Emploi : médicament ayant une action antiallergique utilisé en inhalation dans la prévention des crises d'asthme lorsque l'asthme a une composante allergique ou est déclenché par

le froid ou l'effort physique; le nédocromil n'a pas d'action sur la crise d'asthme déclarée. Le nédocromil agit sur certaines cellules appelées «mastocytes» en empêchant la libération des médiateurs de l'allergie.

Précautions : ne pas employer en cas d'allergie au produit, de maladie cardiaque, de bronchite chronique, d'hypersensibilité au lait et aux produits laitiers (la préparation contient du lactose), de grossesse et allaitement (innocuité non établie) ou chez les enfants âgés de moins de 12 ans.

Inhalation buccale (aérosol) pour prévenir les crises d'asthme :
– le médecin devrait vous expliquer le bon usage de l'appareil pour inhalation; en effet l'utilisation correcte de l'inhalateur est très importante pour le succès du traitement; l'inhalation du médicament doit être faite au cours d'une inspiration profonde et doit être suivie d'un arrêt de la respiration pendant quelques secondes; si nécessaire, demandez des explications détaillées à votre médecin;
– si vous oubliez une dose et si vous le remarquez dans les 2 heures qui suivent, prenez immédiatement la dose oubliée; ne doublez pas la dose suivante;
– les effets du traitement ne se manifestent pleinement qu'après quelques jours;
– si l'efficacité du traitement diminue ou si l'asthme s'aggrave, n'augmentez pas la fréquence des inhalations, mais consultez votre médecin;
– des inhalations trop fréquentes vous exposent à des effets indésirables;
– rincez la bouche après chaque inhalation pour éviter la sécheresse de la bouche et de la gorge;
– en cas d'infection au cours du traitement, consultez votre médecin pour une couverture antibiotique éventuelle.
– n'arrêtez pas le traitement sans consulter votre médecin.

Effets indésirables possibles :
– inhalations : toux, sécheresse de la gorge, irritation trachéo-bronchique;
– vomissements, maux de tête, difficulté à respirer (crise d'asthme), urticaire, éruption cutanée (réaction allergique : arrêtez immédiatement le traitement).

Note : prescrit sur ordonnance médicale.

TILCOTIL® (Roche)

Introd. en 1988. Liste I. Remb. SS 70%.
PRINCIPE ACTIF : **Ténoxicam**.

Préparations : comprimés à 20 mg; suppositoires à 20 mg; poudre pour solution injectable en flacons à 20 mg.

Emploi : anti-inflammatoire non stéroïdien utilisé dans les inflammations douloureuses des articulations, des capsules articulaires, des muscles ou des tendons et dans d'autres affections déterminées par votre médecin; dans la polyarthrite rhumatoïde et dans l'arthrose, il atténue la douleur, la tuméfaction et la raideur des articulations, mais ne guérit pas la maladie.

Le ténoxicam persiste pendant longtemps dans le sang; des doses répétées provoquent l'accumulation du médicament dans l'organisme et par conséquent augmentent le risque d'effets indésirables.

En injections, le ténoxicam est proposé dans le traitement de courte durée des rhumatismes inflammatoires et des périarthrites, tendinites, entorses.

Pour les détails → p. 50.
Note : prescrit sur ordonnance médicale.

TILDIEM® (Synthélabo)

Introd. en 1980. Liste I. Remb. SS 70%.
PRINCIPE ACTIF : **Diltiazem**.

Préparations : comprimés à 60 mg; gélules à libération prolongée à 300 mg *(Tildiem LP®)*; poudre pour solution injectable en flacons à 25 mg ou 100 mg (réservées aux hôpitaux).

Emploi : inhibiteur calcique utilisé pour prévenir les crises d'angine de poitrine (sensation de constriction douloureuse dans la poitrine pouvant irradier dans le bras gauche) et pour abaisser la tension artérielle en cas d'hypertension artérielle lorsque les diurétiques et/ou les bêta-bloquants sont inefficaces.

Pour les détails → p. 363.
Note : prescrit sur ordonnance médicale.

TIMACOR® (M., S. & D.-Chibret)

Introd. en 1976. Liste I. Remb. SS 70%.
PRINCIPE ACTIF : **Timolol**.

Préparations : comprimés à 10 mg (sous forme de maléate).

Emploi : médicament appartenant au groupe très nombreux des bêta-bloquants utilisé par voie buccale :
– pour abaisser la tension artérielle chez les hypertendus (antihypertenseur);
– pour prévenir les crises d'angine de poitrine (antiangoreux);
– pour le traitement au long cours après infarctus du myocarde.
Il s'agit d'un bêta-bloquant dit «non cardiosélectif».
Pour les détails → p. 96.
Note : prescrit sur ordonnance médicale.

TIMOPTOL®
(M., S. & D.-Chibret)

Introd. en 1979. Liste I. Remb. SS 70%.
PRINCIPE ACTIF : *Timolol*.
Préparations : collyre à 0,10%, 0,25% ou 0.50%.
Emploi : collyre bêta-bloquant utilisé pour abaisser la tension intra-oculaire, notamment en cas de glaucome à angle ouvert.
Pour les détails → p. 98.
Conservation : à utiliser dans les 15 jours après l'ouverture du flacon.
Note : prescrit sur ordonnance médicale.

TIMPILO® (M., S. & D.-Chibret)

Introd. en 1992. Liste I. Non remb. SS.
Préparations : solution à diluer en flacon bicompartimenté contenant
– *Timpilo®* 2 : 500 mg de timolol maléate et 2 g de pilocarpine chlorhydrate;
– *Timpilo®* 4 : 500 mg de timolol maléate et 4 g de pilocarpine chlorhydrate.
Emploi : proposé en cas d'hypertonie oculaire (glaucome) lorsqu'un bêta-bloquant seul ou la pilocarpine seule n'arrivent pas équilibrer la tension oculaire.
Pour les détails → p. 98.
Note : prescrit sur ordonnance médicale.

TINORAN® (Diamant)

Introd. en 1991. Liste I. Remb. SS 70%.
PRINCIPE ACTIF : *Démexiptiline*.
Préparations : comprimés à 25 mg.
Emploi : antidépresseur du groupe des tricycliques, désinhibiteur et non sédatif, dont l'action atropinique est modérée, utilisé dans le traitement des états dépressifs de l'adulte.
Pour les détails → p. 40.
Note : prescrit sur ordonnance médicale.

TINSET® (Cilag)

Introd. en 1990. Liste II. Remb. SS 70%.
PRINCIPE ACTIF : *Oxatomide*.
Préparations : comprimés à 30 mg; suspension buvable à 10 mg par cuillerée mesure.
Emploi : antihistaminique utilisé pour prévenir et traiter les affections allergiques, notamment le rhume des foins et l'urticaire chronique; bien que l'action sédative de ce médicament soit moindre que celle d'autres antihistaminiques, la prise de fortes doses peut entraîner un effet sédatif (fatigue, somnolence).
Pour les détails → p. 45.
Note : prescrit sur ordonnance médicale.

TIORFAN® (Bioprojet Pharma)

Introd. en 1993. Liste I.
PRINCIPE ACTIF : *Acétorphan*.
Emploi : l'acétorphan diminue l'hypersécrétion intestinale de l'eau et des sels (électrolytes); il est utilisé pour ralentir le transit intestinal dans la diarrhée aiguë (sans selles sanglantes ou purulentes); ce médicament ne doit pas être employé dans les diarrhées infectieuses ou causées par des antibiotiques ou des substances toxiques, car il peut empêcher l'élimination de substances nuisibles; son utilisation est dangereuse en cas de rectocolite hémorragique (risque de dilatation du côlon ou mégacôlon).
État de santé : informez votre médecin de toute affection susceptible de modifier les effets du médicament, notamment :
– maladie du foie (l'insuffisance hépatique diminue l'élimination du médicament);
– douleurs abdominales (l'acétorphan peut provoquer une occlusion intestinale aiguë ou une poussée aiguë de rectocolite hémorragique avec risque de dilatation du côlon);
– colite (risque de dilatation du côlon);
– constipation avec risque d'occlusion intestinale;
– diarrhée avec fièvre et/ou présence de glaires ou de sang dans les selles.

Grossesse et allaitement : l'innocuité de ce médicament n'ayant pas été établie chez la femme enceinte, ni lors de l'allaitement, son usage est déconseillé par mesure de prudence.

Enfants : ne pas employer chez l'enfant (absence d'études spécifiques).

Boissons : compensez les pertes de liquides dues à la diarrhée aiguë par des boissons abondantes et éventuellement par des solutions pour la réhydratation orale.

Alcool : évitez les boissons alcoolisées (risque d'aggravation de la diarrhée).

Durée du traitement : si aucune amélioration ne se manifeste au bout de 48 heures ou si des glaires et du sang apparaissent dans les selles, consultez votre médecin ; des examens de laboratoire peuvent être nécessaires pour préciser la cause de la diarrhée ; l'utilisation pendant plus de 7 jours est déconseillée.

Effets indésirables possibles : somnolence.

Note : *prescrit sur ordonnance médicale.*

TISANE Clairo® (Weleda)

Introd. en 1953. Non remb. SS.

PRINCIPES ACTIFS : mélange de plantes pour tisane contenant des feuilles de séné (laxatif irritant), anis vert, giroflier, menthe poivrée.

Emploi : traitement de la constipation.

Précautions : consultez votre médecin si la constipation persiste, en cas de sang dans les selles ou de selles noires, de douleurs abdominales avec diarrhée, d'amaigrissement.

L'usage prolongé risque de provoquer la «maladie des laxatifs» avec lésions de la muqueuse intestinale.

Note : *vendu sans ordonnance ; à éviter comme tous les laxatifs irritants.*

TISANE des Familles®
(Sterling Midy)

Introd. en 1936. Non remb. SS.

PRINCIPES ACTIFS : mélange pour tisane contenant entre autres plantes de la bourdaine et séné (laxatifs irritants).

Emploi : traitement de courte durée de la constipation.

Précautions : consultez votre médecin si la constipation persiste, en cas de sang dans les selles ou de selles noires, de douleurs abdominales avec

diarrhée, d'amaigrissement. L'usage prolongé risque de provoquer la «maladie des laxatifs» avec lésions de la muqueuse intestinale.

Note : *vendu sans ordonnance ; à éviter comme tous les laxatifs irritants.*

TISANE Grande Chartreuse®
(Aérocid)

Introd. en 1944. Non remb. SS.

PRINCIPES ACTIFS : mélange de plantes pour tisane contenant bourdaine et séné (laxatifs irritants), marjolaine, guimauve, réglisse, mélisse, menthe poivrée, frêne, pariétaire, coriandre.

Emploi : traitement de courte durée de la constipation.

Précautions : consultez votre médecin si la constipation persiste, en cas de sang dans les selles ou de selles noires, de douleurs abdominales avec diarrhée, d'amaigrissement.

L'usage prolongé risque de provoquer la «maladie des laxatifs» avec lésions de la muqueuse intestinale.

Note : *vendu sans ordonnance ; à éviter comme tous les laxatifs irritants.*

TISANE Mexicaine®
(Médecine Végétale)

Introd. en 1913. Non remb. SS.

PRINCIPES ACTIFS : mélange de plantes pour tisane contenant des feuilles de séné (laxatif irritant), boldo, vigne rouge, hysope, frêne, écorce de bourdaine (laxatif irritant) et sommité fleurie de romarin.

Emploi : traitement de la constipation.

Précautions : consultez votre médecin si la constipation persiste, en cas de sang dans les selles ou de selles noires, de douleurs abdominales avec diarrhée, d'amaigrissement.

L'usage prolongé risque de provoquer la «maladie des laxatifs» avec lésions de la muqueuse intestinale.

Note : *vendu sans ordonnance ; à éviter comme tous les laxatifs irritants.*

TISANE Obéflorine® (Lehning)

Introd. en 1953. Non remb. SS.

PRINCIPES ACTIFS : mélange de plantes pour tisane contenant des folioles de séné (laxatif irritant), fucus, réglisse, feuilles de frêne.

Emploi : traitement de courte durée de la constipation.

Précautions : consultez votre médecin si la constipation persiste, en cas de sang dans les selles ou de selles noires, de douleurs abdominales avec diarrhée, d'amaigrissement. L'usage prolongé risque de provoquer des lésions de la muqueuse intestinale.

Note : vendu sans ordonnance; à éviter comme tous les laxatifs irritants.

TISANE Orientale Soker®
(Médecine Végétale)

Introd. en 1913. Non remb. SS.

PRINCIPES ACTIFS : mélange de plantes pour tisane contenant arénaire, pariétaire, chiendent, busserole, stigmates de maïs.

Emploi : proposé pour stimuler l'élimination de l'eau et comme adjuvant dans le traitement des infections urinaires (dont le diagnostic ne peut être posé que par votre médecin).

Note : vendu sans ordonnance; efficacité des principes actifs à confirmer.

TISANE Phlébosédol® (Lehning)

Introd. en 1953. Non remb. SS.

PRINCIPES ACTIFS : mélange de plantes contenant bourdaine (laxatif irritant), marron d'Inde, Clematis vitalba, hamamélis, ficaire, viburnum, piscidia, séneçon, alchémille.

Emploi : proposé dans le traitement des symptômes en rapport avec l'insuffisance veineuse et lymphatique (jambes lourdes, etc.).

Précautions : consultez votre médecin en cas de suspicion de phlébite (jambes rouges, douloureuses, surtout si d'un seul côté et avec fièvre).

Note : vendu sans ordonnance; à éviter comme tous les laxatifs irritants.

TISANE Touraine®
(Pharmacie Principale, Tours)

Introd. en 1955. Non remb. SS.

PRINCIPES ACTIFS : mélange de plantes pour tisane contenant séné et bourdaine (laxatifs irritants), frêne, verveine, aspérule, pariétaire, reine des prés, fraisier, menthe, mélisse, bleuet.

Emploi : traitement de courte durée de la constipation.

Précautions : consultez votre médecin si la constipation persiste, en cas de sang dans les selles ou de selles noires, de douleurs abdominales avec diarrhée, d'amaigrissement. L'usage prolongé risque de provoquer des lésions de la muqueuse intestinale.

Note : vendu sans ordonnance; à éviter comme tous les laxatifs irritants.

TISANES de l'Abbé Hamon®
(Aérocid).

Introd. en 1976.
Gamme de tisanes proposées dans des affections diverses.

TITANORÉINE® (J.-P. Martin)

Introd. en 1980. Remb. SS 40%.

PRINCIPES ACTIFS : suppositoires et pommade contenant du dioxyde de titane, carraghénate, oxyde de zinc et lidocaïne.

Emploi : poussées hémorroïdaires.

Précautions : arrêtez le traitement et consultez votre médecin en cas d'accentuation des douleurs, d'apparition de sang dans les selles ou de fièvre.

Note : vendu sans ordonnance; ne pas utiliser pendant plus de 5 jours sans avis médical.

TIXAIR® (Sarget)

Introd. en 1985. Remb. SS 40%.

PRINCIPE ACTIF : *Acétylcystéine*.

Préparations : comprimés à 200 mg.

Emploi : proposé pour liquéfier les sécrétions bronchiques et en faciliter l'expectoration dans les affections respiratoires accompagnées de sécrétions bronchiques épaisses, en particulier en cas de bronchite aiguë, d'emphysème et d'autres affections.

Précautions : ne pas employer en cas d'allergie au produit, d'asthme, d'encombrement des bronches, d'ulcère gastroduodénal évolutif, de grossesse ou d'allaitement (innocuité non établie); ne pas employer chez l'enfant de moins de 5 ans.

Consultez votre médecin si votre état ne s'améliore pas rapidement ou s'il s'aggrave, en cas de crachats sanglants, d'amaigrissement, de fièvre.

Effets indésirables possibles : brûlures d'estomac, maux de tête, nausées, diarrhées.

Pour les détails → p. 287.

Note : vendu sans ordonnance; à éviter sans avis médical, surtout chez l'enfant.

TOBREX® (Alcon)

Introd. en 1988. Liste I. Remb. SS 70%.
PRINCIPE ACTIF : **Tobramycine**.
Préparations : collyre à 0,3% ; pommade
ophtalmique à 0,3%.
Emploi : antibiotique aminoside utilisé
pour traiter les infections bactériennes
sévères du segment antérieur de l'œil
et de ses annexes, dans les conjonctivites, kératites, ulcères de la cornée,
orgelet.
Précautions : ne pas employer en cas
d'allergie à la gentamicine.
Durée du traitement : ne pas dépasser
une semaine.
Effets indésirables possibles : irritation
locale, réactions allergiques croisées
à la néomycine.
Note : prescrit sur ordonnance médicale.

TOCO 500® (Pharma 2000)

Introd. en 1984. Remb. SS 40%.
PRINCIPE ACTIF : **Tocophérol**.
SYNONYME : alpha-tocophérol, vitami-
ne E.
Préparations : capsules à 500 mg.
Emploi : carences en vitamine E.
Pour les détails → Vitamine E.
*Note : vendu sans ordonnance ; à éviter
en automédication (une carence en
vitamines ne peut être diagnostiquée
que par votre médecin).*

TOCOGESTAN® (Théramex)

Introd. en 1970. Remb. SS 70%.
PRINCIPES ACTIFS : solution injectable
contenant de l'hydroxyprogestérone
heptanoate et progestérone (progestatifs) et tocophérol (vitamine E).
Emploi : proposé dans l'insuffisance
lutéale avec menace d'avortement ou
d'accouchement prématuré.
Note : à utiliser sous contrôle médical.

TOCOMINE® (Paillusseau)

Introd. en 1955. Remb. SS 40%.
PRINCIPE ACTIF : **Tocophérol**.
SYNONYME : alpha-tocophérol, vitami-
ne E.
Préparations : comprimés à 100 mg.
Emploi : carences en vitamine E.
Pour les détails → Vitamine E.
*Note : vendu sans ordonnance ; à éviter
en automédication (une carence en
vitamines ne peut être diagnostiquée
que par votre médecin).*

TOFRANIL® (Ciba-Geigy)

Introd. en 1959. Liste I. Remb. SS 70%.
PRINCIPE ACTIF : **Imipramine**.
Préparations : comprimés à 10 mg ou
25 mg ; ampoules injectables à 25 mg
dans 2 ml.
Emploi : antidépresseur du groupe des
tricycliques, ayant une action atropinique et une action sédative modérée, utilisé dans le traitement des états
dépressifs de l'adulte. L'imipramine
a été proposée chez l'enfant qui
mouille son lit (énurésie nocturne
sans lésion organique).
Pour les détails → p. 40.
Note : prescrit sur ordonnance médicale.

TOLEXINE® (Biorga)

Introd. en 1987. Liste I. Remb. SS. 70%.
PRINCIPE ACTIF : **Doxycycline**.
Préparations : gélules à 50 ou 100 mg.
Emploi : antibiotique dérivé de la
tétracycline employé dans le traitement des infections à germes sensibles, notamment dans les infections
uro-génitales et sexuellement transmissibles.
Pour les détails → p. 672.
Note : prescrit sur ordonnance médicale.

TONACTIL® (Arkomédika).

Introd. en 1992. Non remb. SS.
PRINCIPES ACTIFS : gélules contenant de
la poudre de kola et de racine de
ginseng.
Emploi : proposé dans la fatigue.
Précautions : consultez votre médecin
si la fatigue persiste (il peut s'agir
d'une dépression ou d'une autre maladie nécessitant un traitement spécifique) ou en cas d'amaigrissement.
*Note : vendu sans ordonnance ; efficacité
des principes actifs à confirmer dans
l'emploi proposé.*

TONIBRAL® (Bouchara)

Introd. en 1976. Non remb. SS.
PRINCIPE ACTIF : **Déanol** (ou démanol).
Préparations : solution buvable en
ampoules à 200 mg (hémisuccinate).
Emploi : stimulant non spécifique proposé chez l'adulte dans la fatigue.
Précautions : ne doit pas être utilisé en
cas d'épilepsie, chez l'enfant de moins
de 30 mois, en cas de grossesse (in-

nocuité non établie) et d'allaitement; consultez votre médecin si la fatigue persiste ou en cas d'amaigrissement.

Note : vendu sans ordonnance; efficacité du principe actif à confirmer dans l'emploi proposé.

TONICALCIUM® (Bouchara)

Introd. en 1962. Non remb. SS.

PRINCIPES ACTIFS : solution buvable contenant de l'ascorbate de calcium et de DL-lysine.

Emploi : proposé dans la fatigue.

Précautions : consultez votre médecin si la fatigue persiste (il peut s'agir d'une dépression ou d'une autre maladie nécessitant un traitement spécifique) ou en cas d'amaigrissement.

Note : vendu sans ordonnance; efficacité des principes actifs à confirmer dans l'emploi proposé.

TONILAX® (Monot)

PRINCIPES ACTIFS: comprimés contenant de l'aloès (laxatif irritant), bourdaine, jusquiame, cannelle de Chine, gingembre, extrait de bile, agar agar.

Emploi : proposé dans les troubles digestifs et la constipation.

Précautions : consultez votre médecin si la constipation persiste, en cas de sang dans les selles ou de selles noires, de douleurs abdominales avec diarrhée, d'amaigrissement. L'usage prolongé risque de provoquer la «maladie des laxatifs» avec lésions de la muqueuse intestinale.

Note : vendu sans ordonnance; à éviter comme tous les laxatifs irritants.

TONIQUE VÉGÉTAL®
(Lehning)

Introd. en 1949. Non remb. SS.

Préparation homéopathique (solution buvable) proposée comme fortifiant.

TONITENSYL® (Bailly-Speab)

Introd. en 1969. Non remb. SS.

PRINCIPES ACTIFS: comprimés contenant de la poudre de corticosurrénale, acide désoxyribonucléique, acide ascorbique (vitamine C), ascorbate de calcium, glycine et mannitol.

Emploi : proposé dans la fatigue.

Précautions : consultez votre médecin si la fatigue persiste (il peut s'agir d'une dépression ou d'une autre maladie nécessitant un traitement spécifique) ou en cas d'amaigrissement.

Note : vendu sans ordonnance; efficacité des principes actifs à confirmer dans l'emploi proposé.

TONUVITAL® (Delalande)

Introd. en 1979. Non remb. SS.

PRINCIPES ACTIFS : poudre orale contenant du déanol (stimulant) et acide ribonucléique.

Emploi : proposé dans la fatigue.

Précautions : consultez votre médecin si la fatigue persiste (il peut s'agir d'une dépression ou d'une maladie nécessitant un traitement spécifique) ou en cas d'amaigrissement; ne pas utiliser en cas d'épilepsie.

Note : vendu sans ordonnance; efficacité des principes actifs à confirmer dans l'emploi proposé.

TOPAAL® (Sinbio)

Introd. en 1979. Remb. SS 70%.

PRINCIPES ACTIFS: comprimés et poudre orale contenant hydroxyde d'aluminium, hydrocarbonate de magnésium, silice hydratée, acide alginique.

Emploi : proposé pour neutraliser l'excès d'acidité et comme pansement gastrique dans le reflux gastro-œsophagien; en cas d'ulcère de l'estomac ou du duodénum, ce médicament ne doit être utilisé que sous surveillance médicale.

Prise du médicament : après les repas et éventuellement au coucher.

Précautions : consultez votre médecin si les troubles persistent et en cas de douleurs ou crampes abdominales, de selles noires, d'amaigrissement, de fièvre; ne pas utiliser en cas d'insuffisance rénale sévère; ne pas associer des tétracyclines.

En cas de diabète : tenir compte de la teneur en sucre du produit.

Effets indésirables possibles : retard ou diminution de la résorption d'autres médicaments pris par la bouche (respecter un intervalle d'au moins 2 h).

Note : vendu sans ordonnance; ne pas utiliser pendant plus de 5 jours sans avis médical.

TOPFEN® (Biostabilex-Urap)

Introd. en 1992. Liste II. Remb. SS 70%.

PRINCIPE ACTIF : *Kétoprofène.*

Préparations : gélules à 50 mg; gélules à libération prolongée à 100 mg ou à 200 mg.

Emploi : anti-inflammatoire non stéroïdien utilisé dans les inflammations douloureuses des articulations, des capsules articulaires, des muscles ou des tendons et dans d'autres affections déterminées par votre médecin; dans la polyarthrite rhumatoïde et dans l'arthrose, il atténue la douleur, la tuméfaction et la raideur des articulations, mais ne guérit pas la maladie.

Pour les détails → p. 50.

Note : prescrit sur ordonnance médicale.

TOPICORTE® (Roussel)

Introd. en 1969. Liste I. Remb. SS 70%.

PRINCIPE ACTIF : *Désoximétasone.*

Préparations : crème à 0,025%.

Emploi : dermocorticoïde d'activité forte (classe II) utilisé en application locale pour soulager la douleur, le prurit et les signes d'inflammation et d'irritation de la peau, notamment dans l'eczéma et la dermatite allergique provoquée par le contact avec des plantes, métaux, produits de nettoyage, cosmétiques, etc. ainsi que dans les processus de lichénification.

Pour les détails → p. 205.

Note : prescrit sur ordonnance médicale.

TOPIFRAM® (Roussel)

Introd. en 1970. Liste I. Remb. SS 70%.

PRINCIPES ACTIFS : crème contenant de la framycétine et gramicidine (antibiotiques) et désoximétasone (dermocorticoïde classe II).

Emploi : traitement de les eczémas infectés et d'autres affections de la peau déterminées par votre médecin.

Application du produit : étaler le produit sur les lésions et le faire pénétrer par un léger massage; éviter tout contact avec les yeux. Ne dépassez pas le nombre d'applications journalières prescrites par votre médecin (en général deux par jour au maximum); des applications trop fréquentes et l'occlusion des lésions augmentent le risque d'effets indésirables.

Durée du traitement : ne pas dépasser 8 jours.

Effets indésirables possibles : prurit, sensation de brûlure; l'application sur de grandes surfaces ou sous un pansement occlusif peut entraîner un passage du principe actif dans la circulation sanguine, d'où l'apparition d'effets indésirables généralisés; possibilité de réactions allergiques à la néomycine; l'utilisation prolongée peut provoquer une atteinte de la peau du visage avec rougeur, amincissement et fragilité des téguments et apparition d'ecchymoses.

Note : prescrit sur ordonnance médicale.

TOPILAR® (Syntex)

Introd. en 1979. Liste I. Remb. SS 70%.

PRINCIPE ACTIF : *Fluclorolone acétonide.*

Préparations : crème et pommade à 0,025%.

Emploi : corticoïde fluoré d'activité forte (classe II) utilisé en application locale pour soulager la douleur, le prurit et les signes d'inflammation et d'irritation de la peau, notamment dans l'eczéma et la dermatite allergique provoquée par le contact avec des plantes, métaux, produits de nettoyage, cosmétiques, etc.

Pour les détails → p. 205.

Note : prescrit sur ordonnance médicale.

TOPLEXIL® (Specia)

Introd. en 1964.

Liste II (gélules). Remb. SS 40%.

PRINCIPES ACTIFS: gélules et sirop contenant

– paracétamol : analgésique à action périphérique et antipyrétique;

– oxomémazine : antihistaminique dérivé de la phénothiazine, sédatif et atropinique;

– guaïfénésine et benzoate de sodium.

Emploi : proposé dans la toux sèche.

Précautions : ne pas utiliser en cas de :

– hypertrophie de la prostate;

– glaucome à angle fermé;

– maladies du foie ou des reins;

– grossesse et allaitement;

– nouveau-né, nourrisson et enfant de moins de 5 ans (risque d'arrêt respiratoire pendant le sommeil).

Conduite de véhicules : ce médicament peut diminuer la vigilance; la conduite de véhicules ou l'utilisation de machines peut être dangereuse.

Alcool : à éviter pendant le traitement (majoration de l'effet sédatif).

Durée du traitement : si la toux persiste après une semaine, si des crachats sanglants ou des effets indésirables apparaissent, arrêtez le traitement et consultez votre médecin.

Effets indésirables possibles : somnolence diurne, sécheresse de la bouche, du nez et de la gorge, vision trouble, accélération du pouls, palpitations, bouffées de chaleur, nausées, constipation, difficulté à uriner, confusion mentale (sujets âgés), excitation (enfants), mouvements involontaires de la bouche ou du visage.

Note : le sirop est vendu sans ordonnance ; les composants ont peu d'intérêt comme antitussifs.

TOP MAG® → Magnésium, Sels de.

TOPREC® (Pharmuka)

Introd. en 1991. Liste II. Remb. SS 70%.
PRINCIPE ACTIF : **Kétoprofène**.
Préparations : comprimés à 25 mg.
Emploi : anti-inflammatoire non stéroïdien utilisé dans les inflammations douloureuses des articulations, des capsules articulaires, des muscles ou des tendons et dans d'autres affections déterminées par votre médecin ; dans la polyarthrite rhumatoïde et dans l'arthrose, il atténue la douleur, la tuméfaction et la raideur des articulations, mais ne guérit pas la maladie.
Pour les détails → p. 50.
Note : prescrit sur ordonnance médicale.

TOPSYNE® (Cassenne)

Introd. en 1972. Liste I. Remb. SS 70%.
PRINCIPE ACTIF : **Fluocinonide**.
Préparations : pommade à 0,05% ou 0,01% (acétonide), gel, lotion.
Emploi : corticoïde fluoré d'activité forte (classe II) utilisé en application locale pour soulager la douleur, le prurit et les signes d'inflammation et d'irritation de la peau, notamment dans l'eczéma et la dermatite allergique provoquée par le contact avec des plantes, métaux, produits de nettoyage, cosmétiques, etc.
Pour les détails → p. 205.
Note : prescrit sur ordonnance médicale.

TOPSYNE® néomycine (Cassenne)

Introd. en 1972. Liste I. Remb. SS 70%.
PRINCIPES ACTIFS : pommade contenant de la fluocinonide (dermocorticoïde classe II) et néomycine (antibiotique).
Emploi : traitement de les eczémas infectés et d'autres affections de la peau.
Application du produit : étaler le produit sur les lésions et le faire pénétrer par un léger massage ; éviter tout contact avec les yeux. Ne dépassez pas le nombre d'applications journalières prescrites par votre médecin (en général deux par jour au maximum) ; des applications trop fréquentes et l'occlusion des lésions augmentent le risque d'effets indésirables.
Durée du traitement : max. 8 jours.
Effets indésirables possibles : prurit, sensation de brûlure ; l'application sur de grandes surfaces ou sous un pansement occlusif peut entraîner un passage du principe actif dans la circulation sanguine, d'où l'apparition d'effets indésirables généralisés ; possibilité de réactions allergiques à la néomycine ; l'utilisation prolongée peut provoquer une atteinte de la peau du visage avec rougeur, amincissement et fragilité des téguments et apparition d'ecchymoses.
Note : prescrit sur ordonnance médicale.

TORA-DOL® (Syntex)

Introd. en 1992. Liste I.
PRINCIPE ACTIF : **Kétorolac**.
Préparations : ampoules injectables à 30 mg (trométhamine).
Emploi : utilisé en milieu hospitalier pour calmer les douleurs postopératoires intenses ou modérées.
Effets indésirables possibles : troubles digestifs, ulcères gastro-duodénaux, réactions allergiques, insuffisance rénale, tendance aux hémorragies.
Note : réservé aux hôpitaux.

TORENTAL® (Hoechst)

Introd. en 1974. Liste II. Remb. SS 40%.
PRINCIPE ACTIF : **Pentoxifylline**.
Préparations : comprimés à 100 mg ; comprimés à libération prolongée à 400 mg ; ampoules pour injections à 100 mg dans 5 ml et à 300 mg dans 15 ml (réservées aux hôpitaux).

Emploi : vasodilatateur périphérique apparenté à la caféine qui améliorerait la circulation périphérique par action directe sur les muscles lisses des vaisseaux (vasodilatation) et sur les globules rouges dont la flexibilité serait augmentée. Il est proposée pour améliorer la circulation au niveau des jambes et atténuer les douleurs apparaissant à la marche (claudication intermittente), dans le syndrome de Raynaud et dans les troubles de la circulation au niveau du cerveau pour atténuer le déficit intellectuel chez les sujets âgés et au niveau de l'oreille interne et de la rétine. L'efficacité des vasodilatateurs périphériques dans ces affections reste à confirmer.

Précautions : ne pas employer en cas d'allergie au produit ou à d'autres dérivés xanthiniques, par exemple caféine, théophylline, aminophylline; ne pas utiliser en cas d'hémorragie cérébrale ou hémorragie de la rétine, d'association avec les bêta-bloquants.

Tabac : à éviter pendant le traitement.

Conduite de véhicules : la conduite de véhicules ou l'utilisation de machines peuvent être dangereuse (diminution de la vigilance et vertiges).

En cas de diabète : intensifiez l'autosurveillance de la glycémie (risque accru d'hypoglycémie).

Effets indésirables possibles : nausées, vomissements, diarrhée, bouffées de chaleur, somnolence; oppression cardiaque, crise d'angine de poitrine; palpitations, accélération ou irrégularité du pouls du pouls; prurit, urticaire, éruption cutanée (réaction allergique : arrêtez immédiatement le traitement), étourdissements, vertiges, excitation, convulsions.

Intoxication : l'ingestion accidentelle provoque chez l'enfant des signes analogues à ceux de l'intoxication par la théophylline; hospitalisation nécessaire lorsque la dose est élevée.

Note : prescrit sur ordonnance médicale.

TOSSAREL® (Monal)

Introd. en 1944. Remb. SS 40%.

PRINCIPES ACTIFS: comprimés contenant de la terpine, du benzoate de sodium et des extraits de marrube et d'aunée.

Emploi : proposé dans les troubles de la sécrétion bronchique et la toux.

Précautions : ne pas employer chez l'enfant de moins de 15 ans et en cas de grossesse.

Note : vendu sans ordonnance; efficacité des principes actifs à confirmer dans l'emploi proposé.

TOTAMINE® (Clintec)

Introd. en 1977. Remb. SS 70%.

PRINCIPES ACTIFS : solution injectable pour perfusion contenant des acides aminés, des vitamines et des électrolytes.

Emploi : nutrition parentérale.

TOTAPEN®
(Bristol-Myers Squibb)

Introd. en 1965. Liste I. Remb. SS 70%.

PRINCIPE ACTIF : *Ampicilline*.

Préparations : comprimés à 250 mg; gélules à 500 mg; poudre pour sirop à 125 mg, 250 mg et 500 mg par 5 ml; poudre pour solution injectable en flacons à 250 mg, 500 mg, 1 g ou 2 g (sel de sodium).

Propriétés : antibiotique du groupe des pénicillines A ayant un large spectre d'action contre les bactéries, mais inefficace contre les staphylocoques producteurs de pénicillinases; l'ampicilline est éliminée surtout dans les urines (précautions en cas d'insuffisance rénale); signalez à votre médecin l'existence de toute maladie rénale (une réduction des doses peut être nécessaire).

Durée du traitement : elle est déterminée par votre médecin; l'interruption prématurée du traitement peut favoriser une rechute de l'infection.

Pour les détails → p. 520.

Note : prescrit sur ordonnance médicale.

TOT'HÉMA® (Innothéra)

Introd. en 1950. Remb. SS 40%.

PRINCIPES ACTIFS : solution buvable contenant de la cyanocobalamine (vitamine B12), extrait de foie, manganèse, cuivre, cobalt et gluconate de fer (23 mg de fer par ampoule).

Emploi : proposé dans le traitement de certaines anémies dont le diagnostic ne peut être posé que par votre médecin; le traitement par le fer seul ou la vitamine B12 est préférable dans la plupart des cas selon le type de carence qui cause l'anémie.

Note : *vendu sans ordonnance; à éviter en automédication (une carence en fer ou/et en vitamine B12 ne peut être diagnostiquée que par votre médecin).*

T. POLIO® (Mérieux)

Introd. en 1961. Remb. SS 70%.
Vaccin antitétanique et antipoliomyélitique inactivé (→ ces termes).

TRACÉMATE® (Pharmy II)

Introd. en 1957. Liste I. Remb. SS 70%.
PRINCIPE ACTIF : **Edétate disodique.**
SYNONYMES : sel disodique de l'acide édétique, tétracémate disodique.
Préparations : ampoules injectables à 500 mg dans 10 ml.
Emploi : agent chélateur du calcium, utilisé en perfusion dans le test d'hypocalcémie provoquée.

TRACHYL® (Monal)

Introd. en 1954. Non remb. SS.
PRINCIPE ACTIF : **Codéthyline.**
SYNONYME : éthylmorphine.
Préparations : comprimés à 15 mg.
Emploi : médicament dérivé de la morphine, agissant sur le système nerveux central, utilisé pour calmer la toux irritative, sèche. La codéthyline a une action sédative modérée; l'apparition d'une dépendance est exceptionnelle, mais l'abus est possible chez des sujets déjà toxicomanes.
Durée d'action : 4-6 heures.
Précautions : ne pas employer en cas de toux grasse, d'insuffisance respiratoire ou d'asthme, de grossesse ou allaitement. Consultez votre médecin si la toux persiste, en cas de crachats sanglants, de fièvre, d'amaigrissement, d'éruption, de troubles de la vue, de difficulté à uriner.
Sportifs : ce médicament peut donner une réaction positive en cas de tests pour contrôle antidopage.
Enfants : ne doit pas être utilisé chez les enfants âgés de moins de 15 ans.
Intoxication : hospitalisation d'urgence en cas de prise massive accidentelle.
Pour les détails → p. 59.
Note : *vendu sans ordonnance; l'efficacité de la codéthyline est généralement reconnue dans l'emploi proposé.*

TRACRIUM® (Wellcome)

Introd. en 1987. Liste I.
PRINCIPE ACTIF : **Bésilate d'atracurium.**
Préparations : ampoules à 25 mg dans 2,5 ml et 50 mg dans 5 ml.
Emploi : curarisant non dépolarisant utilisé comme adjuvant à l'anesthésie générale pour provoquer le relâchement des muscles striés.
Note : *réservé aux hôpitaux.*

TRAMISAL® (Astier)

Introd. en 1987. Remb. SS 40%.
PRINCIPE ACTIF : solution buvable contenant un extrait de *Ginkgo biloba.*
Emploi : proposé dans les déficits intellectuels de la vieillesse.
Note : *vendu sans ordonnance; efficacité du principe actif à confirmer dans l'emploi proposé.*

TRANCALGYL® (Innothéra)

Introd. en 1961. Non remb. SS.
PRINCIPE ACTIF : **Ethenzamide.**
Préparations : comprimés à 0,5 g.
Emploi : dérivé salicylé utilisé pour atténuer la douleur modérée (analgésique) et pour faire tomber la fièvre (antipyrétique).
Précautions : ne pas employer en cas de réactions allergiques (notamment crises d'asthme) à l'aspirine, d'antécédents d'ulcère gastro-duodénal, de grossesse; avaler les comprimés avec de l'eau.
Note : *vendu sans ordonnance; l'aspirine ou le paracétamol sont plus souvent utilisés dans l'emploi proposé.*

TRANCOGÉSIC®
(Sterling Winthrop)

Introd. en 1969. Liste II. Non remb. SS.
PRINCIPES ACTIFS : comprimés contenant
– chlormézanone : relaxant musculaire (Trancopal®);
– acide acétylsalicylique (ou aspirine): analgésique et antipyrétique;
Emploi : proposé dans les contractures douloureuses (torticolis, dorsalgies, lombalgies).
Précautions : ne pas employer en cas de grossesse, d'insuffisance rénale ou hépatique, d'ulcère gastro-duodénal,

d'asthme, de maladie hémorragique ou traitement anticoagulant.

Conduite de véhicules : ce médicament peut diminuer la vigilance; la conduite de véhicules ou l'utilisation de machines peut être dangereuse.

Effets indésirables possibles : nausées, vomissements, somnolence, vertiges, douleurs gastriques, bourdonnements d'oreille, baisse de l'audition, maux de tête.

Consultez votre médecin en cas de douleurs abdominales, de vomissements sanglants, de selles noires, de crise d'asthme, de prurit, d'urticaire ou de jaunisse.

Note : prescrit sur ordonnance médicale.

TRANCOPAL®
(Sterling Winthrop)

Introd. en 1961. Liste II. Remb. SS 70%.

PRINCIPE ACTIF : *Chlormézanone.*

Préparations : comprimés à 200 mg; suppositoires à 200 mg.

Emploi : médicament appartenant au groupe des relaxants musculaires ou myorelaxants; il agit sur le système nerveux central et est utilisé dans le traitement des contractures et spasmes musculaires douloureux (torticolis, lumbago, etc), en association avec le repos et la physiothérapie; il a aussi une action tranquillisante.

Pour les détails → p. 585.

Note : prescrit sur ordonnance médicale.

TRANDATE® (Glaxo)

Introd. en 1980. Liste I. Remb. SS 70%.

PRINCIPE ACTIF : *Labétalol.*

Préparations : comprimés à 200 mg; ampoules injectables à 100 mg dans 20 ml (réservées aux hôpitaux).

Emploi : médicament appartenant au groupe très nombreux des bêta-bloquants utilisé par voie buccale pour abaisser la tension artérielle en cas d'hypertension.

En injection, il est employé dans le traitement d'urgence de l'hypertension artérielle sévère et pour abaisser la tension artérielle au cours d'interventions chirurgicales.

Il s'agit d'un bêta-bloquant de type «non cardiosélectif».

Pour les détails → p. 96.

Note : prescrit sur ordonnance médicale.

TRANSCYCLINE® (Hoechst)

Introd. en 1961. Liste I. Remb. SS 70%.

PRINCIPE ACTIF : *Rolitétracycline.*

Préparations : poudre pour solution injectable en flacons à 275 mg.

Emploi : antibiotique du groupe des tétracyclines employé en injections intraveineuses dans le traitement d'infections à germes sensibles.

Pour les détails → p. 672.

Note : prescrit sur ordonnance médicale.

TRANSILANE® (Innothéra)

Introd. en 1962. Remb. SS 40%.

PRINCIPES ACTIFS : poudre orale contenant de l'hémicellulose de psyllium et bicarbonate de potassium.

Emploi : laxatif mucilagineux.

Prise du médicament : toujours boire de l'eau avec chaque prise.

Précautions : utilisation prudente en cas de mégacôlon.

En cas de diabète : tenir compte de la teneur en sucre du produit.

Note : vendu sans ordonnance; le traitement médicamenteux de la constipation n'est qu'un adjuvant au traitement hygiéno-diététique qui comporte :
– alimentation riche en fibres végétales (légumes, fruits, pain complet), boissons abondantes;
– activité physique et présentation quotidienne à la selle, à la même heure.

TRANSITOL® (Schwarz)

Introd. en 1959. Remb. SS 40%.

PRINCIPES ACTIFS : gelée contenant des petrolatums et huile de paraffine.

Emploi : proposé dans la constipation.

Durée du traitement : ne pas dépasser quelques jours; consultez votre médecin si la constipation persiste, en cas de sang dans les selles ou de selles noires, de douleurs abdominales avec diarrhée, d'amaigrissement.

Effets indésirables possibles : peut provoquer un suintement anal; risque de pneumopathie par inhalation en cas de régurgitations chez les sujets inconscients, les patients âgés alités ou les enfants en bas âge; l'huile de paraffine diminue l'absorption de certains médicaments, notamment des anticoagulants dérivés de la

→ p. 696

Si vous utilisez l'une des spécialités suivantes contenant un tranquillisant ou un anxiolytique...

BENZODIAZÉPINES:

    Lexomil® (Roche).

    Librium® (Roche).

    Lysanxia® (Substantia).

    Nordaz® (Bouchara).

    Novazam® (Génévrier).

    Praxadium® (Théraplix).

    Séresta® (Wyeth).

    Sériel® (Biogalénique).

    Témesta® (Wyeth).

    Tranxène® (Clin Midy).

    Urbanyl® (Diamant).

    Valium® (Roche).

    Vératran® (Latéma).

    Victan® (Clin Midy).

    Xanax® (Upjohn).

AUTRES:

    Alinam® (Lucien).

    Atarax® (UCB Pharma).

    Buspar® (Bristol-Myers Squibb).

    Covatine® (Bailly-Speab).

    Equanil® (Clin Midy).

    Méprobamate (Richard).

    Stresam® (Cipharm).

    Trancopal® (Sterling Winthrop).

NEUROLEPTIQUES À FAIBLES DOSES:

    Haldol faible® (Janssen).

    Melléril® (Sandoz).

    Neuleptil® (Specia).

    Nozinan® (Specia).

    Plégicil® (Clin Midy).

Emploi : les *tranquillisants* ou *anxiolytiques* sont des médicaments qui réduisent la tension émotionnelle; les principes actifs le plus fréquemment employés sont des benzodiazépines (→ p. 94).

On conseille de tenir compte des principes suivants dans l'utilisation des tranquillisants :

– Les doses doivent être aussi faibles que possible et la prescription doit être de courte durée.

– Utilisation prudente chez les sujets âgés; les modifications de l'organisme liées au vieillissement peuvent les rendre très sensibles.

– Des doses élevées pendant un période prolongée sont réservées aux cas graves; elles peuvent induire une *dépendance* psychique et physique, avec syndrome de sevrage parfois sévère; dans ce cas, consultez votre médecin qui réduira progressivement les doses sur 2-3 semaines.

– L'utilisation prolongée peut entraîner une apathie et des troubles de la mémoire.

– *Effet désinhibiteur* : les benzodiazépines permettent une facilitation de l'action (comme l'alcool) qui peut être dangereuse chez les sujets impulsifs.

Cet effet peut être à l'origine de troubles du comportement (pouvant aller jusqu'au comportement agressif) ou être la cause de tentatives de suicide.

– Un état dépressif non reconnu peut être masqué par les tranquillisants et peut se décompenser brusquement pendant le traitement.

– Les tranquillisants sont contre-indiqués dans la myasthénie.

– L'association avec l'alcool et d'autres dépresseurs du système nerveux central doit être évitée (potentialisation réciproque).

– Les triazolobenzodiazépines (alprazolam, estazolam, triazolam) semblent causer des effets toxiques et des réactions de sevrage plus sévères que les autres benzodiazépines; ces médicaments peuvent entraîner des troubles de la mémoire, une tendance à la dépression, parfois une hypotension, notamment chez les sujets âgés, ou des effets paradoxaux (colère, agressivité). →

TRANQUILLISANTS (SUITE)
Risque de dépendance
– UTILISATION CONTINUE AU DELÀ DE 6 SEMAINES : même aux doses usuelles, les tranquillisants peuvent causer chez des sujets susceptibles une état de dépendance qui entraîne à l'arrêt brusque du traitement un *syndrome de sevrage léger* avec tremblements, agitation, troubles du sommeil, parfois anxiété, maux de tête, manque de concentration.
– UTILISATION CONTINUE AU-DELÀ DE 6 MOIS À DOSES ÉLEVÉES : un *syndrome de sevrage grave* peut apparaître à l'arrêt de l'administration avec transpirations, angoisse, tremblements, nausées, crampes d'estomac, vomissements, exaltation de l'acuité auditive, hypersensibilité au toucher et à la lumière (photophobie), parfois crises convulsives, dépersonnalisation,

réactions psychotiques (dépression ou bouffées délirantes); ce syndrome apparaît 2-3 jours après la cessation d'une benzodiazépine à demi-vie courte et une semaine après l'arrêt d'une benzodiazépine à demi-vie longue; les symptômes de sevrage et l'anxiété réactionnelle sont moins fréquents et plus légers avec les benzodiazépines ayant une longue demi-vie.
– Le syndrome de sevrage dure 1-2 semaines (jusqu'à 2 mois). Il apparaît plus rapidement et est plus violent avec les benzodiazépines à demi-vie plasmatique courte.
– La diminution très progressive, durant une période de 4-8 semaines, des doses (p. ex. diminution de 25% par semaine) semble le meilleur moyen pour éviter ou atténuer le syndrome de sevrage.

[suite de la p. 694]
coumarine; l'utilisation prolongée peut réduire l'utilisation des vitamines liposolubles (A, D, E, K).
Note : vendu sans ordonnance; à éviter sans avis médical à cause du risque d'effets indésirables.

TRANSLIGHT®
(M., S. & D.-Chibret)

Introd. en 1962. Non remb. SS.
PRINCIPE ACTIF : solution de tyloxapol.
Emploi : solution de contactologie utilisée pour le nettoyage des lentilles cornéennes rigides.

TRANSMER®
(Soekami-Lefrancq)

Introd. en 1986. Non remb. SS.
PRINCIPES ACTIFS: comprimés contenant
– prométhazine : dérivé de la phénothiazine antihistaminique, sédatif et atropinique (Phénergan®);
– éphédrine : sympathomimétique.
Emploi : mal des transports.
Prise du médicament : une heure avant le départ.
Précautions : ne pas employer chez l'enfant âgé de moins de 15 ans, en cas de grossesse, de glaucome par

fermeture de l'angle, d'hypertrophie prostatique, d'angine de poitrine, d'hypertension artérielle, de fonctionnement excessif de la glande thyroïde (hyperthyroïdie ou maladie de Basedow), d'association aux antidépresseurs IMAO.

Conduite de véhicules : ce médicament peut diminuer la vigilance; la conduite de véhicules ou l'utilisation de machines peut être dangereuse.

Alcool : évitez les boissons alcoolisées pendant le traitement (majoration de l'effet sédatif).

Sportifs : ce médicament peut donner une réaction positive en cas de tests pratiqués lors des contrôles antidopage.

En cas de diabète : tenir compte de la teneur en sucre du produit.

Effets indésirables possibles : somnolence, sécheresse de la bouche, du nez et de la gorge, troubles de la vision, accélération du pouls, palpitations, bouffées de chaleur, nausées, constipation, difficulté à uriner (chez les prostatiques), confusion mentale ou agitation (sujets âgés) éruptions cutanées, mouvements involontaires de la bouche ou du visage.

Note : vendu sans ordonnance; tenir compte de l'effet sédatif.

TRANSODDI® (Lipha Santé)

Introd. en 1973. Remb. SS 40%.

PRINCIPE ACTIF : comprimés contenant 250 mg d'acide cinamétique.

Emploi : proposé pour stimuler la sécrétion de la bile dans les troubles digestifs (dyspepsies).

Précautions : ne pas employer en cas d'insuffisance hépatique ou d'occlusion des voies biliaires; consultez votre médecin en cas de douleurs ou de crampes abdominales, de selles noires, d'amaigrissement, d'urines foncées, de douleurs de la région du foie, de jaunisse.

Note : vendu sans ordonnance; ne pas utiliser pendant plus de 5 jours sans avis médical.

TRANXÈNE® (Clin Midy)

Introd. en 1974. Liste I. Remb. SS 70%.
La prescription des comprimés ou gélules ne peut dépasser 12 semaines.

PRINCIPE ACTIF : *Clorazépate dipotassique*.

Préparations :
– comprimés à 50 mg;
– gélules à 5 mg ou 10 mg;
– poudre pour solution injectable en flacons à 20 mg, 50 mg ou 100 mg (réservée aux hôpitaux).

Emploi : tranquillisant appartenant au groupe très nombreux des benzodiazépines; le clorazépate dipotassique est employé par voie buccale dans l'anxiété, l'angoisse et le sevrage alcoolique; il est aussi utilisé en injections, en milieu hospitalier, dans le traitement de l'état de mal épileptique, les crises d'agitation, le délirium tremens, le tétanos, la préparation à l'anesthésie et dans d'autres affections.

Pour les détails → p. 94.
Note : prescrit sur ordonnance médicale.

TRASICOR® (Ciba-Geigy)

Introd. en 1975. Liste I. Remb. SS 70%.
PRINCIPE ACTIF : *Oxprénolol*.

Préparations : comprimés à 80 mg; comprimés à libération prolongée à 160 mg (*Trasicor-Retard®*).

Emploi : médicament appartenant au groupe très nombreux des bêtabloquants utilisé :

– pour abaisser la tension artérielle chez les hypertendus (antihypertenseur);
– pour prévenir les crises d'angine de poitrine (antiangoreux);
– pour régulariser le rythme cardiaque (antiarythmique).
– pour atténuer les palpitations et le tremblement dans l'activité excessive de la glande thyroïde (hyperthyroïdie ou maladie de Basedow).

Il s'agit d'un bêta-bloquant de type «non cardiosélectif».
Pour les détails → p. 96.
Note : prescrit sur ordonnance médicale.

TRASIPRESSOL® (Ciba-Geigy)

Introd. en 1977. Liste I. Remb. SS 70%.
PRINCIPES ACTIFS: comprimés contenant
– oxprénolol chlorhydrate (80 mg) : bêta bloquant (Trasicor®);
– dihydralazine (25 mg) : vasodilatateur à action directe (Népressol®).

Emploi : proposé pour traiter l'hypertension. Les effets indésirables de la dihydralazine (accélération du rythme cardiaque, rétention d'eau et de sodium) sont atténués par l'oxprénolol.

Pour les détails : → p. 48 et p. 96.
Note : prescrit sur ordonnance médicale.

TRASITENSINE® (Ciba-Geigy)

Introd. en 1981. Liste I. Remb. SS 70%.
PRINCIPES ACTIFS: comprimés contenant
– oxprénolol chlorhydrate (160 mg) : bêta bloquant non cardiosélectif (Trasicor®);
– chlortalidone (20 mg) : diurétique de type thiazidique à action prolongée (Hygroton®).

Emploi : hypertension artérielle.
Pour les détails : → p. 96 et p. 232.
Note : prescrit sur ordonnance médicale.

TRASYLOL® (Bayer Pharma)

Introd. en 1991.
PRINCIPE ACTIF : *Aprotinine*.

Préparations : solution injectable en ampoules à 55,5 Unités Ph Eur [100.000 UKI] dans 10 ml ou en flacons à 277,8 Unités Ph Eur [500.000 UKI] dans 50 ml.

Propriétés : polypeptide basique extrait du poumon de bœuf ayant une action inhibitrice de certaines enzymes protéolytiques (antifibrinolytique).

Emploi : utilisé en injections pour arrêter des hémorragies qui peuvent survenir lors d'intervention chirurgicales (syndromes hémorragiques fibrinolytiques) ou dentaires ou dans d'autres conditions déterminées par votre médecin.

Effets indésirables possibles : nausées, vomissements, diarrhées, éruptions cutanées surtout lors de traitements réitérées.

Note : *réservé aux hôpitaux.*

TRAUMALGYL® (Synlab)

Introd. en 1974. Liste II. Remb. SS 40%.
PRINCIPES ACTIFS : crème contenant de la phénylbutazone, méphénésine, lidocaïne et salicylate de diéthylamine.

Emploi : proposé comme anti-inflammatoire local dans les tendinites, arthrites des petites articulations, entorses, contusion et phlébites.

Précautions : ne doit pas être appliqué sur les plaies, dermatoses suintantes, eczéma, tissus infectés.

Note : *prescrit sur ordonnance médicale.*

TRÉDÉMINE® (R. Bellon)

Introd. en 1964. Liste II. Remb. SS 70%.
PRINCIPE ACTIF : *Niclosamide.*

Préparations : comprimés à 0,5 g.

Emploi : médicament appartenant au groupe des anthelminthiques ou vermifuges qui sont utilisés dans le traitement dans les infestations par des vers; le niclosamide est utilisé pour traiter des infestations par certains vers intestinaux (cestodes), notamment :

– tænia du bœuf *(Tænia saginata);*
– tænia du porc *(Tænia solium);*
– bothriocéphale *(Diphyllobothrium latum);*
– tænia nain *(Hymenolepis nana).*

Le niclosamide agit par contact et n'est pratiquement pas résorbé par le tube digestif; les vers tués sont éliminés avec les selles, mais ne sont pas toujours visibles car ils peuvent être détruits dans l'intestin.

Précautions : ne pas employer en cas d'allergie au produit, de grossesse et allaitement (innocuité non démontrée), et chez l'enfant âgé de moins de 2 ans.

Prise du médicament : les comprimés doivent être mastiqués longuement et complètement, puis déglutis avec très peu d'eau. Il faut attendre 3 heures après la prise du médicament pour boire et manger. Le ver est souvent détruit dans l'intestin et n'est pas retrouvé dans les selles.

Alcool : pendant le traitement et 24 heures après l'arrêt, éviter les boissons alcoolisées.

Conduite de véhicules : assurez vous que le médicament n'entraîne ni somnolence ni vertiges avant de conduire des véhicules ou d'utiliser des machines.

Effets indésirables possibles : le médicament étant peu absorbé par le tube digestif, les effets indésirables sont limités au jour du traitement; ils consistent en nausées, vomissements, douleurs abdominales; des éruptions cutanées (réaction allergique : arrêtez immédiatement le traitement) sont possibles et doivent être signalées à votre médecin.

Note : *prescrit sur ordonnance médicale.*

TRENTADIL® (Pharmuka)

Introd. en 1965. Liste II. Remb. SS 70%.
PRINCIPE ACTIF : *Bamifylline.*

Préparations : comprimés à 300 mg; suppositoires à 750 mg (adulte) ou 250 mg (enfant); ampoules à 300 mg dans 5 ml.

Emploi : la bamifylline est un dérivé de la théophylline qui dilate les bronches et facilite le passage de l'air; elle est utilisée dans l'asthme, la bronchite chronique, l'emphysème et dans d'autres affections; à hautes doses, la théophylline stimule le système nerveux central; son métabolisme est relativement lent, assurant une activité prolongée. Les effets indésirables sont fréquents et demandent souvent un contrôle des taux plasmatiques; en effet, la marge entre le taux efficace et le taux toxique est étroite et, d'autre part, le taux plasmatique du médicament est influencé par de nombreux facteurs.

Pour les détails → Théophylline.

Note : *prescrit sur ordonnance médicale.*

TRENTOVLANE® → Contraception orale.

TRÉTINOÏNE

SPÉCIALITÉS :
Aberel® (Cilag).
Effederm® (CS Lab.).
Locacid® (P. Fabre).
Retacnyl® (Galderma).
Retin-A® (Cilag).
Retitop® (Roche-Posay).
Trétinoïne Kéfrane® (RoC sa).

Emploi : rétinoïde apparenté à la vitamine A (rétinol), la trétinoïne est utilisée en applications locales dans le traitement de certaines formes d'acné et dans d'autres affections de la peau (troubles de la kératinisation); elle a été proposée pour améliorer l'aspect de la peau lésée par une exposition chronique au soleil (sécurité à long terme non établie).

Précautions :
– avant l'utilisation, faire un essai répété sur une surface cutanée réduite;
– ne pas utiliser en cas de grossesse (innocuité non établie);
– lors de premières applications, faire un test de sensibilité en appliquant le produit sur une petite surface;
– éviter le contact avec les yeux, les paupières, la bouche, les narines;
– l'exposition au soleil et aux rayons ultraviolets augmente l'irritation;
– en cas d'irritation, réduire la concentration de la préparation, espacer les applications ou suspendre le traitement et attendre un complet rétablissement avant toute nouvelle application;
– si après 3 mois les lésions n'ont pas disparu, il faut envisager un autre traitement.

Effets indésirables possibles :
– sensations de chaleur ou de brûlure, rougeur;
– recrudescence de l'acné possible pendant les premières semaines, avec apparition de petites pustules à tête blanche (élimination de microkystes);
– rougeur de la peau et desquamation fine, siégeant surtout au cou et autour de la bouche.

Note : prescrit sur ordonnance médicale.

TRÉTINOÏNE Kéfrane®
(RoC sa)

Introd. en 1984. Liste I. Non remb. SS.
PRINCIPE ACTIF : **Trétinoïne.**
Préparations : gel dermique à 0,050%.

Emploi : rétinoïde apparenté à la vitamine A (rétinol), la trétinoïne est utilisée en applications locales dans le traitement de certaines formes d'acné et dans d'autres affections.
Pour les détails → Trétinoïne ci-dessus.
Note : prescrit sur ordonnance médicale.

TRIACANA® (Marcofina)

Introd. en 1972. Liste II. Non remb. SS.
Préparations : comprimés contenant 0,35 mg de tiratricol.
Emploi : proposé par voie orale pour traiter certaines maladies de la glande thyroïde déterminées par votre médecin.
Précautions : ne pas employer en cas d'angine de poitrine, de troubles du rythme cardiaque, notamment de pouls très rapide (tachycardie).
Note : prescrit sur ordonnance médicale.

TRIACANA® crème (Marcofina)

Introd. en 1972. Liste II. Non remb. SS.
Préparations : crème contenant 0,2% de tiratricol.
Emploi : proposé dans le traitement local de la cellulite (efficacité à confirmer).
Précautions : éviter l'exposition au soleil des surfaces traitées; ne pas utiliser en cas d'allergie à l'iode.
Note : prescrit sur ordonnance médicale.

TRIAMINIC® (Sandoz)

Introd. en 1961. Non remb. SS.
PRINCIPES ACTIFS : comprimés contenant
– phénylpropanolamine ou noréphédrine : vasoconstricteur;
– mépyramine : antihistaminique, sédatif et atropinique;
– phéniramine : antihistaminique, sédatif et atropinique.
Emploi : proposé dans les rhume des foins et le rhume de cerveau.
Précautions : ne pas employer chez les enfants âgés de moins de 12 ans, en cas de glaucome par fermeture de l'angle, d'adénome de la prostate, de fonctionnement excessif de la glande thyroïde (hyperthyroïdie), d'insuffisance hépatique, de myasthénie, d'hypertension artérielle, de grosses-

se, d'allaitement, d'association avec les antidépresseurs IMAO.

Alcool : à éviter pendant le traitement.

Conduite de véhicules : ce médicament peut diminuer la vigilance et rendre dangereuse la conduite de véhicules ou l'utilisation de machines.

Effets indésirables possibles : somnolence, vertiges, palpitations, accélération ou irrégularité du pouls, maux de tête, troubles de la vue, douleurs dans les yeux, difficulté à uriner, étourdissements, nervosité, insomnie, transpirations, tremblements, poussées d'hypertension artérielle.

Note : vendu sans ordonnance ; ne pas utiliser ans avis médical en raison des effets indésirables possibles.

TRIATEC® (Hoechst)

Introd. en 1989. Liste I. Remb. SS 70%.

PRINCIPE ACTIF : *Ramipril*.

Préparations : gélules à 1,25 mg (*Triatec® Faible*), 2,5 mg ou 5 mg.

Emploi : inhibiteur de l'enzyme de conversion utilisé dans le traitement de l'hypertension artérielle.

Pour les détails → p. 364.

Note : prescrit sur ordonnance médicale.

TRIDÉSONIT®
(Dome/Hollister-Stier)

Introd. en 1976. Liste I. Remb. SS 70%.

PRINCIPE ACTIF : *Désonide*.

Préparations : crème à 0,05%.

Emploi : corticoïde d'activité assez forte (classe III) utilisé en application locale pour soulager la douleur, le prurit et les signes d'inflammation et d'irritation de la peau, surtout dans l'eczéma et la dermatite allergique provoquée par le contact avec des plantes, métaux, produits de nettoyage, cosmétiques, etc. ainsi que dans les processus de lichénification.

Pour les détails → p. 205.

Note : prescrit sur ordonnance médicale.

TRIDIGESTINE® (Hepatoum)

Introd. en 1949. Non remb. SS.

PRINCIPES ACTIFS : comprimés et granules à croquer contenant de la pepsine, pancréatine et diastase (enzymes) ; le granulé contient de la tartrazine.

Emploi : troubles digestifs (dyspepsies).

Précautions : ne pas employer en cas d'intolérance au gluten ; consultez votre médecin si les troubles persistent et en cas de crampes abdominales, de selles noires, d'amaigrissement.

Note : vendu sans ordonnance ; à éviter en automédication (les enzymes digestifs ne sont utiles qu'en cas de carence qui ne peut être diagnostiquée que par votre médecin).

TRIELLA® → Contraception hormonale.

TRIFLUCAN® (Pfizer)

Introd. en 1988. Liste I. Remb. SS 70%.

PRINCIPE ACTIF : *Fluconazole*.

Préparations : gélules à 50 mg, 100 mg ou 200 mg ; préparation injectable en flacons à 100 mg ou 200 mg (réservé aux hôpitaux).

Emploi : médicament appartenant au groupe des antifongiques triazolés qui sont employés pour traiter certaines infections causées par des levures et des champignons (mycoses) ; le fluconazole est utilisé par voie buccale notamment dans le traitement des candidoses (buccales, pharyngées, œsophagiennes, urinaires, vaginales) et, en perfusion veineuse, dans les candidoses généralisée et la cryptococcose (torulose) méningée chez les patients atteints de SIDA.

Allergie : informez votre médecin si vous avez déjà fait une réaction allergique ou inhabituelle à ce médicament, au kétoconazole ou au miconazole.

Etat de santé : vous devez informer votre médecin de toute affection susceptible de modifier les effets du médicament, notamment des maladie des reins (doses réduites en cas d'insuffisance rénale).

Grossesse : ce médicament ne doit pas être utilisé pendant la grossesse ; en effet, il a causé des malformations du fœtus au cours de l'expérimentation animale ; si une grossesse survient pendant le traitement, il faut informer le médecin traitant.

Allaitement : l'utilisation de ce médicament est déconseillée par prudence.

Enfants : l'emploi est déconseillé avant l'âge de 15 ans.

Interactions : il faut informer votre médecin si vous prenez ou avez pris

récemment d'autres médicaments, notamment :
- anticoagulants oraux (potentialisation de l'effet anticoagulant);
- antidiabétiques oraux (prolongation de l'action des antidiabétiques);
- hydrochlorothiazide (augmentation de l'action du fluconazole);
- phénytoïne (augmentation des effets de la phénytoïne);
- rifampicine (réduction de l'efficacité du fluconazole);
- ciclosporine (augmentation de la toxicité de la ciclosporine).

Prescription : ne dépassez pas la dose prescrite par votre médecin; des doses trop élevées ou des prises trop fréquentes augmentent le risque d'effets indésirables.

Oubli : si vous oubliez de prendre le médicament et si vous le remarquez dans les 2 heures qui suivent, prenez immédiatement la dose oubliée; ne doublez pas la dose suivante.

Durée du traitement : prenez le médicament pendant toute la durée prescrite par votre médecin (pendant des mois dans certaines mycoses profondes); l'arrêt prématuré du traitement peut favoriser une rechute.

Surveillance : des contrôles réguliers des fonctions hépatique et rénale sont nécessaires en cas de traitement prolongé.

Effets indésirables possibles : perte de l'appétit, flatulences, nausées, vomissements, diarrhées, maux de tête; éruption cutanée (réaction allergique : arrêtez immédiatement le traitement), urines foncées, jaunisse.

Note : prescrit sur ordonnance médicale.

TRIGLYSAL® (Gallier)

Introd. en 1965. Non remb. SS.

PRINCIPES ACTIFS : comprimés à sucer ou croquer contenant du glycyrrhizate mono-ammoniacal, trisilicate de magnésium et glycinate basique d'aluminium.

Emploi : proposé pour neutraliser l'excès d'acidité et comme pansement gastrique en cas de brûlures de l'estomac.

Prise du médicament : après les repas et éventuellement au coucher.

Précautions : consultez votre médecin si les troubles persistent et en cas de douleurs ou crampes abdominales, de selles noires, d'amaigrissement,

de fièvre; ne pas utiliser en cas d'insuffisance rénale sévère; ne pas associer certains antibiotiques (tétracyclines).

En cas de diabète : tenir compte de la teneur en sucre du produit.

Effets indésirables possibles : retard ou diminution de la résorption d'autres médicaments pris par la bouche (respecter un intervalle d'au moins 2 heures).

Note : vendu sans ordonnance; ne pas utiliser pendant plus de 5 jours sans avis médical.

TRILIFAN® (Schering-Plough)

Introd. en 1968. Liste I. Remb. SS 70%.

PRINCIPE ACTIF : **Perphénazine**.

Préparations : comprimés à 16 mg; solution huileuse injectable en ampoules injectables à 100 mg dans 1 ml (*Trilifan retard®*).

Emploi : médicament appartenant au groupe des neuroleptiques dérivés de la phénothiazine qui sont utilisés dans le traitement des maladies mentales. La perphénazine est utilisée par voie orale pour calmer l'agitation et l'excitation, réduire l'agressivité et améliorer les troubles du comportement dans les maladies mentales aiguës. La forme retard (énanthate) est employée en injections toutes les 2 à 4 semaines dans les maladies mentales chroniques, notamment dans la schizophrénie et la manie.

La perphénazine atténue les symptômes de la maladie mentale, mais n'a pas d'effet curatif.

Pour les détails → p. 468.

Note : prescrit sur ordonnance médicale.

TRI-MINULET® → Contraception hormonale.

TRIMOVAX® → Vaccin R.O.R.

TRIMYSTEN® (R. Bellon)

Introd. en 1978. Remb. SS 70%.

PRINCIPE ACTIF : **Clotrimazole**.

Préparations : crème à 1%.

Propriétés : médicament appartenant au groupe des imidazolés qui sont utilisés pour traiter les infections de la peau causées par des champignons ou des levures (mycoses); il est aussi actif contre des bactéries, notamment staphylocoques et streptocoques.

Emploi : utilisé pour traiter les dermatophytoses de la peau glabre et des orteils (pied d'athlète), les teignes et d'autres affections.

Précautions : ne pas employer en cas d'hypersensibilité aux antifongiques du groupe des imidazolés, de maladies de la peau causées par des virus ou les germes de la tuberculose ou de la syphilis; ne pas appliquer sur une grande surface ou une peau lésée (risque accru d'absorption).

Effets indésirables possibles : irritation, sensation de brûlure, sécheresse de la peau; éruption cutanée (réaction allergique : arrêtez immédiatement le traitement).

Note : vendu sans ordonnance; à éviter sans avis médical, sauf en cas de rechutes d'affections diagnostiquées antérieurement par votre médecin.

TRINITRAN® (Théraplix)

Introd. en 1984. Liste II. Remb. SS 70%.

PRINCIPE ACTIF : *Trinitrine* .

SYNONYMES : trinitrate de glycéryle, nitroglycérine, trinitroglycérine.

Préparations : gélules à libération prolongée à 2,5 mg, 6,6 mg ou 10 mg.

Emploi : médicament appartenant au groupe des dérivés nitrés qui dilatent les vaisseaux sanguins, notamment les vaisseaux du cœur (coronaires) et qui sont utilisés dans le traitement des crises d'angine de poitrine (sensation de constriction douloureuse dans la poitrine).

Pour les détails → p. 203.

Note : prescrit sur ordonnance médicale.

TRINITRINE simple (Laleuf)

Introd. en 1938. Liste II. Remb. SS 70%.

SYNONYMES : trinitrate de glycéryle, nitroglycérine, trinitroglycérine.

PRINCIPE ACTIF : pilules à 0,15 mg.

Emploi : médicament appartenant au groupe des dérivés nitrés qui dilatent les vaisseaux sanguins, notamment les vaisseaux du cœur (coronaires) et qui sont utilisés dans le traitement des crises d'angine de poitrine (sensation de constriction douloureuse dans la poitrine).

Pour les détails → p. 203.

Note : prescrit sur ordonnance médicale.

TRINITRINE caféinée Dubois (Laleuf)

Introd. en 1938. Liste II. Remb. SS 70%.

SYNONYMES : trinitate de glycéryle, nitroglycérine, trinitroglycérine.

PRINCIPES ACTIFS : pilules contenant 0,130 mg de trinitrine et 20 mg de caféine.

Emploi : médicament appartenant au groupe des dérivés nitrés qui dilatent les vaisseaux sanguins, notamment les vaisseaux du cœur (coronaires) et qui sont utilisés dans le traitement des crises d'angine de poitrine (sensation de constriction douloureuse dans la poitrine pouvant irradier dans le bras gauche).

La présence de caféine a peu d'intérêt dans l'emploi proposé.

Pour les détails → p. 203.

Note : prescrit sur ordonnance médicale.

TRINORDIOL® → Contraception hormonale.

TRIOGÈNE® (Médecine Végétale)

Introd. en 1913. Non remb. SS.

PRINCIPES ACTIFS : granulé contenant un extrait de kola et de gentiane, chlorure de magnésium et gluconate ferreux.

Emploi : proposé dans la fatigue.

Précautions : consultez votre médecin si la fatigue persiste (il peut s'agir d'une dépression ou d'une autre maladie nécessitant un traitement spécifique) ou en cas d'amaigrissement.

Note : vendu sans ordonnance; efficacité des principes actifs à confirmer dans l'emploi proposé.

TRIPÉRIDOL® (Janssen)

Introd. en 1963. Liste I. Remb. SS 70%.

PRINCIPE ACTIF : *Triflupéridol*.

Préparations : solution buvable à 1 mg par ml (20 gouttes = 1 mg).

Emploi : médicament appartenant au groupe des neuroleptiques dérivés de la butyrophénone utilisé pour traiter certaines maladies mentales, notamment la schizophrénie.

Pour les détails → p. 468.

Note : prescrit sur ordonnance médicale.

TRIPERVAN® (R. Bellon)

Introd. en 1978. Liste II. Remb. SS 40%.
PRINCIPE ACTIF : **Vincamine**.
Préparations : gélules retard à 30 mg.
Emploi : vasodilatateur périphérique obtenu à partir de pervenche *(Vinca minor)* proposé pour traiter les troubles de l'irrigation cérébrale dans la sénescence cérébrale, les vertiges et les troubles de la mémoire, ainsi que les troubles sensoriels, auditifs et visuels d'origine ischémique ; l'efficacité des vasodilatateurs périphériques dans ces affections est à confirmer.
Précautions : ne pas employer en cas de grossesse ou d'allaitement (innocuité non établie), d'hypertension intracrânienne, de troubles du rythme cardiaque, de diminution du taux du potassium dans le sang (hypokaliémie) ; ce médicament ne doit pas être associé aux antiarythmiques.
Effets indésirables possibles : nausées, vomissements, ralentissement du rythme cardiaque (bradycardie), hypotension artérielle et éruption cutanée (réaction allergique).
Note : prescrit sur ordonnance médicale.

TRIPHOSMAG®
(Boehringer Ingelheim)

Introd. en 1961. Non remb. SS.
PRINCIPES ACTIFS : solution buvable contenant de la triphosadénine, acide phosphorique, phosphate disodique, chlorure et glycérophosphate de magnésium.
Emploi : proposé dans la fatigue.
Précautions : consultez votre médecin si la fatigue persiste (il peut s'agir d'une dépression ou d'une autre maladie nécessitant un traitement spécifique) ou en cas d'amaigrissement.
Effets indésirables possibles : diarrhée.
Note : vendu sans ordonnance ; efficacité des principes actifs à confirmer dans l'emploi proposé.

TRISEQUENS® (Novo Nordisk)

Introd. en 1985. Liste I. Non remb. SS.
PRINCIPES ACTIFS : comprimés contenant de l'estradiol 17ß et de l'estriol (bleu et rouge) et de l'estradiol 17ß, estriol et noréthistérone (blanc).
Emploi : l'estriol et l'estradiol sont des estrogènes naturels utilisés par voie buccale pour corriger la carence estrogénique après la ménopause (troubles du retour d'âge) et atténuer les bouffées de chaleur, transpirations, vertiges, et les symptômes de la vaginite atrophique ; le noréthistérone est un progestatif qui est associé pour diminuer les risques de cancer de l'endomètre ; interrompre l'administration en cas d'immobilisation prolongée et un mois avant une intervention chirurgicale.
Ce produit est un estroprogestatif non contraceptif.
Pour les détails → p. 266
Note : prescrit sur ordonnance médicale.

TRISOLVIT® (Chauvin)

Introd. en 1965. Non remb. SS.
PRINCIPES ACTIFS : solution buvable contenant de l'acide ascorbique (ou vitamine C), de l'éthoxazorutoside et du tocofersolan (vitamine E).
Emploi : proposé dans les troubles de la circulation rétinienne et choroïdienne dont le diagnostic ne peut être fait que par votre médecin.
Note : vendu sans ordonnance ; efficacité des principes actifs à confirmer dans l'emploi proposé.

TRIVASTAL® (Euthérapie)

Introd. en 1969. Liste II. Remb. SS 70%.
PRINCIPE ACTIF : **Piribédil**.
Préparations : comprimés à 20 mg ; comprimés à libération prolongée à 50 mg ; ampoules injectables à 3 mg dans 1 ml.
Emploi : médicament appartenant au groupe des dopaminergiques utilisé
– *comme antiparkinsonien* : par voie orale pour diminuer la rigidité musculaire et faciliter les mouvements dans la maladie de Parkinson, souvent associé à la lévodopa ;
– *comme vasodilatateur* : en injections ou perfusions pour atténuer les douleurs liées aux artériopathies ;
– proposé par voie buccale dans le déficit intellectuel et les sensations d'étourdissement du sujet âgé (efficacité à confirmer).
Prise du médicament : on conseille de prendre les comprimés aux repas.
Précautions : ne pas employer en cas d'infarctus du myocarde, de grossesse ou d'allaitement.

Effets indésirables possibles : nausées, vomissements et étourdissements quand vous vous levez (tension trop basse ou hypotension orthostatique).
Note : prescrit sur ordonnance médicale.

TRIVÉ 1000® (Clintec)

Introd. en 1974. Remb. SS 70%.
PRINCIPES ACTIFS : émulsion de lipides, acides aminés et glucides.
Emploi: alimentation artificielle parentérale.

TROBICINE® (Upjohn)

Introd. en 1974. Liste I. Remb. SS 70%.
PRINCIPE ACTIF : *Spectinomycine*.
Préparations : poudre pour solution injectable en flacons à 2 g.
Emploi : antibiotique apparenté aux aminosides employé en injection pour le traitement-minute de la gonococcie aiguë (blennorragie) chez des patients allergiques à la pénicilline ou en cas de résistance à la pénicilline; environ 10% des souches sont résistantes.
Précautions : ne pas employer en cas d'allergie au produit, de grossesse et allaitement (innocuité non étable) et chez l'enfant avant 15 ans.
Prescription : ce médicament est injecté dans le muscle; habituellement une seule injection suffit à guérir la gonococcie; le traitement du partenaire est nécessaire pour éviter la réinfection.
Surveillance : comme les symptômes d'une syphilis éventuelle associée peuvent être masqués par le traitement, il faut faire un test sérologique immédiatement et après 3 mois; en effet, la spectinomycine n'est pas efficace dans le traitement de la syphilis.
Conduite de véhicules : chez certains sujets, ce médicament peut modifier le comportement habituel : la conduite de véhicules ou l'utilisation de machines peut être dangereuse.
Effets indésirables possibles : nausées, vomissements, maux de tête, vertiges, fièvre, frissons, urticaire (réaction allergique : arrêtez immédiatement le traitement), douleur au point d'injection.
Note : prescrit sur ordonnance médicale.

TROFOSEPTINE® (Boehringer Ingelheim)

Introd. en 1981. Non remb. SS.
PRINCIPES ACTIFS : crème contenant de la néomycine (antibiotique local) et clostébol (anabolisant stéroïdien).
Emploi : proposé pour accélérer la cicatrisation des plaies et des ulcères de jambe.
Effets indésirables possibles: réactions allergiques à la néomycine.
Note : vendu sans ordonnance; à éviter en automédication comme tous les antibiotiques locaux.

TROLOVOL® (Bayer)

Introd. en 1977. Liste I. Remb. SS 70%.
PRINCIPE ACTIF : *Pénicillamine*.
SYNONYME : D-pénicillamine.
Préparations : comprimés à 300 mg.
Emploi : médicament utilisé :
– Dans le traitement de fond de la polyarthrite rhumatoïde évolutive lorsque la radiologie met en évidence des érosions cartilagineuses et osseuses évolutives; en raison des effets indésirables graves, l'emploi est limité aux cas résistants aux autres traitements; comme les effets ne se manifestent qu'au bout de 2-3 mois, il est très important que vous continuez pendant ce délai le traitement prescrit.
– Pour favoriser l'élimination du cuivre, du mercure et du plomb; la pénicillamine forme avec ces métaux des composés solubles qui sont éliminés dans les urines; elle est employée
- dans les intoxications par le plomb ou le mercure;
- dans la maladie de Wilson, une affection congénitale rare où le cuivre se dépose dans divers organes; votre médecin peut vous conseiller de suivre un régime pauvre en cuivre et demander des contrôles de l'élimination du cuivre dans les urines;
- dans une autre maladie rare, la cystinurie héréditaire, pour prévenir les calculs rénaux (lithiase cystinique); si vous prenez ce médicament pour prévenir les calculs rénaux dans la cystinurie héréditaire, des boissons très abondantes sont essentielles; votre médecin peut demander des contrôles radiologiques périodiques pour surveiller la formation éventuelle de calculs.

Deux analogues de la pénicillamine sont proposés dans le traitement de la polyarthrite rhumatoïde : le pyritinol et la tiopronine.
Pour les détails → p. 55.
Note : prescrit sur ordonnance médicale.

TROMBOVAR® (Promedica)

Introd. en 1963. Liste II. Remb. SS 70%.
PRINCIPE ACTIF : solution injectable contenant 1% ou 3% de tétradécyl sulfate de sodium.
Emploi : pour scléroser les varices.
Note : les injections doivent être faites par un médecin expérimenté.

TROMEXANE® (Ciba-Geigy)

Introd. en 1950. Liste I. Remb. SS 70%.
PRINCIPE ACTIF : **Biscoumacétate.**
d'éthyle
Préparations : comprimés à 300 mg.
Emploi : anticoagulant oral utilisé pour prévenir la formation de caillots dans les vaisseaux sanguins (thromboses et embolies); son emploi exige le contrôle périodique de la coagulabilité du sang; en effet, une dose trop élevée peut provoquer des saignements et une dose trop faible risque de ne pas protéger contre la formation de caillots sanguins.
Durée d'action : environ 24 heures.
Pour les détails → p. 38.
Note : prescrit sur ordonnance médicale.

TRONOTHANE® (Abbott)

Introd. en 1956. Non remb. SS.
PRINCIPE ACTIF : gel pour application locale contenant de la pramocaïne (anesthésique local).
Emploi : utilisé pour calmer le prurit.
Effets indésirables possibles : réactions allergiques.
Note : vendu sans ordonnance; ne pas utiliser pendant plus de 48 heures sans avis médical (le prurit n'est qu'un symptôme dont il faut rechercher la cause).

TROPHICRÈME® (Clin Midy)

Introd. en 1988. Liste II. Remb. SS 70%.
PRINCIPE ACTIF : crème vaginale contenant 0,1% d'estriol (estrogène).
Emploi : utilisé pour atténuer la sécheresse et soulager le prurit et les douleurs vulvaires et vaginales dues au

déficit estrogénique qui accompagne la ménopause.
Précautions : ne pas employer en cas de cancer du sein ou de l'utérus ou d'hémorragies génitales d'origine indéterminée.
Effets indésirables possibles : rarement irritation ou prurit locaux.
Note : prescrit sur ordonnance médicale.

TROPHIDERM® (Brothier)

Introd. en 1978. Remb. SS 40%.
PRINCIPE ACTIF : poudre pour application locale contenant de l'alginate de calcium (coagulant ou hémostatique local).
Emploi : proposé pour favoriser la cicatrisation des plaies suintantes et traumatiques et les ulcères variqueux.
Note : vendu sans ordonnance; consultez votre médecin si les lésions persistent.

TROPHIGIL® (Clin Midy)

Introd. en 1972. Remb. SS 70%.
PRINCIPES ACTIFS : gélules vaginales contenant de l'estriol, progestérone et *Lactobacillus acidophilus.*
Emploi : utilisé pour atténuer la sécheresse et soulager le prurit et les douleurs vulvaires et vaginales dues au déficit estrogénique de la ménopause.
Précautions : ne pas employer en cas de cancer du sein ou de l'utérus ou d'hémorragies génitales d'origine indéterminée; éviter le traitement prolongé ou répété.
Effets indésirables possibles : rarement irritation ou prurit locaux.
Note : vendu sans ordonnance; à éviter en automédication.

TROPHIRÈS® (Millot-Solac)

Introd. en 1972. Remb. SS 40%.
PRINCIPES ACTIFS :
– *Trophirès® sirop* : pholcodine (antitussif opiacé), acide ténoïque et essence d'eucalyptus;
– *Trophirès® composé* : suppositoires contenant de la pholcodine (antitussif opiacé), paracétamol (analgésique et antipyrétique), acide ténoïque, essences d'eucalyptus et de myrte.
Emploi : proposé pour calmer la toux.
Précautions : ne pas utiliser en cas de
– asthme, insuffisance respiratoire (la diminution de la toux cause l'accu-

mulation de mucosités dans les voies respiratoires);
- maladie du foie (l'élimination de la pholcodine est diminuée en cas d'insuffisance hépatique);
- ulcère gastroduodénal évolutif;
- grossesse (innocuité non établie), allaitement;
- enfants âgés de moins de 5 ans (enfants de moins de 30 mois pour la forme pour enfant).

Durée du traitement : si la toux persiste après une semaine, si des crachats sanglants ou des effets indésirables apparaissent, arrêtez le traitement et consultez votre médecin.

Alcool : à éviter pendant le traitement (majoration de l'effet sédatif).

Sujets âgés : risque accru d'effets indésirables; doses réduites de moitié.

Conduite de véhicules : ce médicament peut diminuer la vigilance; la conduite de véhicules ou l'utilisation de machines peut être dangereuse.

Effets indésirables possibles : nausées, vomissements, somnolence, sécheresse de la bouche, confusion mentale, crises d'asthme (bronchospasme), constipation, excitation (surtout chez l'enfant), éruption cutanée (réaction allergique : arrêtez immédiatement le traitement).

Note : vendu sans ordonnance; l'efficacité de la pholcodine est généralement reconnue, mais les autres composants ont peu d'intérêt dans l'emploi proposé.

TROPHIRÈS® suppositoires
(Millot-Solac)

Introd. en 1965. Remb. SS 40%.
PRINCIPES ACTIFS : suppositoires contenant de l'acide ténoïque, essences d'eucalyptus et de myrte et camphre.
Emploi : proposé dans les affections respiratoires.
Note : vendu sans ordonnance; efficacité des principes actifs à confirmer dans l'emploi proposé.

TROPHOBOLÈNE®
(Théramex)

Introd. en 1966. Liste II. Non remb. SS.
PRINCIPES ACTIFS : solution injectable contenant
- nandrolone (50 mg) : anabolisant stéroïdien;

- hydroxyprogestérone (80 mg) : progestatif;
- estriol (1,3 mg sous forme d'ester propionique et nicotinique) : estrogène.

Emploi : médicament appartenant au groupe des anabolisants stéroïdiens (ou stéroïdes anabolisants) qui sont des analogues de l'hormone sexuelle mâle (testostérone) dont ils conservent une certaine activité; ces médicaments sont proposés, sans preuve d'efficacité, pour favoriser la reconstitution des muscles dans les états de dénutrition, notamment chez le sujet âgé en association avec un régime riche en protéines, dans les brûlures étendues, les escarres, les suites d'interventions chirurgicales, après immobilisation prolongée et certaines ostéoporoses.

La présence d'un progestatif et d'un estrogène a peu d'intérêt dans l'emploi proposé.

L'usage des anabolisants stéroïdiens par les sportifs pour augmenter la masse musculaire est considéré comme *dopage*, justifiant la disqualification de l'athlète, et causer des effets indésirables sévères.

Pour les détails → p. 31.
Note : prescrit sur ordonnance médicale.

TROPHYSAN® (Clintec)

Introd. en 1958. Non remb. SS.
PRINCIPES ACTIFS : solution buvable contenant des acides aminés essentiels, des vitamines (pyridoxine, nicotinamide) et des sels minéraux.
Emploi : proposé dans la fatigue.
Précautions : consultez votre médecin si la fatigue persiste (il peut s'agir d'une dépression ou d'une autre maladie nécessitant un traitement spécifique) ou en cas d'amaigrissement.
Note : vendu sans ordonnance; efficacité des principes actifs à confirmer dans l'emploi proposé.

TROSYD® (Pfizer)

Introd. en 1986. Liste I. Remb. SS 70%.
PRINCIPE ACTIF : **Tioconazole**.
Préparations : crème à 1%; émulsion à 1%.
Emploi : médicament appartenant au groupe des antifongiques locaux qui sont utilisés en application locale

707

pour traiter les infections de la peau causées par des champignons ou des levures (mycoses superficielles); il est aussi actif contre certaines bactéries, notamment staphylocoques et streptocoques; il est utilisé pour traiter les dermatophytoses de la peau glabre et des orteils (pied d'athlète), les teignes et d'autres affections.

Les ovules gynécologiques (*Gyno-Trosyd®*) sont employés dans le traitement local des mycoses vaginales.

Précautions : ne pas appliquer sur une grande surface, une peau lésée et chez le nourrisson (risque d'absorption).

Effets indésirables possibles : irritation, sensation de brûlure; éruption cutanée (réaction allergique : arrêtez immédiatement le traitement).

Note : prescrit sur ordonnance médicale.

TRYPSINE (Choay)

Introd. en 1970. Remb. SS 40%.

Préparations : poudre en flacon pulvérisateur pour application locale.

Emploi : enzyme protéolytique extraite du pancréas de mammifères; proposée pour la détersion enzymatique des plaies.

Effets indésirables possibles: réactions allergiques.

Note : vendu sans ordonnance; à éviter en automédication.

T.T.D.-B3-B4®
(Lab. AJC Pharma)

Introd. en 1963. Liste I. Remb. SS 70%.

PRINCIPES ACTIFS: comprimés contenant disulfirame, nicotinamide, adénine.

Emploi : le disulfirame est utilisé pour prévenir les rechutes lors du traitement de l'alcoolisme chronique; il s'agit d'un médicament dangereux (on conseille de commencer le traitement en milieu hospitalier, ensuite le patient sera revu périodiquement par le médecin); l'adjonction de nicotinamide et d'adénine a peu d'intérêt dans l'emploi proposé.

Pour les détails → Espéral®.

Note : prescrit sur ordonnance médicale.

TUBERCULINE

Remb. SS 70%.

SPÉCIALITÉS :
Tuberculine purifiée (Mérieux).
Tuberculine IP 48 (Pasteur).

PRÉPARATIONS : poudre en ampoules à 10 UI ou 50 UI.

INTRADERMO-RÉACTION (TEST DE MANTOUX) : après dissolution de la poudre lyophilisée dans le solvant qui l'accompagne, on injecte par voie intradermique 10 UI de préférence à la face antérieure de l'avant-bras après dégraissage de la peau à l'éther.

La réaction est positive si à la 72e heure on observe une induration rouge, surélevée, d'au moins 5 mm.

Si la réaction est négative ou douteuse, le test est répété avec une dose de 50-100 UI (jusqu'à 200 UI).

Une réaction négative avec ces doses élevées rend l'hypothèse d'une tuberculose peu probable, mais ne permet pas de l'exclure.

La réaction est utilisée pour la recherche de l'*allergie tuberculinique* spontanée et pour le contrôle de l'allergie tuberculinique avant et après vaccination par le BCG (à rechercher 3-12 mois après la vaccination, puis tous les 5 ans).

EFFETS INDÉSIRABLES :
– sujets hypersensibles : prurit, douleur, formation de vésicules et ulcération au point d'injection;
– en cas de tuberculose active : possibilité de réaction générale avec asthme, vomissements, fièvre;
– choc anaphylactique (exceptionnel).

PRODUITS ANALOGUES

TUBERCULINE BRUTE : pour cuti-réaction par scarification avec un vaccinostyle.

TIMBRE TUBERCULINIQUE : pour percuti-réaction. On applique le timbre sur une zone de peau saine et plane dans la région sternale ou sous-claviculaire et on le laisse en place 48 heures; lecture 48 heures après ablation (96 heures après la pose). Test positif si de nombreuses vésicules confluentes apparaissent.

Néotest® (Mérieux) *Normal* (enfant) ou *Fort* (adulte).

BAGUE TUBERCULINIQUE : bague avec 9 pointes de plastique imprégnées d'une dose connue de tuberculine purifiée. Application ferme de 2 secondes sur la face antérieure de l'avant-bras après nettoyage à l'éther. Lecture le 2e et le 4e jour. Test positif si induration palpable d'au moins 2 mm.

Monotest® (Mérieux).

TUBÉROL® (Bouteille)

Introd. en 1925. Non remb. SS.
PRINCIPES ACTIFS : solution pour application locale (Tubérol® «pur») ou onguent contenant de l'eucalyptol, essences de cajeput, marjolaine, niaouli et térébenthine.
Emploi : proposé en enveloppements thoraciques avec gaze hydrophile imbibée ou en inhalations dans les affections respiratoires banales.
Note : *vendu sans ordonnance; efficacité des principes actifs à confirmer dans l'emploi proposé.*

TUBÉROL® Sirop (Bouteille)

Introd. en 1930. Non remb. SS.
PRINCIPES ACTIFS :
– sirop : codéine (antitussif opiacé), extrait d'opium, teinture de belladone (atropinique), benzoate de sodium, térébenthine, acide benzoïque, eau de laurier-cerise;
– sirop enfants : codéine, bromure de sodium, sirop de belladone, thiodol, sirop Desessartz.
Emploi : proposé pour calmer la toux irritative, sèche.
Précautions : ne pas utiliser en cas de
– asthme, insuffisance respiratoire (la diminution de la toux cause l'accumulation de mucosités dans les voies respiratoires);
– maladie du foie;
– hypertrophie de la prostate;
– glaucome à angle fermé;
– grossesse, allaitement;
– enfants âgés de moins de 15 ans (moins de 30 mois pour la forme infantile).
Avant d'utiliser un antitussif, il faut rechercher et si possible traiter la cause de la toux; les antitussifs ne doivent pas être utilisés pour traiter la toux des fumeurs, des asthmatiques ou des bronchitiques; en outre, les toux productives, avec expectorations abondantes, ne doivent pas être calmées, au risque d'encombrer l'arbre bronchique.
Durée du traitement : si la toux persiste après une semaine, si des crachats sanglants ou des effets indésirables apparaissent, arrêtez le traitement et consultez votre médecin.
Alcool : évitez les boissons alcoolisées pendant le traitement (majoration de l'effet sédatif).

Conduite de véhicules : ce médicament peut diminuer la vigilance; la conduite de véhicules ou l'utilisation de machines peut être dangereuse.
Effets indésirables possibles : somnolence, sécheresse de la bouche, confusion, nausées, vomissements, crises d'asthme, constipation, éruption cutanée (réaction allergique : arrêtez immédiatement le traitement), difficulté à respirer ou à uriner (chez le sujet âgé).
Note : *vendu sans ordonnance; l'efficacité de la codéine est généralement reconnue, mais les autres composants ont peu d'intérêt dans l'emploi proposé.*

TULLE GRAS Lumière® (Sarbach)

Introd. en 1970. Remb. SS 70%.
PRINCIPES ACTIFS : pansement gras, non occlusif, imprégné de baume du Pérou et de vaseline.
Emploi : traitement des plaies et brûlures banales de gravité moyenne.
Effets indésirables possibles : eczéma de contact.
Note : *vendu sans ordonnance; consultez votre médecin si une brûlure banale ne guérit pas en 10 jours.*

TUSSIFED® (Wellcome)

Introd. en 1981. Non remb. SS.
PRINCIPES ACTIFS : comprimés et solution buvable contenant :
– dextrométhorphane : antitussif opiacé (→ p. 59);
– triprolidine : antihistaminique, sédatif et atropinique (Actidilon®);
– pseudoéphédrine : vasoconstricteur.
Emploi : proposé pour calmer la toux.
Précautions : ne pas utiliser en cas de
– asthme, insuffisance respiratoire;
– maladie du foie;
– hypertrophie de la prostate;
– glaucome à angle fermé;
– hypertrophie artérielle;
– fonctionnement excessif de la glande thyroïde (hyperthyroïdie);
– grossesse (innocuité non établie), allaitement;
– enfants âgés de moins de 15 ans (moins de 30 mois pour les formes infantiles);
– association aux antidépresseurs inhibiteurs de la MAO.
Alcool, tranquillisants : à éviter pendant le traitement.

Conduite de véhicules : ce médicament peut diminuer la vigilance; la conduite de véhicules ou l'utilisation de machines peut être dangereuse.

Sportifs : ce médicament peut donner une réaction positive en cas de tests pour contrôle antidopage.

Effets indésirables possibles : nausées, vomissements, somnolence, vertiges, sécheresse de la bouche, troubles de la vision, confusion, crises d'asthme, éruption cutanée (réaction allergique: arrêtez immédiatement le traitement), difficulté à respirer ou à uriner, constipation.

Note : *vendu sans ordonnance; l'efficacité du dextrométhorphane est généralement reconnue, mais les autres composants ont peu d'intérêt dans l'emploi proposé et peuvent causer des effets indésirables.*

TUSSIPAX® (Thérica)

Introd. en 1963. Liste I (solution buvable). Remb. SS 40%.

PRINCIPES ACTIFS :
- comprimés et solution buvable : codéine, codéthyline (antitussifs opiacés), bromoforme, teinture de droséra et de capillaire;
- sirop : codéine et codéthyline (antitussifs opiacés), bromoforme, concentré d'espèces pectorales;
- suppositoires «à l'euquinine» : codéine et codéthyline (antitussifs opiacés), quinine éthylcarbonate, essence de pin et eucalyptus.

Emploi : proposé pour calmer la toux irritative, sèche.

Précautions : ne pas utiliser en cas de
- asthme, insuffisance respiratoire (la diminution de la toux cause l'accumulation de mucosités dans les voies respiratoires);
- maladie du foie;
- grossesse, allaitement;
- enfants âgés de moins de 15 ans (de 30 mois pour les formes infantiles).

Durée du traitement : si la toux persiste après une semaine, si des crachats sanglants ou des effets indésirables apparaissent, arrêtez le traitement et consultez votre médecin.

Alcool : à éviter pendant le traitement.

Sujets âgés : risque accru d'effets indésirables; doses réduites de moitié.

Conduite de véhicules : ce médicament peut diminuer la vigilance; la conduite de véhicules ou l'utilisation de machines peut être dangereuse.

Sportifs : ce médicament peut donner une réaction positive en cas de tests pratiqués lors des contrôles antidopage.

Effets indésirables possibles : somnolence, sécheresse de la bouche, confusion, nausées, vomissements, crises d'asthme, constipation, éruption cutanée (réaction allergique : arrêtez immédiatement le traitement).

Note : *vendu sans ordonnance; l'efficacité des antitussifs opiacés (codéine et codéthyline) est généralement reconnue, mais les autres composants ont peu d'intérêt dans l'emploi proposé.*

TUSSISÉDAL® (Elerté)

Introd. en 1963. Remb. SS 40%.

PRINCIPES ACTIFS : sirop contenant :
- noscapine : antitussif opiacé dont les effets sont analogues à ceux de la codéine ($\rightarrow$ p. 59);
- prométhazine : dérivé de la phénothiazine antihistaminique, sédatif et atropinique (Phénergan®);
- polysorbate.

Emploi : proposé pour calmer la toux irritative, sèche.

Précautions : ne pas utiliser en cas de
- asthme ou insuffisance respiratoire chronique, toux grasse;
- maladie du foie;
- hypertrophie de la prostate;
- glaucome à angle fermé;
- myasthénie;
- grossesse (innocuité de la noscapine non établie), allaitement;
- enfants âgés de moins de 15 ans (moins de 30 mois pour la forme infantile).

Durée du traitement : si la toux persiste après une semaine, si des crachats sanglants ou des effets indésirables apparaissent, arrêtez le traitement et consultez votre médecin.

Sujets âgés : doses réduites de moitié.

Alcool, tranquillisants : évitez les boissons alcoolisées et l'usage des sédatifs ou somnifères pendant le traitement.

Conduite de véhicules : ce médicament peut diminuer la vigilance; la conduite de véhicules ou l'utilisation de machines peut être dangereuse.

Effets indésirables possibles : nausées, vomissements, somnolence, vertiges, sécheresse de la bouche, troubles de la vision, confusion mentale, crises d'asthme, constipation, éruption cutanée (réaction allergique : arrêtez immédiatement le traitement), difficulté à respirer ou à uriner (sujet âgé), mouvements involontaires de la bouche ou du visage.

Note : vendu sans ordonnance ; l'efficacité de la noscapine est généralement reconnue, mais les autres composants ont peu d'intérêt dans l'emploi proposé.

TUXIUM® (Galephar)

Introd. en 1990. Remb. SS 40%.
PRINCIPE ACTIF : ***Dextrométhorphane***.
Préparations : capsules à 30 mg.
Emploi : dérivé de la morphine, agissant sur le système nerveux central, utilisé pour calmer la toux irritative, sèche. Le dextrométhorphane a une action sédative modérée ; l'apparition d'une dépendance est exceptionnelle, mais l'abus est possible chez des sujets déjà toxicomanes.
Précautions : ne pas employer en cas de toux grasse, d'insuffisance respiratoire, d'asthme, de grossesse ou allaitement. Consultez votre médecin si la toux persiste, en cas de crachats sanglants, de fièvre, d'amaigrissement, d'éruption cutanée, de troubles de la vue, de difficulté à uriner.
Sportifs : ce médicament peut donner une réaction positive en cas de tests pour contrôle antidopage.
Enfants : ne doit pas être utilisé chez les enfants âgés de moins de 15 ans.
Intoxication : hospitalisation d'urgence en cas de prise massive accidentelle. Pour les détails → p. 59.
Note : vendu sans ordonnance ; l'efficacité du dextrométhorphane est généralement reconnue ; ne pas utiliser chez l'enfant sans avis médical.

TYPHIM Vi® → Vaccin antityphoïdique Vi.

TYROTHRICINE

Introd. en 1949. Non remb. SS.
PRINCIPES ACTIFS : tyrothricine (antibiotique local) et butoforme (anesthésique local).
SPÉCIALITÉS :
Tyrothricine Lafran®
[comprimés à sucer].
Tyrothricine Butoforme Oberlin®
[tablettes à sucer].

Emploi : proposé dans le «mal de gorge» de l'adulte sans fièvre.
Précautions : ne pas employer chez l'enfant de moins de 7 ans ou en cas d'allergie aux anesthésiques locaux ou à la tyrothricine.
En cas de diabète : tenir compte de la teneur en sucre du produit.
Effets indésirables possibles : réactions allergiques.
Note : vendu sans ordonnance ; à éviter en automédication comme tous les antibiotiques locaux.

TYROTHRICINE œstradiol
(Meyer)

Introd. en 1949. Remb. SS 70%.
PRINCIPES ACTIFS : gel pour application locale contenant de l'estradiol (estrogène) et tyrothricine (antibiotique).
Emploi : proposé pour atténuer la sécheresse et soulager le prurit et les douleurs vulvaires et vaginales dues au déficit estrogénique de la ménopause et pour traiter les crevasses du sein après l'accouchement.
Note : vendu sans ordonnance ; à éviter sans avis médical.

TYROTHRICYL® (Lederle).

PRINCIPES ACTIFS : dragées contenant tyrothricine (antibiotique local), tétracaïne (anesthésique local), menthol et borate de sodium.
Emploi : dragées proposées dans le «mal de gorge» de l'adulte sans fièvre.
Précautions : ne pas employer chez l'enfant de moins de 7 ans ou en cas d'allergie à la tyrothricine.
Note : vendu sans ordonnance ; à éviter en automédication comme tous les antibiotiques locaux.

U

ULCAR® (Houdé)

Introd. en 1984. Remb. SS 70%.
PRINCIPE ACTIF : ***Sucralfate***.
Préparations : comprimés et suspension buvable en sachets à 1 g (correspondant à 190 mg d'aluminium).
Emploi : sel complexe d'aluminium ayant un effet local «protecteur» sur la muqueuse gastrique et duodénale ;

il est utilisé dans le traitement de l'ulcère gastrique et duodénal évolutif et dans la prévention des rechutes de l'ulcère duodénal; en cas d'ulcère gastrique, il faut vérifier le caractère bénin de l'ulcère avant de commencer le traitement.

Le sucralfate diminue l'absorption des graisses, y compris des vitamines A, D et K dont il convient d'administrer des suppléments en cas de traitement prolongé.

Durée d'action : jusqu'à 5 heures.

Précautions : ne pas employer en cas d'allergie au produit, de maladie des reins (risque d'accumulation en cas d'insuffisance rénale), d'épilepsie ou de crises convulsives.

Grossesse et allaitement : il n'existe pas de contre-indication connue à l'utilisation de ce médicament; cependant, son innocuité n'a pas été établie chez la femme enceinte, ni lors de l'allaitement.

Interactions : certains médicaments ne doivent en aucun cas être associés; dans d'autres cas, l'association de deux médicaments peut demander un ajustement des doses; le sucralfate peut retarder et/ou diminuer l'absorption des anticoagulants oraux, digitaliques, phénytoïne, tétracyclines; pour atténuer cet effet, laisser un intervalle d'au moins 2 heures entre la prise de sucralfate et la prise de l'un de ces médicaments; en outre, il faut respecter un intervalle de 30 minutes entre la prise de sucralfate et la prise d'un antiacide gastrique.

Régime : en cas de traitement prolongé, votre médecin pourra vous conseiller un régime riche en vitamines A, D et K et éventuellement vous prescrire de suppléments de ces vitamines dont l'absorption peut être diminuée par le sucralfate.

Alcool : à éviter pendant le traitement.

Surveillance : consultez votre médecin à intervalles réguliers pour évaluer les effets du traitement.

Durée du traitement : on conseille en général des traitements qui ne dépassent pas 8 semaines pour éviter des carences en vitamines A, D et K.

Effets indésirables possibles :
– constipation, sécheresse de la bouche, nausées, diarrhées;
– douleurs abdominales
– prurit, éruption cutanée;
– en cas de traitement prolongé (plu-

sieurs mois), l'aluminium libéré dans l'estomac peut s'accumuler dans le cerveau, surtout en cas d'insuffisance rénale, et causer des troubles psychiques (encéphalopathie).

Note : *vendu sans ordonnance; à éviter en automédication.*

ULFON® (Lafon)

Introd. en 1963. Remb. SS 40%.

PRINCIPES ACTIFS : poudre orale contenant de l'alcloxa (allantoïnate de dihydroxy-aluminium), aldioxa (allantoïnate de chlorhydroxy-aluminium), homatropine (atropinique) et poloxamère 188.

Emploi : proposé pour neutraliser l'excès d'acidité et comme pansement gastrique; en cas d'ulcère de l'estomac ou du duodénum, ce médicament ne doit être utilisé que sous surveillance médicale

Prise du médicament : après les repas et éventuellement au coucher.

Précautions : ne pas employer en cas de glaucome par fermeture de l'angle, hypertrophie de la prostate, d'insuffisance rénale et de dialyse chronique; consultez votre médecin en cas de douleurs ou crampes abdominales, de selles noires, d'amaigrissement, de jaunisse.

Effets indésirables possibles : somnolence, sécheresse de la bouche, du nez et de la gorge, vision trouble, accélération du pouls, palpitations, bouffées de chaleur, nausées, constipation, difficulté à uriner (chez les sujets prostatiques), confusion mentale ou agitation (sujets âgés); retard ou diminution de la résorption d'autres médicaments pris par la bouche (respecter un intervalle d'au moins 2 heures).

Note : *vendu sans ordonnance; ne pas utiliser pendant plus de 5 jours sans avis médical.*

ULTRADERME® (Biocodex)

Introd. en 1953. Remb. SS 40%.

PRINCIPES ACTIFS : crème contenant des levures.

Emploi : proposé dans les états séborrhéiques, notamment dans l'acné.

Note : *vendu sans ordonnance; efficacité des principes actifs à confirmer dans l'emploi proposé.*

ULTRALAN® (Schering)

Introd. en 1969. Liste I. Remb. SS 70%.
PRINCIPE ACTIF : *Fluocortolone.*
Préparations : pommade à 0,025%.
Emploi : corticoïde fluoré d'activité assez forte (classe III) utilisé en application locale pour soulager la douleur, le prurit et les signes d'inflammation de la peau, notamment dans l'eczéma de contact, la dermatite allergique et les processus de lichénification.
Pour les détails → p. 205.
Note : prescrit sur ordonnance médicale.

ULTRA-LEVURE® (Biocodex)

Introd. en 1962. Remb. SS 40%.
PRINCIPES ACTIFS : gélules contenant des *Saccharomyces boulardii* lyophilisés.
Emploi : proposé dans les diarrhées présumées non organiques.
Précautions : ne pas employer en cas de douleurs ou de crampes abdominales d'origine indéterminée, de selles noires, d'amaigrissement, de jaunisse; consultez votre médecin si la diarrhée persiste après 48 heures, si des glaires et du sang apparaissent dans les selles.
Note : vendu sans ordonnance; efficacité des principes actifs à confirmer dans l'emploi proposé.

ULTRAPROCT® (Schering)

Introd. en 1970. Liste I. Non remb. SS.
PRINCIPES ACTIFS : suppositoires et pommade contenant du fluocortolone (corticoïde) et cinchocaïne (anesthésique local).
Emploi : crise hémorroïdaire.
Précautions : arrêtez le traitement et consultez votre médecin en cas d'accentuation des douleurs, d'apparition de sang dans les selles ou de fièvre.
Note : prescrit sur ordonnance médicale.

ULTRATARD® → Insuline.

ULTREX® (Parke-Davis)

Introd. en 1969. Non remb. SS.
PRINCIPE ACTIF : shampooing antipelliculaire contenant de la pyrithione zincique.
Emploi : shampooing proposé en cas de pellicules.

UMATROPE® (Lilly)

Introd. en 1988. Liste I.
PRINCIPE ACTIF : *Somatropine .*
SYNONYMES : somatotrophine, somatotropine, hormone somatotrope, Human Growth Hormone, GH, hGH, HGH; Recombinant Human Growth Hormone, R-hGH.
Préparations : poudre pour solution injectable en flacons à 4 UI et 16 UI.
Emploi : la somatropine est une substance obtenue par biotechnologie dont la structure est identique à celle de l'*hormone humaine de croissance* sécrétée par l'hypophyse pour stimuler la croissance de l'enfant.
Ce médicament est utilisé en injections régulières chez l'enfant de petite taille en cas de carence en hormone de croissance (nanisme hypophysaire); le traitement est d'autant plus efficace qu'il est commencé plus tôt et est poursuivi jusqu'à ce que l'enfant ait atteint une taille satisfaisante ou que la période de croissance soit terminée (fermeture des cartilages de croissance); l'hormone de croissance est aussi utilisée en cas de petite taille due au syndrome de Turner qui est une affection congénitale rare touchant les enfants de sexe féminin.
Pour les détails → Hormone de croissance.
Note : conditions particulières de délivrance.

UMULINE® → Insuline.

UNACIM® (Jouveinal)

Introd. en 1992. Liste I. Remb. SS 70%.
PRINCIPES ACTIFS :
– comprimés à 375 mg de sultamicilline (qui libère dans l'organisme ampicilline et sulbactam);
– poudre pour solution injectable en flacons à 250 mg, 500 mg ou 1 g d'ampicilline (+ respectivement 125 mg, 250 mg ou 500 mg de sulbactam).
Propriétés : l'ampicilline est une pénicilline du groupe A et le sulbactam; est une ß-lactamine qui élargit le spectre de l'ampicilline aux souches ß-lactamases-résistantes du staphylocoque, du gonocoque, *Hæmophilus influenzae*, etc. (→ Bétamaze®).

Emploi : limité aux infections à germes résistants à l'ampicilline, mais sensibles à l'association ampicilline et sulbactam.
Pour les détails → p. 520.
Note : prescrit sur ordonnance médicale.

UN-ALFA® (Leo)

Introd. en 1980. Liste I. Remb. SS 70%.
PRINCIPE ACTIF : *Alfacalcidol.*
Préparations : capsules à 0,25 µg et 1 µg; solution buvable à 0,1 µg/goutte; solution injectable en ampoules à 1 µg dans 0,5 ml et à 2 µg dans 1 ml.
Emploi : précurseur synthétique de la vitamine D utilisé dans le traitement des ostéodystrophies rénales, rachitismes pseudo-carentiels, rachitisme et ostéomalacie par hypophosphatémie, hypoparathyroïdie et pseudo-hypoparathyroïdie.
Précautions : surveillance régulière de la calcémie, calciurie, phosphatases alcalines et de la phosphorémie. Ce dérivé hydroxylé de la vitamine D ne doit pas être utilisé dans les indications classiques de celle-ci.
Note : prescrit sur ordonnance médicale.

UNILARM® (Faure)

Introd. en 1990. Non remb. SS.
Préparations : collyre unidose contenant du chlorure de sodium (5,85 mg dans 0,65 ml).
Emploi : proposé dans l'insuffisance de sécrétion des larmes («œil sec»).
Conservation : à utiliser dans les 15 jours après l'ouverture du flacon.
Note : vendu sans ordonnance; à éviter sans avis médical, comme tous les collyres.

URARTHONE® (Lehning)

Introd. en 1953. Non remb. SS.
Préparation homéopathique (solution buvable) proposée dans les «états arthrosiques».

URASEPTINE® Rogier (Gallier)

Introd. en 1908. Non remb. SS.
PRINCIPES ACTIFS : granulé contenant :
– méthénamine (hexaméthylène-tétramine) : antiseptique urinaire;
– pipérazine, benzoate de sodium et de lithium.

Emploi : proposé pour prévenir les récidives d'infections urinaires basses dont le diagnostic ne peut être posé que par votre médecin.
Précautions : ne pas employer en cas d'insuffisance rénale, de grossesse, d'allaitement; ne pas associer des sulfamides (risque de précipitations urinaires) ou des alcalinisants (action antagoniste).
En cas de diabète : tenir compte de la teneur en sucre du produit.
Effets indésirables possibles : troubles digestifs, irritation de la vessie et éruption cutanée (réaction allergique: arrêtez immédiatement le traitement).
Note : vendu sans ordonnance; à éviter en automédication; des principes actifs plus efficaces sont actuellement disponibles.

URBANYL® (Diamant)

Introd. en 1975. Liste I. Remb. SS 70%.
La durée de prescription ne peut dépasser 12 semaines.
PRINCIPE ACTIF : *Clobazam.*
Préparations : comprimés à 10 mg ou 20 mg; gélules à 5 mg.
Emploi : tranquillisant appartenant au groupe très nombreux des benzodiazépines; le clobazam est proposé dans l'anxiété, l'angoisse et le sevrage alcoolique.
Durée d'action : 24-36 heures (certains effets peuvent durer plus longtemps).
Pour les détails → p. 94.
Note : prescrit sur ordonnance médicale.

URÉMIASE® (Noguès)

Introd. en 1942. Remb. SS 40%.
PRINCIPES ACTIFS: comprimés contenant du cholestérol, silice, phosphate disodique et tricalcique, poudre de rein, combretum, chlorure de sodium, carbonate de chaux.
Emploi : troubles digestifs (dyspepsies).
Précautions : à éviter en cas d'occlusion des voies biliaires; consultez votre médecin en cas de douleurs ou de crampes abdominales d'origine indéterminée, de selles noires, de prurit, d'amaigrissement, d'urines foncées, de douleurs de la région du foie, de jaunisse.
Note : vendu sans ordonnance; ne pas utiliser pendant plus de 5 jours sans avis médical.

URFADYN® (Zambon)

Introd. en 1976. Liste I. Remb. SS 70%.
PRINCIPE ACTIF : *Nifurtoïnol.*
Préparations : comprimés à 40 mg [et 150 mg d'hydroxyde d'aluminium].
Emploi : médicament appartenant aux groupe des nitrofuranes utilisé pour traiter les infections des voies urinaires basses non compliquées, notamment l'infection de la vessie (cystite); le nifurtoïnol est inefficace dans l'urétrite à gonocoques et dans les infections du rein ou de la prostate.
Précautions : ne pas employer en cas d'allergie au produit ou à un autre nitrofurane, de maladies des reins, de déficit en glucose-6-phosphate déshydrogénase ou G6PD (chez les sujets atteints de cette anomalie congénitale rare, ce médicament peut provoquer une anémie hémolytique). L'innocuité de ce médicament n'ayant pas été établie chez la femme enceinte, ni lors de l'allaitement, son usage n'est pas conseillé par mesure de prudence; il est d'autre part déconseillé chez l'enfant de moins de 3 mois (risque d'hémolyse).
En cas de diabète : les résultats des tests pour déceler le sucre dans les urines peuvent être faussés.
Effets indésirables possibles : nausées et vomissements, diarrhée, maux de tête, vertiges; prurit, urticaire, éruption cutanée; douleurs articulaires (réaction allergique : arrêtez immédiatement le traitement); fourmillements, perte de sensibilité aux mains et aux pieds, douleur aux membres (polynévrite); fièvre, frissons, maux de gorge, ulcérations buccales (diminution des globules blancs dans le sang); la coloration brunâtre des urines peut être due à la présence du médicament.
Intoxication : nausées, vomissements, diarrhées, hémolyse, somnolence, troubles mentaux, convulsions.
Note : prescrit sur ordonnance médicale.

URGOPTIC® (Fournier)

Introd. en 1987. Non remb. SS.
PRINCIPES ACTIFS : collyre contenant du sulfate de cadmium et de zinc, phényléphrine (vasoconstricteur) et cétrimonium (antiseptique).
Emploi : proposé dans les irritations de la conjonctive et des annexes («yeux rouges»).

Précautions : ne pas employer en cas de glaucome à angle fermé, d'hypertension artérielle et chez l'enfant âgé de moins de 3 ans.
Durée du traitement : ne pas dépasser 5-6 jours.
Sportifs : ce médicament peut donner une réaction positive lors des tests pour contrôle antidopage.
Conduite de véhicules : ce médicament peut dilater les pupilles (mydriase) et provoquer des troubles visuels; la conduite de véhicules ou l'utilisation de machines peut être dangereuse en cas d'instillations répétées.
Conservation : à utiliser dans les 15 jours après l'ouverture du flacon.
Note : vendu sans ordonnance; à éviter sans avis médical, comme tous les collyres.

URGOSPRAY® → Chlorhexidine.

URICOZYME® (Clin Midy)

Introd. en 1975. Liste I.
PRINCIPE ACTIF : *Urate-oxydase.*
Préparations : poudre pour solution injectable en ampoules à 1000 unités.
Emploi : enzyme ayant une action uricolytique par dégradation de l'acide urique en allantoïne qui est rapidement éliminée dans les urines; proposé en milieu hospitalier dans les hyperuricémies sévères entraînant un risque de précipitation tubulaire dans les leucémies aiguës, la goutte avec insuffisance rénale et les cures de jeûne des obésités importantes.
Effets indésirables possibles : crise d'asthme, fièvre, éruption cutanée (réactions allergiques); possibilité de crise de goutte aiguë (il faut associer la colchicine au début du traitement).
Note : réservé aux hôpitaux.

URION® (Zambon)

Introd. en 1991. Liste I. Remb. SS 40%.
PRINCIPE ACTIF : *Alfuzosine.*
Préparations : comprimés à 2,5 mg.
Emploi : médicament appartenant au groupe des alpha-bloquants qui dilatent les vaisseaux périphériques et sont utilisés dans le traitement de l'hypertension artérielle. L'alfuzosine est proposée dans certaines manifestations fonctionnelles de l'hypertrophie bénigne de la prostate.

Précautions : ne pas employer en cas d'allergie au produit, de tension artérielle systolique inférieure à 100 mm de mercure, de maladie des reins, d'angine de poitrine; ne pas associer d'autres alpha-bloquants, des bêta-bloquants, des inhibiteurs calciques ou des antidépresseurs IMAO.

Sujets âgés : doses réduites (risque accru d'hypotension et de syncope).

Alcool, sédatifs : évitez les boissons alcoolisées et les médicaments sédatifs, tranquillisants et somnifères.

Vigilance et conduite : l'aptitude à conduire des véhicules ou à utiliser des machines peut être diminuée par des vertiges et des étourdissements.

Effets indésirables possibles : l'effet indésirable le plus important est la baisse de la tension artérielle qui entraîne des maux de tête, des vertiges, des sueurs, des étourdissements ou des évanouissements (syncopes); ces troubles sont atténués par la position assise ou couchée et par une diminution des doses; en outre, nausées, maux de tête, sécheresse de la bouche, larmoiement, congestion nasale, constipation et somnolence diurne.

Note : *prescrit sur ordonnance médicale.*

URO 3000® (Aguettant)

Introd. en 1983.

Préparations : solutions pour irrigation vésicale contenant du chlorure de sodium à 0,9% ou glycocolle à 1,5% ou de l'eau.

Emploi : lavage et irrigation de la vessie.

Note : *réservé aux hôpitaux.*

UROALPHA® (Debat)

Introd. en 1989. Remb. SS 40%.

PRINCIPE ACTIF : *Moxisylyte.*

Préparations : comprimés à 120 mg.

Emploi : alpha-bloquant proposé dans les manifestations fonctionnelles de l'hypertrophie bénigne de la prostate dont le diagnostic ne peut être posé que par votre médecin.

Précautions : ne pas employer en cas de tension artérielle systolique inférieure à 100 mm de mercure; ne pas associer d'autres alpha-bloquants, des bêta-bloquants ou des antidépresseurs IMAO.

Effets indésirables possibles : vertiges, bouche sèche, malaises (hypotension orthostatique).

Note : *vendu sans ordonnance; à éviter en automédication.*

UROKINASE (Choay)

Introd. en 1973. Liste I.

PRINCIPE ACTIF : *Urokinase.*

Préparations : lyophilisat pour solution injectable en flacons à 75.000 UI ou à 225.000 UI [+ héparine].

Emploi : utilisé en milieu hospitalier pour dissoudre les caillots de sang qui se sont formés dans certains vaisseaux, notamment du cœur et des poumons, et qui empêchent la circulation du sang.

Pour les détails → p. 681.

Note : *réservé aux hôpitaux.*

UROMIL® (Iprad)

Introd. en 1928. Non remb. SS.

PRINCIPES ACTIFS : granulé effervescent pour solution buvable contenant de la méthénamine (acidifiant et antiseptique urinaire), pipérazine, théophylline, phosphate disodique et amygdalate de morpholine.

Emploi : proposé dans les troubles dus à l'acide urique (dont le diagnostic ne peut être posé que par votre médecin) et comme alcalinisant urinaire.

Précautions : ne pas employer en cas d'insuffisance rénale, de grossesse, ou d'allaitement; ne pas associer des sulfamides ou des alcalinisants.

Note : *vendu sans ordonnance; à éviter en automédication; des principes actifs plus efficaces sont actuellement disponibles.*

UROMITEXAN® (Sarget)

Introd. en 1986. Liste II. Remb. SS 70%.

PRINCIPE ACTIF : *Mesna.*

Préparations : ampoules à 400 mg.

Emploi : médicament utilisé en perfusion intraveineuse pour prévenir la cystite hémorragique provoquée par le cyclophosphamide et l'ifosamide.

Allergie : informez votre médecin si vous avez déjà fait une réaction allergique ou inhabituelle à ce médicament.

Etat de santé : vous devez informer votre médecin de toute affection susceptible de modifier les effets du médicament, notamment asthme bronchique ou d'autres affections pulmonaires qui peuvent être aggravées par l'utilisation de ce médicament.

Grossesse et allaitement : il n'existe pas de contre-indication connue à l'utilisation de ce médicament; cependant, son innocuité n'a pas été établie chez la femme enceinte, ni lors de l'allaitement.

Surveillance : ce médicament est utilisé en milieu hospitalier sous surveillance médicale stricte.

Note : prescrit sur ordonnance médicale.

URONEFREX® (Cassenne)

Introd. en 1988. Liste I.
PRINCIPE ACTIF : ***Acide acétohydroxamique.***
Préparations : gélules à 125 mg ou à 150 mg.
Emploi : inhibiteur de l'uréase proposé comme traitement adjuvant des infections urinaires chroniques pour prévenir la formation de calculs urinaires; ce traitement ne doit pas être utilisé à la place d'un traitement curatif de l'infection ou de la chirurgie.
Allergie : informez votre médecin si vous avez déjà fait une réaction allergique ou inhabituelle à ce médicament ou à d'autres médicaments et lesquels.
État de santé : vous devez informer votre médecin de toute affection susceptible de modifier les effets du médicament, notamment anémie, histoire de thromboses ou de phlébites (inflammation des veines) ou maladies rénales (l'insuffisance rénale peut demander une réduction des doses).
Grossesse : ce médicament ne doit pas être utilisé chez la femme enceinte ou susceptible de l'être; une contraception efficace est indispensable chez la femme en âge de procréer; en effet, ce médicament a causé des malformations du fœtus au cours de l'expérimentation animale.
Allaitement : utilisation déconseillée.
Prise du médicament : prendre le médicament avant les repas.
Alcool : à éviter pendant le traitement.
Autres médicaments : l'utilisation de composés contenant du fer doit être évitée pendant le traitement.
Effets indésirables possibles : maux de tête, perte de l'équilibre, douleurs thoraciques, souffle court, troubles de la parole et de la vue, anxiété, état dépressif, nausées, vomissements; rarement, perte des cheveux, éruptions.
Note : réservé aux hôpitaux.

UROSIPHON® (P. Fabre)

Introd. en 1991. Non remb. SS.
PRINCIPE ACTIF : gélules et solution buvable contenant un extrait d'*Orthosiphon stamineus.*
Emploi : proposé pour faciliter les fonctions d'élimination rénales et digestives.
Note : vendu sans ordonnance; efficacité du principe actif à confirmer dans l'emploi proposé.

UROTRATE® (Parke-Davis)

Introd. en 1974. Liste I. Remb. SS 70%.
PRINCIPE ACTIF : ***Acide oxolinique.***
Préparations : comprimés à 750 mg.
Emploi : médicament appartenant aux groupe des quinolones utilisés pour traiter les infections des voies urinaires basses non compliquées, notamment l'infection de la vessie (cystite).
Pour les détails → p. 579.
Note : prescrit sur ordonnance médicale.

UROTROPINE® (Lafran)

PRINCIPE ACTIF : comprimés contenant 0,5 g de méthénamine (acidifiant et antiseptique urinaire).
Emploi : proposé pour prévenir les récidives d'infections urinaires basses dont le diagnostic ne peut être posé que par votre médecin.
Précautions : ne pas employer en cas d'insuffisance rénale, de grossesse, d'allaitement; ne pas associer des sulfamides (risque de précipitations urinaires) ou des alcalinisants.
Effets indésirables possibles : troubles digestifs, irritation de la vessie, éruption cutanée (réaction allergique: arrêtez immédiatement le traitement).
Note : vendu sans ordonnance; à éviter en automédication; des principes actifs plus efficaces sont actuellement disponibles.

URSOLVAN® (Synthélabo)

Introd. en 1980. Liste I. Remb. SS 70%.
PRINCIPE ACTIF : ***Acide ursodésoxycholique.***
SYNONYME : ursodiol.
Préparations : gélules à 200 mg.

Emploi : l'acide ursodésoxycholique diminue la concentration du cholestérol dans la bile et par conséquent favorise la dissolution des calculs présents dans la vésicule biliaire; il est utilisé en cas de calculs biliaires lorsqu'une intervention chirurgicale n'est pas indiquée ou comporterait un risque élevé; ce médicament n'agit que sur les calculs de cholestérol de petite dimension et si la vésicule biliaire a une fonction satisfaisante; la rechute après l'arrêt du traitement est fréquente.

Pour les détails → p. 231.

Note : prescrit sur ordonnance médicale.

UTEPLEX® (Wyeth)

Introd. en 1961. Remb. SS 70%.

PRINCIPE ACTIF : solution buvable et injectable contenant de l'acide uridine-5' triphosphorique.

Emploi : proposé dans le traitement des «dorsalgies essentielles».

Note : vendu sans ordonnance; efficacité du principe actif à confirmer dans l'emploi proposé.

UTROGESTAN®
(Besins-Iscovesco)

Introd. en 1980. Remb. SS 70%.

PRINCIPE ACTIF : ***Progestérone*** .

SYNONYME : lutéine.

Préparations : capsules micronisées à 100 mg.

Emploi : hormone femelle naturelle utilisée notamment pour traiter :

– les troubles des menstruations dus à une carence en progestérone, en particulier menstruations douloureuses (dysménorrhée), irrégularités ou absence des menstruations;

– l'endométriose, affection caractérisée par la présence anormale de tissu de revêtement de l'utérus à l'extérieur de celui-ci;

– les troubles de la ménopause (cycle artificiel en association avec un estrogène);

– avortements à répétition par insuffisance lutéale prouvée.

Pour les détails → p. 560.

Note : à utiliser sous contrôle médical.

Si vous utilisez un relaxant utérin...

ISOXSUPRINE *Duvadilan*® (Duphar).	SALBUTAMOL *Salbumol*® (Glaxo).
RITODRINE *Pre-Par*® (Duphar).	TERBUTALINE *Bricanyl*® (Astra).

Emploi : médicaments appartenant au groupe des bêtamimétiques qui agissent sur les récepteurs bêta-2 adrénergiques des muscles de l'utérus *(utérorelaxants ou tocolytiques)*.

Ces médicaments sont utilisés par voie orale, en injection ou en perfusion (à l'hôpital) en cas de menace d'accouchement prématuré et dans d'autres conditions déterminées par votre médecin.

Précautions : ne pas utiliser en cas d'allergie au produit; informez votre médecin si vous êtes atteinte de diabète, d'hypertension artérielle, d'angine de poitrine, d'hyperthyroïdie ou de maladie de Basedow.

Interactions : il faut informer votre médecin si vous prenez ou avez pris récemment d'autres médicaments, notamment d'autres sympathomimétiques, des bêta-bloquants, des antidépresseurs inhibiteurs de la mono-amine oxydase (IMAO), des digitaliques ou la théophylline.

En cas de diabète : on conseille une surveillance accrue du taux de sucre dans le sang (glycémie).

Effets indésirables possibles : agitation, sueurs, palpitations, accélération du pouls (tachycardie), tremblements, nausées, vomissements, éruption cutanée (réaction allergique : arrêtez immédiatement le traitement).

Intoxication : accélération du pouls, vertiges, baisse de la tension artérielle, tremblements, sueurs, agitation, respiration difficile; hospitalisation en cas d'intoxication grave.

UVACNYL® (Galderma)

Introd. en 1987 Liste II. Non remb. SS.

PRINCIPE ACTIF : **Peroxyde de benzoyle**.

Préparations : gel pour application locale à 5% et à 10% [+ filtre UV B sous forme d'acide phénylbenzimidazole sulfonique]

Pour les détails → Peroxyde de benzoyle.

Note : *prescrit sur ordonnance médicale.*

UVÉDOSE® (Crinex)

Introd. en 1990. Liste II. Remb. SS 70%.

PRINCIPE ACTIF : **Colécalciférol**.

SYNONYME : vitamine D3

Préparations : solution buvable en ampoules à 2,5 mg/2 mg [100.000 UI].

Emploi → Vitamine D.

Note : *prescrit sur ordonnance médicale.*

UVÉLINE® (M., S. & D.-Chibret)

Introd. en 1955. Non remb. SS.

PRINCIPE ACTIF : collyre contenant du méthylsulfate de N-méthyl-8-hydroxyquinoléinium.

Emploi : proposé dans les irritations oculaires dues aux rayons ultraviolets (conjonctivites des neiges ou dues au soleil).

Conservation : à utiliser dans les 15 jours après l'ouverture du flacon.

Note : *vendu sans ordonnance; consultez votre médecin si les troubles persistent après 48 heures.*

UVESTÉROL D® (Crinex)

Introd. en 1956. Remb. SS 70%.

PRINCIPE ACTIF : **Ergocalciférol**.

SYNONYME : calciférol, vitamine D2.

Préparations : solution buvable à 1500 UI/ml [1 mg = 40.000 UI].

Emploi : carences en vitamine D.

Pour les détails → Vitamine D.

Note : *médicament à utiliser sous contrôle médical.*

UVESTÉROL® Vitaminé A, D, E, C (Crinex)

Introd. en 1956. Non remb. SS.

PRINCIPES ACTIFS : solution buvable contenant du rétinol (vitamine A), de l'ergocalciférol (vitamine D2), de l'acide ascorbique (vitamine C) et du tocophérol (vitamine E).

Emploi : préparation polyvitaminée proposée dans la prévention du rachitisme et dans les «carences vitaminiques multiples» de la croissance; ce médicament est inadéquat pour traiter des carences spécifiques.

Précautions : ne pas employer en cas de grossesse et allaitement (en raison de la présence de vitamine A); utilisation prudente chez l'enfant (présence de vitamines A et D).

Note : *vendu sans ordonnance; à éviter en automédication (une carence en vitamines ne peut être diagnostiquée que par votre médecin).*

UVICOL® (Alcon)

Introd. en 1971. Non remb. SS.

PRINCIPES ACTIFS : collyre contenant de l'actinoquinol (antiseptique), synéphrine (vasoconstricteur) et borate de sodium.

Emploi : proposé dans les irritations oculaires dues aux rayons ultraviolets (conjonctivites des neiges ou dues au soleil).

Précautions : ne pas employer en cas de glaucome par fermeture de l'angle.

Conservation : à utiliser dans les 15 jours après l'ouverture du flacon.

Note : *vendu sans ordonnance; à éviter sans avis médical, comme tous les collyres.*

UVIMAG B6® (Laphal)

Introd. en 1964. Remb. SS 40%.

PRINCIPES ACTIFS : solution buvable contenant du glycérophosphate de magnésium et de la pyridoxine (vitamine B6).

Emploi : utilisé dans les carences magnésiennes et proposé, en l'absence de carence, dans la «spasmophilie» ou «tétanie constitutionnelle» avec anxiété et respiration accélérée (efficacité actuellement non confirmée).

Précautions : ne pas employer en cas d'insuffisance rénale.

Note : *vendu sans ordonnance; à éviter en automédication (une carence en magnésium ou en vitamines ne peut être diagnostiquée que par votre médecin).*

V

VACCIN ANTIAMARIL

SYNONYME : vaccin contre la fièvre jaune.

Préparations : suspension de vaccin vivant atténué obtenu par culture sur embryon de poulet.

Les anticorps apparaissent 7-10 jours après la vaccination et persistent en moyenne pour 17 ans; le certificat international est valable 10 ans à partir du 10e jour suivant la vaccination ou revaccination; il n'est délivré que par les centres autorisés.

Emploi : ce vaccin est utilisé dans la
– prévention de la fièvre jaune chez les voyageurs et le personnel de laboratoire exposé au virus;
– vaccination obligatoire pour se rendre dans certains pays d'Afrique, d'Amérique du Sud et d'Asie.

Précautions : ce vaccin ne doit pas être utilisé en cas de
– notion d'allergie aux protéines de l'œuf;
– affection fébrile aiguë;
– déficit immunitaire congénital ou acquis : agammaglobulinémie ou hypogammaglobulinémie, lors du traitement par les corticoïdes ou les immunosuppresseurs, lors de la chimiothérapie antinéoplasique ou la radiothérapie;
– enfant âgé de moins d'un an;
– incompatibilité avec le vaccin anticholérique (intervalle de 3 semaines) et le vaccin antityphoïdique;
– grossesse (sauf en cas de risque majeur de contamination).

Effets indésirables possibles : syndrome pseudo-grippal avec fièvre, maux de tête, douleurs musculaires (vers le 4e-7e jour).

VACCIN ANTIBRUCELLIQUE

Remb. SS 70%.

Vaccin Brucellique P.I. (Mérieux).

Préparations : fraction phénolo-insoluble de *Brucella abortus* (souche Buck 19). L'immunité apparaît dès la 2e injection et dure au moins 18 mois.

Emploi : ce vaccin est utilisé pour prévenir la brucellose chez les sujets à haut risque : vétérinaires, éleveurs, bergers, bouchers, travailleurs des abattoirs et personnel de laboratoire.

Précautions : ce vaccin ne doit pas être utilisé en cas de
– antécédents de brucellose, test intradermique positif;
– diabète non équilibré;
– maladie infectieuse évolutive;
– grossesse (risque de fièvre pouvant entraîner un avortement).

Avant toute vaccination ou revaccination, faire un *test intradermique* de sensibilisation (Test Brucellique P.S., Mérieux) et éventuellement un test sérologique; seuls les sujets ayant un test négatif peuvent être vaccinés.

Effets indésirables possibles : induration et érythème au point d'injection, fièvre, malaise, frissons, myalgies.

VACCIN ANTICHOLÉRIQUE

Introd. en 1963. Non remb. SS.

Vaccin Cholérique Pasteur.

Préparations : vaccin préparé à partir de vibrions cholériques inactivés par le phénol.

L'immunité apparaît à partir du 6e jour et dure en moyenne 6 mois; l'efficacité du vaccin est inconstante.

Emploi : ce vaccin est utilisé chez les sujets se rendant dans des pays qui continuent à exiger un certificat de vaccination.

Précautions : ce vaccin ne doit pas être utilisé en cas de
– forte réaction après une injection antérieure;
– vaccination antiamaril datant de moins de 3 semaines, vaccins viraux vivants atténués.

Effets indésirables possibles : inflammation locale, fièvre.

VACCIN ANTICOQUELUCHEUX

Introd. en 1961. Remb. SS 70%.

Vaxicoq® (Mérieux).

Préparations : vaccin préparé à partir de bacilles coquelucheux inactivés par la chaleur. L'immunité apparaît dès la 2e injection et persiste au moins 5 ans après le premier rappel.

Emploi : ce vaccin est utilisé dans la prévention de la coqueluche : la vaccination doit être pratiquée le plus tôt possible dès le 3e mois; après 18 mois, la vaccination présente moins d'intérêt. On utilise le plus souvent un vaccin associé contre la coqueluche, le tétanos et parfois aussi la diphtérie et la poliomyélite.

Précautions : ce vaccin ne doit pas être utilisé en cas de
– fièvre supérieure à 40°C, infection évolutive;
– encéphalopathie évolutive avec ou sans convulsions;
– antécédents de crises convulsives;
– réaction importante lors d'une vaccination antérieure;
– grossesse (peut provoquer une fièvre avec risque d'avortement).

Effets indésirables possibles :
– réactions bénignes : inflammation au point d'injections, poussées fébrile inférieure à 39°C pendant 24 heures;
– réactions graves (moins d'un cas pour 1 million de vaccinations) : fièvre supérieure à 40°C, convulsions, encéphalopathie, état de choc.

VACCIN ANTIDIPHTÉRIQUE ET ANTITÉTANIQUE

Introduit en 1959. Remb. SS 70%.
D.T. Vax® (Mérieux).

Préparations : mélange d'anatoxine diphtérique (30 unités ou 3 unités par dose) et d'anatoxine tétanique.

L'immunité apparaît dès la 2e injection et persiste au moins 5 ans après le premier rappel.

Emploi : ce vaccin est utilisé
– pour la prévention de la diphtérie et du tétanos à partir du 3e mois lorsqu'il y a des raisons pour ne pas vacciner contre la coqueluche ou de vacciner séparément;
– chez les enfants qui ont eu des réactions lors de la première dose du vaccin D.T. COQ., on utilise le vaccin D.T. pour la 2e et la 3e injection.

Précautions : ce vaccin ne doit pas être utilisé en cas de grossesse (risque de fièvre et d'avortement ou accouchement prématuré), maladie infectieuse évolutive.

Effets indésirables possibles : fièvre modérée pendant 12 à 48 heures, nodule indolore; réactions allergiques rares : urticaire, crise d'asthme, œdème de Quincke (visage enflé, bouffissure des lèvres et des paupières, voix rauque, difficulté à respirer).

VACCIN ANTIDIPHTÉRIQUE, ANTITÉTANIQUE et ANTICOQUELUCHEUX

Introduit en 1959. Remb. SS 70%.
D.T. COQ® (Mérieux).

Préparations : mélange d'anatoxine diphtérique, d'anatoxine tétanique et d'une suspension de cultures de *Bordetella pertussis* inactivées par le formol.

Emploi : utilisé dans la prévention de la diphtérie, du tétanos et de la coqueluche à partir du 3e mois.

Précautions :
– à partir de 6 ans, possibilités de réactions à la composante anticoqueluche (utiliser le vaccin D.T.);
– administration prudente chez les enfants qui ont des antécédents personnels ou familiaux d'affection nerveuse (le vaccin D.T. est préférable).

Ne pas utiliser ce vaccin en cas de
– antécédents de réactions allergiques ou de convulsions (utiliser le vaccin D.T.);
– enfants au-dessus de 6 ans;
– affections fébriles ou des voies respiratoires;
– diminution de la réponse immunitaire : en cas d'agammaglobulinémie ou d'hypogammaglobulinémie, lors d'un traitement par les corticoïdes ou les immunosuppresseurs, lors de la chimiothérapie antinéoplasique ou la radiothérapie;
– ne pas procéder à la 2e ou la 3e injection si une réaction neurologique est apparue après la première ou la 2e injection;
– grossesse : risque de fièvre, d'avortement ou d'accouchement prématuré.

Effets indésirables possibles :
– fièvre modérée, érythème, induration au point d'injection;
– réaction neurologique (due au vaccin anticoquelucheux) : convulsions, spasmes musculaires, encéphalomyélite (très rare).

AUTRES VACCINS ANTIDIPHTÉRIQUES ET ANTITÉTANIQUES ASSOCIÉS :

+ POLIOMYÉLITE :
   D.T. Polio® (Mérieux).
   Vaccin DTP Pasteur®

+ Poliomyélite et coqueluche :
  Tétracoq® (Mérieux).
  Vaccin DTCP Pasteur®.
+ Typhoïde et paratyphoïdes :
  Vaccin DT TAB Pasteur®.
+ Rubéole :
  DT Bis-Rudivax® (Mérieux).

VACCIN ANTIGRIPPAL

Non remb. SS.
  Immugrip® (Inava).
  Mutagrip® (Pasteur).
  Prévigrip® (Cassenne).
  Vaxigrip® (Mérieux).
  Vaccin Grippal VGR® (Sterling Midy).
Grippe + tétanos :
  Tétagrip® (Mérieux).
Préparations : vaccin préparé par
  multiplication du virus grippal sur
  œuf embryonné, suivie d'inactivation;
  chaque année, la composition du vaccin est adaptée en fonction du contexte
  épidémiologique. La protection commence 2 semaines environ après la
  vaccination et dure 6 mois.
Emploi : ce vaccin est indiqué chez les
– sujets à haut risque, notamment
  sujets âgés de plus de 65 ans ou
  atteints d'affections respiratoires ou
  cardiaques chroniques;
– sujets responsables de services pu-
  blics essentiels.
  La vaccination est d'habitude pratiquée en octobre; l'immunité apparaît
  10-15 jours après la vaccination et
  dure une saison. Au début d'une
  épidémie, les vaccins disponibles ne
  protègent pas nécessairement contre
  le virus en cause.
  Chez les sujets VIH séropositifs, la
  production d'anticorps déclenchée
  par le vaccin peut être diminuée, mais
  il n'y a pas de raison de ne pas les
  vacciner, d'autant plus que leur
  grippe peut être plus grave.
Précautions : ce vaccin ne doit pas être
  utilisé en cas de
– notion d'allergie aux protéines de
  l'œuf;
– affection fébrile aiguë;
– maladies rénales, tumeurs, maladies
  du sang;
– diminution de la réponse immunitaire : en cas d'agammaglobulinémie
  ou d'hypogammaglobulinémie, lors
  d'un traitement par les corticoïdes
  ou les immunosuppresseurs, lors de
  la chimiothérapie antinéoplasique ou
  la radiothérapie.

Effets indésirables possibles : une
réaction inflammatoire locale ou générale (fièvre, douleurs musculaires)
peut apparaître 12 heures après
l'injection et disparaître au bout de
24-48 heures; réactions allergiques
exceptionnelles (chez les sujets allergiques aux protéines de l'œuf).

VACCIN ANTIHÆMOPHILUS b

Introd. en 1992. Non remb. SS.
  Act-HIB® (Pasteur Mérieux).
  HIBest® (Pasteur Vaccins).
Préparations : vaccin conjugué préparé
  à partir du polysaccharide capsulaire
  purifié de l'*Hæmophilus influenzae*
  type b (conjugué).
Emploi : immunisation de routine
  contre les infections à *Hæmophilus
  influenzae* type b chez le nourrisson et
  l'enfant à partir de 2 mois.

VACCIN ANTIHÉPATITE A

Introd. en 1992. Non remb. SS.
  Havrix® (SmithKline Beecham).
Préparations : suspension stérile d'antigène du virus de l'hépatite A (souche
  inactivée du virus HM175 cultivé sur
  cellules humaines diploïdes).
  Le vaccin confère une protection d'au
  moins un an et de 10 ans après
  l'injection de rappel.
Emploi : ce vaccin est utilisé chez
– les voyageurs dans les zones endémiques;
– le personnel des réseaux de distribution ou de production alimentaire;
– le personnel des hôpitaux;
– les toxicomanes;
– les homosexuels masculins.
Précautions : ce vaccin ne doit pas être
  utilisé en cas de
– allergie connue au vaccin;
– vaccin incompatible avec les vaccins
  antityphoïdique, anticholérique et
  anticoquelucheux (intervalle d'un
  mois nécessaire) et avec les vaccins
  viraux vivants (antipolio buvable,
  rubéole, rougeole, oreillons, fièvre
  jaune : intervalle de 15 jours);
– grossesse : abstention recommandée
  (innocuité non établie), allaitement.
Effets indésirables possibles : parfois
douleur, induration, érythème au
point d'injection; rarement céphalées,
fébricule, douleurs musculaires et
articulaires et éruption cutanée.

VACCIN ANTIHÉPATITE B

Remb. SS 70%.

Hévac B® (Pasteur).

VACCINS PRODUITS PAR BIOTECHNOLOGIE
GenHevac B (Pasteur).
Engerix B® (SmithKline Beecham).

Préparations : suspension d'antigènes de surface HBs purifiés et inactivés du virus de l'hépatite B ou vaccin produit par biotechnologie.

Le vaccin confère une protection au bout d'un mois après la 3e injection; elle dure 5 ans.

Emploi : ce vaccin est utilisé chez le
– personnel hospitalier, notamment le personnel des unités d'hémodialyse;
– personnel des laboratoires manipulant du sang ou ses dérivés;
– populations ou voyageurs se rendant dans les régions de forte endémicité en Afrique et en Asie;
– homosexuels mâles;
– hommes et femmes soumis à une promiscuité sexuelle;
– toxicomanes par injections;
– maladies exigeant des transfusions fréquentes de sang ou de facteurs de coagulation;
– personnes entretenant des contacts étroits avec des porteurs permanents d'AgHBs.

Précautions : ce vaccin ne doit pas être utilisé en cas de
– enfant âgé de moins de trois mois;
– diabète insulino-dépendant;
– allergie connue au vaccin;
– vaccin incompatible avec les vaccins antityphoïdique, anticholérique et anticoquelucheux (intervalle d'un mois nécessaire) et les vaccins viraux vivants antipolio buvable, rubéole, rougeole, oreillons, fièvre jaune (intervalle de 15 jours);
– grossesse : abstention recommandée (effets sur le fœtus inconnus).

Effets indésirables possibles : parfois érythème au point d'injection; rarement fébricule, douleurs musculaires et articulaires, éruption cutanée.

VACCIN ANTILEPTOSPIRES

Introd. en 1979. Non remb. SS.
Vaccin Leptospires Pasteur.

Préparations : vaccin préparé à partir de leptospires du sérogroupe *Lepto-*
spira interrogans, icterohæmorrhagiæ et *copenhageni* tuées par le formol et purifiées. L'immunité apparaît 15 jours après la 2e injection et dure 24 mois après le premier rappel.

Emploi : utilisé dans la prévention de la leptospirose due au sérogroupe *icterohæmorrhagiæ* chez les sujets à risque (égoutiers, vétérinaires, bouchers, etc.).

Effets indésirables possibles : réaction locale, parfois fièvre.

VACCIN ANTIMÉNINGOCOCCIQUE

Introd. en 1975. Non remb. SS.
Vaccin méningococcique A + C (Mérieux).

Préparations : vaccin contenant des polysaccharides lyophilisés de *Neisseria meningitidis* de type A et/ou de type C. L'immunité apparaît à partir du 10e jour et dure environ 4 ans.

Emploi : ce vaccin est utilisé pour
– la prévention de la méningite à méningocoques de type A et/ou C en cas d'épidémie, ou chez les voyageurs qui se rendent dans une zone d'endémie;
– la vaccination est particulièrement utile lorsque la prévention par la spiramycine (pendant 5 jours) est inefficace à cause de la résistance des souches en cause;
– ce vaccin ne protège pas du risque d'infection par le méningocoque B, agent le plus fréquent de la méningite cérébro-spinale en France;
– ne pas vacciner avant l'âge de 18 mois (6 mois en cas de contact avec un malade atteint d'infection à méningocoque A).

Effets indésirables possibles : réaction post-vaccinale légère.

VACCIN ANTIOURLIEN

Non remb. SS.
Imovax Oreillons® (Mérieux).

VACCIN ASSOCIÉ → Vaccin R.O.R.

Préparations : vaccin vivant atténué préparé par culture sur des œufs embryonnés de poule.

L'immunité apparaît 15 jours après la vaccination et dure au moins 10 ans.

Précautions : ce vaccin ne doit pas être utilisé en cas de :
– déficit immunitaire congénital ou acquis;

– administration d'immunosuppresseurs ou de corticoïdes;
– allergie aux protéines d'œuf;
– association d'immunoglobulines dans les 6 semaines qui précèdent (inactivation du vaccin);
– vaccination antityphoïdique et anticholérique;
– grossesse; toutefois, une vaccination faite au cours d'une grossesse méconnue ne justifie pas une IVG (aucun effet tératogène n'a été observé).
Effets indésirables possibles : réaction érythémateuse au point d'injections, fièvre, parotidite.

VACCIN ANTIPNEUMOCOCCIQUE

Introd. en 1981. Non remb. SS.
Pneumo 23® (Mérieux).
Préparations : chaque dose contient des polyosides purifiés de 23 types de *Streptococcus pneumoniae*.
L'immunité est acquise 10-15 jours après l'injection et dure 5 ans.
Emploi : prévention des infections à pneumocoques chez les sujets
– à risque à partir de l'âge de 2 ans, notamment en cas de drépanocytose, asplénie ou splénectomie;
– en insuffisance rénale chronique et en cas d'immunodéficience, y compris le SIDA.
Précautions : ce vaccin ne doit pas être utilisé en cas de
– notion d'une réaction après une injection antérieure;
– injection antérieure de vaccin antipneumococcique ou infection pneumococcique datant de moins de 5 ans;
– grossesse (innocuité non établie).
Effets indésirables possibles : fièvre, frissons, douleurs musculaires.

VACCIN ANTIPOLIOMYÉLITIQUE

Vaccin oral type Sabin
(VACCIN VIVANT)

Introd. en 1988. Remb. SS 70%.
Vaccin Poliomyélitique Oral (Mérieux).
Préparations : suspension de virus vivants atténués de virus poliomyélitique de type I, II et III (souches Sabin) obtenus de cultures cellulaires de reins de singes ou de cellules diploïdes humaines.

L'immunité apparaît dès la première prise orale et dure au moins 5 ans après le premier rappel.
Emploi : utilisé dans la prévention de la poliomyélite à partir du 3e mois; peut être associé aux vaccins antidiphtérique, antitétanique, anticoquelucheux. Il est administré par voie buccale sur un morceau de sucre ou dilué dans du lait, de l'eau sucrée.
Précautions : ce vaccin ne doit pas être utilisé en cas de

– diarrhée (peut diminuer l'efficacité);
– maladies infectieuses aiguës;
– diminution de la réponse immunitaire : en cas d'agammaglobulinémie ou hypogammaglobulinémie, lors d'un traitement par les corticoïdes ou les immunosuppresseurs, lors de la chimiothérapie antinéoplasique ou la radiothérapie;
– déficits immunitaires congénitaux ou acquis, y compris l'infection par VIH;
– grossesse (utiliser le vaccin inactivé type Salk).
Effets indésirables possibles : des paralysies (poliomyélite vaccinale) ont été observées très exceptionnellement (moins de 1 cas pour 5 millions de vaccinations).

Vaccin injectable type Salk
(VACCIN INACTIVÉ)

Introd. en 1991. Remb. SS 70%.
Vaccin Poliomyélitique Inactivé (Mérieux).
Préparations : vaccin préparé à partir des 3 types de virus poliomyélitique, cultivés sur lignée cellulaire continue et inactivés par le formol.
L'immunité apparaît dès la 2e injection et persiste au moins 5 ans après le premier rappel. Le vaccin type Salk, qui confère une immunité humorale mais pas d'immunité tissulaire locale des cellules intestinales, devrait être associé au vaccin type Sabin.
Emploi : utilisé dans la prévention de la poliomyélite; utilisable dès l'âge de 3 mois; obligatoire avant l'âge de 18 mois; il peut être utilisé chez la femme enceinte.
Précautions : ce vaccin ne doit pas être utilisé en cas de vaccination antityphoïdique et anticholérique.
Effets indésirables possibles : érythème local au point d'injection.

VACCIN ANTIRABIQUE

Introd. en 1977 et 1988. Non remb. SS.
Vaccin Rabique Inactivé (Mérieux).
Vaccin Rabique Pasteur.
Préparations : suspension lyophilisée de virus rabique inactivé et purifié obtenu par culture sur cellules diploïdes humaines ou sur cellules de rein de fœtus bovin. L'immunité apparaît un mois après la 2e injection du vaccin préventif et dure un an.
Emploi :
– *Usage préventif :* la vaccination est indiquée pour les catégories professionnelles particulièrement exposées, notamment vétérinaires, personnel de laboratoire exposé au virus rabique, personnel des abattoirs, animaliers, gardes-chasse, etc.
– *Traitement après exposition* (dans un centre antirabique) : lorsque le risque de rage est sévère, on administre le premier jour des immunoglobulines humaines antirabiques ou, si cette préparation n'est pas disponible, du sérum antirabique hétérologue.
– Après la dernière vaccination, on contrôle le taux d'anticorps antirabiques ; si le taux n'est pas suffisant, poursuivre la vaccination.
– Les corticoïdes et les immunosuppresseurs peuvent rendre inefficace la vaccination.
– L'animal suspect doit être confié à un vétérinaire pour observation pendant 15 jours.
Effets indésirables possibles : réactions locales et générales (ganglions enflés, urticaire) fréquentes.

VACCIN ANTIROUGEOLEUX

Introd. en 1968. Remb. SS 70%.
Rouvax® (Mérieux).
VACCINS ASSOCIÉS :
Rudi-Rouvax® (Mérieux) [+ rubéole]
Vaccin R.O.R. (Mérieux).
Préparations : virus vivant (souche Schwartz) atténué, préparé sur des cultures d'embryons de poulet. L'immunité apparaît 15 jours après la vaccination et dure au moins 20 ans.
Emploi : utilisé dans la prévention de la rougeole à partir de 12 mois, de préférence avec le vaccin associé antirougeoleux et antirubéoleux (vaccin R.O.R.) ; chez les enfants débilités ou vivant en collectivité, cette limite est abaissée à 9 mois. Dans les pays en voie de développement, la vaccination est essentielle, à cause de la gravité de la rougeole.
Précautions : ne pas utiliser en cas de
– allergie aux protéines de l'œuf ;
– fièvre, asthme, dermatites ;
– diminution de la réponse immunitaire, notamment en cas de traitement par des immunosuppresseurs ou les corticoïdes, infection par VIH ;
– injection récente d'immunoglobulines (inactivent le vaccin) ;
– grossesse ; toutefois, une vaccination faite au cours d'une grossesse méconnue ne justifie pas une IVG (aucun effet tératogène n'a été observé) ;
– vaccination antityphoïdique et anticholérique.
Effets indésirables possibles :
– fièvre, symptômes rhino-pharyngés ou respiratoires, exanthème de type morbilliforme (5 à 10 jours après la vaccination) ;
– parfois convulsions, fièvre.

VACCIN ANTIRUBÉOLEUX

Introd. en 1970. Remb. SS 70%.
Rudivax® (Mérieux).
VACCINS ASSOCIÉS :
Rudi-Rouvax® (Mérieux)
[+ rougeole].
Vaccin DT Bis Rudivax®
(Mérieux) [+ diphtérie + tétanos]
Vaccin R.O.R. (Mérieux)
[+ rougeole + oreillons].
Préparations : virus vivant atténué cultivé sur cellules diploïdes humaines. L'immunité apparaît après 15 jours et dure au moins 20 ans.
Emploi : ce vaccin est utilisé dans la
– prévention de la rubéole chez les enfants des 2 sexes à partir de l'âge de 12 mois, de préférence avec le vaccin associé antirougeoleux et antirubéoleux (vaccin R.O.R.) ;
– vaccination ou revaccination systématique recommandée chez les filles avant la puberté (pour éviter une rubéole congénitale et des malformations rubéoliques lors de grossesses ultérieures) ;
– vaccination de la femme séronégative, en période d'activité génitale et dont la réaction de grossesse est négative ; la vaccination est faite sous contraception pendant les deux mois suivants.

L'éradication de la rubéole congénitale a été réalisée dans certains pays grâce à la vaccination systématique de toute la population infantile.

Précautions : ce vaccin ne doit pas être utilisé en cas de

- grossesse ; toutefois, une vaccination faite au cours d'une grossesse méconnue ne justifie pas une IVG (aucun effet tératogène n'a été observé) ;
- déficit immunitaire congénital ou acquis, y compris infection par VIH ;
- traitement immunosuppresseur, corticothérapie, administration récente d'immunoglobulines.

Effets indésirables possibles : ganglions enflés, fièvre et éruption cutanée ; douleurs articulaires (surtout chez l'adulte).

VACCIN ANTITÉTANIQUE

Remb. SS 70%.
   Tétavax® (Mérieux).
   Vaccin Tétanique Pasteur.
GRIPPE + TÉTANOS :
   Tétagrip® (Mérieux).

Préparations : chaque dose contient 40 UI d'anatoxine tétanique détoxifiée par le formol et purifiée. L'immunité apparaît dès la 2e injection et dure 10 ans après le premier rappel.

Emploi : utilisé dans la prévention du tétanos ; habituellement administré à partir de 3 mois en association avec d'autres vaccins (vaccin antidiphtérique, antitétanique et anticoquelucheux) ; la vaccination est obligatoire avant l'âge de 18 mois, à l'armée et dans certaines professions exposées. On estime que seulement un tiers des sujets de plus de 60 ans sont bien vaccinés.

En cas de plaie suspecte d'être tétanigène :

- si le sujet a été vacciné et a eu un rappel depuis moins de 5 ans : pas de traitement ;
- si le sujet a été vacciné et a eu un rappel entre 5 et 10 ans avant : rappel simple ;
- si l'on est sûr que le sujet a été vacciné, mais qu'il n'a pas eu d'injection de rappel depuis 10 ans, on administre une dose de rappel mais *avec* immunoglobulines antitétaniques à un autre point du corps ;
- si le sujet n'a jamais été vacciné ou en cas de doute, on administre les immunoglobulines antitétaniques et on

commence immédiatement la vaccination.

Effets indésirables possibles : nodule douloureux au point d'injection, fièvre modérée ; possibilité de réactions de sensibilisation en cas de rappels trop fréquents.

VACCIN ANTI-TUBERCULEUX (BCG)

Remb. SS 70%.
   Monovax® (Mérieux)
      [bague vaccinale].
   Vaccin BCG Pasteur® [intradermique].
   Vaccin tuberculeux lyophilisé
      (Mérieux) [intradermique].

Préparations : vaccin atténué vivant préparé à partir de différentes souches de bacille tuberculeux, toutes dérivées de la même culture d'origine (BCG ou «Bacille Calmette-Guérin»).

Emploi : lorsqu'il est administré peu après la naissance, ce vaccin assure une bonne protection contre les formes graves de tuberculose de l'enfance, de tuberculose miliaire et de méningite tuberculeuse.

L'efficacité est moins constante lorsqu'il est administré à des enfants plus âgés ou à des adultes. L'immunité apparaît quelques mois après la vaccination ; sa durée est très variable. Ce vaccin est utilisé dans les cas suivants :

- prévention des formes graves de tuberculose (miliaire, méningite) ;
- vaccination obligatoire pour les enfants entrant en collectivité ;
- vaccination précoce recommandée lorsqu'un risque de tuberculose existe dans la famille ou l'entourage de l'enfant ;
- à moins qu'ils ne présentent des signes cliniques évoquant le SIDA, les nourrissons de moins d'un an nés de mères infectées par le VIH devraient être vaccinés.

Précautions : ce vaccin ne doit pas être utilisé

- en cas de réaction cutanée à la tuberculine positive ;
- dermatoses étendues (eczéma, pyodermites, psoriasis) ;
- maladies fébriles aiguës ;
- déficits immunitaires : agammaglobulinémie ou hypogammaglobulinémie, traitement par des corticoïdes, des immunosuppresseurs, des antinéoplasiques ou par radiothérapie ;

– dans l'état actuel des connaissances, et en l'absence de signes évoquant le SIDA, il semble que tous les nourrissons devraient être vaccinés, même lorsque la mère est séropositive;
– grossesse (vaccin vivant atténué), prématurité.
Le vaccin reconstitué doit être utilisé dans les 2 heures qui suivent.
Le délai légal entre la vaccination par le BCG et toute autre vaccination est d'un mois.

Effets indésirables possibles :
– On peut observer une petite ulcération au point d'injection apparaissant 2-3 semaines après la vaccination et une inflammation des ganglions lymphatiques dans la région de l'injection après 3-5 semaines.
– Exceptionnellement, des adénites suppurées («bécégites»), parfois fistulisées ou généralisées; en général, la chimiothérapie antituberculeuse en vient facilement à bout.
– En cas de déficit immunitaire grave, le BCG provoque une infection tuberculeuse disséminée.

VACCIN ANTITYPHO-PARATYPHOÏDIQUE

Vaccin TAB Pasteur.
Préparations : suspension stérile de *Salmonella typhi, S. paratyphi A* et *S. paratyphi B* inactivés par la chaleur. L'immunité apparaît un mois après la 3e injection pour l'adulte ou la 4e injection pour l'enfant; la durée de la protection contre la fièvre typhoïde est de 3-4 ans (variable selon les individus); la protection contre les fièvres paratyphoïdes est incertaine.
Emploi : utilisé dans la prévention de la fièvre typhoïde et des fièvres paratyphoïdes A et B; la vaccination est indiquée dans les zones d'endémie ou chez les voyageurs qui se rendent dans ces zones. Pendant une épidémie, on ne vaccine que les sujets particulièrement exposés; la vaccination n'est pratiquée chez l'enfant qu'à partir de 2 ans et, entre 2 et 6 ans, uniquement en cas de risque sérieux de contamination.
Précautions : ce vaccin ne doit pas être utilisé en cas de
– affections fébriles aiguës, tuberculose en évolution, asthme;
– diabète, maladie rénale, albuminurie;
– mauvais état général;

– grossesse;
– enfant âgé de moins de 2 ans (déconseillé avant 6 ans).
Effets indésirables possibles :
– réactions générales fréquentes, avec fièvre, malaise, céphalées, myalgies;
– douleurs au point d'injection;
– atteintes rénales.

VACCIN ANTITYPHOÏDIQUE Vi

Introd. en 1989. Non remb. SS.
Typhim Vi® (Mérieux).
Préparations : vaccin préparé à partir de polyoside capsulaire Vi purifié de *Salmonella typhi*. L'immunité apparaît 2-3 semaines après la vaccination et dure au moins 3 ans.
Emploi : utilisé en injection unique dans le prévention de la fièvre typhoïde chez les adultes et enfants de plus de 5 ans, en particulier chez les voyageurs se rendant en zone d'endémie, le personnel de santé, les militaires.
Précautions : ce vaccin n'est pas utilisé chez l'enfants âgés de moins de 2 ans ou en cas de maladie infectieuse aiguë.
Effets indésirables possibles :
– rougeur, induration au point d'injection;
– poussée fébrile;
– grossesse (innocuité non démontrée).
Note - Il existe un vaccin oral, *Vivotif®* (Berna); il s'agit d'un vaccin vivant lyophilisé de la souche atténuée Ty 21a de *Salmonella typhi;* la protection commence 2 semaines après l'ingestion de la dernière dose.

VACCIN R.O.R.

Remb. SS 70%.
SYNONYME : vaccin antirougeoleux, antiourlien, antirubéoleux.
Trimovax® (Pasteur).
Vaccin R. O. R. (Mérieux).
Préparations : vaccin à virus vivants atténués contre la rougeole préparé sur culture primaire d'embryon de poulet, contre les oreillons préparé par culture sur œufs embryonnés de poule et contre la rubéole cultivé sur cellules diploïdes humaines.
L'immunité apparaît 15 jours après la vaccination et persiste 10 ans pour les oreillons et 20 ans pour la rubéole et la rougeole.
Emploi : ce triple vaccin est destiné, selon les objectifs de l'OMS, à l'éra-

dication des trois maladies par la vaccination de tous les sujets de 15 mois à 20 ans (injection sous-cutanée unique).
Effets indésirables possibles : rares et bénins; fièvre, exanthèmes, céphalées, trachéo-bronchite.

VADILEX® (Synthélabo)

Introd. en 1973. Liste II. Remb. SS 40%.
PRINCIPE ACTIF : **Ifenprodil**.
Préparations : comprimés à 20 mg; ampoules injectables à 5 mg/2 ml.
Emploi : médicament appartenant au groupe des alpha-bloquants qui dilatent les vaisseaux périphériques et sont utilisés dans le traitement de l'hypertension artérielle.
L'ifenprodil est proposé dans le traitement d'appoint de la claudication intermittente des artériopathies chroniques oblitérantes des membres inférieurs; l'efficacité des vasodilatateurs périphériques dans ces affectionsreste à confirmer.
Précautions : ne pas employer en cas d'allergie au produit, de tension artérielle systolique inférieure à 100 mm de mercure, de maladie des reins, d'angine de poitrine; ne pas associer d'autres alpha-bloquants, des bêtabloquants, des inhibiteurs calciques ou des antidépresseurs IMAO.
Sujets âgés : doses réduites (risque accru d'hypotension et de syncope).
Au début du traitement : il peut se produire une baisse trop importante de la tension artérielle qui peut s'accompagner de sueurs, vertiges, étourdissements et évanouissement (on recommande de rester couché 3 heures après les premières prises); si vous prenez le médicament le soir, soyez très prudent si vous devez vous lever la nuit; ces troubles s'atténuent souvent après 3 mois de traitement.
Alcool, sédatifs : à éviter pendant le traitement.
Vigilance et conduite : l'aptitude à conduire des véhicules ou à utiliser des machines peut être diminuée par des vertiges et des étourdissements.
Effets indésirables possibles : l'effet indésirable le plus important est la baisse de la tension artérielle qui entraîne des maux de tête, des vertiges, sueurs, des étourdissements ou des évanouissements (syncopes); ces troubles sont atténués par la position assise ou couchée et par une diminution des doses; nausées, maux de tête, sécheresse de la bouche, larmoiement, congestion nasale, constipation, somnolence diurne.
Note : prescrit sur ordonnance médicale.

VAGOSTABYL® (Monin)

Introd. en 1936. Remb. SS 70%.
PRINCIPES ACTIFS: comprimés contenant oléosaccharure de marjolaine, lactate de calcium, cimicifuga, hyposulfite de magnésie.
Emploi : proposé dans la nervosité, les palpitations, les vertiges.
Note : vendu sans ordonnance; efficacité des principes actifs à confirmer dans l'emploi proposé.

VALDA® mal de gorge
(Sterling Midy)

Introd. en 1991. Non remb. SS.
PRINCIPES ACTIFS : comprimés à sucer contenant de la lidocaïne (anesthésique local), ciclioménol (antiseptique), énoxolone (anti-inflammatoire).
Emploi : proposé dans le «mal de gorge» de l'adulte sans fièvre.
Précautions : ne pas employer chez l'enfant de moins de 7 ans.
Note : vendu sans ordonnance; ne pas utiliser pendant plus de 5 jours sans avis médical.

VALDA® pastilles (Sterling Midy)

Introd. en 1902. Non remb. SS.
PRINCIPES ACTIFS : pastilles contenant menthol, eucalyptol, terpinol, gaïacol.
Emploi : proposé pour soulager les irritations de la gorge.
Précautions : ne pas employer chez l'enfant de moins de 7 ans.
Note : produit vendu sans ordonnance.

VALDA® pin (Sterling Midy)

Introd. en 1990. Non remb. SS.
PRINCIPES ACTIFS : pastilles contenant menthol, eucalyptol, terpinol, gaïacol, thymol.
Emploi : proposé pour soulager les irritations de la gorge.
Précautions : ne pas employer chez l'enfant de moins de 7 ans.
Note : produit vendu sans ordonnance.

VALDA® rhinite (Sterling Midy)

Introd. en 1991. Non remb. SS.

PRINCIPES ACTIFS: comprimés contenant
– paracétamol : analgésique à action périphérique et antipyrétique;
– phényléphrine et phénylpropanolamine : sympathomimétiques vasoconstricteurs.

Emploi : médicament antirhume proposé dans la congestion nasale, fièvre, maux de tête.

Précautions : ne pas employer chez l'enfant âgé de moins de 15 ans, en cas d'insuffisance hépatique, d'angine de poitrine, d'hypertension artérielle, de glaucome par fermeture de l'angle, de fonctionnement excessif de la glande thyroïde (hyperthyroïdie), de grossesse, d'allaitement, d'association avec les antidépresseurs IMAO; utilisation prudente chez les sujets âgés.

Conduite de véhicules : ce médicament peut diminuer la vigilance; la conduite de véhicules ou l'utilisation de machines peut être dangereuse.

Alcool : évitez les boissons alcoolisées pendant le traitement (majoration de l'effet sédatif).

Sportifs : ce médicament peut donner une réaction positive en cas de tests pratiqués lors des contrôles antidopage.

Effets indésirables possibles : palpitations, accélération ou irrégularité du pouls, nervosité, maux de tête, transpirations, étourdissements, tremblements, insomnie, éruptions cutanées (réaction allergique : arrêtez immédiatement le traitement).

Note : vendu sans ordonnance; ne pas utiliser sans avis médical en raison des effets indésirables possibles.

VALERBÉ® (Saunier-Daguin)

Introd. en 1976. Non remb. SS.

PRINCIPES ACTIFS : gélules contenant de un extrait de valériane, thiamine (vitamine B1), pyridoxine (vitamine B6) et acide ascorbique (vitamine C).

Emploi : proposé dans l'aide à la désaccoutumance du tabac.

Note : vendu sans ordonnance; efficacité des principes actifs à confirmer dans l'emploi proposé.

VALINOR® (Clintec)

Introd. en 1980. Remb. SS 70%.

PRINCIPES ACTIFS : solution injectable pour perfusion contenant des acides aminés et des électrolytes pour nutrition parentérale.

VALIUM® (Roche)

Introd. en 1964. Liste I. Remb. SS 70%.
La durée de prescription ne peut dépasser 12 semaines.

PRINCIPE ACTIF : **Diazépam**.

Préparations : comprimés à 2 mg, à 5 mg ou à 10 mg; solution buvable à 10 mg par ml (= 30 gouttes); ampoules injectables à 10 mg dans 2 ml.

Emploi : tranquillisant et anticonvulsivant appartenant au groupe très nombreux des benzodiazépines; le diazépam est employé par voie buccale comme tranquillisant et relaxant musculaire et, en injections en milieu hospitalier, dans le traitement de l'état de mal épileptique, les crises d'agitation, le tétanos, la préparation à l'anesthésie et d'autres affections déterminées par votre médecin.
Ce médicament ne devrait pas être utilisé pour diminuer la tension nerveuse causée par le stress de la vie quotidienne.

Pour les détails → p. 94.

Note : prescrit sur ordonnance médicale.

VALPROATE DE SODIUM

SPÉCIALITÉS :
Dépakine® (Labaz).
Valproate de sodium (Millot-Solac).

PRINCIPE ACTIF : **Acide valproïque**.

Emploi : antiépileptique employé dans les absences (petit mal) et autres formes d'épilepsie résistantes aux autres antiépileptiques; l'acide valproïque n'a pas d'effet sédatif, mais d'autres effets indésirables sont observés, notamment des atteintes hépatiques chez le jeune enfant au cours des six premiers mois du traitement. Il ne faut donc employer l'acide valproïque pour les crises tonicocloniques et les crises partielles simples ou complexes chez l'enfant que lorsqu'elles ne répondent à aucun autre traitement. La valpromide (Dépamide®) a les mêmes effets.

Précautions : ne pas employer en cas d'allergie au produit; les affections

suivantes peuvent modifier l'action du médicament :
- maladies du sang, tendance accrue aux saignements;
- maladies du foie et du pancréas;
- maladies des reins;
- lupus érythémateux disséminé.

Grossesse : l'acide valproïque est déconseillé chez la femme enceinte ou susceptible de l'être; en effet, il a causé des malformations du fœtus au cours de l'expérimentation animale et l'administration d'acide valproïque pendant le premier trimestre de la grossesse a été associée à des cas de spina bifida et d'autres malformations de fermeture du tube neural; si une grossesse survient en cours de traitement, il est recommandé de faire une échographie et de rechercher l'alpha-fœtoprotéine lorsqu'on dispose des moyens nécessaires pour pratiquer une interruption volontaire de grossesse; si une grossesse survient pendant le traitement, il faut informer votre médecin.

Allaitement : utilisation déconseillée (passe dans le lait maternel).

Enfants : le risque de complications hépatiques est particulièrement important chez les enfants âgés de moins de 3 ans.

Interactions : il faut informer votre médecin si vous prenez ou avez pris récemment d'autres médicaments, notamment :
- anticoagulants oraux (augmentation de l'action anticoagulante);
- aspirine et autres antiagrégants des plaquettes (risque accru d'hémorragies, association à éviter);
- antidépresseurs de type imipramine (favorisent les crises convulsives);
- antidépresseurs inhibiteurs de la mono-amine oxydase ou IMAO (risque de dépression du système nerveux central);
- autres antiépileptiques associés (on adapte les doses en fonction des dosages sanguins).

Prescription : ne dépassez pas la dose prescrite par votre médecin; des doses trop élevées augmentent le risque d'effets indésirables.

Prise du médicament : on conseille de prendre les comprimés au cours des repas.

Oubli : si vous oubliez de prendre le médicament et si vous le remarquez dans les 2 heures qui suivent, prenez immédiatement la dose oubliée; ne doublez pas la dose suivante; si vous oubliez le médicament plusieurs jours, prenez contact avec votre médecin.

Alcool : il est recommandé de s'abstenir de la consommation d'alcool.

Autres médicaments : ne prenez aucun autre médicament sans consulter votre médecin.

Surveillance : consultez votre médecin à intervalles réguliers pour évaluer les effets du traitement et pour demander des tests des fonctions hépatique, des examens du sang (formule sanguine et taux de prothrombine).

Conduite de véhicules : chez certains sujets, ce médicament peut modifier le comportement habituel ou diminuer la vigilance; la conduite de véhicules ou l'utilisation de machines peut être dangereuse dans ce cas.

Arrêt du traitement : n'arrêtez jamais le traitement sans consulter votre médecin; en effet, l'arrêt brusque du traitement peut déclencher des crises.

Reprise des crises : informez votre médecin en cas de réapparition soudaine des crises après une période prolongée sans crise, malgré une prise régulière du médicament.

En cas de diabète : les résultats de certains tests pour la recherche de l'acétone dans l'urine peuvent être faussés.

Chirurgie : informez votre chirurgien ou dentiste que vous être traité par ce médicament.

Effets indésirables possibles :
- nausées, tremblement, augmentation de l'appétit et prise de poids;
- manque d'appétit, malaises, vomissements répétés, douleurs abdominales, obnubilation, jaunisse (risque d'atteinte hépatique);
- saignement au moindre traumatisme, présence de sang dans les urines ou les selles, coloration noire des selles, apparition de petites taches bleues ou rouges sur la peau (diminution du nombre des plaquettes dans le sang);
- éruption cutanée (réaction allergique : arrêtez le traitement);
- chute des cheveux (alopécie);
- arrêt ou troubles des menstruations;
- obnubilation mineure.

Intoxication : sommeil de plus en plus profond évoluant vers le coma; hospitalisation d'urgence en cas d'intoxication massive.

VALPROATE DE SODIUM
(Millot-Solac)

Introd. en 1984. Liste II. Remb. SS 70%.

Préparations (sel de sodium) : comprimés à 200 mg ou 500 mg; solution buvable à 200 mg/ml.

Emploi : → p. 728.

Note : *prescrit sur ordonnance médicale.*

VAMINE® (Kabi Pharmacia)

Introd. en 1981.

PRINCIPES ACTIFS: solutions pour perfusion contenant des acides aminés.

Emploi : nutrition parentérale.

VAMINOLACT®
(Kabi Pharmacia)

Introd. en 1988.

PRINCIPES ACTIFS : solution injectable pour perfusion contenant des acides aminés

Emploi : nutrition parentérale des prématurés, nourrissons, enfants.

VANCOCINE® → Vancomycine.

VANCOMYCINE

Liste I.

SPÉCIALITÉS :

Vancocine® (Lilly).
Vancomycine (Dakota Pharm).
Vancomycine (Lederle).

Préparations : poudre pour solution injectable en flacons à 125 mg, 250 mg, 500 mg ou 1 g; poudre pour suspension buvable à 500 mg par cuillerée mesure.

Emploi : antibiotique glycopeptidique utilisé en perfusion pour traiter à l'hôpital les infections sévères, notamment infections à staphylocoques ou streptocoques résistants aux autres antibiotiques ou en cas d'allergie aux pénicillines; le maniement de cet antibiotique est délicat à cause des effets indésirables possibles, notamment au niveau de l'oreille et du rein. La vancomycine est utilisée par voie buccale pour traiter les affections suivantes :
– colite aux antibiotiques ou colite pseudomembraneuse post-antibiotique due en particulier à *Clostridium difficile;*

– entérocolites à staphylocoques;
– dans d'autres infections déterminées par votre médecin

La vancomycine n'est pratiquement pas absorbée par le tube digestif et les effets indésirables sont minimes en cas d'administration par voie buccale, sauf en cas de lésions de l'intestin.

Note : *réservé aux hôpitaux.*

VANILONE® (Nicholas)

Introd. en 1960. Remb. SS 40%.

PRINCIPE ACTIF : *Cyclovalone.*

Préparations : comprimés à 100 mg («fort»); granulé à 33 mg par cuillerée à café («infantile»).

Emploi : proposé pour stimuler la sécrétion de la bile dans les troubles de la digestion (dyspepsie).

Précautions : ne pas employer en cas de maladie cœliaque par intolérance au gluten ou d'obstruction des voies biliaires; consultez votre médecin en cas de douleurs ou crampes abdominales d'origine indéterminée, de selles noires, d'amaigrissement, d'urines foncées, de douleurs de la région du foie, de jaunisse.

Effets indésirables possibles: diarrhée.

Note : *vendu sans ordonnance; ne pas utiliser pendant plus de 5 jours sans avis médical.*

VANSIL® (Pfizer)

Introd. en 1981. Liste II. Remb. SS 70%.

PRINCIPE ACTIF : *Oxamniquine.*

Préparations : gélules à 250 mg.

Emploi : médicament utilisé dans le traitement de la bilharziose intestinale à *Schistosoma mansoni*, maladie tropicale répandue notamment en Amérique du Sud, Caraïbes, Afrique occidentale, orientale et centrale, péninsule arabique, Egypte, Afrique du Sud, Zimbabwe. Le produit est bien toléré et est largement utilisé dans des programmes de traitement de masse. En Egypte et dans d'autres pays de la région de la Méditerranée orientale, certains malades, après un traitement de trois jours, présentent une réaction consistant en un épisode fébrile, avec éosinophilie périphérique et infiltrats pulmonaires disséminés (syndrome de Lœffler).

Précautions : ne pas employer en cas d'allergie au produit, d'épilepsie, de convulsions antérieures (risque de déclenchement de crises); il est préférable, sauf nécessité absolue, d'attendre la fin de la grossesse avant de commencer le traitement; en effet, ce médicament a provoqué des effets toxiques sur l'embryon au cours de l'expérimentation animale; en l'absence d'informations sur l'excrétion de l'oxamniquine dans le lait maternel, il est préférable de ne pas l'administrer aux mères allaitantes.

Prise du médicament : on conseille de prendre le médicament après le repas du soir.

Vigilance et conduite : l'aptitude à conduire des véhicules ou à utiliser des machines peut être diminuée par la somnolence diurne et des vertiges.

Effets indésirables possibles :
– maux de tête, vomissements;
– excitation, convulsions, hallucinations, éruptions cutanées (réaction allergique : arrêtez le traitement);
– chez certains sujets, on peut observer une coloration orangée ou rouge brunâtre des urines.

Note : prescrit sur ordonnance médicale.

VAPO-MYRTOL®
(Marion Merrell Dow)

Introd. en 1956. Non remb. SS.
PRINCIPES ACTIFS : solution pour inhalation contenant menthol, bornéol, eucalyptol, essences de myrte, niaouli, thym.
Emploi : proposé dans la congestion des voies respiratoires supérieures.
Note : vendu sans ordonnance; ne pas utiliser pendant plus de 5 jours sans avis médical.

VARNOLINE® → Contraception hormonale.

VASCOCITROL®
(Merck-Clévenot)

Introd. en 1972. Remb. SS 40%.
PRINCIPES ACTIFS : solution buvable contenant des citroflavonoïdes, acide ascorbique (vitamine C), carbonate de magnésium, extraits d'agrumes.
Emploi : proposé pour traiter l'insuffisance veineuse et lymphatique (jambes lourdes, etc.).
Précautions : consultez votre médecin en cas de suspicion de phlébite (jambes rouges et/ou chaudes, douloureuses, surtout si d'un seul côté et avec fièvre).
Note : vendu sans ordonnance; efficacité des principes actifs à confirmer dans l'emploi proposé.

VASCUMINE® (Théraplix)

Introd. en 1978. Remb. SS 40%.
PRINCIPES ACTIFS : gélules contenant de la troxérutine et tocophérol.
Emploi : proposé dans l'insuffisance veineuse et lymphatique (jambes lourdes, etc.).
Précautions : consultez votre médecin en cas de suspicion de phlébite (jambes rouges, douloureuses, surtout si d'un seul côté et avec fièvre).
Note : vendu sans ordonnance; efficacité des principes actifs à confirmer dans l'emploi proposé.

VASCUNORMYL® (Alcon)

Introd. en 1983. Remb. SS 40%.
PRINCIPE ACTIF : *Cyclandélate*.
Préparations : comprimés à 200 mg.
Emploi : vasodilatateur périphérique musculotrope proposé dans les artériopathies chroniques oblitérantes des membres inférieurs, les troubles psychiques et du comportement de la sénescence cérébrale, les troubles cochléo-vestibulaires et rétiniens d'origine ischémique; l'efficacité des vasodilatateurs périphériques dans ces affections reste à confirmer.
Effets indésirables possibles : troubles digestifs, allergies cutanées.
Note : vendu sans ordonnance; à éviter en automédication.

VASELINE GOMENOLÉE®
(Gomenol)

Introd. en 1918. Remb. SS 40%.
Préparations : pommade contenant de la vaseline et gomenol.
Emploi : proposé en applications sur la muqueuse nasale dans les rhumes.
Note : produit vendu sans ordonnance.

VASELINE STÉRILISÉE
(Hamel)

Introd. en 1951. Non remb. SS.
Préparations : pommade contenant de la vaseline officinale.
Emploi : protection de la peau.

VASOBRAL® (Logeais)

Introd. en 1975. Liste II. Remb. SS 40%.

PRINCIPES ACTIFS : la solution buvable contient du mésilate de dihydroergocryptine (vasodilatateur dérivé d'un alcaloïde de l'ergot de seigle) et de la caféine (stimulant central).

Emploi : proposé dans les déficits intellectuels de la sénescence (efficacité à confirmer).

Précautions : ne pas employer en cas d'allergie aux dérivés de l'ergot de seigle, de pouls très lent, de tension artérielle très basse (hypotension), de grossesse ou allaitement, de traitement anticoagulant; ne pas associer d'autres dérivés de l'ergot de seigle.

Effets indésirables possibles : congestion nasale, nausées.

Note : prescrit sur ordonnance médicale.

VASOCALM® (Fournier)

Introd. en 1972. Liste I. Remb. SS 40%.

PRINCIPES ACTIFS: comprimés contenant
- méprobamate (→ p. 428) : tranquillisant ;
- papavérine (→ p. 57) : vasodilatateur musculotrope;
- extrait de *Ribes nigrum*.

Emploi : proposé dans les troubles liés à la sénescence cérébrale (efficacité à confirmer) et à l'artérite des membres inférieurs.

Durée du traitement : doit être limitée à quelques jours.

Précautions : ne pas employer chez l'enfant et en cas de grossesse.

Alcool : évitez les boissons alcoolisées pendant le traitement (majoration de l'effet sédatif).

Conduite de véhicules : ce médicament peut diminuer la vigilance; la conduite de véhicules ou l'utilisation de machines peut être dangereuse.

Surveillance : surveiller les fonctions hépatiques en cas de traitement prolongé.

En cas de diabète : tenir compte de la teneur en sucre du produit.

Effets indésirables possibles : somnolence, constipation, accélération du pouls, bouffées de chaleur, maux de tête, urticaire (réaction allergique).

Note : prescrit sur ordonnance médicale.

VASOCET® (Cipharm)

Introd. en 1981. Liste I. Remb. SS 40%.

PRINCIPE ACTIF : *Cétiédil.*

Préparations : gélules à 100 mg.

Emploi : vasodilatateur périphérique ayant un effet atropinique important et un effet bêta-2 stimulant proposé dans les artériopathies des membres inférieurs et dans les spasmes vasculaires périphériques; l'efficacité des vasodilatateurs périphériques dans ces affections reste à confirmer.

Précautions : ne pas employer en cas de glaucome par fermeture de l'angle ou de rétention urinaire par obstacle urétro-prostatique; grossesse, allaitement; administration prudente chez le sujet âgé.

Note : prescrit sur ordonnance médicale.

VASTAREL® (Biopharma)

Introd. en 1980. Remb. SS 70%.

PRINCIPE ACTIF : *Trimétazidine.*

Préparations : comprimés à 20 mg; solution buvable à 20 mg/ml.

Emploi : médicament ayant expérimentalement des effets sur le métabolisme des cellules privées d'oxygène et proposé dans la prévention des crises d'angine de poitrine, dans les atteintes vasculaires de l'oeil, les vertiges d'origine vasculaire, les acouphènes et le vertige de Ménière (ces diagnostics ne peuvent être posés que par votre médecin).

Note : vendu sans ordonnance; à éviter en automédication.

VASTEN® (Specia)

Introd. en 1991. Liste I. Remb. SS 70%.

PRINCIPE ACTIF : *Pravastatine.*

Préparations : comprimés à 20 mg.

Emploi : médicament appartenant au groupe des hypolipidémiants qui sont utilisés pour abaisser les taux du cholestérol et des triglycérides dans le sang (graisses ou lipides sanguins). La pravastatine appartient à la famille des *inhibiteurs de la HMG-CoA réductase* et est utilisée lorsque les taux du cholestérol et des triglycérides dans le sang restent trop élevés malgré un régime adapté, poursuivi correctement pendant 3-6 mois; la poursuite du régime est indispensable.

Pour les détails → p. 353.

Note : prescrit sur ordonnance médicale.

VAUBAN® (Monot)

PRINCIPES ACTIFS : dragées contenant de l'amyléine (anesthésique local), menthol, aconit, borate de sodium.
Emploi : irritations de la gorge.
Précautions : ne pas employer chez l'enfant de moins de 30 mois; évitez l'utilisation prolongée; consultez votre médecin si l'irritation persiste ou s'aggrave.
Note : produit vendu sans ordonnance.

VAXICOQ® → Vaccin anticoquelucheux.

VAXIGRIP® → Vaccin antigrippal.

VECTARION® (Euthérapie)

Introd. en 1983. Liste II. Remb. SS 70%.
PRINCIPE ACTIF : *Almitrine.*
Préparations : comprimés à 50 mg; poudre pour solution injectable en flacons à 15 mg.
Emploi: stimulant respiratoire proposé par voie buccale dans l'insuffisance respiratoire chronique de la bronchite obstructive et en perfusion intraveineuse dans les insuffisances respiratoires aiguës en milieu hospitalier et en anesthésiologie.
Note : prescrit sur ordonnance médicale.

VÉGANINE® (Parke-Davis)

Introd. en 1930. Remb. SS 70%.
PRINCIPES ACTIFS : comprimés et suppositoires contenant :
– acide acétylsalicylique (ou aspirine): analgésique et antipyrétique;
– paracétamol : analgésique et antipyrétique;
– acide ascorbique (vitamine C).
Emploi : proposé pour atténuer la douleur modérée (*analgésique*) et pour faire tomber la fièvre (*antipyrétique*).
Durée du traitement : consultez votre médecin si les douleurs persistent après 5 jours ou si la fièvre ou le mal de gorge ne régressent pas au bout de 3 jours.
Précautions : ce médicament ne doit pas être utilisé en cas d'allergie à l'aspirine, d'asthme, d'ulcère gastroduodénal évolutif, de maladie grave du foie ou des reins, de maladie hémorragique ou de traitement anti-

coagulant, de déficit congénital en glucose-6-phosphate déhydrogénase ou G6PD, de grossesse et chez l'enfant âgé de moins de 10 ans sans avis médical, notamment lorsqu'on soupçonne une grippe ou une varicelle.
Effets indésirables possibles : nausées, vomissements, brûlures d'estomac, bourdonnements d'oreille, baisse de l'audition, maux de tête; consultez votre médecin en cas de douleurs abdominales, de vomissements sanglants, de selles noires, d'asthme, de prurit, d'urticaire ou de jaunisse (ou ictère); l'usage prolongé peut entraîner des lésions aux reins.
Intoxication: hospitalisation d'urgence en cas de prise massive accidentelle.
Note : vendu sans ordonnance; l'association d'aspirine et paracétamol est inutile et l'adjonction de vitamine C a peu d'intérêt dans l'emploi proposé.

VÉGÉBOM® (Jessel-Végébom)

Introd. en 1935. Non remb. SS.
PRINCIPES ACTIFS : baume et suppositoires contenant eucalyptol, essences de cajeput, cèdre, noix de muscade, sassafras, camphre, menthol, huile de laurier.
Emploi : le baume est proposé dans les plaies et brûlures superficielles et les suppositoires dans les hémorroïdes.
Précautions : ne pas utiliser le baume chez l'enfant de moins de 30 mois; pour les suppositoires, arrêtez le traitement et consultez votre médecin en cas d'accentuation des douleurs, d'apparition de sang dans les selles ou de fièvre.
Effets indésirables possibles; réactions allergiques.
Note : vendu sans ordonnance; consultez votre médecin si les lésions persistent.

VÉGÉLAX®
(Lab. Biol. de l'Ile de France)

Introd. en 1944. Non remb. SS.
PRINCIPES ACTIFS: comprimés contenant des extraits de séné (laxatif irritant), aloès (laxatif irritant), cascara (laxatif irritant), bourdaine (laxatif irritant), boldo, artichaut, belladone, rhubarbe.
Emploi : traitement de la constipation.
Précautions : consultez votre médecin si la constipation persiste, en cas de sang dans les selles ou de selles noires, de douleurs abdominales avec diar-

rhée, d'amaigrissement. L'usage prolongé risque de provoquer la «maladie des laxatifs» avec lésions de la muqueuse intestinale.

Note : *vendu sans ordonnance; à éviter comme tous les laxatifs irritants.*

VÉGÉTOSÉRUM® (Medgenix)

Introd. en 1954. Remb. SS 40%.

PRINCIPES ACTIFS :
– sirop adultes : codéthyline (antitussif opiacé), teintures de belladone (atropinique), d'aconit et grindélia;
– sirop enfants : codéthyline, extrait de réglisse, fleurs d'oranger, sulfite sodique.

Emploi : proposé pour calmer la toux.

Précautions : ne pas utiliser en cas de
– asthme, insuffisance respiratoire (la diminution de la toux cause l'accumulation de mucosités dans les voies respiratoires);
– hypertrophie de la prostate;
– glaucome à angle fermé;
– maladie du foie;
– grossesse, allaitement;
– enfants âgés de moins de 15 ans.

Durée du traitement : si la toux persiste après une semaine, si des crachats sanglants ou des effets indésirables apparaissent, arrêtez le traitement et consultez votre médecin.

Alcool : à éviter pendant le traitement.

Sujets âgés : risque accru d'effets indésirables.

Conduite de véhicules : ce médicament peut diminuer la vigilance; la conduite de véhicules ou l'utilisation de machines peut être dangereuse.

Sportifs : ce médicament peut donner une réaction positive en cas de tests pour contrôle antidopage.

Effets indésirables possibles : somnolence, sécheresse de la bouche, confusion, nausées, vomissements, crises d'asthme (bronchospasme), constipation, vision trouble, difficulté à uriner (chez les prostatiques), confusion mentale ou agitation (sujets âgés), crises d'asthme, éruption cutanée (réaction allergique : arrêtez immédiatement le traitement).

Note : *vendu sans ordonnance; l'efficacité de la codéthyline est généralement reconnue, mais les autres composants ont peu d'intérêt dans l'emploi proposé.*

VÉHEM® (Sandoz)

Introd. en 1976. Liste I. Remb. SS 100%.

PRINCIPE ACTIF : **Téniposide**.

Préparations : solution pour perfusion en ampoules à 50 mg.

Emploi : médicament appartenant au groupe des «poisons du fuseau» employé en milieu hospitalier en perfusion intraveineuse pour traiter les proliférations cellulaires anormales au niveau des ganglions lymphatiques, la malade de Hodgkin et de certaines tumeurs du cerveau ou de la vessie. Le téniposide est un dérivé semisynthétique de la podophyllotoxine inhibant l'entrée en mitose des cellules tumorales.

Note : *le traitement doit être pris en charge par un spécialiste.*

VEINAMITOL® (Negma)

Introd. en 1977. Remb. SS 40%.

PRINCIPE ACTIF : poudre orale et solution buvable à diluer contenant de la troxérutine (vasculoprotecteur).

Emploi : proposé dans le traitement des symptômes en rapport avec l'insuffisance veinolymphatique (jambes lourdes, etc.) et les hémorroïdes (*Veinamitol® Procto*).

Précautions : consultez votre médecin en cas de suspicion de phlébite (jambes rouges, douloureuses, surtout si d'un seul côté et avec fièvre).

En cas de diabète : tenir compte de la teneur en sucre du produit.

En cas de régime désodé : tenir compte de la teneur en sodium du produit.

Note : *vendu sans ordonnance; efficacité du principe actif à confirmer dans l'emploi proposé.*

VEINOBIASE® (Fournier)

Introd. en 1978. Remb. SS 40%.

PRINCIPES ACTIFS : comprimés contenant de l'acide ascorbique (vitamine C) et des extraits de *Ribes nigrum* et de *Ruscus*.

Emploi : proposé dans le traitement des symptômes en rapport avec l'insuffisance veineuse et lymphatique (jambes lourdes, etc.).

Précautions : consultez votre médecin en cas de suspicion de phlébite (jambes rouges et/ou chaudes, douloureuses, surtout si d'un seul côté et avec fièvre).

Note : vendu sans ordonnance; efficacité des principes actifs à confirmer dans l'emploi proposé.

VEINO-DRAINOL® (Boiron)

Préparation homéopathique (solution buvable) proposée comme tonique veineux et antihémorroïdaire.

VEINOGLOBULINE® → Immunoglobulines humaines polyvalentes.

VEINOTONYL® (Lipha Santé)

Introd. en 1991. Remb. SS 40%.
PRINCIPES ACTIFS : gélules contenant un extrait de marron d'Inde et perméthol.
Emploi : proposé dans le traitement des symptômes en rapport avec l'insuffisance veineuse et lymphatique (jambes lourdes, etc.).
Précautions : consultez votre médecin en cas de suspicion de phlébite (jambes rouges, douloureuses, surtout si d'un seul côté et avec fièvre).
Note : vendu sans ordonnance; efficacité des principes actifs à confirmer dans l'emploi proposé.

VELBÉ® (Lilly)

Introd. en 1963. Liste I. Remb. SS 100%.
PRINCIPE ACTIF : *Vinblastine.*
Préparations : poudre pour solution injectable en flacons à 10 mg.
Emploi : alcaloïde de la pervenche (*Vinca rosea*) appartenant au groupe des «poisons du fuseau» utilisé en perfusion intraveineuse pour traiter les proliférations cellulaires anormales, notamment de la maladie de Hodgkin, et d'autres affections déterminées par votre médecin.
La vinblastine est souvent associée à d'autres médicaments selon des protocoles qui varient selon la maladie; dans la maladie de Hodgkin, on emploie souvent l'association «ABVD» (Adriamycine, Bléomycine, Vinblastine, Dacarbazine).
Note : le traitement doit être pris en charge par un spécialiste.

VÉLITEN® (Wyeth)

Introd. en 1975, Remb. SS 40%.
PRINCIPES ACTIFS: comprimés contenant de l'acide ascorbique (vitamine C), rutoside, alpha-tocophérol (vitam. E).
Emploi : proposé dans les symptômes en rapport avec l'insuffisance veineuse et lymphatique (jambes lourdes, etc.) et la fragilité capillaire.
Précautions : consultez votre médecin en cas de suspicion de phlébite (jambes rouges, douloureuses, surtout si d'un seul côté et avec fièvre).
Note : vendu sans ordonnance; efficacité des principes actifs à confirmer dans l'emploi proposé.

VÉLOSULINE® → Insuline.

VENTIDE® aérosol (Glaxo)

Introd. en 1989. Liste I. Remb. SS 70%.
PRINCIPES ACTIFS : suspension pour inhalation buccale en flacon pressurisé contenant
– salbutamol (0,1 mg/inhalation) : bêtamimétique;
– béclométasone (0,05 mg/inhalation): corticoïde.
Emploi : association d'un bêtamimétique (salbutamol) et d'un corticoïde (béclométasone) proposée en inhalation buccale pour traiter l'asthme; ce médicament n'est pas un traitement de la crise d'asthme et est réservé aux malades présentant un asthme léger et stable, déjà bien équilibré par l'utilisation conjointe et régulière d'un bêtamimétique et d'un corticoïde inhalés.
Pour les détails → p. 37 et p. 179.
Note : prescrit sur ordonnance médicale.

VENTOLINE® et VENTODISKS® (Glaxo)

Introd. en 1971. Liste I. Remb. SS 70%.
PRINCIPE ACTIF : *Salbutamol.*
SYNONYME : albutérol.
Préparations : comprimés à 2 mg; solution buvable à 2 mg par cuillerée mesure; ampoules injectables contenant 0,5 mg dans 1 ml.
Aérosol-doseur (bouffées à 100 µg); solution pour aérosol à 50 mg/10 ml; poudre pour inhalation buccale à 200 µg par dose (*Ventodisks®*).

Emploi : bêtamimétique employé
– en inhalation pour traiter les crises d'asthme;
– par voie orale dans le traitement de fond de l'asthme et pour prévenir l'asthme déclenché par un effort physique (asthme d'effort).
Pour les détails → p. 37.
Note : prescrit sur ordonnance médicale.

VÉNYL® (P. Fabre)

Introd. en 1970. Non remb. SS.
PRINCIPES ACTIFS : solution buvable contenant de l'acide ascorbique (vitamine C), hespéridine, extrait de *Ruscus aculeatus*.
Emploi : proposé dans le traitement des symptômes en rapport avec l'insuffisance veineuse et lymphatique (jambes lourdes, etc.).
Précautions : consultez votre médecin en cas de suspicion de phlébite (jambes rouges et/ou chaudes, douloureuses, surtout si d'un seul côté et avec fièvre).
Note : vendu sans ordonnance; efficacité des principes actifs à confirmer dans l'emploi proposé.

VÉPÉSIDE® (Sandoz)

Introd. en 1988. Liste I.
PRINCIPE ACTIF : *Etoposide.*
Préparations : capsules à 50 mg; solution pour perfusion en ampoules à 100 mg.
Emploi : médicament appartenant au groupe des «poisons du fuseau» employé par voie orale ou en perfusion intraveineuse pour traiter les proliférations cellulaires anormales au niveau du testicule, du poumon, des ganglions lymphatiques, des leucémies aiguës et d'autres affections déterminées par votre médecin.
L'étoposide est un dérivé semisynthétique de la podophyllotoxine inhibant l'entrée en mitose des cellules tumorales.
Note : réservé aux hôpitaux.

VÉRATRAN® (Latéma)

Introd. en 1984. Liste I. Remb. SS 70%.
La prescription ne peut dépasser 12 semaines.
PRINCIPE ACTIF : *Clotiazépam.*
Préparations : compr. à 5 mg ou 10 mg.

Emploi : tranquillisant appartenant au groupe très nombreux des benzodiazépines; le clotiazépam est proposé dans l'anxiété, l'angoisse et le sevrage alcoolique.
Durée d'action : 6-8 heures.
Pour les détails → p. 94.
Note : prescrit sur ordonnance médicale.

VERCYTE® (Abbott)

Introd. en 1970. Liste I. Remb. SS 100%.
PRINCIPE ACTIF : *Pipobroman.*
Préparations : comprimés à 25 mg.
Emploi : médicament appartenant au groupe des agents alkylants, le pipobroman agit sur la moelle osseuse et est utilisé pour traiter certaines maladies caractérisées par une prolifération excessive des globules rouges (polycythémie vraie ou maladie de Vaquez).
Note : le traitement doit être pris en charge par un spécialiste.

VÉRICARDINE® (Laleuf)

Introd. en 1935. Remb. SS 70%.
PRINCIPES ACTIFS: comprimés contenant du phénobarbital (barbiturique à action prolongée) et extrait d'aubépine.
Emploi : proposé comme sédatif, somnifère et dans l'éréthisme cardiaque.
Précautions : ne pas employer chez l'enfant et en cas de grossesse, d'allaitement, de porphyries et d'insuffisance respiratoire; l'activité des anticoagulants oraux et des contraceptifs hormonaux peut être réduite.
Alcool : à éviter pendant le traitement (majoration de l'effet sédatif).
Conduite de véhicules : ce médicament peut diminuer la vigilance; la conduite de véhicules ou l'utilisation de machines peut être dangereuse.
Durée du traitement : ce médicament ne doit être utilisé que pour une brève période (maximum 4 semaines).
Effets indésirables possibles : somnolence, éruptions cutanées, troubles psychiques, notamment confusion mentale chez le sujet âgé.
Note : vendu sans ordonnance; à éviter du fait de la présence de phénobarbital qui n'est pas recommandé en dehors du traitement de l'épilepsie.

VERMIFUGE LHF® (Boiron)

Préparation homéopathique (solution buvable) proposée comme vermifuge.

VERMIFUGE SORIN®
(Sorin-Maxim).

Introd. en 1943. Non remb. SS.

PRINCIPES ACTIFS : solution alcoolique buvable contenant de la pipérazine, bromure de sodium, sirop d'éther et extrait de vulnéraire.

Emploi : la pipérazine appartient au groupe des anthelminthiques ou vermifuges qui sont utilisés pour traiter les infestations par des vers; elle est employée pour traiter l'ascaridiose et l'oxyurose; le traitement de l'oxyurose doit être accompagné de mesures d'hygiène et du traitement de tous les membres de la famille pour éviter les réinfections.

Précautions : ne pas employer en cas de maladies du foie ou des reins ou en cas d'épilepsie; l'usage est déconseillé pendant la grossesse (innocuité non établie); ne pas associer le pyrantel ou les dérivés de la phénothiazine.

Effets indésirables possibles : nausées, vomissements, diarrhées; exceptionnellement troubles visuels, contractions musculaires et convulsions, éruptions cutanées.

Note : vendu sans ordonnance; utilisation limitée à cause de la présence de bromure de sodium qui n'est pas recommandé dans l'emploi proposé; en outre, l'efficacité de la pipérazine est généralement reconnue, mais des médicaments plus modernes ont l'avantage d'êtres efficaces en une prise unique.

VERRULYSE-MÉTHIONINE®
(Saunier-Daguin)

Introd. en 1958. Remb. SS 40%.

PRINCIPES ACTIFS: comprimés contenant de la méthionine, oxyde de magnésium et glycérophosphates de calcium, magnésium, fer et manganèse.

Emploi : traitement des verrues.

Précautions : ne pas employer en cas d'insuffisance rénale sévère.

Note : vendu sans ordonnance; efficacité des principes actifs à confirmer dans l'emploi proposé.

VERSOL® (Aguettant)

Introd. en 1983. Non remb. SS.

Préparations : solution contenant 0,9% de chlorure de sodium.

Emploi : irrigation des plaies.

VÉSADOL® (Janssen)

Introd. en 1971. Liste I. Remb. SS 40%.

PRINCIPES ACTIFS: comprimés contenant
– halopéridol (0,3 mg) : neuroleptique (Haldol®);
– buzépide métiodure (3 mg) : antispasmodique atropinique.

Emploi : l'halopéridol appartient au groupe des neuroleptiques dérivés de la butyrophénone utilisés pour traiter certaines maladies mentales aiguës, notamment la schizophrénie avec excitation et agressivité; le buzépide est un spasmolytique atropinique; l'association est proposée pour traiter les spasmes et les douleurs gastro-intestinales.

Pour les détails → p. 56 et p. 468.

Note : prescrit sur ordonnance médicale.

VEYBIROL® tyrothricine
(Veyron et Froment)

Introd. en 1957. Remb. SS 40%.

PRINCIPES ACTIFS : solution buccale pour gargarismes contenant
– Flacon A : formaldéhyde et teintures de pyrèthre, cochenille, gayac, girofle;
– Flacon B : tyrothricine (antibiotique local).

Emploi : proposé dans les infections de la muqueuse de la bouche et «mal de gorge» sans fièvre de l'adulte.

Note : vendu sans ordonnance; à éviter en automédication comme tous les antibiotiques locaux.

VIBALGAN® (Doms Adrian)

Introd. en 1981. Liste II. Remb. SS 40%.

PRINCIPES ACTIFS : poudre pour solution injectable contenant de l'hydroxocobalamine (vitamine B12) et cobamamide (coenzyme de la vitamine B12).

Emploi : proposé pour traiter certains syndromes douloureux, en particulier sciatiques, névralgies, névrites optiques; l'utilisation n'est pas justifiée en l'absence de carence prouvée en vitamine B12.

Effets indésirables possibles : réactions allergiques parfois graves observées surtout chez les sujets ayant des antécédents allergiques (eczéma, asthme, rhume des foins, etc.).
Note : prescrit sur ordonnance médicale.

VIBRAMYCINE® et VIBRAVEINEUSE® (Pfizer)

Introd. en 1985 et 1973.
Liste I. Remb. SS. 70%.
PRINCIPE ACTIF : *Doxycycline*
Préparations :
– *Vibramycine®* : comprimés à 100 mg.
– *Vibraveineuse®* : solution injectable pour perfusion en ampoules à 100 mg dans 5 ml.
Emploi : antibiotique dérivé de la tétracycline, mieux résorbée que celle-ci par voie digestive et diffusant mieux dans les tissus ; la doxycycline a l'avantage sur la tétracycline de pouvoir être administrée en cas d'insuffisance rénale. La doxycycline est employée dans le traitement des infections à germes sensibles, notamment les infections uro-génitales et sexuellement transmissibles.
Pour les détails → p. 672.
Note : prescrit sur ordonnance médicale.

VIBRAVEINEUSE® → Doxycycline.

VIBTIL® (Lafon)

Introd. en 1959. Remb. SS 40%.
PRINCIPE ACTIF : comprimés contenant un nébulisat d'aubier de tilleul.
Emploi : troubles digestifs (dyspepsies).
Précautions : consultez votre médecin si les troubles persistent et en cas de crampes abdominales, de selles noires, d'amaigrissement.
Note : vendu sans ordonnance ; ne pas utiliser pendant plus de 5 jours sans avis médical.

VICKS® Pastilles (Lachartre)

Introd. en 1976. Non remb. SS.
PRINCIPES ACTIFS : pastilles à sucer contenant
– *Citron, vitamine C :* menthol, huile d'eucalyptus, camphre, baume de tolu, thymol, acide ascorbique ;
– *Menthe, vitamine C :* menthol, huile d'eucalyptus, camphre, baume de tolu, thymol et ascorbate de sodium ;

– *Menthol, eucalyptus :* menthol, essence d'eucalyptus, camphre, baume de tolu, thymol, caramel ;
– *Miel, réglisse :* menthol, huile d'eucalyptus, camphre, baume de tolu, caramel, extrait de réglisse.
Emploi : irritations de la gorge.
Précautions : ne pas employer chez l'enfant de moins de 7 ans.
Note : vendu sans ordonnance ; consultez votre médecin si les troubles persistent après 5 jours.

VICKS® Soulagil (Lachartre)

Introd. en 1989. Non remb. SS.
PRINCIPES ACTIFS :
– solution pour pulvérisation buccale : cétylpyridinium (antiseptique), lidocaïne (anesthésique local), déqualinium (antiseptique) ;
– pastilles à sucer : cétylpyridinium (antiseptique), menthol, acide ascorbique (vitamine C), ascorbate de sodium, menthol.
Emploi : proposé dans les affections limitées à la muqueuse de la bouche et de la gorge.
Note : vendu sans ordonnance ; consultez votre médecin si les troubles persistent après 5 jours.

VICKS® Sirop pectoral (Lachartre)

Introd. en 1978. Non remb. SS.
PRINCIPES ACTIFS : sirop contenant de la pentoxyvérine (→ Atussil®), guaifénésine, cétylpyridinium, chloroforme, citrate de sodium.
Emploi : utilisé pour calmer la toux irritative, sèche.
Précautions : ne pas utiliser en cas de :
– asthme, insuffisance respiratoire (la diminution de la toux cause l'accumulation de mucosités dans les voies respiratoires) ;
– grossesse (innocuité non établie), allaitement ;
– enfants âgés de moins de 15 ans.
Avant d'utiliser un antitussif, il faut rechercher et si possible traiter la cause de la toux ; les antitussifs ne doivent pas être utilisés pour traiter la toux des fumeurs, des asthmatiques ou des bronchitiques ; en outre, les toux productives, avec expectorations abondantes, ne doivent pas être calmées, au risque d'encombrer l'arbre bronchique.

Durée du traitement : si la toux persiste après une semaine, si des crachats sanglants ou des effets indésirables apparaissent, arrêtez le traitement et consultez votre médecin.

Alcool : évitez les boissons alcoolisées pendant le traitement (majoration de l'effet sédatif).

Conduite de véhicules : ce médicament peut diminuer la vigilance; la conduite de véhicules ou l'utilisation de machines peut être dangereuse.

Effets indésirables possibles : somnolence, constipation, vertiges, nausées, vomissements.

Note : vendu sans ordonnance; l'efficacité de la pentoxyvérine est généralement reconnue, mais les autres composants ont peu d'intérêt dans l'emploi proposé; en outre, le chloroforme est toxique pour le foie.

VICKS® Vaporub (Lachartre)

Introd. en 1954. Non remb. SS.
PRINCIPES ACTIFS : pommade contenant menthol, camphre, térébenthine, thymol, essences d'eucalyptus, de noix de muscade et de feuille de cèdre.

Emploi : proposé dans les affections respiratoires banales.

Précautions : ne pas employer chez l'enfant de moins de 7 ans.

Note : vendu sans ordonnance; consultez votre médecin si les troubles persistent après 5 jours.

VICTAN® (Clin Midy)

Introd. en 1982. Liste I. Remb. SS 70%.
La durée de prescription ne peut dépasser 12 semaines.
PRINCIPE ACTIF : *Loflazépate d'éthyle.*
Préparations : comprimés à 2 mg.

Emploi : tranquillisant appartenant au groupe très nombreux des benzodiazépines; le loflazépate d'éthyle est proposé dans l'anxiété, l'angoisse et le sevrage alcoolique.

Pour les détails → p. 94.

Note : prescrit sur ordonnance médicale.

VIDÉO-COLLYRE®
(Pharminter)

PRINCIPES ACTIFS : collyre contenant du thiomersal sodique (antiseptique), phényléphrine (vasoconstricteur) et sulforutine sodique.

Emploi : proposé dans les irritations de la conjonctive et des annexes («yeux rouges»).

Précautions : ne pas employer en cas d'intolérance aux dérivés du mercure, de glaucome à angle fermé, d'hypertension artérielle et chez l'enfant âgé de moins de 3 ans.

Durée du traitement : ne pas dépasser 5 à 6 jours.

Sportifs : ce médicament peut donner une réaction positive en cas de contrôles antidopage.

Conduite de véhicules : ce médicament peut dilater les pupilles (mydriase) et provoquer des troubles visuels; la conduite de véhicules ou l'utilisation de machines peut être dangereuse en cas d'instillation répétées.

Conservation : à utiliser dans les 15 jours après l'ouverture du flacon.

Note : vendu sans ordonnance; à éviter sans avis médical, comme tous les collyres.

VIDEX® (Bristol-Myers Squibb)

Introd. en 1992. Liste I.
PRINCIPE ACTIF : *Didanosine.*
SYNONYMES : didéoxyinosine, DDI.
Préparations : comprimés à 25 mg, 50 mg, 100 mg ou 150 mg.

Propriétés : médicament actif sur les rétrovirus dont l'efficacité est prouvée dans le traitement de l'infection à VIH (= Virus de l'Immunodéficience Humaine) responsable du SIDA (= Syndrome d'ImmunoDéficience Acquise); la didanosine ne guérit pas l'infection, mais ralentit l'évolution de la maladie et prolonge la survie.

Emploi : utilisé par voie orale dans le traitement des infections à virus VIH aux stades de SIDA et d'ARC (= AIDS Related Complex) qui ne répondent pas à la zidovudine (→ Retrovir®) ou ne tolèrent pas ce médicament.

La didanosine inhibe la multiplication du VIH, mais ne l'élimine pas de l'organisme; par conséquent, le risque de transmission du virus à d'autres personnes persiste pendant et après le traitement soit par des rapports sexuels sans protection, soit par contact avec le sang, par exemple lorsque plusieurs personnes utilisent la même aiguille pour injections.

Précautions : informez votre médecin si vous êtes diabétique, si vous avez des troubles rénaux ou hépatiques ou si vous avez une phénylcétonurie (anomalie héréditaire du métabolisme); la résorption de la didanosine est influencée par la prise concomitante de kétoconazole, d'antiacides gastriques, de tétracyclines et d'autres médicaments; l'innocuité de ce médicament pendant la grossesse n'ayant pas été établie, on déconseille son usage sauf en cas de nécessité absolue; des contrôles périodiques du fond d'œil sont recommandés.

Effets indésirables possibles :
- crampes abdominales, nausées, vomissements, fièvre (risque de pancréatite aiguë);
- fièvre, frissons, maux de gorge, ulcérations buccales, prédisposition aux infections (diminution des globules blancs dans le sang);
- éruptions cutanées;
- engourdissement, fourmillements et douleurs dans les pieds ou les mains (neuropathie périphérique);
- troubles visuels (faire un examen du fond d'œil);
- crises convulsives, confusion, parfois insomnie.

Note : *réservé aux hôpitaux.*

VIDORA® (Wyeth)

Introd. en 1988. Liste I. Remb. SS 70%.

PRINCIPE ACTIF : *Indoramine.*

Préparations : comprimés à 25 mg.

Emploi : médicament appartenant au groupe des alpha-bloquants ayant aussi des effets antihistaminiques, antisérotoninergiques et antidopaminergiques. L'indoramine est proposée dans le traitement de fond des migraines (inefficace dans le traitement de la crise aiguë de migraine).

Précautions : ne pas employer en cas d'allergie au produit; les affections suivantes peuvent modifier l'action du médicament :
- maladies du foie ou des reins (l'insuffisance hépatique ou rénale augmente le risque d'effets indésirables);
- angine de poitrine;
- maladie du cœur;
- maladie de Parkinson.

Grossesse et allaitement : il n'existe pas de contre-indication actuellement connue à l'utilisation de ce médicament; cependant, son innocuité n'a pas été établie chez la femme enceinte, ni lors de l'allaitement.

Enfants : n'est pas utilisé chez l'enfant.

Sujets âgés : doses réduites chez les sujets de plus de 65 ans.

Interactions : il faut informer votre médecin si vous prenez ou avez pris récemment d'autres médicaments, notamment :
- antidépresseurs inhibiteurs de la mono-amine oxydase ou IMAO (risque de crise hypertensive);
- antihypertenseurs, autres alpha-bloquants et inhibiteurs calciques (risque d'hypotension);
- diurétiques et autres antihypertenseurs (potentialisation de l'action antihypertensive, les doses doivent être ajustées en cas d'association).

Prescription : ne dépassez pas la dose prescrite par votre médecin; des doses trop élevées ou des prises trop fréquentes augmentent le risque d'effets indésirables.

Au début du traitement : il peut se produire une baisse trop importante de la tension artérielle qui peut causer des sueurs, vertiges, étourdissements et évanouissement (on conseille de rester couché 3 heures après les premières prises); si vous prenez le médicament le soir, soyez très prudent si vous devez vous lever la nuit; ces troubles s'atténuent souvent après 3 mois de traitement.

Autres médicaments : pendant le traitement ne prenez aucun autre médicament sans consulter votre médecin, y compris des produits en vente libre proposés par exemple en cas de rhume, mal de gorge, toux, etc.

Alcool : évitez les boissons alcoolisées et les médicaments sédatifs, tranquillisants et somnifères (majoration de l'effet sédatif et somnolence).

Vigilance et conduite : l'aptitude à conduire des véhicules ou à utiliser des machines peut être diminuée par la somnolence, des vertiges ou des étourdissements.

Chirurgie : avant toute intervention dentaire ou chirurgicale ou en cas d'hospitalisation d'urgence, informez le médecin que vous prenez ce médicament.

Hypotension : l'effet indésirable le plus important est la baisse de la tension artérielle qui entraîne des maux de tête, des vertiges, des sueurs, des étourdissements ou des évanouissements (syncopes); ces troubles sont atténués par la position assise ou couchée et par une diminution des doses; ils sont aggravés par le temps chaud.

Autres effets indésirables possibles :
– somnolence diurne, sécheresse de la bouche, nausées, congestion nasale, larmoiement, constipation, troubles de l'éjaculation, maux de tête,
– palpitations, accélération du pouls;
– douleurs aux articulations, éruption cutanée (réaction allergique : arrêtez immédiatement le traitement);
– prise de poids, chevilles enflées (œdèmes);
– incontinence urinaire, impuissance;
– bourdonnements d'oreille (acouphènes).

Note : prescrit sur ordonnance médicale.

VINBLASTINE (R. Bellon)

Introd. en 1986. Liste I. Remb. SS 100%.
PRINCIPE ACTIF : *Vinblastine.*
Préparations : poudre pour solution injectable en flacons à 10 mg.
Emploi : alcaloïde de la pervenche (*Vinca rosea*) appartenant au groupe des «poisons du fuseau» utilisé en perfusion intraveineuse pour traiter les proliférations cellulaires anormales, notamment de la maladie de Hodgkin, et dans d'autres affections. La vinblastine est souvent associée à d'autres médicaments selon des protocoles qui varient selon la maladie; dans la maladie de Hodgkin, on utilise parfois l'association dite «ABVD» (Adriamycine, Bléomycine, Vinblastine, Dacarbazine).

Note : le traitement doit être pris en charge par un spécialiste.

VINCA® et VINCAFOR®
(Pharmafarm)

Introd. en 1977. Liste II. Remb. SS 40%.
PRINCIPE ACTIF : *Vincamine.*
Préparations :
– *Vinca®* : comprimés à 20 mg;
– *Vinca® Retard* : gélules à 30 mg;
– *Vincafor® Retard* : gélules à libération prolongée à 30 mg.
Emploi : vasodilatateur périphérique obtenu à partir de pervenche (*Vinca minor*) proposé pour traiter les troubles de l'irrigation sanguine cérébrale, notamment dans la sénescence cérébrale, les vertiges et les troubles de la mémoire, ainsi que les troubles sensoriels, auditifs et visuels d'origine ischémique; l'efficacité des vasodilatateurs périphériques dans ces affections reste à confirmer.
Précautions : ne pas employer en cas de grossesse ou d'allaitement (innocuité non établie), d'hypertension intracrânienne, de troubles du rythme cardiaque, de diminution du taux du potassium dans le sang (hypokaliémie); ce médicament ne doit pas être associé aux antiarythmiques.
Effets indésirables possibles : nausées, vomissements, ralentissement du rythme cardiaque (bradycardie), hypotension artérielle, éruption cutanée.
Note : prescrit sur ordonnance médicale.

VINCAFOR® → Vinca®.

VINCARUTINE® (Pharbiol)

Introd. en 1976. Liste II. Remb. SS 40%.
PRINCIPES ACTIFS : gélules contenant de la vincamine (vasodilatateur périphérique) et rutoside.
Emploi : proposé dans les troubles liés à la sénescence cérébrale (efficacité à confirmer).
Précautions : ne pas employer en cas d'hypertension intracrânienne, de troubles du rythme cardiaque, de diminution du taux du potassium dans le sang (hypokaliémie); ce médicament ne doit pas être associé aux antiarythmiques.
Effets indésirables possibles : nausées, vomissements, ralentissement du rythme cardiaque (bradycardie), hypotension artérielle, éruption cutanée (réaction allergique).
Note : prescrit sur ordonnance médicale.

VINCIMAX® (Synthélabo)

Introd. en 1978. Liste II. Remb. SS 40%.
PRINCIPE ACTIF : *Vincamine.*
Préparations : comprimés retard à 30 mg.
Emploi : vasodilatateur périphérique obtenu à partir de pervenche (*Vinca minor*) proposé pour traiter les troubles de l'irrigation sanguine cérébrale, notamment dans la sénescence céré-

brale, les vertiges et les troubles de la mémoire, ainsi que les troubles sensoriels, auditifs et visuels d'origine ischémique; l'efficacité des vasodilatateurs périphériques dans ces affections reste à confirmer.

Précautions : ne pas employer en cas de grossesse ou d'allaitement (innocuité non établie), d'hypertension intracrânienne, de troubles du rythme cardiaque, de diminution du taux du potassium dans le sang (hypokaliémie); ce médicament ne doit pas être associé aux antiarythmiques.

Effets indésirables possibles : nausées, vomissements, ralentissement du rythme cardiaque (bradycardie), hypotension artérielle, éruption cutanée (réaction allergique).

Note : prescrit sur ordonnance médicale.

VINCRISTINE

Liste I. Remb. SS 100%.

SPÉCIALITÉS :
Vincristine (P. Fabre).
Vincristine (R. Bellon).

Préparations (sous forme de sulfate) : poudre pour solution injectable ou solution injectable en flacons à 1 mg.

Emploi : alcaloïde de la pervenche (*Vinca rosea*), appartenant au groupe des «poisons du fuseau», utilisé en perfusion intraveineuse pour traiter les proliférations cellulaires anormales, notamment de la maladie de Hodgkin, et d'autres affections déterminées par votre médecin.

La vincristine est souvent associée à d'autres médicaments selon des protocoles qui varient selon la maladie; dans la maladie de Hodgkin, on utilise l'association dite «MOPP» (Méthylchloréthamine, Oncovin [vincristine], Procarbazine, Prednisone).

Note : le traitement doit être pris en charge par un spécialiste.

VINTÈNE® (Clintec)

Introd. en 1980. Remb. SS 70%.

PRINCIPES ACTIFS : solution injectable pour perfusion contenant des acides aminés et des électrolytes.

Emploi : nutrition parentérale.

VIRA-A® et VIRA-MP® (Parke-Davis)

Introd. respectivement en 1981 et 1991.
Liste I. Remb. SS 70%. (gel).
PRINCIPE ACTIF : *Vidarabine*.
SYNONYMES : adénine-arabinoside.

Préparations :
– *Vira-A®* : suspension pour perfusion intraveineuse en flacons à 1 g.
  Pommade ophtalmique à 3%.
– *Vira-MP®* : lyophilisat injectable par voie intramuscul. en flacons de 1 g.
  Gel pour application locale à 10%.

Emploi : médicament utilisé pour traiter les infections par le virus de l'herpès, le virus de la varicelle et du zona ainsi que le virus de l'hépatite B.

La gel dermique est utilisé dans l'herpès génital récidivant.

La pommade ophtalmique est utilisée dans la conjonctivite et kératite herpétique.

Les perfusions intraveineuses sont utilisées dans le traitement de la méningo-encéphalite herpétique et du zona chez le sujet immunodéprimé.

Les injections intramusculaires sont employées dans le traitement de certaines formes d'hépatite chronique de type B de l'adulte.

Allergie : informez votre médecin si vous avez déjà fait une réaction allergique ou inhabituelle à ce médicament ou à d'autres médicaments et lesquels.

État de santé : vous devez informer votre médecin de toute affection susceptible de modifier les effets du médicament, notamment maladies du foie ou des reins (risque accru d'effets indésirables en cas d'insuffisance hépatique ou rénale).

Grossesse : ce médicament ne doit pas être utilisé chez la femme enceinte ou susceptible de l'être; en effet, il a causé des malformations du fœtus au cours de l'expérimentation animale; si une grossesse survient pendant le traitement, il faut informer immédiatement le médecin traitant.

Allaitement : l'utilisation de ce médicament est déconseillée par prudence.

Interactions : il faut informer votre médecin si vous prenez ou avez pris récemment d'autres médicaments, notamment :
– allopurinol, tisopurine (association à éviter).

Effets indésirables possibles :
– Injections : présence de sang dans les urines, convulsions, confusion, hallucinations, troubles de la parole, tremblements.
– Gel dermique : picotements, brûlures, prurit, rougeur et sécheresse de la peau ; en cas d'herpès génital, éviter les rapports sexuels pendant le traitement.
– Pommade ophtalmique : flou visuel temporaire, larmoiement, brûlures, sensibilité excessive et douloureuse à la lumière (photophobie), sensation de sable dans l'œil.
Note : prescrit sur ordonnance médicale.

VIRLIX® (Delalande)

Introd. en 1988. Liste II. Remb. SS 70%.
PRINCIPE ACTIF : *Cétirizine.*
Préparations : comprimés à 10 mg.
Emploi : antihistaminique utilisé pour atténuer ou prévenir les symptômes d'une allergie par exemple dans le rhume des foins, urticaire, conjonctivite allergique ; il est aussi employé dans les piqûres d'insectes, mais est inefficace dans l'asthme ; bien que l'action sédative de ce médicament soit moindre que celle d'autres antihistaminiques, la prise de fortes doses peut entraîner un effet sédatif.
Intoxication : troubles du rythme cardiaque qui demandent une intervention médicale d'urgence.
Pour les détails → p. 45.
Note : prescrit sur ordonnance médicale.

VIROPHTA® (Allergan)

Introd. en 1984. Liste I. Remb. SS 70%.
PRINCIPE ACTIF : *Trifluridine.*
Préparations : collyre à 1%.
Emploi : utilisé dans le traitement des infections virales de l'œil, notamment :
– kératite herpétique aiguë, surtout dans les formes résistantes à l'idoxuridine ;
– kérato-conjonctivite à adénovirus.
Durée du traitement : ne pas dépasser 21 jours sans contrôle ophtalmologique.
Précautions : ne pas employer en cas d'hypersensibilité à la trifluridine ou au benzalkonium (conservateur) et en cas de grossesse (innocuité non établie) ; pendant le traitement, il faut éviter de porter des verres de contact ; ne pas conduire de véhicules dans les 20 minutes qui suivent l'instillation.

Effets indésirables possibles : brûlures.
Conservation : à utiliser dans les 15 jours après l'ouverture du flacon.
Note : prescrit sur ordonnance médicale.

VIRUSTAT® (Delagrange)

Introd. en 1986. Non remb. SS.
PRINCIPE ACTIF : *Moroxydine.*
Préparations : comprimés à 400 mg.
Emploi : proposé dans les infections par le virus herpétique.
Effets indésirables possibles : troubles de la vision des couleurs.
Note : vendu sans ordonnance ; des principes actifs plus efficaces dans l'emploi proposé sont actuellement disponibles.

VISCÉRALGINE® (Riom)

Introd. en 1963. Liste II. Remb. SS 40%.
PRINCIPE ACTIF : *Iodure de tiémonium.*
Préparations : comprimés à 50 mg ; sirop à 10 mg par cuillerée à café ; suppositoires à 20 mg ; ampoules injectables à 5 mg dans 2 ml.
Emploi : atropinique de synthèse provoquant un relâchement des fibres musculaires lisses du tube digestif et des voies urinaires et une diminution des sécrétions gastriques, salivaires, lacrymales et de la sudation. L'iodure de tiémonium est utilisé dans les spasmes douloureux des voies digestives, biliaires et urinaires.
Pour les détails → p. 56.
Note : prescrit sur ordonnance médicale.

VISCÉRALGINE FORTE®
à la noramidopyrine (Riom)

Introd. en 1967. Liste I. Remb. SS 40%.
PRINCIPES ACTIFS : comprimés et suppositoires contenant :
– métamizole sodique (noramidopyrine) : analgésique pyrazolé à action périphérique et antipyrétique à utiliser avec une extrême prudence en raison de sa toxicité potentielle ;
– codéine : analgésique morphinique ;
– tiémonium méthylsulfate : antispasmodique atropinique.
La solution injectable contient du métamizole sodique et tiémonium, mais ne contient pas de codéine.
Emploi : proposé pour atténuer la douleur modérée (analgésique) et dimi-

nuer les spasmes des voies biliaires et urinaires (antispasmodique).

Mise en garde : *l'apparition de fièvre, d'angine ou d'ulcérations buccales et l'augmentation de volume des ganglions lymphatique du cou* peuvent être dues à une diminution du nombre des globules blancs dans le sang (agranulocytose); ces manifestations imposent l'arrêt du traitement et une numération globulaire d'urgence; consultez immédiatement votre médecin.

Note : prescrit sur ordonnance médicale.

VISCOAT® (Alcon)

Introd. en 1990.

PRINCIPES ACTIFS : solution pour injection intra-oculaire contenant hyaluronate de sodium et chondroïtine sulfate de sodium.

Emploi : utilisé dans la chirurgie oculaire de la chambre antérieure.

VISCOTIOL® (Corbière)

Introd. en 1979. Remb. SS 40%.

PRINCIPE ACTIF : *Létostéine.*

Préparations : gélules à 50 mg; granulé à 25 mg par cuillère-mesure.

Emploi : proposé pour liquéfier les sécrétions bronchiques et en faciliter l'expectoration dans les affections respiratoires accompagnées de sécrétions bronchiques épaisses, notamment la bronchite aiguë, l'emphysème et d'autres affections.

Précautions : ne pas employer en cas d'allergie au produit, de crises d'asthme bronchique, d'encombrement des bronches, d'ulcère gastroduodénal évolutif, de grossesse ou d'allaitement (innocuité non établie); ne pas employer chez l'enfant de moins de 5 ans.

Consultez votre médecin si votre état ne s'améliore pas rapidement ou s'il s'aggrave, en cas de crachats sanglants, d'amaigrissement, de fièvre.

Effets indésirables possibles : brûlures d'estomac, maux de tête, nausées, diarrhées.

Pour les détails → p. 287.

Note : vendu sans ordonnance; à éviter sans avis médical, en particulier chez l'enfant.

VISKALDIX® (Sandoz)

Introd. en 1980. Liste I. Remb. SS 70%.

PRINCIPES ACTIFS: comprimés contenant
– pindolol (10 mg) : bêta-bloquant non cardiosélectif (Visken®);
– clopamide (5 mg) : diurétique de type thiazidique (Brinaldix®).

Emploi : association proposée pour traiter l'hypertension artérielle.

Pour les détails : → p. 96 et p. 232.

Note : prescrit sur ordonnance médicale.

VISKEN® (Sandoz)

Introd. en 1971. Liste I. Remb. SS 70%.

PRINCIPE ACTIF : *Pindolol.*

Préparations : comprimés à 5 mg ou 15 mg.

Emploi : médicament appartenant au groupe très nombreux des bêta-bloquants utilisé par voie buccale :
– pour abaisser la tension artérielle chez les hypertendus (antihypertenseur);
– pour prévenir les crises d'angine de poitrine (antiangoreux);
– pour le traitement au long cours après infarctus du myocarde.
Il s'agit d'un bêta-bloquant de type «non cardiosélectif».

Pour les détails → p. 96.

Note : prescrit sur ordonnance médicale.

VITA 3® (Faure)

Introd. en 1971. Remb. SS 70%.

PRINCIPES ACTIFS : collyre contenant de la phényléphrine (vasoconstricteur), sulforutine, mercurothiolate sodique.

Emploi : proposé dans les irritations de la conjonctive et des annexes («yeux rouges»).

Précautions : ne pas employer en cas de glaucome à angle fermé, d'hypertension artérielle et chez l'enfant âgé de moins de 3 ans; consultez votre médecin si les troubles persistent après 48 heures.

Durée du traitement : ne devrait pas dépasser 5-6 jours.

Sportifs : ce médicament peut donner une réaction positive en cas de tests pour contrôle antidopage.

Conduite de véhicules : ce médicament peut dilater les pupilles (mydriase) et provoquer des troubles visuels; la conduite de véhicules ou l'utilisation de machines peut être dangereuse en cas d'instillation répétées.

Note : *vendu sans ordonnance; à éviter sans avis médical, comme tous les collyres.*

VITA B® (Faure)

Introd. en 1962. Remb. SS 70%.

PRINCIPES ACTIFS : collyre contenant de la thiamine (vitamine B1), riboflavine (vitamine B2) et nicotinamide.

Emploi : proposé dans les lésions superficielles de la cornée et l'œil sec.

Note : *vendu sans ordonnance; à éviter sans avis médical, comme tous les collyres.*

VITABACT® (Faure)

Introd. en 1983. Remb. SS 70%.

PRINCIPES ACTIFS : collyre contenant de la picloxydine chlorhydrate (antiseptique externe).

Emploi : traitement des infections du segment antérieur de l'œil, notamment du trachome.

Précautions : ne pas employer en cas de glaucome.

Note : *vendu sans ordonnance; à éviter sans avis médical, comme tous les collyres.*

VITABLEU® (Faure)

Introd. en 1941. Remb. SS 70%.

PRINCIPE ACTIF : collyre contenant 0,1% de méthylthioninium (bleu de méthylène).

Emploi : utilisé dans les conjonctivites.

Note : *vendu sans ordonnance; à éviter sans avis médical, comme tous les collyres.*

VITACARPINE® (Faure)

Introd. en 1942. Remb. SS 70%.

PRINCIPE ACTIF : collyre contenant 1% ou 2% de pilocarpine (cholinergique, myotique).

Emploi : utilisé pour contracter la pupille et diminuer la tension intraoculaire dans le glaucome et dans d'autres affections. La durée d'action augmente avec la concentration du collyre (6-12 heures).

Conduite de véhicules : l'attention des conducteurs de véhicules est attirée sur la gêne visuelle après emploi.

Effets indésirables possibles: les instillation répétées peuvent entraîner un passage du médicament dans la circulation avec salivation, transpirations, larmoiement, nausées, vomissements, spasme bronchique.

Note : *vendu sans ordonnance; à éviter sans avis médical, comme tous les collyres.*

VITACEMIL® → Vitamine C.

VITACIC® (Faure)

Introd. en 1973. Remb. SS 70%.

PRINCIPES ACTIFS : collyre contenant adénosine, thymidine, cytidine, uridine et guanosine-5' monophosphate disodique.

Emploi : proposé comme cicatrisant de la cornée.

Note : *vendu sans ordonnance; à éviter sans avis médical, comme tous les collyres.*

VITACLAIR® (Faure)

Introd. en 1978. Non remb. SS.

PRINCIPES ACTIFS : solution de contactologie stérile contenant de l'édétate de sodium et laurylsulfate de sodium.

Emploi : nettoyage quotidien des lentilles cornéennes et des prothèses oculaires.

VITA-DERMACIDE®
(Clin Midy)

Introd. en 1940. Non remb. SS.

PRINCIPES ACTIFS : pâte pour application locale contenant de l'acide glutamique, nicotinamide, tryptophane, acide citrique.

Emploi : engelures et érythèmes.

Note : *vendu sans ordonnance; consultez votre médecin si les lésions persistent.*

VITA-IODUROL® (Faure)

Introd. en 1944. Remb. SS 70%.

PRINCIPES ACTIFS : collyre contenant de l'iodure de potassium, thiamine, acide nicotinique, chlorure de calcium et de magnésium, cystéine et glutathion.

Emploi : proposé dans la cataracte (efficacité à confirmer).

Note : *vendu sans ordonnance; à éviter sans avis médical, comme tous les collyres.*

VITA-IODUROL ATP® (Faure)

Introd. en 1960. Remb. SS 70%.

PRINCIPES ACTIFS : collyre contenant de l'iodure de potassium, triphosadénine, thiamine, acide nicotinique, chlorure de calcium et de magnésium, cystéine, glutathion.

Emploi : proposé dans la cataracte (efficacité à confirmer).

Note : *vendu sans ordonnance; à éviter sans avis médical, comme tous les collyres.*

VITALGINE®
(Médecine Végétale)

Introd. en 1913. Non remb. SS.

PRINCIPES ACTIFS : solution buvable contenant des teintures de hamamélis et de viburnum.

Emploi : proposé dans le traitement de l'insuffisance veineuse et lymphatique (jambes lourdes, etc.).

Précautions : consultez votre médecin en cas de suspicion de phlébite (jambes rouges et/ou chaudes, douloureuses, surtout si d'un seul côté et avec fièvre).

Note : *vendu sans ordonnance; efficacité des principes actifs à confirmer dans l'emploi proposé.*

VITALIPIDE® (Kabi Pharmacia)

Introd. en 1990.

PRINCIPES ACTIFS : émulsion injectable pour perfusion contenant des vitamines liposolubles.

Emploi : nutrition parentérale.

VITAMINE A

SYNONYME : *Rétinol.*

SPÉCIALITÉS :

A 313® (Chabre).
Arovit® (Roche).
Avibon® (Théraplix).

ÉQUIVALENCE : 1 UI = 0,55 µg.

Emploi : les vitamines sont des substances indispensables à la croissance et au fonctionnement des organes, apportées en petite quantité par l'alimentation, et dont la carence entraîne des troubles caractéristiques; des suppléments ne sont indiqués que si l'alimentation ne fournit pas assez de vitamines.

La vitamine A ou rétinol entre dans la composition du pourpre de la rétine de l'œil et joue un rôle dans la synthèse des hormones sexuelles, dans le développement des os et des dents et dans le fonctionnement des cellules de la peau et des muqueuses; l'absorption de la vitamine A, qui est «liposoluble», dépend de la digestion normale des graisses et par conséquent de la présence de bile; elle s'effectue au niveau de l'intestin grêle. Les besoins quotidiens sont estimés chez l'homme à 5000 UI, chez la femme à 4000 UI et pendant la grossesse et l'allaitement à 6000 UI; les besoins quotidiens du nourrisson sont estimés à 2000 UI, besoins qui sont satisfaits par le lait maternel.

La vitamine A se rencontre à l'état naturel sous différentes formes uniquement dans les graisses animales, notamment huile de foie de morue ou de flétan, foie de veau, beurre, lait, œufs; les épinards, cresson, persil, tomates et carottes contiennent des carotènes ou provitamines A qui peuvent être transformées dans l'organisme en vitamine A.

Les *états de carence* peuvent être dus aux causes suivantes:

– défaut d'apport alimentaire chez le nourrisson en alimentation artificielle à base de lait écrémé et chez l'enfant et l'adulte en cas de régime trop restrictif;

– défaut d'absorption digestive dans les syndromes de malabsorption; l'absorption intestinale des carotènes d'origine végétale et leur transformation en vitamine A sont incomplètes dans l'insuffisance thyroïdienne (hypothyroïdie), le diabète et les maladies intestinales chroniques.

Signes de carence en vitamine A :

– *signes oculaires* : diminution de l'adaptation à l'obscurité et vision diminuée lorsque la lumière est faible (héméralopie ou cécité crépusculaire), sécheresse et inflammation des conjonctives (xérophtalmie), lésions superficielles blanches ou grisâtres de la conjonctive (taches de Bitot);

– *signes cutanés et muqueux* : sécheresse de la peau, apparition de papules dures à la face antéro-latérale de l'avant-bras, des deux côtés; lésions des muqueuses respiratoires;

– *signes digestifs* (non spécifiques) : perte de l'appétit, diarrhée.

Les carences graves s'observent dans les pays où sévit la malnutrition; ces carences entraînent non seulement une xérophtalmie (une des causes majeures de cécité), mais aussi un retard de croissance, une arriération mentale, des malformations osseuses et une grande susceptibilité aux infections; la sécrétion de mucus fait défaut et les épithéliums se kératinisent d'où l'apparition de complications respiratoires redoutables en cas de rougeole, qui reste une des causes principales de décès dans les pays du tiers-monde.

Allergie : informez votre médecin si vous avez déjà fait une réaction allergique ou inhabituelle à ce médicament.

Etat de santé : vous devez informer votre médecin de toute affection susceptible de modifier les effets du médicament; les affections suivantes peuvent *augmenter les besoins en vitamine A* :
– alcoolisme chronique;
– maladies du foie;
– diarrhée chronique;
– diabète sucré;
– fonctionnement excessif de la glande thyroïde (hyperthyroïdie);
– troubles de l'absorption des graisses (diminution de l'absorption digestive; administrer en injections).

Grossesse : ce médicament ne doit pas être utilisé chez la femme enceinte ou susceptible de l'être; en effet, il a causé des malformations du fœtus au cours de l'expérimentation animale et des doses élevées (qui s'ajoutent à l'apport alimentaire) exposent au risque de malformations de l'enfant.

Allaitement : l'utilisation de ce médicament est déconseillée, car il passe dans le lait maternel et, à doses élevées, peut provoquer des effets indésirables chez le nourrisson.

Interactions : il faut informer votre médecin si vous prenez ou avez pris récemment d'autres médicaments, notamment :
– étrétinate, isotrétinoïne, trétinoïne (augmentation du taux sanguin de la vitamine A, risque accru d'effets indésirables);
– colestyramine (diminution de l'absorption de la vitamine A);
– huile de paraffine (diminution de l'absorption de la vitamine A).

Prescription : ne dépassez pas la dose prescrite par votre médecin; des doses trop élevées ou des prises trop fréquentes augmentent le risque d'effets indésirables.

Oubli : si vous oubliez de prendre le médicament, ne doublez pas la dose suivante.

Intoxication aiguë :
– Chez le nourrisson, on observe des signes d'hypertension intracrânienne, notamment saillie de la grande fontanelle, vomissements, irritabilité, convulsions («pseudotumeur cérébrale» ou syndrome de Marie-Sée).
– Chez l'adulte, les signes de surdosage sont rares et consistent en troubles de la vue, maux de tête sévères, vertiges, vomissements, diarrhée, confusion mentale, convulsions.

Intoxication chronique ou hypervitaminose A :
– Chez l'enfant, l'administration prolongée de doses supérieures à 10.000 UI par jour pendant 1-3 mois peut causer des maux de tête, une perte de l'appétit, une faiblesse, une perte de poids, une sécheresse de la peau, une perte des cheveux, une hypercalcémie avec douleurs des os et des articulations, un arrêt de la croissance (soudure précoce des épiphyses) et une augmentation de volume du foie et de la rate; le diagnostic est porté sur la constatation de gonflements sous-cutanés douloureux au niveau des membres et sur l'examen radiologique; chez le nourrisson, on observe une tension de la fontanelle; l'hypervitaminose A est confirmée par l'augmentation du taux plasmatique de rétinol.
– Chez l'adulte, des signes analogues de surdosage peuvent apparaître avec des doses supérieures à 50.000 UI par jour pendant 6-12 mois.

VITAMINE A Dulcis (Allergan)

Introd. en 1939. Remb. SS 70%.

PRINCIPE ACTIF: pommade ophtalmique contenant de la vitamine A (rétinol).

Emploi : proposé comme cicatrisant dans les plaies et les ulcères de la cornée.

Note : *vendu sans ordonnance; à éviter en automédication.*

VITAMINE A (Faure)

Introd. en 1961. Remb. SS 70%.

PRINCIPE ACTIF : collyre contenant de la vitamine A (rétinol).

Emploi : proposé comme cicatrisant dans les plaies et les ulcères de la cornée (dont le diagnostic doit être posé par votre médecin).
Note : vendu sans ordonnance; à éviter sans avis médical, comme tous les collyres.

VITAMINE B1

SYNONYME : **Thiamine**.
SPÉCIALITÉS :
  Bénerva® (Roche).
  Bévitine® (Specia).
  Vitamine B1 (Delagrange).
Emploi : la thiamine est indispensable au métabolisme normal; les aliments riches en thiamine sont les levures, les céréales entières, le jaune d'œuf, les légumes, les fruits secs, les fruits oléagineux et les abats; la thiamine est dégradée par la cuisson et l'exposition à la lumière et surtout aux rayons ultraviolets.
Les besoins quotidiens de l'adulte et de l'adolescent sont estimés à 1,5 mg par jour; ils augmentent proportionnellement à la consommation d'hydrates de carbone (glucides); les besoins du nourrisson sont estimés à 0,5 mg ou sont satisfaits par le lait maternel.
États de carence : la thiamine est employée, souvent en association avec d'autres vitamines du groupe B, dans le traitement des affections suivantes :
– *béribéri* : maladie observée dans les zones où l'alimentation consiste presque exclusivement en riz blanc poli et caractérisée par des douleurs et des paralysies des membres (polynévrite) et des troubles cardiaques;
– *encéphalopathie de Wernicke* : atteinte du système nerveux central caractérisée par des troubles des mouvements des yeux, de l'équilibre, de la mémoire et un état confusionnel; on l'observe chez les alcooliques chroniques, parfois chez les femmes souffrant de vomissements de la grossesse, dans l'anorexie mentale et chez des malades dénutris qu'on réalimente en hydrates de carbone sans suppléments de thiamine;
– *prévention des carences en thiamine* dans la nutrition artificielle, les régimes restrictifs, l'alcoolisme chronique et la malabsorption.
L'utilisation à doses très élevées dans certains syndrome douloureux indépendants de la carence en thiamine n'est pas justifiée.
Allergie : informez votre médecin si vous avez déjà fait une réaction allergique ou inhabituelle à ce médicament.
État de santé : vous devez informer votre médecin de toute affection susceptible de modifier ses effets du médicament; les affections suivantes peuvent *augmenter les besoins en thiamine* :
– alcoolisme chronique;
– diarrhée et maladies intestinales;
– maladies du foie;
– résection chirurgicale de l'estomac (peut nécessiter l'administration de thiamine en injections).
Grossesse et allaitement : des quantités suffisantes sont nécessaires pendant la grossesse et l'allaitement, mais il faut éviter des doses excessives.
Interactions : il faut informer votre médecin si vous prenez ou avez pris récemment d'autres médicaments.
Injections : en cas d'injection intraveineuse, on observe exceptionnellement des réactions allergiques et une baisse de la tension artérielle pouvant évoluer vers un état de choc.
Surdosage : l'excès de thiamine est éliminé avec l'urine et la sueur.

VITAMINE B1 (Delagrange)

Introd. en 1958. Non remb. SS.
Préparations : comprimés à 250 mg.
Emploi : carences en vitamine B1.
Pour les détails → Vitamine B1.
Note : vendu sans ordonnance; à éviter en automédication (une carence en vitamines ne peut être diagnostiquée que par votre médecin).

VITAMINE B2

SYNONYMES : **Riboflavine**, Lactoflavine.
SPÉCIALITÉ : *Béflavine®* (Roche)
Préparations : comprimés à 10 mg; ampoules injectables à 10 mg dans 2 ml.
Emploi : la riboflavine est présente dans de nombreux enzymes et est indispensable au métabolisme normal.
Les besoins quotidiens sont chez l'adulte d'environ 2 mg ou chez le nourrisson de 0,9 mg (besoins satisfaits par le lait maternel); la riboflavine est abondante dans les aliments d'origine animale (viandes, poissons, foie, œufs, lait), les légumes à feuille

et les levures; elle n'est pas détruite par la cuisson des viandes, mais la pasteurisation et l'irradiation du lait la détruisent.

La riboflavine est employée, souvent en association avec d'autres vitamines du groupe B, dans le traitement des états de carence qui s'observent lorsque l'alimentation est dépourvue de viande, de poissons, de lait et d'œufs ou en cas de troubles de l'absorption intestinale.

Signes de carence en riboflavine

(ariboflavinose) :
– *Oculaires* : diminution de l'acuité visuelle, sensibilité excessive et douloureuse à la lumière (photophobie), sensation de sable dans l'œil, parfois conjonctivite.
– *Cutanés et muqueux* : fissures aux commissures labiales (chéilite angulaire ou perlèche), langue lisse, rougeviolacée (glossite), desquamation fine du visage, croûtelles autour des narines, lésions des muqueuses anales et vaginales.

La forme injectable a été proposée dans le traitement de l'acné rosacée.

Allergie : informez votre médecin si vous avez déjà fait une réaction allergique ou inhabituelle à ce médicament.

Etat de santé : vous devez informer votre médecin de toute affection susceptible de modifier les effets du médicament; les affections suivantes peuvent augmenter les besoins en riboflavine:
– alcoolisme chronique;
– diarrhée et maladies intestinales;
– maladies du foie;
– résection chirurgicale de l'estomac.

Grossesse et allaitement : des quantités suffisantes sont nécessaires pendant la grossesse et l'allaitement, mais il faut éviter des doses excessives.

Interactions : certains médicaments peuvent augmenter les besoins en riboflavine, notamment :
– neuroleptiques dérivés de la phénothiazine;
– antidépresseurs tricycliques;
– contraceptifs oraux.

Surdosage prolongé : coloration jaune intense des urines.

Note : vendu sans ordonnance; à éviter en automédication (une carence en vitamines ne peut être diagnostiquée que par votre médecin).

VITAMINE B3 → Nicobion®.

VITAMINE B5 → Bépanthène®.

VITAMINE B6

SYNONYME : *Pyridoxine*
SPÉCIALITÉS :
Bécilan® (Specia).
Vitamine B6 (Richard).

Emploi : la pyridoxine intervient dans de nombreuses réactions enzymatiques et est indispensable au métabolisme normal. Les aliments riches en pyridoxine sont les levures, les céréales entières, le foie, bananes, pommes de terre; la pyridoxine est dégradée par la cuisson et l'exposition à la lumière.

Le besoin quotidien en pyridoxine est proportionnel à la consommation de protéines; il est estimé à 2 mg en cas de régime riche en protéines.

La **carence en pyridoxine** est toujours associé à d'autres carences dans le syndrome de malnutrition et dans l'alcoolisme chronique; il n'y a pas de tableau clinique caractéristique de la carence isolée en pyridoxine; on a attribué à cette carence des altérations diverses de la peau, des muqueuses (notamment de la bouche) et du système nerveux (nervosité, dépression), des troubles de la croissance et une anémie. La pyridoxine a été préconisée dans le traitement de conditions diverses, notamment dans les affections suivantes :
– certaines anomalies génétiques du métabolisme, par exemple l'homocystinurie;
– les polynévrites dues aux médicaments antagonistes de la pyridoxine (isoniazide, hydralazine, dihydralazine, pénicillamine)
– les anémies dites «sidéroblastiques» (pyridoxine-sensibles).

Allergie : informez votre médecin si vous avez déjà fait une réaction allergique ou inhabituelle à ce médicament.

Etat de santé : vous devez informer votre médecin de toute affection susceptible de modifier les effets du médicament; les affections suivantes peuvent augmenter les besoins en pyridoxine:
– alcoolisme chronique;
– diarrhée et maladies intestinales;
– maladies du foie;
– résection chirurgicale de l'estomac (peut nécessiter l'administration de pyridoxine en injections).

Grossesse et allaitement : des quantités suffisantes sont nécessaires pendant la grossesse et l'allaitement.

Interactions : il faut informer votre médecin si vous prenez ou avez pris récemment de la lévodopa car l'efficacité de ce médicament dans le traitement de la maladie de Parkinson peut être réduite par la prise concomitante de pyridoxine.

Surdosage prolongé : lésions des nerfs avec fourmillements et douleurs aux extrémités, surtout la nuit.

VITAMINE B6 (Richard)

Introd. en 1963. Remb. SS 40%.

SYNONYME : **Pyridoxine**

Préparations : comprimés à 250 mg.

Emploi : carences en vitamine B6.

Pour les détails → ci-dessus.

Note : vendu sans ordonnance; à éviter en automédication (une carence en vitamines ne peut être diagnostiquée que par votre médecin).

VITAMINE B8 → Biotine.

VITAMINE B9 → Speciafoldine®.

VITAMINE B12

Cyanocobalamine

Vitamine B12 (Aguettant).
Vitamine B12 mille (Delagrange).
Vitamine B12 (Gerda).
Vitamine B12 (Gerda-Labaz).
Vitamine B12 Lavoisier®
　(Chaix & Du Marais).

Hydroxocobalamine

Dodécavit® (L'Arguenon).
Hydroxo 5000® (Lipha Santé).
Novobédouze® (Bouchara).

Préparations : ampoules injectables à 0,1 mg, 1 mg ou 5 mg; compr. à 250 µg.

Emploi : la vitamine B12 est indispensable pour le métabolisme et le développement normal ainsi que pour la formation des globules rouges par la moelle osseuse; la vitamine naturelle est contenue dans le foie, les viandes maigres, les rognons, les poissons, les œufs, le lait et les laitages.

La vitamine B12 est absorbée dans l'intestin grêle, en présence de calcium et après liaison avec une protéine sécrétée par la muqueuse gastrique appelée «facteur intrinsèque» (la vitamine B12 elle même est aussi appelée «facteur extrinsèque»); l'organisme normal contient environ 5 mg de vitamine B12, stockés surtout dans le foie, qui sont suffisants pour satisfaire les besoins physiologiques pendant 3-5 ans; les signes de carence apparaissent lorsque cette réserve est réduite à un dixième.

Les besoins quotidiens en vitamine B12 sont minimes, autour de 3 µg chez l'adolescent et l'adulte et de 4 µg pendant la grossesse et l'allaitement; une alimentation équilibrée fournit des quantités suffisantes.

La *carence en vitamine B12* provoque une anémie, une inflammation de la langue et une atteinte de la moelle épinière avec troubles de la sensibilité et faiblesse des jambes appelés syndrome neuro-anémique.

La vitamine B12 est employée dans les conditions suivantes :

– *Carence d'absorption de la vitamine B12* : anémie pernicieuse (maladie de Biermer par absence du «facteur intrinsèque» gastrique) et autres anémies par déficit en vitamine B12 après chirurgie de l'estomac ou de l'intestin, en cas de maladies chroniques de l'intestin, maladie cœliaque, et d'infestation par des ténias (bothriocéphalose).

– *Carences d'apport en vitamines B12* : dans les pays industrialisés uniquement chez les sujets végétariens ou végétaliens, sans œufs, lait, laitages.

– *Troubles visuels dus au tabagisme* : quelques améliorations ont été observées.

– *Indications sans preuve d'efficacité* : la vitamine B12 en injections à doses élevées est proposée comme «tonique» dans la fatigue ou comme «antidouleur» dans les douleurs des névrites, polynévrites, névralgies, sciatiques etc.; avant de décider de tels traitements coûteux et dont l'efficacité est incertaine, il est important que vous discutiez avec votre médecin les bienfaits attendus de l'utilisation de «mégadoses» de vitamine B12 ou de médicaments analogues (p. ex. cobamamide).

Allergie : informez votre médecin si vous avez déjà fait une réaction allergique ou inhabituelle à la vitamine B12.

État de santé : vous devez informer votre médecin de toute affection susceptible de modifier les effets du médicament; les affections suivantes peuvent augmenter les besoins en vitamine B12:
- alcoolisme chronique, maladies du foie, diarrhées chroniques, téniases (bothriocéphalose);
- activité excessive de la thyroïde ou hyperthyroïdie;
- résection chirurgicale de l'estomac (administrer en injections).

Grossesse et allaitement : des quantités suffisantes sont nécessaires pendant la grossesse et l'allaitement, mais il faut éviter des doses excessives.

Durée du traitement : en cas d'anémie pernicieuse ou de chirurgie de l'estomac ou de l'intestin, la durée du traitement est souvent indéfinie.

Surveillance : consultez votre médecin à intervalles réguliers pour évaluer les effets du traitement.

Effets indésirables possibles :
- prurit, urticaire, éruption cutanée (réaction allergique : arrêtez immédiatement le traitement);
- acné (traitement prolongé).

Coloration des urines : la coloration en rouge des urines n'a pas de signification particulière.

Surdosage : pas de signes caractéristiques.

Note : médicament à éviter en automédication (une carence en vitamines ne peut être diagnostiquée que par votre médecin).

VITAMINE B12 Dulcis®
(Allergan)

Introd. en 1962. Remb. SS 70%.
PRINCIPE ACTIF : collyre contenant de la vitamine B12 (cyanocobalamine).
Emploi : proposé comme cicatrisant dans les plaies et ulcères de la cornée (dont le diagnostic doit être posé par votre médecin).
Note : vendu sans ordonnance; à éviter sans avis médical, comme tous les collyres.

VITAMINES B ASSOCIÉES

SPÉCIALITÉS :
B Chabre® (Chabre).
Bécozyme® (Roche).
Bétrimax® (Anphar-Rolland).
Opacinan® (Alcon).

Princi-B® (Midy-Lafarge).
Terneurine® (Allard).
Vitamines B1-B6® (Roche).
Vitamines B1-B6-B12 (Gerda).
Vitamines B1-B6-B12 (Roche).

VITAMINE C

SYNONYME : *Acide ascorbique.*
SPÉCIALITÉS :
Abriscor® (Sterling Midy).
Cebion® (Merck-Clévenot).
Laroscorbine® (Roche).
Vitacemil® (Soekami-Lefrancq).
Vitamine C (Aguettant).
Vitamine C Arkovital® (Arkopharma).
Vitamine C (Inava).
Vitamine C (Oberlin).
Vitamine C (P. Fabre).
Vitamine C (Sterling Midy).
Vitamine C (Upsa).
Vitascorbol® (R. P. Labo).
SEL DE CALCIUM :
Ascorbate de calcium (Richard).

Préparations : comprimés à 500 mg ou 1000 mg (non remb. SS.); ampoules injectables à 500 mg ou 1000 mg.

Emploi : la vitamine C ou acide ascorbique joue un rôle particulièrement important dans la formation du collagène, de l'os, des dents et des vaisseaux et intervient dans de nombreux processus métaboliques vitaux. On la trouve à l'état naturel dans les agrumes (orange, citron, pamplemousse), les tomates, les poivrons et les feuilles des légumes verts; le foie et les rognons contiennent des quantités importantes de vitamine C; le lait en contient une certaine quantité qui diminue par la pasteurisation; la cuisson de tous les aliments en diminue nettement la teneur.

Le besoin quotidien est de 45 mg chez l'enfant de 4 à 10 ans et de 60 mg chez l'adulte (homme et femme). Les besoins de l'organisme sont augmentés pendant la grossesse (70-80 mg) et l'allaitement (95 mg), chez les fumeurs (100 mg), dans le fonctionnement excessif de la glande thyroïde (hyperthyroïdie ou maladie de Basedow), les maladies inflammatoires, les brûlures et les opérations.

La *carence grave en vitamine C* provoque le scorbut qui se traduit par des gencives tuméfiées, des hémorragies diverses, des douleurs articulaires, une anémie et, chez l'enfant, par des troubles de la formation des dents et des os.

Chez le nourrisson, des carences s'observent uniquement chez des sujets nourris artificiellement avec des laits pasteurisés, condensés, secs ou des farines sans suppléments vitaminiques.

Chez l'adulte, des troubles s'observent après quelques mois de régime carencé chez des individus soumis à une alimentation constituée exclusivement de produits de conserve, notamment dans les camps ou chez des individus vivant isolés (scorbut des célibataires); les diarrhées chroniques et la sprue diminuent l'absorption de la vitamine C et aggravent le déficit.

La vitamine C est utilisée :
– dans le traitement et la prévention des carences en vitamine C;
– dans le traitement de la méthémoglobinémie (une maladie du sang) et comme adjuvant de la déféroxamine dans l'intoxication par le fer.

Il n'y a pas de preuve scientifique de l'efficacité de la vitamine C à très hautes doses («mégadoses») dans le rhume banal ou dans d'autres affections.

La vitamine C est proposée pour traiter la fatigue (asthénie fonctionnelle) sans preuve d'efficacité.

Allergie : informez votre médecin si vous avez déjà fait une réaction allergique ou inhabituelle à ce médicament.

Etat de santé : vous devez informer votre médecin de toute affection susceptible de modifier les effets du médicament, notamment:
– calculs du rein (des doses supérieures à 500 mg par jour de vitamine C favorisent la formation de calculs);
– diabète sucré (la vitamine C peut modifier certains tests pour déceler la présence de sucre dans les urines);
– carence en glucose-6-phosphate déshydrogénase ou G6PD (chez les sujets atteints de cette anomalie congénitale rare, la vitamine C peut provoquer une anémie hémolytique).

Régime : informez votre médecin de vos habitudes alimentaires ou du régime que vous suivez; en effet, des préparations de vitamine C ne sont nécessaires que lorsque votre régime alimentaire ne vous fournit la quantité nécessaire; un régime bien équilibré vous fournit en quantité suffisante toutes les vitamines dont vous avez

besoin et, sauf prescription de votre médecin, rend les suppléments de vitamines inutiles.

Grossesse et allaitement : des quantités suffisantes sont nécessaires pendant la grossesse et l'allaitement.

Interactions : il faut informer votre médecin si vous prenez ou avez pris récemment d'autres médicaments, notamment de la déféroxamine.

Prescription : ne dépassez pas la dose prescrite par votre médecin; des doses trop élevées ou des prises trop fréquentes peuvent augmenter le risque d'effets indésirables.

Oubli : si vous oubliez de prendre le médicament pendant quelques jours, il n'est pas nécessaire d'augmenter les doses suivantes.

En cas de diabète : ce médicament peut fausser les résultats des tests pour détecter la présence de sucre dans l'urine (glycosurie).

Effets indésirables possibles : des doses supérieures à 500 mg par jour favorisent la formation de calculs dans le reins (lithiases oxalique et urique).

Note : vendu sans ordonnance; à éviter en automédication (une carence en vitamines ne peut être diagnostiquée que par votre médecin).

VITAMINE C (Faure)

Introd. en 1961. Remb. SS 70%.
PRINCIPE ACTIF : collyre contenant 2% d'acide ascorbique.

Emploi : proposé dans les opacifications du cristallin (efficacité à confirmer).

Note : vendu sans ordonnance; à éviter sans avis médical, comme tous les collyres.

VITAMINE D

Colécalciférol (VITAMINE D3) :
    Adrigyl® (Doms-Adrian).
    Uvédose® (Crinex).
    Vitamine D3 B.O.N.® (Doms-Adrian).
Ergocalciférol (VITAMINE D2) :
    Stérogyl® (Roussel).
    Uvestérol D® (Crinex).
    Zyma-D2® (Zyma).

Emploi : le terme «vitamine D» désigne une dizaine de substances plus ou moins actives, dont l'ergocalciférol (vitamine D2) et le colécalciférol (vitamine D3). La part la plus importante de la vitamine D est fournie par la synthèse au niveau de la peau, sous l'influence des rayons ultraviolets. Les sources naturelles de la vitamine D sont les huiles de foies de morue et de flétan, le foie des animaux qui se nourrissent de poissons, le jaune d'œuf et le beurre; l'absorption de la vitamine D, qui est «liposoluble», dépend de la digestion normale des graisses et par conséquent de la présence de bile; elle s'effectue au niveau de l'intestin grêle.

La vitamine D contribue, avec l'hormone parathyroïdienne, à l'équilibre du calcium et du phosphore dans l'organisme, favorise l'absorption du calcium dans l'intestin et la fixation du calcium sur les os et les dents.

Les besoins quotidiens en vitamine D sont minimes et sont estimés chez l'adolescent et l'adulte à 400 UI (10 µg) d'ergocalciférol; les sujets normalement exposés au soleil n'ont pas besoin de suppléments.

La *carence en vitamine D* provoque le *rachitisme* chez l'enfant et l'*ostéomalacie* (déminéralisation des os qui sont affaiblis) chez l'adulte; des suppléments de vitamine D sont employés dans les conditions suivantes:
- prévention du rachitisme chez le nourrisson jusqu'à 18 mois;
- traitement curatif du rachitisme chez l'enfant;
- traitement curatif de l'ostéomalacie de l'adulte; surveiller la calciurie pour éviter un surdosage;
- prévention de la carence en vitamine D et de l'ostéomalacie chez les adultes à risque (sujets âgés ou confinés, femme enceinte ou allaitant, malabsorption intestinale, certaines affections biliaires, traitement antiépileptique, entéropathie au gluten).

Les doses excessives de vitamine D s'accompagnent d'effets indésirables importants (→ ci-dessous).

Allergie : informez votre médecin si vous avez déjà fait une réaction allergique ou inhabituelle à la vitamine D.

État de santé : les conditions suivantes peuvent *augmenter les besoins en vitamine D* :
- exposition insuffisante à la lumière (climat peu ensoleillé, habits couvrant tout le corps);
- alcoolisme chronique;
- maladies du foie;
- diarrhée et maladies intestinales chroniques;
- maladie cœliaque;
- après résection chirurgicale de l'estomac ou de l'intestin (injections).

Grossesse et allaitement : des quantités suffisantes sont nécessaires pendant la grossesse et l'allaitement, mais il faut éviter des doses excessives (supérieures à 400 UI par jour) qui peuvent provoquer des effets indésirables chez l'enfant.

Enfants : le nourrisson est très sensible à la vitamine D et des doses de plus de 400 UI par jour peuvent provoquer une augmentation du taux du calcium dans le sang (hypercalcémie).

Interactions : il faut informer votre médecin si vous prenez ou avez pris récemment d'autres médicaments; il ne faut pas associer deux dérivés de la vitamine D.

Prescription : ne dépassez pas la dose prescrite par votre médecin; des doses trop élevées ou des prises trop fréquentes augmentent le risque d'effets indésirables.

Surveillance : consultez votre médecin à intervalles réguliers pour évaluer les effets du traitement et contrôler le taux du calcium dans le sang (calcémie) et dans l'urine (calciurie).

Autres médicaments : ne prenez aucun autre médicament sans consulter votre médecin.

Chirurgie : informez votre chirurgien ou dentiste que vous être traité par ce médicament.

Intoxication ou hypervitaminose D : dans la plupart des cas, des doses supérieures à 400 UI par jour sont inutiles; l'administration prolongée de doses journalières supérieures à 1000-3000 UI/kg/jour risque de provoquer une perte de l'appétit, des vomissements, un amaigrissement, une soif intense, une agitation et une augmentation du volume des urines (polyurie); à un stade avancé, le métabolisme du calcium et du phosphore est altéré, ce qui entraîne des dépôts de calcium dans les reins et les tissus et un retard de croissance chez l'enfant; pour prévenir le surdosage, il faut contrôler régulièrement le taux du calcium dans le sang et dans l'urine.

Dérivés hydroxylés de la vitamine D :
Dédrogyl® [calcifédiol].
Rocaltrol® [calcitriol].
Un-Alfa® [alfacalcidiol].

VITAMINE D3 B.O.N.®
(Doms-Adrian)

Introd. en 1956. Liste II. Remb. SS 70%.
PRINCIPE ACTIF : *Colécalciférol.*
ÉQUIVALENCE : 1 mg = 40.000 UI.
Préparations : solution alcoolique uniquement buvable à 5 mg/ml; solution huileuse buvable et injectable par voie à 5 mg/ml.
Emploi : carences en vitamine D.
Pour les détails → Vitamine D.
Note : prescrit sur ordonnance médicale.

VITAMINE E

SPÉCIALITÉS :
Ephynal® (Roche).
Toco 500® (Pharma 2000).
Tocomine® (Paillusseau).
SYNONYMES : **tocophérol**, alpha-tocophérol.
Propriétés : la vitamine E est liposoluble, présente dans les huiles végétales, la viande et le foie de bœuf et les graines de céréales; la carence est extrêmement rare et ne se traduit pas par des symptômes caractéristiques; les germes, les graines, le jaune d'œuf et la viande sont riches en vitamine E; les besoins quotidiens sont estimés à environ 10 mg par jour; une alimentation équilibrée suffit largement à satisfaire ces besoins; 1 mg d'acétate de DL-α-tocophérol correspond à 1 unité internationale.
Emploi : proposée dans l'incontinence urinaire chez la femme ainsi que dans la myopie évolutive et, à des doses élevées, comme adjuvant dans le traitement des hyperlipoprotéinémies; l'efficacité de la vitamine E dans ces affections est à confirmer.
Note : vendu sans ordonnance; à éviter en automédication (une carence en vitamines ne peut être diagnostiquée que par votre médecin).

VITAMINE H → Biotine.

VITAMINE K

Phytoménadione (VITAMINE K1) :
Vitamine K1 (Delagrange).
Vitamine K1 (Roche).
Ménadione (VITAMINE K3) :
Bilkaby® (Bailly-Speab).
Préparations : comprimés à 5 mg 10 mg; émulsion ou solution buvable à 1 mg par goutte; ampoules injectables à 10 mg ou 50 mg dans 1 ml.
Propriétés : les vitamines sont des substances indispensables à la croissance et au fonctionnement des organes, apportées en petite quantité par l'alimentation, et dont la carence entraîne des troubles caractéristiques; des suppléments ne sont indiqués que si l'alimentation ne fournit pas assez de vitamines. Le terme «vitamine K» comprend plusieurs substances :
– vitamine K1 ou *phytoménadione* qui existe à l'état naturel dans les légumes verts, le foie, les viandes; l'absorption de la vitamine K, qui est «liposoluble», dépend de la digestion normale des graisses et par conséquent de la présence de bile; elle s'effectue au niveau de l'intestin grêle;
– vitamine K2 synthétisée par les bactéries intestinales à partir du 6e mois;
– vitamine K3 ou *ménadione* qui est une forme synthétique;
– vitamine K4 ou ménadiol qui est une forme synthétique.
La vitamine K est nécessaire pour la synthèse de la prothrombine dans le foie et d'autres facteurs de la coagulation
Les *besoins quotidiens* sont mal connus, car une partie importante de la vitamine K est synthétisée par les bactéries dans l'intestin; la vitamine K est abondante dans les légumes verts, le foie et les viandes et n'est pas détruite par la cuisson.
Emploi : la vitamine K est employée dans les conditions suivantes :
– *Surdosage des anticoagulants oraux dérivés de la coumarine (antivitamines K)* : en cas d'hémorragies, la phytoménadione est injectée par voie intraveineuse en surveillant le temps de prothrombine; elle n'a pas d'action en cas de surdosage de l'héparine; éviter d'administrer des doses excessives qui pourraient rendre le malade trop longtemps réfractaire au traitement anticoagulant.
– *Carences en vitamine K* accompagnées d'une baisse du taux de prothrombine (hypoprothrombinémie) qui se traduit par une tendance aux hémorragies; on distingue :
 - chez le nouveau-né, le tube digestif est stérile et ce n'est qu'à partir du 6e mois que les bactéries intestinales synthétisent des quantités

suffisantes de vitamine K; lorsque la mère est en état de carence, on administre une dose unique à la naissance pour prévenir la carence; comme les autres vitamines liposolubles, la vitamine K passe mal la barrière placentaire et est peu abondante dans le lait maternel;

- affections hépatiques, biliaires ou intestinales qui diminuent la résorption intestinale des graisses ou administration d'antibiotiques qui modifient la flore bactérienne intestinale : dans ces cas, l'effet de la vitamine K dépend de l'état du tissu hépatique; si l'atteinte hépatique est sévère, elle n'a pas d'effet.

Allergie : informez votre médecin si vous avez déjà fait une réaction allergique ou inhabituelle à la vitamine K.

Etat de santé : informez votre médecin de toute affection susceptible de modifier les effets du médicament; les affections suivantes diminuent l'absorption des graisses peuvent *augmenter les besoins en vitamine K* :
- diarrhée et maladies intestinales chroniques;
- maladie cœliaque;
- résection chirurgicale de l'estomac ou de l'intestin (administrer en injections).

Grossesse et allaitement : il n'existe pas de contre-indication actuellement connue à l'utilisation de ce médicament; cependant, son innocuité n'a pas été établie chez la femme enceinte, ni lors de l'allaitement.

Interactions : il faut informer votre médecin si vous prenez ou avez pris récemment d'autres médicaments, notamment :
- anticoagulants oraux (action antagoniste);
- antibiotiques et sulfamides (peuvent diminuer la synthèse de la vitamine K par les bactéries intestinales).

Prescription : ne dépassez pas la dose prescrite par votre médecin; des doses trop élevées ou des prises trop fréquentes augmentent le risque d'effets indésirables.

Oubli : si vous oubliez de prendre le médicament, ne doublez pas la dose suivante.

Surveillance : consultez votre médecin à intervalles réguliers pour évaluer les effets du traitement et contrôler le taux de prothrombine.

Autres médicaments : ne prenez aucun autre médicament sans consulter votre médecin.

Chirurgie : informez votre chirurgien ou dentiste que vous être traité par ce médicament.

Effets indésirables possibles : l'injection intraveineuse peut provoquer un état de choc et l'injection intramusculaire peut s'accompagner de douleurs et d'hémorragies au point d'injection.

Note : médicaments à éviter en automédication.

VITAMINE PP → Nicobion®.

VITAMINES ASSOCIÉES

POLYVITAMINES (→ les termes suivants)
Alvityl® (Latéma).
Azedavit® (Lederle).
Cernévit® (Clintec).
Hydrosol Polyvitaminé B.O.N. ® (Doms-Adrian).
Hydrosol Polyvitaminé (Roche).
Polyvitamines et Oligoéléments (Lederle).
Soluvit® (Kabi Pharmacia).
Vivamyne® (Lederle).

VITANÉVRIL® Fort (Clin Midy)

Introd. en 1966. Non remb. SS.

PRINCIPE ACTIF : **Benfotiamine**.

Préparations : comprimés à 100 mg.

Emploi : dérivé de la vitamine B1 proposé dans les carences en thiamine (béribéri, polynévrite alcoolique, encéphalopathie de Wernicke); l'emploi dans les syndromes douloureux sans carence vitaminique n'est pas justifiée.

Pour les détails → Vitamine B1.

Note : vendu sans ordonnance; à éviter en automédication (une carence en vitamines ne peut être diagnostiquée que par votre médecin).

VITAPHAKOL® (Faure)

Introd. en 1965. Remb. SS 70%.

PRINCIPES ACTIFS : collyre contenant du cytochrome, nicotinamide, adénosine et sorbitol.

Emploi : proposé dans la cataracte (efficacité à confirmer).

Note : vendu sans ordonnance; à éviter sans avis médical, comme tous les collyres.

VITARGÉNOL® (Faure)

Introd. en 1947. Remb. SS 70%.

PRINCIPE ACTIF : collyre contenant 5% de vitellinate d'argent.

Emploi : proposé dans la conjonctivite.

Précautions : évitez le traitement prolongé.

Note : vendu sans ordonnance; à éviter sans avis médical; des principes actifs plus efficaces sont actuellement disponibles.

VITARUTINE® (Faure)

Introd. en 1962. Remb. SS 70%.

PRINCIPES ACTIFS : collyre contenant de la nicotinamide et rutoside.

Emploi : proposé dans les troubles de la résistance capillaire conjonctivale (dont le diagnostic ne peut être posé que par votre médecin).

Note : vendu sans ordonnance; à éviter sans avis médical, comme tous les collyres.

VITASCORBOL® (RP Labo)

PRINCIPE ACTIF : comprimés contenant 500 ou 1000 mg d'acide ascorbique.

Pour les détails → Vitamine C.

Note : vendu sans ordonnance; à éviter en automédication (une carence en vitamines ne peut être diagnostiquée que par votre médecin).

VITASÉDINE® (Faure)

Introd. en 1960. Remb. SS 70%.

PRINCIPES ACTIFS : collyre contenant de la phényléphrine (vasoconstricteur), chlorobutanol, acide borique, borate de sodium, esculoside, sulfate de zinc.

Emploi : proposé dans les irritations de la conjonctive et des annexes («yeux rouges»).

Précautions : ne pas employer en cas de glaucome à angle fermé, d'hypertension artérielle et chez l'enfant âgé de moins de 3 ans.

Durée du traitement : ne pas dépasser 5-6 jours.

Sportifs : ce médicament peut donner une réaction positive en cas de tests pour contrôle antidopage.

Conduite de véhicules : ce médicament peut dilater les pupilles (mydriase) et provoquer des troubles visuels; la conduite de véhicules ou l'utilisation de machines peut être dangereuse en cas d'instillation répétées.

Note : vendu sans ordonnance, à éviter sans avis médical, comme tous les collyres.

VITASEPTINE® (Faure)

Introd. en 1944. Liste II. Remb. SS 70%.

PRINCIPES ACTIFS : collyre contenant de la sulfacétamide (sulfamide), sulfate de zinc, iodure de sodium et nicotinamide.

Emploi : infections bactériennes du segment antérieur de l'œil.

Conservation : à utiliser dans les 15 jours après l'ouverture du flacon.

Note : prescrit sur ordonnance médicale.

VITASEPTOL® (Faure)

Introd. en 1974. Remb. SS 70%.

PRINCIPE ACTIF : collyre contenant du mercurothiolate sodique (antiseptique externe).

Emploi : infections bactériennes du segment antérieur de l'œil.

Conservation : à utiliser dans les 15 jours après l'ouverture du flacon.

Note : vendu sans ordonnance; à éviter sans avis médical, comme tous les collyres.

VITASOL® (Faure)

Introd. en 1980. Non remb. SS.

Préparations : solution de chlorure de sodium à 0,9% (sérum physiologique).

Emploi : utilisé pour rincer les lentilles cornéennes et les prothèses oculaires après leur nettoyage.

VITATHION® (Servier)

Introd. en 1957. Non remb. SS.

PRINCIPES ACTIFS : granulé contenant de l'acide ascorbique (vitamine C), glutathion, triphosadénine, thiamine, inositocalcium et hémoglobine.

Emploi : proposé dans la fatigue.

Précautions : consultez votre médecin si la fatigue persiste (il peut s'agir d'une dépression ou d'une maladie nécessitant un traitement spécifique) ou en cas d'amaigrissement.

Note : vendu sans ordonnance; efficacité des principes actifs à confirmer dans l'emploi proposé.

VITATROPINE® (Faure)

Introd. en 1942. Liste I. Remb. SS 70%.
PRINCIPE ACTIF : **Atropine**.
SYNONYME : DL-hyoscyamine.
Préparations : collyre à 0.5% et 1%.
Emploi : le collyre provoque une dilatation de la pupille (mydriase passive) et une paralysie des muscles de l'accommodation (cycloplégie) qui permettent la mise au point d'objets rapprochés ; il est utilisé dans la préparation à l'examen du fond d'œil et à la chirurgie oculaire, ainsi que dans le traitement de certaines affections oculaires.
Précautions : l'instillation de ce collyre provoque des troubles de la vue et une perception double des objets (diplopie) qui peuvent gêner les conducteurs de véhicules lorsque les deux yeux ont été traités.
Effets indésirables possibles :
– sécheresse de la bouche, du nez et de la gorge (soif, difficulté à avaler) ;
– troubles de la vue, perception double des objets (diplopie), douleurs dans les yeux (en cas de glaucome), diminution de la sécrétion lacrymale («œil sec») ;
– difficulté à uriner ;
– palpitations, accélération du pouls ;
– vertiges et évanouissements au moment de se lever du lit (hypotension orthostatique) ;
– excitabilité, irritabilité, confusion mentale, agitation (sujets âgés).
Conservation : tout flacon entamé doit être utilisé dans les 15 jours.
Note : prescrit sur ordonnance médicale.

VITAZINC® (Faure)

Introd. en 1942. Remb. SS 70%.
PRINCIPES ACTIFS : collyre contenant de la thiamine (vitamine B1) et sulfate de zinc.
Emploi : conjonctivites.
Conservation : à utiliser dans les 15 jours après l'ouverture du flacon.
Note : vendu sans ordonnance ; à éviter sans avis médical, comme tous les collyres.

VITIVEINE® (Arkopharma)

Introd. en 1989. Non remb. SS.
PRINCIPE ACTIF : gélules contenant de la poudre de feuille de vigne rouge.

Emploi : proposé dans le traitement des symptômes en rapport avec l'insuffisance veinolymphatique (jambes lourdes, etc.).
Précautions : consultez votre médecin en cas de suspicion de phlébite (jambes rouges et/ou chaudes, douloureuses, surtout si d'un seul côté).
Note : vendu sans ordonnance ; efficacité du principe actif à confirmer dans l'emploi proposé.

VIVALAN® (Zeneca-Pharma)

Introd. en 1977. Liste I. Remb. SS 70%.
PRINCIPE ACTIF : **Viloxazine**.
Préparations : comprimés à 100 mg ; comprimés à libération prolongée à 300 mg *(Vivalan LP®)* ; ampoules injectables à 100 mg dans 5 ml.
Emploi : antidépresseur ayant une action psychotonique utilisé dans le traitement des états dépressifs de l'adulte ; on conseille de prendre la dernière dose avant 17 h.
Pour les détails → p. 40.
Note : prescrit sur ordonnance médicale.

VIVAMYNE® (Lederle)

Introd. en 1985. Non remb. SS.
PRINCIPES ACTIFS : comprimés contenant une association de vitamines, d'oligoéléments et de sels minéraux.
Emploi : préparation polyvitaminée proposé dans les «carences vitaminiques multiples» ; ce médicament est inadéquat pour traiter des carences spécifiques en vitamines ; l'efficacité dans les états de fatigue passagers n'est pas établie.
Précautions : utilisation prudente chez l'enfant (en raison de la présence des vitamines A et D), en cas de grossesse et allaitement (en raison de la présence de vitamine A) ; la présence en faible dose de la vitamine B12 est insuffisante pour traiter une anémie, mais suffisante pour en masquer les manifestations et retarder le diagnostic.
Effets indésirables possibles : risque d'excès des vitamines A et D (vomissements, calculs rénaux, etc.) en cas d'utilisation prolongée.
Note : vendu sans ordonnance ; à éviter en automédication (une carence en vitamines ne peut être diagnostiquée que par votre médecin).

VIVÈNE® (Jolly-Jatel)

Introd. en 1972. Remb. SS 40%.

PRINCIPES ACTIFS: comprimés contenant de la buphénine (vasodilatateur), aescine et troxérutine.

Emploi : proposé dans les symptômes en rapport avec l'insuffisance veineuse et lymphatique (jambes lourdes, etc.).

Précautions : consultez votre médecin en cas de suspicion de phlébite (jambes rouges et/ou chaudes, douloureuses, surtout si d'un seul côté et avec fièvre).

Note : vendu sans ordonnance; efficacité des principes actifs à confirmer dans l'emploi proposé.

VOCADYS® (Chemineau)

Introd. en 1985. Non remb. SS.

PRINCIPES ACTIFS : pâtes à sucer contenant de la codéine (antitussif opiacé), tétracaïne (anesthésique local) et extrait d'aconit.

Emploi : proposé dans les extinctions de voix et enrouements.

Précautions : ne pas employer chez l'enfant de moins de 7 ans, en cas de grossesse, d'allaitement, d'asthme et d'insuffisance respiratoire.

Alcool : évitez les boissons alcoolisées (majoration de l'effet sédatif).

Conduite de véhicules : ce médicament peut diminuer la vigilance.

Sportifs : ce médicament peut donner une réaction positive en cas de tests pour contrôle antidopage.

Effets indésirables possibles : somnolence, constipation.

Note : vendu sans ordonnance; l'efficacité de la codéine dans la toux est généralement reconnue, mais les autres composants ont peu d'intérêt dans l'emploi proposé.

VOCIS® (Aérocid)

PRINCIPES ACTIFS : pastilles contenant de l'amyléine (anesthésique local), tyrothricine (antibiotique local), aconit, borate de sodium, chlorate de potassium.

Emploi : proposé dans les infections limitées de la bouche et le «mal de gorge» sans fièvre de l'adulte.

Note : vendu sans ordonnance; à éviter en automédication comme tous les antibiotiques locaux.

VOGALÈNE® (Kabi Pharmacia)

Introd. en 1975. Liste II. Remb. SS 70%.

PRINCIPE ACTIF : *Métopimazine*.

Préparations : lyophilisat oral à 7,5 mg; gélules à 15 mg; comprimés à 2,5 mg; solution buvable à 0,1% et 0,4%; suppositoires à 5 mg; ampoules injectables à 10 mg dans 1 ml.

Emploi : dérivé de la phénothiazine ayant des effets antihistaminiques, neuroleptiques et atropiniques, utilisé pour traiter les vomissements; la forme injectable est utilisée dans les vomissements induits par les médicaments anticancéreux.

Pour les détails → p. 45.

Note : prescrit sur ordonnance médicale.

VOLDAL® (Zyma) et VOLTARÈNE® (Ciba-Geigy)

Introd. en 1987 et en 1976.

Liste II. Remb. SS 70%.

PRINCIPE ACTIF : *Diclofénac*.

Préparations : comprimés à 25 mg ou 50 mg; compr. à libération prolongée à 100 mg; suppositoires à 25 mg ou 100 mg; ampoules injectables à 75 mg dans 3 ml.

Emploi : anti-inflammatoire non stéroïdien utilisé dans les inflammations douloureuses des articulations, des capsules articulaires, des muscles ou des tendons et dans d'autres affections déterminées par votre médecin; dans la polyarthrite rhumatoïde et dans l'arthrose, il atténue la douleur, la tuméfaction et la raideur des articulations, mais ne guérit pas la maladie. En injections, le diclofénac est utilisé dans les sciatiques et lombalgies aiguës et dans les coliques du rein.

Pour les détails → p. 50.

Note : prescrit sur ordonnance médicale.

VOLTARÈNE® Emulgel
(Ciba-Geigy)

Introd. en 1988. Liste II. Remb. SS 40%.

PRINCIPE ACTIF : *Diclofénac*.

Préparations : gel pour application locale à 1%.

Emploi : proposé comme anti-inflammatoire local pour traiter la douleur dans les tendinites, arthrites des petites articulations, entorses, contusions, phlébites et dans d'autres conditions.

Précautions : ne pas appliquer sur des plaies ouvertes (coupures, écorchures, etc.) ou sur de grandes surfaces; ne pas employer pendant la grossesse et l'allaitement (innocuité non établie).

Effets indésirables possibles : sécheresse de la peau, sensation de brûlure, rougeur; réactions allergiques rares sous forme d'urticaire, d'éruption cutanée (interrompre le traitement).

Note : prescrit sur ordonnance médicale.

VOXPAX® (Lehning)

Introd. en 1988. Non remb. SS.
Préparation homéopathique (comprimés) proposée dans les extinctions de voix et les enrouements.

VULCASE® (Pharmascience)

Introd. en 1921. Non remb. SS.
PRINCIPES ACTIFS : comprimés contenant des extraits d'aloès (laxatif irritant), réglisse, bile, belladone et soufre.

Emploi : traitement de la constipation.

Précautions : consultez votre médecin si la constipation persiste, en cas de sang dans les selles ou de selles noires, de douleurs abdominales avec diarrhée, d'amaigrissement. L'usage prolongé risque de provoquer la «maladie des laxatifs» avec lésions de la muqueuse intestinale.

Note : vendu sans ordonnance; à éviter comme tous les laxatifs irritants.

WXYZ

WELLCOPRIM® (Wellcome)

Introd. en 1982. Liste I. Remb. SS 70%.
PRINCIPE ACTIF : *Triméthoprime.*

Préparations : comprimés à 300 mg.

Emploi : antibactérien utilisé dans le traitement des infections urinaires aiguës non compliquées, de l'adulte. La triméthoprime a une action antagoniste de l'acide folique (antifolique) et est surtout utilisée en association avec un sulfamide ($\rightarrow$ p. 649).

Précautions : ne pas employer en cas d'allergie au produit, de maladie du foie ou des reins, d'anémie par carence en acide folique, de grossesse (il a causé des malformations du fœtus au cours de l'expérimentation animale), d'allaitement (il passe dans le lait maternel).

Enfants : l'utilisation de ce médicament n'est pas recommandée.

Interactions : il faut informer votre médecin si vous prenez des anticoagulants oraux (risque de majoration de l'effet anticoagulant).

Surveillance : consultez votre médecin à intervalles réguliers pour évaluer les effets du traitement, vérifier le nombre de globules dans le sang (formule sanguine) et éventuellement vous conseiller de prendre de l'acide folique pour prévenir ou traiter une anémie par carence.

Effets indésirables possibles :
- nausées, vomissements, diarrhée; prurit, urticaire, éruption cutanées (réaction allergique : arrêtez immédiatement le traitement);
- faiblesse, pâleur (anémie par carence en acide folique); saignement au moindre traumatisme, présence de sang dans les urines ou les selles, coloration noire des selles, apparition de petites taches rouges sur la peau (diminution du nombre des plaquettes dans le sang);
- fièvre, frissons, maux de gorge, ulcérations buccales (diminution du nombre des globules blancs dans le sang).

Note : prescrit sur ordonnance médicale.

X-ADÈNE® (Biostabilex-Urap)

Introd. en 1982. Liste II. Non remb. SS.
PRINCIPES ACTIFS : poudre pour solution injectable en
- ampoules contenant de la procaïne (anesthésique local), des vitamines du groupe B (thiamine, riboflavine, nicotinamide, pantothénol et pyridoxine);
- flacons contenant du désoxyribonucléate de sodium.

Emploi : proposé dans les artériopathies, ischémies et retards de cicatrisation (efficacité à confirmer).

Précautions : ne pas employer chez l'enfant de moins de 10 ans, en cas de grossesse, d'allaitement, d'asthme, de rhume des foins, d'urticaire, d'épilepsie.

Note : prescrit sur ordonnance médicale.

XANAX® (Upjohn)

Introd. en 1984. Liste I. Remb. SS 70%.
La prescription ne peut dépasser 12 semaines.

PRINCIPE ACTIF : *Alprazolam.*

Préparations : comprimés à 0,25 mg ou à 0,50 mg.

Emploi : tranquillisant appartenant au groupe très nombreux des benzodiazépines ; l'alprazolam est proposé dans l'anxiété, l'angoisse et le sevrage alcoolique.

Durée d'action : 12-24 heures.

Pour les détails → p. 94.

Note : prescrit sur ordonnance médicale.

XANTHIUM® (Rorer)

Introd. en 1990. Liste II. Remb. SS 70%.
PRINCIPE ACTIF : gélules à libération prolongée contenant 200 mg ou 400 mg de théophylline.

Emploi : dérivé de la xanthine qui dilate les bronches et facilite le passage de l'air la théophylline est utilisée en cas d'asthme, de bronchite chronique, d'emphysème pulmonaire et dans d'autres affections.

Pour les détails → Théophylline.

Note : prescrit sur ordonnance médicale.

XANTURIC® (Pharmafarm)

Introd. en 1983. Liste I. Remb. SS 70%.
PRINCIPE ACTIF : *Allopurinol.*

Préparations : comprimés à 100 mg.

Emploi : médicament qui inhibe la formation de l'acide urique et diminue ainsi son taux dans le sang et dans l'urine (hypo-uricémiant) ; il est utilisé dans le traitement de fond de la goutte chronique (dépôts de cristaux d'acide urique dans les articulations).

L'allopurinol prévient les accès de goutte lorsqu'il est pris régulièrement pendant quelques mois avec un régime pauvre en purines, mais il ne constitue pas un traitement de l'accès de goutte (en fait, il tend à déclencher les accès au début du traitement).

Contrairement aux médicaments qui diminuent le taux sanguin de l'acide urique en favorisant son élimination urinaire (uricosuriques), l'allopurinol n'augmente pas le risque de formation de calculs d'acide urique dans les reins et les voies urinaires (l'excrétion de l'acide urique par les reins est diminuée par l'allopurinol).

L'allopurinol est utilisé dans d'autres affections où le taux d'acide urique dans le sang est trop élevé (hyper-uricémie), notamment certaines maladies du sang et certaines affections des reins, ainsi que pour prévenir la formation des calculs d'acide urique dans les reins.

Pou les détails → p. 44.

Note : prescrit sur ordonnance médicale.

XATRAL® (Synthélabo)

Introd. en 1988. Liste I. Remb. SS 40%.
PRINCIPE ACTIF : *Alfuzosine.*

Préparations : comprimés à 2,5 mg.

Emploi : médicament appartenant au groupe des alpha-bloquants qui dilatent les vaisseaux périphériques et sont utilisés dans le traitement de l'hypertension artérielle. L'alfuzosine est proposée dans certaines manifestations fonctionnelles de l'hypertrophie bénigne de la prostate.

Précautions : ne pas employer en cas d'allergie au produit, de tension artérielle systolique inférieure à 100 mm de mercure, de maladie des reins, d'angine de poitrine ; ne pas associer d'autres alpha-bloquants, des bêta-bloquants, des inhibiteurs calciques ou des antidépresseurs IMAO.

Sujets âgés : doses réduites (risque accru d'hypotension et de syncope).

Alcool, sédatifs : évitez les boissons alcoolisées et les médicaments sédatifs, tranquillisants et somnifères (majoration de l'effet sédatif et somnolence).

Conduite de véhicules : l'aptitude à conduire des véhicules ou à utiliser des machines peut être diminuée par des vertiges et des étourdissements.

Effets indésirables possibles : l'effet indésirable le plus important est la baisse de la tension artérielle qui entraîne des maux de tête, des vertiges, sueurs, des étourdissements ou des évanouissements (syncopes) ; ces troubles sont atténués par la position assise ou couchée et par une diminution des doses ; d'autres effets sont des nausées, sécheresse de la bouche, congestion nasale, constipation, larmoiement, somnolence diurne.

Note : prescrit sur ordonnance médicale.

XENID® (Biogalénique)

Introd. en 1988. Liste II. Remb. SS 70%.

PRINCIPE ACTIF : *Diclofénac.*

Préparations : comprimés à 25 mg ou 50 mg; compr. à libération prolongée à 100 mg; suppositoires à 25 mg ou 100 mg; ampoules injectables à 75 mg dans 3 ml.

Emploi : anti-inflammatoire non stéroïdien utilisé dans les inflammations douloureuses des articulations, des capsules articulaires, des muscles ou des tendons et dans d'autres affections déterminées par votre médecin; dans la polyarthrite rhumatoïde et l'arthrose, il atténue la douleur, la tuméfaction et la raideur des articulations, mais ne guérit pas la maladie. En injections, le diclofénac est utilisé dans les sciatiques et lombalgies aiguës et dans les coliques du rein.

Pour les détails → p. 50.

Note : prescrit sur ordonnance médicale.

XITADIL® (Irex)

Introd. en 1992. Liste II. Remb. SS 40%.

PRINCIPE ACTIF : gélules contenant du viquidil (vasodilatateur périphérique).

Emploi : proposé dans les accidents vasculaires cérébraux d'origine ischémique (infarctus cérébral); l'efficacité des vasodilatateurs périphériques dans ces affections reste à confirmer.

Note : prescrit sur ordonnance médicale.

X-PREP® (Plantier)

Introd. en 1981. Non remb. SS.

PRINCIPES ACTIFS : poudre orale contenant des sennosides A et B .

Emploi : préparation aux explorations radiologiques et endoscopiques du côlon.

XYLOCAÏNE® (Astra)

Introd. en 1950. Liste II. Remb. SS 70%.

PRINCIPE ACTIF : *Lidocaïne.*

SYNONYME : lignocaïne.

Préparations : solutions à 0,5%, 1% et 2% avec ou sans épinéphrine (adrénaline); ampoules pour rachianesthésie à 5% (100 mg dans 2 ml); gel pour anesthésie de contact en urologie; gel aromatisé pour anesthésie de contact des voies digestives supérieures; solution à 5% en nébuliseur.

Emploi : anesthésique local injectable du groupe amidique à longue durée d'action (60-90 minutes).

Note : vendu sur ordonnance médicale.

XYLOCARD® (Astra)

Introd. en 1978. Liste II.

PRINCIPE ACTIF : *Lidocaïne.*

SYNONYME : lignocaïne.

Préparations : seringues préremplies à 100 mg dans 5 ml; solution pour perfusion en flacons à 1 g dans 20 ml.

Propriétés : antiarythmique employé pour régulariser et ralentir le rythme cardiaque.

Emploi : la lidocaïne est utilisée en injections intraveineuses pendant le transfert du malade vers un centre de soins cardiologiques spécialisé et, en perfusions intraveineuses, pour la prévention et le traitement des troubles du rythme cardiaque à l'hôpital, notamment :
– en cas d'infarctus du myocarde;
– au cours de la chirurgie générale ou cardiaque;
– lors du sondage des cavités cardiaques.

Note : réservé aux hôpitaux.

YOHIMBINE
(Houdé)

Introd. en 1910. Remb. SS 40%.

Préparations : comprimés à 2 mg.

Propriétés : substance extraite de *Pausinystalia yohimbe* inhibant les récepteurs alpha-2-adrénergiques.

Emploi : proposé pour traiter l'impuissance masculine (efficacité à confirmer) et l'hypotension orthostatique.

Effets indésirables possibles : migraine, vertiges, tachycardie, tremblements, insomnie, hypertension artérielle, atteinte rénale.

Note : vendu sans ordonnance; à éviter en automédication.

YSE® (Chatelut)

Introd. en 1950. Non remb. SS.

PRINCIPES ACTIFS: comprimés contenant du phosphure de zinc, noix vomique et noix de kola.

Emploi : proposé dans la fatigue (ou asthénie fonctionnelle).

Précautions : consultez votre médecin si la fatigue persiste (il peut s'agir d'une dépression ou d'une autre maladie nécessitant un traitement spécifique) ou en cas d'amaigrissement.

Note : *vendu sans ordonnance; efficacité des principes actifs à confirmer dans l'emploi proposé.*

YSE GLUTAMIQUE®
(Chatelut)

Introd. en 1952. Non remb. SS.

PRINCIPES ACTIFS: comprimés contenant du phosphure de zinc, acide glutamique, noix vomique et noix de kola.

Emploi : proposé dans la fatigue (ou asthénie fonctionnelle).

Précautions : consultez votre médecin si la fatigue persiste (il peut s'agir d'une dépression ou d'une autre maladie nécessitant un traitement spécifique) ou en cas d'amaigrissement.

Note : *vendu sans ordonnance; efficacité des principes actifs à confirmer dans l'emploi proposé.*

ZADITEN® (Sandoz)

Introd. en 1980. Liste II. Remb. SS 70%.

PRINCIPE ACTIF : ***Kétotifène***.

Préparations : gélules à 1 mg; solution buvable à 1 mg par 5 ml.

Emploi : antihistaminique proposé dans la prévention à long terme des crises d'asthme allergique et pour traiter la rhinite allergique et les affections allergiques de la peau (p. ex. urticaire); le kétotifène n'agit pas sur la crise aiguë d'asthme installée.

Précautions : ne pas associer des antidiabétiques oraux (risque de diminution du nombre des plaquettes dans le sang).

Grossesse et allaitement : l'innocuité de ce médicament n'ayant pas été établie chez la femme enceinte, ni lors de l'allaitement, son usage est déconseillé par mesure de prudence.

Alcool : à éviter pendant le traitement.

Conduite de véhicules : ce médicament peut diminuer la vigilance; la conduite de véhicules ou l'utilisation de machines peut être dangereuse.

Effets indésirables possibles : somnolence diurne, sécheresse de la bouche, vertiges, nausées, vomissements.

Note : *prescrit sur ordonnance médicale.*

ZAMOCILLINE® (Zambon)

Introd. en 1982. Liste I. Remb. SS 70%.

PRINCIPE ACTIF : ***Amoxicilline***.

Préparations : gélules à 500 mg; poudre pour sirop à 250 mg par cuillerée mesure.

Emploi : antibiotique du groupe des pénicillines A ayant un large spectre d'action contre les bactéries, mais inefficace contre les staphylocoques producteurs de pénicillinases.

L'amoxicilline est mieux absorbée par voie buccale que l'ampicilline et est éliminée surtout dans les urines (précautions en cas d'insuffisance rénale); signalez à votre médecin l'existence de toute maladie rénale (une réduction des doses peut être nécessaire).

Durée du traitement : elle est déterminée par votre médecin; l'interruption prématurée du traitement peut favoriser une rechute de l'infection.

Pour les détails → p. 520.

Note : *prescrit sur ordonnance médicale.*

ZANOSAR® (Upjohn)

Introd. en 1986. Liste I.

PRINCIPE ACTIF : ***Streptozocine***.

Préparations : poudre pour solution injectable en flacons à 1 g.

Emploi : médicament appartenant au groupe des nitroso-urées ayant une forte affinité pour les cellules B des îlots de Langerhans du pancréas; il est utilisé dans le traitement de certaines tumeurs du pancréas (insulinomes), des tumeurs carcinoïdes métastasées et dans d'autres affections déterminées par votre médecin.

Note : *réservé aux hôpitaux.*

ZANTRÈNE® (Lederle)

Introd. en 1991. Liste I.

PRINCIPE ACTIF : ***Bisantrène***.

Préparations : flacons de 50 mg, 250 mg ou 500 mg.

Emploi : médicament appartenant au groupe des agents intercalants, utilisé dans le traitement des leucémies aiguës non lymphocytaires réfractaires, en rechute ou en cas de contre-indication des anthracyclines.

Note : *réservé aux hôpitaux.*

ZARONTIN® (Parke-Davis)

Introd. en 1962. Liste II. Remb. SS 70%.
PRINCIPE ACTIF : ***Ethosuximide***.

Préparations : capsules à 260 mg; sirop à 250 mg par 5 ml.

Emploi : antiépileptique appartenant au groupe des succinimides utilisé dans le traitement du petit mal qui est une forme mineure d'épilepsie et se traduit notamment par des arrêts de courte durée de la conscience (absences); dans les formes de petit mal associé à une autre forme d'épilepsie (crises généralisées ou partielles), on recommande d'associer le phénobarbital ou la phénytoïne.

Il peut être nécessaire de contrôler le taux sanguin du médicament dans les cas qui répondent mal au traitement ou qui présentent des effets indésirables; en effet, la marge entre le taux sanguin efficace et le taux sanguin toxique est étroite.

Précautions : ne pas employer en cas d'allergie au produit; les affections suivantes peuvent modifier l'action du médicament :
- maladies du foie ou des reins (l'insuffisance hépatique ou rénale peut demander une réduction des doses);
- maladies du sang et de la moelle osseuse (risque accru de diminution des globules dans le sang);
- porphyrie (risque d'aggravation).

Grossesse : le traitement par l'éthosuximide est déconseillé chez la femme en âge de procréer car il provoque des malformations du fœtus chez l'animal de laboratoire (effet tératogène); cependant, la survenue d'une grossesse ne justifie jamais l'arrêt brutal du traitement car le risque de déclencher ainsi l'état de mal épileptique est important.

Allaitement : utilisation déconseillée (l'innocuité n'est pas établie).

Interactions : il faut informer votre médecin si vous prenez ou pris récemment d'autres médicaments, notamment :
- tranquillisants et somnifères (dont les effets sur le système nerveux central peuvent être augmentés);
- halopéridol, antidépresseurs IMAO.

Prescription : ne dépassez pas la dose prescrite par votre médecin; des doses trop élevées ou des prises trop fréquentes augmentent le risque d'effets indésirables.

Oubli : si vous oubliez de prendre le médicament et si vous le remarquez dans les 2 heures qui suivent, prenez immédiatement la dose oubliée; ne doublez pas la dose suivante; si vous oubliez le médicament plusieurs jours, prenez contact avec votre médecin.

Surveillance : pendant les premiers mois, des contrôles fréquents sont nécessaires pour que votre médecin puisse moduler les doses en fonction des résultats et des effets indésirables.

Autres médicaments : pendant le traitement, ne prenez aucun autre médicament sans demander l'avis de votre médecin.

Alcool : évitez les boissons alcoolisées pendant le traitement.

Conduite de véhicules : l'aptitude à conduire des véhicules ou à utiliser des machines peut être diminuée par des vertiges ou une baisse de la vigilance, surtout au début du traitement.

Arrêt du traitement : si vous avez pris ce médicament pendant plusieurs semaines ou plus longtemps, ne jamais arrêter le traitement sans l'avis du médecin; en effet, l'arrêt brusque peut avoir des conséquences graves, notamment l'apparition de crises et d'un état de mal épileptique; dans la mesure du possible, on étalera l'arrêt du traitement sur une période de 6 mois, en diminuant les doses progressivement.

Effets indésirables possibles :
- perte de l'appétit, hoquet, nausées, vomissements, douleurs à l'estomac, vertiges, somnolence, troubles de l'équilibre, maux de tête, sensibilité excessive et douloureuse à la lumière (photophobie);
- urticaire, éruption cutanée (réaction allergique : arrêtez immédiatement le traitement);
- fièvre, frissons, mal de gorge, augmentation de volume des ganglions du cou et fièvre (diminution des globules blancs dans le sang);
- saignements du nez, apparition de petites taches rouges sur la peau (diminution du nombre des plaquettes dans le sang);
- troubles du comportement, états dépressifs ou excitation;
- lupus érythémateux disséminé avec éruption «en ailes de papillon» au visage.

Note : *prescrit sur ordonnance médicale.*

ZAVEDOS® (Farmitalia C. Erba)

Introd. en 1992. Liste I.

PRINCIPE ACTIF : *Idarubicine* .

Préparations : poudre pour solution injectable en flacons à 5 mg ou 10 mg.

Emploi : médicament appartenant au groupe des antinéoplasiques utilisés pour traiter les proliférations cellulaires anormales et d'autres affections déterminées par votre médecin; ces médicaments agissent non seulement sur les cellules anormales, mais aussi sur les cellules normales, ce qui entraîne des effets indésirables qui se manifestent parfois longtemps après l'arrêt du traitement; deux ou plusieurs médicaments peuvent être utilisés en même temps selon les protocoles qui varient selon le type de la tumeur et le stade d'évolution. L'idarubicine est utilisée dans le traitement des leucémies aiguës myéloblastiques ou lymphoblastiques.

Note : réservé aux hôpitaux.

ZÉDÈNE® (Lederle)

Introd. en 1987. Non remb. SS.

PRINCIPES ACTIFS: comprimés contenant 600 mg d'acide ascorbique (vitamine C), d'autres vitamines hydrosolubles, vitamine E et des oligo-éléments (cuivre et zinc).

Emploi : proposé dans les «carences vitaminiques multiples»; ce médicament est inadéquat pour traiter des carences spécifiques en vitamines.

Note : vendu sans ordonnance; à éviter en automédication (une carence en vitamines ne peut être diagnostiquée que par votre médecin).

ZENTEL® (SmithKline Beecham)

Introd. en 1988. Liste II. Remb. SS 70%.

PRINCIPE ACTIF : *Albendazole*.

Préparations : comprimés à 400 mg; suspension buvable à 4%.

Emploi : médicament appartenant au groupe des anthelminthiques ou vermifuges qui sont utilisés pour traiter les infestations par des vers; l'albendazole, dont l'absorption digestive est faible, est employé pour traiter l'ascaridiose, l'oxyurose, l'ankylostomiase et l'anguillulose; une prise unique suffit pour venir à bout de la plupart des infestations; toutefois, le traitement de l'oxyurose doit être systématiquement répété au bout de 2 à 4 semaines et tous les membres de la famille doivent être traités en même temps que le malade.

Précautions : emploi déconseillé pendant la grossesse.

Effets indésirables possibles : maux de tête, vertiges, douleurs abdominales, nausées, diarrhée, éruption cutanée.

Note : prescrit sur ordonnance médicale.

ZESTORETIC®
(Zeneca-Pharma)

Introd. en 1991. Liste I. Remb. SS 70%.

PRINCIPES ACTIFS: comprimés contenant
– lisinopril (20 mg) : inhibiteur de l'enzyme de conversion (Prinivil®, Zestril®);
– hydrochlorothiazide (12,5 mg) : diurétique thiazidique (Esidrex®).

Emploi : proposé pour traiter l'hypertension artérielle en cas d'échec du traitement par un inhibiteur de l'enzyme de conversion administré seul.

Pour les détails → p. 232 et p. 364.

Note : prescrit sur ordonnance médicale.

ZESTRIL® (Zeneca-Pharma)

Introd. en 1988. Liste I. Remb. SS 70%.

PRINCIPE ACTIF : *Lisinopril.*

Préparations : compr. à 5 mg ou 20 mg.

Emploi : inhibiteur de l'enzyme de conversion utilisé dans le traitement de l'hypertension artérielle, éventuellement associé à un diurétique, ainsi que pour le traitement de l'insuffisance cardiaque (faiblesse du cœur), rebelle aux digitaliques et aux diurétiques.

Durée d'action : environ 24 heures.

Pour les détails → p. 364.

Note : prescrit sur ordonnance médicale.

ZINC INJECTABLE
(Aguettant)

Introd. en 1986.

PRINCIPE ACTIF : solution injectable pour perfusion en flacons à 77,96 mg de gluconate de zinc (10 mg de zinc) dans 10 ml.

Emploi : proposé dans la nutrition artificielle parentérale prolongée.

Note : réservé aux hôpitaux.

ZINC-NICKEL-COBALT
Microsol® (Herbaxt)

Introd. en 1992. Non remb. SS.
PRINCIPE ACTIF : solution buvable contenant des traces d'éléments «minéral-trace».
Emploi : proposé pour modifier le terrain en cas de régime amaigrissant.
Note : vendu sans ordonnance; efficacité à confirmer dans l'emploi proposé.

ZINNAT® (Glaxo)

Introd. en 1988. Liste I. Remb. SS 70%.
PRINCIPE ACTIF : *Céfuroxime-axétil.*
Préparations : comprimés à 125 mg ou 250 mg.
Emploi : antibiotique du groupe des céphalosporines (→ ce terme) utilisé pour traiter certaines infections à germes sensibles, notamment urinaires, oto-rhino-laryngologiques, broncho-pulmonaires.
Précautions : ne pas employer en cas d'allergie aux pénicillines ou aux céphalosporines, de grossesse ou allaitement.
Effets indésirables possibles : troubles digestifs; visage enflé, œdème des lèvres, de la langue ou de la gorge avec voix rauque, difficulté à avaler et à respirer (œdème de Quincke); éruptions cutanées (réaction allergique : arrêtez immédiatement le traitement).
Note : prescrit sur ordonnance médicale.

ZOCOR® (M., S. & D.-Chibret)

Introd. en 1989. Liste I. Remb. SS 70%.
PRINCIPE ACTIF : *Simvastatine.*
SYNONYME : synvinoline.
Préparations : compr. à 5 mg ou 20 mg.
Emploi : médicament appartenant au groupe des hypolipidémiants qui sont utilisés pour abaisser les taux du cholestérol et des triglycérides dans le sang (graisses ou lipides sanguins). La simvastatine appartient à la famille des inhibiteurs de la HMG-CoA réductase et est utilisée lorsque les taux du cholestérol et des triglycérides dans le sang restent élevés malgré un régime adapté, poursuivi correctement pendant 3-6 mois; la poursuite du régime est dans tous les cas indispensable.
Pour les détails → p. 353.
Note : prescrit sur ordonnance médicale.

ZOLADEX® (Zeneca-Pharma)

Introd. en 1988. Liste I. Remb. SS 100%.
PRINCIPE ACTIF : *Goséréline.*
Préparations : implant injectable par voie sous-cutanée à 3,6 mg.
Emploi : substance synthétique analogue de la gonadoréline (LH-RH) qui bloque la sécrétion de testostérone (chez l'homme) et de l'estradiol (chez la femme) et provoque une «castration pharmacologique», réversible en 4 semaines après l'arrêt du traitement; elle est utilisée pour traiter les proliférations cellulaires anormales au niveau de la prostate chez l'homme et au niveau du sein avec métastases chez la femme; chez l'homme, elle est parfois associée à d'autres médicaments (→ Eulexine®).
L'implant est injecté dans la paroi abdominale tous les 28 jours.
Effets indésirables possibles :
– *Chez l'homme :* impuissance, sueurs froides, bouffées de chaleur, fourmillements ou picotements aux extrémités, difficulté à uriner, faiblesse des jambes, éruption cutanée.
– *Chez la femme :* bouffées de chaleur, maux de tête, modification de la libido, sécheresse vaginale; déminéralisation des os (ostéoporose) en cas d'administration prolongée; si des règles trop abondantes surviennent au cours du traitement de l'endométriose, il faut consulter votre médecin pour en rechercher la cause.
Note : prescrit sur ordonnance médicale.

ZOLTUM® (R. Bellon)

Introd. en 1991. Liste II. Remb. SS 70%.
PRINCIPE ACTIF : *Oméprazole.*
Préparations : gélules à 20 mg.
Emploi : l'oméprazole est un inhibiteur de la pompe à protons qui diminue la sécrétion d'acide gastrique; utilisé pour traiter les affections suivantes :
– ulcère gastroduodénal évolutif;
– œsophagite par reflux gastro-œsophagien : le contenu acide de l'estomac remonte dans l'œsophage;
– syndrome de Zollinger-Ellison : la sécrétion excessive d'acide gastrique est d'origine hormonale.
Pour les détails → 61.
Note : prescrit sur ordonnance médicale.

ZOPHREN® (Glaxo)

Introd. en 1990. Liste I.

PRINCIPE ACTIF : *Ondansétron.*

Préparations : comprimés à 4 mg ou 8 mg; ampoules injectables à 2 mg dans 1 ml.

Propriétés : inhibiteur des récepteurs 5 HT3.

Emploi : utilisé en milieu hospitalier pour la prévention des vomissements induits par la chimiothérapie antinéoplasique ou des vomissements postopératoires.

Grossesse et allaitement : l'utilisation de ce médicament est déconseillée, car son innocuité n'a pas été établie chez la femme enceinte, ni lors de l'allaitement.

Effets indésirables possibles : maux de tête, constipation, diarrhée, douleurs abdominales.

Note : *réservé aux hôpitaux.*

ZOVIRAX® (Wellcome)

Introd. en 1985. Liste I. Remb. SS 70%.

PRINCIPE ACTIF : *Aciclovir.*

SYNONYME : acycloguanosine.

Préparations : comprimés à 200 mg; crème dermique à 5%; pommade ophtalmique à 3%; poudre pour solution injectable en flacons à 250 mg.

Emploi : médicament utilisé pour traiter les infections par le virus de l'herpès ainsi que par le virus de la varicelle et du zona.

La *voie orale* (comprimés) est utilisée dans les conditions suivantes :

– traitement de l'herpès génital grave et récidivant;

– prévention de l'herpès simple ou génital chez les sujets dont le système immunitaire est insuffisant;

– traitement de l'ulcère dendritique de la cornée;

– traitement du zona chez les sujets âgés (n'a pas d'effet sur les douleurs après le zona).

La *perfusion intraveineuse* est réservée aux infections graves traitées à l'hôpital.

La *crème dermique* est utilisée dans l'herpès simple, l'herpès génital bénin, l'herpès labial.

La *pommade ophtalmique* est utilisée dans la conjonctivite et la kératite herpétique; pour les yeux, il faut veiller à utiliser uniquement la pommade ophtalmique et non la crème dermique.

Précautions : ne pas employer en cas d'allergie au produit; les affections suivantes peuvent modifier l'action du médicament :

– maladies rénales (l'insuffisance rénale exige une réduction des doses);

– affections du système nerveux (risque accru d'effets indésirables).

Grossesse et allaitement : il n'existe pas de contre-indication actuellement connue à l'utilisation de ce médicament; son innocuité n'ayant pas été établie chez la femme enceinte, ni lors de l'allaitement, son usage par voie buccale ou en injections est déconseillé.

Interactions (voie orale et injections) : il faut informer votre médecin si vous prenez ou avez pris récemment certains médicaments, notamment :

– probénécide (augmentation du taux sanguin de l'aciclovir);

– méthotrexate, interféron (risque accru d'effets indésirables).

Prescription : ne dépassez pas la dose prescrite par votre médecin; des doses trop élevées ou des prises trop fréquentes augmentent le risque d'effets indésirables.

Oubli : si vous oubliez de prendre le médicament, ne doublez pas la dose et continuez le traitement selon le schéma prescrit.

Durée du traitement : continuez le traitement pendant toute la période prescrite par votre médecin et n'arrêtez pas le traitement même en cas d'amélioration.

En cas d'herpès génital (crème dermique) : éviter les rapports sexuels pendant le traitement.

Effets indésirables possibles :

– Voie orale : maux de tête, perte de l'appétit, douleurs abdominales, nausées, vomissements, vertiges, soif intense, diminution de la production d'urine, diarrhée.

– Injections : présence de sang dans les urines, convulsions, confusion, hallucinations, troubles de la parole, tremblements.

– Crème dermique : picotements, brûlures, prurit, rougeur et sécheresse de la peau.

Note : *prescrit sur ordonnance médicale.*

ZYDERM I et II® (Collagen)

Introd. en 1983. Non remb. SS.
PRINCIPE ACTIF : solution injectable par voie intradermique contenant du collagène de bœuf en seringue pré-remplie à 35 mg dans 1 ml ou 48,75 mg dans 0,75 ml.
Emploi : proposé dans les rides et les cicatrices sur peau épaisse.
Précautions : avant de commencer le traitement, pratiquer un test d'allergie en utilisant une dose-test (Zyderm® test).
Note : le traitement doit être pris en charge par un spécialiste.

ZYLORIC® (Wellcome)

Introd. en 1968. Liste I. Remb. SS 70%.
PRINCIPE ACTIF : *Allopurinol*.
Préparations : comprimés à 100 mg, 200 mg ou 300 mg.
Emploi : médicament qui inhibe la formation de l'acide urique et diminue ainsi son taux dans le sang et dans l'urine (hypo-uricémiant); il est utilisé dans le traitement de fond de la goutte chronique (dépôts de cristaux d'acide urique dans les articulations).
L'allopurinol prévient les accès de goutte lorsqu'il est pris régulièrement pendant quelques mois avec un régime pauvre en purines, mais il ne constitue pas un traitement de l'accès de goutte (en fait, il tend à déclencher les accès au début du traitement).
Contrairement aux médicaments qui diminuent le taux sanguin de l'acide urique en favorisant son élimination urinaire (uricosuriques), l'allopurinol n'augmente pas le risque de formation de calculs d'acide urique dans les reins et les voies urinaires (l'excrétion de l'acide urique par les reins est diminuée par l'allopurinol).
L'allopurinol est utilisé dans d'autres affections où le taux d'acide urique dans le sang est trop élevé (hyper-uricémie), notamment certaines maladies du sang et certaines affections des reins, ainsi que pour prévenir la formation des calculs d'acide urique dans les reins.
Allergie : informez votre médecin si vous avez déjà fait une réaction allergique ou inhabituelle à ce médicament ou à la tisopurine.
Pou les détails → p. 44.
Note : prescrit sur ordonnance médicale.

ZYMA-D2® gouttes (Zyma)

Introd. en 1989. Remb. SS 70%.
PRINCIPE ACTIF : *Ergocalciférol*.
SYNONYME : calciférol, vitamine D2.
ÉQUIVALENCE : 1 mg = 40.000 UI.
Préparations : solution buvable à 10 000 UI/ml (0,25 mg/ml).
Emploi : carences en vitamine D.
Pour les détails → Vitamine D.
Note : médicament à utiliser sous contrôle médical.

ZYMAFLUOR® (Zyma)

Introd. en 1985. Remb. SS 70%.
PRINCIPES ACTIFS : comprimés contenant 1/4 mg ou 1 mg de fluorure de sodium.
Emploi : proposé pour prévenir les caries dentaires.
Pour les détails → Fluorure de sodium.
Note : vendu sans ordonnance; à éviter sans avis médical.

ZYMIZINC® (Aguettant)

Introd. en 1988. Non remb. SS.
PRINCIPE ACTIF : solution buvable en ampoules contenant 77,96 mg/10 ml de gluconate de zinc (10 mg de zinc).
Emploi : carences en zinc.
Note : vendu sans ordonnance; à éviter en automédication (une carence en zinc ne peut être diagnostiquée que par votre médecin).

ZYMOPLEX® (S.C.A.T.)

Introd. en 1969. Remb. SS 40%.
PRINCIPES ACTIFS : capsules contenant des enzymes digestives et diméticone.
Emploi : proposé dans le traitement des troubles digestifs (dyspepsies), ballonnements (météorisme).
Précautions : consultez votre médecin en cas de douleurs ou crampes abdominales d'origine indéterminée, de selles noires, d'amaigrissement.
Note : vendu sans ordonnance; ne pas utiliser pendant plus de 5 jours sans avis médical.

ZYPLAST® (Collagen)

Introd. en 1988. Liste II. Non remb. SS.
PRINCIPE ACTIF : suspension injectable par voie intradermique contenant du collagène de bœuf réticulé.

Emploi : proposé dans les rides et cicatrices déprimées.

Précautions : avant de commencer le traitement, faire un test d'allergie en utilisant une dose-test (Zyderm® test).

Note : *le traitement doit être pris en charge par un spécialiste.*

ZYRTEC® (UCB-Pharma)

Introd. en 1988. Liste II. Remb. SS 70%.
PRINCIPE ACTIF : *Cétirizine.*
Préparations : comprimés à 10 mg.

Emploi : antihistaminique utilisé pour atténuer ou prévenir les symptômes d'une allergie par exemple dans le rhume des foins, urticaire, conjonctivite allergique; elle est aussi employée dans les piqûres d'insectes, mais est inefficace dans l'asthme. Bien que l'action sédative de ce médicament soit moindre que celle d'autres antihistaminiques, la prise de fortes doses peut entraîner un effet sédatif.

Pour les détails → p. 45.

Intoxication : troubles du rythme cardiaque qui demandent un intervention

CLASSEMENT DES SPÉCIALITÉS PAR DÉNOMINATIONS COMMUNES DES PRINCIPES ACTIFS

Caractères gras : dénomination commune du principe actif
Caractères romains : spécialités contenant un seul principe actif
Caractères italiques : spécialités contenant plusieurs principes actifs

Acamprosate : Aotal.

Acébutolol : Sectral.

Acéclidine : Glaucostat • *Glaucadrine*.

Acédobène : *Isoprinosine*.

Acéfylline heptaminol : Corophylline • *Sureptil* .

Acénocoumarol : Sintrom.

Acépromazine : Plégicil • *Noctran*.

Acéprométazine : *Mépronizine* • *Noctran*.

Acétanilide : *Gripponyl* • *Neurocynésine*.

Acétarsol : *Gynoplix* • *Arpha* • *Arsiquinoforme* • *Humex* • *Pyorex*.

Acétazolamide : Défiltran • Diamox.

Acétiamine : *Algo-Névriton*.

Acétorphan : Tiorfan.

Acétylcystéine : Exomuc • Fluimucil • Mucolator • Mucomyst • Solmucol • Tixair • *Fluimucil Antibiotic* • *Rhinofluimucil*.

Acétylleucine : Tanganil.

Aciclovir : Zovirax.

Acide acétohydroxamique : Uronefrex

Acide acétylaminosuccinique : Cogitum.

Acide acétylsalicylique ou Aspirine : Actispirine • Aspégic • Aspirine Bayer • Aspirine pH8 • Aspirine à croquer Monot • Aspirine du Rhône • Aspirine entérique Sarein • Aspirine soluble Corbière • Catalgine • Claragine • Derol • Juvépirine • Rhonal • Sargépirine.

Acide acétylsalicylique + Vitamines : *Aspirine vitaminée B1C Derol* • *Aspirine vitamine C Oberlin* • *Aspirine du Rhône Vitamine C* • *Aspirine vitaminée C Upsa* • *Aspro Vit. C* • *Catalgine à la vitamine C*.

Acide acéxamique : *Plasténan*.

Acide aminocaproïque : Hémocaprol • Hexalense.

Acide 5-aminosalicylique → Mésalazine.

Acide ascorbique : Abriscor • Cebion • Laroscorbine • Vitacemil • Vitamine C Aguettant • Vitamine C Arkovital • Vitamine C Faure • Vitamine C Inava • Vitamine C Midy • Vitamine C Oberlin • Vitamine C P. Fabre • Vitamine C Upsa • Vitascorbol • SEL DE CALCIUM : Ascorbate de calcium.

Acide aspartique : Sargenor.

Acide azélaïque : Skinoren.

Acide caprylique : *Otolysine*.

Acide chénodésoxycholique : Chénodex.

Acide chondroïtine sulfurique : Lacrypos • Structum • *Viscoat*.

Acide cinamétique : Transoddi.

Acide clavulanique : *Augmentin* • *Ciblor* • *Claventin*.

Acide clodronique : Clastoban.

Acide cromoglicique : Alérion • Cromoptic • Lomudal • Lomusol • Nalcron • Opticron.

Acide désoxyribonucléique : ADN HP • *Adena* • *Dynerval HP* • *Nutrigène* • *Ostéogen.* • *Plurifactor*.

Acide dimécrotique : Hépadial.

Acide édétique : Calcitétracémate disodique • Kélocyanor • Tracémate.

Acide étidronique : Didronel.

Acide flavodique : Intercyton.

Acide folinique → Folinate de calcium.

Acide folique : Speciafoldine.

Acide fusidique : Fucidine • Fucithalmic.

Acide fytique : Phytat D.B.

Acide hydroxybutyrique : Gamma-OH.

Acide méfénamique : Ponstyl.

Acide nalidixique : Négram.

Acide nicotinique : *Cosadon*.

Acide niflumique : Flunir • Niflugel • Nifluril.

Acide oxolinique : Urotrate.

Acide pamidronique : Arédia.

Acide pipémidique : Pipram.

Acide salicylique : Coricides feuille de saule • Pyradol • *Nerisalic* .

Acide spaglumique : Naaxia • Rhinaaxia.

Acide ténoïque : Soufrane.

Acide tiaprofénique : Surgam.

Acide tranexamique : Exacyl.

Acide undécylénique : Mycodécyl.

Acide ursodésoxycholique : Arsacol • Délursan • Destolit • Ursolvan.

Acide valproïque : Dépakine • Valproate de sodium.

Acitrétine : Soriatane.

Aclarubicine : Aclacinomycine.

Acriflavine : *Chromargon*.

Actinoquinol : *Uvicol*.

Acycloguanosine : Zovirax.

Adénine : Leuco-4.

Adénosine phosphate : Adényl • Ampecyclal • *Ascencyl* • *Surélen*.

Adrafinil : Olmifon.

Adrénaline → Epinéphrine.

Adrénalone : *Adrénalone Tétracaïne*.

Adriamycine → Doxorubicine.

Alanine : Abufène.

Albendazole : Zentel.

Alclométasone : Aclosone.

Alcloxa : *Ulfon*.

Aldesleukine : Proleukin.

Aldioxa : *Ulfon*.

Alfacalcidol : Un-Alfa.

Alfentanil : Rapifen.

Alfuzosine : Urion • Xatral.

Alginate de calcium : Algostéril • Coalgan • Ouate Hémostatique US • Sorbsan • Stop Hémo • Trophiderm.

Alibendol : Cébéra.

Alimémazine : Théralène.

Alizapride : Plitican.

Allopurinol : Xanturic • Zyloric • *Désatura*.

Alminoprofène : Minalfène.

Almitrine : Vectarion • *Duxil*.

Aloès : *Depuratum • Dragées végétales Rex • Grains de Vals • Idéolaxyl • Lactobyl • Petites Pilules Carters • Pilules Dupuis • Pilules Spark • Végélax • Vulcase.*

Alpha-amylase : Maxilase.

Alphaméthyldopa → Méthyldopa.

Alprazolam : Xanax.

Alprostadil : Prostine VR.

Altéplase : Actilyse.

Altizide : *Aldactazine • Practazin • Prinactizide • Spiroctazine.*

Altrétamine : Hexastat.

Aluminium : Aluctyl • Lithiagel • Lycaon • Mucal • Phosphalugel • Rocgel • Ulcar.

Alvérine : Spasmavérine • *Météospasmyl • Normacol à la dipropyline • Schoum.*

Amantadine : Mantadix.

Ambénonium (chlorure) : Mytelase.

Ambroxol : Muxol • Surbronc.

Amcinonide : Penticort.

Améthoptérine → Méthotrexate.

Amfépramone : Anorex • Modératan • Préfamone • Ténuate Dospan.

Amikacine : Amiklin.

Amiloride : Modamide • *Logirène • Moducren • Modurétic.*

Amineptine : Survector.

Aminoglutéthimide : Orimétène.

Aminophylline : Planphylline • *Campho-pneumine aminophylline.*

Amiodarone : Corbionax • Cordarone.

Amisulpride : Solian.

Amitriptyline : Elavil • Laroxyl.

Amlodipine : Amlor.

Amobarbital : *Météoxane • Tensophoril.*

Amodiaquine : Flavoquine.

Amorolfine : Locéryl.

Amoxapine : Défanyl.

Amoxicilline : A-Gram • Amodex • Amophar • Bactox • Bristamox • Clamoxyl • Flemoxine • Gramidil • Hiconcil • Zamocilline • *Augmentin* • *Ciblor.*

Amphétamine : *Orténal.*

Amphotéricine B : Fungizone • *Amphocycline.*

Ampicilline : Ampicilline Panpharma • Pénicline • Totapen • *Prototapen* • Unacim.

Amrinone : Inocor.

Amsacrine : Amsidine.

Amylmétacrésol : *Strepsils.*

Androstanolone : Andractim.

Anétholtrithione : Sulfarlem.

Anisohydrocinnamol : *Eubispasme codéthyline.*

Anistreplase : Eminase .

Antimoniate de méglumine : Glucantime.

Antipyrine → Phénazone.

Apolate de sodium : *Pergalen.*

Apomorphine : Apokinon.

Aprindine : Fiboran.

Aprotinine : Antagosan • Iniprol • Trasylol.

Argent, sels d' : Flammazine • Stillargol • Vitargénol • *Argyrophédrine* • *Pastaba.*

Arginine : Acdril • Arginine Veyron • Arginine glutamique Sobio : Eucol • Pargine • Sargenor • Tiadilon • *Arginotri-B* • *Citrarginine.*

Articaïne : *Alphacaïne-SP.*

Asparaginase : Kidrolase.

Aspartam : Aspam • Canderel • Demi-Canderel • D-Sucril • Pouss-Suc • Sukami.

Asphocalcium : Calscorbat.

Aspirine → Acide acétylsalicylique.

Astémizole : Hismanal.

Aténolol : Aténolol Zeneca-Pharma • Betatop • Ténormine • *Bêta-Adalate* • *Tenordate.*

Atracurium (bésilate) : Tracrium.

Atropine : Atropine Aguettant • Atropine Lavoisier • Chibro-atropine • Vitatropine • *Diarsed* • *Météoxane* • *Nervopax.*

Atropine-oxyde : Génatropine.

Attapulgite : Actapulgite • Bedelix • Gastropulgite.

Auranofine : Ridauran.

Aurotiopol : Allochrysine Lumière.

Azathioprine : Imurel.

Azidothymidine : Retrovir.

AZT → Zidovudine.

Aztréonam : Azactam.

Bacampicilline : Bacampicine • Penglobe.

Bacitracine : Bacitracine Martinet • *Bacicoline* • *Bacitracine Néomycine Monot* • Collunovar sec • *Lysopaïne ORL* • *Maxilase-Bacitracine* • *Néomycine-Bacitracine Marcofina* • *Oropivalone* • *Pimafucort.*

Baclofène : Liorésal.

Baméthan : *Escinogel.*

Bamifylline : Trentadil.

Batroxobine : Reptilase.

Béclométasone : Aldécine • Béconase • Bécotide • *Ventide.*

Béfunolol : Bentos.

Bénazépril : Briem • Cibacène • *Cibadrex.*

Bendrofluméthiazide : Naturine • *Tensionorme.*

Bénéthamine pénicilline : Biclinocilline

Benfluorex : Mediator.

Benfotiamine : Vitanévril Fort.

Bénorilate : Salipran.

Bensérazide : *Modopar.*

Benzalkonium : Chlorure de Benzalkonium Pharmatex • *Biseptine* • *Euvanol* • *Gel fluide de calamine* • *Hexalense* • *Indocid collyre* • Kenalcol • *Rhinofluimucil* • *Sparaplaie Na.*

Benzathine benzylpénicilline : Extencilline.

Benzbromarone : Désuric • *Désatura.*

Benzéthonium : *Ta-Ro-Cap.*

Benzoate de benzyle : *Ascabiol.*

Benzocaïne : *Anti-Hémorroïdaires • Nestosyl • Pommade Midy • Sédorrhoïde • Suppositoires Midy.*

Benzododécinium : Benzododécinium Chibret • *Arpha • Génola • Humex • Prorhinel • Sédacollyre.*

Benzquercine : Diamoril.

Benzydamine : Opalgyne • *Hexo-Imotryl.*

Benzylpénicilline : Pénicilline G Diamant • Biclinocilline • Bipénicilline • Gomenol-syner-pénicilline.

Benzylpénicilline procaïne : *Bipénicilline.*

Benzylthiouracile : Basdène.

Bépridil : Cordium.

Bergaptène : Psoraderm.

Bêta-alanine : Abufène.

Bétacarotène : *Difrarel • Phénoro • Restrical.*

Bétahistine : Extovyl • Serc.

Bétaïne : Citrate de bétaïne Beaufour • *Citrarginine • Citro-B6 • Gastrobul • Hépagrume • Liporex • Ornitaïne • Scorbo-bétaïne.*

Bétaméthasone : Betnesol • Betneval • Célestène • Célestoderm • Diprolène • Diprosone • Diprostène • *Betnesalic • Célestamine • Diprosalic • Diprosept • Diprosone néomycine • Gentasone.*

Bétaxolol : Betoptic • Kerlone.

Bézafibrate : Béfizal.

Biclotymol : Hexadreps • Hexapock • Hexaspray • *Hexalyse • Hexapneumine.*

Bifonazole : Amycor.

Bioalléthrine : *Parasidose.*

Biotine : Biotine Roche.

Bipéridène : Akinéton Retard.

Bisacodyl : Contalax • Dulcolax • *Pilule Dupuis • Prépacol.*

Bisantrène : Zantrène.

Biscoumacétate d'éthyle : Tromexane.

Bismuth : Amygdorectol • *Anoréine • Anusol • Bi-qui-nol • Brulex • Lanofène • Paps • Pholcones Bismuth-Quinine.*

Bisoprolol : Detensiel • Soprol.

Bléomycine : Bléomycine R. Bellon.

Bleu de méthylène : Vitableu.

Bourdaine : *Bioveinal • Boldoflorine • Bronpax • Dépuratif des Alpes • Depuratum • Dragées Fuca • Dragées végétales Rex • Grains de Vals • Herbesan • Idéolaxyl • Mucinum • Normacol à la bourdaine • Petites pilules Carters • Pilules Dupuis • Pilules Spark • Tisane des Familles • Tisane Grande Chartreuse • Tisane Mexicaine • Tisane Phlébosédol • Tisane Touraine • Végélax.*

Brétylium (tosilate) : Brétylate.

Bromazépam : Lexomil.

Bromélaïnes : Extranase • *Tétranase.*

Bromhexine : Bisolvon.

Bromocriptine : Parlodel.

Bromo-galactogluconate de calcium : Calcibronat.

Bromphéniramine : Dimégan • *Dimétane expectorant • Martigène • Rupton.*

Broparestrol : Broparestrol • *Acnestrol.*

Broxyquinoline : *Entercine.*

Buclizine : Aphilan.

Budésonide : Pulmicort.

Bufexamac : Bufal • Calmaderm • Parfenac.

Buflomédil : Fonzylane • Loftyl.

Bumétanide : Burinex.

Buphénine : *Ophtadil • Phlebogel • Vivène.*

Bupivacaïne : Marcaïne.

Buprénorphine : Temgésic.

Buséréline : Suprefact.

Buspirone : Buspar.

Busulfan : Misulban.

Butacaïne : *B.A.L. • Relaxoddi • Rhinamide.*

Butalamine : *Oxadilène.*

Butobarbital : Butobarbital Dipharma • *Hypnasmine • Théophylline Butobarbital Bruneau.*

Butoconazole : Gynomyk.

Butylhyoscine : Buscopan • *Algo-Buscopan.*

Buzépide : *Denoral* • *Vésadol*.

Cadexomère iodé : Iodosorb.

Cafédrine : *Praxinor*.

Caféine : Percutaféine gel.

Calamine : *Gel fluide Thérica*.

Calcifédiol : Dédrogyl.

Calcipotriol : Daivonex.

Calcitonine : Calcitar • Calsyn • Cibacalcine • Miacalcic • Staporos.

Calcitriol : Rocaltrol.

Calcium édétate de sodium : Calcitétracémate disodique.

Camylofine : *Avafortan*.

Canrénoate de potassium : Soludactone.

Canthaxanthine : *Phénoro*.

Captodiame : Covatine.

Captopril : Captolane • Lopril • *Captea* • *Ecazide*.

Carbamazépine : Tégrétol.

Carbamide (urée) : *Kératosane* • *Kinuréa H.*

Carbasalate calcique : Solupsan • *Propofan*.

Carbazochrome : Adrénoxyl.

Carbidopa : *Sinemet*.

Carbimazol : Néo-Mercazole.

Carbinoxamine : Allergefon • *Humex gélules*.

Carbocistéine : Bronchathiol • Bronchocyst • Bronchokod • Broncoclar • Hexafluid • Muciclar • Mucoplexil • Pneumoclar • Rhinathiol • *Rhinathiol prométhazine*.

Carbomère : Gel-larmes • Lacrigel.

Carbonate d'alumine : *Lithiagel*.

Carboplatine : Paraplatine.

Carbutamide : Glucidoral.

Carmustine : BiCNU.

Carnitine → Lévocarnitine.

Carotène bêta (bétacarotène) : *Difrarel* • *Phénoro* • *Restrical*.

Carpipramine : Prazinil.

Carraghénate : Coréine • *Anoréine* • *Lithiagel* • *Rectolax* • *Titanoréine*.

Cartéolol : Cartéol • Mikélan.

Cascara sagrada : Péristaltine.

Céfacétrile : Célospor.

Céfaclor : Alfatil.

Céfadroxil : Céfadroxil Panmedica • Oracéfal.

Céfalexine : Céfacet • Céporexine • Kéforal.

Céfaloridine : Céporine.

Céfalotine : Céfalotine Panpharma • Keflin.

Céfamandole : Kéfandol.

Céfapirine : Céfaloject.

Céfatrizine : Céfapéros.

Céfazoline : Céfacidal • Céfazoline Panpharma • Kefzol.

Céfixime : Oroken.

Céfménoxime : Cemix.

Céfopérazone : Céfobis.

Céfotaxime : Claforan.

Céfotétan : Apacef.

Céfotiam : Pansporine.

Céfoxitine : Mefoxin.

Cefpodoxime : Céfodox • Orelox.

Céfradine : Kelsef.

Céfsulodine : Pyocéfal.

Ceftazidime : Fortum.

Céftizoxime : Cefizox.

Ceftriaxone : Rocéphine.

Céfuroxime : Curoxime.

Céfuroxime-axétil : Cépazine • Zinnat.

Céliprolol : Célectol.

Cérulétide : Cerulex.

Cétalkonium (chlorure) : *Pansoral*.

Céthexonium (bromure) : Biocidan.

Cétiédil : Stratène • Vasocet.

Cétirizine : Virlix • Zyrtec.

Cétoglutarate de calcium : Cétoglutaran.

Cétrimide : Cétavlon • *Dérinox* • Lacrigel.

Cétrimonium : *Erytéal* • *Nostril* • *Rectoquotane*.

Cétylpyridinium : Novoptine • *Alodont* • *Vicks sirop* • *Vicks Soulagil*.

Charbon activé : Arkogélules de charbon végétal • Carbomix • Charbon de Belloc • Formocarbine • *Acticarbine* • *Carbolevure* • *Carbo-*

phagyx • *Carbophos* • *Carbosylane* • *Gastropax* • *Intesticarbine* • *Mandocarbine* • *Splénocarbine* • *Spévin.*

Chlorambucil : Chloraminophène.

Chloramphénicol : Cébénicol • Tifomycine • *Cébédexacol.*

Chlordiazépoxide : Librium • *Librax.*

Chlorhexidine : Chlorhex-a-myl • Collunovar Atomiseur • Hibident • Hibidil • Hibiscrub • Hibisprint • Hibitane • Plurexid • Rhino-Blache • Septeal • Urgospray • Vitacontact.

Chlormadinone : Lutéran • *Lutestral.*

Chlorméthine : Caryolysine.

Chlormézanone : Alinam • Trancopal • *Trancogésic.*

Chlorocrésol : *Cicatryl* • *Cytéal.*

Chloroquine : Nivaquine.

Chlorphénamine : *Bronchalène* • *Hexapneumine* • *Pneumopan* • *Propofan* • *Rhinofébral* • *Rumicine* • *Sup-Rhinite.*

Chlorphénoxamine : Systral.

Chlorproéthazine : Neuriplège.

Chlorpromazine : Largactil.

Chlorpropamide : Diabinèse.

Chlorquinaldol : Gynothérax • Colposeptine • *Nérisone C.*

Chlortalidone : Hygroton-quart • *Logroton* • *Trasitensine.*

Chlorure d'ammonium : Chlorammonic.

Cholécalciférol : → Colécalciférol.

Choline : Hépa B5.

Chondroïtine sulfate → Acide chondroïtine sulfurique.

Chromocarbe : Angiophtal • Campel.

Chymopapaïne : Chymodiactine.

Chymotrypsine : Alphachymotrypsine Choay • Alphachymotrypsine Leurquin • Alphacutanée • Chymotrypsine Chibret • *Alpha-Kadol* • *Alphintern* • *Aphlomycine.*

Cibenzoline : Cipralan.

Ciclétanine : Tenstaten.

Ciclopirox : Mycoster.

Ciclosporine : Sandimmun.

Cilastatine : Tienam.

Cilazapril : Justor.

Cimétidine : Tagamet.

Cinchocaïne : *Deliproct* • *Ultraproct.*

Cinnamavérine : *Padéryl.*

Cinnarizine : *Sureptil.*

Ciprofibrate : Bi-Lipanor • Lipanor.

Ciprofloxacine : Ciflox.

Cisapride : Prepulsid.

Cisplatine : Cisplatine Dakota • Cisplatine Lilly • Cisplatyl.

Citicoline : Citicoline Panmedica • Citicoline Panpharma • Rexort.

Citroflavonoïdes : *Cémaflavone* • *Circularine* • *Hépanéphrol* • *Vascocitrol.*

Citrulline : Stimol • *Epuram.*

Clidinium (bromure) : *Librax.*

Clindamycine : Dalacine.

Clioquinol : *Diprosept* • *Locacortène-Vioforme.*

Clobazam : Urbanyl.

Clobenzorex : Dinintel.

Clobétasol : Dermoval.

Clobutinol : Silomat.

Clocinizine : *Denoral.*

Clodronate disodique : Clastoban.

Clofénotane (DDT) : Benzochloryl.

Clofexamide : *Perclusone.*

Clofézone : *Perclusone.*

Clofibrate : Lipavlon.

Clofibride : Lipénan.

Clofoctol : Octofène.

Clométhiazole : Hémineurine.

Clomifène : Clomid • Pergotime.

Clomipramine : Anafranil.

Clonazépam : Rivotril.

Clonidine : Barclyd • Catapressan.

Clopamide : Brinaldix • *Viskaldix.*

Clorazépate dipotassique : Tranxène • *Noctran.*

Cloroqualone : *Eutuxal.*

Clostébol : *Trofoseptine.*

Clotiazépam : Vératran.

Clotrimazole : Trimysten.

Cloxacilline : Orbénine.

Clozapine : Leponex.

Co-amoxiclav : Augmentin.

Cobamamide : Cobanzyme • Dibencozan Fort • Dolonévran • Indusil T • Paxom • *Vibalgan.*

Cocarboxylase : *Plenyl.*

Codéine : Quintopan pastilles.

Codéine + aspirine : *Compralgyl.*

Codéine + paracétamol : *Algisedal • Codoliprane • Dafalgan Codéine • Efferalgan Codéine • Lindilane • Néocitran • Oralgan • Panadol Codéine • Quintopan sirop • Sédarène • Survitine.*

Codéthyline : Codéthyline Houdé • Trachyl.

Colchicine : Colchicine Houdé • *Colchimax.*

Colécalciférol : Adrigyl • Uvédose • Vitamine D3 B.O.N. • *Alvityl • Auxergyl D3 • Carencyl • Cernévit • Liveroil • Survitine.*

Colestyramine : Questran.

Colfoscéril : Surfexo Néonatal.

Colistine : Colimycine • *Bacicoline • Colicort.*

Cortisone : Cortisone Roussel.

Cortivazol : Altim.

Co-trifamole (sulfamoxole + triméthoprime) : Supristol.

Co-trimazine (sulfadiazine + triméthoprime) : Antrima.

Co-trimoxazole (sulfaméthoxazole + triméthoprime) : Bactékod • Bactrim • Eusaprim.

Coumarine : Lysedem • *Esberiven.*

Crilanomère : Intrasite.

Cromoglicate → Acide cromoglicique.

Crotamiton : Eurax.

Cryofluorane : Cryofluorane Promedica.

Cyamémazine : Tercian.

Cyaninosides : Méralops.

Cyanocobalamine : Vitamine B12 Aguettant • Vitamine B12 mille Delagrange • Vitamine B12 Dulcis • Vitamine B12 Labaz • Vitamine B12 Lavoisier.

Cyclamate de sodium : Sucrum • *Sucaryl.*

Cyclandélate : Cyclergine • Cyclospasmol • Novodil • Vascunormyl.

Cyclizine : Marzine • *Migwell.*

Cyclobutyrol : Hébucol.

Cyclopentolate : Skiacol.

Cyclophosphamide : Endoxan Asta.

Cyclothiazide : *Cyclotériam.*

Cyclovalone : Vanilone.

Cyprodénate : Actébral.

Cyproheptadine : Périactine.

Cyprotérone : Androcur • *Diane 35.*

Cystine : Gélucystine.

Cytarabine : Aracytine • Cytarbel.

Dacarbazine : Déticène.

Daltéparine : Fragmine.

Danazol : Danatrol • Mastodanatrol.

Dantrolène : Dantrium.

Dantrone : *Modane.*

Dapsone : *Disulone.*

Datura : *Dinacode.*

Daunorubicine : Cérubidine.

DDT : → Clofénotane.

Déanol : Astyl • Cérébrol • Clérégil • Tonibral • *Acti 5 • Capsules Pharmaton • Débrumyl • Tonuvital.*

Déféroxamine : Desféral.

Déhydroémétine : Déhydroémétine Roche.

Démégestone : Lutionex.

Démexiptiline : Tinoran.

Dépalléthrine : *Para Spécial Poux.*

Déqualinium (chlorure) : *Eufosyl • Hexalyse • Humex comprimés • Oroseptol • Vicks Soulagil.*

Désipramine : Pertofran.

Deslanoside : Cédilanide.

Desmopressine : Minirin.

Désogestrel → Contraception hormonale.

Désonide : Locapred • Tridésonit • *Cirkan à la Prednacinolone.*

Désoximétasone : Topicorte • *Topifram*.

Désoxycortone : Syncortyl.

Désoxyribonucléase : *Elase*.

Dexaméthasone : Auxisone • Cébédex • Décadron • Dectancyl • Maxidex • Soludécadron.

Dexchlorphéniramine : Polaramine • *Célestamine* • *Polaramine pectoral*.

Dexfenfluramine : Isoméride.

Dexpanthénol : Bépanthène • *Bécozyme*.

Dextran : Hémodex • Plasmacair • Promit • Rhéomacrodex • *Avène* • *Dextrarine Phénylbutazone*.

Dextranomère : Debrisan.

Dextrométhorphane : Akindex • Capsyl • Dexir • Nodex • Romilar • Taritux • Tuxium • *Nortussine* • *Tussifed*.

Dextromoramide : Palfium.

Dextropropoxyphène : Antalvic • *Di-Antalvic* • *Propofan*.

Diacétylcystéine : Mucothiol.

Diazépam : Novazam • Valium.

Diazoxide : Hyperstat • Proglicem.

Dibékacine : Débékacyl • Icacine.

Diclofénac : Flector • Voldal • Voltarène • Voltarène Emulgel • Xenid.

Dicloxacilline : Diclocil.

Didanosine : Videx.

Diéthylstilbestrol : Distilbène.

Difébarbamate : *Atrium*.

Difémérine : Luostyl.

Diflucortolone : Nérisone • *Nerisalic* • *Nérisone C*.

Diflunisal : Dolobis.

Difluprednate : Epitopic.

Digitoxine : Digitaline Nativelle • *Ditavène*.

Digoxine : Digoxine Nativelle.

Dihexyvérine : Spasmodex.

Dihydralazine : Népressol • *Trasipressol*.

Dihydrocodéine : Dicodin.

Dihydroergocornine → Dihydroergotoxine.

Dihydroergocristine : *Cervilane* • *Cristanyl* • *Iskédyl*.

Dihydroergocryptine → Dihydroergotoxine • Vasobral.

Dihydroergotamine : Dergiflux • Dergotamine • Diergo Spray • Dihydroergotamine Lafarge • Dihydroergotamine Sandoz • Ikaran • Séglor • Séglor Lyoc • Tamik.

Dihydroergotoxine : Capergyl • Dulcion • Ergodose • Ergokod • Hydergine • Optamine • Pérénan • Ségolan • Simactil.

Dihydroquinidine → Hydroquinidine.

Dihydrostreptomycine : *Entercine*.

Dihydroxydibutylether : Dyskinébyl.

Diiodohydroxyquinoléine : Direxiode.

Diisopromine : *Mégabyl*.

Diltiazem : Bi-Tildiem • Deltazen LP • Diacor LP • Dilrène LP • Diltiazem Panmedica • Tildiem.

Dimenhydrinate : Dramamine • Nausicalm • *Mercalm*.

Dimépranol : *Isoprinosine*.

Dimercaprol : B.A.L.

Diméticone : Gel de Polysilane • Siligaz • *Carbosylane* • *Contracide* • *Dimalan* • *Gastrobul* • *Gélosédine* • Météoxane • Ophtasiloxane • Pepsane • *Pereflat* • *Polysilane Jouillé* • *Polysilane réglisse* • *Primpéroxane* • Zymoplex.

Dinitrate d'isosorbide : Disorlon • Isocard • Langoran LP • Risordan • Sorbitrate.

Dinoprost : Prostine-F2 alpha.

Dinoprostone : Prepidil • Prostine-E2.

Diosmectite : *Smecta*.

Diosmine : Dio • Diosmil • Diovenor • Endium • Flébosmil • Litosmil.

Diphénhydramine : Bénylin • Butix Gel • Nautamine • *Onctose*.

Diphénoxylate : *Diarsed*.

Dipivéfrine : Propine.

Diprophylline : *Ozothine à la diprophylline*.

Dipropyline → Alvérine.

Dipyridamole : Cléridium • Coronarine • Diphar • Perkod • Persantine • Prandiol • Protangix.

Disopyramide : Isorythm • Rythmodan.

Disulfirame : Espéral • *T.T.D.-B3-B4.*

Dithranol : Anthranol • Dithrasis • Anaxéryl.

Dobésilate de calcium : Doxium.

Dobutamine : Dobutrex.

Docusate sodique : Jamylène • *Norgalax.*

Dodéclonium : *Sédorrhoïde.*

Dompéridone : Motilium • Péridys.

Dopamine : Dopamine Lucien • Dopamine Pierre Fabre • *Tensophoril.*

Dosulépine : Prothiaden.

Doxépine : Quitaxon • Sinéquan.

Doxorubicine : Adriblastine • Doxorubicine Dakota.

Doxycycline : Doxy-100 • Doxycline • Doxygram • Doxylets • Granudoxy • Monocline • Spanor • Tolexine • Vibramycine N • Vibraveineuse.

Doxylamine : Donormyl • Méréprine.

Dropéridol : Droleptan.

Dropropizine : *Catabex.*

Dydrogestérone : Duphaston.

Éconazole : Gyno-Pévaryl • Pévaryl • *Pevisone.*

Écothiopate (iodure) : Phospholine Iodide.

Édétate calcique : Calcitétracémate disodique.

Édétate dicobaltique : Kélocyanor.

Édétate disodique : Tracémate.

EDTA Calcium : Calcitétracémate disodique.

Efloxate : Recordil LA.

Elliptinium : Celiptium.

Énalapril : Renitec • *Co-Renitec.*

Énoxaparine : Lovenox.

Énoximone : Perfane.

Énoxolone : P. O. 12 • *Anolan • Arthrodont • Pyreflor • Sédorrhoïde • Valda Mal de gorge.*

Enzymes pancréatiques (pancrélipase) : Alipase • Créon • Eurobiol.

Éphédrine : Stopasthme • *Argyrophédrine • Arpha • Asthmalgine • Asthmasédine • Biphédrine • Clarix • Enurétine • Ephydion • Osmotol • Otylol • Pulmofluide • Rectophédrol • Rectoquotane • Rhinamide • Rhino-Sulfuryl • Tédralan • Théralène • Transmer.*

Épinéphrine (adrénaline) : Adrénaline Aguettant • Anahelp • Anakit • Dyspné-Inhal • Eppy 1% • Glauposine • *Alphacaïne-SP • Duranest • Glaucadrine • Sirop Boin • Xylocaïne.*

Épirubicine : Farmorubicine.

Époétine : Eprex • Recormon.

Éprazinone : Mucitux.

Éprozinol : Eupnéron.

Ergocalciférol : Stérogyl • Uvestérol D • Zyma-D2 • *Azedavit • Calced • Capsules Pharmaton • Frubiose calcique • Hydrosol Polyvitaminé BON • Hydrosol Polyvitaminé Roche • Pastilles Jessel • Uvestérol vitaminé • Vivamyne.*

Ergotamine : *Gynergène caféiné • Migwell.*

Érythromycine : Abboticine • Biolid • Ery 500 • Erycocci • Eryfluid • Eryphar • Erythrocine • Erythrogel • Erythrogram • Erythromycine Bailleul • Erythromycine Dakota • Propiocine • Stimycine • *Antibio-Aberel • Pédiazole.*

Érythropoïétine → Epoétine.

Esdépalléthrine : *Sprégal.*

Ésérine oxyde : Généserine 3.

Esmolol : Brevibloc.

Estazolam : Nuctalon.

Estradiol : Benzo-Gynœstryl • Estraderm TTS • Estrofem sans estriol • Œstradiol-Retard Théramex • Œstrogel • Oromone • Progynova • *Divina • Fadiamone • Gravibinan • Kliogest • Prémarin • Trisequens • Trophobolène • Tyrothricine œstradiol.*

Estramustine : Estracyt.

Estrapronicate : *Trophobolène.*

Estriol : Ovestin • Physiogine • Synapause • Trophicrème • *Kliogest • Trisequens • Trophobolène • Trophigil.*

Estrogènes conjugués : Prémarin.

Estrone : *Fadiamone* • *Phakormone ST* • *Prémarin* • *Synergon*.

Étamsylate : Dicynone

Éthacridine : *Pyorex*.

Éthambutol : Dexambutol • Myambutol • *Dexambuthol-INH*.

Éthenzamide : Trancalgyl • *Céphyl*.

Éther de Kay : Æthone.

Éthinylestradiol : Ethinyl-œstradiol Roussel.

Éthosuximide : Zarontin.

Éthylcystéine : Fludixan.

Éthylmorphine → Codéthyline.

Etidocaïne : Duranest.

Étidronate → Acide étidronique.

Étifoxine : Stresam.

Étiléfrine : Effortil.

Étodolac : Lodine.

Étomidate : Hypnomidate.

Étoposide : Celltop • Vépéside.

Étynodiol : Lutométrodiol.

Extrait thyroïdien : Tétrapongyl • *Iodorganine T.*

Facteur VII : Acset.

Famotidine : Pepdine.

Fébarbamate : *Atrium*.

Félodipine : Flodil.

Félypressine : *Collupressine*.

Fenbufène : Cinopal.

Fenfluramine : Pondéral.

Fénofibrate : Lipanthyl • Sécalip.

Fénoprofène : Nalgésic.

Fénotérol : Berotec • *Bronchodual*.

Fénovérine : Spasmopriv.

Fénoxazoline : Aturgyl • *Déturgylone*.

Fénozolone : Ordinator.

Fenpivérinium (bromure) : *Baralgine à la noramidopyrine.*

Fenproporex : Fenproporex Deglaude.

Fenspiride : Pneumorel.

Fentanyl : Fentanyl Janssen.

Fentiazac : Fentac.

Fer : Ascofer • Erythroton • Fer Lucien • Ferograd LP • Ferrostrane • Fumafer • Inofer • Jectofer • *Fer C B12* • *Ferograd Vitamine C* • *Tardyféron*.

Férédétate de sodium : Ferrostrane.

Férulate de magnésium : Frucol.

Fibrinolysine : *Elase.*

Filgrastim : Neupogen.

Finastéride : Chibro-Proscar.

Flécaïnide : Flécaïne.

Floctafénine : Idarac.

Fluanisone : Sédalande.

Flubendazole : Fluvermal.

Fluclorolone acétonide : Topilar.

Fluconazole : Triflucan.

Flucytosine : Ancotil.

Fludrocortisone : Fludrocortisone 1 p. mille • *Bléphaseptyl* • *Panotile*.

Fluindione : Préviscan.

Flumazénil : Anexate.

Flumédroxone : *Précyclan*.

Fluméquine : Apurone.

Flumétasone : *Locacortène* • *Locacortène-Vioforme* • *Locasalène* • *Psocortène*.

Flunarizine : Sibélium.

Flunisolide : Bronilide.

Flunitrazépam : Narcozep • Noriel • Rohypnol.

Fluocinolone acétonide : Synalar • *Antibio-Synalar* • *Synalar néomycine*.

Fluocinonide : Topsyne • *Topsyne néomycine.*

Fluocortolone : Ultralan • *Myco-Ultralan* • *Ultraproct*.

Fluorométholone : Flucon.

Fluorouracil : Efudix • Fluoro-uracile Roche.

Fluorure de sodium : Fluogel • Fluogum • Fluor Monal • Fluor-In • NaF Crinex • Ostéofluor • Rumafluor • Zymafluor • *Architex* • *Fluocalcic*.

Fluoxétine : Prozac.

Fluoxymestérone : Halotestin.

Flupentixol : Fluanxol.

Fluphénazine : Modécate • Moditen • *Motival*.

Flurbiprofène : Cebutid • Ocufen.

Flutamide : Eulexine.

Fluvoxamine : Floxyfral.

Folinate de calcium : Elvorine • Folinate de calcium Dakota • Folinate de calcium R. Bellon • Folinoral • Lederfoline • Osfolate.

Foscarnet sodique : Foscavir.

Fosfestrol : ST-52.

Fosfomycine : Fosfocine • Monuril.

Fotémustine : Muphoran.

Framycétine : Framitulle • Framybiotal • Isofra • Soframycine • *Antihémorroïdaires* • *Corticétine* • *Cortifra* • *Dermocalm* • *Dexapolyfra* • *Dulcimyxine* • *Frakidex* • *Frazoline* • *Néoparyl Framycétine* • *Polyfra* • *Rhinotrophyl.*

FSH urinaire purifiée : Fertiline • Métrodine.

Furosémide : Furosémide Dakota • Furosémix • Lasilix • *Logirène.*

Fusafungine : Locabiotal.

Ganciclovir : Cymévan.

Gélatine fluide : Haemaccel • Plasmion • *Plasmagel.*

Géméprost : Cervagème.

Gemfibrozil : Lipur.

Gentamicine : Gentalline • Gentamicine Dakota • Gentamicine Panpharma • Martigenta • Martigenta • Ophtagram • *Gentasone.*

Ginkgo biloba : Ginkogink • Tanakan • Tramisal • *Ginkor.*

Glibenclamide : Daonil • Euglucan • Hémi-Daonil • Miglucan.

Glibornuride : Glutril.

Gliclazide : Diamicron.

Glipizide : Glibénèse • Minidiab.

Glucagon : Glucagon Novo.

Gluconate de lithium : Neurolithium.

Glycérol : Bébégel • Glycérotone.

Glycine (glycocolle) : Gyn-Hydralin • Uro 3000.

Gonadoréline : Lutrelef • Pulstim • Stimu-LH.

Gonadotrophine chorionique (HCG) : Gonadotrophine chorionique Endo.

Gonadotrophine ménopausique (ou HMG) • Fertiline • Humégon • Inductor • Métrodine • Néo-Pergonal.

Goséréline : Zoladex.

Goudron : Carbo-Dome • *Alphosyl* •

Anaxéryl • *Coaltar saponine Le Beuf* • Psocortène.

Gramicidine : *Argicilline* • *Topifram.*

Granisétron : Kytril.

Griséofulvine : Fulcine forte • Grisé-fuline.

Guaiazulène : Azulène.

Guanéthidine : Isméline • *Esimil.*

Guanfacine : Estulic.

Halcinonide : Halog.

Halofantrine : Halfan.

Halopéridol : Haldol • *Vésadol.*

Hématoporphyrine : Hémédonine • *Activarol* • *Novitan.*

Hémocoagulase : *Reptilase.*

Héparine : Calciparine • Cuthéparine • Héparine calcique Dakota • Héparine calcique Fournier • Héparine calcique Leo • Héparine calcique Panpharma • Héparine sodique Choay • Héparine sodique Dakota • Héparine sodique Leo • Héparine sodique Panpharma • Héparine sodique Roche • Liquémine • Percase.

Héparines de bas poids moléculaire Fragmine • Fraxiparine • Lovenox.

Heptaminol : Ampecyclal • Corophylline • Hept-a-myl • *Débrumyl* • Sureptil.

Hexachlorophène : *Acnestrol.*

Hexamidine : Désomédine • Hexomédine • *Amygdospray* • *Bléphaseptyl* • *Collucalmyl* • *Colludol* • *Colluspir* • *Cytéal* • *Dermster* • *Hexo-Imotryl* • Hexomédine • *Oromédine* • *Posébor.*

Hexétidine : Collu-Hextril • Hexigel • Hextril • *Angispray* • *Givalex.*

Histapyrrodine : Domistan.

Homatropine : *Entercine* • *Supadol* • Ulfon.

Hordénine : *Hordénol.*

Hormone antidiurétique : Diapid • Glypressin • Minirin.

Hormone de croissance → Somatropine.

Huile de cade : Caditar.

Huile de paraffine : Huile de paraffine • Lansoÿl • Laxamalt • Lubentyl • Nujol • Parlax • *Molagar* • *Parapsyllium* • *Restrical.*

Hyaluronidase: Hyaluronidase Choay • *Hyalurectal* • *Lasonil*.

Hydrochlorothiazide : Esidrex • *Captea* • *Cibadrex* • *Co-Renitec* • *Ecazide* • *Esimil* • *Moducren* • *Modurétic* • *Prestole* • *Prinzide* • *Zestoretic*.

Hydrocortisone : Colofoam • Efficort • Hydracort • Hydrocortisone Astier • Hydrocortisone Roussel • Hydrocortisone Upjohn • Locoïd • Proctocort.

Hydroquinidine : Sérécor.

Hydroxocobalamine : Dodécavit • Hydroxo 5000 • Novobédouze • *Arginotri-B* • *Bétrimax* • *Fer C B12* • *Inadrox* • *Néoparyl-B12* • *Terneurine H* • *Vibalgan*.

Hydroxybutyrate de sodium : Gamma-OH.

Hydroxycarbamide : Hydréa.

Hydroxychloroquine : Plaquenil.

Hydroxyestrone : Colpormon.

Hydroxyéthylamidon : Elohes • Lomol.

Hydroxyprogestérone : Hydroxyprogestérone-Retard Théramex • Progestérone-Retard Pharlon • *Gravibinan* • *Tocogestan* • *Trophobolène*.

Hydroxyurée → Hydroxycarbamide.

Hydroxyzine : Atarax.

Hymécromone : Cantabiline.

Hyoscine : Buscopan (butylhyoscine) • Scopoderm TTS.

Hyoscyamine : Duboisine • *Météoxane*.

Ibacitabine : Cuterpès.

Ibuprofène : Advil • Algifène • Analgyl • Brufen • Dolgit • Fénalgic • Nurofen • Tiburon • *Rhinadvil*.

Icosapent : Maxepa.

Ichthyolammonium : *Aloplastine ichthyolée* • *Anaxéryl* • *Inotyol* • *Oxythyol*.

Idarubicine : Zavedos.

Idoxuridine : Iduviran.

Idrocilamide : Srilane.

Ifenprodil : Vadilex.

Ifosfamide : Holoxan.

Iloprost : Ilomédine.

Imipénem : Tienam.

Imipramine : Tofranil.

Indapamide : Fludex.

Indométacine : Ainscrid LP • Chrono-Indocid • Indocid • Indocid collyre • Indocollyre.

Indoramine : Vidora.

Inosine : Catacol • Correctol • *Isoprinosine*.

Inositocalcium : *Vitathion*.

Interféron alfa : Introna • Roféron-A.

Interleukine : Proleukin.

Iodohéparinate de sodium : Dioparine.

Ipratropium (bromure) : Atrovent • *Bronchodual*.

Iproniazide : Marsilid.

Isoconazole : Fazol.

Isoniazide : Rimifon • *Dexambuthol-INH* • *Rifinah* • *Rifater*.

Isoprénaline : Isuprel.

Isopropamide : *Enurétine*.

Isosorbide → Dinitrate, Mononitrate.

Isothipendyl : Istamyl.

Isotrétinoïne : Isotrex • Roaccutane.

Isoxsuprine : Duvadilan.

Ispaghule : Mucivital • Spagulax Mucilage Pur.

Isradipine : Icaz.

Ivermectine : Mectizan.

Josamycine : Josacine.

Kanamycine : Kamycine • *Stérimycine*.

Kaolin : *Anti-H* • *Antiphlogistine* • *Anusol* • *Kaobrol* • *Kaologeais* • *Kaomuth* • *Karayal* • *Neutroses* • *Pectipar*.

Kétamine : Kétalar • Kétamine Panpharma.

Kétoconazole : Kétoderm • Nizoral.

Kétoprofène : Bi-Profénid • Profénid • Topfen • Toprec.

Kétorolac : Tora-Dol.

Kétotifène : Zaditen.

Labétalol : Trandate.

Lacidipine : Caldine.

Lactitol : Importal.

Lactulose : Duphalac • Fitaxal • Lactulose Biphar.

Lansoprazole : Lanzor • Ogast .

Latamoxef : Moxalactam.

Létostéine : Viscotiol.

Leucocianidol : Flavan • Résivit • *Hamamélide P.*

Leucovorine → Folinate de calcium.

Leuproréline : Enantone LP • Lucrin.

Lévamisole : Solaskil.

Lévocarnitine : Lévocarnil.

Lévodopa : Larodopa • *Modopar* • *Sinemet.*

Lévomépromazine : Nozinan.

Lévonorgestrel : Microval.

Lévothyroxine : Lévothyrox • L-Thyroxine Roche • *Euthyral.*

Lidocaïne : ANESTHÉSIQUE : Mésocaïne • Xylocaïne • ANTIARYTHMIQUE : Xylocard.

Lincomycine : Lincocine.

Lindane : Aphtiria • Elentol • Scabecid • *Elénol.*

Liothyronine : Cynomel • *Euthyral.*

Lisinopril : Prinivil • Zestril • *Prinzide* • *Zestoretic.*

Lisuride : Dopergine.

Lithium, sels de : Neurolithium • Téralithe.

Lodoxamide : Almide.

Loflazépate d'éthyle : Victan.

Lomifylline : *Cervilane.*

Lomustine : Bélustine.

Lopéramide : Imodium • Imossel.

Loprazolam : Havlane.

Loratadine : Clarityne • *Clarinase.*

Lorazépam : Témesta.

Lormétazépam : Noctamide.

Loxapine : Loxapac

Lymécycline : Tétralysal.

Lynestrénol : Orgamétril.

Lypressine : Diapid.

Magnésium : Chlorumagène • Efimag • Frucol • Hépadial • Héparexine • Ionimag • Mag 2 • Magnésium Lavoisier • Magnéspasmyl • Magnogène • Solumag • Spasmag • Top Mag.

Malathion : Prioderm • *Para Plus.*

Mannitol : Manicol • Mannitol Aguettant • Mannitol Lavoisier • *Lycaon.*

Maprotiline : Ludiomil.

Mébévérine : Colopriv • Duspatalin.

Mécétronium (étilsulfate) : Stérillium.

Méclofénoxate : Lucidril.

Méclozine : Agyrax.

Médifoxamine : Clédial.

Médrogestone : Colprone 5.

Médroxyprogestérone : Dépo-Prodasone • Dépo-Provera • Farlutal • Prodasone • *Divina.*

Médrysone : Médrysone.

Méfénidramium : Allerga.

Méfénorex : Incital.

Méfloquine : Lariam.

Melphalan : Alkéran.

Ménadione : *Bilkabi* • *Cépévit K.*

Méphénésine : Décontractyl • *Algipan* • *Traumalgyl.*

Méprobamate : Equanil • Méprobamate Richard • *Kaologeais* • *Mépronizine* • Norgagil • *Palpipax* • *Précyclan* • *Vasocalm.*

Mépyramine : *Nortussine* • *Triaminic.*

Méquinol : Any Forte • Crème des 3 Fleurs d'Orient • Leucodinine B.

Méquitazine : Primalan.

Merbromine : Mercurescéine • Pharmadose Mercurescéine • Saubachrome • Soluchrom.

Mercaptopurine : Purinéthol.

Mercurobutol : *Mercryl Laurylé.*

Mésalazine : Pentasa.

Mesna : Mucofluid • Uromitexan 400.

Mestérolone : Proviron.

Métacycline : Physiomycine • *Lysocline.*

Métamizole sodique : Novalgine • Pyréthane à la noramidopyrine • *Algo-Buscopan* • *Avafortan* • *Baralgine* • *Céfaline-pyrazolé* • *Optalidon* • *Salgydal* • *Viscéralgine forte.*

Métampicilline : Suvipen.

Metformine : Glucinan • Glucophage • Stagid.

Méthénamine : Urotropine • *Aérophagyl* • *Aromalgyl* • *Bolcitol* • *Intesticarbine* • *Jécopeptol* • *Lithiabyl* • *Mictasol* • *Palmi Globules* • *Saprol* • *Uraseptine Rogier* • *Uromil.*

Méthocarbamol : Lumirelax.

Méthohexital : Briétal.

Méthotrexate : Ledertrexate • Méthotrexate R. Bellon.

Méthoxypsoralène (méthoxalène) : Méladinine • Psoraderm-5.

Méthyclothiazide : *Isobar.*

Méthyldopa : Aldomet • Equibar.

Méthylergométrine : Méthergin.

Méthylprednisolone : Dépo-Médrol • Médrol • Méthylprednisolone Dakota • Solu-Médrol.

Méthylsilanetriol : Conjonctyl.

Méthylthioninium (bleu de méthylène) : Vitableu • *Antiseptique-Calmante* • *Collyre Bleu Laiter* • *Dulcibleu* • *Mictasol Bleu* • *Pastilles Monléon* • *Stilla collyre.*

Méthysergide : Désernil.

Métipranolol : Bétanol.

Métisoprinol : Isoprinosine.

Métoclopramide : Anausin • Métoclopramide Panmedica • Métoclopramide Panpharma • Primpéran • Prokinyl LP • *Primpéroxane.*

Métopimazine : Vogalène.

Métoprolol : Lopressor • Seloken • *Logroton.*

Métronidazole : Flagyl • Métronidazole Dakota • Métronidazole Fandre • Rozex • *Rodogyl.*

Mexilétine : Mexitil.

Mezlocilline : Baypen.

Miansérine : Athymil.

Miconazole : Daktarin : Gyno-Daktarin • *Daktacort.*

Micronomicine : Microphta.

Midazolam : Hypnovel.

Mifépristone (RU 486) : Mifégyne.

Milrinone : Corotrope.

Minaprine : Cantor.

Minocycline : Mestacine • Mynocine.

Minoxidil : Alopexy • Alostil • Lonoten • Minoxidil • Néoxidil • Piloxil • Regaine.

Miristalkonium (chlorure) : *Alpagelle* • *Fongibactyl* • *Laccoderme Dalibour* • *Sterlane.*

Misoprostol : Cytotec.

Mithramycine : Mithracine.

Mitoguazone : Méthyl-GAG.

Mitomycine : Amétycine.

Mitoxantrone : Novantrone.

Molsidomine : Corvasal.

Mononitrate d'isosorbide : Monicor LP • Oxycardin.

Moroxydine : Virustat • *Assur.*

Morphine : Moscontin • Skenan LP.

Moxisylyte : Carlytène • Icavex • Uroalpha.

Mupirocine : Bactroban.

Muromonab-CD3 : Orthoclone OKT3.

Myrtécaïne : Acidrine • Algésal.

Nadolol : Corgard.

Nadoxolol : Bradyl.

Nadroparine : Fraxiparine.

Nafaréline : Synarel.

Naftazone : Etioven.

Naftidrofuryl : Di-Actane • Gévatran • Naftilux • Praxilène.

Nalbuphine : Nubain.

Nalorphine : Nalorphine L'Arguenon.

Naloxone : Narcan.

Naltrexone : Nalorex.

Nandrolone : Anador • Déca-Durabolin • Durabolin • Dynabolon • Kératyl collyre • *Trophobolène.*

Naphazoline : *Collyre Bleu Laiter* • *Dérinox* • *Frazoline* • *Soframycine naphtazoline.*

Naproxène : Apranax • Naprosyne.

Natamycine : *Pimafucort.*

Nédocromil : Tilade.

Néfopam : Acupan.

Néoarsphénamine : Collunovar.

Néomycine : Néomycine Diamant.

Néostigmine (bromure) : Prostigmine.

Néosynéphrine → Phényléphrine.

Nétilmicine : Nétromicine.

Nialamide : Niamide.

Niaprazine : Nopron.

Nicardipine : Loxen.

Nicergoline : Sermion.

Nicéthamide : *Coramine Glucose.*

Niclosamide : Trédémine.

Nicotinamide : Nicobion.

Nicotine : Nicopatch • Nicorette • Nicotinell TTS • Tabazur.

Nifédipine : Adalate • Nifélate • *Bêta-Adalate* • *Tenordate.*

Nifuratel : *Mycomnes.*

Nifuroxazide : Ambatrol • Antinal • Bacifurane • Ercéfuryl • Lumifurex • Panfurex.

Nifurtoïnol : Urfadyn.

Nifurzide : Ricridène.

Nilutamide : Anandron.

Nimodipine : Nimotop.

Nimorazole : Naxogyn.

Nitrazépam : Mogadon.

Nitrendipine : Baypress • Nidrel.

Nitrofurantoïne : Furadantine • Microdoïne.

Nitroprussiate de sodium : Nipride • Nitriate.

Nitroxoline : Nibiol.

Nizatidine : Nizaxid.

Nomégestrol : Lutényl.

Nonoxinol : Patentex • Sémicid.

Noramidopyrine → Métamizole sodique.

Nordazépam : Nordaz • Praxadium.

Noréphédrine → Phénylpropanolamine.

Noréthandrolone : Nilevar.

Noréthistérone : Norfor • Noristérat • Norluten • Primolut-Nor.

Norfloxacine : Chibroxine • Noroxine 400.

Nortriptyline : *Motival.*

Noscapine : *Broncho-Tulisan* • *Chymogrip* • *Tussisédal.*

Noxytioline : Noxyflex.

Nystatine : Mycostatine • *Auricularum* • *Mycolog* • *Mycomnes* • *Myco-Ultralan* • *Polygynax* • *Tergynan.*

Octréotide : Sandostatine.

Œstradiol → Estradiol.

Ofloxacine : Exocine • Oflocet.

Olsalazine : Dipentum.

Oméga-3 poly-insaturés, Acides : Maxepa.

Oméprazole : Mopral • Zoltum.

Omoconazole : Fongamil.

Ondansétron : Zophren.

Opipramol : Insidon.

Opium, Extrait d' : *Colchimax* • *Elixir parégorique* • *Eubispasme Codéthyline* • *Lamaline* • *Parégorique Lafran* • *Pectipar* • *Pectovox* • *Premidan* • *Tubérol Sirop.*

Orciprénaline : Alupent.

Ornidazole : Ornidazole Newpharm • Tibéral.

Ornithine : Cetornan • Ornicétil.

Orphénadrine : Disipal.

Oxacéprol : Jonctum.

Oxacilline : Bristopen.

Oxaflozane : Conflictan.

Oxamniquine : Vansil.

Oxatomide : Tinset.

Oxazépam : Séresta.

Oxéladine : Paxéladine • *Paxéladine Noctée.*

Oxétorone : Nocertone.

Oxitriptan : Lévotonine.

Oxitropium (bromure) : Tersigat.

Oxoglurate : Cetornan • Eucol.

Oxomémazine : *Rectoplexil* • *Toplexil.*

Oxprénolol : Trasicor • *Trasipressol* • *Trasitensine.*

Oxybuprocaïne : Cébésine • Novésine • *Collu-Blache.*

Oxybutynine : Ditropan.

Oxymétazoline : Iliadine • Sinex.

Oxyphencyclimine : Manir.

Oxyquinol : *Chromargon* • *Dermacide liquide* • *Dermster* • *Nestosyl.*

Oxytétracycline : Posicycline • Terramycine • *Auricularum* • *Primyxine* • *Ster-Dex* • *Tétranase.*

Oxytocine : Syntocinon.

Pancréatiques, enzymes : Alipase • Créon • Eurobiol.

Papavérine : Albatran • *Acticarbine* • *Dilpavan* • *Garaspirine* • *Oxadilène* • *Padéryl* • *Solurutine-Papavérine* • *Supadol* • *Vasocalm.*

Paracétamol : Aféradol • Claradol • Dafalgan • Doliprane • Dolko • Efferalgan • Gynospasmine • Malgis • Paralyoc • *Actifed* • *Actron* • *Afebryl* • *Algisédal* • *Algotropyl* • *Céfaline* • *Céquinyl* • *Claradol codéine* • *Codoliprane* • *Contragrippine* • *Di-Antalvic* • *Fébrectol* • *Fébrispir* • *Fervex* • *Gélumaline* • *Hexapneumine* supp. • *Hexapneumine* • *Humex* • *Lamaline* • *Lindilane* • *Mensuosedyl* • *Néocitran* • *Novacétol* • *Oralgan* • *Panadol* • *Panadol codéine* • *Prontalgine* • *Propofan* • *Rectoplexil* • *Rhinofébral* • *Rinurel* • *Rinutan* • *Salgydal* • *Sédarène* • *Sédigrippal* • *Supadol* • *Suppomaline* • *Toplexil* • *Trophirès* • *Véganine*.

Paracymène : *Neuriplège pommade*.

Paraméthasone : Dilar.

Para-aminobenzoïque, acide : Pabasun • Paraminan.

Paréthoxycaïne : Maxicaïne • *Maxi-Tyro* • *Mousticrème*.

Paromomycine : Humagel.

Péfloxacine : Péflacine.

Penbutolol : Bétapressine.

Penfluridol : Sémap.

Pénicillamine : Trolovol.

Pénicilline G → Benzylpénicilline.

Pénicilline V → Phénoxyméthylpénicilline.

Pentaérythritol : Auxitrans • Combeylax.

Pentaérithrityle tétranitrate : Nitrodex • Péritrate.

Pentagastrine : Peptavlon.

Pentamidine : Pentacarinat.

Pentazocine : Fortal.

Pentétrazol : *Désintex-Pentazol*.

Pentifylline : *Cosadon*.

Pentosane polysulfate : Hémoclar • Collyrex • *Kératosane*.

Pentoxifylline : Torental.

Pentoxyvérine : Atussil • *Atoucline* • Vicks Sirop pectoral.

Perhexiline : Pexid.

Périciazine : Neuleptil.

Périndopril : Coversyl.

Perméthrine : *Heldis* : Nix • *Para Plus* • *Pyréflor*.

Peroxyde de benzoyle : Cutacnyl • Eclaran • Effacné • Pannogel • Panoxyl • Uvacnyl.

Peroxyde d'hydrogène (eau oxygénée) : Aosept.

Perphénazine : Trilifan.

Péthidine : Dolosal.

Phénacétine : *Gripponyl* • *Hémagène Tailleur* • *Polypirine*.

Phénazone : Brulex • H.E.C. • *Hyalurectal* • *Lini-Bombe* • *Migralgine* • *Otipax* • *Théinol*.

Phénazopyridine : Pyridium.

Phénicarbazide : *Polypirine*.

Phénindione : Pindione.

Phéniramine : *Fébrispir* • *Fervex* • *Triaminic*.

Phénobarbital : Aparoxal • Epanal • Gardénal • *Aéine* • *Alepsal* • *Anxoral* • *Asthmasédine* • *Atrium* • *Cantéine* • *Cardiocalm* • *Colchimax* • *Coquelusédal* • *Dinacode* • *Enurétine* • *Epanal* • *Fébrectol* • *Félisédine* • *Garaspirine* • *Kaneuron* • *Natisédine* • *Neurocalcium* • *Neuropax* • *Nuidor* • *Orténal* • *Prénoxan* • *Sédatonyl* • *Sédibaïne* • *Sérénol* • *Spasmidénal* • *Spasmosédine* • *Sympaneurol* • *Sympathyl* • *Tédralan* • *Véricardine*.

Phénolphtaléine : Purganol Daguin • *Dellova* • *Mucinum*.

Phénopéridine : R 1406.

Phénothrine : Hégor shampooing • Item • Parasidose shampooing • *Itax*.

Phénoxyméthylpénicilline : Oracilline • Ospen.

Phénylbutazone : Butazolidine • *Alpha-Kadol* • *Carudol* • *Dermiclone* • *Dextrarine phénylbutazone* • *Pénétradol* • *Traumalgyl*.

Phényléphrine : Néosynéphrine Chibret • Néosynéphrine Faure.

Phénylmercure : Merfène Teinture.

Phénylpropanolamine (noréphédrine) : *Denoral* • *Humex gélules* • *Rinurel* • *Rinutan* • *Rupton* • *Triaminic* • *Valda rhinite*.

Phényltoloxamine : *Biocidan solution nasale* • *Nétux* • *Rinurel* • *Rinutan*.

Phénytoïne : Di-Hydan • Pyorédol.

Phloroglucinol : Spasfon.

Pholcodine : Sirop des Vosges Cazé • *Biocalyptol* • *Bronchalène* • *Clarix* • *Codotussyl* • *Denoral* • *Dimétane* • *Hexapneumine* • *Humex* • *Isomyrtine* • *Lyptocodine* • *Pectosan* • *Pholcones* • *Premidan* • *Pulmofluide* • *Sirop Adrian* • *Trophires*.

Phosphate d'aluminium : Phosphalugel.

Physostigmine : Génésérine 3.

Phytoménadione : Vitamine K1 Delagrange • Vitamine K1 Roche.

Picloxydine : Vitabact.

Picolamine : Reflex Spray.

Picosulfate de sodium : Fructines au picosulfate de sodium.

Pilocarpine : Chibro-Pilocarpine • Isopto-Pilocarpine • Pilo-1 et Pilo-2 • Pilocarpine Martinet • Vitacarpine • *Montavon* • *Néosyncarpine* • *Timpilo*.

Pimaricine → Natamycine.

Piméthixène : Calmixène.

Pimozide : Orap.

Pinavérium (bromure) : Dicetel.

Pindolol : Visken • *Viskaldix*.

Pipampérone : Dipipéron.

Pipéracilline : Pipérilline • *Tazocilline*.

Pipérazine : Antelmina • Nématorazine • Pipérazine Adrian • Solucamphre • *Carudol* • *Jécopeptol* • *Uraseptine* • *Uromil* • *Vermifuge Sorin*.

Pipobroman : Vercyte.

Pipotiazine : Piportil.

Piracétam : Axonyl • Gabacet • Geram • Nootropyl.

Pirarubicine : Théprubicine.

Pirbutérol : Maxair.

Pirétanide : Eurelix.

Piribédil : Trivastal.

Pirisudanol : Stivane.

Piroxicam : Feldène • Geldène.

Pitoféenone : *Baralgine à la noramidopyrine*.

Pivampicilline : Proampi.

Pivmécillinam : Selexid.

Pizotifène : Sanmigran.

Plicamycine : Mithracine.

Podophyllotoxine : Condyline.

Polidocanol : Ætoxisclérol.

Poloxamère : Alkénide • Idrocol • Eludril • *Ulfon*.

Polycrésolsulfonate : Négatol.

Polyéthylèneglycol : Colopeg • Fortrans • Klean-Prep.

Polygéline : Haemaccel.

Polymyxine B : *Antibio-Synalar* • *Antibiotulle Lumière* • *Auricularum* • *Cébémyxine* • *Corticotulle Lumière* • *Dexapolyfra* • *Dulcimyxine* • *Maxidrol* • *Optidex* • *Panotile* • *Polydexa* • *Polyfra* • *Polygynax* • *Primyxine* • *Stérimycine*.

Polystyrène sulfonate : Calcium Sorbistérit • Kayexalate.

Polyvidone : Dulcilarmes.

Polyvidone iodée : Bétadine.

Polyvinylpolypyrrolidone : Bolinan • *Poly-Karaya*.

Pralidoxime : Contrathion.

Pramocaïne : Tronothane.

Pranosal : *Pyradol*.

Pravastatine : Elisor • Vasten.

Prazépam : Lysanxia.

Praziquantel : Biltricide.

Prazosine : Alpress • Minipress.

Prednimustine : Stéréocyt.

Prednisolone : Hydrocortancyl • Solucort • Solupred • *Colicort* • *Cortifra* • *Cortisal* • *Deliproct* • *Dérinox* • *Désocort* • *Déturgylone* • *Martisol* • *Tergynan*.

Prednisone : Cortancyl.

Prégnénolone : *Fadiamone*.

Prifinium (bromure) : Riabal.

Primidone : Mysoline.

Pristinamycine : Pyostacine.

Probénécide : Bénémide • *Prototapen*.

Probucol : Lurselle.

Procalmadiol → Méprobamate.

Procaïne : Géro • Procaïne Biostabilex • Procaïne Lavoisier.

Procaïne benzylpénicilline : Bipénicilline.

Procarbazine : Natulan.

Progabide : Gabrène.

Progestérone : Progestogel • Progestosol • Utrogestan • *Synergon* • Tocogestan • *Trophigil*.

Proguanil : Paludrine.

Promégestone : Surgestone.

Promestriène : Colpotrophine • Délipoderm • *Colposeptine*.

Prométhazine : Phénergan • *Algotropyl à la prométhazine* • *Fluisédal* • *Paxéladine noctée* • *Rhinathiol prométhazine* • *Transmer* • *Tussisédal*.

Propacétamol : Pro-Dafalgan.

Propafénone : Rythmol.

Propanthéline (bromure) : Probanthine.

Propériciazine → Périciazine.

Propofol : Diprivan.

Propranolol : Avlocardyl • Hémipralon LP.

Propyphénazone : *Polypirine*.

Protamine : Protamine Choay • Protamine Fournier • Protamine Roche.

Protiréline : Protiréline Roche • Stimu-TSH.

Proxibarbal : Centralgol.

Prozapine : *Norbiline*.

Pseudoéphédrine : Rhinalair • Sudafed • *Actifed* • *Clarinase* • *Néocitran* • *Polaramine pectoral* • *Rhinadvil* • Tussifed.

Psyllium : Psylia.

Pyrantel : Combantrin • Helmintox.

Pyrazinamide : Pirilène • *Rifater* • Rifinah.

Pyréthrines : Hégor solution • Marie-Rose Suractivée • Spray-Pax • Sprégal.

Pyridostigmine (bromure) : Mestinon.

Pyridoxine : Bécilan • Dermo 6 • Vitamine B6 Richard.

Pyriméthamine : Malocide • *Fansidar*.

Pyrithione zincique : Ultrex.

Pyritinol : Encéphabol.

Pyrvinium : Povanyl.

Quinapril : Acuitel • Korec.

Quinidine : Cardioquine • Longacor • Quinidurule • *Natisédine* • *Quinimax*.

Quinine : Arsiquinoforme • Quinine Lafran • Quinoforme • *Bi-Qui-nol* • *Céquinyl* • *Gripponyl* • *Hexaquine* • *Kinuréa H* • *Nicoprive* • *Paranico* • *Pholcones* • *Quinimax* • *Quinisédine* • *Spasmosédine* • *Terpone supp.* • *Tussipax supp.*

Quinisocaïne : Quotane • *Rectoquotane*.

Quinupramine : Kinupril.

Ramipril : Triatec.

Ranitidine : Azantac • Raniplex.

Raubasine : *Cristanyl* • *Duxil* • *Iskédyl*.

Réserpine : *Tensionorme*.

Rétinol : A 313 • Arovit • Avibon • Vitamine A Dulcis • Vitamine A Faure.

Riboflavine : Béflavine.

Rifampicine : Rifadine • Rimactan • *Rifater* • *Rifinah*.

Rifamycine : Otofa • Rifamycine Chibret • Rifocine.

Rilménidine : Hyperium.

Rimantadine : Roflual.

Ritiométan : Nécyrane

Ritodrine : Pre-Par.

Rolitétracycline : Transcycline.

Rosoxacine : Eracine.

Roxithromycine : Claramid • Rulid.

Rutoside : Relvène • *Circularine* • *Ercévit* • *Esberiven* • *Véliten* • *Vincarutine* • *Vitarutine*.

Saccharine : Gaosucryl • Hermesetas • Oda • Sucline • Sucrédulcor • Sucrettes • Sucromat • Sun-Suc • *Sucaryl*.

Salbutamol : Eolène • Salbumol • Spréor • Ventodisks • Ventoline • Ventide.

Salicylamide : *Percutalgine*.

Scopolamine : Scopoderm TTS.

Scopolamine oxyde : Génoscopolamine.

Secnidazole : Flagentyl.

Sélégiline : Déprényl.

Sélénium : Celnium • Sélénium injectable • Sélénium Microsol • Selsun.

Séné et Sennosides : Herbesan • Pursennide • Sénokot • X-Prep • *Boldoflorine* • *Dépuratif des Alpes* • *Dépuratif Parnel* • *Depuratum* • *Elixir Spark* • *Herbesan tisanes* • *Idéolaxyl* • *Mucinum* • *Néo-Codion* • *Sirop Manceau* • *Tamarine* • *Tisane Clairo* • *Tisane des Familles* • *Tisane Grande Chartreuse* • *Tisane Obéflorine* • *Tisane Touraine* • *Végélax*.

Serموréline : Gerel.

Serrapeptase : Dazen.

Simvastatine : Lodales • Zocor.

Sisomicine : Sisolline.

Somatostatine : Modustatine.

Somatropine : Genotonorm • Maxomat • Norditropine • Saizen • Umatrope.

Son de blé : Fiberform • Infibran.

Sorbitol : *Modulite* • *Norbiline* • *Sorbocitryl*.

Sotalol : Sotalex.

Spartéine : Spartéine Aguettant • *Anxoral*.

Spectinomycine : Trobicine.

Spiramycine : Rovamycine • Spiramycine Coquelusédal • *Rodogyl*.

Spironolactone : Aldactone • Practon • Spiroctan • Spironone Microfine • *Aldactazine* • *Practazin* • *Prinactizide* • *Spiroctazine*.

Sterculia (gomme) : Decorpa • Inolaxine • Normacol • *Entéromucilage* • *Kaologeais* • *Karayal* • *Norgagil* • *Normacol* • *Poly-Karaya*.

Streptokinase : Kabikinase • Streptase.

Streptomycine : Streptomycine Diamant.

Streptozocine : Zanosar.

Succinimide : Succinimide Sauba.

Sucralfate : Kéal • Ulcar.

Sufentanil : Sufenta.

Sulbactam : Bétamaze • *Unacim*.

Sulbutiamine : Arcalion.

Sulconazole : Myk 1%.

Sulfacétamide : Antébor • *Vitaseptine*.

Sulfadiazine : Adiazine.

Sulfadiazine + triméthoprime : Antrima.

Sulfadiazine argentique : Flammazine.

Sulfadoxine + pyriméthamine : Fansidar.

Sulfafurazol : *Pédiazole*.

Sulfaguanidine : Entéropathyl • Ganidan • *Entercine* • *Litoxol*.

Sulfaméthizol : Rufol.

Sulfaméthoxazole + triméthoprime : Bactékod • Bactrim • Eusaprim.

Sulfamoxole + triméthoprime : Supristol.

Sulfanilamide : Exoseptoplix • *Rhinamide*.

Sulfasalazine : Salazopyrine.

Sulfasuccinamide : *Otomide* • *Otoralgyl* • *RhinATP*.

Sulfiram : *Ascabiol*.

Sulindac : Arthrocine.

Sulpiride : Aiglonyl • Dogmatil • Synédil.

Sulprostone : Nalador.

Sultamicilline : Unacim orale.

Sultopride : Barnétil.

Sumatriptan : Imigrane.

Suxaméthonium : Célocurine.

Synéphrine : *Antalyre* • *Chibro-Boraline* • *Dacrine* • *Dulcidrine* • *Polyfra collyre* • *Posine* • *Sédacollyre* • *Uvicol*.

Tamoxifène : Kessar • Lesporène • Nolvadex • Oncotam • Tamofène.

Tazobactam : *Tazocilline*.

Tedelparine → Daltéparine.

Téicoplanine : Targocid.

Témazépam : Normison.

Téniposide : Véhem.

Ténonitrozole : Atrican.

Ténoxicam : Tilcotil.

Terbutaline : Bricanyl.

Terfénadine : Teldane.

Terlipressine : Glypressine.

Ternidazole : *Tergynan*.

Tertatolol : Artex.

Testostérone : Androtardyl • Pantestone • Testostérone Théramex • *Fadiamone.*

Tétrabamate : Atrium.

Tétracémate : Calcitétracémate disodique.

Tétracosactide : Synacthène.

Tétracycline : Abiosan • Hexacycline • Tétracycline Diamant • Tétramig • *Amphocycline* • *Aphlomycine* • *Colicort* • *Florocycline.*

Tétradécylsulfate de sodium : Trombovar.

Tétranitrate de pentaérithrityle : Nitrodex • Péritrate.

Tétrazépam : Myolastan.

Tétryzoline : *Constrilia.*

Théobromine : *Gripponyl.*

Théodrénaline : *Praxinor.*

Théophylline : Armophylline • Cétraphylline • Dilatrane • Euphylline • Techniphylline • Théolair • Théopexine • Théophylline Bruneau • Théostat • Xanthium • *Asthmasédine* • *Hypnasmine* • *Pneumogéine* • *Tédralan* • *Uromil.*

Thiamine (vitamine B1) : Bénerva • Bévitine • Vitamine B1 Delagrange.

Thiamphénicol : Thiophénicol • *Fluimucil Antibiotic.*

Thiocolchicoside : Coltramyl.

Thiomersal : Vitaseptol.

Thiopropérazine : Majeptil.

Thioridazine : Melleril.

Thiotépa : Thiotépa R. Bellon.

Thromboplastine : Hémostatique Ercé

Thymoxamine : Uroalpha.

Thyroïde (extrait) : Tétrapongyl.

Tiadénol : Fonlipol.

Tianeptine : Stablon.

Tiapride : Equilium • Tiapridal • Tiapride Panmedica • Tiapride Panpharma.

Ticarcilline : Ticarpen • *Claventin.*

Ticlopidine : Ticlid.

Tidiacic : Tiadilon.

Tiémonium : Viscéralgine • *Colchimax.*

Tilbroquinol : Intétrix P • *Intétrix.*

Tiliquinol : *Intétrix.*

Timolol : Gaoptol • Timacor • Timoptol • *Moducren* • *Timpilo.*

Tinidazole : Fasigyne.

Tioclomarol : Apegmone.

Tioconazole : Gyno-Trosyd • Trosyd.

Tiopronine : Acadione.

Tiratricol : Téatrois • Triacana.

Tisopurine : Thiopurinol.

Tixocortol : Pivalone • Rectovalone • *Dontopivalone* • *Oropivalone* • *Thiovalone.*

Tobramycine : Nebcine • Tobrex.

Tocamphyl : Hépatoxane.

Tocofersolan : *Ophtadil* • *Trisolvit.*

Tocophérol : Ephynal • Toco 500 • Tocomine.

Tofisopam : Sériel.

Tolbutamide : Dolipol.

Tolnaftate : Pedimycose • Sporiline.

Tolonidine : Euctan.

Toloxatone : Humoryl.

Tosylchloramide : Hydroclonazone.

Trandolapril : Gopten • Odrik.

Trazodone : Pragmarel.

Trenbolone : Parabolan.

Trétinoïne : Aberel • Effederm • Locacid • Retacnyl • Retin-A • Retitop • Trétinoïne Kéfrane • *Antibio-Aberel.*

Triamcinolone : Hexatrione • Kenacort Retard • Tédarol • Tibicorten • *Cidermex* • *Corticotulle Lumière* • *Kenalcol* • *Localone* • *Mycolog* • *Pevisone.*

Triamtérène : *Cyclotériam* • *Isobar* • *Prestole.*

Triazolam : Halcion.

Tribénoside : Glyvénol.

Triclocarban : Cutisan • Nobacter • Septivon • Solubacter.

Trifluopérazine : Terfluzine.

Triflupéridol : Tripéridol.

Trifluridine : Virophta.

Trihexyphénidyle : Artane • Parkinane.

Trimébutine : Débridat • *Modulite* • *Proctolog*.

Trimétazidine : Vastarel.

Triméthoprime : Wellcoprim • *Antrima* • *Bactekod* • *Bactrim* • *Eusaprim* • *Supristol*.

Trimipramine : Surmontil.

Trinitrine : Cordipatch • Corditrine • Diafusor • Discotrine • Lénitral • Natirose • Natispray • Nitriderm-TTS • Trinitran • Trinitrine simple Laleuf • *Trinitrine caféinée Dubois*.

Triphosadénine : Striadyne • *Bétriphos C* • *Myoviton* • *RhinATP* • *Triphosmag* • *Vitathion*.

Triprolidine : Actidilon • *Actifed* • *Tussifed*.

Triptoréline : Décapeptyl.

Tritoqualine : Hypostamine.

Trométamol : Thamacétat • *Alcaphor* • *Soludactone*.

Tropatépine : Lepticur.

Tropicamide : Mydriaticum.

Troxérutine : Rhéoflux • Veinamitol • *Fragiprel* • *Ginkor* • *Rhéobral* • *Rutovincine* • *Vascumine* • *Vivène*.

Tuaminoheptane : Rhinofluimucil.

Tyloxapol : Translight.

Tymazoline : Pernazène.

Tyrothricine : *A313 pommade* • *Bronpax pâtes* • *Collunovar sec* • *Maxi-Tyro* • *Pharyngine* • *Sédothricine* • *Solutricine Vitamine C* • *Tyrothricine Lafran* • *Tyrothricine Oberlin* • *Tyrothricine œstradiol Meyer* • *Veybirol-Tyrothricine*.

Urapidil : Eupressyl • Médiatensyl.

Urate-oxydase : Uricozyme.

Urée (carbamide) : *Kératosane* • *Kinuréa H*.

Urofollitropine : Fertiline • Métrodine

Urokinase : Actosolv • Urokinase.

Valproate → Acide valproïque.

Valpromide : Dépamide.

Vancomycine : Vancocine • Vancomycine Dakota • Vancomycine Lederle.

Véralipride : Agréal.

Vérapamil : Arpamyl LP • Isoptine • Novapamyl LP.

Vidarabine : Vira-A • Vira-MP.

Vigabatrine : Sabril.

Viloxazine : Vivalan.

Vinblastine : Velbé • Vinblastine R. Bellon.

Vinburnine : Cervoxan.

Vincamine : Oxovinca • Pervincamine • Tripervan • Vinca • Vincafor • Vincimax • *Rhéobral* • *Vincarutine*.

Vincristine : Oncovin • Vincristine P. Fabre • Vincristine R. Bellon.

Vindésine : Eldisine.

Vinorelbine : Navelbine.

Vinylbital : Optanox • Suppoptanox.

Viquidil : Xitadil.

Virginiamycine : Staphylomycine.

Warfarine : Coumadine.

Xénysalate : Sébaklen.

Xibornol : Nanbacine.

Xipamide : Chronexan • Lumitens.

Xylène : Cérulyse.

Yohimbine : Yohimbine Houdé.

Zidovudine : Retrovir.

Zipéprol : Respilène.

Zolpidem : Stilnox.

Zopiclone : Imovane.

Zorubicine : Rubidazone.

Zuclopenthixol : Clopixol.

INDEX DES TABLEAUX

Composition réalisée par l'auteur

IMPRIMÉ EN ITALIE PAR OFFICINE GRAFICHE STIANTI
San Casciano Val di Pesa
LIBRAIRIE GÉNÉRALE FRANÇAISE - 6, rue Pierre-Sarrazin - 75006 Paris.
ISBN : 2 - 253 - 08522 - 7 ⬦ 30/8522/2